尚志钧 本草文献全集

本草古籍辑注丛书·第一辑

2018年度国家古籍整理出版专项经费资助项目

尚志钧／辑注
尚元胜 尚云飞／整理
尚元藕 任 何

尚志钧百年诞辰典藏

中国本草要籍考

尚志钧 撰

尚元胜 尚元藕 整理

北京科学技术出版社

图书在版编目（CIP）数据

本草古籍辑注丛书. 第一辑. 中国本草要籍考 / 尚志钧撰；尚元胜，尚元藕整理. —北京：北京科学技术出版社，2019.1
ISBN 978 - 7 - 5304 - 9980 - 1

Ⅰ. ①本… Ⅱ. ①尚… ②尚… ③尚… Ⅲ. ①本草 – 中医典籍 – 注释 ②本草 – 中医典籍 – 考证 Ⅳ. ①R281.3

中国版本图书馆 CIP 数据核字（2018）第 268706 号

本草古籍辑注丛书·第一辑．中国本草要籍考

作　　者：尚志钧
整　　理：尚元胜　尚元藕
策划编辑：侍　伟　白世敬
责任编辑：杨朝晖　张　洁　董桂红　白世敬　朱会兰　吴　丹
责任印制：张　良
责任校对：贾　荣
出 版 人：曾庆宇
出版发行：北京科学技术出版社
社　　址：北京西直门南大街 16 号
邮政编码：100035
电话传真：0086 - 10 - 66135495（总编室）
　　　　　0086 - 10 - 66113227（发行部）
　　　　　0086 - 10 - 66161952（发行部传真）
电子信箱：bjkj@ bjkjpress.com
网　　址：www.bkydw.cn
经　　销：新华书店
印　　刷：北京七彩京通数码快印有限公司
开　　本：787mm×1092mm　1/16
字　　数：853 千字
印　　张：47.75
版　　次：2019 年 1 月第 1 版
印　　次：2019 年 1 月第 1 次印刷
ISBN 978 - 7 - 5304 - 9980 - 1/R · 2535

定　　价：**1250.00 元**

前　言

　　中国本草学，是在《神农本草经》的基础上发展起来的。

　　《神农本草经》分为总论和各论两部分。总论概括性地论述君、臣、佐、使、七情和合、四气五味等药物学的理论，药物的采收时间、炮制、贮藏方法以及用药方法等。各论介绍了每味药的具体内容。全书载药365种，其中植物药252种，动物药67种，矿物药46种，并按功效和应用目的不同，将药物分为上、中、下三品。上品药120种，多属于补养药，毒性很小或无毒，可以多服久服，能达到却病延年的作用。中品药120种，多属于治病兼有补养作用的药，有的有毒，有的无毒，一般用于治病和补虚。下品药125种，多属于攻治疾病的药物，毒性较大，适用于寒热积聚等证候。

　　《神农本草经》书中主治的病名有170多种，各科疾病都涉及。书中记载的药物功效，根据临床实践和现代科学研究证明，大多数是正确的，如：麻黄止喘，杏仁、贝母止咳，黄连、白头翁止痢，大黄泻下，半夏止吐，海藻疗瘿等。

　　由于历史条件的限制，《神农本草经》书中也夹杂有诸如"通神明、不老""轻身不老增年""轻身神仙"等内容，这些都需要分别对待。

　　到南北朝时，梁·陶弘景以《神农本草经》为基础，增加《名医别录》中的药物，进行注释，编成《本草经集注》。

　　由于陶弘景把《神农本草经》各论部分增加了《名医别录》中的药物，并按陶弘景本人的见解进行注释，这就使《本草经集注》在体量上比《神农本草经》要大得多，因而《本草经集注》各论的卷数，由《神农本草经》的 3 卷扩展为 6 卷，收录药物达 730 种。所收录药物，按玉石、草木、虫兽、果、菜、米、有名无用等，分为七类。除有名无用类外，其余各类又分为上、中、下三品。

《本草经集注》在卷 1 序录中，除对《神农本草经》总论部分注释外，还详论药物采集、加工、炮制、制剂、用法，并附有诸病通用药、解毒、服药食忌、药不宜入汤酒者、七情畏恶等专题性论述。这些论述在后世本草中被相继沿用，而且不断地被增补和扩充。

《本草经集注》各论 6 卷，主要是论述每味药的具体内容。从药物资料来源上讲，此 6 卷的内容由《神农本草经》《名医别录》及陶弘景本人注文等三部分组成。

《名医别录》中药物的资料，存在两种情况：一是在《神农本草经》原有药物基础上有新的发展；二是《神农本草经》未收载的药物。而《本草经集注》将这两种资料都收入书中。

陶弘景编写《本草经集注》时结合了那些新发现的资料和《神农本草经》原有的资料，因此在同一药名条文中，既有《神农本草经》文，又有《名医别录》文。陶弘景为分辨《神农本草经》和《名医别录》文字，特地采用朱、墨杂书，即以红字书写《神农本草经》文，以墨字书写《名医别录》文。这种标记方法对保存《神农本草经》原来面貌，非常重要。后世本草都沿用陶氏这种办法，但在具体做法上又有所不同。

从陶弘景《本草经集注》问世，到唐代，将近 160 年，在这么长的时间里，各个药物的内容都有新的发展，而新药又不断增加，加上陶弘景编书时，中国正处在南北分裂的局面，陶弘景偏居南方，所编的书也存在一些缺点，因此唐初苏敬上言重修本草。唐朝政府采纳了苏敬的意见，组织二十余人，在陶弘景《本草经集注》的基础上重修本草，经过两年时间，到 659 年完成，定名《新修本草》，简称《唐本草》。

《新修本草》由本草、药图、图经三部分组成。

"本草"是正文部分，"药图"是根据当时全国各地送来的药物标本绘画而成，"图经"是药图的说明部分。

本草部分在编写体例上，完全沿用陶弘景《本草经集注》的办法，不过在药物数量上和药物内容分量上，都大幅度增加了。因而在卷数上也就增多了。例如

《本草经集注》卷1序录，在《唐本草》中扩充为"序"和"例"两卷，其余6卷，在《唐本草》中扩充为18卷。

在药物数量上，由陶弘景书中730种增加为850种。按理说，《唐本草》新增药114种，总数应为844种，为何变成850种呢？因为《唐本草》在编纂时，对陶弘景书中某些药进行了分条。例如，"由跋"与"鸢尾"，在陶弘景书中原是一个药，而在《唐本草》中被分为两个药了。因此，药物总数就变成了850种。

在药物分类方面，陶弘景书中分为玉石、草木、虫兽、果、菜、米、有名无用七类。而《唐本草》把"草木""虫兽"析为草、木、兽禽、虫鱼四类，总共分为九类，每一类又分为上、中、下三品，这种做法，完全是承袭陶弘景的分类法。不过在各类中药物位置的排列略有不同。例如陶弘景书中有些不常用的药，如淮木等20种药，在《唐本草》中都被排列到"有名无用"类中了。

在药物资料来源标记上，《唐本草》亦采用陶弘景的办法，把各个药物条文用大字书写，把陶弘景注文和《唐本草》新增的注文用小字书写。在用大字书写的各个药物条文中，凡属《神农本草经》文，用朱字书写；凡属《名医别录》文，用黑字书写；凡属《唐本草》新增的药物条文，亦用黑字书写，但在条文末尾附以"唐附"2字，以示区分于《名医别录》文。用小字书写的各个药物的注文，一律用黑字书写。凡属陶弘景的注文，不加任何记号；属《唐本草》新加的注文，在注文的开头，一律冠以"谨案"2字，以示区别于陶弘景的注文。

由于《唐本草》是官修的，以政府命令颁布的，所以《唐本草》有"最早的中国药典和世界药典"之称。

《唐本草》自公元659年颁布以后，流传了300多年，直至被《开宝本草》所取代。

《开宝本草》是马志等9人在《唐本草》基础上编成的，前后修了两次：一是在973年修的，名《开宝新详定本草》；一是在974年修的，名《开宝重定本草》。这里所讲的《开宝本草》系指《开宝重定本草》。

《开宝本草》是继承《唐本草》发展而来的，在编写体例、分类、分卷上和《唐本草》相同，按玉石、草、木、兽禽、虫鱼、果、菜、米、有名无用等分为九类，凡20卷，外有目录1卷。其中"序例上"1卷，"序例下"1卷，"药物"18卷，载药983种，新增133种。

《开宝本草》各卷药物排列次序，大体和《唐本草》相同，对其中个别药的位置作了适当变更，例如"彼子"就退在末卷"有名无用"之后。

《开宝本草》中每味药的编写，分正文和注文两部分，正文印成单行大字，注文印成双行小字。正文出于《神农本草经》者印成白字，出于《名医别录》者印成黑字，出于《唐本草》者则在文尾加注"唐附"，出于《开宝本草》新增者则在文尾加注"今附"。至于注文出于《本草经集注》者，则在注文头上冠以"陶隐居"；出于《唐本草》者冠以"唐本注"；出于《开宝本草》所注者，冠以"今按"或"今注"。但是《开宝本草》所注不多，全书 983 味药，仅有 200 味药为《开宝本草》所注。其中有 120 味药是引用《本草拾遗》的内容来注的。

《开宝本草》问世不到 90 年，就被掌禹锡等在 1057—1060 年增订为《嘉祐补注神农本草》，简称《嘉祐本草》。

《嘉祐本草》既然是从《开宝本草》增订而成，因此在分卷、分类、编写体例、文献出典的标记等方面全面沿袭《开宝本草》之旧。凡 21 卷，收药 1082 种，983 种承袭《开宝本草》旧药，新增 99 种。分类全同《开宝本草》，唯文献来源标记略异。正文出于《神农本草经》者印成白字，出于《名医别录》者印成黑字，出于《唐本草》者标"唐本先附"，出于《开宝本草》者标"今附"，出于《嘉祐本草》新增者标"新补"或"新定"（"新补"表示择自文献，"新定"表示取于当时）。至于注文标记皆沿袭《开宝本草》之旧，唯《嘉祐本草》新增的注文，则冠以"臣掌禹锡等谨案"。

《嘉祐本草》新增的注文很多，在"序例"的两卷和"药物"的各卷中都有，内容相当丰富，引用资料多达 50 余种，是《开宝本草》所引文献的 10 倍。

《嘉祐本草》各卷药物编排次序，大体沿用《开宝本草》旧例，对于新增的药物，多以类相从，如绿矾排在矾石之下，山姜花排在豆蔻之下。

在编辑《嘉祐本草》的同时，仿照《唐本草》制作"图经"，作为药物真伪分辨的依据。1058 年，政府下令向全国征集各地所产药品的实物，并令注明开花结实、采收季节和功用，凡进口药物则询问收税机关和商人，辨清来源，选出样品，送到京都（今河南开封），由苏颂等负责整理，到 1061 年编成《本草图经》20 卷，另有目录 1 卷。

《本草图经》中每味药有药图和注文两部分，药图由于进献时存在同名异物的关系，编者不能分辨，多兼收并存，因此同一味药有好几个不同的图；注文也是如此，各地送来的说明文字各不相同，编者曾详加考订，对某些互异的资料考订不清时，也是兼收并存。

注文的内容很丰富，举凡有关药物历史、别名、性状、鉴别、采收、炮制、产地、功用等都有论述，参考文献有 200 余种，是《嘉祐本草》的 4 倍。

对各地送来的药图，其名称不见于《嘉祐本草》者即单编一类，名《本草图经外类》，外类药有 103 种，其中石类 3 种，草类 75 种，木蔓类 25 种。

《嘉祐本草》和《本草图经》问世后，由于分刊不便检阅，于是又由陈承和唐慎微分别合二书为一书。

陈承合并本，增添陈氏本人的见闻，名"别说"共有 44 条，并加林希序一篇，编成 23 卷，定名《重广补注神农本草并图经》，于 1092 年刊行。

唐慎微合并本，增加内容很多，举凡经、史、子、集有关药物资料，统统收入书中，定名《经史证类备急本草》，简称《证类本草》。

总之，从《神农本草经》到《证类本草》，其发展过程，可示意如下：

《神农本草经》→《本草经集注》→《唐本草》→《开宝本草》→《嘉祐本草》→《证类本草》。

它们是一脉相承的，虽然在卷数、药数、注释、内容上历代有所发展和增加，但在体制、分类、编排等方面仍与《神农本草经》相同。所以可以说后世本草著作都是在《神农本草经》的基础上发展起来的。《神农本草经》的序文，发展成为后世本草著作的序例；《神农本草经》的条文，通过宋以前主要古籍，被保存在《证类本草》和一些类书中。今日《证类本草》中白字，即是《神农本草经》的文字。

《证类本草》囊括了宋及宋以前历代主流本草著作，苞综诸经，使《证类本草》变为集宋代及宋以前本草著作之大成者。

明代李时珍作《本草纲目》时，将《证类本草》加以窗切，将《证类本草》所收载各家本草内容，进行分割，按药物名称、性味、主治等项加以重排，这给临床应用带来了很大的便利，但却模糊了本草文献的发展体系。类似这样的问题，本书中也进行了讨论。

关于本书编写情况，请参阅本书编写说明。

编写说明

全书分上、中、下三篇及附篇。

上篇综述清以前及清代本草典籍的概况和特点，梳理出本草典籍发展的线索。

中篇以朝代为序，收录清以前及清代重要本草典籍之考证，对每一名著，详细列述其命名、作者、成书、卷次、药数、分类、体例、内容、价值、流传、存佚、刊本等内容，并对书中所存在的争论性问题详加讨论。资料丰富，考证精详，学术价值较大。

下篇列举历代本草著作名录，对每一书名，注明作者、著作要点、成书年代等，并加以评价。

附篇为《历代本草人物名录》，简要介绍历代本草学家。

书末附录《历代本草著作书名索引》，可供查阅检索。

中篇本草名著的编排，以历代主流本草著作为主干。这些本草著作，在中国本草史上占有重要地位，它们之间存在前后递嬗关系。通过这些本草著作的介绍，可以了解中国本草学发展的脉络。中篇所收载的本草著作，从类别上来看，有综合性本草著作和专门性本草著作两类。

综合性本草著作中，有下列几种。

1. 大型综合性本草著作：如《新修本草》《证类本草》《本草品汇精要》《本草纲目》。

2. 节略的综合性本草著作：如缙云《纂类本草》，是从《嘉祐本草》节录而成。王东皋《握灵本草》、王东圃《药性纂要》，均是从《本草纲目》节录而成。

3. 精简的综合性本草著作：如《本草蒙筌》《本草备要》《本草从新》《本草求真》等。这些本草，同大型综合性本草相比，十分精练，适合临床医家学习和应用。

专门性本草著作中，有下列若干类。

1. 药性类：如《药性论》《药性通考》《珍珠囊》等。

2. 食治类：如《食疗本草》《食物本草》《饮膳正要》《调疾饮食辨》等。

3. 炮制类：如《雷公炮炙论》《炮炙大法》等。

4. 地区类：如《海药本草》《滇南本草》等。

5. 图谱类：如《本草图经》《植物名实图考》等。

对于本草著作的编排，原则上以著述的年代先后为顺序，但有时也"连类并举"。如将清代黄钰《名医别录》附于陶氏《名医别录》之后，清代《本草崇原集说》附在明代张志聪《本草崇原》之后。

对于每一本草著作的论述，按作者、成书年代、分卷、收载药数、药物分类、内容、特点、评价、版本等几方面介绍。

其中有些古本草著作，它们作者、成书年代、卷数、收载药数等各方面，存在意见分歧、内容不一致或其他没有定论的问题。对这类问题的处理，有的采用比较一般的说法，有的两说并存，有的"择善而从"，分别注明出处。

本书对各种本草著作的综述及考证，大部分选自笔者在杂志上发表过的文章，或笔者辑校的本草著作的前言、序言、凡例、说明等，文字上略作删削和连缀。本书一共介绍了90多种本草著作，这些著作，多数是现存的，少数是亡佚的。

本书稿初成于20世纪90年代，1998年冬华夏出版社出版《本草名著集成》，曾将笔者初稿中涉及失传本草名著的有关内容摘录出来，题为《未收本草名著提要》，附刊于《本草名著集成》之后。此次将这部分内容作了重新整理充实，编入书中，并将《历代本草人物名录》作为附篇，列于下篇之后。将《历代本草著作书名索引》作为附录附在书末，使读者对本草学术史上的人物及著作有一个总体的、全面的了解，并可从中检索相关的作者或作品，裨使本书成为本草学研究的一本集大成之作。

为方便阅读，本书将涉及的一些书的出版信息及版本简化称之。如将由人民卫生出版社所出版的书简称为人卫版，由商务印书馆出版的书简称为商务版，由上海科学技术出版社所出版的书简称为上海科技版，由群众联合出版社出版的书简称为群联版等。

由于本人学识水平所限，书中可能存在错误和缺点，请读者批评指正。

尚志钧

于皖南医学院弋矶山医院

2008 年 4 月 18 日

目　录

上篇　历代本草著作概述

中篇　清以前及清代本草要籍考

下篇 历代本草著作名录

上篇　历代本草著作概述

第一章　历代本草著作源流

中国的本草学是在《神农本草经》的基础上发展起来的。现在大家公认《神农本草经》是公元 2 世纪前后定型的本草著作。其实此书早在西汉就已经存在了，它是我国第一部药学专著。

《神农本草经》载药 365 种，包括动物药 67 种，植物药 252 种，矿物药 46 种。按药物功效和应用目的之不同，分为上、中、下三品。上品 120 种，一般是无毒或毒性较小的补养类药物；中品有 120 种，有的无毒，有的有毒，多属治病并兼有补养作用的药物；下品 125 种，一般多有毒，多属于攻治疾病的药物。这种三品分类法，是中国药物学最早的分类法。

《神农本草经》对药学的基本理论也有记载。如对四气、五味、七情、畏恶等药性，君、臣、佐、使配伍法则，服药方法，丸、散、膏、酒等多种剂型，都有概括性的叙述，并对药物产地、采收季节、加工炮制、贮藏方法等也有记载。

书中所提到的病名有 170 余种，其中包括内科、外科、妇科、儿科及眼、耳、咽喉等方面的疾病。

该书是我国古代劳动人民智慧的结晶。它的内容丰富广泛，所载药物疗效大都是确实可靠的。如水银治疥、麻黄止喘、海藻疗瘿等。虽然由于历史条件的限制，该书内容中也掺杂了一些唯心主义观点，但它依然是我国药学史上伟大的著作。

《神农本草经》原书已失传，但它的内容还保存在《证类本草》中。今日所见的《神农本草经》单行本，都是明、清时代的学者辑复的。

汉代以后，新药不断增多，老药的功效亦有新的发现，这就需要及时地对药物加以总结和提高。因此，汉代以后，陆续出现了一些新的本草著作，如《吴普本草》《李当之本草》等。

到了公元 6 世纪初，陶弘景以《神农本草经》为基础，增加汉魏以来名医所用的药物（《名医别录》）365 种，编成了《本草经集注》。陶弘景创用了按自然属性分类的方法，从三品分类，发展至分为玉石、草木、虫兽、果、菜、米食、有名无用等七类；又总结了诸病通用的药物，如治大腹水肿通用药，有大戟、芫花、甘遂、商陆、猪苓、防己、赤小豆等。该书对药物性味主治功用、采制、产地、形态、鉴别等方面的论述，相对《本经》都有一定的提高。陶弘景在编写时，除援引前人著述外，亦采集了劳动人民的经验，他在序中写道："藕皮散血，起自庖人；牵牛逐水，近出野老。"

由于历史条件的限制，陶弘景本人又是修道之人，所以书中夹杂了道家的唯心主义观点；又因陶弘景偏居南方，对北方药物了解得也不够。所以《本草经集注》也存在一些不足。

《本草经集注》原书已佚，但它的内容散存在《证类本草》中，1900 年敦煌石窟出土了该书卷 1 序录。1961 年安徽芜湖医专油印了笔者辑复的陶弘景《本草经集注》7 卷。

公元 6 世纪前，另一部有名的药书，是《雷公炮炙论》，原书已失传，其内容散存于《证类本草》中，并为后世本草及有关著作所引述。从《证类本草》中所引"雷公云"，可以窥见当时炮制技术之一斑。其技术归纳起来，已有蒸、炒、炙、煅、酒浸、醋煮等多种。此书对后世炮制技术影响很大，使中药炮制发展成为一种专门学问。书中有些技术和方法，至今仍为中药炮制所沿用。

到了公元 7 世纪的唐代，国家统一，经济文化也有所发展，新的用药经验和新药不断地出现，加之中外文化交流频繁，外来药物日益增多，因此在客观上，药物就需进一步地总结了。公元 657 年，唐政府组织苏敬等 22 人编修本草著作。659 年书成，名为《新修本草》。这是我国政府颁行的第一部药典，也是世界上最早的国家药典，它比欧洲最早的《佛罗伦萨药典》早 840 年，比世界医学史上有名的《纽伦堡药典》早 883 年。

《新修本草》载药 850 种。分药图、图经、本草三个部分，连目录共有 54 卷。在编写时，政府曾下令全国各地选送道地药材，作为"药图"绘制的依据，并附以文字说明，称为"图经"，这种"药图"和"图经"对照的编法，也是我国药学著作的首创。

除药图、图经外，就是《新修本草》讲述药物的本草部分。在本草部分，除增加的新药外，还收录了不少外来药，如诃子、郁金、龙脑等。

在内容方面，《新修本草》详述了药物采制、产地、性味、主治等，并纠正了陶弘景书中的错误。由于该书总结了隋、唐以前的药物知识，又是集体创作，内容十分丰富，故具有较高的学术水平和科学价值。

《新修本草》颁布后，很快流传到全国及日本。公元 731 年，日本已有抄本，并把它当作学医必读的课本。日本古代史著作《延喜式》还有"凡医生皆读苏敬《新修本草》"的记载。

《新修本草》原著已不全。1889 年傅云龙从日本重刻流传本残存半数而归，1900 年敦煌石窟出土《新修本草》部分残卷，1962 年安徽芜湖医专油印笔者补辑的《新修本草》20 卷，使该书本草部分基本恢复原貌。

唐代除官修本草著作外，还有陈藏器《本草拾遗》10 卷，成书于公元 739 年。该书收罗广博，例如人的胎盘作药用，即始于本书记载。李时珍说陈藏器"博及群书，自本草以来，一人而已"。其书的缺点是：书中还有一些封建迷信的糟粕，有的药物也缺乏实践基础。

另外还有甄权《药性论》，论述药品之性味、君臣佐使、主病之效等内容。关于饮食疗法，有孟诜《食疗本草》，昝殷《食医心鉴》，南唐陈士良《食性本草》。此类书专载食物中可供药用者。其中《食疗本草》原名《补养方》，后经张鼎重订，始更此名，原书久佚。1900 年敦煌石窟出土写本残卷，后为英国人斯坦因买去。

关于地区性本草，有郑虔《胡本草》和李珣《海药本草》，此类本草主要收集少数民族地区药物和外来药。

关于训诂性本草，有李含光《本草音义》、肖炳《四声本草》、梅彪《石药尔雅》、后唐侯宁极《药谱》等。

此后孟蜀时，孟昶使翰林学士韩保昇与诸医士修订《新修本草》及《图经》，并加图绘和注释，名为《蜀本草》，共 20 卷。李时珍说它："其图、说药物形状，颇详于陶、苏也。"

到 10 世纪北宋时期，随着药物的不断增加，以及人们对原有药物效用的进一步的认识，唐代的《新修本草》已不能适应当时需要。在宋代开宝六年（973），马志、刘翰等 9 人，奉政府之命修订本草，在《新修本草》基础上，编成《开宝本草》。前后修了两次，在 973 年修的名为《开宝新详定本草》，次年经李昉等校阅，发现"所释药类，或有未允"，于是重加修订，重新刊行，称为《开宝重定本草》（简称《开宝本草》）。

《开宝本草》是继承《新修本草》发展而成的，因此，在编写体例、分类、分卷上，和《新修本草》相同，但药物数量比《新修本草》增加 133 种。

《开宝本草》问世 80 多年后，宋仁宗嘉祐二年（1057），掌禹锡、苏颂、林亿等，又奉命作补注，书成称为《嘉祐补注神农本草》（简称《嘉祐本草》），于 1060 年出版，全书 21 卷，载药 1082 种。

由于药物品种增多，对药物进行真伪鉴别也显得更加重要，在嘉祐三年（1058），宋政府又向全国征集各地所产药材的实物图，并令注明开花、结果和采收季节以及功用等；凡进口药物，则询问收税机构和商人，辨清来源，选出样品，送往京都，由苏颂等编纂，于嘉祐六年（1061）编成《本草图经》21 卷，使后人用药有所依据。

《嘉祐本草》与《本草图经》问世后，由于药图和本草两部分是分别刊行的，阅读很不方便，于是有人将二书合刊为一书。1092 年陈承即做此工作，称为《重广补注神农本草并图经》。有些条文后，还增附陈承个人见解，称"别说"。全书 23 卷。后来唐慎微也做了类似工作，将《嘉祐本草》与《本草图经》合二为一，并加经、史、子、集中的资料，称为《经史证类备急本草》（简称《证类本草》）。唐慎微为四川民间名医，他为收集有效验方，凡请他看病，不取报酬，但以提供名方秘录为请。唐慎微就这样积累了民间和历代本草文献上的大量资料，著成《证类本草》32 卷，该书约于 11 世纪末完成，载药 1746 种，收方 3000 多个。

到 12 世纪金元时期，中国长期战乱，本草发展不大，但此时中医药理论方面有所发展，并出现了一些切合临床应用的本草。如张元素著《珍珠囊》，辨明药性之气味，阴阳厚薄（区分药物气味功能的强度），升降沉浮（药物作用趋势），六气主经，以及随经（指归经的经）用药法则。在临床应用上，可起到执简驭繁的作用。所以李时珍称赞此书说："深阐轩岐秘奥，参悟天人幽微……大扬医理，灵素以下，一人而已。"

又如王好古著有《汤液本草》3 卷，载药 242 种。卷上为药性总论部分，选辑李东垣《用药心法》《药类法象》的部分内容，并做了若干补充；卷中、下分论各个药物内容。所论药性，均根据药物归经的特点，结合药物的气味阴阳、升降沉浮等性能，加以发挥，并引张仲景、成无己、张洁古、李杲等各家之说，附以己见论述之。此外，王好古还著有《本草实录》，尚存于明代梅南书屋刊本残卷中。

金代关于药理的著述，还有刘完素《素问药注》，论述药物气味、归经等理论。又有李东垣《用药法象》，此书曾为王好古《汤液本草》所摘录。李时珍《本草纲目》亦列此书，并加说明，谓"书凡一卷，元真定明之李杲所著"。

另外，在元代天历三年（1330）有皇家厨师忽思慧（一作和思辉）著《饮膳正要》3 卷，书中对养生避忌、妊娠食忌营养物烹调法、营养疗法、食物卫生、乳母食忌、食物中毒等，都有论述。其中第 3 卷有食物本草内容，介绍 200 种食物性味、主治功用。

元代吴瑞著《日用本草》8 卷。据《本草纲目》云："元海宁医士吴瑞，取本草切于饮食者，分为八门。"该书载品物 500 余味。此外，类似著作还有贾铭《饮食须知》、李东垣《食物本草》等。

到 14 世纪，明孝宗弘治十六年（1503），政府曾重修本草一次，名为《本草品汇精要》。它是由明太医院刘文泰、王槃等 41 人，从《证类本草》中摘要，并增加一些新药，编纂而成。全书 42 卷，载药 1811 种。书成，稿藏内府，没有刊行。到清康熙三十九年（1700），由王道纯重修，增 12 卷，名《本草品汇精要续集》。

《本草品汇精要》仅在旧有文献基础上加以整理，对实践重视不够，书成又未刊行，虽然是官修，但影响不大。

明代最有影响的本草巨著，是李时珍的《本草纲目》。李时珍重视实践，所著《本草纲目》，具有丰富的科学内容。

李时珍号濒湖，1518 年生于湖北蕲州的世医之家，自 1552 年开始收集资料，费时 27 年，参考 800 多种书，写成《本草纲目》。先后三易其稿，书成共 52 卷，载药 1892 种，其中新增 347 种，附方 11000 多首，分列在有关药物之后，以说明该药临证实际之功效，并绘图 1160 幅。按照药物自然本质形态，全书分 16 部 62 类，每个药标正名为纲，再分目列于纲下。例如标"桃"为纲，而列桃仁、桃毛、桃桌、桃花、桃叶、桃茎及白皮、桃胶、桃符、桃橛为目。提纲挈领，极为清晰。

每个药物的叙述，系将前代本草原文窃切，分置于释名、集解、修治、气味、主治、发明、附方、校正等八项之下。尤以发明项下，是李时珍研究的心得，立论创见颇多。

在药物分类上，《本草纲目》比前代本草更细致，采取"析族区类"方法，先把所有药物区分为动、植、矿三大部分，然后又细分若干部。例如草部又分山草、芳草、隰草、毒草、水草、蔓草、石草、苔草、杂草等各类，全书共分 16 部 62 类。其中有很多分类，都非常符合自然演化与分类区系。所以《本草纲目》不仅是一部药物学巨著，同时也是一部博物学巨著，举凡生物学、化学、地质学、天文学等各个方面都有论述。

《本草纲目》出版后，传到国外，陆续被全部或部分地译成德、日、英、法、朝鲜、拉丁等多种文字，在世界科学史上也有很高的地位。

明代除《本草纲目》外，还有各种精简的本草。如徐彦纯《本草发挥》，是综合张洁古、李东垣、朱丹溪各家学说编纂而成。王纶《本草集要》收集 545 种药物，文字简明扼要，又切于实用。陈嘉谟《本草蒙筌》收集了一些常用药，对药物产地、采制、炮制、用法等都做了切合实用的介绍，很适合初学者应用。李中立《本草原始》图文并茂，颇为实用。倪朱谟《本草汇言》载药 609 种，并附有图。其他如汪机《本草会编》、薛己《本草约言》、张三锡《本草选》（一作《本草发明切要》）、李中梓《本草通元》、卢之颐《本草乘雅半偈》等，都是一些精练的本草，其内容都非常切合临床实用。

在炮制方面，有张文学《炮制药法》，缪希雍《炮炙大法》，分别系摘录《证类本草》中"雷公炮炙"资料和《本草纲目》中"修治"资料而成。俞汝溪有《雷公炮炙便览》一书。

在食治方面，有卢和《食物本草》4 卷，薛己《食物本草》2 卷，宁原《食鉴本草》、周履靖《茹草编》、朱橚《救荒本草》、鲍山《野菜博录》、王磐《野菜谱》。

在地方本草方面，有兰茂《滇南本草》，载药 459 种，其中附有一些民族药。

在《神农本草经》辑佚和注释方面，有卢复《神农本草经》和缪希雍《本草经疏》。

在启蒙读物方面，有龚廷贤《药性歌》《本草炮制药性赋定衡》。刘全备《新编注解药性赋》、许希周《药性粗评》、李士材《本草徵要》、蒋仪《药镜》。这些本草，简单扼要，文句多数编成韵语便读，适合初学者背诵。

17 世纪以来，研究本草的人日益增多，其中最能反映时代新进展的著作，有赵学敏《本草纲目拾遗》和吴其濬《植物名实图考》。

赵学敏《本草纲目拾遗》，作于 1765 年，全书 10 卷，载药 921 种，分为 28 部，其中《本草纲目》未收载的药物有 716 种，绝大部分都是民间习用的药，如太子参、鸦胆子等。其中有些药虽已见录于《本草纲目》，但治法、形状或有不详者，本书则为之补充，使之更为完备。对《本草纲目》中部分药物有误分、重合之处，则引经据典，加以更正。所以本书在效用上，相当于《本草纲目》的续编。这对学习《本草纲目》和研究明以后我国本草学的新成就，有很重要的参考价值。

继《本草纲目拾遗》后，吴其濬《植物名实图考》，也是一部具有相当科学水平的著作。全书 38 卷，收载植物 1714 种，分为 12 类，每个植物的形色、产地、用途叙述及所引文献均注明出处。对同名异物，或同物异名，均予以考订，并对前人错误加以匡谬。其论述多有个人创见。由于该书论述以植物药为主，所以本书又有药用植物学的意义，它标志着我国药用植物学发展的新起点。

清代本草著作的一大特点是偏重于实用。医家从《本草纲目》中选择常用的药物，进行综述。如张隐庵、高士宗合著的《本草崇原》，药物选自《神农本草经》，条文摘自《证类本草》白字，并逐句加以注解；刘若金的《本草述》是从《本草纲目》中选择常用药进行综述，并以灵素五行学说立论，对药物作用进行解释。

汪昂《本草备要》，不仅收罗药物的适用，而且对每个药物的性味主治功用进行阐述，在文字上极为精练。是书自问世以来有 30 多种刊本。其后吴仪洛在《本草备要》基础上进行增补，写成《本草从新》，收药 720 种，文字亦很精练，成为很流行的读物。与此同时，王子接《得宜本草》和严西亭等《得配本草》对于药物配伍论述较详，很适合临床应用。

在本草注释方面，张璐《本经逢原》一书对本草中常用药物进行了注释。此书虽冠有"本经"2 字，但收录药物，并不局限于《神农本草经》。徐灵胎《神农本草经百种录》及陈修园《神农本草经读》这两本书对《神农本草经》中切合实用的药物进行了注释。

在药物分类方面，一般都按药物自然来源分类。但也有按药物功用来分类的，如黄宫绣《本草求真》即按药物作用将药物分为补剂、收涩、散剂、泻剂、血剂、杂剂等六大类，每一类中又分若干子目。如补剂分为温中、平补、补火、滋水、温肾等五个子目。沈金鳌《要药分剂》按宣、通、补、泻、轻、重、滑、涩、燥、湿等功用来分类。姚澜《本草分经》按经叙述，每经之下再分补、和、攻、散、寒、热等项。

清代整复《神农本草经》的人很多，著作也较多，如孙星衍、孙冯翼合辑本，顾观光辑本，黄奭辑本，王闿运辑本，姜国伊辑本等。

在炮制著作方面，有蒋示吉《药性炮制歌》；还有张叡《修事指南》（又名《制药指南》），该书是从《本草纲目》"修治"专目中选择常用药124种汇编而成（1931年上海万有书局铅印时改名为《国医制药学》）；其他还有张光斗《增补药性雷公炮制》等。

在食治方面，有尤生洲《食治秘方》、朱本中《饮食须知》、沈李龙《食物本草会纂》、章穆《调疾饮食辨》、文晟《本草饮食谱》、费伯雄《食鉴本草》等。

在诗歌便读方面，有朱铨《本草诗笺》、张秉成《本草便读》、黄钰《本经便读》、谈鸿鋆《药要便蒙新编》等。

此外还有一些单味药著述。如陆烜《人参谱》、黄叔灿《参谱》、唐秉钧《人参考》、郑轩哉《人参图说》、张光裕《桂考》等。

新中国成立后，大型综合性中药著作亦不少。如《药材学》《中药志》《中华人民共和国药典》《全国中草药汇编》《中药大辞典》等。其他有关的专门性中药专著，那就更多了。据《全国中医图书联合目录》所载，国内现存的本草书目有704种，版本达1560种。这是1960年以前所统计数字。目前国内现存本草书目远远超过704种。

总之，我国本草学，自汉代到清末，各个时代都有它的成就，在主要本草著作方面，代代相承，日益繁荣。它们前后都有递嬗的关系，大致如下：

《神农本草经》→《名医别录》→《本草经集注》→《新修本草》→《开宝本草》→《嘉祐本草》→《证类本草》→《本草纲目》→《本草纲目拾遗》。

在药物数量上，历代本草著作都有增加，从汉代《神农本草经》到清代《本草纲目拾遗》，药物数量从365种增加到了2608种。经过2000多年的发展，本草学的资料和内容的的确确形成了一个伟大的宝库。

第二章　先秦本草著作概况和特点

一、先秦本草著作概况

"本草"作为书名，不见于先秦古籍，亦未见《汉书·艺文志》收载。"本草"的含义即是药。先秦虽无"本草"之名，但是"药"是有的，而且它起源很早。

（一）药的起源，来自生活实践

人类在觅食过程中，吃某种植物，或吐，或泻，或昏迷，甚至死亡；但有些胃肠胀满，通过吐、泻反而治好，经过无数次尝试，积累了某些草能治病的经验。并且人们在渔猎生活中，亦积累了某些动物也能治病的经验，不过动物药只是少数，主要是草药。草能治病并成为药的起源。

（二）药的应用，源于人类同疾病斗争

原始人类，对大自然变化和疾病产生不了解，以为是鬼神所使导致，同疾病斗争主要靠巫术、祝由祈祷，但同时亦用药治。

《山海经·海内西经》云："开明东，有巫彭、巫祇、巫姑、巫礼……皆操不死之药以距之。"又云："巫彭等操不死之药，以备疾灾。"

说明巫医除祈祷外，亦兼用药治病。

（三）药有毒，古书记载药，多与毒性连在一起

《淮南子》："神农尝百草，一日而遇七十毒。"

《周礼》："聚毒药以供医事。"

《礼记》："医不三世，不服其药。""君服药，臣先尝；亲服药，子先尝。"

《论语》："康子馈药，拜而受之曰：上未达，不敢尝。"说明药有毒。

《国语》记骊姬用含乌头的肉饲犬，以验其毒。

由于药有毒，加以古人用量过重，遂出现一些不良反应。《孟子·藤文公》："若药不瞑眩，厥疾弗瘳。"所谓"瞑眩"，即因重剂引起的不良反应。古人认为用药量达不到"瞑眩"，病就治不好。

（四）先秦古籍记载药物多数是零星而分散的，未能形成体系

《尚书》："厥包橘柚。"

《周易》："苋陆央央。"郑注："苋陆，商陆也。"

《诗经》："中谷有蓷。"陆机注："本草云：蓷，茺蔚，一名益母。"

《离骚·大招》："醢豚若狗脍苴蒪。"王逸注："苴蒪，襄荷也，见本草。"

《尔雅》："连，异翘。"郭璞引《本草》注："一名连苕，一名连草。"

在先秦古籍中，以《山海经》记载药物最多，共有 120 余种。其中薰草、杜仲、礜石等药名至今仍保留。余下一些药名因过于古老已不知为何物。

上述古籍虽记有药名药效，但都孤立、分散，没有形成一个体系。不过这些零星分散的资料，亦可视为本草的萌芽。

（五）关于先秦药物专书的讨论

先秦是否有药物专书，据现有资料看，难以肯定。

周代政府有专人司药，并将药物分成五类。

《周礼·天官》："医师掌医之政令，聚毒药以供医事。""以五味、五谷、五药养其病。""凡疗疡以五毒攻之，以五气养之，以五药疗之。"

郑康成注："五味，醯、酒、饴、姜、盐之属；五谷，麻、黍、稷、麦、豆；五药，草、木、虫、石、谷。"

这些五味、五谷、五药的分类，可能是祖先生活经验中对周围物质的自然分类。在公元前 11 世纪的周代未必就有五味、五谷、五药等专书出现。

到了西汉，就有药书出现了。《史记·扁鹊仓公列传》记有阳庆授仓公《药论》，此事出在西汉初（高后八年）。但是先秦医书中讲的药，多包含在方子内。

先秦《黄帝内经》记有生铁落、泽泻、鸡屎、乌鲗骨、藘茹、半夏、秫米、豚膏、鲍鱼、雀卵、姜、桂、蜀椒、兰草、丹砂、雄黄、雌黄等，分别寓于方子中。

1973 年马王堆出土的《五十二病方》记载药物 247 种，均包含在 52 个方中。其中大部分方子都是复方。

此后安徽阜阳出土汉简（简称《万物》），其记载不少是方药并存，说它是方书不像方书，说它是药书也不像药书，盖先秦方药并存。其中，由单方发展成复方的那部分，形成了《汉书·艺文志》中的"经方"。

《汉书·方技略》经方小序："经方者，本草石之寒温，量疾病之浅深，假药味之滋，辨五苦六辛，致水火之齐，以通闭解结，反之于平。"

这个小序是"经方"的说明。序的首 3 字"经方者"是主题，自"本草"以下到末了"反之于平"是主题的释文。

这个释文主要是讲从事经方工作者，需要掌握药物合和，并制备一些具体操作工作。这种操作工作，以释文首 2 字——"本草"名之。从而"本草"即成药物合和制备的泛称。原来这个工作是由方士主持，后来方士因炼丹方术繁忙，将本草工作分离出，本草、方术独立工作，并与其他学科并列。上级要诏用（待诏）或罢免，都同时进退。

颜师古注《汉书·平帝纪》云："本草待诏，方术、本草而待诏。"因此"本草"在汉代即成为官职名称。

从事方药工作者，为了应诏，谋求官职，必须拿出应诏条件，撰写药书是最好的条件。

药书写好，为了取信于上级，必须托名古人，用"神农本草"为书名，最能取信于上级。

由此可见，以"本草"命名药书，可能出于汉代本草官之手。先秦未必有本草书名存在。

二、先秦本草著作特点

（1）先秦古籍中有"药"的记载，未见有"本草"书名。中国最早图书目录《汉书·艺文志》仅记有《黄帝神农食禁》，未见有"本草"书名。

（2）先秦古籍所记药名，与后世医药书所载药名多不相同。例如后世本草著作中菖蒲、车前、蒺藜、栝楼、茜根等，在先秦《诗经》中分别称为荪、苤苢、茨、果蠃、蒐茹等。

（3）先秦古籍所载药名，记有主治功用的，为数不多，而且所记主治功用内容极为简单。例如《山海经》记载实物名称近 800 种，言治疗功用者仅百余种。如"薰草佩之已疠，杜衡食之已瘿，流赭以涂牛马无病"。

（4）先秦药物不仅内容简单，数量少，而且是分散的，彼此之间无联系。它们点点滴滴散存于古医籍和非医古籍中，未能形成独立体系。

（5）先秦有些药物内容见于方中，表现为方药并存。例如，湖南长沙马王堆出土的《五十二病方》，记有药物产地、形态、炮制、制剂、贮藏等内容。该书治癃方中记有"毒堇不暴，以夏日至□□毒堇，阴干，取叶、实并治，裹以韦藏用"。又云："堇叶异小，赤茎、叶纵缲者，□叶、实味苦，前〔日〕至可六七日秀。"此等资料，原属药书内容，亦见于方书中，说明古书方药并存。又如，安徽阜阳汉墓出土文献《万物》同一条资料中，既有方子内容，又有药物内容。说它是方书不像方书，说它是药书又不像药书，全书表现为方、药糅合为一体。

第三章　汉代本草著作概况和特点

一、汉代本草著作概况

汉代本草著作，见存者极少，仅有古代书志及其他古籍引其名，今将这些书名列举如下。

（一）综合性本草著作类

《药论》公乘阳庆传，见《史记·扁鹊仓公列传》。

《神农本草经》3卷，见《隋志》，张华《博物志》。

《神农本草经》4卷，见陶弘景《本草经集注·序》。

《神农本草经》4卷，雷公集注见《隋志》。

《神农四经》，见《抱朴子》。

《神农经》，见张华《博物志》，《弘决外典抄》。

《神农药性》，见《吴普本草》所引"神农药性"118条。该118条神农药性，与《证类本草》白字神农药性殊异。

《神农本草》5卷，见《隋志》。

《神农本草》伊尹撰，见《针灸甲乙经·序》。

《神农本草》《神农本草经》《神农经》《神药经》《本草经》《本草》

按　以上后6种，见《太平御览》（简称《御览》）。《御览》在同一药名下，引有不同的"本草经"书名。其内容也不相同。说明多种同名异书《本草经》到宋代仍有流传。

《子仪本草经》1卷，见唐·贾公彦《周礼注疏》引。

《蔡英本草经》4卷，见《隋志》引。

《古本草经》，见《新修本草》。

《本草经》，见李善注嵇康《养生论》。

《本草》，见樊光注《尔雅》。

《本草》，见高诱注《淮南子》。

《本草》，见孙炎注《尔雅》。

《本草》，汉·蔡邕撰，见《隋志》。

《汤液本草》，伊尹撰，见《资治通鉴》，并注云："明寒热温凉之性，酸、苦、辛、甘、咸、淡之味，轻清重浊，阴阳升降，走十二经表里之宜。今医言药性，皆祖伊尹。"按，马王堆出土医书，只有十一经，并无十二经。此言十二经，当为后人所伪托。

《神药经》，见《抱朴子》。

《岐伯经》10卷，见《隋志》，《吴普本草》引"岐伯"52条。

《黄帝》，《吴普本草》引"黄帝"药性53条。

《雷公》，《吴普本草》引"雷公"药性83条。

《桐君》，《吴普本草》引"桐君"药性42条。

《医和》，《吴普本草》引"医和"药性4条。

《扁鹊》，《吴普本草》引"扁鹊"药性50条。

按 清·孙星衍《校定本经序》云："梁以前，神农、黄帝、岐伯、雷公、扁鹊各有成书，魏吴普见之，故其说药性、主治各家殊异。"

（二）专门性本草著作类

《雷公药对》，见《隋志》。

《药对》2卷，见《汉书·司马相如传》注。

《桐君药录》3卷，见《隋志》。

《桐君采药录》2卷，见《梁·陶隐居序》。该书，清·姚振宗《汉书·艺文志拾补》列为汉代书，范行准列为三国吴时书。

刘泓《辨金石并去毒诀》，见《云笈七签》。

《药诀》，见《本草和名》。

张仲景《药辨诀》1卷，见《日本国见在书目录》。

张仲景《胎胪药录》，见张仲景《伤寒杂病论·序》。

《神农本草例图》1卷，见唐·张彦远《历代名画记》。

《辨灵药经》，题汉·张道龄撰，见《江西通志稿》，存疑。

《神农黄帝食禁》，见《汉书·艺文志》。该书名中的"食禁"，唐·贾公彦《周礼注疏》作"食药"。《千金食治》引"黄帝云"48条，《千金方》卷24载"神农黄帝解毒方法"，以及《金匮》第24、25记有食物禁忌和中毒解救内容，与该书相近。

二、汉代本草著作特点

（一）"本草"名称最早见于汉代

《汉书·艺文志》（简称《汉志》）无"本草"书名，仅著录《经方》。但《经方》中含本草内容，可从《汉志·方技略》"经方小序"了解。

《汉书·楼护传》记载，西汉楼护在贵族亲戚家诵医经、本草数十万言，未提到诵读"经方"。查《汉志·方技略》载"医经"7家，216卷；"经方"11家，274卷。则经方比医经多，但《汉志》无本草记载。而楼护在贵族亲戚家诵"医经""本草"数十万言。所谓"数十万"，少则二十万，多则九十万。如以最低数计算，则楼护诵本草也有"十万言"。楼护能读到这么多的"本草"，《汉志》为何无"本草"书名？另外楼护既能读到数十万言"医经""本草"，为何未读到"经方"？这就提示楼护所诵的"本草"，实乃《汉志》所著录的"经方"。盖先秦方药并存，故楼护以"本草"名"经方"。

又，"本草"2字亦见于《汉书·平帝纪》"本草待诏"。颜师古注《汉书·平帝纪》："本草待诏，方术、本草而待诏。"由此可见，本草在汉代亦是官职的名称。

（二）作者不明

汉代诸本草及《神农本草经》多亡佚，书志仅著录书名，除少数署子仪、蔡邕外，其余多未注明撰者。各种《本草经》究竟为何人所著，目前难以甄别出。

陶弘景作《本草经集注》时，见到的《本草经》有多种，在收载药数上、内容上、分类上各不相同。陶弘景统以"诸经"名之。

（三）体例、内容不同

陶弘景所见的"诸经"，今已不存。但唐宋类书，如《艺文类聚》《太平御览》所引"本草经曰"的文字和现存《证类本草》白字"本草经"文，在体例上、内容上不全相同。盖《证类本草》白字"本草经"文，向上推溯，源于陶弘景《本草经集注》朱书"本草经"文。它是经过陶弘景"苞综诸经"整理后的文字。而类书所引"本草经曰"的文字，疑是陶弘景所见"诸经"的文字，故它们在体例上、内容上不尽相同。

（四）作者疑为汉代人托名

汉代有些药书署先秦人名，疑是托名，未必真正为先秦时书。如《子仪本草经》《吴普本草》所引黄帝、岐伯、雷公、扁鹊等各家药性，疑为汉人伪托，未必是先秦时书。

（五）本草著作种类多

汉代本草著作种类多，计有如下几类。

（1）综合性本草著作。如各家《本草经》、各家《神农本草经》、各家《本草》等。

（2）专门性本草著作。如《神农黄帝食禁》《雷公药对》《桐君采药录》等。《梁·陶隐居序》云："《桐君采药录》说其花叶形色，《药对》四卷，论其佐使相须。"

（3）注释类本草著作。如雷公集注《神农本草经》。

（4）精简类本草著作。如《药诀》《药辨诀》《辨金石并去毒诀》。

（5）图谱类本草著作。如《神农本草例图》。

（6）食物类本草著作。如《神农黄帝食禁》。

（六）多已亡佚

汉代本草多数已亡佚，有些佚文散存于历代类书中，由于类书援引佚文未注明作者，今已无法辨出类书所引本草佚文出于何家本草著作。

第四章　六朝本草著作概况和特点

六朝泛指南北六朝。南六朝即吴、东晋、宋、齐、梁、陈，北六朝指魏、晋、后魏、北齐、北周、隋。时间为公元 220 年到公元 589 年。

一、六朝本草著作概况

六朝本草著作，今见存者不多。大多亡佚。今据《隋书·经籍志》（简称《隋志》）及其他古籍见引，列举如下。

（一）综合性本草著作类

李当之《本草经》1 卷。

《李当之本草》。

《吴普本草》6 卷，（《御览》亦作《吕氏本草》）。

《秦承祖本草》6 卷。

《徐大山本草》2 卷。

按　以上 5 种见《隋志》。

赵赞《本草经》1 卷。

王季璞《本草经》3 卷。

谈道术《本草经钞》1 卷。

《神农本草属物》2 卷。

《本草经略》1 卷。

《本草经类用》3 卷。

《本草经利用》1 卷。

《本草经轻行》1 卷。

《隋费本草》1 卷。

按 以上 9 种，见《隋志》转引梁·阮孝绪《七录》。

《本草》见吴·陆机《草木诗疏》。

《本草》见郭璞注《尔雅》。

（二）专门性本草类

《李当之药录》6 卷。

《李密药录》2 卷。

《本草集录》2 卷。

《本草杂要诀》1 卷。

《本草要方》3 卷。

《诸药要性》2 卷。

《依本草录药性》3 卷。

《依本草药性录》1 卷。

《本草要方》3 卷。

按 以上 9 种，见《隋志》。

《述用本草药性》，刘宋·陈延之撰。见《小品方》卷 11。

《本草病源合药节度》5 卷，见两唐志、《通志·艺文略》。

《本草钞》4 卷。

《本草病源合药要钞》5 卷，刘宋·徐叔嚮钞。

《体疗杂病本草要钞》10 卷，刘宋·徐叔嚮等四家钞。

按 以上后 3 种，见《隋志》。

《小儿用药本草要钞》2 卷，王末钞。

《痈疽耳眼本草要钞》9 卷，甘濬之钞。

《徐滔新集药录》4 卷。

《药性》2 卷。

《药对》2卷。

《药忌》1卷。

《药法》42卷。

《药律》3卷。

《药目》3卷。

按 以上9种，见《隋志》转引《七录》。

《药目要用》2卷。

《诸药异名》沙门行矩撰。

《本草音义》姚最撰。

按 以上3种见《隋志》。

《本草夹注音》陶弘景撰，见《日本国见在书目录》。

《名医别录》陶氏集。

陶隐居《本草》10卷。

陶隐居《本草经集注》7卷。

按 以上后3种，见《隋志》。

陶弘景《药像教诀》2卷，见《医心方》。（《大观本草》作《药像口诀》）。

陶弘景《药总诀》，见《嘉祐本草》。

按 《陶贞白文集》载《药总诀·序》："本草之书，历代久远，既靡师授，又无注训……"该序撰述《药总诀》主旨，并对本草著作起源、发展提出看法，谓神农、雷公、桐君书年久，传抄讹误，致使应用困难，因此集《药总决》。

陶隐居《集药诀》，见《通志·艺文略》。

《药名口诀》，见《云笈七签》。

《制药总诀》1卷，见《宋史·艺文志》。

葛洪《炼化篇》，见《荆楚岁时记》。

《雷公炮炙论》，刘宋·雷敩撰，见《嘉祐本草》。

《石论》，敦煌残卷，存"本草序例"残篇。英国伦敦博物馆藏，编号为 S.5968。

《神农采药经》2卷，见《七录》。

《入林采药法》2卷。

《太常采药时月》1卷。

《四时采药及合目录》4卷。

《种植药法》1卷。

《种神芝》1卷。

《灵秀本草图》6卷，南齐原平仲撰。

《芝草图》1卷。

按 以上后7种，见《隋志》。

《神仙芝草经》，见《证类本草》"黄精"条。

《神仙芝草图》1卷，见《日本国见在书目录》。

《神仙芝草图记》2卷，见《湖州府志》。

《灵芝瑞草像》，东晋·陆修静撰，见《浙江通志》。

《南方草物状》，晋·徐衷撰，见《齐民要术》。

《南方草木状》，晋·嵇含撰，见《太平御览》。

《太清草木集要》2卷，陶隐居撰，见《隋志》。两唐志，《通志·艺文略》《玉海》《日本国见在书目录》俱作《太清草木方集要》。

《华佗食经》，见《御览》。

《食疏》，晋·何惊撰，见《南齐书·何惊传》。

《崔氏食经》，见《隋志》。

《崔浩食经》9卷，北魏·崔浩撰，见《旧唐志》。

《江餐馔要》1卷，刘宋·黄克明撰，见《通志·艺文略》。

《刘休食方》1卷，南齐·刘休撰，见《隋志》。

《食珍录》1卷，南齐·虞惊撰，见《说郛》。

《隋志》转引《七录》载《食经》等18种，书名详《隋志》。

在上述所列书名中，有很多书名是相同的。它们是同一种书，还是同名异名，不详，因为它们都亡佚了。仅书志等古籍著录其书名，无具体内容可考。

二、六朝本草著作特点

（一）六朝本草著作是承袭汉代本草著作发展的

汉代本草著作因战争，多数亡佚。梁·陶隐居云："汉献迁徙，晋怀奔进，文籍焚靡，千不遗一。今之所存，有此四卷，是其本草经。"又云："所出郡县，有后汉时制，疑仲景、元化所记。魏晋以来，吴普、李当之更复损益。"

按陶弘景所云，汉代有多种本草经，到六朝时，仅存4卷本《本草经》。诸名医以 4 卷本《本草经》增修，又形成多种同名异书《本草经》。

（二）六朝同名异书本草著作很多，内容不一致

由于名医修订，六朝形成多种同名异书《本草经》，陶弘景称之为"诸经"，它们的内容互不一致。

梁·陶隐居序云："或五百九十五，或四百四十一，或三百一十九，三品混糅，冷热舛错，草石不分，虫兽无辨。且所主治，互有得失。"

（三）六朝本草著作比较杂乱，经陶弘景整编趋于统一

陶弘景作《本草经集注》（简称《集注》），采用"苞综诸经"方法，把多种同名异书《本草经》糅合为一体，使六朝杂乱的主流本草趋于系统化，为后世历代本草书所宗。

陶弘景《集注》问世后，胜过当时所有本草著作。按《隋志》所载，六朝本草有 60 多种。到《唐本草》编纂时，独取《集注》为蓝本，对其他 50 多种皆不用，说明陶弘景书总结前代本草最为完备，压倒当时所有本草。其优点如下。

（1）《集注》对药物药性、配伍、用法、用量都有发展。

例如陶氏在序录中说："其甘、苦之味可略，有毒无毒易知，唯冷热须明。"

（2）在体例上，《集注》整编了混乱的早期重要本草，且有创新，成为后世历代本草编写的典范。在总论上，《集注》创设诸病通用药例、七情畏恶药例、解百药毒例、服药食忌例、合药分剂治法，药不宜入汤酒例、药对岁物药品例。

（3）采制上，《集注》指出"诸药所生，皆的有境界"，开创"地道药材"说，同时指出植物药物采制要注意时月。

（4）在分类上，《集注》创自然属性分类。将药物分为玉石、草木、虫兽、果、菜、米谷、有名无用七类。除有名无用外，其余各类又按上、中、下三品分类，这种分类，一直为历代主流本草所沿用。

（5）在文献出典上，《集注》用颜色和字体大小来标注文献不同出处。凡《神农本草经》文朱书，《名医别录》文墨书，正文用大字单行书写，注文用小字双行书写，后世本草皆宗之，今日能分辨出"《本经》文""《别录》文"，全靠陶弘景朱、墨杂书标记之功。

（6）在内容编排上，《集注》将药物主治功用列在正文内；药物形态、鉴别、炮制、制剂等，都移入注文中，这可从《证类本草》援引"陶隐居云"测知之。

例如《证类本草》"桂"条，陶隐居注云："《经》云：桂叶如柏叶泽黑，皮黄，心赤。"这种形态描述，原是"诸经"中内容，陶弘景将之移入注文中，仍注明"经云"。

（四）陶弘景从当时流行多家名医增订的《本草经》中，将名医增补的内容录出，集为《名医别录》

这可从《太平御览》所引"本草经曰"的文字以及陶序"苞综诸经"测知之。

《御览》引用大量单味《名医别录》（简称《别录》）药条文，如忍冬、昆布、神护草、石脾、石肺、列勃、占斯、鹳骨等，均冠有"本草经曰"，而不冠以"别录曰"。说明陶弘景所集"别录资料"是出于"诸经"名医增附的内容。

陶弘景作《集注》时，所进《别录》药365种，亦是出自"诸经"中名医增补的内容。陶在《集注·序》中只说"苞综诸经"，而不说"苞综诸经、别录"。这说明陶弘景《集注》"别录"资料是取自名医在诸经增补的内容。

如《证类本草》卷8瞿麦条，原是白字本经药，其中有名医增补黑字《别录》文。在黑字《别录》文中有"采实"2字，陶隐居注："按'经云采实'。中子至细，燥熟便脱尽，今市人唯合茎、叶用，而实正空壳，无复子尔。"陶弘景解释"瞿麦采实"，仍注"经云"，而不说"别录云"，说明陶弘景《集注》中"别录"文，是来自"诸经"中名医增附的内容。

（五）六朝本草著作种类多

由于原书久佚，各书内容如何，目前难以了解，只能从书名，大体分类如下。

（1）综合性本草著作，如隋志等古籍引的《本草》《本草经》类，有的署有作者名，有的未署名。如六朝人注《尔雅》及古籍所引的本草著作，均未署作者。其书究竟是哪家"本草"，不详。

（2）专门性本草著作，种类较多，按书名，可分为以下几类。

1）药录类：梁·陶隐居序云"桐君《采药录》说其花、叶形色"。而六朝李当之《药录》、李密《药录》、徐滔《新集药录》，有否讲药物形态，不详。

2）药图类：如《芝草图》《灵秀本草图》《神仙芝草图》等。

3）种药类：如《种植药法》。

4）采药类：如《神农采药经》《入林采药法》《太常采药时月》《四时采药及合目录》。

5）制药类：如葛洪《炼化篇》《雷公炮炙论》《制药总诀》等。

6）药名类：如沙门行矩《诸药异名》。

7）药性类：如《诸药要性》《述用本草药性》《依本草录药性》《药性》等。

8）主治类：如《体疗杂病本草要钞》《小儿用药本草要钞》《痈疽耳眼本草要钞》等。

9）配伍类：包括佐使相须类和禁忌类。佐使相须类有徐之才《药对》。禁忌类有《药忌》。

10）集注类：如陶弘景《本草经集注》。

11）注音类：如姚最《本草音义》、陶弘景《本草夹注音》。

12）食物类：如《华佗食经》《崔浩食经》《食疏》《江餐馔要》《食珍录》等。

13）药目类：如《药目》《药目要用》。

（3）精练类：如各种药诀。

（4）其他类：如《太清草木集要》《南方草木状》《南方草物状》《药法》《药律》等。

第五章　唐代本草著作概况和特点

一、唐代本草著作概况

唐代本草著作很多，大致分为综合性本草著作和专门性本草著作。在专门性本草著作内，可分为药性类、地区类、食物类、炮制类、药名类、歌诀类、药图类、单味药类、音义及其他类。兹分别简述如下。

（一）综合性本草著作

综合性本草著作，即一般性本草著作。其中官修本草著作——《新修本草》（又称《唐本草》），是本草著作中的主流。其他个人所著的本草著作，皆属一般性本草著作，如《本草拾遗》等。

1. 唐代官修本草著作——《新修本草》

在公元 657 年，唐朝政府组织苏敬等 20 余人，进行本草著作编纂，该书于 659 年完稿，名为《新修本草》。这本书是我国政府颁行的第一部药典，也是世界上最早的国家药典。

《新修本草》全书 54 卷，包括本草、药图、图经等三部分。本草是正文，药图是药物的图谱，图经是解释药图的。

本草正文共 20 卷，卷 1、卷 2 为序例，卷 3～20 为药物各论①。

全书载药 850 种，按药物自然属性分为玉石、草、木、兽禽、虫鱼、果、菜、米谷及有名无用九类。除有名无用外，其余各类又分上、中、下三品。每味药条文分正文和注文两部分。正文用大字书写，注文用双行小字书写。

凡正文大字出于《神农本草经》的药物条文，一律用红字书写。正文出于《名医别录》文或《唐本草》新增的药，用墨字书写。但在《唐本草》新增药条文末，标以"新附"2 字，以示区分于《别录》文。

注文分三种，即七情资料（配伍宜忌）、陶弘景注文、《唐本草》注文。《唐本草》注文的开头冠以"谨案"2 字。这种标记法，对保存古代药学文献有着很重要的意义。

本书详述了药物性味、产地、功效及主治，同时收载了不少外来药，如安息香、麒麟竭、阿魏、龙脑香等。

《唐本草》的产生，标志着我国本草从过去一直由私人撰述进入由国家组织人力修纂的时代。在药物论述要求上，《唐本草》比过去本草书详尽而完善。因此该书成为当时全国医家用药的标准，成为药学家从事药物生产供应的典范。

2. 其他一般性本草著作

除《新修本草》外，其他一般性本草著作有 13 种。

（1）《本草拾遗》，此书是唐代开元年间陈藏器所撰②。由序例、拾遗、解纷三部分组成③。

"拾遗"，拾补《唐本草》遗漏的药物。原书虽佚，但其内容仍保存在《证类本草》中。《证类本草》引用"陈藏器"的药有 628 种，这些药物都是《唐本草》遗漏的药。

"解纷"，讨论药物混乱的品种，辨别前代本草谬误。

《本草拾遗》对药物的分类，是按药物自然属性分为玉石、草、木、兽禽、虫

① 《证类本草》卷 1 引"唐本注"云："今以序为一卷，例为一卷，玉石三品为三卷，草三品为六卷，木三品为三卷，兽禽为一卷，虫鱼为一卷，果为一卷，菜为一卷，米谷为一卷，有名无用一卷。合二十卷。其十八卷中，药合八百五十种，三百六十种本经，一百八十一种别录，一百一十四种新附，十百九十四种有名无用。"

② 宋代钱易《南部新书·辛集》云："唐开元二十七年（739），明州人陈藏器撰《本草拾遗》。"

③ 掌禹锡《嘉祐本草·补注所引书传》云："《本草拾遗》，陈藏器撰。以《神农本草经》虽有陶、苏补集之说，然遗逸尚多，故别为序例一卷，拾遗六卷，解纷三卷，总曰《本草拾遗》共十卷。"

鱼、果、菜、米谷等类。详述了每个药物的性味、性状、文献出处、产地、功效及主治。所收载药数，将近有 700 种，比《唐本草》新增药多出数倍。《唐本草》所收药物，大部分是传统药，小部分是当时普遍习用的药，对一些地方的用药和一些民间用药，《唐本草》并未收载。而《本草拾遗》所录的药物，大多是民间用药和一些外来药。因而本书总结了民间的药物知识，内容丰富，具有较高的学术水平和科学价值。

（2）《删繁本草》，唐·杨损之撰。全书 5 卷。杨损之认为当时流行的本草书，篇幅庞大繁琐，不便阅读，于是删除不常用的药，精简成简明扼要的本草书①。原书佚。《嘉祐本草》引此书 5 条。

（3）《四声本草》，唐·萧炳撰，全书 5 卷。系以药名头一字按平、上、去、入四声相从为类，以便检索②。原书佚。《嘉祐本草》引此书 64 条。

（4）《新本草》41 卷，王方庆撰。《新唐书·艺文志》载之。

（5）《本草新注》，佚名。《医心方》引用之。

（6）《本草注证》，佚名。《说文解字系传通释》载之。

（7）《杂注本草》，蒋孝琬加注。《日本国见在书目录》载之。

（8）《本草疏》，佚名。《本草和名》引用之。

（9）《本草抄义》，佚名。《医家千字文》载之。

（10）《本草要术》3 卷，佚名。《旧唐书·经籍志》载之。

（11）《本草用药要钞》2 卷，佚名。《旧唐书·经籍志》载之。

（12）《本草稽疑》，佚名。《本草和名》卷上引用之。《医心方》引《本草稽疑》5 条。

（13）《药录纂要》，唐·孙思邈撰。附刊在《千金翼方》卷 1 中。

从"（2）《删繁本草》"到"（13）《药录纂要》"共 12 种，都是一些节录性本草，除《药录纂要》见存外，其余各本因无创见，都被淘汰亡佚了。

---

① 掌禹锡《嘉祐本草·补注所引书传》云："《删繁本草》，唐润州（今江苏镇江）医博士兼节度使随军杨损之撰，以本草诸书所载药类颇繁，难于看检，删去其不急并有名未用之类为五卷，不著年代，疑开元后人。"

② 掌禹锡《嘉祐本草·补注所引书传》云："《四声本草》，唐兰陵处士萧炳撰，取本草药名每上一字，以四声相从，以便讨阅，凡五卷。前进士王收撰序。"

（二）专门性本草著作

共有 92 种，可分为 9 类。

1. 药性类

有以下 5 种。

（1）《药性论》，唐·甄权撰①。全书 4 卷，按其性味君臣主治功用而分类②。

《药性论》原书已佚，它的内容散存在《证类本草》及《本草纲目》中。掌禹锡作《嘉祐本草》，在药物畏恶有相制使条例中，引用 47 条；在各卷药物中，以《药性论》资料作注释文的，有 370 条。另有玄明粉、马牙硝 2 条被《嘉祐本草》收作正品。《嘉祐本草》总计引用《药性论》资料共 419 条，除去重复的，尚有403 条。

笔者在 20 世纪 60 年代前从诸古本草及方书中，辑录《药性论》药物 403 条。按玉石、草、木、兽、禽、虫鱼、果、菜、米谷等自然属性分类，析为 4 卷。于1983 年由皖南医学院油印成册，后经修订，于 2006 年由安徽科学技术出版社出版。

书中药物内容有正名、性味、君臣佐使、禁忌、主治功效、炮制、配制及附方等。尤以君臣佐使、禁忌等资料收罗较多。全书标明君药 76 味，标明臣药 72 味，标明使药 108 味，标明单用的药 50 味，标明某某为使的药 18 味，标明禁忌的药20 味。

有些药注明相反、相杀：如大戟反芫花、海藻；桂心杀草木毒；豆豉杀六畜毒；巴豆杀斑蝥、蛇虺毒。

另外，此书对于药物归经、炮制、附方等都有论述，例如龙胆归心，蓼实归鼻，牛膝通十二经脉。

从书中所载大量药性资料来看，以"药性论" 3 字命名此书，是名副其实的。宋·寇宗奭在他所著《本草衍义》中多次称赞《药性论》，并在"葶苈"条中说："药性论所说尽矣。"

该书是中国最早的药性著述，它在药性发展史上，有很重要的意义。

（2）《本草药性》3 卷，唐·甄立言撰。《旧唐书·经籍志》载之。

---

① 《本草纲目·历代诸家本草》载有《药性论》，题甄权著，并言权仕隋，至唐太宗时，已120 岁。

② 《嘉祐本草·补注所引书传》云："药性论，不著撰人名氏，集众药品类，分其性味君臣主病之效，凡四卷。"

（3）《本草性事类》1 卷①，唐·杜善方撰。按本草药名，分类解释，删去重复，增附药物配伍宜忌、相畏、相恶、相反、解毒等为一类。

（4）《释药性》，佚名。《和名类聚钞》载之。《本草和名》引用之。

（5）《药性字类》，佚名。《本草和名》引用之。

从"（2）《本草药性》"到"（5）《药性字类》"等 4 种本草著作，都是节录性的小册子，既无创新，后世本草引用亦少，因此它们在本草史上影响不大。

2. 地区类

有以下 2 种。

（1）《南海药谱》。掌禹锡《嘉祐本草·补注所引书传》云："《南海药谱》，不著撰人名氏，杂记南方药所产郡县及疗疾之验，颇无伦次，似唐末人所作，凡二卷。"

按掌禹锡所云，《南海药谱》是唐末时著，作者不详。《本草纲目·历代诸家本草》把《南海药谱》与《海药本草》视为一书，皆题李珣著。但宋代《崇文总目》《通志·艺文略》分别记有《南海药谱》和《海药本草》两种书名。又，《证类本草》的槟榔、龙脑、象牙等药的注文中，既提到《南海药谱》书名，又提到《海药本草》书名。据此可知，《南海药谱》是单独一本书，它与《海药本草》不是同书异名。

《南海本草》和《海药本草》一样，是总结我国南方药物及外来药的专著。它在本草史上有一定影响。

（2）《胡本草》。唐开元年间郑虔著。《本草纲目·历代诸家本草》"海药本草"条下注云："又郑虔有《胡本草》七卷，皆胡中药物，今不传。"

3. 食物类

有以下 19 种。

（1）《千金食治》，唐·孙思邈撰。附在《备急千金要方》卷 26 中。全书载药 154 种，分为序论、果实、菜蔬、谷米、鸟兽五个部分，在鸟兽后附有虫鱼。

序论是采摭《素问》、扁鹊、仲景、华佗、徐之才等所论补养诸说，及五味五脏所入等理论汇集而成。

---

① 掌禹锡《嘉祐本草·补注所引书传》云："《本草性事类》，京兆（今陕西西安地区）医工杜善方撰。不详何代人。以本草药物，随类解释，删去重复，又附以诸药制使畏恶、解毒、相反相宜为一类，共 1 卷。"

果实、菜蔬、谷米、鸟兽、虫鱼各类，是从本草中选择与食用有关者编纂而成。果实类 29 种，菜蔬类 58 种，谷米类 27 种，鸟兽类 28 种，虫鱼类 12 种。总计 154 种。它是我国现存较早的食物本草书之一。

从文献上看，最早的食疗专著，当推《汉书·艺文志》所载《神农黄帝食禁》，该书虽佚，其文仍散存于后世医药书中。《千金食治》有 48 处提到"黄帝云"的食药宜忌的文字，疑该文为《神农黄帝食禁》的遗文。

（2）《孙真人食忌》，孙思邈撰，《证类本草》引用之。

（3）孟诜《食疗本草》，此书原名孟诜《补养方》，经张鼎增修，名为《食疗本草》。掌禹锡《嘉祐本草·补注所引书传》云："唐同州刺史孟诜撰，张鼎又补其不足者 89 种，并归为 227 条，凡 3 卷。"又，《本草拾遗》引作"《张鼎食经》"。

原书佚。1907 年敦煌出土残卷《食疗本草》，始石榴后半条，终芋条前半条，其间存录有石榴、木瓜等 26 味药物。残卷背面有陈鲁俸等牒状，牒文有"长兴五年（934）正月一日"，行首有"陈鲁俸牒"。

残卷药名及分隔点为朱书，附方前的"又""又方"亦朱书，每味药有药性、主治、功用、禁忌、附方。有些药物条文还有药物形态记载。部分药物条文以"案经"2 字分割为两段。

"案经"的"案"字前标有朱点。"案经"后的文字为张鼎所增补。

残卷中药物的药性，用小字注在药名之下，计有寒、冷、温、平四性。无五味的记载。

此书附方很多。敦煌残卷所存 26 味药，每个药物都有附方，少则一方，多则数方。

此书虽佚，但诸本草、方书皆有援引。统计诸书所引《食疗本草》的药物，共有 250 种。比掌禹锡所云 227 种，多 23 种。此 250 种按自然属性分，计有：玉石 4 种，草 36 种，木 25 种，兽禽 29 种，虫鱼 45 种，果 33 种，菜 52 种，米谷 26 种。1931 年范凤源有辑本，1984 年谢海洲、马继兴、翁维健、郑金生有合辑本。

（4）《同州孟使君饵石法》，孟诜撰。《外台秘要》引之。

（5）《卢仁宗食经》3 卷，卢仁宗撰。《旧唐书·经籍志》载之。

（6）《卢龙时食经》，卢龙时撰。《北户录》引用之。

（7）《朱思简食经》，朱思简撰。《医心方》引用之。

（8）《崔禹锡食经》4 卷，崔禹锡撰。《日本国见在书目录》载。

（9）《新撰食经》7 卷，佚名。《日本国见在书目录》载。

（10）《食谱》1卷，韦巨源撰。《本草拾遗》引用之。

（11）《食账》，韦巨源撰。《清异录》引之。

（12）《食科》，佚名。《医心方》引之。

（13）《食医心镜》2卷，咎殷撰。《证类本草》所出经史方书载之。

（14）《赵武四时食法》1卷，赵武撰。《旧唐书·经籍志》载之。

（15）《四时食网经》，佚名。《净土三部经音义集》引之。

（16）《邹平公食宪章》50卷，段文昌撰。《清异录》引之。

（17）《膳夫经手录》4卷，杨晔撰。《新唐书·艺文志》载之。

（18）《食禁方》，佚名。《食疗本草》引之。

（19）《玄宗皇帝杂忌》，唐玄宗李隆基撰。《养生类纂》引之。

上述19种食物本草著作，除《千金食治》及辑本《食疗本草》外，其他著述均佚。

　　4. 炮制类

计有15种。

（1）《乾宁晏先生制伏草石论》6卷，郭晏封撰。《新唐书·艺文志》载之。

（2）《昇元子造化伏录图》1卷，张昇元撰。《西溪丛语》引之。

（3）《三品制炼方》，冲虚先生撰。《卫生家宝方》引之。

（4）《五金化方》，佚名。《日本国见在书目录》载之。

（5）《丹方》，佚名。《本草和名》引之。

（6）《三命颐神保命神丹方》1卷，苏游撰。《全唐文》引之。

（7）《洞真丹经》，佚名。《本草和名》引之。

（8）《古人炼饵杏仁丹法》，佚名。《道藏阙经目录》载之。

（9）《炼石方》，佚名。《日本国见在书目录》载之。

（10）《炼白石英粉丸饵法》，周处温撰。《外台秘要》引之。

（11）《丹砂诀》1卷，佚名。《旧唐书·经籍志》载之。

（12）《炼钟乳石法》，李补阙撰。《本草图经》"石钟乳"条引之。

（13）《炼乳丸饵并补乳法》，东陵处撰。《外台秘要》引之。

（14）《乳煎钟乳饵》。《外台秘要》引之。

（15）《钟乳丸法》，曹公卓撰。《千金翼方》引之。

上述15种炮制著述，都是受道家和服食家的影响而撰的著作。其内容大都偏于丹石的炼制，这和今日临床用药的炮制，似有差异。而真正为临床用药的炮制，多散存在具体药物中。

5. 药名类

计有 2 种。

（1）《石药尔雅》，唐·梅彪集，全书 2 卷。仿《尔雅》注释。《尔雅》只释草木，不释玉石。此书对玉石、草、木等异名皆释之。

《抱经楼藏书志》卷 36 医家："《石药尔雅》二卷，唐元和年间西蜀梅彪撰。彪取其隐名而显之。"自序言："众石异名，像《尔雅》辞句，凡六篇，勒为一卷。而《白云霁道藏》目录作二卷，疑后人附益之。唐代遗书传世者罕矣。乃抄而入诸经部。金凤亭长彝尊识。"

（2）《药名谱》，唐·侯宁极撰。《丛书举要》卷 51《说郛》引作《药谱》。

6. 歌诀类

计有 12 种。

（1）《药性要诀》5 卷，唐·王方庆撰。《新唐书·艺文志》载之。

（2）《孙真人药性赋》1 卷。《百川书志》载之。

（3）《石药异名要诀》1 卷，王道冲撰。《崇文总目》载之。

（4）《神仙药名隐诀》1 卷，佚名。《道藏阙经目录》载之。

（5）《删繁药泳》3 卷，唐·江承宗撰。《新唐书·艺文志》载之。

（6）《丹药诀》，佚名。《本草和名》引之。

（7）《丹诀》1 卷，佚名。《日本国见在书目录》载之。

（8）《丹口诀》，佚名。《和名类聚钞》载之。

（9）《丹草口诀》，佚名。《本草和名》引之。

（10）《丹秘口诀》，佚名。《本草和名》引之。

（11）《五金粉药诀》，佚名。《本草和名》引用之。

（12）《服云母粉诀》1 卷，佚名。《云笈七签》引之。

上述 12 种药诀，除少数为医家启蒙便于诵读外，多数是道家服食用的口诀。这些口诀，只是为记忆而编写，无新义，无创见，诸书亦未见引，全都亡佚了。

7. 药图类

计有 10 种。

（1）《新修本草·药图》，共 26 卷（包括目录 1 卷）。《旧唐书·经籍志》题李勣、苏敬等撰。

按 《新修本草》在编纂时，重视文献实物，选送所产道地药材，作为实物标本进行描绘，制成彩色药图。

（2）《新修本草·图经》7 卷，《旧唐书·经籍志》题李勣、苏敬等撰。本书是解释《新修本草·药图》的，它是《新修本草》的一部分。

（3）《天宝单方药图》1 卷，唐玄宗御制。苏颂《本草图经序》引之。

（4）《采药图》，佚名。《日本国见在书目录》载之。

（5）《杂药图》，佚名。《日本国见在书目录》载之。

（6）《芝草图》，佚名。《日本国见在书目录》载之。

（7）《芝草图》30 卷，孙思邈撰。《崇文总目辑释》载之。

（8）《神仙芝草图》，佚名。《日本国见在书目录》载之。

（9）《仙草图》，佚名。《日本国见在书目录》载之。

（10）《本草训诫图》，王定画撰。《新唐书·艺文志》载之。

上述 10 种药图，以《新修本草·药图》价值最高。它是我国本草书中图文并茂的、最完整的巨著。《隋书·经籍志》虽载有《灵秀本草图》《芝草图》，但其内容没有《唐本草》广泛、丰富、精美。孔志约序云："丹青绮焕，备庶物之形容。"① 这种庞大的彩色药图，后世亦少见，惜已亡佚了，仅《蜀本草》引其图的说明文而已。

8. 单味药类

计有 14 种。

（1）《何首乌传》1 卷，唐·李翱撰。《本草图经》"何首乌"条引。

（2）《威灵仙传》1 卷，嵩阳子周君巢撰。《本草图经》"威灵仙"条引。

（3）《仙茅传》，佚名。《开宝本草》新增药"仙茅"条引之。

（4）《菖蒲传》1 卷，佚名。《本草纲目》卷 19"菖蒲"条"发明"项下引《道藏经》有《菖蒲传》1 卷。

（5）《灵芝记》5 卷，穆修清撰，罗公远注。王恽《玉堂嘉话》引之。

（6）《五芝经》，佚名。《唐本草》"黑芝"条注文引之。

（7）《神仙芝草经》1 卷，佚名。《证类本草》所出经史方书引之。

（8）《酒谱》佚名。《本草拾遗》引之。

---

① 孔志约《唐本草·序》云："普颁天下，营求药物，羽毛鳞介，无远不臻；根茎花实，有名咸萃……丹青绮焕，备庶物之形容。"

（9）《麴方》2卷，佚名。《事林广记》引之。

（10）《鹿角经》，佚名。《本草和名》引之。

（11）《铁胤粉论》1卷，苏游撰。《旧唐书·经籍志》载之。

（12）《论钟乳书》，柳宗元撰。《本草图经》"石钟乳"条引之。

（13）《乳石论》，薛曜撰。《外台秘要》引之。

（14）《新撰英乳论》1卷，吴昇撰。《外台秘要》引之。（《通志》作《新修钟乳论》）

上述14种单味药资料，除《何首乌传》《威灵仙传》等少数为后世本草转引外，多数已亡佚。这些单味药传，都是讲临床应用的故事。与今日单味药所讲有关生产供应等内容，全不相同。

9. 音义及其他类

计有13种。

（1）《唐本草音义》20卷。《新唐书·艺文志》题孔志约撰。

（2）《新修本草音义》3卷，《旧唐书·经籍志》题苏敬撰。

（3）《新修本草音义》1卷，仁谞撰。《日本国见在书目录》载之。

（4）《本草音义》1卷，杨玄操撰。《酉阳杂俎·续集》载之。《日本国见在书目录》作《本草注音》。

（5）《本草音义》2卷，李含光撰。《新唐书·艺文志》载之。

（6）《本草音义》2卷，殷子严撰。《旧唐书·经籍志》载之。

（7）《本草音》7卷，李君撰。《日本国见在书目录》载之。

（8）《杂药》，佚名。《日本国见在书目录》载之。

（9）《杂药论》，佚名。《日本国见在书目录》载之。

（10）《药类》，佚名。《旧唐书·经籍志》载之。

（11）《药石》，佚名。《日本国见在书目录》载之。

（12）《本草音义》7卷，唐·甄立言撰。已佚。

（13）《太常分药格》，唐·孙思邈撰。《崇文总目辑释》载之。

上述13种音义等著述，内容都是有关药物训诂的问题。这些内容对研究药物训诂历史，有一定的参考意义，可惜它们都亡佚了。《本草纲目》释名下，还保存一些训诂的内容。这些训诂内容，来自历代文献，并不局限于唐代。

二、唐代本草著作特点

（一）种类繁多

唐代本草著作种类很多。从作者来看，有官修本草著作，有个人本草著作；从内容分量上看，有大部头著作，也有小册子、单味药著作；从类别上来看，有综合性本草著作，也有专门性本草著作。例如《新修本草》，从作者来看是官修本草著作，从内容、类别来看是大部头、综合性本草著作。除《新修本草》外，其他本草书都是个人所著。在专门性本草著作方面有药性类的《药性论》；地区类的《南海药谱》《胡本草》；食物类的《千金食治》《食疗本草》；炮制类的《乾宁晏制伏草石论》；药名类的《石药尔雅》；歌诀类的《药性要诀》；药图类的《新修本草图》《天宝单方药图》；单味药类的《何首乌传》《威灵仙传》；音义类的《本草音义》等。总计唐代本草著述有 106 种。

唐代主要本草著作《新修本草》是在唐代初期完成的。因为唐代在政治统一后，经济文化有所发展，内外交通发达，医家用药经验不断地丰富，外来药也日益增多，导致当时流行的陶弘景所作的《本草经集注》远远满足不了人们的需要。为了满足人们的需求，政府组织苏敬等人对药物学的成就进行总结，编纂了这本唐代的主流本草著作——《新修本草》。

（二）唐代开创国家编纂本草著作的先例

唐以前的本草著作，都是私人编撰的。到了唐代，由于国威远振，经济繁荣，人民对健康要求高，所以由国家组织人力整理本草，形成了本草编写的主流。主流本草著作——《新修本草》，不仅保持了陶弘景《本草经集注》的传统性，还在承袭《集注》的旧例上有所发展。例如：《集注》原 7 卷，卷 1 为序录，卷 2～7 为各论。《新修本草》由于内容的增多，把《集注》序录 1 卷发展为序 1 卷，例 1 卷。又将《集注》2～7 卷，发展为 18 卷。《新修本草》为宋代政府编纂本草著作开创了道路。

《唐本草》在药物分类上比《集注》更加细致，《集注》草木不分，虫兽相混。而《唐本草》把草木分为草类、木类，虫兽分为兽禽、虫鱼类。所以《唐本草》注对《集注》批评道："岂使草木同品，虫兽共条，披览既难，图绘非易。"

《唐本草》载药 850 种，《集注》载 730 种，《唐本草》新增药比《集注》多

10%左右。

《唐本草》对药物条文的标记，亦承袭《集注》旧例，《本经》文朱书，《别录》文墨书。

但是《唐本草》对药物条文中某些字因避唐讳而有所更改。例如《集注》中药物条文中有关"主治"一词，《唐本草》改作"疗"或"主"，不用"治"字，此因避唐高宗李治的"治"字讳。又因避唐太宗李世民讳，《唐本草》中的"世"字均改成"俗"字。

由于《唐本草》是国家组织人力编修的，在药物选择上，内容精练上，文字结构上，都是高标准要求的，所以《唐本草》成书后，即成为当时医药学家用药的典范。而该书也就成为国家的药典，同时也成为世界上最早的药典。

（三）唐代本草著作全面总结民间用药的经验

《唐本草》的编纂，以收罗传统药及普遍流行习用药为主，对于地方性用药以及民间用药，均未收录。《唐本草》颁布后不久，陈藏器认为《唐本草》遗漏的药物很多，于是撰著《本草拾遗》。从收载的新药数来看，《唐本草》新增药只有114种。而《本草拾遗》收载新药692种，比《唐本草》新增药多5倍余，几乎全部都是民间药。所以《本草拾遗》称得上是唐代总结民间药物知识的专著。

明·李时珍《本草纲目》曾评价道："藏器著述，博极群书，精核物类，订绳谬误，搜罗幽隐，自本草以来，一人而已。"

（四）唐代专门性本草著作有很大发展

在唐代106种本草著作中，一般性本草著作只有14种，而专门性本草著作有92种，约占总数87%。其中以食物类本草著作数量最多。在食物类本草著作中以《千金食治》和《食疗本草》最有影响。这两本书是唐代比较完整的营养学和食疗的专著。它们不仅在生活中有现实的实用价值，同时对于研究食疗发展史，也有很重要的参考价值。

其次为药性类专著，如《药性论》为历代本草所引用。

地区类著作，有《南海药谱》《胡本草》，是总结唐代外来药的专著。《石药尔雅》是唐代药名的专著。《乾宁晏先生制伏草石论》是唐代制药学的专著。《何首乌传》等，是唐代单味药的专著。

（五）唐代本草著作重视理论联系实践

唐代的主流本草著作，是在陶弘景书基础上编纂的，由于陶弘景偏居南方，对北方药物不了解，故《唐本草》在编纂时，根据实践，改正了陶弘景书中的错误。《唐本草》编纂重视实物，曾通令全国呈献标本实物进行编纂，实物与文献并重，做到了理论联系实践。

从进献标本实物做法来看，这也是唐代首次对全国药物进行大普查。宋代嘉祐年间，苏颂等援引唐代的先例，对全国药物亦进行了一次大普查，把全国所进呈的药物标本，图绘成了《本草图经》①。

（六）唐代有些本草著作是受服食影响而著述

上述炮制类、单味药类、歌诀类、药图类等本草中，均杂有很多丹石家的著作，它们的内容，大多围绕服食而讨论。如唐代文人柳宗元等都提倡服石钟乳。这些著作都是受服食家的影响而产生的。它们对临床实践没有什么实用的价值，可以说是唐代本草中的一个小小的支流。

---

① 《本草图经》：《本草纲目·历代诸家本草》作"图经本草"。当今学者讲到此书时，皆用《图经本草》名称。按《政和本草》（1957 年人卫版 26 页）卷 1 有"本草图经序"。此书序以"本草图经"冠之，则此书名应称《本草图经》才对。

第六章 五代本草著作概况和特点

五代是中国大分裂时期。我国北方曾更替五个小朝廷，局势动乱，战争频繁，使得社会遭受大破坏，因此经济文化中心南移。后蜀、南唐、吴越地处南方，成为五代时期文化最发达的地区，所以后蜀有《蜀本草》、南唐有《食性本草》、吴越有《日华子本草》等。现将五代时期的本草著作及其特点介绍如下。

（一）《蜀本草》

此书由后蜀广政年间（938—965）蜀主孟昶命翰林学士韩保昇与诸医工用《唐本草》及《图经》相互参校删定注释而成，初名《蜀重广英公本草》，简称《蜀本草》，凡20卷①。

此书卷数、体例等，皆依《唐本草》旧例编排。其卷1、卷2为序例；卷3～20为药物各论。药物分类亦沿用《唐本草》的自然属性归类，分为玉石、草、木、兽禽、虫鱼、果、菜、米、有名无用等类。

此书虽是重修《唐本草》，但也增加了很多新的内容，这些新的内容，后来被

---

① 宋·掌禹锡《嘉祐本草·补注所引书传》云："伪蜀翰林学士韩保昇等，与诸医工取《唐本草》并《图经》相参校正。更加删定，稍增注释，孟昶自为序，凡廿卷，今谓之《蜀本草》。"

《嘉祐本草》收作注文。计《嘉祐本草》引《蜀本草》资料作注的，共有275条①。

《蜀本草》除转录《唐本草》药物外，亦收进不少新药。如丁香、马齿苋、金樱子、麹、威灵仙、续随子、全蝎、铛墨等。这些新添的药物，后来被《开宝本草》《嘉祐本草》《证类本草》等采用为正品。

本书已佚，但从《嘉祐本草》援引《蜀本草》资料，可以窥其梗概。

例如《蜀本草》云："秦钩吻，主喉痹，咽中塞，声变，咳逆气，温中。一名除辛。生寒石山。二月、八月采（此为正文）。谨案吻钩，一名野葛者……若钩是也。"（此为注文）从"秦钩吻"条文可以看出，《蜀本草》是沿用《唐本草》旧例编写的，对药物功效用"主"字，不用"治"字，这是承袭《唐本草》避讳例。在注文开头，冠以"谨案"2字，这也是仿效《唐本草》体制做的。

此书对药物性味、七情畏恶、药物炮制、药品质量优劣鉴别等，都有新的发展。例如郁李仁，《本经》记其味酸，此书称它有涩味；又如黄连畏牛膝；硝石、大黄为使。此等资料，都是新发展的内容。

本书在七情畏恶药物方面亦有新的发展。掌禹锡《嘉祐本草》序例中的七情药物，有很多是据《蜀本草》增补的。如茯苓、茯神、麻黄等药畏恶资料，皆出于《蜀本草》。

关于药物炮制，多附在《蜀本草·图经》文中。例如桑螵蛸，《蜀本草·图经》云："此物……以热浆水浸之一伏时，焙干，于柳木灰中炮令黄色用之。"

关于药物品质优劣，本书亦提出一些鉴别方法。例如："桑上寄生，方家唯须桑上者，然非自采，即难以分别，可断茎视之，以色深黄为验。"

另外，此书对《唐本草》的某些错误，亦予以明辨。例如"石脑"条，《蜀本草》注云："今据下品握雪礜石主疗与此不同，苏（指苏敬）妄引握雪礜石注之。"

总之，本书之特点是：其一，继承了《唐本草》，并保存了《唐本草》中"图经"的部分内容。《唐本草·图经》久已亡佚。掌禹锡作《嘉祐本草》只见到《唐本草·本草》，但未见到《唐本草·图经》。而《蜀本草》传承了《唐本

---

① 《嘉祐本草》引用《蜀本草》资料多冠以"蜀本""蜀本注""蜀本图经"等标题。冠以"蜀本"的有66种药；冠以"蜀本注"的有35种药；冠以"蜀本图经"的有159种药；另外有15味既引有"蜀本"，又引有"图经"。

草·图经》①。掌禹锡又将《蜀本草》所录收入《嘉祐本草》中。这样《唐本草·图经》部分内容通过《蜀本草》被保存了下来。

其二，本书虽云是对《唐本草》的重订，但又增添了不少新的药物和新的内容，这些内容为《开宝本草》《嘉祐本草》所引用。

另外，《蜀本草》注云："《本经》凡三百六十五种，单行者七十一种，相须者十二种，相使者九十种，相畏者七十八种，相恶者六十种，相反者十八种，相杀者三十六种，凡此七情，合和视之。"从这个注，可以了解《本经》药物原有畏恶七情内容的，可是现存各家辑本皆无此内容。这也是《蜀本草》为《神农本草经》有七情药存在的观点提供的有力证据。

（二）《海药本草》

李珣撰。本书是总结唐末五代时南方出产的药物以及外来药之作，是唐末五代时有名的地方本草著作。

原书已佚，它的内容散存在《证类本草》及《本草纲目》中。笔者曾从《证类本草》辑录《海药本草》佚文 123 条及从傅肱《蟹谱》中辑得 1 条，共得 124条，按自然属性分类，计玉石 12 种，草 38 种，木 46 种，兽禽 3 种，虫鱼 15 种，果 9 种，米 1 种。按《通志·艺文略》所载，析为 6 卷。②

---

① 关于《蜀本草》转引《唐本草·图经》，可从《嘉祐本草》所引"蜀本注"考察之。例如白瓜子，掌禹锡引"蜀本注"云："苏云是甘瓜子，《图经》云别有胡瓜黄赤无味，今据此两说，俱不可凭矣。"在此注文中所言"《图经》云"，显然是转引他书语气，不是韩保昇等人另撰写之《图经》。

但是李时珍《本草纲目·历代诸家本草》的"蜀本草"标题下云："韩保昇等与诸医士，取《唐本草》参校补注释，别为图经。"

掌禹锡《嘉祐本草·补注所引书传》中仅言《蜀本草》20 卷，并未提到另有《蜀本草·图经》的书名和卷数。

② 关于李珣《海药本草》成书时间，李时珍说李珣是唐朝肃代时人。按，《证类本草》卷 16"象牙"条引《海药本草》文中有《酉阳杂俎》书名。据唐·尉迟枢《南楚新闻》云："太常卿段成式（《酉阳杂俎》作者），相国文昌子也，与举子温庭筠亲善，咸通四年（862）6 月卒。"可见段成式卒年比唐代宗晚半个多世纪。而《海药本草》文中引有段成式的书，则李珣《海药本草》比段成式应更晚些，怎么说李珣是唐朝肃代时人呢？

又有人认为《海药本草》是宋代的书，其理由是《证类本草》卷 3"车渠"条引《海药》文中有宋代《集韵》书名。其实此是《韵集》的误刻。《韵集》在《旧唐书·经籍志》已有著录。《证类本草》卷 5"青琅玕"条有掌禹锡引陈藏器云"瑠璃……《韵集》：火齐珠也。车渠、马瑙并玉石之类，是西国重宝"。此文与《海药本草》"车渠"条引《集韵》文同，由此可见《海药本草》"车渠"条中的"集韵"实为"韵集"之误。

本书每个药的编写都有一定的体例。药物条文开头是名称，其次引用前代文献说明产地、形态特性，次是性味，再次是主治功用及其他。在编写方式上沿用《唐本草》旧例。如援引前代文献，多冠以"谨案"2字。对于药物功效，多冠以"主"或"疗"字，不用"治"字。对某些药名多加以解释。例如释"落雁木"云："雁衔至代州雁门（今山西代县雁门关），皆放落而生，以此为名。"

全书药物条文引用前代文献很多。在残存124条文中，引用文献达52种之多。对药物产地多有记载。在124条中，注明国外产地的有96种，所以李珣命本书名为《海药本草》，是名副其实的。

李珣家原是以卖香药为职业的，对香很熟悉，所以书中收罗香药很多，如茅香、乳香、安息香、甘松香、降真香等。这些香药不仅作药用，也作调味、美容、熏烧等用。

此书还记载了炼丹资料。如"波斯白矾"条云："多人丹灶家用。""石流黄"条云："并宜烧炼服。"

本书收载药物，大部分皆见录于前代本草著作。如见录于《神农本草经》者有10种，见录于《名医别录》者有40多种，见录于《唐本草》者有50多种。另有16种是新增的。此16种，后被《嘉祐本草》收作正品药。这里所讲收载药数，是据《证类本草》所引"海药云"的资料统计的。而《证类本草》援引时，以"海药云"的资料与前代本草所不同的才录，相同即不录。所以《证类本草》所引"海药云"的资料，不能代表《海药本草》的全部内容。在《证类本草》中，有很多外来药，如底野迦、郁金、硇砂等条下都无"海药云"的引文。

今存的《海药本草》佚文，在药物条文上都是因为有新的内容，才能为《证类本草》等书所引用。这些新的内容，有的是补充前代本草著作的不足，有的是纠正本草著作的谬误。例如"白附子"条，《名医别录》仅云："主心痛血痹，面上百病，引药势。"而《海药本草》补充说："主治疥癣风疮，头面痕，阴囊下湿，腿无力，诸风冷气，入面脂皆好。"如藤黄、宜南等药名，当时都误传为铜黄、宜男。《海药本草》纠正说："藤黄，今呼铜黄，谬矣，盖以铜、藤语讹也。"又云："宜南，此草生南方，故作南北字，今人多以男女字，非也。"

此书对药物性味记载较详。在药性上记有温、微温、大温、温平、平、冷、寒、大寒；在药味上记有酸、苦、辛、甘、咸、涩、酸涩、苦甘、苦辛、酸甘、咸涩、酸咸涩等味。在此书成书之前，历代本草书都收录一些外来药（如《本经》的胡麻、薏苡仁等；《名医别录》的苏合香、豆蔻、紫真檀等；《唐本草》的安息香、胡椒、底野迦等），但未成专著，而《海药本草》汇集了五代及其以前所有的外来药，形成专著。因此，本书是我国第一部外来药著作，也是唐末五代时南方出产药物的总结，同时也是较早的地方本草专著，对于研究唐末五代时药物发展情况和外来药的情况，有一定的参考价值。

（三）《食性本草》

陈士良著。掌禹锡《嘉祐本草·补注所引书传》云："伪唐陪戎副尉剑州医学助教陈士良撰。以古有食医之官，因食养以治百病。故取神农本经自陶隐居、苏恭、孟诜、陈藏器诸家关于饮食者类之，附以己说。又载食医诸方及五时调养脏腑之术，集贤殿学士徐锴为之序。""伪唐"即指南唐。南唐于937—957年建都于南京，陈士良著《食性本草》当在此期间。

本书已佚，它的部分资料散于《证类本草》中。《嘉祐本草》引用《食性本草》药物49条，其中草类1种，兽类3种，禽类1种，虫鱼类7种，果类11种，菜类15种，米类11种。凡能可食之药，大都收入书中。本书对药物性味、主治、功用、禁忌、药物性状、鉴别、制剂等都有论述。

总之，本书是从前代本草著作中摘录有关食物药品汇编而成的，是南唐唯一的一种食物本草书，但由于陈士良本人创见不多，本书影响不大。所以《本草纲目》批评道："《食性本草》，书凡十卷，总集旧说，无甚新义。"

（四）《日华子本草》

原名《日华子诸家本草》，《本草纲目》称它为"日华"或"大明"。掌禹锡说此书是四明（今宁波）人日华子集，不著姓氏。

此书已佚，部分内容散存在于各种本草中，宋·唐慎微《证类本草》转载此书内容最多。笔者曾有手辑本，1983年由皖南医学院油印后用于内部交流。

《日华子本草》约成于五代吴越钱镠天宝年间（908—912）。但掌禹锡说是开宝（968—976）中四明人作的。其实在开宝中，四明属吴越所管辖，尚未亡于宋。在吴越钱镠天宝年间，日本源顺撰《和名类聚钞》卷10"蒴藋"条已引《日华子本草》资料，由此可见《日华子本草》似在开宝前已成书了。

此书虽亡，但《嘉祐本草》引用很多。《嘉祐本草》所引的条文，均标注"新补见《日华子》"。例如"桑花"条文为："桑花：暖，无毒。健脾，涩肠，止鼻洪，吐血，肠风，崩中带下。此不是桑葚花，即是桑树白癣如地钱花样。刀削取，入药微炒使。"该条末即注有"新补见《日华子》"。

从"桑花"条文，可以看出此书收载之药物，有正名、性味、功效、主治以及药物性状、采收、炮制等内容。有些药物还记有配伍宜忌、畏恶相反、形态、品质优劣、产地等内容。此外，有些药物记有慢性中毒特性。例如"水银"条提到"镀金烧粉人多患风"等论述。

查《证类本草》中，载"掌禹锡引《日华子》云"的药物，有553味。但有些药（如松脂、鹿茸等）被连续引用若干次，按轮次计算，有639次，再加序例的"畏恶相反"药物所引25次，共有664次。

《日华子本草》对药物是按药物寒温、性味、华实、虫兽分类的。

此书对药物性味记载甚详。据《嘉祐本草》所引《日华子》的药物，其中记载凉性药53味，冷性药52味，温性药25味，暖性药24味，热性药15味，平性药44味。又，同一植物因药用部位不同，其药性亦各异。如茅性平，茅针凉；李子温，李树叶平，李树根凉。有些药物因制法不同，其药性亦异。如干地黄，日干者平，火干者温。又，此书还记载了很多新的药性。如白及味硷，槟榔味涩，天南星味辛烈，苧根味甘滑。此等硷、涩、滑等味，都是《日华子》新提出的药性。

此书对药物炮制记载亦颇详，并注意到炮制与药效的关系。如卷柏，生用破血，灸用止血。青蒿子炒用明目开胃，小便浸用治劳。所记炮制方法有：炒、微炒、捣炒、灸、微灸、姜灸、蜜灸、炮、烧、煅、淬、飞、浸、蒸、煮诸法。

此书对药物配伍宜忌（有相制使）论述亦详。《证类本草》引用《日华子本草》药物有600余味，其中有70多味提到"畏恶相反"的内容。例如：天门冬、贝母为使，芎䓖畏黄连，茯苓忌醋及酸物，醋杀一切鱼肉毒，白头翁得酒良。

此书对药物形态记载，大都是从实地观察得来的。例如"石帆"条云："紫色，梗大者如筋，见风渐硬，色如漆，人多饰作珊瑚装。"石帆即柳珊瑚骨骼，生于海水岩礁间。若非实地观察，很难记载得如此真实。

总之，本书是总结唐末五代药物成就的专著，是汇集当时流行的多种本草而成。掌禹锡在《嘉祐本草·补注所引书传》中云"日华子大明，序集诸家本草近世所用药"，序中的"诸家本草"，就是指当时流行的多种本草而言；序中的"近世所用药"，即指当时应用的药物。查《证类本草》所引《日华子本草》的资料，共达600多条，绝大部分资料是不见于前代本草著作的，说明当时流行的诸家本草著作，必有新本草著作存在。这些新本草著作虽然亡佚了，但它们的内容，通过《日华子本草》被保存在《证类本草》中。从这一点来讲，《日华子本草》除了总结五代时药学成就外，对当时流行的本草文献内容，也起到了一定程度的保存作用。

五代时期除上述四种本草著作之外，尚有《草木虫鱼图》（南唐·徐铉撰，陆佃《埤雅》引）、《本草括要诗》（3卷，后蜀张文懿撰，《通志·艺文略》本草目录载之）、《宝藏畅微论》（3卷，南汉轩辕述撰，《庚辛玉册》引）等。

第七章　宋代本草著作概况和特点

一、宋代本草著作概况

宋代本草著作很多，大致有三类：一是继承《唐本草》发展的本草著作，二是一般本草著作，三是附刊在其他书中的本草著作。兹介绍如下。

（一）继承《唐本草》发展的本草著作

《开宝本草》是马志等9人在《唐本草》基础上编成的，前后修了两次：一次是在973年修的，名《开宝新详定本草》[①]；一次是在974年修的，名《开宝重定本草》[②]。这里所讲的《开宝本草》系指后者。

《开宝本草》是继承发展《唐本草》而成的，因此在编写体例、分类、分卷上和《唐本草》相同，按玉石、草、木、兽禽、虫鱼、果、菜、米、有名无用等分

[①]　第一次修纂在开宝六年（973），以《唐本草》为蓝本，参考陈藏器《本草拾遗》及其他诸书，编成20卷，增加一些新药，刊正一些别名，马志作了一些注解。清本完成，经扈蒙、卢多逊审阅，由国子监出版，名为《开宝新详定本草》。

[②]　《开宝本草》对文献来源没有标记。按：《唐本草》对文献来源均有标记的，例如对《本草经》文写成红字，对《名医别录》文写成黑字（因唐代书多是抄本），但《开宝新详定本草》全印成黑字（因使用了雕版印刷），而落于后《唐本草》。因此有重修的必要。

为 9 类，凡 20 卷，外有目录 1 卷。其中"序例上"① 1 卷，"序例下"② 1 卷，"药物"18 卷，载药 983 种，内有 133 种新增③。各卷药物排列次序，大体和《唐本草》相同，对个别药的位置，也作了适当的变更，例如"彼子"④ 就被退在末卷有名无用之后。

每个药的编写，分正文和注文两类，正文印成单行大字，注文印成双行小字。正文出于《本经》印成白字，出于《别录》印成黑字，出于《唐本草》则文尾加注"唐附"，出于《开宝本草》新增则文尾加注"今附"。注文出于《集注》者在注文头上冠以"陶隐居"，出于《唐本草》冠以"唐本注"，出于《开宝本草》所注冠以"今按"或"今注"⑤。但是《开宝本草》所注不多，全书 983 味药，仅有 200 味药为《开宝本草》所注。其中有 120 味药是引用《本草拾遗》的资料来注的。

《开宝本草》问世不到 90 年，就被掌禹锡等在 1057—1060 年增订为《嘉祐补注神农本草》，简称《嘉祐本草》。

《嘉祐本草》既然是从《开宝本草》增订而成，因此在分卷、分类、编写体

---

① 载《开宝重定序》《唐本序》和《陶隐居序》的前半部等。

② 由《陶隐居序》的后半部发展而成，内有诸病通用药、解百药及金石等毒例、服药食忌例、凡药不宜入汤酒者、三品药物畏恶相反等内容。

这种序例分为上下两卷的形式，是由《唐本草》割裂陶弘景《本草经集注》卷 1 "序例"为两卷而袭来，宋代本草皆袭《唐本草》之旧，罗振玉说是唐慎微搞的鬼，范行准说是掌禹锡搞的鬼（见《本草经集注》跋），其实都不对。

③ 据《嘉祐补注总叙》云："开宝中两诏医工刘翰、马志等相与撰集，又取医家尝用有效者 133 种而附益之。"又据《开宝重定序》云"新旧药合 983 种"，则《开宝》新增药应为 133 种。但是《中国医学史讲义》（北京中医学院编，1964 年上海科学技术版）第 64 页云"《开宝重定本草》较《新修本草》增加药物 139 种"（乃《开宝本草》983 种，去《唐本草》844 种）。其实《唐本草》药物不是 844 种，而是 850 种，因《唐本草》对《本草经集注》730 种已进行过某些药物分条（详见拙著《新修本草》辑校本附录《〈新修本草〉药物总数的考察》）。另外再从《政和本草》中统计标有"今附"的药物，只能得出 133 种，找不出 139 种。

④ 除"彼子"移动外，还有食盐自米部移到玉石部；半天河、地浆自草部移到玉石部；鸡肠自草部移到菜部；芫花自草部移到木部；橘柚自木部移到果部；笔头灰、败鼓皮自草部移到兽禽部；生姜自菜部韭条中移到草部并在干姜条中；伏翼自虫鱼部移到兽禽部等。

⑤ 根据文献资料作的注文冠以"今按"，根据当时医药知识作的注文冠以"今注"。

例、文献出典的标记等，都仿照《开宝本草》。全书凡 21 卷①，收药 1082 种，其中 99 种为新增②。分类全同《开宝本草》，唯文献来源标记略异。正文出于《本经》印成白字，出于《别录》印成黑字，出于《唐本草》标"唐本先附"，出于《开宝本草》标"今附"，出于《嘉祐本草》新增标"新补"或"新定"（"新补"表示择自文献，"新定"表示取于当时）。注文标记皆沿袭《开宝本草》之旧，《嘉祐本草》新增的注文，冠以"臣掌禹锡等谨案"。

《嘉祐本草》新增的注文很多，在"序例"③ 的两卷和"药物"的各卷中都有它的新注文，注文内容相当丰富，引用资料颇多，有 50 余种④，比《开宝本草》所引的文献要多 10 倍。

《嘉祐本草》各卷药物编排次序，大体沿用《开宝本草》旧例，对于新增的药物，多以类相从，如绿矾排在矾石之下，山姜花排在豆蔻之下。

在编纂《嘉祐本草》的同时，编纂者们想仿照《唐本草》制一"图经"，作为药物真伪分辨的依据，于是在 1058 年，政府下令向全国征集各地所产药物的实图，并令注明开花结实、采收季节和功用，凡进口药物则询问收税机关和商人，辨清来源，选出样品，送到京都。由苏颂等负责整理，至 1061 年编成《本草图经》20 卷，另有目录 1 卷。

《本草图经》每个药都有药图和注文两部分。在药图部分，由于进献时存在着同名异物的关系，编者不能分辨，多兼收并存，因此同一味药有好几个不同的图。注文也是如此，各地送来的说明文各不相同，编者曾详加考订，对某些互异的资料考订不清时，也是兼收并存。

《本草图经》注文的内容很丰富，举凡有关药物的历史、别名、性状、鉴别、采收、炮制、产地、功用等都有论述，参考文献有 194 余种，比《嘉祐本草》要多近 3 倍。

---

① 《嘉祐本草》21 卷，目录 1 卷，序例上 1 卷，序例下 1 卷，玉石 3 卷，草 6 卷，木 3 卷，兽禽、虫鱼、果、菜、米、有名无用各 1 卷。

② 其中有 82 种是从宋以前各种本草中取来的，特别是从陈藏器《本草拾遗》中取的最多，只有 17 种药是当时习用的药。

③ 《嘉祐本草》在"序例上"增"嘉祐补注总叙"；在"序例下"的"诸疾通用药"中，除对旧有的病名增添用药外，还增加 9 种疾病用药，使病名由旧有 83 种发展到 92 种。又在"序例下"的"三品药物畏恶相反"中，除对旧有的药物增加畏恶资料外，还添加 33 种有畏恶相反资料的药物，使药名由旧有 199 种发展到 232 种。

④ 其中本草有 17 种，经、史、方书、杂记有 30 多种。（书名从略）

对各地送来的药图，其名称不见于《嘉祐本草》的，即单编一类，名《本草图经外类》，外类药有 103 种，其中石类 3 种，草类 75 种，木蔓类 25 种。

《嘉祐本草》和《本草图经》问世后，由于分刊不便检阅，于是陈承和唐慎微①皆尝试合二书为一书。

陈承合并本，增添陈承本人的见闻若干条（后来艾晟称陈氏所增名"别说"，共录 44 条加入《大观本草》中），并加林希序 1 篇，编成 23 卷，定名《重广补注神农本草并图经》，于 1092 年刊行。

唐慎微合并本，增加内容很多，举凡经、史、子、集有关药物的资料，统统收入书中，定名《经史证类备急本草》，简称《证类本草》。

《证类本草》成于 1097—1100 年②，载药 1746 种③，析为 32 卷，在分类和文献来源的标记，悉依《嘉祐本草》之旧，唯唐慎微所增资料，皆冠以墨盖子"▬"标记。

唐慎微所增资料，分"药物"和"注文"两类，药物新加 628 种④，注文增的就更多了，特别方论和单方，几乎全是新加的⑤。计有古方单方 3000 余首，征引

① 唐慎微系宋代人，《古今图书集成》医部引《古今医统》作唐代人，大误。

② 关于《证类本草》成书时间有三说。一说成于大观二年（1108），如《本草纲目》《中国医学史》（陈邦贤著）；一说成于 1082 年，如《中国医学史讲义》（1964 年上海科技版），但是 1963 年人卫版页 109 仍作大观二年；一说成于 1097—1100 年，如冈西为人，笔者从此说，冈西为人根据《证类本草》引有绍圣四年（1097）初虞氏《养生必用方》来决定的，笔者还从《证类本草》引用 1093 年成书的《梦溪笔谈》来补充其说，《证类本草》引有《补笔谈》的"磁石"资料，则唐慎微成书当不会早于 1093 年。

③ 关于《证类本草》药物总数有四说：即 1518、1455、1558、1746。

《本草讲义》（1958 年北京中医学院编）记为"1518"种，这是抄《本草纲目》王世贞序文中"旧本 1518 种，今增药 374"误解而来。《药材学》（1960 年南京药学院编）记为 1455 种，此数和日本久保田晴光《汉药研究纲要》的数相同，这是计算主要药物数字，对有名无用和本经外类药皆未计算进去。《中国医学史讲义》（1964 年上海科技版页 65，1963 年人卫版页 47）记 1558 种，这是从《嘉祐本草》1082 种加上唐慎微新增 476 种而来。《政和本草》总目录末尾方框中记为 1746 种，谓嘉祐 1118 种，证类新增 628 种。统计《大观本草》有 1745 种，颇近 1746 种，至于说嘉祐 1118 种，是因为在 1082 种之中，某些药物被唐慎微分条而多出 36 种所致。

④ 《证类本草》新增药物 628 种：除灵砂、井底砂、降真香、人髭、猕猴、缘桑螺、蝉花、醍醐菜等 8 种为唐慎微所增外，其余 620 种是摘录他种本草而来。计陈藏器 489 种，《本经外草木类》100 种，《海药本草》16 种，《食疗本草》8 种，《唐本》7 种。

⑤ 《中国医学史讲义》（1964 年上海科技版页 65，1963 年人卫版页 47）说唐慎微首创在每药之后附载了有关的方剂。"首创"2 字不妥。盖唐代孟诜所著《食疗本草》中已有附方（详见罗福颐《西陲古方技书残卷汇篇·食疗本草残卷》）。

经、史、方书近 250 家。

由于唐慎微增的资料多，因此在分卷方面，《证类本草》比《嘉祐本草》扩大了，除序例上下两卷未动外，其余 18 卷被扩充为 29 卷。宋代本草到此可算是发展到高峰了，以后虽有书名变异，但是基本内容并未更动。

唐慎微《证类本草》和陈承《重广补注神农本草并图经》问世后，艾晟把陈承书中的"别说"① 和"林希序"并入唐慎微书中，并在"剪草"条下增加"治劳瘵方"② 及序一篇，进献政府，在 1108 年刊行，加上大观年号，改名《大观经史证类备急本草》，简称《大观本草》。到政和六年（1116），经曹孝忠校刊，又改名《政和新修经史证类备用本草》③。

在《政和新修经史证类备用本草》刊行的同时，寇宗奭著成《本草衍义》20 卷，另有目录 1 卷。首列序例 3 卷，次载药物 17 卷，收录药品 470 种④，按玉石、草、木、兽禽、虫鱼、果、菜、米谷等分为 8 类，各类药物的排列次序，可能是按《嘉祐本草》药物目次编排的⑤。

南宋初，北方为金人所占，流行在北方的《政和新修经史证类备用本草》也被翻刻，如金皇统三年（1143）翻刻时，还附有宇文虚中"书证类本草后"一文。

至 1249 年，张存惠不仅翻刻，而且还把《本草衍义》附入书中，改名为《重修政和经史证类备用本草》，简称《政和本草》。

南宋对唐慎微书也有多次翻刻，例如 1159 年王继先等校刊《证类本草》，名《绍兴校定经史证类备急本草》。

---

① 《政和本草》卷 3 丹砂条注云："晟（商务版作晟，人卫版作鼎）近得武林陈承编次《本草图经本》。参对陈于图经之外，又以'别说'附著于后，其言皆可稽据不妄，因增入之。"

② 许叔微《普济本事方》卷 5，"神传剪草膏"注云"艾孚先尝亲说此事，渠后作《大观本草》亦收入集中"（1959 年上海科学技术版将此注文移在书末校勘记中）。

③ 关于曹孝忠校刊本，当称之为《政和新修经史证类备用本草》，有很多书把"新修"2 字省掉或改掉，均不妥。例如《中国医学史讲义》（1964 年上海科学技术版页 65）即省去"新修"2 字。陆心源作的《重刻本草衍义序》即改为"重修"二字（详见商务版《本草衍义·附录》）。

④ 关于《本草衍义》药物总数，各书记载不一，商务版《本草衍义》出版说明作 470 种，但从该书中统计是 503 种，其中有 26 种归并在同类药名之下。又《中国医学史讲义》（1964 年上海科学技术版页 65）作 460 种。

⑤ 关于《本草衍义》药物目次，杨守敬《日本访书志》、陆心源《重刻本草衍义序》、商务版《本草衍义》出版说明，皆说本于《唐本草》目次，笔者不同意此说。（详见《药学通报》1963 年 9 卷 5 期 235 页《介绍〈本草衍义〉兼论其编纂中的几个问题》）

此外，许洪、刘信甫等节略唐慎微《证类本草》，并附以寇氏《衍义》，集成《新编类要图注本草》[①] 42 卷，序例 5 卷，目录 1 卷，题署宋·寇宗奭撰。由于是书所节略的唐慎微《证类本草》，无论在内容上、分量上、校勘上，皆不及张存惠翻刻的《政和本草》完善，特别是文献来源的标记全都省掉了，且正文注文不分，因此对本草学影响不大。

（二）一般本草著作

《日华子诸家本草》，又称《日华子本草》，一说为宋初开宝年间（968—976）日华子[②]所著，凡 20 卷，对药物性味、主治、功用、炮制、产地、别名、形态等都有论述。原书已佚，《嘉祐本草》引有 603 种[③]。

像《日华子本草》样亡佚的本草有 40 多种[④]，今日所存有下列数种。

《宝庆本草折衷》，陈衍作于宝庆三年（1227），初名《本草精华》，至 1248 年

---

① 本书因校刊翻刻的变更，其名称也各异。许洪校刊名《新编证类图注本草》，刘信甫校刊名《新编类要图注本草》，余彦国翻刻亦名《新编类要图注本草》，元代僧慧昌校刊又改名《类编图经集注衍义本草》，明代正统道藏翻刻时，把此书割为两截，以序例 5 卷为一书，名《图经集注衍义本草》，以药物各论为一书，名《图经衍义本草》。1924 年上海涵芬楼影印的《图经衍义本草》即是此书后半截的药物各论本。

② 说日华子是宋初开宝年间人，乃是根据《嘉祐本草·补注所引书传》的资料。但是《古今图书集成》卷 527 列传 4 说日华子和陈藏器同是四明人，列在唐代人的传里。赵燏黄说日华子是唐开元年间（713—741）人。这几种说法都有问题。按《政和本草》卷 11 "何首乌" 条引《日华子》云："其药本草无名，因何首乌……采人为名耳。" 何首乌事出唐元和七年（812），前人怎么会知道后人的事呢？范行准说《日华子诸家本草》成于五代吴越（《中华文史论丛》六辑页 340）。

③ 《嘉祐本草》所引《日华子本草》按药物计算是 553 条，但有些药如鹿草、兔头骨等，同一药连续引用若干次，按轮次计算，有 639 条，若再加序例的 "畏恶相反" 药物所引的 25 条，共有 664 条。

④ 亡佚本草指蒋淮《药证病源歌》、梁嘉庆《本草要诀》、叶传古《医门指要用药立成诀》、王道冲《石药异名要诀》、陈亚《药名诗》、韩终《采药诗》、庞安时《本草补遗》、庄绰《本草节要》、陈日行《本草注节文》（"注" 另本作 "经"）、文彦博《节用本草图》、文潞公《药准》、崔沆《本草辨误》、斐宗元《药诠总辨》、郑樵《本草成书》《本草外类》《采治录》《畏恶录》《食鉴》、田锡《曲本草》、黄宣《药书》、靳起蛟《本草会编》、褚知义《钟乳论》、吴升《新修钟乳论》（"升" 通志作 "弁"）、詹端方《本草类要》、艾原辅《本草集议》《药性辨疑》《本草备要》、缙云《纂类本草》（以上四种见《宝庆本草折衷》书末 "群贤著述年辰"）、《采药论》《制药法论》《金石制药法》《用药须知》《药林》《药证》《方书药类》《本草要录》《本草韵略》《菖蒲传》《灵芝记》《金石灵台记》《大宋本草目》。

改为此名。全书 20 卷，今存 14 卷，亡佚卷 4 ~ 9，书中记有"十九畏歌"，书末载有"群贤著述年辰"，列举本草 21 种。

《履巉岩本草》①，1220 年王介著，收草药 206 种，每种绘成五彩图，共 3 卷。

其他如王继先《绍兴校定经史证类备急本草图》5 卷，另有 19 卷本《绍兴校定经史证类备急本草》。董煟《救荒活民书》3 卷及《拾遗》1 卷，陈达叟《本心斋蔬食谱》1 卷及林洪《山家清供》2 卷，杨天惠《彰明附子记》等都是今日尚存的宋代本草著作。此外如《笋谱》《橘录》《菌谱》《兰谱》《菊谱》《芍药谱》《荔枝谱》等虽不是药物专书，但对药物的形态、鉴别和栽培等，仍有参考价值。

（三）附刊在其他书中的本草著作

《太平御览·药部》。《太平御览》一书由李昉等编于 977—983 年，凡 1000 卷，分为 55 门，其卷 984 ~ 993 为药部②，载药 202 种，还有 120 种被分散在其他各卷中③，总计全书收药 320 余种，各药内容与一般本草著作中药物的内容不同，仅仅汇集前代方书本草的资料④，对失传的古本草的研究，有很大的参考价值。

《太平圣惠方·药论》。《太平圣惠方》由王怀隐等编纂，书成于 992 年，凡 100 卷，分 1670 门，载方 16834 首，其卷 2 为"药论"，"药论"的内容计有论 4 首⑤，畏恶相反药 199 种，反药 3 条⑥，诸疾通用药 96 类，服诸药忌 17 条，五脏用药 123 种，其中五脏用药是后世药物归经理论的基础。

《梦溪笔谈·药议》。《梦溪笔谈》由沈括作于 1086—1093 年，卷 26 载"药议" 28 条，加上《补笔谈》卷 3 "药议" 12 条，共有药议 40 条。本书对于药物产地、性状、鉴别、功用、同名异物等论述颇精。此外沈括《苏沈良方》《惠民药局记》对药物亦有论述。

---

① 《履巉岩本草》为已故的赵燏黄藏有，《中医图书联合目录》和《宋史·艺文志》均未著录。

② 卷 984 是"药部一"，卷 985 是"药部二"，以此类推，到卷 993 为"药部十"。

③ 例如龙眼、木瓜等被列在果部卷 973；藁芜、白芷等被列在香部卷 983；桑根白皮等被列在木部卷 955；文蛤、蟹等被列在鳞部卷 942；斑苗等被列在虫部卷 951；水蛭等被列在卷 950。

④ 各个药物所汇集的资料，多寡不一，多到数十条，少到 1 条，例如卷 985 "丹砂"引的文献有 21 条，"芝"引的文献多至 25 条，每条资料皆冠以出典的书名。

⑤ 即论处方法、论合和、论服饵、论用药。

⑥ 即十八反药物 3 条：乌头反半夏、瓜蒌、贝母、白蔹；甘草反大戟、芫花、甘遂、海藻；藜芦反五参、细辛、芍药。

《圣济总录·叙例》。《圣济总录》成于1111—1117年，凡200卷，载方近2万首，卷3"叙例"对药物修制、煎煮等皆有论述。

《洗冤录·诸毒》，《洗冤录》由宋·宋慈著，书中"诸毒"篇，介绍了巴豆、砒霜等十几种药物的中毒症状及其解救法，是中国最早的毒理学的资料。

《通志·昆虫草木略》。《通志》是郑樵所著，书成于1161年。"昆虫草木略"为其中两卷，载物名472条，按草、蔬、稻粱、木、果、虫鱼、禽、兽等分为8类，所录名物95%以上是药物，每个药物内容，以释名为主，产地、性状次之，对功用论述很少。

《太平惠民和剂局方·指南总论卷上》。《太平惠民和剂局方》最初在大观年间由陈师文等所集，时称《和剂局方》，后经多次增修，至1151年方改为此名。书中所附《指南总论》系许洪所著，《指南总论》分上中下3卷，仅上卷是论述药物的，中下卷皆是讲诸症的。上卷内容有处方、合和、服饵、畏恶相反、服药食忌、炮制三品药石类例；叙述188种药物的炮制方法。

《伤寒总病论·修治药法》。《伤寒总病论》为庞安时所著。所附"修治药法"介绍了200种药物的炮制方法。

《普济本事方·治药制度总例》，此书是许叔微所著，所附"治药制度总例"介绍了84种药物的炮制方法。

此外，据《宝庆本草折衷》书末"群贤著述年辰"介绍，有8种本草著作附列在其他医书中。

二、宋代本草著作特点

（一）种类繁多

宋代本草著作种类很多，从作者来看，有官刊，有个人著述；从分量上来看，有大部头巨著，也有小册子；从类别上来看，有综合性本草著作，也有专门性本草著作。例如《开宝本草》等是官刊，《证类本草》系个人所撰；《嘉祐本草》等是属大部头巨著，《彰明附子记》等是小册子；《政和本草》等属综合性本草著作，《本心斋蔬食谱》等为专门性本草著作。

宋代主要的本草著作都在北宋完成。唐宋时期，广大劳动人民在药物学方面已经积累了相当丰富的经验和理论知识，客观上需要及时总结，因此才有可能编写成这些大部头综合性的本草著作。到南宋时，本草发展不大，一般都是节录北宋的大部头本草著作而成的小册子，如陈日行《本草注节文》、文彦博《节用本草图》等即是。所以北宋本草著作偏于提高，南宋本草著作偏于普及。

（二）保持《唐本草》的传统

宋代本草著作在编写体例上，大致承袭《唐本草》旧例，在分类方面是按药物自然来源而分的，如玉石、草、木、兽禽、虫鱼、果、菜、米谷等。不过宋代把"兽禽"再进一步细分为人、兽、禽三类。在分卷方面，除药物总论仍分序例上下两卷外，药物各论由《唐本草》18 卷最多扩充到 28 卷。在文献来源标记方面，除《本经》作白字、《别录》作黑字外，其余皆用文字注明；在书写格式方面，正文作单行大字，注文作双行小字，这些做法都是仿照《唐本草》体例办的。总之，中国的古本草著作自陶弘景《本草经集注》起到唐慎微《证类本草》止都是一脉相承的。

（三）药物、注文、附方等数量大增

宋代本草著作收载药物的数量是不断地增加的。《开宝本草》较《唐本草》增加 133 种，到《嘉祐本草》又增加 99 种，到《证类本草》又增加 628 种；由《唐本草》850 种，到《证类本草》已发展到 1746 种，增加一倍有余。"注文"的增加也很明显，《开宝本草》仅有 200 余味药有注文，引用文献也不过数种；到了《证类本草》，几乎全部药物皆有注文，引用文献达 250 余种。在附方上，唐代《食疗本草》虽有附方，但为数不多；到《证类本草》，所附古方、单方近 3000 首。

（四）保存了很多的古代失传的方书、本草

宋代的本草著作如《证类本草》《太平御览·药部》《通志·昆虫草木略》等书都保存有很多失传的方书及本草著作，后人从事古本草书、方书研究不能见到原书时，就可以从它那里寻找断编残简，以便知其梗概。像清代孙星衍、黄奭、顾观光和日本的森立之等所辑的《神农本草经》，皆以宋代本草著作为主要参考依据。

（五）内容朴实

宋代本草著作的内容很朴实，对于药物名称、产地、性状、鉴别、炮制、主治功用等，都是据实记载的，对于临床应用，都按症言治，极少用阴阳五行等理论来做药物功用说理的工具，联系中医理论也很少，归经学说似不多见（除《太平圣

惠方》卷 2 "五脏用药"有点归经意味外，其他处见的不多）。在炮制方面亦以实用为主，如许洪《指南总论》所言炮制都很实用，这和前代《炮炙论》是不同的。

（六）编纂实事求是

宋代本草著作编纂时，不单纯从书本上去推求，还注意到联系实际事物。例如"景天"，陶弘景说"广州有……名曰慎火树"，但《开宝本草》注云："皇朝（指宋朝）收复岭表得广州，医官问其事，并无慎火树，盖陶之误尔。"又如《嘉祐本草》对新增的"胡芦巴"不知放在何类，后根据广州进献的药图，把它列在草部下品末了。像苏颂、沈括、郑樵等皆是宋代杰出的科学家，他们都注意到了目验的重要性，理论联系实际，从事于本草著作。

第八章 金元本草著作概况和特点

12 世纪，东北女真族兴起，灭辽侵宋，统一北方，建立金国。后蒙古族兴起，推翻金，灭宋，建立元王朝。

金元因连年战乱，疫疠流行，医家以治病为主，所撰本草著作，都切合临床实用。今将金元本草著作概述如下。

一、金元本草著作概况

金元本草著作大致有下列几类。

（一）综合性本草著作

1. 金元翻刻宋代本草著作

（1）金·皇统三年（1143）翻刻《政和新修本草》，宇文虚中为该书作书后。

（2）金·贞祐二年（1214）福昌夏氏书铺翻刻宋《大观本草》。

（3）金·泰和甲子己酉（1249）张存惠刊《重修政和本草》，附以寇宗奭《本草衍义》。

（4）元·大德六年（1302）宗文书院翻刻宋《大观本草》。

（5）元世医普明真济，僧慧昌重刊《类编图经集注衍义本草》。

该书原为宋嘉定间（1208—1224）桃谿刘信甫、许洪节略《证类本草》，附以寇宗奭《本草衍义》而成。成书时间比张存惠本早 20 余年。该书编纂无例，标注不明，除药名分黑字白字外，余皆墨书。书中"果人"之"人"，未改作"仁"。

2. 元代官家修订本草著作

《至元增修本草》。明·王圻《续文献通考》云："世祖至元二十一年（1284），命翰林承旨撒里蛮，翰林集贤大学士许国祯，集诸路医学教授增修《至元增修本草》。"为元代药典性本草著作，原书佚。

3. 元代医家著述本草著作

（1）《本草类要》10 卷，元·詹瑞方撰。明·焦竑《国史经籍志》著录，不传，《永乐大典》存其佚文。

（2）《本草元命苞》9 卷，元·尚从善撰。中国中医科学院藏黄丕烈旧抄本。题"御诊太医宜授成全郎上都惠民司提点尚从善撰"。有至顺二年（1331）序。序云："读书之暇，撷其切于日用者四六八品，取其义理精详，治法赅博，纂而成章。"

该书从《大观本草》中，选择常用药 468 味，取其义理精详、功效卓著者汇集成篇。各卷药物编有序号，按君、臣、使、性味、功效、主治、产地、采收、形态等次第简述。由于本书无新义，故流传不广。

（3）《本草发挥》1 卷，元·滑寿撰。

滑寿，字伯仁，号撄宁生，原籍河南襄城，其祖徙居江苏仪征。《浙江通志》著录此书，今佚。

与此书同名者，有元·徐彦纯《本草发挥》4 卷。

（4）《本草经》，元·王东野撰。《吉安府志》《卢陵县志》著录。

王东野，名平，永新（今属江西）人，元大德初年（1297）为永新州官医提领，至大德四年（1300）为太医。

（5）《本草》，元·俞时中纂。《金华县志》（1894）著录，不传。

俞时中，浙江金华人，元太医令。

（6）《丹溪本草》，元·朱丹溪撰。明·叶盛《菉竹堂书目》著录。未见流传。

（7）《本草衍义补遗》，元·朱丹溪撰。

全书载药 135 种，对寇宗奭《本草衍义》有所补充。《本草纲目》云："此书盖因寇氏《衍义》之义而推衍之，近二百种，多所发明。但兰草指为兰花，糊粉指为锡粉，未免泥于旧说。而以诸粉分属五行，失之牵强耳。"

《丹溪心法附余》卷首刊有此书，书中有些药正文分为两段，中间隔以空白，空白后段文似为他人续增。例如菊条后段文有"若山野苦者勿用"。观其语气，似为后人所增入。

（二）专门性本草著作

1. 药性本草类

（1）《药方论》，金·成无己撰。附刊于《伤寒明理论》卷4。

该书序云："制方之体，宣、通、补、泻、轻、重、滑、涩、燥、湿十剂也。其用必本药之气味。其寒、热、温、凉四气，酸、苦、辛、咸、甘、淡六味，阴阳造化之机存焉。"又云："是以一物之内，气味兼有，一药之中，理性具矣，主对治疗，由是而出。"

该书对《伤寒论》中20首方剂的方义，进行了论述。每一方都引用《内经》原理，结合方药，讨论四气、六味（含淡味）、阴阳、七方、十剂、君臣佐使变化，并对之进行了系统的论述，为金元医药理论奠定了重要的基础。

（2）《素问药注》，金·刘完素撰。从书名看，是据《素问》论药。原书佚。明·熊均《医学源流》著录之。

（3）《本草论》，金·刘完素撰。刊于《素问病机气宜保命集》第九。

该书内容与金·成无己《药方论》前半部基本相同。重视七方、十剂、气味、阴阳，并发展了"气化"理论；根据《素问·阴阳大论》"阳为气，阴为味，味归形，形归气，气归精，精归化"，推演出五脏气味补泻内容，同时发展了《素问》王冰注"气味厚薄阴阳说"，并举例说："附子、干姜，味甘温大热，为纯阳之药。为气厚者也；丁香、木香，味辛温平薄，为阳中之阴，气不纯者也。故气所厚则发热，气所薄则发泄。"

该书亦采撷《圣济经》中"药理篇"部分内容，如法象药理学说。所以刘完素《本草论》是金代早期本草药性专篇。

（4）《药略》，金·刘完素撰。刊于《素问病机气宜保命集》第三十二。

该篇列举常用药65种，注明主要药用功效，每药仅用几个字叙之。例如：半夏去痰，生地黄凉血，黄芪止汗，治诸气虚不足，苁蓉益阳道及命门火衰。

篇末附以药性分类模式（原书无标题，陈嘉谟以"用药法象"名之），按形、色、性、味、体为主干，再细分之。

类别细目
［形］分金、木、水、火、土。［形］有真假
［色］分青、赤、黄、白、黑。［色］有深浅
［性］分寒、热、温、凉、平。［性］有急缓
［味］分辛、酸、咸、苦、甘。［味］有厚薄
［体］分虚、实、轻、重、中。［体］有润枯

其下注云："轻、枯、虚、薄、缓、浅、假，宜上；厚、重、实、润、深、真、急，宜下；其中平者，宜中。余形、色、性、味，皆随脏腑所宜。此处方用药之大概耳。"

《药略》亦提到药物归经，如指出四物汤中熟地通肾经，川芎通肝经，芍药通脾经，当归通心经，但未形成体系，后由金元其他医家推演扩充之。

（5）《珍珠囊》，金·张元素撰，见《医要集览》。但《济生拔萃》中编著录名《洁古珍珠囊》，明·焦竑《国史经籍志》著录《洁古本草》，题张元素撰，不知是否即此书。

《本草纲目》云："张元素言古方新病不相能，自成一家之法，辨药性之气味，阴阳厚薄，升降浮沉，补泻六气十二经及随证用药之法，立为主治秘诀，心法要旨，谓之《珍珠囊》。"

书中载药90种，阐述药物性味归经，引经报使。每药列举几点主要功效。比刘完素《药略》用几个字简括药性更实用。

后人将张元素《珍珠囊》翻为韵语，改称《东垣珍珠囊》。时珍云："后人翻为韵语，以便记诵，谓之《东垣珍珠囊》，则谬矣。"

《东垣方指掌珍珠囊》，李东垣撰。明·高儒《百川书志》著录。

《东垣药性赋》，李东垣撰。明·高儒《百川书志》著录云："元·东垣老人李杲撰，分寒热温凉四赋，载药248种。"明末殷仲春《医藏书目》记有两卷本《药性赋》，注云"东垣撰"。

以上两种，李时珍认为是明代书坊所刻，托名李东垣。

（6）《脏腑标本用药式》，张元素撰。

张元素引用《中藏经》"五脏六腑虚实寒热生死逆顺脉证法"各篇内容，辨证，从虚实寒热着手；施治，以温凉补泻为指归。对各脏腑用药，根据药性寒热温凉补泻归纳出"脏腑标本寒热虚实用药式"，简称"脏腑标本用药式"。

清·周学海《周氏医学丛书》出本书单行本。周学海云："此编无单行本，世亦绝少知之，止见李东壁《本草纲目》前载之。而高邮赵双湖收入《医学指挥》中。其小注较《纲目》稍多，殆赵氏所增耶！"民国张寿颐为之补正，析为 3 卷，名《脏腑药式补正》，1958 年上海科学技术出版社铅印。

（7）《药类法象》，李东垣撰。

该书主要讲药物气味厚薄、阴阳升降，论脏腑归类、气味补泻关系，并按风升生、热浮长、湿化成、燥降收、寒沉藏将药物分为五类，列举药物 100 种，各注性味。

（8）《用药心法》，李东垣撰。

该书主要讲临床按证用药、组方、引经报使，并讲炮制、煎煮、服药等法。

按 以上后二书，《纲目》作为一书，名《用药法象》。《东垣试效方》砚坚序作"药象论"。《汤液本草》引《药类法象》注"象云"，引《用药心注》注"心云"。

（9）《㕮咀药类》，元·罗天益撰。

罗天益，字谦甫，真定（今河北正定）人，学医于李东垣。撰有《卫生宝鉴》。

该书卷 21 转录李东垣《药类法象》，并在各药条末加炮制资料，易名为《㕮咀药类》。在书末转录李东垣诸药论。

（10）《汤液本草》，元·王好古撰。

全书 3 卷，上卷录李东垣《药类法象》《用药心法》及王好古本人论说，分专题阐述药理。中、下卷摘取《证类本草》常用药及张元素、李东垣用药经验，以简要语述之。今有明万历二十九年（1601）吴勉学校刊《古今医统正脉全书》本。

（11）《诸药论》，元·李浩撰，见《滕县志》（1717）。

李浩，祖籍曲阜，五世祖迁居滕县，著书多种，不传。

（12）《药象图》，元·罗天益撰。

（13）《诸方辨论药性》2 卷。

该书为《秘传眼科龙木论》第 9、10 两卷。载药 164 种，分玉石、草、木、禽、兽、虫、鱼、果、菜、米谷等类。每味药均可治眼病。内容有用药和制药法。

（14）《新刊风科本草治风药品》，元·左斗元撰。清·徐乾学《传是楼书目》题赵大中撰。

该书是在《风科集验名方》书首附录药品而成。左斗元序云："校勘之余，又取经史子集、古今圣贤名医治风药品、治理制度、动风食忌列于前，庶成全书。"

据此可知《风科集验名方》是金·赵大中所编，《新刊风科本草治风药品》是左元汁在其基础上于书首附录药品。

该书，日本国立公文书馆内阁文库藏江户抄本（301 函，297 号）。

（15）《丹溪药要或问》，元·赵良仁撰。佚。《姑苏郡志》云："赵良仁字以德，长洲（今苏州）人，为朱丹溪弟子，有《丹溪药要》等书。"

（16）《药谱》，李东垣撰。明·朱睦㮮《万卷堂书目》、清·钱曾《也是园藏书目》均著录为 1 卷。

2. 食物本草类

（1）《饮膳正要》，元·忽思慧撰。

忽思慧是元代皇家厨师，于天历三年（1330）撰成此书。对养生避忌、妊娠食忌、营养食物烹调法、营养疗法、主治功用、食物卫生、食物中毒、乳母食忌等，均有论述，全书分 3 卷。

（2）《日用本草》，元·吴瑞撰。《本草纲目》云："元海宁医士吴瑞，取本草切于饮食者，分为八门，间增数品而已，书凡八卷，名《日用本草》。瑞字瑞卿，元文宗时休宁人。"

明泰昌元年（1620），钱允治校刻《日用本草》，分为 3 卷。载药 540 余种。另《经籍访古志》云："《家传日用本草》，嘉靖四年（1525）刊本，聿修堂藏，元新安医家吴瑞编辑，七世孙镇校补重刻。首有嘉靖四年李汛序，吉氏家藏及称意馆藏书记。"

（3）《饮食须知》，元末贾铭撰。

贾铭，元海宁人，自号华山老人。入明已百岁，明太祖召问颐养之法，对云："要在慎饮食。"因进所著。

全书 8 卷，分为水火、谷、菜、果、味、鱼、禽、兽 8 类。介绍 360 余种食物性味，相反相忌，多食所致之病证，以及诸类食物有毒的形态、特征和解毒方法。该书为元代营养学专著之一。

（4）《饮食有度》，元·李鹏飞辑。

李鹏飞，九华（今安徽青阳）人。撰《三元参赞延寿书》3 卷。第 3 卷为《饮食有度》。书分五味、食物两部。食物又分果实、米谷、菜蔬、飞禽、走兽、鱼类、虫类。节录前人资料，其中"食物"篇辑录损益参半者，有损无益、有益无损皆不录。每条仅述宜忌。

1592 年胡文焕收入《寿养丛书》中。

（5）《养生之要》，元·汪汝懋编辑。

汪汝懋，字以敬，原籍安徽歙县，后迁居浙江淳安桐江。至正（1341—1368）间任国史馆编修。增广杨元诚旧作成《山居四要》。其中第 2 卷为《养生之要》，分服药忌食、饮食杂忌、解饮食毒、饮食之宜、法制馐败五篇，汇辑前人有关食治内容。

3. 本草歌诀类

（1）《图经备要本草诗诀》，元·周天锡编，比胡仕可《本草歌括》早 1 年。是一种图诗并存的普及性本草。

全书 2 卷，书前有至元甲午（1294）东嘉周天锡序。收录药物 365 种，分 11 部，玉石、草、木、诸香、兽、禽、虫、鱼、果实、米谷、蔬菜，每药用 4 至 8 句七言歌诀，述其主治。

（2）《本草歌括》2 卷。元·胡仕可撰。明·熊宗立增补，析为 8 卷。上海图书馆藏明刊本。

（3）《图经节要补增本草歌括》，元·胡仕可撰。明·熊宗立增补。上海图书馆藏明刻本。

《本草纲目》："元瑞州路医学教授胡仕可，取本草药性图形作歌，以便童蒙者，明刘纯、熊宗立、傅滋等皆有歌括。"

《中国医籍考》谓该书序题"宜丰（今江西宜丰）胡仕可"。上海图书馆存《新刊校讹大字本草歌括》，其中有明熊宗立增补内容，计：草部，原编 153 种，熊增 26 种；木部，原编 64 种，熊增 14 种。该书每药附一图，系取自《证类本草》，书七言歌括一首，叙述药物功效主治。

（4）《补注本草歌括》，元·何士信增补元·胡仕可《本草歌括》而成。

全书 6 卷（一作 8 卷，见《中国医籍考》）。何士信，福建建安人。

（5）《用药十八辨》1 篇，元·李云阳撰。

此篇见元末黄石峰《秘传痘疹玉髓》。乃李云阳为纠正《痘疹》治疗中 18 种误用药而作，用七言诗述之。

二、金元本草著作特点

金元时期，连年战乱，瘟疫流行，促进了临床医学发展。各家名医根据不同的情况，总结自己的经验，发挥独创见解，各树一帜，形成金元四大家，使医药理论有了新的发展和进步。兹将金元时期本草著作特点讨论如下。

（一）作者多属医家

在金元时期，撰本草书者多属医家，本草著作以临床应用为主。不像宋代儒医撰本草书，广收博引，形成大部头本草类书。因此金元综合性大型本草著作少，精炼型本草著作多。金元刘完素、张元素、李东垣等对药理学说的撰述，都是短篇专论的小册子，他们对药物临床应用重视，对药物形态、性状、炮制不讲究。到罗天益《卫生宝鉴》，才补充药物炮制内容。此外如忽思慧、吴瑞等对食物本草亦有著述。

（二）内容精练，归纳药理

此时期本草著作在内容上，精炼药效、归纳药理。金元各派医家，利用宋代刊行的《医经》《本草》等书，从中选择最常用的药，根据临床用药经验，进行理论研究，将经验用药上升为理论，指导用药，从而创造出气味厚薄、归经、引经、升降浮沉等药性理论体系，以简驭繁，这也是金元本草著作内容方面的主要特点。

（三）收载药数相对较少

金元时期，多数本草著作所记药物以当时流行的常用药为主。其药味不过一二百味。不像宋代儒医，广收博引，有名必录。如宋代《证类本草》收载药物总数已达 1746 种，其中绝大部分是不常用的药，或冷僻稀见的药，或有名无用的药（已被淘汰的药）。

（四）对药性与功效的联系理论有所发展

金元时期，医家认为药物主治功效，不仅与药物性味良毒有关，而且与脏腑经络有关。药物性状如药物形状、性味、颜色、质地轻重、润燥和药物作用趋势（升降浮沉、补泻）有关，并和阴阳五行、四时（春夏秋冬）六气（风寒暑湿燥火）相联系，从而把药物本身与人体及天地自然相结合成一个整体。

例如药物同四季气候联系，创立气化学说：春生、夏长、秋收、冬藏。

药物同人体五脏联系，创立归经、引经报使学说。

药物同性状联系，创立药物层次分类。即按药物性状的形、色、性、味、体等分为五个层次。

形有真假，分为金、木、水、火、土。

色有深浅，分为青、赤、黄、白、黑。

性有缓急、分为寒、热、温、凉、平。

味有厚薄，分为辛、酸、咸、苦、甘。

体有润枯，分为虚、实、轻、重、中。

不过有些联系，前代本草著作已载有。如性、味，早在《本草经》时已有。如药物同机体反应联系，产生寒、热、温、凉四气；同口尝感官联系，产生辛、酸、咸、苦、甘之味；同方剂联系，产生君、臣、佐、使；药物相互配伍联系，产生相畏、相恶、相反、相杀、相须、相使、单行等七情，这些概念在前代本草著作中均有论述。

金元医家将前代本草药性、四气、五味理论结合当时医家所创立的药物气味厚薄、归经、引经报使、升降浮沉、取类比象等诸般药性学说，形成了金元时期的药学理论。这个理论反转过来又能指导用药，使医理与药理相结合，形成理法方药完整的体系。这种理论体系对明清本草著作产生了广泛的影响。

（五）对营养学有所发展

元·忽思慧《饮膳正要》记载了很多营养食物，也记载了一些食治法。如北五味子汤能生津止渴，益气。

吴瑞《日用本草》记载了米、谷、菜、果、禽、兽、鱼等食物，介绍了各种食物对人体的营养作用。

贾铭《饮食须知》是一部饮食保健专著。

第九章　明代本草著作概况和特点

一、明代本草著作概况

明代本草著作，大致分为四类，即综合类、简要类、歌赋类、专门类。兹分述如下。

（一）综合类

这类本草著作，内容丰富，收录药品多，凡有名皆录。对教学、科研参考价值大，但对临床医家和初学医者而言并不方便。初学医者，不知哪些药重要，哪些药不重要。此类著作各药所言主症很多，会使医家莫知所从。兹将明代大型综合性本草著作，介绍如下。

（1）《本草品汇精要》，明·刘文泰等奉敕编纂。

全书 42 卷，目录 1 卷，载药 1815 种，分为 10 部。

全书药物总的分类套用《皇极经世》模式，采用二级、三级分类。例如将草、木、谷、菜、果各部，细分为草、木、飞、走四类；兽、禽、虫、鱼各部，又分羽、毛、鳞、甲、赢五类。每类又按出生形式分为胎、卵、湿、化四类。有叠床架屋之弊。

全书各药内容分类，采用南宋《纂类本草》分类法，将《证类本草》层层囊括的注文，分解为 24 项，即名、苗、地、时、收、用、质、色、味、性、气、臭、主、行、助、反、制、治、合治、禁、代、忌、解、膺等重行归类。

全书分类过细，子目过多，导致有些类别界限不明。如玉石、兽、禽的形态、制造皆列于"地"项，又，"用"项中仅言入药部分，其余皆无。

全书收录药物内容，大部分转录自《证类本草》，摘自《饮膳正要》药物有 16 种。新增药 32 种，其中 10 种仅有药名而无条文（如大枫子、秋石、孩儿茶、锦地罗等）。

全书附彩图 1358 幅，新增图 366 幅，书成后藏于深宫，未刊行。

（2）《本草纲目》，明·李时珍撰。

全书 52 卷，载药 1892 种（新增药 374 种），分 16 部 60 类，附图 1109 幅，附方 11096 首。本书将《证类本草》和金元药理学说系统整理。在"集解"项下，罗列药物文献，对品种考订极有价值。在"发明"项下，提出很多医药新见解。该书最早于 1590 年由金陵胡承龙开始刻印，书尚未刻成，李时珍即逝世。

全书药物不分三品，唯逐各部，物以类从，目随纲举。采用多级分类，以 16 部为纲，60 类为目，各部从微至巨，从贱至贵，体现进化思想。

（二）简要类

大型综合性本草，内容虽丰富，但不适合临床医家用。为了医家方便，明初出现一些简要性本草著作，内容比《证类本草》精练，但又不像金元本草著作那样药味少到百余味，药效仅几句话。这些本草著作将金元本草著作中凡药理切合临床实用的，皆收入书中。

简要性本草著作对临床应用和学徒学习都很方便，今分述如下。

（1）《本草集要》，明·王纶撰。

书分上、中、下三部，上部取《证类本草》序例和金元医家药理糅合为一体。中下部载药 545 种，采用双重分类，中部按草、木、菜、果、谷、石、兽、禽、虫、鱼、人分类；下部按气、寒、血、热、痰、湿、风、燥、疮、毒、妇人、小儿分类。

在中部，将无机物列于前，有机物列于后。因人为万物之灵，故列于最后。

各药不分三品，以类相从，附方以病相从。

在下部分类中，又按功效再细分，形成二级分类，每药之后，有简短主治功效按语。由于该书切合实用，备受当时医家欢迎。

（2）《本草要略》，明·贺岳撰，附在《医经大旨》内。

该书摘录金元医家药论 70 种，作者本人无新见。

（3）《本草会编》，明·汪机撰。原书佚。

陈嘉谟、李时珍曾见之。陈嘉谟云："喜其详略相因，工极精密矣。惜又杂采诸家，迄无的取之论。"

（4）《本草蒙筌》，明·陈嘉谟撰。

该书原为学徒编写，重点内容编为歌括，以便记诵。很多药物附有陈嘉谟个人见解。李时珍评曰："每品具气味产地采收，治疗方法，创成对语，以便记诵，间附己意，颇有发明。便于初学，名曰蒙筌，诚称其实。"

全书 12 卷，收药 742 种，仿《本草集要》分类，每药附以《证类本草》药图，并加药材鉴别、辨伪、产地、采收、贮藏等说明。陈嘉谟说："卖药者两只眼，用药者一只眼，服药者全无眼。"故重视药材鉴别、辨伪。

（5）《本草纂要至宝》，明·方谷撰。

全书 9 卷，载药 178 种。另附《明经法制论》《用药权宜论》《药性赋》三篇。方谷认为"用药必使补泻升降得宜，寒热温凉有准"。

（6）《本草纲目疏要精编》，明·李建元撰。该书为《本草纲目》摘录本（"酿造"以后缺），是抄本，卷首为"进本草纲疏要精编"，抄者在"纲"后脱"目"字。全书 5 卷。

（7）《本草发明》，明·皇甫嵩撰。

全书 6 卷，卷 1 为总论，余卷议药 600 种。各药立"发明"一项，分专治、监治述其功效及配伍。

（8）《本草定衡》，原题"明·龚信增补"。

该书是接《本草纲目》补的。

（9）《本草便》，明·张懋辰撰。

该书 2 卷，附刊在《医便》之后。

（10）《本草抄》，明·方有执撰。

明万历二十年至二十七年（1592—1599），方氏原刻，浩然楼藏版。

（11）《本草真诠》，明·杨崇魁（调鼎）撰。

全书 2 卷 6 集。摘取《证类本草》《本草集要》《本草蒙筌》诸家资料，以运气、阴阳、经络统贯各药释之。

（12）《本草原始》，明·李中立辑。

全书 12 卷。该书从《本草纲目》中辑录 452 种药物性味主治功用，并将其中

379 味绘成图，图旁注明药材鉴别特征，能反映当时所用药物的实际品种。

（13）《本草徵要》，明·李中梓撰，附在《医宗必读》卷3、4中。

本书收药361种。自注云："以《纲目》为主，删繁去复，独存精要，采集名论，窃附管见，详加注释。"

（14）《本草汇言》，明·倪朱谟撰。

全书20卷，载药581种，仿《本草纲目》分类，唯草部列在首位，附图530余幅，乃作者采访当时各地通晓医药者148人而成，收录资料新颖，非一般摘抄前代本草书可比。

（15）《本草正》，明·张景岳撰。附在《景岳全书》卷48、49中。

全书2卷，收药300种，力辨临证用药宜忌。张景岳善用人参、熟地、附子、大黄等药。

（16）《芷园臆草·题药》，明·卢复撰。

该"题药"是卢复的用药笔记，共记药品49种。

（17）《用药药成》，明·周恭撰。

本书附在《医说会编》中，集药论59条。

（18）《仁寿堂药镜》，明·郑二阳辑。

该书"引"云："年来避喧于密园之不可及处，因取诸名家本草精义，手汇成帙，题曰《药镜》。"

全书收药118味，按金、石、木、谷、菜、果、禽兽、虫、人、草分部。各药摘录《本草纲目》精要实用部分，并增加郑氏本人看法。例如香附，时人以为"气病之总司，女科之主帅"，郑氏则曰："性辛而燥，不能益人，独用久用，反能害血。"

（19）《药镜》，明末蒋仪撰。

是书以骈语述药性344种。《四库全书提要》云："其载药性，分温、热、平、寒为四部，各以俪语，括其主治。后附《拾遗》《疏原》《滋生》三赋，以补所未备。"

（20）《药品化义》，明·贾所学撰。

全书13卷，偏重药理论述。提出"药母"之名，主张药理规范化，分药的形、色、体、气、味、性、能、力为八法，各法又分七项。全书按心、肝、脾、肺、肾、气、血、痰、风、寒、湿、燥、火分为十三门，将各药隶属于十三门之下。

（21）《分部本草妙用》，明·顾逢伯（君升）撰。

全书 10 卷，收药 560 余种。前 5 卷按五脏分类，后 5 卷按药性分类。各卷分温补、寒补、温泻、热泻、性平五类。顾氏议药，强调引经，但无新见。

（22）《本草乘雅》，明·卢之颐（子繇）撰。今存《本草乘雅半偈》12 卷。

全书收药 365 种，其中属《本经》药 222 种，余皆为后世所出。各药分覆、参、衍、断四项述之。四数为"乘"，故以"乘雅"名之。

（23）《五脏六腑补泻温凉》，明末，佚名。

全书 1 卷，按十二经顺序，依次列举补、泻、温、凉药性。如心经，分补心药性、泻心药性等，各药性下，列举药名，药名下注炮制法。

（三）歌赋类

这类本草著作，以歌赋记其主治，所收药物切于适用，对初学医者，便于背诵。兹分述如下。

（1）《药性赋》，不著撰人，约 15 世纪时书。该书与张元素《珍珠囊》合刊，见《医要集览》本，载药 240 种。

（2）《注解药性赋》，明·刘全备撰。

书首论用药与四时治法关系。赋的正文用大字，赋的注文用小字。所注有典故、治验、性味、功用、单方。书末附各脏腑用药法及补真养性资料。

（3）《本草大成药性赋》，明·徐凤石撰。

全书 5 卷，前 4 卷为"本草大成药性赋"，题徐凤石撰。该书前 4 卷载药 993 种，分寒、热、温、平四门，每门按自然属性（石、草、木、人、兽、禽、虫、果、米、菜）分，逐一罗列药名，正文以赋述药，赋中常夹注，注明某些字读音及其寓意。后 1 卷为"十二经络脏腑大成药性赋"，题刘全备撰。该卷"药性赋"以脏腑为纲，各脏腑下所列药物，按补、泻、温、凉、引经分类。各药述其功用和附方。该卷之前，尚有"论用药与四时治法关系"。

（4）《太医院增补青囊药性赋直解》，明代太医院罗必炜参订，成于明嘉靖（1522—1566）年间。

该书又名《医方药性》，共 2 卷，汇集《四性药性赋》、张元素《珍珠囊·诸品药性主治指掌》及李东垣《用药法象》中若干内容。其另有《药性赋》（与《四性药性赋》不同）。

该书与后世题元山道人序的《雷公炮制药性赋》基本相同。

（5）《太医院增补医方捷径》，明·罗必炜辑。成于明嘉靖（1522—1566

年间。

全书 2 卷，分上下栏。上栏按药数分类，如补气药性、破气药性……每类列举作用相同的药名。

下栏有《药性赋》《诸品药性赋》各 1 篇，此与《四性药性赋》不同。另有"引经药报使歌""六陈歌""十八反歌""十九畏歌""妊娠禁服歌""药象主治五脏法""用药身梢论""用丸散论""类集汤散诗"等歌诀。其下为《医方捷径》，内容为按证分类的汤头歌括。

（6）《医方药性·草药便览》，明·无名氏。

该书附在《医方捷径》3 卷本内的中卷。

书分上、下栏，上栏题《医方药性》，下栏题《草药便览》。载草药 248 种，以南方药居多。

书中各药立一药名，偶附异名，其下仅一行述其功用。全书药物，按药名首、尾字相同归类。如首字为"山、地、岩、水"等字，即按药名头字排列；如尾字为"花、根、皮、子、草"等字，即按药名尾字排列。

（7）《新刊校正李东垣官板药性大全》，明·叶文龄编，明万历三十年（1602）余苍泉刊本。

该书分上、下栏。上栏为明·叶尹贤《拯急遗方》（以元·徐文中《加减十三方》为主要内容），下栏即本书。题"太医院御医叶文龄编，建邑书林苍泉余氏梓"。

书首为歌赋，述药物寒、热、温、平四性。其次为诸品药性阴阳论、升降浮沉补泻、诸脏苦欲、用药凡例、用药法象、用药丸散、用药身根梢法、诸品药性主治指掌（含草、木部药，有药诗及注解），系摘录《珍珠囊补遗药性赋》的内容，并续以"新附病机赋""新附通畅回生丹"。

（8）《珍珠囊指掌补遗药性赋》，明·钱允治撰。

钱氏取《东垣药性赋》240 味，增药 80 味，加注，厘为 4 卷，并与李中梓撰《雷公炮制药性解》合刊，成为医家最常见的启蒙读物。

其后清·元山道人《雷公炮制药性赋》，不著年月，卷首题"珍珠囊指掌补遗药性赋"，内容与钱氏本同。

（9）《太医院补遗本草歌诀雷公炮制》，明·余应奎辑。

书扉页题"李东垣先生辑《增补雷公炮制药性解》"。书分上、下栏。上栏为《药性诗歌便览》，以七言诗述药性主治750 余首；下栏为《全补药性雷公炮制》。

（10）明代中期以前，还有严萃《药性赋》、傅滋《药性赋》、冯鸾《药性赋》、熊宗立《药性赋补遗》、杨澹庵《用药珍珠囊诗括》、刘纯《本草歌括》等。此等歌赋类均亡佚。

（11）《药性本草》，明·薛己撰。附在《本草约言》中，载常用药287种。按《证类本草》分类。各药多引用前代本草著作中的临床资料及金元本草药理论述。

（12）《药性要略大全》，明·郑宁撰。

全书11卷，卷1为药性理论及药性赋，卷2～10载药749种，分为草木花卉、金石贝壤、人、虫、豸、禽兽等部。每药按药名（少数药名不注君、臣）、主治功效、节录各家药论、性味、阴阳、归经、畏恶、药性形态、优劣、炮制、贮藏、本人见解（七潭云）等次序阐述。

"七潭"为郑宁号，其见解有用药经验，或辨明药物形态种类，或纠正前人错误。全书记"七潭云"23条。

（13）《药性会元》，明·梅得春撰。

全书3卷，载药560种，按草、木、菜、果、米谷、金、玉石、人、禽、兽、虫、鱼等分为12部，突出各药临床用途，同一药若性味功用主治不同，即分条述之。如川乌、草乌、赤芍、白芍、生地、熟地皆分别立条。

每一药分三点述之，一是性味、有毒无毒、畏恶相反、升降浮沉、阴阳归经；二是主治及用药法；三是药物性状、优劣、鉴别、炮制等。

各药内容主要来自《本草衍义补遗》《汤液本草》《证类本草》及作者本人用药经验。

（14）《药性类明》，明·张梓撰。明·胡文焕刻本。

全书2卷，载药500种，分为二十门（风、热、湿、火、燥、寒、气、血、癥、痛、水、脏腑、积聚、汗、眼泪、妇人、杂证、疮疡、法制、药象通经），每门按证列诸药，阐述其性味、主治及同类药的鉴别，兼述少数用药经验。

（15）《药性微蕴》，明·萧京撰。

该书附在《轩歧救正论》卷3。论药43条，各条综述若干药，并加以比较，对药效、炮制，常折中前人矛盾之说。

（16）《药性论》，明·罗周彦撰。附刊在《医宗粹言》卷4。总论编为七言歌括，将250种药物性味主治编为歌赋，题名《药性纂》，将药物炮制归纳为十七法，题名《制法各录》。

（17）《药性粗评》，明·许希周撰。明嘉靖三十年（1551）初刻本，收录药物千余种，记骈语 506 联，骈语下注明药物内容。

（18）《药性解》，明·李中梓（士材）撰。

全书 2 卷，述药 323 种，每药注明"用药要点"。天启二年（1622）钱允治将《雷公炮炙论》散入各药条下，易名《镌补雷公炮炙药性解》，析为 6 卷。

（19）《本草通玄》，为李中梓晚年之作，是其将《药性解》《本草徵要》二书重加订正而成，收药 400 味，按草、谷、木、菜、果、寓木、苞木、虫、鳞、介、禽、兽、人、金石等分为 14 部。重视临床用药经验，炮制不用古法，以切合实用为主。

（20）《药性诗诀》，明·沈应旸撰。

此书以歌括述 390 味药性。该书见于《明医选要》卷 9。

（21）《药性歌》，明·龚廷贤撰，刊于《万病回春》首卷。以四言歌括述药性240 味。

明·邵达将此书收入《明医指掌》，清·张仁锡增注易名《药性蒙求》。

（22）《药性歌括四百味》，明·龚廷贤撰，刊于《寿世保元·本草门》。用四言歌 160 首述 400 味药性。

（四）专门类

明代专门本草著作，计有《本经》辑注类、诸病主治类、食物类、炮制类、图谱类、地方本草类等。兹分述如下。

1.《本经》辑注类

（1）《本草经疏》，明·缪希雍撰。

原书 30 卷，编排仿《证类本草》。序例未用《证类》文，另撰"续序例"两卷，上卷论药理 33 篇，下卷为"诸病应忌药"，按阴阳表里虚实、五脏六腑虚实、六淫、杂证、妇人、小儿、外科等分为七门。载药 490 味，取《证类》中本经药及其他药疏注之。其末卷收《证类》未载的药。

每药分"疏""主治参互""简误"三项述之。"疏"是阐发药性，"主治参互"记述配伍及主治证和附方，"简误"是备注适应证容易混淆误用的药，并注明误用的危害性。

本书虽名《本草经疏》，但所疏的药，并非全是《本经》药，还有很多其他药。

缪氏重视金元医家药理和临床经验，反对五运六气，提倡尊经。所以缪氏书在明代对医家的影响，仅次于《本草纲目》。

（2）《神农本草经会通》，明·滕弘（可斋）撰。滕弘六世孙滕万里刊于万历四十五年（1617）。滕弘谓"著书立言者，无若神农氏《本经》一书"，故他穷毕生之力以校之。

全书10卷。其书虽名《神农本草经》，但书中收录的非《神农本草经》药很多。盖古人所谓《本草经》，有些是泛指综合性本草而言，并非含药365种的古老《神农本草经》。

（3）《神农本草经》辑复本，明·卢复辑。卢氏按《本草纲目》卷2所载《本经》目录，辑药360种。该书为现存最早《本草经》辑复本。

（4）《本经注疏》，明末上海人乔在修（三馀）辑。李中梓曾收藏其抄本，未见刊行。

2. 诸病主治类

（1）《本草抄》，明·方有执撰。

该书是《伤寒论条辨》中的附篇。述《伤寒论》用药91种，多有新见。

（2）《理虚元鉴》，明末汪绮石撰。

专论虚劳药21种。介绍虚劳用药宜忌。分忌宜、忌用、酌用、不必用、审用、偶用、不可用等。

（3）《用药准绳》，明·罗周彦撰。

该书为《医宗粹言》卷5、6。仿《证类本草》"诸病通用药"，立69种病证，每证系以主治诸药。

（4）《四时备用调理方》，明·宛陵后学周之明诚生甫敬订。

全书1卷，分四季调理，每一季节下列举诸病，每一病下列举主治诸药名。

（5）《医四书药准》，明·许兆桢撰。清顺治十四年（1657）刊印。全书2卷。一名《药经》。

（6）《新刻药证类明》，明·张梓撰。明·胡文焕刻本。

3. 食物类

（1）《食物本草》，明·薛己（立斋）撰。

该书附于《本草约言》卷3、4。薛氏择本草中日用不可缺者辑成之。

（2）《食物本草》，佚名。明隆庆四年庚午（1570）抄绘本。载药385种，分水、谷、菜、果、禽、兽、鱼、味八类。

李时珍认为此书为卢和撰。汪颖得其稿,厘为 2 卷。而此书与薛己《食物本草》同。李时珍未见到薛己书。

(3)《食鉴本草》,明·宁原撰于嘉靖(1522—1566)年间。明万历二十年(1592)胡文焕文会堂校刊。

(4)《食品集》,明·吴禄撰。明嘉靖三十五年(1556)序刊,载药 342 种,分为七类,内容与薛己书同。该集将"味类"食物散入谷、菜类。从《饮膳正要》摘些资料补为附录。

(5)《食物本草》,题元·李杲编,明·李时珍参订。

书前有明末姚可成《救荒野谱补遗》。有人认为该书是姚可成所辑。

全书 22 卷,收食物 1679 种,记各地泉水 654 处。书中主要内容择取自《本草纲目》。

(6)《药性全备食物本草》,明·吴文炳汇编。

该书收食物 459 种,附品百余种。该书所录鸡纵(鸡菌)被《纲目》收为新增品(见《纲目》卷 28 菜部)

(7)《食物辑要》,明·穆世锡撰。

全书 8 卷,明万历刻本。

(8)《上医本草》,明·赵南星(梦白)辑。

该书乃摘录《本草纲目》资料 230 种而成。明泰昌元年(1620)赵悦学刻本。

(9)《山公医旨·食物类》,明·施永图(山公)辑。仅存明刻残卷(含鳞、介共 84 种)。

据考,清·沈李龙《食物本草汇纂》即袭取该书内容。

(10)《饮食》,明·周臣(在山)撰,附在《厚生训纂》卷 2。该篇辑饮食宜忌 184 条。

(11)《易牙遗意》,明·韩奕(公望)辑。

该书原为膳食制备,但其中食药类等篇与食治有关。

(12)《饮馔服食笺》,明·高濂(深甫)辑。

该谱附刊在《遵生八笺》中。为明代重要药膳著作。

(13)《救荒本草》,明·朱橚撰。

初为 2 卷,后人析为 4、8、14 等卷。全书收可食植物 414 种。记其产地、形态、性味、有毒无毒、食用方法。每种附有药图。有嘉靖四年(1525)太原重刊本。

（14）《野菜谱》，明·王磐（西楼）撰。

该书收野菜 60 种，各附写生图及诗一首。

（15）《救荒野谱补遗》，明末姚可成撰。

该书在王磐《野菜谱》基础上增植物 60 种，各附一诗一图，并注明产地和形态。

（16）《野菜博录》，明·鲍山（元则）撰。

全书 3 卷，收野菜 435 种，各附一图，内多实际经验。

（17）《茹草编》，明·周履靖（逸之）撰。

该书收植物 102 种，每植物附一诗一图，或缀录有关植物诗文典故附之。明万历二十五年（1597）金陵荆山书林刊刻。

4. 炮制类

明代炮制类本草著作有三种形式：一是炮制专著；二是书名题"炮制"，但实为综合性本草著作的著作；三是附在其他本草著作中的炮制本草著作。兹分述如下。

炮制专著有两种，如下。

（1）《炮炙大法》，缪希雍撰，明末庄继光校刊。

该书载药 439 种，转录《证类本草》"雷公曰" 172 条。增补后世一些制药法。对药材真伪优劣，畏恶宜忌，煎药、成药运用亦有论述。

（2）《炮炙诸药性解》，苏万民、苏绍德合编，原书佚。

书名题"炮制"，实为综合性本草著作的，有 5 种，如下。

（1）《雷公炮制便览》，明·吴武撰，未见刊行。

（2）《新刊雷公炮制便览》，明·俞汝溪撰。

该书节略《证类本草》药 968 种，兼引"雷公曰"条文。

（3）《镌补雷公炮制药性解》，明末钱允治辑。

钱允治将《证类本草》"雷公曰"条文，散入李中梓《药性解》，析为 6 卷。

（4）《太医院补遗本草歌诀雷公炮制》，明末余应奎辑。

该书按《证类本草》编排。书中下栏述《证类本草》"雷公曰" 232 条。

（5）《太乙仙制本草药性大全》，明·王文洁（水蜜）辑。

书名托"仙师太乙仙人雷公炮制"，书中有药图及其他内容。所引《证类本草》"雷公曰"标为"太乙曰"，兼引《宝藏论》炮制资料。全书收药 768 种，析为 8 卷。

附录在其他本草著作中的炮制本草著作，有5种，如下。

（1）《本草品汇精要》，各药下"治""合治"等项，即"炮制"内容。

（2）《本草纲目》很多药下的"修治"项，汇集了历代本草炮制内容。其内容超过明代所有炮制专著。

（3）《本草原始》，摘引《本草纲目》"修治"中炮制内容。

（4）《医宗粹言》卷4《制法备录》即炮制专篇。

（5）《本草通玄》，书中炮制内容，录有当时制药经验，不同于古法处很多。

5. 图谱类

明代本草图谱多附在其他本草中，单行本少。

（1）《本草纲目》，附图1109幅，由李时珍子李建元、李建木绘，少数图转录自《证类本草》图。

1640年钱尉起重刊时，由陆喆改绘800余幅，总计1110幅。

1885年张绍堂重刊时，由许功甫绘400余幅，总计1122幅。

（2）《本草品汇精要》（简称《品汇》），附彩图1358幅，由王世昌等8名宫廷画师绘，其中992图据《证类本草》彩绘，366图是新增。该书药图为彩图，明、清转绘本较多，但已残缺，完整原绘本均流落海外。

（3）《食物本草》，4卷，有明彩绘图467幅，文字内容同薛己《食物本草》。图的风格同《品汇》图。书中有一物多图。如梨有7图，酒有16图，李有21图。凡栽培植物图较精美，少数图因画工不懂药而有错误。

（4）《本草图绘》，明末女画家周祜、周禧合绘，存图绘残稿5本，计73幅。据考，图绘源于《品汇》图。

（5）《救荒本草》，有墨线图414幅，是明·朱橚召画工绘制。其后《野菜博录》菜蔬图转绘《救荒本草》图。

（6）《本草原始》，由李中立亲自绘。该书有药材图379幅，有的绘出断面图。李中立对不同品种、不同炮制方法的药材，均绘图比较，图旁注明鉴别特点，对辨识药材很有用。

（7）《本草汇言》，载图530余幅，其余180幅为药材图。药材图由萧山庠士汤国华（太素）所绘。有些图与《本草原始》图相似。

（8）《本草蒙筌》，有墨线图500幅，多转录《证类本草》图，自绘者30余幅。

（9）《太乙仙制本草药性大全》，王文洁自绘墨线图774幅，质量差，错误多。

（10）《野菜谱》《救荒野谱补遗》，各有草本植物墨线图60幅，图小粗疏。

6. 地方本草类

（1）《滇南本草》，明·沐琮撰。

（2）《滇南本草》，明·兰茂（廷秀、止庵）撰。该书成于1436—1449年。刊本多，载药数不等，有26、134、142、169、172、188、246、258、274、280等，最多达458种（见1887年昆明务本堂刊本），说明该书在流传中有改动。

该书收录了一些云南植物药及少数民族用药经验。

（3）《滇南本草图说》，明·兰茂著释。清乾隆二十八年（1763）抄本，残存卷3～11。

二、明代本草著作特点

明代本草著作有下列一些特点。

（一）本草学发展不平衡

从1368年到1644年，明代历时276年。在这276年中，前200年本草著述不过40余种，发展慢，水平低，后76年中，本草发展快，著述数量多，水平高。

在这一时期，诸家本草并不局限在摘录前人论说，更多地阐述当时用药的经验。

（二）本草著作种类多

明代本草著作种类繁多，有综合类、简要类、歌赋类、专门类等。每一类中又有很多种本草。

（三）综合类本草著作成就大

在综合类本草著作中，以《本草纲目》最突出。它总结明以前本草学之大成、搜罗药物广博，凡有名必录，共收药1892种，附图1169幅，附方1万多首。全书52卷，总论2卷，各论50卷，分16部，60类。

各部排列，从微至巨，由贱至贵，体现进化思想。因人为万物之灵，将人部排在最后。每部的药物又进行细分。

将《证类本草》药物正文、注文进行分解，按正名、释名、集解、修治、气味、主治、发明、正误、附方等9项重新归类，总结明以前药物，内容十分丰富。

例如"修治"项所总结的炮制内容，超过明代所有炮制专书。

本书内容十分丰富，涉及范围很广，它不仅是一部最完备的药物学著作，同时也是一部博物学著作。

（四）歌赋类本草著作特别盛行

歌赋类本草著作，将药性功效主治，以诗歌编成韵语，适合初学者记诵。此类本草著作，宋元虽有，但为数不多，到了明代，特别盛行，数量大增。因当时人口激增，对医药需求多，从事学医的人亦多，歌赋类普及性本草著作随之而盛行。在明代全部本草著作中，普及性本草著作有 70 余种，占明代本草著作总数一半以上。

（五）炮制类本草著作有三种类型

一是炮制专辑；二是书名题"炮制"，但实为综合性本草著作的著作；三是附在其他本草著作中的炮制本草著作。明代本草著作所载炮制内容，大多为转录《证类本草》"雷公曰"资料，记载当时炮制经验不多，因此明代炮制类著述水平不高。

（六）本草著作附图很多

明代本草著作附图很多，有墨线图，有彩绘图。有的图是转绘《证类本草》图，有的是当时自绘。明代书商不重视雕版印刷，多数坊刻图拙劣，仅《救荒本草》《本草原始》等少数坊刻图较精。

（七）少数本草著作对药理解释近乎玄妙

明代有些医家，企图用药理学及五运六气，从药物形、色、气味、生态来解释药物作用机制，为本草书中药性理论增添了玄妙的色彩。明代缪希雍反对五运六气，提倡尊《本经》，重视临床实践经验。

（八）少数本草著作对当时服食进行批判

明代有些人讲究服食，少数人因服矿物（含汞制剂）引起中毒。李时珍反对服食，在《本草纲目》中阐述汞化物的毒害，提醒服食者注意。

第十章　清代本草著作概况和特点

一、清代本草著作概况

清代本草著作有 400 多部，按种类分，有下列若干种。

（一）续编大型综合性本草类

（1）清康熙年间，王道纯续编《本草品汇精要》，从《本草纲目》摘取 498 种药物，按《品汇》体例，编成续集 10 卷。

（2）清乾隆年间，赵学敏参阅众多医药书及地方志，编成《本草纲目拾遗》。所录草药遍及全国，连外国的强水、鼻部水、日油精、金鸡纳等都有记载。

该书是清代记载草药、新药最多的一本本草著作。在内容上，相当于《本草纲目》的续编。

（二）节纂类

清代本草著作有 400 多部，在内容上，除少数专门性本草著作，如《植物名实图考》《本草纲目拾遗》，以及少数地方性本草著作有新见外，绝大部分本草著作的内容均未能超越过《本草纲目》。所以清代很多医家学习《本草纲目》，多数是摘录《本草纲目》编辑成书。其内容比《本草纲目》简单，收载药数少，以常用药为主，重点节录性味、主治、功用，以及发明、附方等项下内容，很切合临床应用。兹举其要者如下。

例如清·顾元交《本草汇笺》、清·沈穆《本草洞诠》、清·刘若金《本草述》、清·郭佩兰《本草汇》、清·王翃《握灵本草》、清·王逊《药性纂要》、清·汪昂《本草备要》、清·严西亭等《得配本草》、清·黄宫绣《本草求真》等，都是有名的节要本草，内容精练，适合临床应用。

（三）歌赋类

清代歌赋类本草，部头小，收载药数少，都是常用药，内容精练，文字押韵，易于背诵、记忆，学术水平虽不高，但普及性强，适合学徒用。兹举例如下。

清·何岩《药性赋》、清·蒲松龄《伤寒药性赋》、清·夏鼎《药性赋幼科摘要》、清·张秉成《本草便读》、清·黄钰《本经便读》、清·朱铃《本草诗笺》、清·张仁锡《药性蒙求》、清·谈鸿鋆《药要便蒙》、清·岳昶《药性集要便览》、清·龙柏《脉药联珠药性考》（因部头过大，失去背诵的方便）等，都是清代的歌赋类本草。由于水平低下，反而不及重刊明代《珍珠囊指掌补遗药性赋》流传广。

（四）辑复《本经》类

因文化禁锢，清代很多知识分子将学术研究方向古籍经书的考证。清代辑复的《神农本草经》，都是辑复者在研究经书余暇做的。兹将清代辑成的《本经》举例如下。

清·孙星衍、孙冯翼辑《神农本草经》，成于1799年。

清·顾观光辑《神农本草经》，成于1844年。

清·黄奭辑《神农本草经》（此书全抄二孙辑本）。

清·王闿运辑《神农本草经》，成于1885年。

清·姜国伊辑《神农本草经》，成于1892年。

（五）注解《本经》类

清代注解《本经》，侧重药物作用机制解释，但说理多用五行生克、取类比象，使人难以明白，兹举其有名者如下。

清·张隐庵《本草崇原》、清·张璐《本经逢原》、清·姚球《本草经解》（书商托名叶天士撰）、清·邹澍《本草经疏证》、清·汪宏《注解神农本草经》、清·陈修园《本草经读》、清·徐大椿《神农本草经百种录》、清·田伯良《神农本草经原文药性增解》等。这些著述均对《本经》予以注释，所释药物作用机制，都用五行生克、取类比象来解释。

（六）节纂改编《本草纲目》类

清代节纂改编《本草纲目》的书很多。

清·林起龙《本草纲目必读》、清·何镇《本草纲目类纂必读》、蒋介繁（居祉）《本草择要纲目》、清·徐用笙《读〈本草纲目〉摘录》、清·戴心田（葆元）《本草纲目易知录》、清·鲁永斌《法古录》、清·王如鉴《本草选余备考总目》（全录《本草纲目》药名）等，都是节纂改编《本草纲目》的书。

类似例子很多。几乎清代所有的本草，特别是临床应用的本草，都是摘取《本草纲目》常用药及其精要内容改编而成。

（七）食物类

（1）《食物考》，清·龙柏撰。全书录常食之品 1106 种，补遗 96 种，按水、火、五谷、造食、油、造酿、蔬菜、百果、茶、禽、畜、兽、鳞、介、盐等，分为 15 部。各品正文用四言歌诀。对服用法和个人经验书于眉批或脚注。有些食物作用机理亦加论述。该书内容比较切合实用。

（2）《随息居饮食谱》，清·王孟英撰。

该书收食物 300 余种。每物求其实验，不为前人臆说所惑。所论多是王氏本人经验之谈。

（3）《每日食物却病考》，清末吴汝纪撰。内容一般。

（4）《卫生食表》，清末张宝书撰于 1910 年。

（5）附在医药书中的有关食疗、食谱、食忌等本草兹举例如下。

《食宪鸿秘》，清·朱彝尊撰。

《中馈录》，清·曾懿撰。

《养小录》，清·顾仲撰。

《醒园录》，清·李化楠撰。

《随园食单》，清·袁枚撰。

（八）药材真伪鉴别类

清代药物鉴别多附在本草著作中，单独成专书少，兹举例如下。

（1）《尝药分笺》，清初万学贤撰。

该书附在《贮香小品》卷4，载有贵重药品鉴别法。

（2）《伪药条辨》，清末郑肖岩撰。

该书内容为郑氏行医识药的经验，对药材真伪、优劣、鉴别论述较详，后为曹炳章增订出版。

（九）炮制类

清代炮制专书极少，有关药物炮制都附在一般本草著作中。炮制专书有下列几种。

（1）沿袭明代做法，将《证类本草》"雷公曰"散入药性本草著作中，易名成书。如清·张光斗《增补药性雷公炮制》。书中少数药附有"雷公云"资料。其书虽名"雷公炮制"，实为综合性节要本草著作。

（2）原文抄录《本草纲目》"修治"，编为专书。如清·张仲岩《修事指南》，全书抄录《本草纲目》"修治"条，对《纲目》却一字不提。书商多以《制药指南》《国医制药学》等书名翻刻。

（3）《备用药物》，佚名。收录28种制品介绍。如黄瓜霜、腌藕节等。

（十）图谱类

清代图谱本草书，多数是转录《本草纲目》药图附在书中，少数是自绘成专书。例如：清·吴其濬《植物名实图考》、清·莫树蕃《草药图经》、清·高锦龙《本草图经》、清·高砚五《本草简明图说》、清·刘善述《草木便方》等都是自绘的图谱专书。

（十一）地方类

（1）《草木便方》，清·刘善述撰于1870年，为四川地方本草著作。

（2）《生草药性备要》，清·何谏撰，是广东地方本草著作。

（3）《本草补》，（墨西哥）石振铎撰于清康熙三十六年（1697），是较早的域外本草著作。

（十二）中西结合类

鸦片战争后，西方药学传入中国，使本草与西药逐渐形成抗衡趋势，引起一些人对中药药理的怀疑，进而产生了一些中西结合类的著作。例如以下著作。

（1）清末陈周《药性论》，该书对中药取类比象的说法，提出异议，如心疾食猪心岂能治心病等。

（2）清·章穆《调疾饮食辨》，对五色归五脏提出异议。

（3）《新订本草大略》，清·陈珍阁撰，收药328味，主治功效悉从传统本草，解释作用机制兼用西医。

（4）《本草问答》，记述清·唐宗海与张伯龙相互问答，撰于1893年。

此书不讲临床药性，而是对中药药理某些问题讨论，兼比较中、西药的不同。但他们的讨论仍以中药传统药理解释为主。

（5）清末丁福保编有《食物新本草》《家庭新本草》《化学实验新本草》等，用近代西药知识解释中药，对中西结合有促进作用。

（十三）单味药专著类

指对一些特殊药效的单味药（如人参、鹿茸、附子）的药材规格、质量优劣、鉴别、销售、功效等详加论述，兹举例如下。

（1）《人参谱》，清·陆烜撰。

（2）《人参考》，清·唐秉钧撰。

（3）《人参图说》，清·郑昂撰。

（4）《参谱》，清·黄叔灿撰。

（5）《附子辨》，清·罗健亨撰。

（6）《九龙虫治病方》，九龙虫为清末从国外传来的一种虫，误传为神灵之物，实乃无用的洋虫。

（十四）本草索引类

清代本草索引专书很少，多附在书后，便于检索。兹举例如下。

（1）清·章穆《调疾饮食辨》，书末附"诸方针线"。"针线"义同今日书的索引。

（2）清·姚澜《本草分经》，书末附"总药便览"（类似药物索引），按草、木、虫、鱼等列为14类药名，药名下注归经。

（3）清·蔡烈先《本草万方针线》，将《本草纲目》"附方"，按病归类，编成索引。

二、清代本草著作特点

清代本草著作特点，总的来说，可以总结为"三少六多"。

三少，即：①大型综合性本草著作少；②有新见的本草著作少；③水平高的本草著作少。除少数本草著作，如吴其濬《植物名实图考》、赵学敏《本草纲目拾遗》等名著外，多数本草著作水平低下，质量不高，无新见。

六多，即：①种类多；②药物分类方法多；③编写以节纂改编为多；④食物本草著作相互抄袭的多；⑤注释本草联系五行生克的多；⑥应用上以临床和启蒙读物多。

具体分述如下。

（一）种类多

详见前文本草著作概况。

（二）药物分类方法多

清代药物分类，有三品分类、自然属性分类、药性分类、经络分类、脏腑分类、脉象分类、病证分类等，兹分述如下。

1. 按三品分类

清代诸家所辑《神农本草经》按上、中、下三品分类。如孙星衍、孙冯翼合辑本，顾观光辑本，王闿运辑本，姜国伊辑本，黄奭辑本（实际抄袭二孙辑本），均按上、中、下三品分类。

2. 按自然属性分类

自然属性分类，多数是沿袭《本草纲目》分类。但排列次序，互有出入，兹举例如下。

清·王翃《握灵本草》，将全书药物按水、土、金、石、草、谷、菜、果、木、虫鱼、鸟兽、人等分类。

清·郭佩兰《本草汇》、清·汪昂《本草备要》、清·吴仪洛《本草从新》、清·鲁永斌《法古录》等，将药物按草、木、果、菜、谷、金石、水、火、禽兽、虫鱼鳞介、人等分类。

3. 按药性分类

即按药性寒、热、温、平等分类。如清·何岩《药性赋》、清·蒋介繁《本草择要纲目》以及诸家药性歌赋类本草，都是按药性分类。

4. 按药物作用分类

清·黄宫绣《本草求真》，将药物按作用分为补、涩、散、泻、血、杂、食物七类，每类各分为若干子目，例如补类中又分为温中、平补、补火、温肾等。其优点为有利于对药物性能进行分析比较。

清·沈金鳌《要药分剂》，将药物按宣、通、补、泻、轻、重、滑、涩、燥、湿等十剂分类。

清·包诚《十剂表》。将沈金鳌《要药分剂》的十剂分类与十二经分类相糅合，纵为十二经，横为十剂，列表介绍药物。

5. 按经络分类

清·夏翼增《引经便览》，按十二经及冲、任、督、带分类。每经之下，立"引经药诀"将该经全部药名编为七言诗。

清·姚澜《本草分经》，全书以十二经、命门、奇经为纲，类列诸药，各经之下，分攻、补、散、和、寒、热六类。收录清末常用药804味。

清·张节《本草分经》，将全书药物分列在十二经、三焦、命门、奇经八脉之下，形成分经药名录。

清·张学醇《医学辨证》将160种药按十二经分类，每经下又按阴阳五味细分。

清·陈仲卿《寿世医窍》，将药物按十二经及冲、任、督三经，营、卫等分类，各药简注药性。

6. 按脏腑分类

即按五脏、六腑分类，如清·吴古年《本草分队》，将药物按五脏六腑分为11类。各类又分温凉补泻四项。每项下又分猛将、次将。

按脏腑、经络分类，则一药可入数脏、数腑、数经，每一脏、一腑、一经可有多种药，故本分类法不及按自然属性或功效分类检索方便。所以按脏腑、经络分类，并不为医家所欢迎。因此这种分类在清代未流行。

7. 按脉象分类

清·龙柏《脉药联珠药性考》撰于1795年。该书以脉象浮沉迟数为纲，草木金石为部类，各药内容取自《本草纲目》，编为四言歌诀。

8. 按病证分类

将主治某一类疾病的药物，归并在一起论述。

清·邹澍《本经序疏要》，立病名 92 种，每病罗列主治的药物，各药注其性味、功效。

清·王铨《本草因病分类歌》，对杂病罗列主治相同的药述之。

清·孙丰年《治痘药性说要》，记述孙氏一生中治痘用药经验，兼述痘疹饮食诸品。

（三） 编写以节纂改编为多

前文讲过，清代节纂改编《本草纲目》的书很多，几乎所有清代本草著作，都参阅过《本草纲目》，今再介绍清代对其他本草著作的改编情况。

1. 改编明·缪希雍《本草经疏》

例如清·吴世铠取《本草经疏》之义及其药味之要，改编为简明本，易名为《本草经疏辑要》。

2. 改编明·皇甫中《药性歌》

例如清·张仁锡于 1856 年，将皇甫中《药性歌》以诗注相结合的方式加以补订，易名为《药性蒙求》。

3. 改编明·贾九如《药品化义》

清·李延罡得贾氏书，增药论四篇，订为 1 卷，书名仍称《药品化义》，后世易名《辨药指南》。所增四篇：其一为历代本草简介；其二为君臣佐使；其三为药材真伪（抄《本草蒙筌》）；其四为药物性能、炮制、产地、品种。

清·尤乘将李延罡修订的《药品化义》，增加"用药机要"内容，易名为《药品辨义》。

4. 改编清·刘若金《本草述》。

清·苏廷琬加以改编，易名《药义明辨》。

清·张琦加以改编，易名《本草述录》。其后蒋溶将张琦书加以补辑，仍名《本草述录》。

清·杨时泰将刘氏书予以节要，易名为《本草述钩元》。

5. 改编清·汪昂《本草备要》

清·吴仪洛将《本草备要》增订，易名为《本草从新》。

清·叶桂（小峰）将《本草从新》增加杂部内容，易名为《本草再新》。

清·徐大椿将《本草备要》《本草从新》加以精简，易名为《药性切用》。

清·萧缵绪将《本草备要》增入《本草纲目》药物真伪、畏恶宜忌、附方等内容，易名为《新增本草方证联珠》，因无新义，故不传。

6. 改编孙星衍等辑《本草经》

计有叶志诜《本草经赞》、黄奭辑《神农本草经》。黄奭全文抄袭孙氏辑本，书末增补 22 条。

7. 改编清·沈金鳌《要药分剂》

清·包诚将沈氏书的十剂分类与十二经分类相结合，并以纵为十二经，横为十剂，列表介绍药物，易名为《十剂表》。

8. 改编清·吴古年《本草分队》

清·凌奂将吴氏书各药下补入药物毒副作用及误用的贻害，易名为《本草害利》。

（四）食物本草著作相互抄袭的多

清代食物本草，多相互改编或抄袭，少有新见。如下。

清·柴裔《食鉴本草》及清·朱本中《饮食须知》，为节抄明·薛己《食物本草》而成。

清·石成金将尤乘《寿世青编》改编为《食鉴本草》，又将尤乘《病后调理服食法》改编为《食愈方》，收入石成金《医书六种》中。

清·费伯雄将石成金《食鉴本草》《食愈方》二书合刊，题为费氏《食鉴本草》前后两部分。

清·沈李龙《食物本草会纂》，为节抄《本草纲目》和施永图《山公医旨·食物类》而成。

清·章穆《调疾饮食辨》中食物作用，节抄自《本草纲目》。

（五）注释本草联系五行生克的多

明末缪希雍即崇奉《本草经》。入清，此风更盛。清初张志聪（隐庵）《本草崇原》序云："奉五运六气之理，辨草木金石虫鱼禽兽之性，而合人之五脏六腑十二经脉，有寒热升降补泻之治。天地万物，不外五行……其质有酸苦甘辛咸之五味，著为药性。后人纂集药性，不明《本经》，但言某药治某病，某病须某药，不探其原。余释《本经》，阐明药性，端本五运六气之理。"张氏以五运六气来说明《本经》药物作用机制，使不懂五运六气的人，感到其所释有些玄虚。例如该书"莲实"条，张氏释云："莲生水中，茎直色青，具风木之象，花红，须黄、房白、子黑，得五运相生之气化。主补中，得中土之精气；养神，得水火之精气；益气得金木之精气。百疾之生，不离五运。莲禀五运之气化，故除百疾。"全书所释均如此类。

清代本草著作对药物作用机制，都以五运六气作为说理的工具。这种玄虚的解释，难以使人明白。

（六）应用上以临床和启蒙读物最多

清代本草著作有 400 多部，普及性本草著作占一半。多数是将大型综合性本草著作《本草纲目》节录成简要性本草著作。如汪昂《本草备要》极为盛行。这些本草著作水平虽不高，但实用性强，对临床医家最适用。

清代歌赋类本草著作特别风行。因为歌赋类本草著作，部头小，收载药数少，多是常用药，内容精练，文句押韵，易于背诵，普及性强，适合学徒及临床经验不多者应用。

中篇　清以前及清代本草要籍考

第十一章　汉魏六朝本草要籍考

一、《神农本草经》

（一）《神农本草经》概述

《神农本草经》，简称《本草经》，又称《本经》，冠以"神农"2字是尊古之风的影响。西汉《淮南子·修务训》云："世俗之人，多尊古而贱今，故为道者，必托之神农、黄帝，而后始能人说。"司马迁《史记·补三皇本纪》云："神农……始尝百草，始有医药。"《太平御览》引《世本》云："神农和药济人。"

中药之所以称为"本草"，五代·韩保昇《蜀本草》说："按药有玉石、草木、虫兽，而直云本草者，为诸药中草类最众也。"韩保昇解释"本草"2字的来源，以药中草类药最多为理由。这种解释，虽然有一定道理，但是为何要将"本"字冠在"草"字的前面，其道理还没有讲出来。

"本草"2字，在汉代是一种职称。《汉书·平帝纪》和《汉书·郊祀志》都有"本草"。《汉书·艺文志》经文类序云："本草石之寒温……"开头是"本草"2字。后人可能将此序文开头2字借用，移作药书的名称。

《神农本草经》是什么时候的书？晋·张华《博物志》云："太古之书，今见存者，《山海经》《神农经》（即《神农本草经》）。"则《神农本草经》似是《山海经》同时代的书。前汉《淮南子·修务训》云："为道者，必托之神农。"

清·姚振宗《汉书·艺文志拾补·方技略》收集的散佚的本草书有4种

（卷），其中有《神农本草经》3 卷。范行准《两汉三国南北朝隋唐医方简录》记载前汉有《神农本草经》3 卷。故《神农本草经》在前汉时已有了。但由于当时手抄关系，《神农本草经》的内容很难定型，时有脱误或窜乱，为适应当时的需要，还把产地改为当时的地名。

后来学者根据《证类本草》白字药物中有汉时输入中国的葡萄、胡麻、苡仁、苍耳等，认为《神农本草经》是后汉晚期的作品。《神农本草经》非一时一地一人的作品，是在较长时期，由很多医家逐渐补充而成的，并有后人增补的资料。《颜氏家训》和陶弘景《本草经集注·序》都因《神农本草经》中产地名称有后汉时制，以为后人所增。我们不能把后人所增的资料，视为成书时间的依据。

《神农本草经》存在同名异书现象。

《隋书·经籍志》注引《七录》云：梁有《神农本草》5 卷；《神农本草属物》2 卷；王季璞《本草经》3 卷；李当之《本草经》1 卷；谈道术《本草经钞》1 卷；赵赞《本草经》1 卷；《本草经轻行》1 卷；《本草经利用》1 卷；又有《神农采药经》2 卷。

《隋书·经籍志》载有：《神农本草》4 卷，雷公集注；《神农本草经》3 卷；《本草经》4 卷，蔡英撰；《本草经略》1 卷；《本草经类用》3 卷。

从上面所介绍书名来看，冠有"神农"书名的有 5 种，冠有"本草经"书名的有 9 种，合共有 14 种。这 14 种《本草经》可算是同名异书。

陶弘景《本草经集注》序录记有《本草经》3 种。陶序说："或五百九十五，或四百四十一，或三百一十九。"这就说明陶弘景所见 3 种《本草经》药数各不相同。

但这些《神农本草经》久已亡佚了，其原貌如何，今日已不得而知矣。

《本草经》原书虽佚，但它的体例还可以从历代文献中来研究。历代文献所载《本草经》的资料有二：一是历代本草所录《本草经》资料；二是非医书（包括类书及古典文、史、哲注文中）引述"本草经曰"的资料。前者如吐鲁番出土的《本草经集注》残简，1900 年敦煌出土的《新修本草》卷 10 残卷，《证类本草》白字等；后者如《太平御览》《艺文类聚》《初学记》《北堂书钞》、嵇康《养生论》、张华《博物志》、葛洪《抱朴子》、刘逵《蜀都赋》注等。

历代本草所载《本草经》资料，以《证类本草》最全；类书所引"《本草经》曰"资料，以《太平御览》为最多。

但《证类本草》白字，和《太平御览》所引述的文字，在内容上、体例上都不相同。

《证类本草》白字，内容以主治为最多。其书写体例为：正名→性味→主治→一名。

《太平御览》所引"本草经曰"的文字，内容范围较广，但主治较简略，所引条文多不完整，或呈片断状摘录文。其书写体例为：正名→一名→性味→生境→主治→产地。

《证类本草》白字是陶弘景整理过的。白字的文字，即是现存的《本草经》文。它的来源，向上追溯，是由陶弘景《本草经集注》中的朱字，通过唐代《新修本草》、宋代《开宝本草》《嘉祐本草》而被保存在《证类本草》中。所以现存《证类本草》白字是来源于陶氏《集注》中的朱字，而陶氏《集注》中的朱字，又是陶弘景综合当时数种同名异书的《本草经》而成的。所以陶弘景在《集注·序录》中说："今辄苞综诸经，研括烦省。"这个"苞综诸经"，就是提示陶氏《集注》中朱字，是综合当时数种同名异书《本草经》而成的。

明清以来，国内外各家所辑的《神农本草经》，其资料来源，皆出于《证类本草》白字。换句话说，现行的各种辑本文字，都是陶氏整理过的《本草经》文。

《证类本草》白字包括两部分内容：一部分是《本草经》序文，性质同总论。一部分是各个药物具体内容，性质同各论。

《本草经》序文共 13 条，讲一些药物基本理论。如药物上中下三品定义及分类；药物性味，即寒热温凉四气（性）和酸、苦、辛、甘、咸五味；药物的形态，根、茎、花、实；采造时月，阴干、暴干；生熟土地所出；七情合和（畏、恶、相杀、相反等）；药物配伍法则（指君、臣、佐、使）；药物入汤、酒等剂型宜忌；服药方法；服药时间；服药剂量；诸病按证选药等。这些基本理论，在后世历代本草中都有所发展。

《本草经》各个药物的具体内容，是把全部药物按上中下三品归类。上品 120 种，一般是无毒或毒性较小的补养类药物；中品 120 种，有的有毒，有的无毒，多属治病兼有补养作用的药物；下品 125 种，一般有毒，多属攻治疾病的药物。这种三品分类，是中国药物学最早的分类法，盖受神仙家之言的影响所致。

但是《证类本草》白字的序文和药物论述，存在很多不一致的地方。如序文中所提到药物根、茎、花、实，七情合和，阴干暴干，采造时月，生熟土地所出，药性汤酒等，均不见于各个药物具体内容中。这些不一致的问题，不知是如何产生的。即以"生熟土地所出"一点而论，《证类本草》药物条文中，虽有生境、产地记载，但均作墨字《别录》文。吐鲁番出土的《本草经集注》朱书《本草经》仍有产地记载。1900 年敦煌出土的《新修本草》卷 10 残卷，其药物产地，已改为墨书，可能是《本草经》的药物产地在唐代《新修本草》中被删除了。但《太平御览》所引"本草经曰"文字，仍有生境和产地内容。清代孙星衍等辑本和森立之辑《神农本草经》时，根据《太平御览》所引"本草经曰"的生境内容，在他们辑本中加了"生山谷""生川泽"等资料。

《神农本草经》药物数量。由于《神农本草》同名异书很多，因而各书所载药数也不完全相同。但《证类本草》白字序文云"三品合三百六十五种"，是《本草经》药数应为 365 种吗？笔者怀疑这个 365 种药数是陶弘景选定的。陶弘景是道家，序文言明"三品三百六十五种，法三百六十五度，一度应一日，以成一岁"。把《本草经》药数和一年 365 天联系在一起，这很明显是受道家的影响。由此可知《本草经》药数是人为的数字。《证类本草》卷 20 文蛤条陶弘景注云："此既异类而同条，若别之，则数多。今以为附见，而在附品限也。"陶氏所注"若别之，则数多"。正说明"三百六十五种"是硬凑的数字，所以《唐本草》对陶氏注批评说："夫天地间物，无非天地间用，岂限其数为正副耶？"

但近几年来出版的中药书，都曾提到《神农本草经》365 种，除重复 18 种外，实数只有 347 种。这是误解《本草纲目》的话而来。《本草纲目》全书中载药 1892 种，采用《本草经》药物 347 种，其余 18 种《本草经》药或与《纲目》中某些药有相似关系而被归并在一起，例如天鼠矢并在伏翼条，白胶并在鹿条，彼子并在榧实条，瓜蒂并在甜瓜条，药实根并在解毒子条，大盐并在食盐条等。像解毒子、食盐都是《本草经》药，《纲目》就其性质相近而归并，岂能说是《本草经》药物之间重复呢？这是后人的误解。最先误解者为日本久保田晴光《汉药研究纲要》，以后很多作者不加细察，乃辗转传抄，形成很多中药书都误解了。

《神农本草经》的药物合并与分条：《神农本草经》药物原是 365 种，但据《证类本草》白字药物实数是 367 种，为什么会多出两种呢？这就是因为《神农本草经》药物存在合并和分条的情况。

《证类本草》卷 28 薤条陶注云："葱、薤异物，而今共条。"类似此注还有海蛤、文蛤共条，大豆、赤小豆共条，粉锡、锡铜镜鼻共条。按陶弘景所注，这 8 味药，在《本草经集注》中是作 4 味药计算的。

这种合并与分条，不仅在《本草经集注》中有，在后世本草中也有。

例如：《本草纲目》归并肤青、白青为 1 条，香蒲、蒲黄为 1 条，常山、蜀漆为1条，连翘、翘根为1条，徐长卿、石下长卿为1条，青、赤、黄、白、黑、紫六芝为1条等。又如孙星衍辑本，并大盐、戎盐、卤盐为1条，又并铁、铁精、铁落等为1条。森立之辑本，并牛角䚡、牛黄为1条，鼠李并在郁核条，鼺鼠并入六畜毛蹄甲条等。王闿运辑本，并殷孽、孔公孽为1条，青蘘并入胡麻条，蘼芜并入芎劳条。

由于各家对《本经》药物合并分条做法不同，各家所辑《本经》药物数字互异。例如《证类本草》及森立之、顾观光等辑本对青、赤、黄、白、黑、紫六芝，作6条计算。但孙星衍、孙冯翼合辑本作1条计算。加以他们对铁、铁精、铁落、大盐、戎盐、卤盐等都按自己主观意志分合，其结果必然是互异。因此各家辑本所言《本经》药物数字也就各不相同了。

《神农本草经》记载的药物功效主治。《神农本草经》载药365种，其中有202种至今依然在应用。现代科学研究证明，《本经》所载药物功效确切，如：水银治疥，麻黄止喘，大黄泻下，海藻治瘿，常山截疟，黄连止痢等。而且《本经》对有些药物疗效的记载，是世界上最早的。例如对水银灭疥的记载，比阿拉伯和印度要早5~8个世纪。

书中药物主治所涉及的病名，有170余种。其中有内科、外科、妇科、眼、耳、喉、咽、寄生虫等各方面的疾患。

内科病名有：中风脚弱、大腹水肿、肠澼下痢等。

外科病名有：火灼、痈疽、恶疮、漆、痔等。

妇科病名有：安胎、堕胎、产难、月闭等。

眼病名有：目热赤痛、目肤翳等。

耳病名有：耳聋。

鼻病名有：鼻衄、鼻息肉等。

喉咽病名有：声喑哑、喉痹痛、口疮等。

寄生虫病有：鬼疟、白虫、三虫等。

《神农本草经》的价值。《神农本草经》是我国最早的一部药物专书，而且历代本草都是在《神农本草经》基础上发展起来的，因此本书是有历史价值的。

本书载药365种，其中绝大部分都是中医常用的药物，所言药效都是确切而可靠的，历代学医者都把它当作必修书。因此本书仍有实用的价值。

由于本书是古典医学著作，所记动、植、矿物药品很多，所以本书对于博物学和文化史研究，同样也有参考价值。

《神农本草经》原书久佚，早在 800 多年前，就有人做它的辑复工作。南宋·王炎辑的《本草正经》即《神农本草经》。王氏辑本已佚，但它的序尚存于王氏《双溪文集》中。其后，明代卢复亦从《证类本草》中将"本经"原文辑出印成《本草经》。迄今为止，《神农本草经》现存共有 10 多家辑本，连抄本共有 20 多种版本。国人辑的有 7 家，即卢复、孙星衍、顾观光、黄奭、王闿运、姜国伊、林屋洞仙九芝（抄本）。日本学者有两家：森立之、狩谷望之志（抄本）。

各种辑本资料来源，皆录自《证类本草》白字。但药物条文书写的体例有两种类型。

国人辑本悉依《证类本草》白字体例。日本森氏辑本是依《太平御览》所引"本草经曰"文字的体例，但辑本条文，仍用《证类本草》白字文字。

各种辑本对于本经药物合并或分条、目录的编排、三品的位置，以及被唐、宋本草退在有名未用类中的"本经"药物处理等问题的处理方式各不相同。由此可知各种辑本对《本经》原始的面目尚无共同的看法。要想解决这个问题，也许只有等待更多的证据（如出土资料）才行。

（二）古本《本草经》佚文考证

古本《本草经》，是古人托名神农所著《神农本草经》的简称。当时托名的不止一家，后因战乱损失，只剩下 4 卷本。梁·陶弘景序云："汉献迁徙，晋怀奔进，文籍焚靡，千不遗一，今之所存，有此四卷，是其《本经》。"

4 卷本《本草经》经过魏、晋名医增补，形成多种《本草经》，它们收载药物数目、三品分类、自然属性分类、药性寒热、主治内容多寡，均各不相同。陶弘景将诸家《本草经》统称之为"诸经"。在"诸经"中，4 卷本《本草经》是最古的本子，其余都是名医增补的本子。

陶弘景作《本草经集注》（简称《集注》）时，采用"苞综诸经"的方法，将最古的 4 卷本《本草经》和名医增补的《本草经》统统收入《集注》中。对 4 卷本的文字，以朱字书写为"《本经》文"，对名医增补的文字，以墨字书写为"《别录》文"。

《集注》原书久佚，它通过历代本草书，保存在《证类本草》（简称《证类》）中。《证类》白字，即《集注》朱书"《本经》文"，《证类》黑字，即《集注》墨书"《别录》文"。所以《证类》白字，归根结底，本源于 4 卷本《本草经》。由于 4 卷本《本草经》亡佚，只有《证类》白字存在，所以现行单行本《神农本草经》文是辑自《证类》白字，不是来源于 4 卷本《本草经》。

然而《证类》白字"《本经》文"，是经过陶弘景"苞综诸经"整理而成，因此现行单行本《神农本草经》文字，是陶弘景整理的。陶弘景整理后的《本草经》文，与古代 4 卷本《本草经》不完全相同。例如在药物条文书写体例上为：正名→性味→主治功用→一名；而 4 卷本书写体例为：正名→一名→性味→生境→主治功用→产地→形态→采收时月→阴干暴干。

在药物内容上，陶氏整理的《本草经》文没有生境、产地、药物性状、形态、采收时月、阴干暴干、七情畏恶等内容。

4 卷本《本草经》，在药物内容上，有生境、产地、药物形态、采收时月、阴干暴干、生熟、真伪陈新、七情畏恶等内容。这些内容，对现行单行本《本草经》而言，都是《神农本草经》的佚文。

兹将 4 卷本《本草经》内容讨论如下。

（1）在书写体例上，4 卷本《本草经》药物条文书写体例为：正名→一名→性味→生境→主治功用→形态→采造时月→阴干暴干→产地→七情畏恶。

例如《太平御览》所引"本草经曰"的药物条文，均是按此例写的。而陶弘景"苞综诸经"时，将这种体例改为：正名→性味→主治功用→一名。

日本森立之辑的《本草经》，即把《证类》白字"《本经》文"录出，按《太平御览》体例书写，收入书中。森氏在其序中说明此问题时，认为"本经药"条文书写体例，由《御览》体例改成《证类》体例，是唐代苏敬作《新修本草》时改的。森氏在其序中注云："苏敬新修时，一变此体。"其实，"一变此体"，并不是始自苏敬《新修》，而是陶弘景《集注》。因吐鲁番出土的《集注》残片中，药物书写体例与《证类》书写体例完全相同。

明清以来，国内各家所辑的《神农本草经》，其药物条文书写体例，均按《证类》白字"《本经》文"体例书写。要知《证类》白字"《本经》文"，归根结底来源于《集注》，它是陶弘景"苞综诸经"所改变的书写体例，不是 4 卷本《本草经》原来体例。因此明清国内诸家辑本《本草经》药物条文书写体例，不符合 4 卷本《本草经》原来风貌。

（2）4 卷本"《本经》文"与《证类》白字"《本经》文"有很多不同。为着讨论方便，先从《证类》白字《本经》序文和《本经》药物条文之间差异勘比分析之。

《证类》白字《本经》序文共有 13 条。此 13 条所言内容，在《证类》白字各药条文中，或不一致，或标记有出入，或缺少。兹勘比如下。

1)《证类》白字《本经》序文第 1 ~ 3 条，是讲《本经》药三品定义：上品药久服延年不老神仙；中品药遏病，补虚羸；下品药除寒热，破积聚愈疾。联系《证类》白字《本经》药，其三品位置并不符合序文三品定义。兹将《证类》白字《本经》药，不符三品定义者列举如下。

a.《证类》白字《本经》上品药，不符合上品定义的有：83 石钟乳（药名前号码，指 1957 年人民卫生出版社影印《政和本草》页次，下同）、165 巴戟天、175 黄连、185 五味子、174 芎䓖、183 丹参、189 沙参、301 五加、190 白菟藿、182 营实、190 薇衔、363 发髲、370 牛黄、397 丹雄鸡、415 桑螵蛸、416 海蛤、417 蠡鱼、461 橘柚、299 黄檗、306 木兰、503 瓜蒂。

b.《证类》白字本经中品药，不符合中品定义的有：107 水银、330 龙眼、328 猪苓、208 石龙芮、514 水苏、326 秦椒、332 合欢（以上各药，按三品定义，应列在上品）。401 燕屎、402 天鼠屎、433 木虻、433 蜚虻、433 蜚蠊、448 水蛭、230 马先蒿、117 肤青、199 当归、513 假苏、233 积雪草、226 款冬、227 牡丹、223 防己、207 黄芩、237 女菀、220 地榆、237 蜀羊泉、222 泽兰、211 紫参、221 海藻、210 败酱（以上各药，按三品定义，应列在下品）。

c.《证类》白字《本经》下品药，不符合下品定义的有：126 铅丹、249 莨菪子、340 蜀椒、357 药实根、519 水靳、249 桔梗、189 杜若。

上述各《本经》药物三品位置，均不符合三品定义的要求。这里面除与陶氏作《集注》"苞综诸经"时所做的更改有关外，亦与后世本草书作者所做的更改有关。敦煌出土《集注》"七情畏恶药例"中各药三品位置与《唐本草》药及《证类》药三品位置互有出入，说明《证类》白字《本经》药三品位置有些是被本草书编者所更改。

例如水银，自《新修本草》以后，都列在中品，但《集注》"七情畏恶药例"将其列在上品。按《本经》上品药定义，是"久服不老延年，轻身神仙"。而水银条《本经》云"水银……熔化还复为丹，久服神仙不死"，此与《本经》上品定义合，故《本经》列在上品。后世人们发现水银有毒，不能列入上品，改从中品。

又如黄芪，自《新修本草》以后，列入上品，但黄芪并无"久服神仙"，故《本经》列入中品，后世发现黄芪有补益功能，改从于上品。

这些例子，说明《证类》白字《本经》药的三品分类，有些是后世改动过的，使三品位置与《本经》三品定义不相吻合。

2）《证类》白字序文第 4 条，讲"本经药三品合三百六十五"。但《证类》白字《本经》药实数是 367 种。《证类》卷 20 文蛤条陶弘景注云："海蛤、文蛤，此既异类而同条，凡有四物如此。"所言四物，含大豆、赤小豆共条（《证类》卷 25 赤小豆），葱、薤共条（《证类》卷 28 薤），锡铜镜鼻、粉锡共条（《证类》卷 5 锡铜镜鼻）。以上共条药，在 4 卷本《本草经》原是各自独立为条的，陶弘景作《集注》时，为着使《本经》药总数符合 365 种数目，将上述锡铜镜鼻、粉锡、海蛤、文蛤、大豆、赤小豆、葱、薤 8 味药，共条处理成为 4 味药。

陶弘景归并上述 8 味药，并在"文蛤"条下注云："此既异类而同条，若别之，则数多，今以为附见，而在附品限也。"注中所云"则数多"，其义为：不共条，则总数即将超出 365 种之数。陶氏为着牵合《本经》药数符合 365 种，将海蛤、赤小豆、葱、粉锡等药，分别归并在其他条中，作为副品看待。苏敬作《新修本草》时，曾批评道："夫天地间物，无非天地间用，岂限其数为正副耶？"（尚志钧辑《唐·新修本草》页 405 "文蛤"条）。

根据陶弘景注文，可以看出，陶氏在作《集注》"苞综诸经"时，对 4 卷本《本草经》药物进行过归并。除上述 8 种外，还有牛角䚡、牛黄等条，亦曾被陶氏在"苞综诸经"时厘定过。此等归并，都不是 4 卷本《本草经》的实际情况。

3）《证类》白字序文第 5 条是讲药物君臣佐使的。按理，《本经》药物应注有君、臣、佐、使内容。通检明清国内外各家所辑《本草经》，未见任何《本经》药注有君、臣、佐、使内容。《证类》白字《本经》药，仅少数记有君臣佐使内容，且所记内容均作黑小字。

例如 152 牛膝、156 麦门冬、163 远志等，其下各自注有"为君" 2 字。148 甘草，其下注有"国老" 2 字。246 大黄，其下注有"将军" 2 字。而且所注说明文，均作黑小字，不是白小字，不易使人认识到此等黑小字也是《本经》文。由于《证类》白字序文"药有君、臣、佐、使"的条例，可以确认《证类》白字《本经》药名下所标的"为君""将军""国老"等文字，应是《本经》文。而陶弘景注释此条时，亦明言"门冬、远志，别有君臣，甘草国老，大黄将军"。

4）《证类》白字序文第 6 条，讲《本经》药有形态和七情畏恶记载。

a. 关于《本经》药的形态记载，在白字《本经》序文已记明"药有根、茎、花、实、草、石、骨肉"。

《太平御览》卷 959 页 7 "支（栀）子"条引《本草经》曰："支子，一名木丹，叶两头尖，如樗蒲形，剥其子如玺而黄赤。"卷 992 页 8 "败酱"条引《本草经》曰："败酱，似桔梗，其臭如败豆酱。"卷960页2"辛夷"条引《神农本草经》曰："辛夷生汉中魏兴凉州川谷中，其树似杜仲，树高一丈余，子似冬桃而小。"

上述三例，说明《本经》药物是有形态记载的。但《证类》白字《本经》药，所记药物形态，均作黑字《别录》文。兹举例如下。

92 白石英"大如指，长二三寸，六面如削，白沏有光"。

112 凝水石"色如云母，可析者良"。

117 长石"理如马齿，方而润泽玉色"。

290 箘桂"无骨，正圆如竹"。

306 木兰"皮似桂而香"。

416 文蛤"表有文"。

500 芡实"叶如蓝"。

以上各药，在《证类》均作白字《本经》药，但各药所记的形态，均作黑字《别录》文。按，《证类》白字序文和《太平御览》所引"本草经曰"的药物，是有药物形态记载的。疑上述《本经》药所记药物形态，当属《本经》佚文。

b. 《本经》药有七情畏恶内容。

《证类》白字《本经》序文，明言药有"七情"。但《证类》白字《本经》药条末，所记"七情畏恶"资料，全作黑字《别录》文。疑此等黑字《别录》文，当为白字《本经》文传写之误。理由如下。

第一，《证类》白字序文已记明："药有单行者，有相须者，有相使者，有相畏者，有相恶者，有相反者，有相杀者，凡此七情，合和视之。"

第二，《蜀本草》注云："凡三百六十五种，有单行者七十一种，相须者十二种，相使者九十种，相畏者七十八种，相恶者六十种，相反者十八种，相杀者三十六种，凡此七情，合和视之。"

按，《本经》药必有七情畏恶资料，否则《蜀本草》注从何统计此等数字。

第三，敦煌出土《集注》"七情畏恶药例表"中，载本经药181种，别录17种，证明此表中药物大部分出自《本经》。

又，在此表开头解说文中提到"《本经》有直云茱萸、门冬者，无以辨其山、吴、天、麦之异"。又云："《神农本草经》相使止各一种。"

在此表中既然两次提到《本经》，说明《集注》"七情畏恶药例表"是参考过《本经》的，这就意味着《本经》药是有"七情畏恶"的内容的。

第四，210 前胡条，陶弘景注云："前胡（别录药）亦有畏恶，明畏恶非尽出《本经》也。"

以上几点证明《本经》有七情畏恶的内容。据此可以确认《证类》白字《本经》药文末所附小黑字"七情畏恶"资料，应属《本经》佚文。

5）《证类》白字序文第 7 条，讲《本经》药物性味、有毒无毒、阴干暴干、采造时月、生熟土地所出、真伪辨别，并各有法。兹分述如下。

a. 四气、五味。《证类》白字序文云："药有酸、咸、甘、苦、辛五味，又有寒、热、温、凉四气。"其中"凉"性，通检《证类》白字《本经》药，未见记有"凉"性的，但药物条文记有"平"性，多作黑字《别录》文。

b. 有毒无毒。《证类》白字序文既明言《本经》药有关毒性记载，但白字《本经》药仅有少数药记载"无毒"，未见一条记载过"有毒"。

《本经》药记载"无毒"的，有下列几味药。270 白头翁、301 干漆，皆记有《本经》云"无毒"。"456 衣鱼"，《本经》云"无毒"（但《大观本草》作黑字《别录》文）。其余白字《本经》药，未见记载无毒或有毒。连剧毒药钩吻、乌头、狼毒、羊踯躅、大戟、芫花、甘遂、巴豆等，均无白字"有毒"记载。所记"有毒"字样，均作黑字《别录》文。

古人对药物毒性早有认识，所谓"神农尝百草，一日而遇七十毒"。《周礼·天官冢宰》云："聚毒药以供医事。"为何《证类》白字《本经》药所记"有毒"，均作黑字《别录》文呢？疑是传抄舛误所致。

c. 阴干暴干。《证类》白字序文有"阴干暴干"规定。但《证类》白字《本经》药所记"阴干暴干"，全作黑字《别录》文，疑是传抄舛误。

d. 采造时月。《证类》白字序文明言有"采造时月"，但《证类》白字《本经》药所载"采造时月"，只有 255 青葙条有"五月六月采子"作白字《本经》文（但《大观本草》作黑字《别录》文）。其余白字《本经》药所记"采造时月"，均作黑字《别录》文。兹举例如下。

202 瞿麦条是白字《本经》药，其条末有"立秋采实"作黑字《别录》文。其下有陶弘景注云："按《经》云采实。实中子至细，燥熟便脱尽。"陶氏注文提"《经》云采实"，说明《证类》白字"瞿麦"条下"立秋采实"作黑字，当是白字传写舛误所致，否则陶氏不会讲"《经》云采实"之语。

167 著实条，是白字本经药，其下有"八月九月采实"作黑字《别录》文。《太平御览》卷 993 页 5，引《本经》曰："著实……八月九月采实。"两书文字全同。其中"八月九月采实",在《证类》中作黑字《别录》文,在《太平御览》中作《本经》文。由此可见,《证类》著实条中"八月九月采实"作黑字,当是传抄舛误所致。

315 桑根白皮,《证类》白字无"采造时月"记载。《太平御览》卷 955 引《本经》曰:"桑根白皮,常以四月采,或采无时。"由此可见《本经》是有采造时月的。

e. 药有生熟。《证类》白字序文记载药有"生熟"。《证类》白字《本经》药 365 种中,仅几味药有此内容,兹举例如下。

193 干姜、194 干地黄皆有"生者尤良",作白字《本经》文。

424 露蜂房、443 蛇蜕、451 蜣蜋皆有"火熬之良",作白字《本经》文。

449 贝子有"烧用之良",作白字《本经》文。

除上述各药有"生熟"记载外,其余各药未见有"生熟"记载。

f. 药物土地所出。《证类》白字《本经》序文,记有"药物土地所出"。但《证类》白字《本经》药所记产地,全作黑字《别录》文。未见一条所记产地作白字《本经》文。

从陶弘景注文看,《证类》白字《本经》药所记是有产地的。例如 88 滑石条,是白字《本经》药,其条文所记产地为"生赭阳山谷",作黑字《别录》文。陶弘景注云:"赭阳县先属南阳,南阳汉哀帝置,明《本经》所注郡县,必是后汉后时也。"陶注中所言"《本经》",当指古本《本经》而言,说明陶氏所见到的《本经》是有产地的。

《证类》128 锡铜镜鼻条是白字《本经》药,其条中所记产地为"生桂阳山谷",作黑字《别录》文。陶弘景注云:"铅与锡,《本经》云'生桂阳'。"陶注谓"生桂阳"出于《本经》,则陶氏所见古本《本经》是有产地记载的。

《证类》401 燕屎条,是白字《本经》药,其条文所记产地"生高山平谷",作黑字《别录》文。

《证类》402 天鼠屎条,是白字《本经》药,其条文所记产地"生合浦山谷",作黑字《别录》文。

但吐鲁番出土《集注》残片中燕屎条"生高山平谷"、天鼠屎条"生合浦山谷",俱作朱字《本经》文。说明古本《本经》药物是有产地的。现今《证类》白字《本经》药产地全作黑字《别录》文,当为后人所改。

查敦煌出土《新修本草》卷 10 残卷,是朱墨杂书。其《本经》文皆作朱书,唯独《本经》文中产地作墨书。由此可见,《本经》药物产地改为墨书,可能始于《唐本草》。

通过上述《证类》白字《本经》序文和白字《本经》药物条文勘比,白字《本经》序文所言药有生境、产地、药物形态、采造时月、阴干暴干、生熟、七情畏恶等内容,在白字《本经》药物条文中,全作墨字《别录》文,这些墨字《别录》文,原先在 4 卷本《本草经》中,也是属于《本草经》文的。其中有些是陶弘景作《集注》时所更改,有些是后世本草书编者所更改。这些更改,造成今日《证类》白字《本经》药存在大量佚文。这些佚文也正是 4 卷本《本草经》内容一部分。所以 4 卷本《本草经》内容,除包含《证类》白字《本经》文外,还包含上述大量佚文。

(三) 诸家辑本《神农本草经》考

《神农本草经》原书早已失传,但是它的内容,通过陶弘景《本草经集注》、苏敬《新修本草》、马志《开宝本草》、掌禹锡《嘉祐本草》等被保存在宋·唐慎微《证类本草》中。最早辑《神农本草经》的是宋·王炎,惜该辑本没有传下来,仅有一序留存于王氏《双溪文集》中。现存的辑本有很多家,兹列举如下。

(1) 卢复《神农本草经》(简称《卢本》),不分卷,成书于 1616 年,1 种抄本,2 种刊本。

(2) 孙星衍、孙冯翼合辑《神农本草经》(简称《孙本》)3 卷,成书于 1799 年,1 种抄本,7 种刊本。

(3) 顾观光《神农本草经》(简称《顾本》)4 卷,成于 1844 年,1 种抄本,3 种刊本。

(4) 王闿运《神农本草经》(简称《王本》)3 卷,附本说 1 卷,成书于 1885 年,1 种刊本。

(5) 姜国伊《神农本草经》(简称《姜本》)1 卷,成书于 1892 年,1 种刊本。

(6) 黄奭《神农本草经》(简称《黄本》)3 卷,成书于 1893 年,3 种刊本。

(7) 林屋洞仙九芝《神农本草经摘读》(简称《林本》)成书于 1894 年,1 种抄本。

(8) 日本森立之《神农本草经》(简称《森本》)3 卷,附序录 1 卷,考异 1 卷,成书于 1854 年,3 种刊本。

(9) 日本狩谷望之志《神农本草经》(简称《狩本》)3 卷,涩江籀斋订,成书于 1824 年，1 种抄本。《中医图书联合目录》将此辑本排在《神农本草经》注解一类中，但从该书内容来看，亦可视为辑本之一。

以上辑本中所采录的《神农本草经》各个条文，都是出于宋·唐慎微《证类本草》中的黑底白字文字。

日本丹波元坚为森立之《神农本草经》作序谓："明·卢不远徒采之李氏《纲目》。"但是《卢本》辑文与《证类本草》的白字相同，和《纲目》所引《本经》文并不相同，唯书中药物目次与《纲目》所载目录相同。可见《卢本》的资料是出于《证类本草》，并非出于李氏《纲目》。其实《本草纲目》所引的《本草经》文，也是出于《证类本草》中的白字。

《证类本草》白字的《本草经》文，最早始于陶弘景《本草经集注》中的朱字，经过《唐本草》《开宝本草》《嘉祐本草》而被保存在《证类本草》中。现存的各种辑本《神农本草经》的内容基本上是相同的，所不同者有五，如下所述。

1. 所用目录不同

《卢本》《顾本》《姜本》是采用《本草纲目》卷 2 所载《神农本草经目录》；《孙本》《黄本》《王本》是按《证类本草》药物目次编排的；《森本》是按《千金方》《医心方》所载七情药物目次和《唐本草》目录编排的。

2. 药物三品类别不同

由于所用的目录不同，各辑本在药物三品类别方面也各不相同。《本草纲目》全书中所载《本经》药物品属和卷 2 所载《本草经目录》药物三品类别相差很大，却和《证类本草》白字《本经》药物品类大体是相同的。而各种辑本中，《卢本》《顾本》《姜本》药物三品类别和《本草纲目》卷 2 所载《本草经目录》一致（以《顾本》为代表）；《孙本》《黄本》《王本》药物三品类别和《证类本草》一致（以《孙本》为代表）；《森本》药物三品类别和《唐本草》目录一致。兹用《顾本》《孙本》《森本》为代表，将其中药物三品有分歧之处比较如下。

（1）《孙本》《森本》列为上品，而《顾本》视为中品的药物有：白青、扁青、石胆、芎劳、柴胡、茜根、营实、木兰、白兔藿、发髲、牛黄、雁肪、丹雄鸡、蠡鱼、鲤鱼胆。

（2）《孙本》《森本》列为上品，《顾本》视为下品的药物有：瓜蒂。

（3）《孙本》《森本》列为下品，《顾本》视为中品的药物有：豚卵、麋脂、桃核、杏核、水靳。

（4）《孙本》《森本》列为中品，《顾本》视为下品的药物有：殷孽、孔公孽、铁、铁精、铁落、松萝、猬皮、蟹、樗鸡、蛞蝓、大豆黄卷。

（5）《孙本》列在上品，而《森本》《顾本》列在中品的药物有：薇衔、檗木、海蛤、文蛤。

（6）《孙本》列在中品，《森本》《顾本》列在下品的药物有：燕屎。

（7）《孙本》列在上品，《顾本》列在中品，《森本》列在下品的药物有：五加。

总的来说，《孙本》《森本》两书药物三品类别差异较小，但和《顾本》的差异较大。

3. 书写体例不同

各种辑本条文书写体例，大体分为两类：一是按《证类本草》白字格式书写。一是按《太平御览》所引《神农本草经》的文字格式书写。

在上述 9 种辑本中，除《森本》是按《太平御览》的格式书写外，国内各种辑本都是按《证类本草》的格式书写。

4. 选订《本草经》药物品种不同

《孙本》《黄本》以黍米、粟米、升麻为《本草经》药物，按，此三药在《证类本草》中作墨字《别录》文。除《森本》以升麻为《本草经》文外，其他各种辑本皆不取此三药为《本经》文。又，《孙本》缺石下长卿，《王本》缺蠮螉、水蛭。

5. 各种辑本对《本草经》药物进行合并、分条的不同

如《卢本》《顾本》把"青蘘"并入"胡麻"条下，"赤小豆"并入"大豆黄卷"条下。

《孙本》《黄本》并六芝（青、赤、黄、白、黑、紫）为 1 条。赤小豆、大豆黄卷并为 1 条，葱、薤并为 1 条，戎盐、大盐、卤咸并为 1 条，粉锡、锡铜镜鼻并为 1 条，铁、铁精、铁落并为 1 条。

《森本》将铁、铁精、铁落并为 1 条，粉锡、锡铜镜鼻并为 1 条，戎盐、大盐、卤咸并为 1 条，赤小豆、大豆黄卷并为 1 条，葱、薤并为 1 条，"文蛤"并入"海蛤"，"牛角䚡"并入"牛黄"，"鼠李"并在"郁核"条下，"鼺鼠"并入"六畜毛蹄甲"。

《王本》把"大盐"并入"戎盐"条下，"锡铜镜鼻"并入"粉锡"条下，

"殷孽"并入"孔公孽"条下，"蘼芜"并入"芎䓖"条下，"青蘘"并入"胡麻"条下。

各种辑本对《本草经》药物合并、分条或对某些药物选择取舍的不同，带来了各辑本药物总数争论的问题。单就"灵芝"而言，《孙本》《黄本》当作1条药计算，而《卢本》《顾本》《森本》当作6条计算，因而出现了《卢本》《顾本》《姜本》的药物总数是365种，《孙本》《黄本》《森本》为357种，《王本》是360种等的不同。

1949年后刊印的《神农本草经》有三种：1955年人民卫生出版社影印的《顾本》和商务印书馆重印的《孙本》，1957年群联出版社影印的《森本》。

总之，诸家辑本《神农本草经》（以下简称《本草经》）文，皆出于《证类本草》白字，此白字即源于《本草经集注》朱字，该朱字则是陶弘景将当时流行的多种《本草经》文字糅合而成。此结论来自以下的考察。

（1）陶弘景在《本草经集注》序录中言他所见的《本草经》有三种，载药数分别为595、441、319，其分类混乱，药物主治功用各不相同，遂"苞综诸经"，收入《本草经集注》中。

（2）陶氏注文中引用的两个生姜资料存在差异。《新修本草》卷18"韭"条引陶注云："生姜……言可常啖，但勿过多耳。"但《证类本草》卷28"韭"条中，无陶氏此注，且并入卷8"生姜"条下，两者内容不完全相同，提示了陶弘景是参阅了多种本草的。

（3）《证类本草》白字序文云："上药120种，中药120种，下药125种，三品合三百六十五种，法三百六十五度，一度应一日，以成一岁。"查《嵇康养生论》《抱朴子》《博物志》《艺文类聚》《太平御览》等书所引《神农本草经》有关资料，仅言上、中、下三品，并无上、中品各120种，下品125种的数字，更无365种法一年365度之语。这些话亦不见于陶氏以前的书中，仅见于陶氏《本草经集注》中。而这些说法与道家思想有密切关系。据史书记载，陶弘景为道教中人，这些思想应当是在陶弘景作《本草经集注》时渗入其中的。

（4）药物分类次序。古代文献如《汉书·艺文志》《太平御览》等书所论药物，皆以"草石"名之，而"草"为首，"石"次之，但《证类本草》白字各个药物排列顺序，是以玉石为首的，这显然与"草石"的含义不相合，敦煌发现的《本草经集注》中的药物七情畏恶排列次序，亦是以玉石为首的。这种以玉石为首的药物分类方法，可能是陶弘景看到当时各种《神农本草经》药物分类混乱，即

"草石不分，虫兽无辨"才提出来的。

（5）从其他文献所引《本草经》资料，亦可知古代有很多种《本草经》的内容没有被陶弘景收入书中。如晋·郭璞注"门冬"云："一名满冬。"《抱朴子·内篇》卷 11 云："术，一名山精，故《神农药经》曰：'必欲长生，常服山精。'"《博物志》引曰："药有大毒，不可入口、鼻、耳、目，入者即杀人……二曰鸩，三曰阴命，四曰内童，五曰鸩。"《艺文类聚》卷 88 引曰："桑根旁行出土上者名伏蛇，治心痛。"（《太平御览》卷 955 引文同）；卷 81 引"芍药"、卷 95 引"熊脂"；《太平御览》卷 992 引"地肤，一名地华，一名地脉；又纶布，一名昆布，味酸无毒；败浆，似桔梗，其臭如败酱"。又引郭璞注《尔雅》云："《本草经》曰'茝卢，一名诸兰'；"同书卷 981 引曰"丹鸡，一名载丹"；同书卷 996 引曰"萱草，一名忘忧，一名宜男，一名妓女"。以上诸书所引《本草经》资料，皆不见于《证类本草》白字。

（6）陶弘景总结的《本草经》条文内容、书写体例与以前的《本草经》不同。陶弘景总结的《本草经》，没有产地，没有药物性状、形态，没有七情畏恶等内容，其书写体例为：正名→性味→主治功用→一名→生境。陶弘景以前的《本草经》，在内容上，有产地，有药物性状、形态、七情畏恶等内容，书写体例是：正名→一名→性味→产地→形态→主治功用。

现存的《证类本草》白字，向上推溯，是由陶弘景综合当时流行的多种《本草经》本子而成的。而明清时期国内外学者又从《证类本草》白字辑出各种单行本《本草经》，这些单行本《本草经》文字，实际上是陶弘景整理后的文字，并不是原始古本《本草经》的文字。

（四）《神农本草经》校点

1. 提要

《神农本草经》相传为古代神农氏所作，据考证，是出于汉代本草官之手，托名神农。

原书久佚，其文散存于历代本草书、类书及文、史、哲书注文中。散存于历代本草书中的佚文，以《证类本草》白字《本经》文为最全。《证类本草》白字《本经》文向上推溯，源于陶弘景《本草经集注》，《集注》中"本草经"文，是由陶弘景苞综诸经而成。

笔者辑校的《神农本草经》初成于 1978 年 5 月，1981 年由皖南医学院铅印。

1994 年并入华夏出版社《中医八大经典全注》出版。该书所据《本经》文，以《证类本草》白字《本经》文为主。对文、史、哲古籍中的注文及类书所引的残文，另集一篇附于书末，题为"古书所引《本草经》考异"。《证类本草》的《本经》文，分为序录 1 卷，上、中、下三品各 1 卷，共 4 卷。

全书详校勘，明训诂。书末"后记"是笔者对本书研究的成果。书后所附《本草经文献源流考》，是作者对《本草经》专题研究论文汇编。该汇编对《本草经》产生、发展和演变的研究，以及对医药史的研究，都有一定的参考价值。

2. 前言

祖国本草学，是在《神农本草经》基础上发展起来的。《神农本草经》是我国最早的一部药物书。该书疑是汉代本草官托名之作。

《神农本草经》书名，不仅未见于先秦文献，连"本草"2 字，也未见于先秦文献。"本草"2 字，到西汉时才出现，此与西汉时方士盛行有关。

方士是鼓吹神仙的，其目的是想得到权贵重视，可以封官致富，因此从事方士活动的人很多。《汉书·郊祀志》记载方士活动从战国已有。该书云："自齐威（公元前 378—公元前 343）、宣（公元前 342—公元前 324）时，驺子之徒论者，以阴阳主运，显于诸侯，而燕、齐海上之方士传其术，不可胜数。"至汉武帝元鼎四年（公元前 113 年），"以二千户封栾大为乐通侯……贵震天下，而海上燕齐之间方士，莫不自言有禁方"（《史记》卷 28 封禅书）。

方士以其方术贵震天下，而从事本草者，又何尝不能仿效方士？在汉成帝、汉平帝时，就有本草待诏职称设置。如汉成帝建始二年（公元前 31 年）丞相衡（匡衡）、御史大夫谭（张谭）奏言："罢侯神、方士、使者、副佐、本草（以方药本草而待诏）待诏，七十余人皆归家。"共罢五科 70 余人，平均每科 15 人左右，则从事本草当有 15 人。

又如《汉书·平帝纪》云元始五年（公元 5 年）："征天下通知逸经、古记、天文、历算、钟律、小学、史篇、方术、本草，以及五经、论语、孝经、尔雅教授者，在所为驾，一封诏传，遣诣京师，至者数千人。"在此文中，诏传的项目有 13 种，其中本草也算是独立的一门，而应征的人有数千人。所谓数千，少则两千，多则九千。若以最低 2000 人计算，则 13 科分摊，平均每科有 154 人。而从事本草者亦当有 150 余人。

从公元前 31 年本草官被罢，平均有 15 人，到公元 5 年本草官被诏，平均有 150 人，前后相隔 36 年，而从事本草职官活动的人增 10 倍。

这种人数之所以增多，盖与当时统治者相信方士们能炼丹、炼黄金、采不死之药，寻求延年之方有关。自从在汉武帝时，方士进入宫中，被授以官职，方士即变成职务，专门从事、主持方药工作。其具体任务为炼丹、炼黄金，兼主治病的方药。后来因分工的需要，将治病的方药，从方士任务中分离出来，另立本草官担任之，则本草即变成职称的名词，其地位与方士同，当被罢免或被诏时，均与方士同时进退。因此方士和本草，在当时都是官职名称。而他们都主方药工作。前者从事炼丹、炼黄金，寻求长生不死之药；后者从事方药制备工作，即《汉志·经方序》所云："本草石之寒温，量疾病之深浅，假药味之滋，因气感之宜，辨五苦六辛，致水火之齐，以通闭解结，反之于平。"

由于本草官和方士官同在朝中共事，又同主方药，则本草官所写本草书，一定会受到当时环境的影响，即受到过去方士所写的神仙著作内容的影响。

现行单行本《本草经》包含两大内容，一是治病内容，二是延年神仙内容。在全书365味药物中，有160味提到"久服不饥，轻身延年不老，神仙"。《本草经》为什么会有大量药物记载久服不老神仙呢？这与汉代方士有关。方士是鼓吹神仙不死的。《汉书·艺文志·方技略》收载神仙著述10家，205卷，并对"神仙"解释为"神仙者，所以保性命之真，而游求于其外者也"，说明"神仙"在当时深受一般人信任，与其有关的著述亦多，因而神仙思想就会渗入到《本草经》中。

例如《本草经》记载"久服轻身益气，延年不老神仙"的有：云母，"久服轻身延年神仙"；玉泉，"久服不老神仙"；朴硝，"炼饵服之，轻身神仙"；石胆，"久服增寿神仙"；太一馀粮，"久服轻身神仙"；雄黄，"久服轻身神仙"；水银，"久服神仙不死"；蒲黄，"久服延年神仙"；青芝、赤芝、黄芝、白芝、黑芝，"久服轻身不老，延年神仙"；鸡头实，"久服耐老神仙"等，类似例有160余条。

《本经》不仅记载某些药人久服神仙，有些药动物吃了也能成仙。例如庵萮子"驱驢食之神仙"，茵陈蒿"白兔食之神仙"。

这些"久服轻身益气，延年不老神仙"的药物当是方士们收入到《仙经》中的药物，本草待诏的一些官，为了取信于帝王，就把方士们的一些话收入书中。

方士们除寻求仙药外，还炼丹、炼黄金。在炼丹、炼黄金过程中，出现很多化学反应变化。这些化学反应变化，与医疗可以说是不相关的。但是《本草经》中有很多药物均记载了此等化学反应变化。兹举例如下。

朴硝，"能化七十二石"；石胆，"能化铁为金银"；空青，"能化铁铅锡作金"；

曾青，"能化金铜"；白青，"可消为铜剑"；石硫黄，"能化金银铜铁奇物"；水银，"杀金银铜锡毒，溶化还复为丹"；铅丹，"炼化还成九光"；雄黄，"得铜可作金"。

这些化学反应，都是方士们冶炼时的实践经验，收入《仙经》中。作《本草经》者，又从《仙经》录入《本草经》中。

例如《证类》页107"水银"条，白字《本经》文有"水银杀金银铜锡毒，溶化还复为丹"。其下有陶弘景注云："还复为丹，事出《仙经》。"由此可见《本草经》所记有关"久服延年不老神仙"，以及炼丹出现化学反应等资料，当是写《本草经》的人转录的方士们所著《仙经》的内容。

又，方士讲究炼丹服食，以期神仙不死。因此《本草经》中记载很多"炼饵服食"的内容。例如：消石，"炼之如膏，久服轻身"；矾石，"炼饵服之，轻身不老增年"；朴硝，"炼饵服之，轻身神仙"；雄黄，"炼食之，轻身神仙"；松脂，"炼之令白，久服轻身不老"。

上述大量事实，说明了方士所撰的神仙著作对《本草经》的影响。结合前面的论述，可以确认汉代被诏的本草官，他们从长期从事药物合和工作中获得药性知识，从经方中获得药物治疗知识，从神仙著作中获得药物养生知识，并把这三部分知识糅合为一体，以药物为纲，撰写成本草专书。书成后，为着取信于世人，不得不托名神农、子仪等先秦人物，从而取得上级官员的信任，以便更好地获得"本草待诏"的机会。所以《神农本草经》疑是汉"本草待诏"者托名之作。

汉代本草官托名的《本草经》，有多种本子，后因战乱，大多丧失。陶隐居序云："汉献迁徙，晋怀奔进，文籍焚靡，千不遗一，今之所存，有此四卷，是其本经。"

所存的4卷本《本草经》，经魏晋名医增订，又产生多种《本草经》，陶弘景称之为"诸经"。陶氏将"诸经"中的《本经》文糅合为一体，收入《本草经集注》。

陶隐居序云："魏晋已来，吴普、李当之等更复损益，或五百九十五，或四百四十一，或三百一十九，或三品混糅，冷热舛错，草石不分，虫兽无辨，且所主治，互有得失，医家不能备见，今辄苞综诸经，以神农本经三品合三百六十五为主，又进名医副品亦三百六十五，合七百三十种。朱、墨杂书并注，分为七卷。"

从陶序可知，《集注》中的《本经》文是陶弘景整理的文字。该文通过《唐本草》《开宝本草》《嘉祐本草》，散存于《证类本草》白字中。诸经中的《本经》文，通过后世类书，散存于《太平御览》中。《证类》白字《本经》文和《御览》

《本经》文，有很多地方是不相同的。详见该书校勘注。

现存的《证类本草》白字，向上推溯，是由陶弘景综合当时流行的多种《本草经》的本子而成的。而明清时期国内外学者，又从《证类本草》白字辑成各种单行本《本草经》，这些单行本《本草经》文字，实际上是陶弘景整理后的文字，并不是原始古本《本草经》的文字。

关于《神农本草经》的辑本，早在800多年前，就有人做了。那就是南宋·王炎辑的《本草正经》（即《神农本草经》）。王氏辑本已佚，它的序文尚存于王氏《双溪文集》中。

以后明代卢复，清代的孙星衍、孙冯翼、顾观光、黄奭、王闿运、姜国伊，以及日本狩谷望之志、森立之，分别辑有《神农本草经》单行本。

这些辑本所用的目录，选择药品的数字，药物三品的位置，某些药物的合并或分条，几乎没有完全相同的。

各种辑本所录的药物条文，虽然皆从《证类本草》白字采集，但是药物条文书写格式却有两种。

国内各种辑本药物条文书写格式，悉依《证类本草》白字的体例。日本森立之辑本中药物条文完全仿照《太平御览》援引《本草经》药物条文的体例，但药物条文内容，仍用《证类本草》白字的文字。

森立之认为《证类本草》白字书写格式，是唐代苏敬编修《唐本草》时变更的。他在序中注云："苏敬新修，一变此体……开宝以后，全仿此体，古色不可见，今依《御览》补生山谷等字，陶氏以前的旧面，盖如此矣。"按照森氏的意见，《御览》书写体例，是陶弘景的原貌，而《证类本草》白字书写体例，是苏敬更改陶书而成的。其实不然，吐鲁番出土的《本草经集注》残简，有燕屎、天鼠屎两条仍保留朱字、墨字杂书，而朱字格式全同《证类本草》白字。森氏未见过吐鲁番出土的资料，其主观臆测出的观点是错误的。

至于药物产地，可能为苏敬新修所删削。因为吐鲁番出土的《本草经集注》药物产地，仍是朱书，而《证类本草》药物产地全作墨书。按《证类本草》本于《嘉祐本草》，《嘉祐本草》本于《开宝本草》，《开宝本草》本于《唐本草》，1900年敦煌出土卷子本《唐本草》药物产地已非朱书，则《本经》药物产地，由朱书改为墨书，是始于《唐本草》。

类似这样的问题很多，如《本草经》药物数、目录、七情畏恶、三品位置，以及药物合并与分条等，都存在一些问题。又如顾观光辑本，采用《本草纲目》

卷 2 所载《本草经》目录，顾氏在序中讲那个目录是最古的目录，其实那个目录是宋以后人伪造的。

《本草经》不仅在文献上存在一些问题，在药物条文上也存在不少分歧。将现行各家辑本加以比较，可以看出，虽说它们同是取材于《证类本草》白字，但是其间文字分歧很多。就《证类本草》白字本身而言，由于各种版本不同，其白字也不完全相同。

产生分歧的原因，可能是历代传抄《本草经》文时的舛错或脱误造成的。加以有些著作家，采用前人之书时，多少都带一点主观的看法对之进行删改，这样一来，就导致了很多分歧。分歧尤以《本草纲目》为甚。

本书收录药物，按文献来源，分为两类校注。

一类是以《证类本草》白字为主的《本草经》文。另一类是以《太平御览》所引为主的《本草经》文。

关于《证类本草》白字《本草经》文的辑录，所选择的药物条文，不一定全用《证类本草》白字，而是用《证类本草》白字作指示的标记。因为在《证类本草》以前的古本草书中，如卷子本《唐本草》，也有《本草经》文。但是现存卷子本《唐本草》，除敦煌出土的卷 10 残卷中《本草经》文有朱书标记外，日本流传的卷子本《唐本草》中的《本草经》文，全无标记。这就需要靠《证类本草》白字作指示标记，把《唐本草》中的《本草经》文确定出来。所以本书选择的古代《本草经》文，就是用这种办法确定的。书中药物条文，尽量以早出的本子为底本，以后出的本子为核校本。

例如，对燕屎、天鼠屎，以吐鲁番出土的《本草经集注》残简为底本；对玉石、木、果、菜、米等类药物，以卷子本《新修本草》为底本；对草类、虫鱼类药物，以《证类本草》为底本。用现存的各种本草著作（包括明、清以来，国内外诸家所辑的《神农本草经》）为旁校本。在校勘时，凡遇分歧突出的问题，如：舛错、脱误、衍生、颠倒、误抄、误刻等，均做出校记，并将校记编成序码，附在每个药物条文之后。校记中所引图书，仅用简称书名注之。

本书收录药物 365 条，每条标以自然序码，并按上、中、下三品分类之。1～120 为上品，121～240 为中品，241～365 为下品。

各个药物三品位置的确立，是根据下列三点定的：①根据《本草经集注》七情畏恶表中药物三品的位置；②根据《唐本草》药物三品的位置；③根据药物条文的内容及《本草经》序文上、中、下三品定义。

药物排列次序，是以敦煌出土《本草经集注》七情畏恶药物次序为主，参考《唐本草》目录编排的。个别药物是按陶弘景注文和苏敬注文确定的。

另一类是以《太平御览》所引《本草经》文为主的校注。所录的《本草经》文，以宋以前的古书为主，用《证类本草》白字核校之，并将核校的结果写成注文，附在各药条文之后。这样做，可以提供研究《本草经》的方便，也提供研究本草文献的正确史料。

3. 说明

《神农本草经》简称《本草经》，又称《本经》，是汉代本草官托名之作，当时有多种本子，后因战乱丧失，仅存4卷本（见陶隐居序）。经魏晋名医增订，又产生多种本子，陶隐居序称之为"诸经"，陶弘景作《本草经集注》时，将"诸经"中的《本经》文糅合为一体，收入《集注》中。以《集注》为分界点，将《集注》以前的多种《本草经》，称为陶弘景以前的《本草经》；将收载在《集注》中的《本草经》，称为陶弘景整理的《本草经》。陶弘景整理的《本草经》存于历代主流本草书中。陶弘景以前的《本草经》存在于宋以前类书和文、史、哲古书的注文中。本书辑录的《本草经》文，按其出处，可分为两大部分：一是历代主流本草书所存陶弘景整理的《本草经》文；二是历代类书及文、史、哲古书注文所引的《本草经》文。

陶弘景整理的《本草经》文的内容，从现存《证类本草》白字《本草经》文看，对产地作黑字标记，无药物性状、形态、生境，没有采造时月，没有剂型，没有七情畏恶等内容，并且不含有名医增补的内容。其书写体例为：正名→性味→主治功用→一名→生境（自唐本草以后删）→产地（自唐本草以后删）。

陶弘景整理的《本草经》文存于历代主流本草书中。由于主流本草书版本不同，所存《本草经》文，互有出入，本书辑注，以善本为主，并用同类版本校。具体做法如下。

（1）本书所辑资料，以最早所存《本经》佚文为底本，以后出本为校本。

1）对《本经》序录，以敦煌出土《集注》为底本，以《大观》《政和》为校本。

2）对《本经》上、中、下三品药物条文，以卷子本《新修》为底本，以《大观》《政和》为校本。如果卷子本《新修》缺，即以《大观》为底本，以《政和》为校本。

（2）《本经》文和《别录》文区分。

113

1）敦煌出土《集注·序录》、卷子本《新修》及《千金翼》等书，俱无《本经》《别录》标记，必须借助于各版本《大观》《政和》中白字标记来区分《本经》文和其他文。

2）《大观》《政和》白字标记，因版本不同而各异。如成化《政和》、商务《政和》中菖蒲、龙胆、白英、麝香、鹿茸、姑活等条文，均无白字标记。人卫版《政和》曾青条，亦无白字标记。不仅这几味药白字标记缺落，而且很多药物条文，白字、黑字标记，亦互有出入。因此必须根据他种版本《大观》《政和》互校之，才能确定。有时还须参考明清诸家辑本旁证之。

（3）关于《本经》药物产地。

《证类》白字《本经·序》明言"药物土地所出"。但《证类》白字《本经》药物产地全作黑字《别录》文。陶弘景注"铅与锡"，谓《本经》云生桂阳。联系吐鲁番出土《集注》"燕屎""天鼠屎"产地俱作朱书《本经》文，说明《集注》本经药原有产地，到《唐本草》编修时才被删掉。敦煌出土《唐本草》是朱墨杂书，唯独产地墨书。《证类》沿袭《唐本草》例，将《本经》产地全作黑字《别录》文。

如唐初陆德明注《尔雅·音义》云："荼，《本草经》云：苦菜，一名选，<u>生益州山谷</u>；《别录》云：<u>一名游冬，生山陵道旁，凌冬不死</u>。"

文中画波浪线文字，在《大观》《政和》中俱作黑字《别录》文。而陆德明将"生益州山谷"注为《本经》文。将"山谷"以后产地"生山陵道旁"注为《别录》文。则陆氏所见《本经》当是《集注》，而不是《唐本草》。《唐本草》产地全作黑字《别录》文，分不出《本经》产地文，只有《集注》对《本经》药产地保留朱书，才能辨出《本经》产地。基于此，本书仿吐鲁番出土陶氏《集注》及陆氏注《尔雅》荼例，将《证类》黑字产地"生某某山谷"订为本经文。山谷以后的产地订为《别录》文。

（4）在校勘时，如遇校本《本经》文和底本不同，又不能确定底本有误，仍以底本为正。

（5）在校勘时，如遇校本《本经》文和底本不同，但能确定底本有误，即依校本订正之。

（6）关于避讳字改正。

《本经》药物条文中所用"治"或"主治"，《新修》编纂时，因避唐高宗李治讳，将"治"字或删，或改为"疗"，后世《本草》沿袭《新修》旧例，俱将

"治"改为"疗","主治"改为"主",省去"治"字。吐鲁番出土《集注》残简"燕屎""天鼠屎"等条文中朱字《本经》文,仍作"主治",然《大观》《政和》作"主",无"治"字。《大观》《政和》不仅"燕屎""天鼠屎"条如此,其余各药物条文亦同此。本书辑录时,仿《集注》体例,将各药物条文病名前的"主"字,改用"主治",但功效前"主"字不改。

(7)《本经》原文中,某些疑难词、字及病名等,予以注释。注释文与校勘文,按所在条文中顺序编号,列于当药条文之下。

(8)关于《本经》365种具体药物及其三品分类,各书不一。本书据《本经》三品定义,重加考订,确定《本经》365种具体药物及其三品位置,并将考订文附于药物总目之后,以供读者参考研究。

(9)关于《本经》分卷,据陶隐居序"今之所存,有此四卷,是其本经",定为4卷。卷1为序录,卷2、3、4为上、中、下三品药物。

(10)古书所存《本经》佚文,都是繁体字竖排,本书辑录,改为通行简体字横排。

(11)为着读者查阅方便,每味药物条文末,附以底本页次,并加圆括号。

二、《桐君药录》

《桐君药录》是我国较早的记述药物形态的专书。陶弘景在其《本草经集注》序录中说:"又有《桐君采药录》说其花叶形色。"说明此书主要是讲药物形态的。

关于本书的书名,各书引用不一,或称《桐君药录》,或称《桐君采药录》,或简称《桐君录》。在此三个书名中,皆有"桐君"2字。如把"桐君"2字省掉,单言"药录"2字,就不知是谁家的药录了。

《证类本草》卷9水萍条,陶隐居注云:"《药录》云'五月有花白色'。"在此注中,仅言"药录"2字,就不知是谁家的《药录》。盖古代《药录》有同名异书。除《桐君药录》外,还有《李当之药录》。例如《证类本草》卷12牡荆实条陶隐居注云:"李当之《药录》乃注溲疏下云'溲疏一名阳栌,一名牡荆,一名空疏。皮白中空,时有节,子似枸杞子,赤色,味甘、苦,冬月熟'。"

所以单言"药录"2字,不够明确,应注明是桐君或是李当之字样。

关于《桐君药录》产生的时代,陶弘景《本草经集注》序录云:"药性所主,当以识识相因,不尔何由得闻,至乎桐、雷,乃著在篇简。"从这个序文可以看出,《桐君采药录》成书时间与雷公《药对》似是同时,早在陶弘景以前就有了。

又，《吴普本草》引有桐君的资料。例如《政和本草》1957 年人卫影印本卷 6 页 160 署预条引《吴普本草》云："署预，桐君、雷公：甘，无毒。"164 页细辛条引《吴普本草》云："细辛，雷公、桐君：辛，小温。"同书卷 8 页 199 当归条引《吴普本草》云："当归，神农、黄帝、桐君、扁鹊：甘，无毒。"按，吴普是三国时人。《吴普本草》既然收录桐君的名字，则桐君当是三国以前的人。

《桐君药录》原书久佚，它的内容，散存于类书及古本草中，如《太平御览》《艺文类聚》《证类本草》等书保存部分《桐君药录》文字。兹摘录如下。

（1）《太平御览》（商务版）引《吴普本草》有 200 余条，其中有 40 多条是记述桐君药性的，详情如下。

石钟乳，桐君：甘。（《御览》卷 997 页 6）

石胆，桐君：辛，有毒。（《御览》卷 987 页 4）

青符，桐君：辛，无毒。（《御览》卷 987 页 5）

白符，桐君：甘，无毒。（《御览》卷 987 页 5）

黑符，桐君：甘，无毒。（《御览》卷 987 页 5）

人参，桐君：苦。（《御览》卷 991 页 2）

女萎，桐君：甘，无毒。（《御览》卷 991 页 7）

防葵，桐君：无毒。（《御览》卷 993 页 4）

麦门冬，桐君：甘，无毒。（《御览》卷 989 页 2）

署预，桐君：甘，无毒。（《御览》卷 989 页 8）

细辛，桐君：辛，小温。（《御览》卷 989 页 7）

奄闾子，桐君：苦，小温，无毒。（《御览》卷 991 页 6）

卷柏，桐君：甘。（《御览》卷 989 页 4）

络石，桐君：甘，无毒。（《御览》卷 993 页 4）

防风，桐君：甘，无毒。（《御览》卷 993 页 4）

丹参，桐君：苦，无毒。（《御览》卷 991 页 2）

茯苓，桐君：甘。（《御览》卷 989 页 3）

阳起石，桐君：咸，无毒。（《御览》卷 987 页 5）

当归，桐君：甘，无毒。（《御览》卷 989 页 6）

芍药，桐君：甘，无毒。（《御览》卷 990 页 7）

玄参，桐君：苦，无毒。（《御览》卷 991 页 3）

知母，桐君：无毒。（《御览》卷 990 页 3）

黄芩，桐君：苦，无毒。（《御览》卷 992 页 2）

狗脊，桐君：甘，无毒。（《御览》卷 990 页 7）

泽兰，桐君：酸，无毒。（《御览》卷 990 页 7）

防己，桐君：苦，无毒。（《御览》卷 991 页 6）

牡丹，桐君：苦，无毒。（《御览》卷 992 页 6）

卫矛，桐君：苦，无毒。（《御览》卷 993 页 4）

礜石，桐君：有毒。（《御览》卷 987 页 7）

乌头，桐君：甘，有毒。（《御览》卷 993 页 2）

乌喙，桐君：有毒。（《御览》卷 990 页 2）

虎掌，桐君：辛，有毒。（《御览》卷 990 页 4）

恒山，桐君：辛，有毒。（《御览》卷 992 页 3）

甘遂，桐君：苦，有毒。（《御览》卷 993 页 7）

贯众，桐君：苦。（《御览》卷 990 页 4）

狼牙，桐君：咸。（《御览》卷 993 页 3）

巴豆，桐君：辛，有毒。（《御览》卷 993 页 2）

莽草，桐君：苦，有毒。（《御览》卷 993 页 3）

雷丸，桐君：甘，有毒。（《御览》卷 990 页 3）

蜀黄环，桐君：辛。（《御览》卷 993 页 6）

斑猫，桐君：有毒。（《御览》卷 951 页 8）

马刀，桐君：咸，有毒。（《御览》卷 993 页 7）

（2）陶弘景《本草经集注》援引的《桐君药录》资料，如下。

天门冬：叶有刺，蔓生，五月花白，十月实黑，根连数十枚。（1957 年人卫影印本《政和》卷 6 页 147，陶隐居注文引《桐君录》云。1958 年人卫影印本《纲目》卷 18，页 1025）

芎䓖：苗似藁本。（《政和》卷 8 页 212，陶隐居注文引《桐君药录》；《纲目》卷 14 页 799）。

续断：生蔓延，叶细，茎如荏，大根本，黄白有汁，七月八月采根。（《政和》卷 7 页 181 陶隐居注引《桐君药录》；《纲目》卷 15 页 867）。

苦菜：三月生，扶疏。六月华，从叶出，茎直花黄，八月实黑，实落根复生，冬不枯。（《政和》卷 27 页 506，陶隐居注文引《桐君药录》；《纲目》卷 27 页 1213。"花黄"，《政和》脱"花"字。）

占斯：生上洛。是木皮，状如厚朴，色似桂白，其理一纵一横。（《政和》卷30页546，陶隐居注文引《桐君药录》；《纲目》卷37页1476）。

薰草：叶如麻，两两相对。（《政和》卷30页545，陶隐居注文引《桐君药录》；《纲目》卷14页829。此条文献出处，《政和》引作"药录"，《纲目》引作"桐君药录"。）

茗：西阳、武昌、晋陵，皆出好名。又曰：茶花状似枝子，其色稍白。（《太平御览》卷687引"桐君录曰"。此文与《政和》卷27页506"苦菜"条陶注文略似。陶注云："今茗极似，此西阳武昌庐江晋熙皆好。"疑此文为后人注文，非《桐君录》的本文。）

《桐君药录》的内容：从上述《桐君药录》残缺的佚文来看，《桐君药录》主要讲药性和药物形态。

《吴普本草》所引《桐君药录》内容，主要以药性为主。例如：《太平御览》卷991页2引《吴普本草》云："人参，桐君、雷公：苦。"页6引《吴普本草》云："菴闾，雷公、桐君：小温，无毒。"同书卷993页4援引《吴普本草》曰："鬼箭，神农、黄帝、桐君，苦无毒。"

陶弘景《本草经集注》所引《桐君药录》的内容，主要是药物形态。例如天门冬条，陶弘景注云："《桐君药录》云'天门冬，叶有刺，蔓生，五月花白，十月实黑，根连数十枝'。"陶氏在其《集注》序中亦云："又有《桐君采药录》说其花叶形色。"据此可知，《桐君药录》主要内容似是记述药物形态为主的。从《桐君采药录》书名来看，既有"采"字，当有采药的内容。

《桐君药录》流传情况如下。

最早收载此书的，是《隋书·经籍志》，该书卷3子部医方，著有《桐君药录》3卷，《旧唐书·经籍志》《新唐书·艺文志》皆载《桐君药录》3卷，题桐君撰。《日本国见在书目录·医方家》亦著录此书，说明此书亦曾流传到日本。宋代书志亦有记载。郑樵《通志·艺文略》、王应麟《玉海》卷63，皆著录此书。但未见诸书引用。此书宋代是否存在，存疑。以后《本草纲目》《东医宝鉴》《汉书·艺文志拾补》皆转录此书的书名。

《本草纲目·历代诸家本草》记载为《桐君采药录》，并云："桐君，黄帝时臣也，书凡二卷，记其花叶形色，今已不传。"日本丹波氏《中国医籍考》162页云："僧园至曰：桐君山在严州，有人采药，结庐桐木下，指树为姓，故山得名。"按，严州，即今浙江建德，唐于桐庐置严州。严州到唐时才有此名，而桐君在陶弘景以前即有了。可见僧园至的话不足信。

《桐君药录》是中国本草史上较早的记述药物形态的专书。《隋书·经籍志》卷3著录《桐君药录》3卷，也记载有《李当之药录》6卷，但《吴普本草》引有桐君药性，则《桐君药录》当早于《吴普本草》。吴普和李当之是同时期人，则《桐君药录》亦应早于《李当之药录》。

药物形态的记载，对于药物识别和采集有重要指导意义。所以《桐君药录》在当时对采集药和鉴别药起到了一定指导和实用的价值。此外，该书对研究中药鉴别发展史亦有参考价值。

三、《雷公药对》

《雷公药对》传说上古雷公撰，北齐徐之才增饰，是记述中国药学七情畏恶相反（配伍宜忌）最早的一部专著，最初题雷公著，陶弘景作《本草经集注》时曾加以引用，比陶弘景稍迟的北齐徐之才重加整理。北宋掌禹锡《嘉祐本草》曾引过，其后该书即亡佚，但其内容仍保存在《千金方》《医心方》《本草和名》《证类本草》《本草纲目》中。因为在临床上和医史上有比较重要的地位，所以本书仍有很高的学术价值和实用价值，特别对中药配伍应用及中西药配伍研究，可以作为借鉴与参考。

原书久佚。笔者从《本草经集注》《千金方》《千金翼方》《证类本草》《本草纲目》等书中，凡标有"药对"或"之才曰"的资料，皆辑录之，共辑千余条，归并其重复，尚有413条，汇集成册，分为两卷。卷1为序录，卷2为众药名品。对所辑资料来源，均注明出处。对同一条文，当各书所引，互有出入时，亦进行勘比，做出小注，附于各条之下。对某些疑点或有争论处，亦附以考证。

全书收录药物，分为玉石、草、木、虫兽、果菜、米等部。每条编一序码。1～47号为玉石部，48～216号为草部，217～287号为木部，288～362号为虫兽部，363～413号为果菜米部。

各药所述内容，多数是以七情畏恶资料及治病功效为主。所以本书不仅有医史意义，同时也具有临床实用意义。对于医史研究者及临床工作者都有参考价值。

（一）辑复《雷公药对》前言

清·姚振宗《汉书·艺文志拾补·方技略》载：《雷公药对》2卷。《隋书·经籍志》卷3所载《桐君药录》书名下，著录"梁有《药对》二卷"，但未题雷公著。其实雷公《药对》在《隋书·经籍志》以前，已有文献记载了，陶弘景在《本草经集注·序录》中已提到。兹以敦煌出土陶弘景《本草经集注·序录》（1955 年群联版，以下简称《集注》）来研究。《集注》页 2 云："药性所主，当以识识相因，不尔何由得闻，至乎桐、雷，乃著在篇简。"在此文中，所讲桐、雷，即指桐君、雷公而言。《集注》页 3 云："又有《桐君采药录》，说其华叶形色。《药对》四卷，论其佐使相须。"在陶序中，既提到《药对》书名，又讲到《药对》的内容，并说《药对》是讨论药物佐使相须（药物佐使相须，《本草经》序文简称之为"七情"）的。

陶弘景《本草经集注·序录》中，有一节内容是记载药物七情的。陶氏所记，是以《本草经》为基础，参考《药对》写的。所以陶氏在记载七情药物说："《神农本经》相使止各一种，兼以《药对》参之，乃有两三。"（见《集注》页 81）。

关于陶弘景作《本草经集注》时，参考《药对》，还有其他的例子。《集注》页 91 有 5 条文字是引用《药对》的。如："立冬之日，菊、卷柏……"《集注》页 92 对这 5 条《药对》文字说明道："右此五条出《药对》中，义旨渊深，非世所究，虽莫可遵用，而是主统之本，故亦载之也。"

陶弘景作《本草经集注》参考《药对》的事实，说明《药对》在陶弘景以前就有了。但陶弘景所引用的《药对》，没有讲明是雷公所著。

到了唐代，《旧唐书·经籍志·医术》，载《雷公药对》2 卷。而《新唐书·艺文志·医术》直题徐之才《雷公药对》2 卷。宋·掌禹锡《嘉祐本草·补注所引书传》云："《药对》，北齐尚书令西阳王徐之才撰。"按，唐代书志所载《雷公药对》和宋代书志所载《药对》都题徐之才著，则唐《雷公药对》与宋《药对》是异名同书。所以宋代书对此等书名是通用的。如《崇文总目辑释》和《通志·艺文略》著录为"《药对》二卷，徐之才撰"；王应麟《玉海》卷 3 著录为"《雷公药对》二卷"。

明·李时珍《本草纲目·历代诸家本草》亦题为《雷公药对》，并注云："盖黄帝时雷公所著，之才增饰之尔。"可是《本草纲目》全书中有关《本经》或《别录》药"气味"专目内，凡属药物七情畏恶资料均冠以"之才曰"。

《本草纲目》是以《证类本草》为蓝本编写的。《证类本草》往上推溯，源于陶弘景《本草经集注》。如把《本草纲目》《证类本草》《本草经集注》三书中有关药物七情畏恶资料互勘一下，可发现其几乎完全相同。

兹以 1957 年人卫版《本草纲目》、1975 年人卫版《证类本草》、1955 年群联版《本草经集注》为例，比较如下。

曾青，《纲目》页 668 引"之才曰"云："畏菟丝子。"《证类》页 91，亦注云："畏菟丝子。"《集注》页 81，亦注"畏菟丝子。"

石胆，《纲目》页 670 引"之才曰"云："水英为之使，畏牡桂、菌桂、芫花、辛夷、白薇。"《证类》页 89、《集注》页 81 所注与《纲目》全同。

青琅玕，《纲目》页 617 引"之才曰"云："杀锡毒，得水银良，畏鸡骨。"《证类》页 132、《集注》页 82 所注与《纲目》亦全同。

方解石，《纲目》页 643 引"之才曰"云："恶巴豆。"《证类》页 135、《集注》页 83 所注与《纲目》亦全同。

通检全书皆是如此，为了节省篇幅，此处从略。

《本草纲目》既把所引"七情畏恶资料"出处，标为"徐之才曰"，那就意味着《纲目》中所引的《药对》是徐之才著的。但《集注》中的"七情畏恶资料"全同《纲目》，那么《集注》所参考的《药对》是否出于徐之才《药对》呢？那要看陶弘景和徐之才两人谁年龄大了。从《南北史》来看，陶弘景比徐之才大。《北史》卷 90 列传 78、《北齐书》卷 8 记载徐之才武平二年（571）任尚书令，封西阳郡王。卒年 80。死后其弟继承爵位，至 580 年北齐亡。据此推测徐之才约死于 572～578 年。

另徐之才《墓志铭》云："王讳之才，字士茂，东莞姑幕人……武平三年（572）岁口壬辰六月辛未朔月四日甲戌，遘薨于靖风里第，春秋六十八。"（赵万里《汉魏南北朝墓志集释》）。则之才死于 572 年。按《南史》所记，徐氏是 80 岁，但《墓志铭》作 68 岁，两者相差 12 岁。但所记卒年约同，均靠近武平三年（572）。《南史》卷 76 列传 66 陶弘景死于梁大同二年（536），比徐之才早死 40 年左右，两人都活 80 岁，所以陶弘景比徐之才大 40 岁左右。

陶弘景在 44 岁著成《本草经集注》，那时徐之才还处在儿童时期。那么陶弘景作《集注》时，是不可能见到徐之才《药对》的。所以《集注》引用的《药对》，当非徐之才撰的《药对》。

现在《本草纲目》中，所标注"之才曰"的《药对》资料，实际上在陶弘景所见的《药对》早已有记载了。据此可以判断陶弘景所见的《药对》，很大的可能性就是最古老的《雷公药对》。稍后于陶弘景的徐之才《药对》，很可能在这古老的《雷公药对》基础上增修而成的。《嘉祐本草·补注所引书传》中的《药对》即是徐之才增修的《药对》。可是《嘉祐本草》并未注明徐之才增修的事。但《本草纲目·历代诸家本草》在《雷公药对》书名下注云："《雷公药对》，盖黄帝时雷公所著，之才增饰之耳。"

因此，徐之才《药对》，已包含有《雷公药对》的内容。《本草纲目》各卷药物气味项下所注"之才曰"资料，均同陶弘景《本草经集注·序录》所引的《药对》内容，则《本草纲目》所引徐之才文，实为《雷公药对》的文字。而掌禹锡所引《药对》资料，并不见于陶弘景《本草经集注》中。则掌禹锡所引《药对》资料，疑是徐之才增饰的内容。

本书是将《本草经集注》《千金翼方》《证类本草》《本草纲目》等书中，凡标注"药对"或"之才曰"的资料辑录为篇，汇集成册，分上、下两篇，上篇为总论，下篇为各论。对某些资料来源均注明出处。其中有同异处，亦进行勘比，作出小注。对某些疑点或有争论处，亦附以考证。

（二）凡例

（1）《雷公药对》原书久佚，无任何底本可据。各底本所引《药对》文字都是片断的，本书辑录时，将同一个药物所辑的不同内容归并在一起，对其中内容按药名、性味、主治、七情畏恶等次序排列。凡相同内容资料，选现存最早者为主，以晚者补之，并注明出处。

（2）本书共为两卷。卷1为序录，卷2为众药名品。序录包括雷公药对序、诸病通用药、有相制使诸药、药对岁物药品，末附十剂。众药名品，共辑得资料千余条，归并其重复，尚得413条。分为玉石、草、木、虫兽、果菜米五部。每味药物编以自然序码。

（3）凡所辑的原文中涉及的某些药名，因其内容无从辑得，暂不作专条列出。

例如校点本《本草纲目》卷9"石钟乳"条引"之才曰"云："畏襄草。"同书卷11"消石"条引"之才曰"云："萤火为之使，恶苦菜。"同书卷10"阳起石"条引"之才曰"云："恶石葵。"

在此文中，涉及"襄草""萤火""苦菜""石葵"等药名，但其《药对》内容无从辑得，暂不作专条列出。类似此例者很多，拟作附录列于书末。

（4）本书的校勘原则，以所据资料年代最早者为据，校之以晚者，并以不同版本对校，参以他校，适当采用了理校，同时分别出校记。

例如商务影印《政和》卷2页55"瘀血"条，掌禹锡引《药对》云："芍药主逐贼风。"文中"风"字，人卫影印《政和》作"血"。从中医理论来讲，芍药以治血为主，当用"血"字义长。本文从人卫影印《政和》为正。

（5）凡校勘处，均于其字、词或句末右上角加脚注序码，注文附在当药条文之下。

（6）本书从敦煌出土《本草经集注》《千金方》《医心方》《太平御览》《证类本草》辑录最多，《证类本草》以柯刻《大观本草》、日本望草玄刻《大观本草》、人卫影印《政和本草》、商务影印《政和本草》进行校勘，以敦煌出土《本草经集注》、商务版《太平御览》、人卫影印《政和本草》为底本，以其他版本为校本，并以 1957 年人卫影印《本草纲目》和 1957—1981 年人卫校点《本草纲目》、1936 年商务版《本草品汇精要》为旁校本。

（7）辑校援引书目，一律采用简称。正文中凡注明《集注》者，为 1955 年上海联出版的《本草经集注》简称；注明《证类》者，为 1957 年人卫影印《政和本草》的简称。

（8）各校本中有明显字误或脱漏之处，一般不出校记。

（9）所辑原文，按底本转录，未予改动，并加标点。

（10）对于某些资料，各书所引文字互有出入者，在辑文后均附加考证。例如徐之才的《药对·序录》之文，《千金方》和《证类本草》均提示出于徐之才，而《本草纲目》注出于陈藏器。又"十剂"资料，按《证类本草》提示出于陈藏器，而《本草纲目》注明出于徐之才。类似此等资料，均作出考证附于资料之下。

四、《李当之本草》

李当之和吴普都是三国时魏人，同为华佗的学生。吴普著有《吴普本草》，李当之也撰有本草。兹将《李当之本草》讨论如下。

（一）《李当之本草》的书名

《隋书·经籍志》所载"神农本草八卷"注云："梁有《李当之本草经》一卷。"

《证类本草》卷 1 序例上梁·陶隐居序中注，有掌禹锡引《蜀本草》注云："李当之，华佗弟子，修神农旧经，而世少行用。"

《旧唐书·经籍志·医术》和《新唐书·艺文志·医术》，俱载《李氏本草》3 卷。

（二）《李当之本草》的佚文

《李当之本草》原书久佚。《唐本草》注文中多有援引，兹列举如下。

女萎，《唐本草》新增药。在"女萎"条正文中有："《李氏本草》云'止下消食'。"（《证类》卷8页214；《纲目》卷18页1034"女萎"条主治下引"当之"作"止下痢，消食"。）

梓白皮，《唐本草》注云："此二树（指桐与梓）花、叶，取以饲猪，并能肥大易养，今见《李氏本草》。"（《证类》卷14页351；《纲目》卷35页1393引"恭曰"云："二树花叶饲猪，并能肥大且易养，见《李当之本草》。"）

茯苓，《唐本草》注云："李氏本草云：马刀为茯苓使。"（《证类》卷12页296。此条提示《李氏本草》有七情畏恶药。）

鲍鱼，《唐本草》注云："《李当之本草》亦言胸中湿者良。"（《证类》卷20页419；《本草纲目》卷44页1620"鲍鱼"条引"恭曰"云："李当之言：以绳穿贯而胸中湿者良。"）

伏翼，《唐本草》注云："伏翼，以其昼伏有翼尔。《李氏本草》云：即天鼠也。又云：西平山中，别有天鼠，十一月十二月取。主女人生子余疾，带下病无子。"（《证类》卷19页402；《纲目》卷48页1687"伏翼"条校正云："时珍曰'本经中品有伏翼条，又有天鼠屎，今依《李当之本草》合而为一'。"）

天鼠屎，《唐本草》注云："《李氏本草》云：天鼠屎，即伏翼屎也。"（《证类》卷19页402；《纲目》卷48页1687。此条，《纲目》作"李当之曰：即伏翼屎也，方言名天鼠尔"。）

（三）关于《李当之本草》与《李当之药录》的争议

在《唐本草》注中，仅提到《李氏本草》，没有提到《李当之药录》。唐代书志仅记载《李氏本草》，亦无《李当之药录》书名。陶弘景《本草经集注》及《吴普本草》文中常提到《李当之药录》及"李氏"，但未提及《李氏本草》书名。

《补三国艺文志》卷3云："《李当之药录》三卷。按《李氏本草》即《李当之药录》。"这种说法，未必正确。如果《李氏本草》即《李当之药录》，那么《隋书·经籍志》为何分列二名？《隋志》在"神农本草八卷"注中，载有《李当之本草经》1卷。又在"桐君药录三卷"注中，载有《李当之药录》6卷。假如是同一种书，《隋志》不会分列两处的。

（四）《李当之本草》收载药数

在陶弘景《本草经集注·序录》中，曾讲到吴普、李当之修过《神农本草经》。该序云："魏晋以来，吴普、李当之等（对《神农本草经》）更复损益，或五百九十五，或四百四十一，或三百一十九，或三品混糅，冷热舛错，草石不分，虫兽无辨，且所主治互有得失。"从这个序文，可以知道，陶弘景见到三种本草，它们载药数目各不相同，或595种，或441种，或319种。其中441种的本子即是《吴普本草》。因为《嘉祐本草》所列书目中有《吴普本草》，并说《吴普本草》载药441种。剩下载药为595或319两种本草中，必有一种是李当之修的《本草经》。其中319种的本子疑是陶弘景所选用的底本。陶氏作《集注》所选本经药是365种，其中有四种药，粉锡、文蛤、赤小豆、薤，分别并在锡铜镜鼻、海蛤、大豆黄卷、葱实等条。实际上底本中载药不是365种，而是369种。汉字三百六十九的"六"字，草书易误为"一"字，传抄时即误为三百一十九。

从《本草经集注·序录》可以推知《李当之本草》载药数为595种。

（五）《李当之本草》的药物分类及内容

《本草经集注·序录》说："魏晋以来，吴普、李当之等（对《神农本草经》）更复损益……或三品混糅。"根据序文"三品混糅"这句话，即可推知《李当之本草》对药物分类是沿用《神农本草经》三品分类的旧例进行分类的。

从唐本注中所引《李当之本草》片断的资料综合起来看，《李当之本草》药物的内容有正名、别名、性味、产地、性状、鉴别、采收时月、主治功用、七情畏恶。兹举例如下。

别名：伏翼，李云"即天鼠也。"天鼠屎，李云"即伏翼屎也。"天鼠为伏翼的别名。天鼠屎又是伏翼屎的别名。

产地：伏翼，李云"西平山中，别有天鼠。"

鉴别：鲍鱼，李云"胸中湿者良。"

采收：伏翼，李云"十一月十二月取。"

主治功用：女萎，李云"止下消食。"伏翼，李云"主女人生子余疾，带下病，无子。"梓白皮，李云"花、叶，取以饲猪，并能肥大易养。"

七情畏恶：茯苓，李云"马刀为茯苓使。"

以上是就《唐本草》所引《李当之本草》片断资料探讨之。这里要说明的，就是《李当之本草》在南北朝时，已为陶弘景作《本草经集注》时收入在《集注》中，而《唐本草》又是在《集注》基础上修订的，所以《唐本草》转录《集注》资料时，实际上已包含有《李氏本草》内容了。只是由于没有标记，看不出哪些资料属《李氏本草》内容。到《唐本草》作注释时，再参考《李氏本草》，就没有更多新的内容可录了。因此《唐本草》注所录《李氏本草》都是一些片断的资料；有些资料仅仅是为着勘误陶弘景《本草经集注》而录的。例如《本草经集注》茯苓条的七情畏恶，有"马间为之使"。陶弘景注云："按药名无马间，或是马茎，声相近故也。"《唐本草》认为陶弘景注的有误，于是用《李当之本草》进行校勘说："李氏本草云：马刀为茯苓使，无名马间者，间字草书似刀字，写人不识，讹为间尔，陶不悟，云是马茎，谬矣。"

（六）《李当之本草》流传情况

李当之修的《本草经》和吴普修的《本草经》，以及在魏晋时与古代流传下来的《本草经》，都是《本草经》的同名异书。到梁·陶弘景作《本草经集注》时，即以当时流传最古的载药 365 种的《本草经》为基础，把同名异书的《本草经》中名医附经为说的资料（即《名医别录》），从中亦取 365 种，加入《本草经》中，进行注释，即成《本草经集注》。当陶弘景《本草经集注》流行后，那些同名异书的《本草经》（包括吴普、李当之修订的《本草经》）即相继被淘汰了。到《唐本草》问世后，吴普、李当之修的本草经流行就很少了。到唐末五代时，《蜀本草》曾注释《集注》说："李当之，华佗弟子，修神农旧经，而世少行用。"五代后，本书可能已亡佚了。

（七）《李当之本草》的价值

李当之从华佗学医，在医学上是有成就的，并与吴普一样，也成名医。《本草经集注·序录》将李当之和吴普、华佗、仲景并列。苏颂《本草图经·序》亦称李当之和吴普是汉魏时名医。华佗没有著作，华佗的医学通过李当之、吴普等人的著作传于后世。所以，《李当之本草》包含有华佗医学的内容。

《李当之本草》和《吴普本草》一样，是魏晋流行的多种《神农本草经》中的一种，也是后来梁代陶弘景作《本草经集注》时的重要参考书之一。从《本草经集注·序录》中可知，陶弘景见到同名异书的《本草经》有李当之、吴普等修订的本子，吴普修订的本子载药 441 种，则李当之修订的本子载药或为 595 种。这两种本子均比旧经载药的 365 种要多，所多的药，就是吴普、李当之所记的药物。这些药物资料，文献上称之为汉魏名医附经为说。或称之为《名医别录》。《新唐书·于志宁传》云："《别录》者，魏晋以来，吴普、李当之所记。"

陶弘景作《本草经集注》时，以《神农本经》365 种为主，又进名医副品（即吴普、李当之等附经为说所记的药物）亦 365 种，合 730 种，加以注释，而成《本草经集注》。所以陶氏书包含有《李氏本草》的内容。到唐代苏敬作《唐本草》时，《唐本草》注对《李氏本草》又加以引用。例如女萎，是《唐本草》新增的药，《唐本草》在女萎条的正文中，引有"李氏本草云：止下消食"。这个例子说明女萎不是在唐代时才用，它在汉魏时已流行了，并为《李当之本草》所收载。同时也说明《李当之本草》对后世本草书的影响。

综上所述可以看出，《李当之本草》不仅为《本草经集注》撰写时所参考，也为《唐本草》编写时所参考。它在本草史上起着承前启后的作用。

五、《李当之药录》

（一）李当之著有《药录》的依据

李当之与吴普同为华佗弟子，吴普是三国时魏人，则李当之亦应是魏人。李当之著有《药录》和《本草》。《隋书·经籍志》所载《桐君药录》条下注云："梁有《李当之药录》六卷。"《太平御览》引书目中，亦载有《李当之药录》书名。《艺文类聚》槟榔条引有《李当之药录》曰："槟榔，一名宾门。"《纲目》槟榔条，引文同，但注出处作《李当之药对》，疑"对"为"录"之误。苏颂《本草图经》云："汉魏以来，名医相继传其书者，则有《吴普》《李当之药录》。"

（二）《李当之药录》的残文及其对药物的记载

《李当之药录》原书已佚，但其残文，尚见于类书及古本草著作。兹将古代本草著作引《李当之药录》的残文考察如下。

《本草经集注》陶隐居注文中所引《李当之药录》资料中有下列各药。

（1）溲疏，"牡荆实"条云《李当之药录》乃注"溲疏"下云："溲疏，一名杨栌，一名牡荆，一名空疏。皮白中空，时有节。子似枸杞子，赤色。味甘、苦。冬月熟，俗乃无识者，当此实是真，非人篱垣之杨栌也。"

（2）石蚕，"李云：江左无识此者，谓为草根。其实类虫，形如老蚕，生附石。伧人得而食之，味咸而微辛。"

（3）马陆，"李云：此虫形长五六寸，涉如大蛩，夏月登树鸣，冬则蛰，令人呼为飞蚿虫也。"

（4）白棘，"李云：白棘，此是酸枣树针。今人用天门冬苗代之，非真也。"

（5）兰草，"李云：是今人所种，似都梁香草。"

（6）续断，"李云：是虎蓟。"

（7）酸草，"李云：是酸箕。"（《本草纲目》卷20"酢浆草"条，释名下有酸箕，注出处为李当之。同条附录下别录"药酸草"条，引弘景曰："李当之云是今酸箕草。"据陶弘景、李时珍所注，酸箕是酸草和酢浆草的别名。）

（8）发髲，"李云：是童男发。神化之事，未见别方。"（《本草纲目》发髲条引李当之曰："发髲是童男发。神化之事，未见别方。"）

（9）蓬蘽，"李云：即是人所食莓尔。"

（10）覆盆子，"李云：是莓子，乃似覆盆子之形，而以津汁为味，其核微细。"

（11）芡实，"李云：即芡菜也。"

（12）紫威，"李云：是瞿麦根。"

（13）马刀，"李云：生江汉中，长六七寸，江汉间人名为单姥，亦食其肉，肉似蜂。"（《本草纲目》"马刀"条引弘景曰："李当之言生江汉，长六七寸，食其肉似蚌。"）

（14）占斯，"李云：是樟树上寄生，树大衔枝在肌肉。今人皆以胡桃皮当之，非是真也。"

（15）戎盐，"李云：戎盐味苦、臭，是海潮水浇山石，经久盐凝著石取之。北海者青，南海者紫也。"

从陶弘景《本草经集注》所引李氏书15条来看，除"溲疏"条注出处为《李当之药录》外，其余14条出处，均注为"李云"。而陶弘景所引"李云"14条的内容，都是有关药物性状记述的内容，如名称的分辨、形态性状的记载等。这些内容，基本上与《李当之药录》"溲疏"条内容相似，而且这些资料又是陶弘景一个人引的。陶弘景在上述14条中所注出处，无一条注过《李当之本草》的书名。因此，陶弘景《本草经集注》中所引的"李云"，疑是《李当之药录》。

在《证类本草》陶隐居注中，除注《李当之药录》外，也有注《桐君药录》。

此外又有水萍、薰草、远志等条，仅注"药录"2字，未辨明是李当之，还是桐君。笔者疑以此3条所注"药录"，是指《桐君药录》。在"薰草"条，《纲目》卷14注作《桐君药录》。在"远志"条，所引"药录"文，有"下卷"2字，说明此"药录"或为2卷本，或为3卷本。按，《隋书·经籍志》卷3载有《桐君药录》3卷，《李当之药录》6卷。前者与"远志"条引"药录下卷"义合，后者不合。据此可以视"远志"条所引"药录"是《桐君药录》，不是《李当之药录》。

在《本草纲目》引文中，注出处为"李当之"有下列数条。

（1）藕："李当之曰：所在池泽皆有，豫章、汝南者良。苗高五六尺，叶团青，大如扇。其花赤，子黑如羊屎。"

（2）狼牙："李当之曰：一名支兰。"

（3）酢浆草："李当之曰：一名酸箕。"

现存各种文献中，所引《李当之药录》资料，大多是残缺的，很少有完整的条文。例如《艺文类聚》"槟榔"条引"李当之药录"曰："槟榔，一名宾门。"这仅引个别名。"马陆"条，"李云：此虫形长五六寸，状如大蚿。"此仅言形态。"马刀"条，"李云：生江汉中。"此言药物产地。这些片断的资料，难以看出《李当之药录》各个药物条文的全貌，必须将此等残缺的佚文综合起来，结合比较完整的条文，才能看出《李当之药录》对各个药物叙述的情况。

从上述《李当之药录》部分残缺的文字看，《李当之药录》对于药物正名、别名、性味、主治功用、形态、采制、产地等，均有介绍。其中对于药物异名和性味讲得较多，这和《证类本草》中的白字《本草经》文所载内容不同。《证类本草》白字《本草经》文无产地、形态、采收等内容。

例如"石蚕"条，陶弘景《本草经集注》引李氏云："其实类虫，形如老蚕。"此是对石蚕形态记载。

又如"礜石"条，《吴普本草》引李氏云："生汉中，或生魏兴，或生少室，十二月采。"此是礜石产地、生长环境以及采收时月的记载。

《李当之药录》对于药物内容的叙述，似有一定的程序，先记药物正名，次异名，次产地，次形态，次性味，次主治。例如"溲疏"条："溲疏（正名），一名杨栌，一名牡荆，一名空疏（异名）。皮白中空，时有节，子似枸杞子，赤色（形态）。味甘、苦（性味）。冬月熟（采收时月）。"

这种叙述程序和《吴普本草》很相似，和《证类本草》白字《本草经》文全不相同。《证类本草》白字《本草经》文，向上推是源于陶弘景《本草经集注》的朱字《本草经》文。这种朱字《本草经》文与《太平御览》所引"本草经曰"的文字，在书写程序上截然不同。而《李当之药录》文字书写程序和《太平御览》相同。所以《李当之药录》的文字保持了陶弘景《本草经集注》以前诸本草的风格。

（三）《李当之药录》流传情况

《李当之药录》虽不及《吴普本草》名声大，但它的书名和某些药物部分条文还是为后代文献所引用。最早引用李氏书的是《吴普本草》，其后陶弘景《本草经集注》亦相继引用。唐代欧阳询《艺文类聚》卷87"槟榔"条引有《李当之药录》的书名。

到北宋初，太平兴国年间李昉等编《太平御览》所引书目中载有《李当之药录》，《太平御览》卷977"槟榔"条亦引有《李当之药录》。由此可见，《李当之药录》在北宋初尚存。北宋以后可能就亡佚了。

（四）《李当之药录》的价值

李当之和吴普都是魏时人，同为华佗高足。华佗无著述，他的医学通过李当之、吴普等人著述流传于后世。李当之、吴普，同华佗一样也是当时的名医。陶弘景在《本草经集注·序录》中，将李当之和吴普并列。

宋·苏颂《本草图经·序》亦说吴普、李当之为汉魏名医。苏颂在序中说："汉魏以来，名医相继传其书者，则有《吴普》《李当之药录》。"由此可见《李当之药录》在本草发展史上有一定的价值。

陶弘景作《本草经集注》时，引有《李当之药录》资料，这就说明《李当之药录》有承前启后的作用。换句话说，《李当之药录》对《本草经集注》也起着一定的影响，丰富了《本草经集注》的内容。

《李当之药录》是提供中药鉴别资料较早的一本书。从上述引文看，诸书所引《李当之药录》资料中，有关药物性状的记述颇多。例如"石胆"条云："其为石也，青色多白文，易破，状如空青，能化铁为铜，合成金银。"类似此例者很多。这些药物性状记述，对于药物鉴别认识和采集都有一定的实用价值。由于《李当之药录》记述药物性状较详，所以《隋书·经籍志》卷3将《李当之药录》收载在《桐君药录》3卷下的注文中。陶弘景《本草经集注·序录》称《桐君药录》为《桐君采药录》，并说《桐君采药录》主要是记载药物花叶形色的。据此可知

《李当之药录》应与《桐君药录》是同类的书，否则《隋志》不会载在一起的。

六、《吴氏本草经》

（一）《吴氏本草经》考

《吴氏本草经》，又名《吴普本草》，简称《吴普》，是由三国时名医吴普所撰。原书约在南宋时亡佚，其中部分内容尚存于诸类书及一些本草书中，如《艺文类聚》《太平御览》《初学记》《证类本草》《本草纲目》等，尤以《太平御览》和《证类本草》援引最多。李时珍曰："《吴氏本草》，其书分记神农、黄帝、岐伯、桐君、雷公、扁鹊、华佗弟子李氏，所说性味最详。"据考察[1]，吴普在编撰本草时，曾引用前人药性资料计 467 条，其中引"神农"药性 118 条、"岐伯"药性 57 条、"黄帝"药性 53 条、"扁鹊"药性 50 条、"雷公"药性 83 条、"桐君"药性 42 条、"李氏"药性 52 条、"医和"药性 4 条，另外各书有别本，名"一经"药性 8 条。这些所引的资料，绝大多数是讲药物的性味。下面就将吴普所引述的诸家药性资料考察如下。

1. 神农

西汉《淮南子·修务训》云："神农乃始教民，尝百草之滋味，识水泉之甘苦……当此之时，一日而遇七十毒，由是医方兴焉。"故神农被传为我国农业与医药发明者。《吴普本草》引"神农"药性 118 条，是吴普援引诸家药性资料最多的一类。将《吴普本草》所引"神农"药性校以《证类本草》[2] 白字《本草经》的药性，两者并不相同。例如：牛膝，《证类》白字作味苦酸，《吴普》引作味甘；女萎，《证类》白字作甘平，《吴普》引作味苦；菴䕡子，《证类》白字作味苦微寒，《吴普》引作味苦小温无毒；泽兰，《证类》白字作苦微温，《吴普》引作酸无毒。类似例子很多。此外，还有些药如粟米、黍米、乌喙、侧子等，在《证类本草》中均作《别录》药，而《吴普本草》在此等药名下均引作"神农"。粟米，《吴普》引"神农"作苦无毒；黍米，引"神农"作甘无毒；乌喙，引"神农"作有毒；侧子，引"神农"作有大毒。由上可见，《吴普本草》所引"神农"药性不同于现传世本《证类本草》白字《本草经》药性。这也就是说，《吴普本草》所

---

① 吴普著. 尚志钧等辑校. 吴普本草. 北京：人民卫生出版社，1987.
② 唐慎微. 重修政和经史证类备用本草. 北京：人民卫生出版社影印本，1982.

引的"神农",疑是另一种《神农本草》或《神农本草经》。

2. 岐伯

据《中医人物词典》①（以下简称《词典》）载："岐伯，传为黄帝臣，黄帝使其尝味草木，典主医病，经方本草。"《吴普本草》引"岐伯"药性 57 条。如：丹砂，苦有毒；人参、桔梗，甘无毒；蜀漆、巴豆，辛有毒；狼牙，苦无毒；马刀，咸有毒；菴䕡，苦小温无毒。按《吴普》所引岐伯药性和《词典》所载内容看，古代似有岐伯药书，否则吴普何以能引到岐伯的药性？《证类本草》卷 8 "狗脊"条下载有"吴普曰：狗脊，岐伯经云，茎无节……"经对照《太平御览》卷 990 "狗脊"条《吴普》引文，乃为"岐伯，一经"，而非"岐伯经"，此属《证类》脱漏"一"致谬。

3. 黄帝、扁鹊

黄帝，传说中中原各族的共同祖先。举凡兵器、舟车、文字、医药等，相传皆创始于黄帝时期。现存《黄帝内经》，系托名黄帝与岐伯、伯高、少俞、桐君等，讨论医药学的著作。扁鹊，战国时著名医学家，姓秦，名越人，医术精湛，治病多奇效。在《史记》《战国策》《列子》等书中都有他的传记和病案。《史记·扁鹊传》载其曾用针刺、药熨、汤剂等综合疗法而治愈虢太子"尸厥"垂死重症。《吴普本草》引"黄帝"药性 53 条，又引"扁鹊"药性 50 条。如：人参，"黄帝：甘无毒。扁鹊：有毒"；芎䓖，"黄帝：辛无毒。扁鹊：酸无毒"；防风，"黄帝、扁鹊：甘无毒"；丹参，"黄帝、扁鹊：苦无毒"；山茱萸，"黄帝、扁鹊：酸无毒"；贯众，"黄帝：咸酸微苦无毒。扁鹊：苦"等。该书"蜚蠊"条下引黄帝云："治妇人寒热。"从以上所引药性分析，黄帝、扁鹊似有药书。《史记·淳于意传》也提到黄帝、扁鹊有药书。该传云："高后八年（公元前 180 年），更受师同郡元里公乘阳庆……传黄帝、扁鹊之脉书及药论甚精……意避席再拜谒，受其脉书上、下经……药论，受读解验之。"按《史记》所载，《吴普本草》中所引的黄帝、扁鹊，疑是公乘阳庆所传的黄帝药论和扁鹊药论。

4. 雷公、桐君

《词典》载："雷公，传说中上古医药学家。相传为黄帝臣。《黄帝内经》中有数篇以黄帝与雷公论医药的体裁写成，故有黄帝与雷公论医药而医道兴之说。"

---

① 中国中医研究院医史文献研究所. 中医人物词典. 上海：上海辞书出版社，1988.

"桐君，中上古药学家，相传为黄帝臣。识草木金石性味，定三品药物，立医方君臣佐使理论。"《吴普本草》引"雷公"药性 83 条，引"桐君"药性 42 条。如：阳起石，"雷公、桐君：咸无毒"；女萎，"雷公、桐君：甘无毒"；细辛，"雷公、桐君：辛小温"；落石，"雷公：苦无毒。桐君：甘无毒"；芍药，"雷公：酸。桐君：甘无毒"等。

据陶弘景《本草经集注》序云："至于药性所主，当以识识相因，不尔何由得闻，至乎桐、雷乃著在于篇简。"又云："有《桐君采药录》，说其花叶形色；《药对》四卷，论其佐使相须。"清·姚振宗《汉书·艺文志拾补·方技略》收集汉代散佚的书中有《雷公药对》2 卷，《桐君药录》3 卷。据上分析，《吴普本草》中的雷公、桐君，很可能指的是《雷公药对》和《桐君药录》。

5. 李氏

查历代人物志和书志，均未见载有李氏。《吴普本草》引"李氏"（有些条文作季氏）药性有 52 条。如：钟乳大寒，麦门冬甘小温，黄连小寒，附子苦有毒，巴豆生温熟寒等。《隋书·经籍志》载有《李当之药录》6 卷，《李当之本草经》1 卷。《词典》载："李当之，汉魏间医学家，华佗弟子，少通医经，得师传，尤精本草。"《证类本草》卷 12 牡荆实条有陶隐居云："《李当之药录》乃注溲疏下云，溲疏，一名阳栌……味甘苦，冬月熟。"据上可见，李当之是讲药性的。按，李当之、吴普同为华佗弟子，如果吴普所引"李氏"药性为《李当之本草》或《李当之药录》，则李当之药书应早于《吴普本草》，否则吴普如何能引用到"李氏"药性？

6. 医和

医和是春秋战国秦医学家。《吴普本草》引"医和"药性 4 条，它们是：石钟乳味甘，石硫黄味苦无毒，凝水石味甘无毒，桔梗味苦无毒。

据《左传》记载："晋侯有疾，求医于秦，秦伯使医和至晋，诊而后曰：疾不可为也。是谓近女色，惑以丧志，疾如蛊而非鬼非食，乃惑蛊之疾。"

吴普虽引有"医和"药性，然遍查古代医药书目，均不见斯入药书，故不知《吴普本草》所引的"医和"是否即《左传》中记载的医和，还是别有《医和》药书。

以上各家，除李氏外，其余几家各有别本名"一经"，分别引药性，如石胆、牛膝、蜀漆、山茱萸，一经作味酸；石长生、女萎，一经作味甘；贯众，一经作甘有毒，又作苦无毒；蜀黄环，一经作苦有毒。查历代书志，均未见吴普所引的"一经"药书，故需作进一步考察。

以上《吴普本草》所引9种药性资料中，神农、黄帝、岐伯、扁鹊、雷公、桐君、医和都是先秦医家，若这些医家在那个时代果真著有药书，为何在先秦各种文献（包括先秦出土资料）中均不见其踪迹？因此，我们认为这些人的资料，很可能是汉代人托名之作，后为《吴普本草》所引用。

（二）辑复《吴普本草》提要

本书为魏·吴普著，是祖国医药学中一部重要本草学专著，大约成书于3世纪，亡佚于宋。

据考《吴氏本草经》原书为6卷，载药441种，每药论列正名、别名、药性、产地、药物形态、采收时间、加工炮制、功能主治、配伍宜忌等。书中广采先贤诸家之言，结合自己的实践，论述精辟而全面，不像一般本草经缺产地、畏恶相反及药物形态，堪称魏以前本草学之大成，对于考察我国本草学的发展，具有重要的史料价值。

本书为辑校本，主要从《太平御览》《证类本草》《齐民要术》《艺文类聚》《初学记》《本草纲目》等数十种类书及本草学著作中辑得，并据不同版本及各书所存佚文进行了校勘。共辑得药物270种，依陶弘景药物分类法分为玉石、草木等6类。书末附有对作者生平、本书的内容、特点等的一些专题探讨。

（三）辑复经过

该书同《名医别录》《本草经集注》一样，皆是笔者于1958—1960年在北京中医学院参加由卫生部举办的中药研究班进修时辑的。当时利用寒暑假、例假、星期天到各图书馆及名家藏书室（如赵燏黄家、范行准藏书室）查阅资料。一般书可从北京中医学院图书馆借阅，唯善本书必须到各大图书馆善本阅览室借读。读善本书不能用钢笔记，只能用铅笔摘录，事先要准备好几支软铅笔。

所录资料，按唐以前古本草归类。在北京两年，共摘录活页纸7200余张。该书在未离开北京前，已进行整理，遇到难题，即请教范行准。范老在军事医学科学院工作，会见难，多在星期天预约到赵燏黄家相会。范老是浙江汤溪人，讲话土音重，有些话难听懂，不及写信问易于明白。所以后来有些问题，都由通信解决。

中药研究班结束后，笔者携带大量资料，回芜湖医专整理。到1961年6月整理成书。从所辑 500 余条佚文中，去其重复，归并成 270 种，考其同异 600 余处，出校注 651 条。至 1962 年随同《本草经集注》及人卫社退回的《补辑新修本草》，由芜湖医专油印出版。至 1981 年重行修订，1983 年皖南医学院加以重印，1987 年由人民卫生出版社出版。

有关《吴氏本草经》(《吴普本草》) 的一些争论性问题，笔者已写成专文在杂志上发表。后将发表的论文，汇编为《〈吴普本草〉文献源流考》，附于书后。

(四) 辑复本序

《吴普本草》是魏晋时多种同名异书的《本草经》之一。陶弘景称这些《本草经》为"诸经"。"诸经"就是魏晋诸名医在 4 卷本《本草经》基础上修订的多种同名异书《本草经》。

梁·陶隐居序云："今之所存，有此四卷，是其《本经》……魏晋以来，吴普、李当之更复损益，或五百九十五，或四百四十一，或三百一十九，或三品混糅，冷热舛错。草石不分，虫兽无辨，且所主治，互有得失。今辄苞综诸经……"

按陶序所云，《吴氏本草经》是魏晋时"诸经"中的一种。它包含有 4 卷本《本草经》的内容，也包含有名医增录的内容。在药品数量上，和《集注》中《本经》药数不同，在药物条文书写体例上，也和《集注》中《本经》药物体例不同。

《吴氏本草经》保持陶氏以前"诸经"体例模式与风格，它是研究魏晋时《本草经》的重要参考资料，同时也是祖国医药学中一部重要的本草学专著。

《吴氏本草经》为魏吴普所著。吴普约生于汉代永和年间，殁于魏嘉平初年，师承华佗之学，为华佗高足。

本书约成于 3 世纪初，亡佚于宋，历代文献多所引用。医药书如《本草经集注》《新修本草》《蜀本草》《嘉祐本草》《本草图经》《证类本草》；农书如《齐民要术》；类书如《艺文类聚》《初学记》《北堂书钞》《太平御览》；字书如《一切经音义》；史书如《汉书》注；日本著作如《香药钞》《药种钞》《秘府略》等，亦多所采撷。可见该书在本草学中有一定地位和作用。

本书从宋以后逐渐亡佚，清代时，孙星衍将《御览》吴普文附于孙氏《本经》相应条下，焦循述辑有手稿，但所辑均不完备。笔者于 1958 年在北京卫生部举办中药研究班进修时，完成本书重辑工作，在辑的过程中，有很多问题都请教过范行准先生。

如孙星衍以《御览》"本草经"所引"菁实"条为吴普文，并附于卷 1 "菁实"条下；焦循以《御览》"甄氏本草"所引"复盆"条为吴普文，收入手稿中。通读诸类书，俱未见吴氏引用过此等药，请教范老，范老认为孙、焦二氏或出于笔误，可以不录。

1960年回芜湖医专后，笔者对连同范老审阅过的《新修本草》《本草经集注》等稿，详加校阅。其后又修订，增录为270条。按陶氏《集注》分为玉石1卷，草木3卷，虫兽1卷，果菜米谷1卷，共为6卷，各类药物又分上、中、下三品。每药按正名、别名、药性、产地、药物形态、采收时月、功能主治、七情畏恶药例等次序排列，由于各书所引《吴普》条文都有残缺，在每味药内容中，很少齐全，故对诸书所引《吴普》文同一条目，互有异同者，以早出者为底本，以晚出者补之。对其间差异，择其善者而从之，并出注说明。

（五）辑校说明

1. 书的名称

（1）称《吴普本草》：《隋书·经籍志》"神农本草八卷"注云："梁有华佗弟子《吴普本草》六卷。"郑樵《通志·艺文略》"医方类"有《吴普本草》六卷。

（2）称《吴氏本草》：《太平御览》引书目及掌禹锡《嘉祐本草·补注所引书传》均作《吴氏本草》。

（3）称《吴氏本草经》：《初学记》《太平御览》药物条文所冠的引书名，作《吴氏本草经》。如《御览》卷993"茈胡""房葵"条，均冠有"吴氏本草经曰"。

（4）称《吴氏本草因》：《唐书·艺文志·医术》记有《吴氏本草因》6卷，题吴普撰。

（5）称《吕氏本草》：《太平御览》"郁核"条、"石蚕"条，所冠引书名作"吕氏本草"。

（6）称《吕氏本草因》：《旧唐书·经籍志·医术》记有《吕氏本草因》，题吴普撰。

在上述六个书名中，以"吴氏本草经"名称较为合理，因为吴氏书是在《神农本草经》基础上修订的。

梁·陶隐居序云："魏晋以来，吴普、李当之更复损益（指修订《本草经》）。"《嘉祐本草·补注所引书传》云："《吴氏本草》，魏·广陵人吴普撰，普华佗弟子，修《神农本草》成四百四十一种。"可见本书是吴氏所修《本草经》而成。查《太平御览》药物引文，冠"吴氏本草经曰"的共有48条。说明在《太平御览》编纂时，确有"吴氏本草经"书名存在，因此本书即以"吴氏本草经"为书名。

2. 本书收载药数

梁·陶隐居序记载，"吴普、李当之更复损益（指修订《本经》）或五百九十五，或四百四十一，或三百一十九。"《嘉祐本草·补注所引书传》谓吴普修《神农本草》成 441 种。据此，《吴氏本草经》原书载药是 441 种。其书虽亡，但部分药物尚残存于唐宋类书和本草中。如《太平御览》存吴普药名 193 味，剔除重复，亦有 191 种。合计他书所引，得药 270 味，仅为原书 61%。

3. 本书分卷

据历代书志所载，本书为 6 卷。但《蜀本草》"假苏"条，注《吴氏本草》为 1 卷，明代《药品化义》亦从《蜀本草》。梁·陶隐居序云："今之所存者有此四卷，是其本经。"按，《本经》载药 365 种，分为 4 卷，而吴普修订《本经》成 441 种，其卷数当多于《本经》，则诸书所记《吴氏本草经》为 6 卷，是可信的。本书按陶弘景《本草经集注》目录分玉石 1 卷，草木 3 卷，虫兽 1 卷，果菜米谷 1 卷。各卷又分上、中、下三品。

4. 本书三品分类

本书三品分类是据敦煌出土陶弘景《本草经集注》"七情畏恶药例"次序编排，《集注》药物三品位置与《证类本草》药物三品位置，不完全相同。例如水银、龙眼、石龙芮、秦椒、水萍等，《集注》列在上品，《证类》列在中品；防风、黄连、五味、决明子、芎䓖、丹参、续断、白沙参、海蛤、石蚕等，《集注》列在中品，《证类》列在上品；桔梗《集注》列在中品，《证类》列在下品；款冬、牡丹、防己、女菀、泽兰、紫参、蜚蠊等，《集注》列在下品，《证类》列在中品。所以本辑本药物三品位置与《证类》不完全相同。

5. 本书辑校

本书久佚，无任何底本可据，本辑文以现存资料年代最早者为主，以晚出者补之。由于各书所引《吴普》文都是残文，因此本书所辑的条文，很少是完整的条文。

同一条文，诸书所引，互有差异时，择其善者而从之，并出注说明。

本辑本从《太平御览》辑录最多，用五种不同版本校勘，其中以商务本为底本，其他本为校本。

本辑本校勘，以所据资料年代早者为据，校之以晚出者，并以各自不同版本对校，参以他校，适当采用理校，同时分别出校记。但对他校本中显系错误或脱漏处，不出校记。

凡校勘处，均在其字、词句右上角加脚注序码，注文附于条目之下。

凡吴普文与《本经》相同加墨点为标记，与《别录》相同加横线为识别。

所辑原文（包括古体字、异体字）改为简体字，个别药物正名例外。

七、《名医别录》

（一）《名医别录》考

1. 《名医别录》的产生

《名医别录》最早见录于《隋书·经籍志》，题陶氏撰。《旧唐书·经籍志》《新唐书·艺文志》亦载《名医别录》书名，但未题著者。宋·郑樵《通志·艺文略》载《名医别录》由陶隐居集。

宋·王应麟《玉海》仍题陶氏撰。自此以后，言《名医别录》的作者，皆从郑樵之说，题陶弘景撰。但是郑樵在他的《校雠略·书有名亡实不亡论》一文中又说："《名医别录》虽亡，陶隐居已收入本草。"这句话似乎又否定了《名医别录》为陶弘景所撰。又因《名医别录》所载药物的产地都是用陶弘景以前的地名，以及陶弘景在《本草经集注》中讲了很多有关《名医别录》存疑的话，因此，日本丹波元胤认为《名医别录》不是陶弘景所著。

据现有资料看，《名医别录》资料早在陶弘景以前就在《本草经》中记载了。《新唐书·于志宁传》："其语《别录》者，魏晋以来，吴普、李当之所记，其言花叶形色，佐使相须，附经为说。"这个"附经为说"，就是指名医依附《本草经》记载药物资料，《名医别录》随即产生。

魏晋时名医所依附的《本草经》，有很多种本子。《隋书·经籍志》记载的本草书有数十种，冠有"神农" 2 字的本草书名，有 10 余种。单纯题《神农本草经》为书名的有 4 种，它们载药数目各不相同。而名医们就在各种不同的《神农本草经》中增补了新的资料。这些由名医新补的资料，被陶弘景称为《名医别录》。

陶序云："是其《本经》所出郡县，乃后汉时制，疑仲景、元化等所记……魏、晋以来，吴普、李当之更复损益。"序文中"更复损益"说明张仲景、华佗、吴普、李当之等名医，在《本草经》内增录过资料。

陶序又云："今辄苞综诸经，研括烦省，以《神农本经》三六五为主，又进名医副品亦三六五，合七三〇种，精粗皆取，无复遗落。"这段序文说明陶氏作《集注》是把诸经（指多种《本草经》）苞综（即综合）起来进行研究，以《本草经》原来载药 365 种为主，以名医在诸经内增录药 365 种为"名医副品"，加入《集注》中，精粗皆取，无复遗落。这就明显地指出《集注》中的《别录》资料，是根据各种《本草经》内名医增录的资料，经过"苞综诸经，研括烦省"整理而成，并不是从《名医别录》一书中摘取的。如果是从《名医别录》一书中摘取的，那序中为何不提《名医别录》书名而提"苞综诸经"呢？

2. 《名医别录》的成书经过

《名医别录》在陶弘景作《集注》前，是泛指《本草经》内名医所增录的资料，待陶氏《集注》完成后，陶弘景才把《本草经》内名医增录的资料汇集成《名医别录》一书。其理由如下。

陶氏在"苞综诸经"时，对诸经（指多种同名异书的《本草经》）中资料不可能收罗无遗，这些被遗漏的资料，后来在陶氏搜集名医增录的资料时，又收入《名医别录》一书中了。到唐代苏敬作《唐本草》时，以陶氏《集注》为蓝本，并用《名医别录》一书进行核对，发现《名医别录》一书中搜集的资料，比《集注》中《别录》资料多。所以《唐本草》就把《名医别录》书内多的资料，转录在《唐本草》内相应药物下的注文中，并冠以"别录云"字样。《唐本草》援引《名医别录》共有 48 条。

唐代本草援引《别录》资料在文字结构上和书写体例上悉同《重修政和经史证类备用本草》（简称《重修政和本草》）体例，而不同于《太平御览》体例。这就说明《名医别录》文字乃是出于陶弘景的手笔。

唐·李珣《海药本草》所引《名医别录》共有 3 条，即鲛鱼皮、龙脑、珂。此 3 条在《重修政和本草》中标注"唐本先附"。说明此 3 条是《唐本草》采用《名医别录》一书中的资料作为新增药。显然，《名医别录》收载药物种类比《集注》中"名医副品"365 种要多。

《名医别录》收载药数为何比"名医副品"多呢？这是因为《重修政和本草》中黑字药品（名医副品），是受 365 种数限制的缘故。陶弘景所定"名医副品"365 种，是依附《神农本草经》载药 365 种数字而定的。陶弘景拘于《本草经》药物 365 种数字，就把名医增录多余的药物忽略不计了。

根据以上所述，"名医别录"一词在陶弘景作《本草经集注》以前，是泛指名医在多种《本草经》中增录的资料。在陶弘景完成《本草经集注》后，将此等资料汇集成册，即以"名医别录"为书名，传行于世。

3. 《名医别录》基本内容

本书基本内容有二：一是收录两汉魏晋以来名医常用的药物；二是记载《神农本草经》中药物的新用途。

汉代以前用的药物，基本上都收录在《神农本草经》中，两汉以后到南北朝刘宋以前的药物，收录在《名医别录》中。所以本书不仅增加了很多的新药，而且在《神农本草经》药物功用上亦有很大的发展，例如甘草、橘柚止咳，枣仁止汗安眠，陈皮、半夏止吐，桑螵蛸止遗溺遗精，薏仁利水消肿，川楝子驱逐蛔虫等。这些药物的功用等内容比《神农本草经》的记载更加充实详备。

《名医别录》药物内容，包括正名、性味、有毒无毒、主治、一名、产地、采收时月等。例如艾叶，《别录》云："味苦，微温，无毒。主灸百病……一名冰台，一名医草。生田野，三月三日采，暴干。作煎，勿令见风。"

本书还对有些药的形态作了描述。例如石脾，《别录》云："黑如大豆，有赤纹，色微黄而轻薄如棋子。"木甘草，《别录》云："大叶如蛇状，四四相值，折枝种之便生。"

本书有些药物条文，记有用量及用法。鲮鲤甲，《别录》云："以酒或水和方寸匕，疗蚁瘘。"雀卵，《别录》云："雀屎，和男首子乳如薄泥，点目中胬肉、赤脉贯瞳子上者，即消，神效。"

本书有些药物并附有方剂。例如露蜂房，《别录》云："露蜂房、乱发、蛇皮三味合烧灰，酒服方寸匕，日二，主诸恶疽、附骨痈。"蜘蛛，《别录》云："七月七日取其网疗喜忘。"

本书还记载了剂型及其制备方法。芥，《别录》云："丸服之，或捣为末，醋和涂之。"槐实，《别录》云："以七月七日取之，捣取汁；铜器盛之，日煎，令可作丸，大如鼠屎，内窍中，三易乃愈。"

本书药物多数有产地的记载。兹举例如下。蕙宝，生鲁山（东周地名，今山东鲁山）。城里赤柱，生晋地（东周国名，今山西境内）。白辛，生楚山（东周地名，今湖北襄阳境内）。麻伯，生平陵（春秋地名，今山西文水）。陵石，生华山（春秋地名，现陕西华阴）。千岁蘽，生太山（春秋地名，今山东泰安）。合玉石，生中丘（春秋地名，今山东临沂）。

本书多数药有七情畏恶的记载。例如"前胡"条，有七情畏恶："半夏为之使，恶皂荚，畏藜芦。"陶弘景在"前胡"注中云："《本经》上品有茈胡而无此，晚来医乃用之，亦有畏恶，明畏恶非尽出《本经》也。"

本书还记载了一些药物的炮制加工及禁忌等内容。莽草，《别录》云："可用沐，勿令人眼。"石韦、辛夷，《别录》云："用之去毛，毛射入肺，令人咳。"雷丸，《别录》云："实赤者杀人。"牙子，《别录》云："中湿腐烂、生衣者杀人。"

本书对药物鉴别也有记载。例如钩吻，《别录》云："折之青烟出者名固活。"石龙刍，《别录》云："九节多味者良。"代赭，《别录》云："赤红青色如鸡冠有泽，染爪甲不愈者良。"

本书还记载一些兽医用药。例如及已，《别录》云："治牛马诸疮。"

4.《名医别录》的特点

（1）本书收录名医增录的药物，其中有很多药在古代文献中，是与《本草经》药物共存的，并无《本经》和《别录》的区分。

例如西汉·史游《急就篇》药名录篇，载药32种。其中有30种见录于《本草经》，有两种（艾、乌喙）见录于《别录》。

东汉·张仲景《金匮要略》和《伤寒论》中所用的药，见录于《本草经》的不少，但见录于《别录》的亦很多。如桂枝、生姜、芒硝、粳米、香豉、白酒、苦酒、葳蕤、冬瓜、白前、艾叶、乱发、溺、竹茹、蜘蛛等，均见录于《别录》。

《史记·大宛列传》云："宛左右以葡萄为酒，富人藏酒至万余石，久者数十岁不败。俗嗜酒，马嗜苜蓿，汉使取其实来，于是天子始种苜蓿。葡萄肥饶地，及天马多，外国使来众，则离宫别观旁尽种葡萄苜蓿，极望。"其药见于《本经》的有葡萄，见于《别录》的有苜蓿。《史记·司马相如列传》云"其东则有蕙圃""衡兰芷若"。按，《汉书·音义》注："衡，杜衡；芷，白芷；若，杜若；蕙，薰草。"其中白芷、杜若见于《本经》，蕙、杜衡见于《别录》。

（2）《别录》不仅收载名医增录的药物，亦收载《本经》药新用途。例如石灰，是《本草经》药物。《证类》卷5"石灰"条，是白字《本草经》文。但"石灰"条白字文中没有记载"疗金疮止血"等语，而《唐本草》注云："《别录》及今人用疗金疮止血大效。"说明《别录》包括《本草经》药物新的主治功用。

（3）《别录》资料，原是名医在多种《本草经》中增录的。它们形成的时间是漫长的，最早在汉代，最晚在刘宋。如《别录》中艾、乌喙，早在西汉史游《急就篇》药名录中已有记载。《别录》中白前、蜘蛛等，在汉代张仲景方中已成为常用的药物。《唐本草》注引《别录》云："藕主热渴散血。"藕的散血作用，据陶弘景说是南朝刘宋时所发现的。陶弘景在"藕实茎"条注云："宋帝时，太官作血鰡,庖人削藕皮,误落血中,遂皆散不凝,医乃用藕治血多效也。"郑樵《通志·昆虫草木略》所记同此。

（4）《别录》药物条文书写格式不同于类书。本书是陶弘景汇集的,书中药物条文经过陶弘景整理,其书写格式不同于类书《初学记》《艺文类聚》《北堂书钞》《太平御览》中药物条文书写格式。

（5）本书药物条文书写格式与《本经》相同,但在叙述的文字方面有差异。有些文字是和《本草经》文字相仿,但有些却和方书文字相同。例如黄精,《别录》云:"味甘,平,无毒。主补中益气,除风湿,安五脏。久服轻身延年不饥。一名重楼,一名菟竹,一名鸡格,一名救穷,一名鹿竹。生山谷,二月采根,阴干。"同《本草经》药物条文的文字很相似。但有些药物条文很像方书的文字,例如鲮鲤甲,《别录》云:"微寒,主五邪,惊啼悲伤。烧之作灰,以酒或水和方寸匕,疗蚁瘘。"

（6）《别录》收载的药物数量比《神农本草经》的 365 种要多。像《唐本草》新增的珂、鲛鱼皮、芸薹药等,其注文都援引《别录》资料注释之,说明此等药必载于《别录》一书中,否则《唐本草》不会引用其资料作注。

（7）《别录》药物记载的内容比较广泛。除正名、性味、主治、一名外,还记有用法、用量、剂型、剂型制备、药物形态、产地、七情畏恶等。

在性味上所记,有很多是与《本草经》不相同的。例如芍药,《本经》云:"味苦,平。"《别录》云:"味酸,微寒,有小毒。"当归,《本经》云:"味甘,温。"《别录》云:"味辛,大温。"但《别录》所记芍药酸、当归辛,更切合实际。

《别录》所记主治,都以适用为主,很少提到久服轻身不饥神仙一类的话。至于所记药物用量、用法、剂型、采制时月、阴干暴干,都是《本草经》所无。至于所记产地,更为完备。从地名上看,上至先秦,下至东汉,各个时期地名皆有。从地名分布范围看,全国各地皆有。

（8）《别录》附方,是最早的本草附方记载。例如"露蜂房"条,《别录》云:"露蜂房、乱发、蛇皮三味,合烧灰,酒服方寸匕,日二,主诸恶疽,附骨痈。"这是一个完整的方子。故本草附方,当以《别录》为最早。

（9）《别录》的药物虽为名医所记,但它是劳动人民同疾病做斗争的经验总结。例如牵牛子,疗水肿。这种作用非常可靠而确实,但这种疗效也是劳动人民发现的。所以陶隐居注云:"此药始出田野人牵牛易药,故以名之。"

（10）《别录》所记的药效,有些是现存文献中最早的记载。例如槟榔,《别录》云："杀三虫伏尸，疗寸白。"寸白即今之绦虫。《别录》所载槟榔杀寸白虫，即是现存文献中最早的记载。

（11）《别录》药物异名比《本经》多。例如贝母，《本经》只有 1 个异名，《别录》有 5 个异名。沙参，《本经》有 1 个异名，《别录》有 6 个异名。苦参，《别录》有 8 个异名。知母，《别录》有 10 个异名。

5.《名医别录》的价值

（1）临床实用价值。《别录》收录的药物，有很多药至今仍有实用价值，现在常用的药物有 400 种左右，其中近百种是出于《别录》。如桂枝发汗，牵牛子逐水消肿，百部、枇杷叶止咳，槟榔、榧子除虫，大、小蓟止血，麦芽消食和中等。这些药至今依然是很重要的常用药。

（2）史料价值。如《新修本草》《证类本草》所载的有名无用类，就是从《别录》资料中累积起来的。这些药物，原先都是民间常用的药物，或由于它们疗效不可靠，为后世新药所代替；或由于它们失传，不被后人们所认识，仅在文字上有记载，后人称这些药为"有名无用"，或称"有名未用。"《名医别录》是总结两汉魏晋时期的药物学专著，如果要研究这个时期药物学的成就和发展，本书将提供很重要的参考资料。因此，本书是我国药物学研究的重要文献。

（3）历史价值。《别录》是继《神农本草经》之后，一部有价值的本草学著作，是中国古代本草名著之一。祖国本草学就是在《神农本草经》和《别录》这两部书的基础上发展起来的，所以《别录》有承先启后的作用。

由于本书既是本草重要文献，又具有一定临床实用参考价值，所以古代图书目录都记载了本书。最早是《隋书·经籍志》载《名医别录》3 卷，《旧唐书·经籍志》、《新唐书·艺文志》载《名医别录》3 卷，宋·王应麟《玉海》和郑樵《通志·艺文略》载《名医别录》3 卷。宋以后，未见史志著录此书，此书可能亡佚于宋代，但其内容，通过历代本草书的转录和传抄，仍散存于各种本草书和类书中。

（二）辑复《名医别录》提要

《名医别录》，梁·陶弘景集，是继《神农本草经》之后，有重要本草文献学价值的著作，收录了汉代至魏晋时名医在《神农本草经》中增附的资料，是这一时期临床用药经验的总结。原书早佚。本书是辑校者从吐鲁番出土的《本草经集注》残卷、敦煌出土的《新修本草》残卷，以及《千金翼方》等现存本草书和类书中辑出，依敦煌出土的《本草经集注·序录》中药物七情药编次而成。内容包括药物正名、性味、主治、一名、产地、采收季节，以及用法、用量、剂型、七情畏恶等，所附的方剂也大多来自当时的名医和民间有效验方。辑校者对错讹、脱误、歧异等作了校勘，有的加了按语。

该书资料系笔者于1958—1960年在北京中医学院参加由卫生部举办的中药研究班进修时辑的。在北京两年共摘录活页纸7200余张。

中药研究班结束后，笔者携带大量资料回芜湖医专整理，到1964年整理出《名医别录》。从2000余条资料中，剔除重复，归并后，得745种。校勘同异2000余处，出校注2653条。书成后，写总结，并抄成清稿。次年将清稿投给人民卫生出版社。人卫社于1965年5月17日退回。"文革"中清稿丢失，后流落到梁某手中，梁某擦去稿上原作者名，换上梁某之名，投寄卫生部。卫生部中西医结合领导小组办公室于1977年12月29日回给梁的信说："你11月7日的信收到，已阅，《名医别录》……已转人民卫生出版社，正在联系能否出版。"人民卫生出版社将此稿送请中医研究院耿鉴庭研究员审阅。耿老曾见过此稿，是芜湖医专稿纸抄的，唯稿中尚志钧名字被擦掉，换上梁某之名，擦的痕迹很明显。耿老快函通知我。我立即写报告连同耿老的信，邮挂寄安徽省中医局，经中医局组织戴真光、吴沛昌等人进行调查，确认此稿非梁某所作，是尚志钧所辑，物归原主。后由人民卫生出版社于1986年出版。

关于《名医别录》争论问题，历来很多，笔者查阅大量资料，进行考证，撰成专论在杂志上发表，今汇编成册附于书后。

（三）辑复本序

《名医别录》，旧题梁·陶弘景撰。是继《神农本草经》之后，有重要本草文献学价值的著作，收录了汉代至魏晋时名医在《神农本草经》中增附的资料，是这一时期临床用药经验的总结。原书早佚。本书是由辑校者从吐鲁番出土的《本草经集注》残卷、敦煌出土的《新修本草》残卷，以及《千金翼方》等现存本草书和类书中，辑出药物七百余种，依敦煌出土的《本草经集注·序录》中药物七情药编次而成。

本书为3卷。分上、中、下三品。上品载药193种，中品243种，下品294种。每品按玉石、草木、兽、禽、虫、鱼、果、菜、米谷等次序排列，每种药物的前后编排次序还参照了《新修本草》药物三品目次。

全书主要内容包括药物的正名、性味、主治、一名、产地、采收季节，以及用法、用量、剂型、七情畏恶等，所附的方剂，也大多来自当时的名医和民间有效验方。由于本书所载的药物较《神农本草经》多300余种，内容广泛而丰富，因此，对学习研究本草学有重要参考价值，对临床工作者也有实际指导意义。

本书在依附底本辑复的过程中，同时参证了《大观》《政和》《图经》等本草著作以及《艺文类聚》《初学记》《太平御览》等书，于每条之后，引列诸说，对错讹、脱误、歧异等处，作了校勘，有的并加了按语。对《本经》和《别录》文的区别也作了文字说明。为使读者了解《别录》在《本经》基础上的增附和发展情况，于相关之处将《本经》原文附上，以供参阅。书后还附有药名索引，以备读者查阅。

（四）辑校说明

1. 作者的确定

本书所辑录的资料，主要来源于《大观》《政和》等本草中黑字。该黑字源出于陶弘景《本草经集注》墨书文字，该墨书文字，是陶弘景苞综魏、晋诸名医附经为说的文字，经过整理而成。所以本书题陶弘景集。

2. 底本的确定

本书所用底本，以现存散见于各书的最早引用《名医别录》的原文为底本。首先用吐鲁番出土《本草经集注》残卷为底本，当《本草经集注》所缺（按，《本草经集注》残卷仅存豚卵、燕屎、天鼠屎、鼯鼠四味药，其余皆缺）即以敦煌出土《新修本草》残卷为底本，如《新修本草》残卷所缺（按，《新修本草》残卷仅存草部下品之上，即自"甘遂"至"白敛"等30味药是存在的，其余皆缺），即以武田本《新修本草》为底本，武田本所缺（按，武田本《新修本草》仅存卷4、5、12、15、17、19，其余皆缺）即以傅氏影印《新修本草》为底本，傅氏影印本所缺（按，傅氏影印本缺草类和虫鱼类）即以孙思邈《千金翼方》为底本，《千金翼方》所缺（《千金翼方》缺"彼子"和《新修本草》的注文）即以唐慎微《经史证类备急本草》为底本。

3. 核校本的选用

核校本主要用来区分《本经》文和《别录》文。因本书所用的底本，多数是用《新修》《千金翼方》作底本，但此两书中无《本经》《别录》标记，故必须借助于各种版本《大观》《政和》中白字标记来区分《本经》《别录》的文字。

由于不同版本的《大观》《政和》中白字标记不尽相同，如成化本《政和》及商务版《政和》中菖蒲、龙胆、白英、麝香、鹿茸、姑活条文无白字标记，人卫版《政和》曾青条亦无白字标记。不仅这几味药标记有差异，而且很多药物条文的白字、黑字标记亦有出入，因此，必须根据其他种版本的《大观》《政和》旁证之，才能确定菖蒲、曾青等条是否属《别录》的文字。有时还须参考明清诸家所辑《本草经》来做旁证。

核校本以宋代前本草著作为主，宋以后的本草著作，其中散见的《别录》资料，多数已为后人所改动，非庐山真面目，不能作为本书辑校的依据。

4. 有关《本经》《别录》文的区分

在核校时，如遇核校本《本经》文和《别录》文标记不同于底本，但又不能确定底本是否有误时，仍以底本为正。例如卷下"燕屎"条的《别录》文，原以吐鲁番出土《本草经集注》残卷为底本，该残卷"燕屎"条中，有"生高谷山"4字作朱书《本草经》文，但核校本《大观》、玄《大观》、《大全》《证类》《政和》、成化本《政和》、《品汇》《纲目》等皆注作《别录》文，又，孙本、黄本、顾本、森本、狩本均不取此4字为《本草经》文，按核校本应订为《别录》文，但又不能确定底本属误，所以本书仍从底本为正，不取此4字为《别录》文。

在核校时，如能确认底本对《本草经》文和《别录》文标记有误，即依核校本订正。例如卷下"白敛"条，原以敦煌出土《新修本草》残卷为底本，底本"白敛"条有"无毒"2字作两种标记，"无"字作朱书《本草经》文标记，"毒"字作墨书《别录》文标记。通检《大观》、玄《大观》、《大全》《证类》《政和》、成化本《政和》皆作《别录》文，森本、狩本、孙本、黄本、顾本亦不取此2字为《本草经》文，则此2字应为《别录》文，本书即订正"无毒"2字作《别录》文。

5. 校勘

在确定《名医别录》文后，对于文中字句歧异、增衍、脱漏的均作了校勘。如遇底本与核校本有不同，但又不能确定底本有误时，仍以底本为正。例如卷下"乌头"条全文，原以敦煌出土《新修本草》为底本，底本"乌头"条中有"力视"2字，此2字在《千金翼》《大观》、玄《大观》、《政和》、成化本《政和》《大全》《证类》《品汇》《纲目》《图考长篇》《疏证》等核校本中均作"久视"，从完整句子来看，核校本作"目中痛不可久视"，而底本作"目中痛不可力视"并无错误，所以本书仍以底本为正。如能确定底本有误，即据底本订正。例如卷中"羖羊角"条，原以武田本《新修本草》为底本，底本"羖羊角"条中有"咳味""补寒"等语，各核校本如《千金翼》《大观》、玄《大观》、《大全》《证类》《政和》、成化本《政和》、《品汇》《纲目》等均作"咳嗽""补中"，本书即从核校本订正为"咳嗽""补中"。

在校勘时，如能确定底本有脱漏，即据核校本补。例如卷上"蔓荆实"条，原以武田本《新修本草》为底本，"蔓荆实"条中有"去长"2字，其他各本如《千金翼》《大观》、玄《大观》、《大全》《证类》《政和》、成化本《政和》、《品汇》《经疏》《纲目》《图考长编》等均作"去长虫"。本书即根据核校本补"虫"字。

在校勘时，如能确定底本有增衍者，即据核校本删。例如卷下"苍石"条，原以武田本《新修本草》为底本，底本"苍石"条中有"无毒有毒"4字，其他核校本如《千金翼》《大观》、玄《大观》、《大全》《证类》《政和》、成化本《政和》、《品汇》《图经衍义》《纲目》等皆作"有毒"2字，并没有"无毒"2字，本书即据核校本删"无毒"2字。

在校勘时，如底本与核校本有字句歧异者，即作理校，据药物作用来推断底本正误。例如卷上"茯苓"条，原以武田本《新修本草》为底本，底本"茯苓"条中，有"好唾"2字。在玄《大观》作"好垂"，在《千金翼》《大观》《品汇》作"好唾"，在《政和》、成化本《政和》、《大全》《证类》《纲目》《图考长编》《疏证》等作"好睡"。按，"唾"与"睡"字形很相近，可能因传抄舛误，但从药物作用推论，"好唾"较可信，因茯苓利水，利水能治"好唾"，当以"好唾"为正。

在核校时，如遇某些字的古今写法不同，即改用现行的写法。例如"闭""脑""叶""枣""因""热""蛇""血"等字，在武田本《新修本草》、傅氏影印本《新修本草》、敦煌出土《新修本草》皆作"閟""臑""葉""荈""槑""囙""熱""虵""衁"。本书不按《新修本草》写法，而是采用一般通行字的写法。

在校勘时，对某些义同形异的字，如"能"与"耐"、"华"与"花"、"创"与"疮"、"痰"与"淡"……都是古今通假，本书辑录时，皆以原底本为正，未作统一的规定。

在校勘时，对某些避讳字，现在仍改正过来。例如"治""世"因避唐太宗李世民、唐高宗李治的讳，而被改为"疗""俗"。苏敬的"敬"字，因避宋代赵匡胤的祖父赵敬的讳，被改为"恭"字。"玄参"的"玄"字，因避清代康熙皇帝玄烨的讳，被改为"元"字等。

在核校时，如有义可两存者，即在校记中说明之。例如"锡铜镜鼻"条，有"生桂阳"3字。各种版本《大观》《政和》皆作黑字《别录》文，各种辑本《本草经》亦不取此3字为《本草经》文。据此，则"生桂阳"3字应为《别录》文。但是陶弘景注此文时，却说"本经云，生桂阳"。按陶氏所注，"生桂阳"3字应为本经文。二说不同，即在校勘记中，并存其说。

6. 关于药物正名及畏恶的说明

本书辑的药物正名，一般以《新修》《千金翼》《大观》等书所用的药名为正名。

药物条文，悉依底本文字为正。但有些《别录》文，由于在陶氏《本草经集注》中是分析插入《本经》条文有关内容之下，如性味及有毒无毒，即插入《本经》性味之下，主治症即插入《本经》主治症之下，因此性味的"味"字，主治的"主"字，以及"久服"2字等，一般都系借用《本经》朱字，本书辑录时，亦将此等借用的"味""主""久服"等朱字一并辑入《别录》文中。

查吐鲁番出土的《本草经集注》文有"主治××"，或"治××"，但卷子本《新修本草》仅作"主××"，或"疗××"。此为避唐高宗李治的"治"字讳，把"主治"的"治"字删掉，剩下一个"主"字，或把"治"改成"疗"导致的。因此自唐以后本草书皆沿袭《新修本草》旧例，药物条文中只有"主××"或"疗××"。本书在辑校时，仿吐鲁番出土《本草经集注》之例，在药物条文中用"主治××"或"治××"。

每条正文末，附以七情畏恶资料，用小字书写，以别于正文。关于七情资料，《本草纲目》注出典为徐之才文，其实《纲目》所引七情资料，早在陶弘景《本草经集注》中已有著录。《证类》"前胡"条陶弘景注云："本经上品有茈胡而无此，晚来医乃用之，亦有畏恶，明畏恶非尽出本经。"按，前胡是《别录》药，其畏恶为："半夏为之使，恶皂荚，畏藜芦。"陶弘景认为《别录》药有畏恶资料。据此，本书将敦煌出土《本草经集注》所列畏恶资料分别附在各药条文末。但这些资料，《纲目》均注出典为徐之才，本书在校记中均加以说明之。（按，陶弘景比徐之才早几十年）。

7. 本书辑复后的药味数量及编排

《大观本草》《政和本草》收载《名医别录》药物730种，后因《新修本草》中新增的药，如"珂""鲛鱼皮""龙脑""芸薹"等，皆引用《别录》资料，据此可知《名医别录》原书应有此等药，所以本书即把此四味药收入书中。又，《千金翼方》有"北荇华""领灰"，《太平御览》有"卢精"，这3味药可能是《别录》资料，故本书亦收载之。又，《嘉祐本草》和《本草衍义》在"女菀"中注云：《新修本草》删去"白菀"，则"白菀"亦当属《别录》药，所以本书亦收录之。又如"五石脂"在《本草经集注》中是作一条计算的，但陶弘景注云："五石脂……《别录》各条。"据此可知"五石脂"在《名医别录》原书中是分作5条的。对于增收药物，皆加方括号为标记，作为本书附录药物。

本书编排时将收载730种药，按上、中、下三品，分为3卷。卷1为上品，载药193种；卷2为中品，载药243种；卷3为下品，载药294种。每一卷的药物又按玉石、草木、虫兽、果、菜、米等次序排列，这种排列是依据敦煌出土《本草经集注·序录》中药物七情药目次编排的。

8. 辑校底本与核校本

在每味药物后所附参考文献注［1］中，开头所列的书名是药物条文的底本，余下的书名为核校本。除注［1］外，余下的注文皆是校勘的说明。在这些校勘说明中，除校订《别录》条文外，对那些转引的《别录》资料出现谬误时，亦作了校正说明。参考文献注［1］和校勘注中所用的书名，都是简称，为便于读者查阅，现说明如下。

（1）吐鲁番出土的陶弘景《本草经集注》残卷，1952年罗福颐影钞《西陲古方技书残卷汇编》。

（2）《本草经》断片，1947年万斯年译，收入《唐代文献丛考》中，1957年商务版。

（3）《本草经集注》，敦煌石室出土的梁·陶弘景《本草经集注·序录》。1955年上海群联出版社据《吉石盦丛书》影印本。

（4）武田本《新修》，日本武田长兵卫商店制药部内的大阪本草图书刊行会，据唐写卷子本《新修本草》卷4、5、12、15、17、19，在昭和十一年（1936）用珂罗版复印本。

（5）敦煌卷子本《新修本草》残卷，敦煌出土的《新修本草》残卷，1952年罗福颐影写《西陲古方技书残卷汇编》。

（6）《新修》，日本天平三年（731）田边史抄的苏敬《新修本草》，1955 年上海群联出版社据《篡喜庐丛书》本影印。

（7）《千金方》，唐·孙思邈《备急千金要方》，1955 年人民卫生出版社据江户医学本影印。

（8）《千金翼》，唐·孙思邈《千金翼方》，1955 年人民卫生出版社据江户医学本影印。

（9）《和名》，日本深江辅仁《本草和名》，大正十五年（1925）日本古典全集刊行会据日本宽政八年（1796）刊本影印。

（10）《和名类聚钞》，日本源顺撰《和名类聚钞》，清光绪丙午年（1906）龙壁勤刊印杨守敬所得抄本。

（11）《医心方》，日本丹波康赖撰，1955 年人民卫生出版社影印原影卷子刊本。

（12）《大观》，宋·唐慎微《经史证类大观本草》，清光绪三十年（1904）武昌柯逢时影宋并重校刊本。

（13）玄《大观》，宋·唐慎微《经史证类大观本草》，日本安永四年（1775）望草玄据元大德宗文书院刊本翻刻。.

（14）《大全》，《重刊经史证类大全本草》，明万历三十八年（1610）彭端吾据籍山书院重刊王大献本翻刻。

（15）《证类》，《重修政和经史证类备用本草》，1957 年人民卫生出版社影印元翻刻扬州季范董氏藏金泰和张存惠晦明轩本。

（16）《政和》，《重修政和经史证类备用本草》，1921—1929 年商务印书馆，影印金泰和甲子己酉晦明刊本，四部丛刊初编子部刊本。

（17）成化本《政和》，明·成化四年（1468）山东巡抚原杰等，据晦明轩本《重修政和经史证类备用本草》本翻刻。

（18）《图经衍义》，宋·寇宗奭《图经衍义本草》，1924 年上海涵芬楼影印正统道藏本。

（19）《品汇》，明·刘文泰等《本草品汇精要》，1936 年商务印书馆据故宫抄本铅印。是书乃摘录《证类本草》主要内容汇集而成，对历代文献出典以文字注之，但对《名医别录》资料注作"名医别录"，对历代医方的内容注作"别录云"，是极易让人误解的。

（20）《经疏》，明·缪希雍《神农本草经疏》，明天启五年（1625）绿君亭刊本。该书名为"神农本草经"，实际上是一部综合性的本草著作。书中对《本经》和《别录》的资料，皆无区别。

（21）《疏证》，清·邹澍《本经疏证》，1959年上海科学技术出版社出版。该书虽名《本经》，实乃是一部综合性的本草著作。书中《本草经》文，用黑体字表示之。

（22）《续疏》，清·邹澍《本经续疏》，1959年上海科学技术出版社出版。是书附在《本经疏证》之内，也是一部综合性的本草著作，书中《本草经》文，用黑体字表示之。

（23）《纲目》，明·李时珍《本草纲目》，1957年人民卫生出版社据清光绪十一年（1885）合肥张绍棠味古斋重校刊本影印。

（24）《乘雅》，明·卢之颐《本草乘雅半偈》，南京图书馆藏本。

（25）《草木典》，清康熙时敕修《古今图书集成·博物汇编·草木典》，中华书局影印本。

（26）《禽虫典》，清康熙时敕修《古今图书集成·博物汇编·禽虫典》，中华书局影印本。

（27）《食货典》，清康熙时敕修《古今图书集成·经济汇编·食货典》，中华书局影印本。

（28）森本，指日本嘉永七年（1854）森立之辑《神农本草经》，1955年上海群联出版社据日本森氏温知药室本影印。

（29）狩本，指日本文政七年（1824）汤岛狩谷望之志辑《神农本草经》，南京图书馆藏手抄本。是书取《证类本草》中的白字《本草经》文，按《新修本草》药物目录次序编排，并以元刊本《大观本草》校注之。

（30）孙本，指清嘉庆四年（1799）孙星衍和孙冯翼合辑《神农本草经》，1955年商务印书馆版铅印本。

（31）黄本，指清·黄奭辑《神农本草经》，清光绪十九年（1893）仪征刘富增刻的《汉学堂丛书》本。是书全抄《孙本》，仅在书末补录几条《本草经》佚文而已。

（32）顾本，指清道光二十四年（1844）顾观光辑《神农本草经》，1955年人民卫生出版社据武陵山人遗书本影印。

（33）《通志略》，宋·郑樵《通志略·昆虫草木略》，中华书局聚珍仿宋版印本。

（34）《群芳谱》，清·刘灏等编撰的《佩文斋广群芳谱》，清康熙四十七年（1708）刻本，该书是在明·王象晋《群芳谱》的基础上增修而成。书中把杂录的资料冠以"别录"作白字标题，其含义绝不同于《名医别录》。

（35）《御览》，宋·李昉等修纂《太平御览》，上海涵芬楼影印宋本。

（36）《图考》，清·吴其濬《植物名实图考长编》，1959年商务印书馆版。

（37）《尔雅》，商务印书馆版四部丛刊本《尔雅注疏》。是书郭璞注时所引的本草资料，皆与现存古本草中所载内容不同。

（38）《尔雅疏》，宋·邢昺注《尔雅注疏》，中华书局聚珍仿宋版印四部备要本。

（39）《广雅疏证》，清·王念孙注《广雅疏证》，中华书局聚珍仿宋版印四部备要本。

（40）《急就篇》，汉·史游撰，唐·颜师古注，宋·王应麟补注。光绪五年（1879）福山王氏刻本（天壤阁丛书本）。

（41）《齐民要术》，后魏·贾思勰著。商务印书馆版丛书集成初编本。

（42）《梦溪笔谈》，宋·沈括著，胡道静校注名《梦溪笔谈校正》。1957年上海古典文学出版社出版。是书卷26"药议"引有本草资料。

（43）《梦溪补笔谈》，宋·沈括著，胡道静校注名《梦溪补笔谈》。1957年上海古典文学出版社出版，是书附刊在《梦溪笔谈校正》一书中。

（44）《艺文类聚》，唐·欧阳询等奉敕修《艺文类聚》，1959年中华书局据宋绍兴本影印。是书卷81~89引有本草资料。

（45）《北堂书钞》，隋末唐初虞世南撰《北堂书钞》，清光绪戊子（1888）南海孔广陶三十有三万卷堂刊本。

（46）《初学记》，唐·徐坚等撰。古香斋袖珍本。是书卷27~30有本草资料。

（47）《一切经音义》，唐·西明寺翻经沙门慧琳撰。日本元文三年（1738）博桑雒东狮谷白莲社刻本。

（48）《事类赋》，宋·吴淑撰。清嘉庆癸酉（1813）聚秀堂翻刻剑光阁本。

（49）《事类备要》，宋·谢维新撰《古今合璧事类备要》，明嘉靖丙辰（1556）夏氏据宋本复刻本。是书分前集、后集、续集、别集、外集五大部分，其中别集有本草资料。

（50）《事文类聚》，宋·祝穆撰《新编古今事文类聚》。明翻刻元刊本。

（51）《翰墨全书》，宋末刘省轩《新编事文类聚翰墨全书》，元刊本。是书分前集、后集两大部，前集和后集各按甲、乙、丙……分为十集，合共为二十集，每一集又分若干卷，其中后戊集卷1~4有本草资料。

（52）《锦绣万花谷》，明嘉靖十四年（1535）徽藩刊本。是书分前集、后集、续集三大部分，其前集卷30~39有本草资料。

（53）《海录碎事》，宋绍兴十九年（1149）叶廷珪撰。明万历戊戌（1598）刊本。是书卷14~22有本草资料。

（54）《记纂渊海》，宋·潘自牧撰。明万历己卯（1579）胡维新刻本。是书卷90~99有本草资料。

（55）《渊鉴类函》，清康熙四十九年（1710）张英等奉敕纂。民国六年（1917）同文图书馆复印本。

（56）《毛诗疏》，唐·孔颖达疏注《毛诗注疏》，中华书局聚珍仿宋版印四部备要本。

（57）《文选注》，梁·昭明太子撰，唐·李善注。中华书局聚珍仿宋版印四部备要本。

（58）《编珠》，隋大业四年（608）杜瞻纂修。清康熙三十七年（1698）高士奇刻巾箱本。据《伪书通考》页944云是伪书。

（59）《白孔六贴》，唐·白居易撰，宋·孔传续撰。明刊本。

（60）《博物志》，晋·张华撰。清·黄玉烈据汲古阁影宋本翻刻，收入士礼居黄氏丛书本。

（61）《续博物志》，宋·李石撰。清康熙戊申（1668）新安汪士汉刊本。

（62）《香谱》，宋·洪刍撰。民国二十年（1931）上海博古斋影印百川学海丛书本。

（63）《刘氏菊谱》，宋·刘蒙撰。民国二十年（1931）上海博古斋影印百川学海丛书本。

（64）《史氏菊谱》，宋·史正志撰。民国二十年（1931）上海博古斋影印百川学海丛书本。

（65）《笋谱》，宋·释赞宁撰。民国二十年（1931）上海博古斋影印百川学海丛书本。

（66）《蟹谱》，宋·傅肱撰。民国二十年（1931）上海博古斋影印百川学海丛书本。

（67）《橘录》，宋·韩彦直撰。民国二十年（1931）上海博古斋影印百川学海丛书本。

（68）《茶经》，唐·陆羽撰。民国二十年（1931）上海博古斋影印百川学海丛书本。

（69）《本草衍义》，宋·寇宗奭撰。1957年商务印书馆版。

（70）《外台秘要》，唐·王焘著。1955年人民卫生出版社影印本。

（71）《史讳举例》，陈垣著。1958年科学出版社出版。

（72）《小儿卫生总微论方》，宋·撰人佚名。1958年上海卫生出版社出版。

八、《本草经集注》

（一）《本草经集注》考

《本草经集注》是合《神农本草经》和《名医别录》二书而成。后世历代本草，都是在陶氏《本草经集注》的基础上增补扩充发展而成的。当新的本草出现后，旧的本草书就不为人们所注意了。到北宋《开宝本草》流行后，陶氏《本草经集注》即逐渐消失。唐慎微作《证类本草》时，已经无法见到《本草经集注》了。

《本草经集注》到北宋末时虽已失传，但该书的内容，通过《新修本草》《开宝本草》《嘉祐本草》等被保存在《证类本草》中。从《证类本草》中所引的"陶隐居云"资料，仍可研究陶氏原书的大略情况。加以近代敦煌出土《本草经集注·序录》和吐鲁番出土的《本草经集注》片断，更可以了解陶氏原书的梗概。

从对《本草经集注》的研究，可以看出陶弘景对于本草学的贡献是很大的。兹介绍如下。

在药物分类上，陶弘景首创按天然药物来源分类的方法。在陶氏以前，药物是按上中下三品分类的。到陶氏则按玉石、草木、虫兽、果、菜、米食、有名无用等分为七类。每一类又按上中下三品分之。后世本草均承袭陶氏分类法进行分类。如《唐本草》把草木及虫兽二类分为草、木、兽禽、虫鱼等四类。其余照旧。

对于古代本草文献的保存，陶弘景是有不可磨灭的功绩的。陶氏作《本草经集注》时，对于《本草经》资料用红字写，对于《别录》资料用墨字写，陶氏自己注的资料用双行小字写，这样就把《本草经》《别录》、陶氏注三种资料都区分得很清楚。《唐本草》编纂时仍用陶氏办法标记之。到宋代本草书，才改成黑底白字表示《本草经》资料，以墨字表示《别录》资料。明清学者所以能辑成《神农本草经》，应归功于陶弘景，因为由他开始把《本草经》资料做下了记号。

在药物功用上，陶弘景创造了"诸病通用药"，把功用相同的药归类在一起，这样可便利于临床用药的查寻。

陶弘景著《本草经集注》时，除引用《本草经》和《别录》外，还引用众多其他的文献。

陶弘景著《本草经集注》时，对于药物的名称、来源、产地、性状、鉴别、功用、炮制、保管等都有介绍，兹各略举数例如下。

对于药名解释，例如牵牛，陶云："此药始出田野人牵牛易药，故以名之。"白头翁，陶云："有白茸，状似人白头，故以为名。"

对于产地，陶氏介绍颇详，说某药出某处，并记第一产地何处，其次是产于何处。例如肉苁蓉，陶云："芮芮河南间至多，今第一出陇西，次出北国。"防风，陶云："今第一出彭城、兰陵，次出襄阳，义阳县界亦可用。"

对于药物性状记述亦详。例如石钟乳，陶云："唯通中轻薄如鹅翎管，碎之如爪甲，中无雁齿，光明者为善，长挺乃有一二尺者，色黄，以苦酒洗刷则白。"通草，陶云："绕树藤生，汁白，茎有细孔，两头皆通，含一头吹之，则气出彼头者良。"（古本草书所言通草即今日之木通。）

对于药物鉴别，陶氏贡献很大，盖药物品种极易混乱，例如"消石"同"朴消"很难分辨，陶云："强烧之紫青烟起是消石。"这就把消石同朴消分辨出来。杜仲，陶云："状如厚朴，折之多白丝为佳。"

对于药物功用，陶氏在注文中增补很多。例如水银，陶云"汞粉俗呼为水银灰，最能去虱。"芍药，陶云："俗方以止痛，乃不减当归。"

对于药物炮制，陶氏在《本草经集注》卷1序录中介绍最多，此外在各个药注文中亦时有提及。例如附子，陶云："热灰微炮令坼勿过焦。"藜芦，陶云："剔取根同炙之。"

对于药物保管，陶氏亦有介绍。例如泽泻，陶云："此物易朽蠹，常须密藏之。"独活，陶云："独活至易蛀，宜密器藏之。"

此外，从《本草经集注》中还可以看到，陶弘景在治学上的态度是虚心的、实事求是的。

陶氏对不了解的东西，即干脆说不明白，或注明有待以后研究，例如肤青，陶云"不复识"。露蜂房，陶云"露蜂房当用人家屋间……乃远举牂牁，未解所以"。

水蓂，陶云"论蓂主疗合是上品，未解何意乃在下"。这些例证说明陶氏做学问是很虚心的。

其次，陶氏重实践，不迷信古人。例如矾石，《本草经》记载能坚骨齿，而陶氏说："以疗齿痛，多即坏齿，是伤骨之证，而云坚骨齿，诚为疑也。"蠮螉，陶云："土蜂衔泥于人室及器物边作房，如并竹管者是也。其生子如粟米大置中，乃捕取草上青蜘蛛十余枚满中仍塞口，以拟其子大为粮也。其一种入芦竹管中者，亦取草上青虫一名蜾蠃。诗人云，螟蛉有子，蜾蠃负之，言细腰物无雌，皆取青虫教祝，便变成己子，斯为谬矣。"这些例证说明陶弘景在研究学问上是实事求是的，能根据实际观察，指出前人的错误。

陶氏对于药物学的钻研也是很认真努力的。例如千岁藟，在当时人们都不认识，陶氏到处访问求识，后云："作藤生，树如葡萄，叶如鬼桃，蔓延木上，汁白……而远近道俗咸不识此，非甚是异物，正是未研访寻识之尔。"又如矾石，陶云："其黄黑者名鸡屎矾，不入药，堪镀，作以合熟铜投苦酒中涂铁，皆作铜色，外虽铜色，内质不变。"说的实际上是一种金属置换反应，即铜盐中的铜离子被铁置换后成金属铜附在铁的表面。陶氏若非经过实际研究，恐怕不容易说得这样透彻。从这两个例证可说明陶弘景不但善于读书，同时也善于研究，能从实际出发，细心观察，得出正确的结果。因此陶氏所著《本草经集注》的系统性、科学性都比较强。和陶氏同时著本草书的不下数十家，诸家本草书不传，独陶氏本草能传，这也证明陶氏书是有价值的，经得起时间考验的。

（二）辑复《本草经集注》经过

该书及《吴氏本草经》《名医别录》是笔者于1958—1960年在北京中医学院参加由卫生部举办的中药研究班进修时辑的。1960年10月整理成书。从2000多条《集注》资料中，去其重复，归并为730种，考其同异4500余处，出校注4564条，次年写成《集注》解说。清稿抄成后，连同《吴普本草》及被人卫社退回的《补辑新修本草》，由芜湖医专油印出版。

1985年皖南医学院又重印一次。重印时，将该书序和解说又修订重写一遍。1994年人民卫生出版社出版时，为了降低成本，压缩篇幅，将该书序和解说删掉。解说是该书完成后写的总结，系统介绍该书有关问题。现将该书序及解说，以及在杂志上发表有关《集注》的论文，附于书后。

（三）辑复本提要

本书是梁代陶弘景在《神农本草经》的基础上，增加魏、晋及其以前名医记录的资料，注释而成。所以本书是《神农本草经》最早的注释本。

全书 7 卷，载药 730 种，首卷为序录，余下 6 卷为药物论述。

在序录中，除对《神农本草经》13 条序文注释外，又创合药分剂料治法、诸病主治药、解百药毒、服食忌例、凡药不宜入汤酒例、诸药畏恶七情例等内容，均为后世历代本草所沿用。

在药物中，以《神农本草经》365 种为主，又进名医副品 365 种，共 730 种，并增加《本草经》药物新功用和陶氏本人注释。

陶氏原书久佚，笔者从现存各种古本草书和类书中，辑得《本草经集注》药物 730 条，按敦煌出土《集注序录》中七情畏恶诸药目次编排，计有玉石、草木、虫兽、果、菜、米，有名无实七类，分为 7 卷。书中所辑条文，皆用多种善本引文详加校勘；辑文中古词、古字，均予以训诂，并将校勘歧异和训诂释文分别注于条末。

本书对研究本草史、汉代及魏、晋时期药物发展概况和成就，有一定参考价值。

（四）重辑本序

辑复《神农本草经》的工作，在明清两代就有很多人做了，如卢复、顾观光、孙星衍及日本森立之等，均辑有《神农本草经》的单行本。但是陶弘景所著的《本草经集注》，很少有人来做补辑工作。据冈西为人《宋以前医籍考》讲，日本森立之等曾补辑陶弘景《本草经集注》7 卷，但未见刊行。

笔者十数年来，潜心于古本草书考证，将有关《本草经集注》的资料摘录编次，补辑成 7 卷。

关于陶弘景《本草经集注》的资料，一部分是从历代本草书中得到的，一部分从敦煌石窟及吐鲁番出土资料中得到的。

吐鲁番出土的《本草经集注》，仅为一残简断片，横长 28.5 厘米，纵高 27 厘米。上载药仅有燕屎、天鼠屎、鼹䶂鼠 3 味及豚卵部分的注文，原件藏于普鲁士学院中，1933 年日本黑田源次为此作文刊于《支那学》第 7 卷第 4 号。1947 年万斯年译成中文，收入《唐代文献丛考》一书中（见该书 113 页，商务版）。1952 年罗福颐以该残卷照相本描绘成摹写本，收入《西陲古方技书残卷汇编》中。1955 年日本渡边幸三又为此重作文考证之。

至于敦煌出土的《本草经集注》，是 7 卷中的第 1 卷序录。1915 年罗振玉以该书照相本影印收入《吉石庵丛书》中，并作一跋文附于书末。1955 年范行准又以罗氏影印本重加影印，亦作跋文附于书尾。

敦煌出土的《本草经集注·序录》原卷在何处不明。据黑田源次的《中央亚细亚出土医书四种》一文云："两博士（指小川与中尾万三）参阅不列颠博物院所藏斯坦因发现的敦煌出土华阳陶隐居撰《神农本草经集注序录》，其所载尉迟卢麟于都之跋尾，可知原卷藏于英国伦敦博物院。"又按日本森鹿三氏（《新修本草与小岛宝秦》，东方学报，京都，第 11 册 391 页）云，斯坦因在敦煌发现的陶隐居《本草经集注·序录》，归于伦敦博物院所藏，桔瑞氏存其影照本。据小川博士于《中国本草学之起源与神农本草经》中介绍，罗振玉亦借其影照本而影印之。据此原卷似在英国伦敦博物院中。但另一说原卷存在日本。范行准作《本草经集注·跋》云："按此残卷原本当时实藏日人桔瑞氏家。"冈西为人《宋以前医籍考》页 1254 载小川琢三博士云："明治四十一年（1908），本派本愿寺所派遣于新疆之桔瑞氏于敦煌石室，发现唐以前之《本草经集注》古钞卷子本而将来之……摄影其全篇。"1958 年王重民《敦煌古籍叙录》亦云："原卷为桔瑞氏从敦煌窃往日本。"1955 年日本渡边幸三《中亚细亚出土本草集注残卷文献研究》（日本东洋医学会，5 卷 4 号，1955 年 3 月）一文中说："敦煌出土的《本草经集注·序录》，现藏于日本龙谷大学图书馆中。"

敦煌出土的《本草经集注》残卷和吐鲁番出土的《本草经集注》残简断片，就是笔者补辑陶弘景《本草经集注》的重要依据。

敦煌出土的《本草经集注》残卷和吐鲁番出土的残简，均是极珍贵的原始资料，文句能保持原始面目，不像唐以后的本草，因避讳而对某些字进行更改，如"世"改成"俗"，"治"字改成"疗"。从这些原始资料中可以了解到，陶弘景对药物分成玉石、草木、虫兽、果类、菜类、米食、有名无用等七类。玉石和草木合计有药物 365 种。虫兽同果菜米食共有药物 196 种，有名无用药物 179 种。在药物排列次序上，可从药物七情药例次序探讨之。

本书的分类，亦是分为玉石、草木、虫兽、果、菜、米谷、有名无用等七类。

在分卷上，第 1 卷是序录，第 2 卷为玉石，第 3 卷为草木上，第 4 卷为草木中，第 5 卷为草木下，第 6 卷为虫兽，第 7 卷为果菜、米谷及有名无用。

全书药物排列次序，是将《医心方》所载《新修本草》的目录和敦煌出土的《本草经集注》中七情药例的目次相结合而编排的。其中次序以七情药例为主，对某些个别药物的位置，则据《唐本草·序》和《唐本草》中的注文，以及《证类本草》中的"唐本注"等资料来决定的。例如"由跋"排在"鸢尾"之下，是根据《唐本草·序》确定。"青蘘"是按《新修本草》注文，从米类迁入草木上品。又如"凫葵"同"白菀"是按《证类本草》中的"唐本注"和《开宝本草》注，迁入有名无用类中。类似此例很多。

关于辑文的问题，如有最早的资料，尽量以最早的资料为底本。例如卷 1 序录，以敦煌出土的《本草经集注》为底本，并以《证类本草》校勘之，把突出的不同点，以双行小字或加括弧附注之。其余各卷辑录，均仿此。如卷 6 虫兽类中的燕屎、天鼠屎、鼺鼠、豚卵等资料，即以吐鲁番出土的《本草经集注》残简为底本。卷 2 的玉石类，卷 3～5 的木类，卷 6 的兽禽类，卷 7 的果、菜、米谷、有名无用等类，均以《新修本草》为底本，并以《证类本草》校勘之。卷 3、卷 4、卷 5 等草木类之中的草类和卷 6 虫兽类之中的虫鱼等药，则以《证类本草》为底本。

至于某些专门问题，如各类药物种数问题，全书药物总数问题，某些药合并及分条问题，《本草经》文同《名医别录》文区分问题，诸病通用药的药性问题，以及其他各种问题等，拟作专题讨论。

（五）辑校说明

1. 本书基本情况

《本草经集注》为陶弘景所撰。陶弘景，梁代医学家，字通明，号隐居，又号华阳居士、华阳真人，人称真白先生，丹阳秣陵人，生于公元 452 年（刘宋元嘉二十九年），卒于公元 536 年（梁大同二年）。陶氏一生著作很多，属于道家的较多，医学著作有《补阙肘后百一方》《效验方》《太清草本集要》《陶隐居本草》《本草经集注》《养性延命录》等。

本书始撰于公元 492 年（齐永明十年），成书于公元 500 年（齐永元二年）以前。原书约在北宋末年亡佚，但其内容保存在有关医籍中。据日本冈西为人《宋以前医籍考》介绍，有日本森立之辑本，但未见刊行。

全书共 7 卷，由序录及药物两部分组成。序录载《神农本草经》序文 13 条，加以解释，以及关于创制合药分剂料治法、诸病通用药、解药毒、服药食忌例、药不宜入汤酒、七情畏恶等内容。

本书药物部分取《神农本草经》药 365 种，并据魏晋名医记录文献增入 365 种，共计 730 种。又创药物自然属性分类法，分为玉石、草木、虫兽、果菜、米食等类；同时，每类药中除"有名无实"外，又分为上、中、下三品。按自然属性分类的方法，一直为后世本草学所沿用。

每药之下，陶氏增加了产地和主治，并加小注，注文多来自实践所得，真实可靠。全书药物条文，属于《神农本草经》原文者朱书，本书用正体；属于《别录》文字者墨书，本书用宋体；陶氏注文双行小字排列，本书改用单行小字。

本书资料来源翔实可靠，清晰了然，保存了古代的原始珍贵资料，对于后世本草学的发展有深远的影响。

2. 版本选目

（1）底本。本书以现存最早引用《本草经集注》原文之以下各书为底本：吐鲁番出土《本草经集注》残卷（仅存豚卵、燕屎、天鼠屎、鼹鼠及部分注文）；1900 年敦煌出土《本草经集注·序录》（无具体药物条文）；敦煌出土《新修本草》残卷（仅存草部下品之上，即自"甘遂"至"白敛"共 30 味药）；武田本《新修本草》（仅存卷 4、5、12、15、17、19）；罗氏藏《新修本草》（缺玉石上品、草类、虫鱼类）；傅氏影刻《新修本草》（缺草类、虫鱼类）；孙思邈《千金翼方》（缺彼子和《新修本草》注文，并缺《本经》文和《别录》文标记）；柯逢时影刻唐慎微《经史证类大观本草》；人卫影印《重修政和经史证类备用本草》。

（2）主校本。本书以日本望草玄翻刻《大观本草》、商务影印《政和本草》、明成化年间翻刻《政和本草》、明万历年间翻刻《政和本草》、明万历年间刻《经史证类大全本草》等为主校本。

（3）旁校本。本书以日本丹波康赖《医心方》、日本深江辅仁《本草和名》、宋·寇宗奭《图经衍义》（1924 年上海涵芬楼影印正统道藏本）、明·刘文泰《本草品汇精要》（1963 年商务版）、明·李时珍《本草纲目》（1977—1981 年人卫版校点本）、明·缪希雍《本草经疏》（1891 年周学海刊本）、清·邹澍《本经疏证》（1959 年上海科技版）、清·邹澍《本经续疏》（1959 年上海科技版）、清·叶天士《本草经解》（1957 年上海科技版）、清·孙星衍等辑《神农本草经》（1799 年问经堂刻本及 1891 年周学海刊本及 1955 年商务本）、清·黄奭辑《神农本草经》（1893 年汉学堂丛书本）、清·顾观光辑《神农本草经》（1955 年人卫影印本）、日本森立之辑《神农本草经》（1957 年上海卫生出版社影印本）、日本狩谷望之志辑《神农本草经》（涩江籀斋订，抄本）、清·吴其濬《植物名实图考长编》（1959 年商务版），以及卢复、王闿运、姜国伊、莫文泉辑复的《神农本草经》为旁校本。

（4）其他参考书。本书参考书有：清康熙年间敕修《古今图书集成·博物汇编》内的《草木典》《禽虫典》《食货典》（1934 年中华书局影印本），唐·欧阳询《艺文类聚》（1959 年中华书局影印本），唐·徐坚《初学记》（孔氏古香斋刻本），唐·虞世南《北堂书钞》（1888 年孔广陶校注本），宋·李昉等《太平御览》（上海涵芬楼影印本）。

3. 辑校方法

由于《集注》亡佚很久，内容分散在各种古本草书、类书，及古典文、史、哲书的注文中，而这些书又因历代传抄和翻刻，对《集注》资料的记载存在很大差异。

因此辑复《集注》重点工作是辑佚、校勘、考证、标点以及训诂和注释。兹将本书辑校方法分述如下。

（1）《集注》卷数和药物数目。《集注》原书 7 卷，载药据后世各书所记为 730 种。《新修本草》所收药物 850 种，是在《集注》的基础上新增了 114 种，又将原列为 1 条的"海蛤、文蛤""葱、薤""粉锡、锡铜镜鼻""大豆黄卷、赤小豆""白冬瓜、白瓜子""冬葵子、葵根"等药，各分为 2 条，因此，又增加了 6 条，所以《新修本草》所收药物为 850 种。现将《新修本草》的药物重行归并，减去新增的 114 种，使《集注》恢复其原貌，为 730 种。

（2）《集注》药物分类。主要是按药物自然属性分类。依据敦煌出土《集注》序录有诸药制使（七情畏恶药物），将药物分为玉石、草木、虫兽、果、菜、米食、有名无用等七类。

《本草经集注》中所载药物排列顺序，是以本书序录中七情畏恶药物排列为序，又参照《新修本草》药物目录，以及陶隐居药物的注文等，详加研究厘定的。

（3）《集注》药物三品分类。本书收载药物，除按照陶弘景首创的药物自然属性分类外，同时也保留《神农本草经》药物三品分类。

《本草经》药物三品分类，因历代人们认识不同，其三品类别亦略有差异。例如水银，自《新修本草》以后，都列在中品。但《本草经集注·序录》七情畏恶药，将水银列在上品。按，《本经》上品药定义有"久服不老延年，轻身神仙"。而"水银"条经文云："水银……溶化还复为丹，久服神仙不死。"此与《本经》上品含义吻合。由于水银在古代能炼丹，故列为上品。后来人们发现水银有毒，不能列为上品，就移入中品。又如黄芪，自《新修本草》以后，都列在上品。但黄芪在《集注·序录》七情畏恶药物中被列为中品。《本经》中品定义有"遏病补虚赢"。而"黄芪"条经文云："黄芪主痈疽久败疮，排脓止痛，大风癞疾，五痔鼠瘘，补虚小儿百病。"此与《本经》中品含义吻合，故列为中品。后来人们发现黄芪无毒，有补益作用，就把黄芪从中品移入上品。本书辑录时，即以《集注》七情畏恶药物三品分类为准，将水银列在上品，黄芪列在中品。类似此例很多，此处从略。

（4）《本经》《别录》文鉴别。《本草经集注》原是由陶弘景合《本经》《别录》文注释而成。陶弘景对《本经》文用朱字书写，对《别录》文用墨字书写。唐代苏敬作《新修本草》时，沿用陶氏旧例。今陶氏书不全，苏氏书仅存半数，所存半数又缺乏《本经》《别录》标记。因此，分辨《本经》和《别录》文，只得借助于《证类本草》。而《证类本草》因版本不同，其白字（《本经》文）、墨字（《别录》文）标记亦有差异。例如成化本《政和本草》、商务本《政和本草》对菖蒲、龙胆、白英、麝香、鹿茸、姑活等条全作墨书，无白字《本经》文标记。人卫版《政和本草》曾青条亦无白字《本经》文标记。因此还要借助于其他各种本草书，如《本草纲目》、各种辑本《神农本草经》旁证之。

在鉴别时，如校本《本经》文和《别录》文标记不同于底本，但又不能确定底本是否有误，仍以底本为正。例如本书卷6虫兽下品"燕屎"条的《别录》文和《本经》文，原以吐鲁番出土《集注》残卷为底本，该残卷"燕屎"中，有"生高山平谷"5字作朱书《本经》文，但校本《大观》、玄《大观》、《大全》《证类》《政和》、成化本《政和》、《品汇》《纲目》等皆注作《别录》文，孙本、黄本、顾本、森本、狩本均不取此4字为《本经》文。按，校本应订为墨字《别录》文，但又不能确定底本有误，所以本书仍以底本为正，订正此5字为朱书《本经》文。

在鉴别时，如能确认底本中《本经》文和《别录》文标记有误，即依校本订正。例如本书卷5草木下品"白敛"条，原以敦煌出土《新修本草》残卷为底本，底本"白敛"条有"无毒"2字作两种标记，"无"字作朱书《本经》文标记，"毒"字作墨书《别录》文标记。通检《大观》、玄《大观》、《大全》《证类》《政和》、成化本《政和》皆作《别录》文，孙本、黄本、顾本、森本、狩本亦不取此2字为《本经》文，据此2字应为《别录》文，本书即订正"无毒"2字作墨书《别录》文。

（5）校勘。在确定《本经》《别录》文后，对于文中歧异、增衍、脱漏、颠倒的字句均作了校勘。如底本与校本有不同，但又不能确定底本是否有误，仍以底本为正。例如本书卷5草木下品"乌头"条全文，原以敦煌出土《新修本草》残卷为底本，底本"乌头"条中有"力视"2字，此2字在《千金翼》《大观》、玄《大观》、《政和》、成化本《政和》、《大全》《证类》《品汇》《纲目》《图考长编》《疏证》等校本中均作"久视"，从完整句子来看，校本作"目中痛不可久视"，而底本作"目中痛不可力视"并无错误，所以本书仍以底本为正。

如能确定底本有误，即据底本订正。例如卷6"羧羊角"条，原以武田本《新修本草》为底本，底本"羧羊角"条中有"咳味""补寒"等语，各核校本如《千金翼》《大观》、玄《大观》、《大全》《证类》《政和》、成化本《政和》、《品汇》《纲目》等均作"咳嗽""补中"，本书即从校本订正为"咳嗽""补中"。在出注时，即注据某书改。

如能确定底本有脱漏，即据校本补。例如本书卷3草木上品"蔓荆实"条，原以武田本《新修本草》为底本，"蔓荆实"条中有"去长"2字，其他各本如《千金翼》《大观》、玄《大观》、《大全》《证类》《政和》、成化本《政和》、《品汇》《经疏》《纲目》《图考长编》等均作"去长虫"。本书即根据校本补"虫"字。

如底本与校本有字句歧异者，即作理校，据药物作用来判断底本正误。例如本书卷3草木上品"茯苓"条，原以武田本《新修本草》为底本，底本"茯苓"条中，有"好唾"2字。在玄《大观》作"好垂"，在《千金翼》《大观》《品汇》作"好唾"，在《政和》、成化本《政和》、《大全》《证类》《纲目》《图考长编》《疏证》等作"好睡"。"唾"与"睡"字形相近，易传抄舛误。从药物功用推论，因茯苓利水，故能止好唾，当以"好唾"为正。

如有义可两存者，即在校记中说明之。例如本书卷2玉石下品"锡铜镜鼻"条，有"生桂阳"3字。各种版本《大观》《政和》《大全》皆作黑字《别录》文，《纲目》《品汇》《图经》注为《别录》文，各种辑本《神农本草经》均不取此3字为《本草经》文。据此，"生桂阳"3字应为《别录》文。但陶弘景注文却说"《本经》云，生桂阳"。陶氏所注，"生桂阳"三字应为《本经》文。二说不同，即在校勘记中，并存其说。

（6）考证。在辑校中，往往遇到一些经过校勘后，仍不能解决的问题，就必须进行考证，而求得问题的解决。例如"发髲"条，原以傅氏刻本《新修本草》

为底本。该底本"发髲"条文末为"疗小儿惊热下"。其句末的"下"字很难理解。再查各种版本《证类本草》作"疗小儿惊热",无"下"字。查各种版本的《本草纲目》作"疗小儿惊热百病",把"下"字改成"百病"2字。查《小儿卫生总微论》引本草作"疗小儿惊热下痢"。则"下"字后似是脱漏"痢"字。查《千金方》《外台秘要》治痢方均载有乱发灰治下痢。据此可知《小儿卫生总微论》所引当属正确。盖因唐代抄本《新修本草》已脱落"痢"字,到了宋代本草,以"下"字不可解而删之。李时珍援引此文,又用陶弘景注文"百病"2字置换"下"字。从此《集注》原文"疗小儿惊热下痢",自宋以后已失去真实面貌,同时发髲灰治痢之药效,亦为后世本草所失载。通过诸书的考证,即可弄清这个问题。

(7)避讳字改正。唐代苏敬修《唐本草》以《集注》为蓝本。由于唐太宗李世民、唐高宗李治的"世""治"等字要避讳,所以《唐本草》药物条文中,遇到"世"改用"俗";遇到"治"改用"疗"或改用"造",或删除不用。例如燕屎、鼹鼹鼠等药效,《新修本草》《证类本草》分别作"燕屎,主虫毒""鼹鼹鼠,主痈疽"。但吐鲁番出土《集注》残片作"燕屎,主治虫毒""鼹鼹鼠,主治痈疽"。由此可见《集注》对药效原作"主治×××",《唐本草》因避唐高宗李治的讳,把"主治"的"治"字删掉了。在有些药物条文中,《唐本草》把"治"改为"疗"。宋代本草沿用《唐本草》旧例,不用"主治×××",作"主×××",或作"疗×××"。本书辑校时,仿《集注》体例,凡药物条文中病名如消渴、中风等,在开头病名上,冠以"主治"二字,如"主治消渴,中风"。凡药物条文功效名,如益气、利水等,在开头功效名上,冠以"主"字,如"主益气,利水"。

此外,还有其他字避讳例。如陶弘景的"弘"字,因避唐高宗的太子弘讳,被省掉成"陶景"。《本草和名》引陶弘景注,俱作"陶景"注。《新修本草》编者苏敬的"敬"字,因避宋代赵匡胤祖父赵敬的讳,被改为"恭"。"玄参"的"玄",因避清代康熙皇帝玄烨的讳,被改为"元"。本书在辑校时,凡因避讳所改的字,均改正之,恢复其原来所用的字。

(8)古今字的处理。在校勘时,如遇某些字的古今写法不同,即改用现行的写法。例如"闭""脑""桑""枣""因""热""蛇""血""肉""蜡""叶"等字,在敦煌本《本草经集注》、敦煌出土《新修本草》、武田本《新修本草》、傅本《新修本草》、罗本《新修本草》皆作"閟""脑""桒""棗""曰""焫""虵""衁""宍""臈""茦"。本书文字不按《本草经集注》《新修本草》繁体写法,而是采用一般通行字的写法。对某些义同形异的通行字，如"能"与"耐"、"华"与"花"、"创"与"疮"、"痰"与"淡"、"唉"与"嗽"、"邪"与"耶"……都是古今通假，本书辑校时，以原底本为正，未作统一的规定。

（9）训诂。以训字、训词、释句为主。凡辑文中遇有难懂的古字、古词均予以训释。例如书中"雄黄"条陶弘景注云："始以齐初梁州互市亦得之。"文中"互市"，即南北朝对峙时，互派使臣主持商品交易的地方，此处出注释之。又如"青琅玕"条陶弘景注云："唯以治手足逆胪耳。""逆胪"，即手足爪甲际皮剥起的症状，此处亦出注释之。类似此例很多，详见本书注。

（10）标点。古本草书多无标点，少数古本草书有断句。如张绍棠刻本《本草纲目》、《千金翼方》所录《新修本草》药物条文有断句。但是此等书断句，有时亦有误。例如本书卷6"鹿茸"条有"散石淋，痈肿，骨中热疽，养骨，安胎下气，杀鬼精物，不可近阴，令瘘，久服耐老。四月、五月解角时取。"这一段文字是讲"鹿茸"主治功用及采收时月的，文义连贯，首尾相从。但《千金翼方》及各种版本《大观》《政和》，均从此文中"养骨"二字处断开，析为两截，把"养"字以上列为言"鹿茸"，把"骨"字以下列为言"鹿骨"，殊误。要知文末有"四月、五月解角时取"，明言为"鹿茸"采收时月，并非言"鹿骨"采收时月。

又如本书卷1陶隐居序中有"张茂先、裴逸民、皇甫士安"，《证类本草》误"裴"为"辈"，《本草纲目》沿袭《证类本草》之误，将三个人名误断为二人"张茂先辈，逸民皇甫士安"。由此可见，为古本草书断句、标点，也是有一定难度的。为了读者阅读方便，本书试加新式标点。这是一种尝试，有不当之处，希望读者指正。

九、《雷公炮炙论》

（一）《雷公炮炙论》考

《雷公炮炙论》，是我国最古的中药炮制文献。书中收载了很多有关中药炮制方法和实验记录。原书已佚，但内容为北宋唐慎微作《证类本草》时收入书中。

关于《雷公炮炙论》的作者和成书年代，争论很大，多数人认为是刘宋时的书。盖此书非成于一时一人之手，最初创于雷公，后人多有增删修饰。正如苏颂《图经本草》滑石条云："按《雷敩炮炙方》……然雷敩虽名隋人，观其书，乃有言唐以后药名者，或是后人增损之欤？"

全书收药 300 种。分上中下 3 卷。卷上为玉石类，卷中为草木类，卷下为兽禽虫鱼果菜米类。每类又分上中下三品。

在中医书籍中，对于中药炮制资料的记载，很早就有了。马王堆出土的《五十二病方》中就有很多关于药物炮制的记载。南北朝时陶弘景《本草经集注》对于药物炮制法则有系统的介绍。但是这些书都把制药的资料作为附属的主要问题来处理，而《雷公炮炙论》则是专以制药为内容的书。所以本书是我国制药专著中最早的一部书。

全书对药物炮制方法的记载很详，对操作过程和实验数据亦有较详细的记录。所以本书是我国最早的中药炮制方法和实验记录。它既有历史和文献价值，又有实用价值。

关于《雷公炮炙论》学术讨论有以下几方面。

1. 关于《雷公炮炙论》著作年代的讨论

《雷公炮炙论》著作年代，历来争议很大，至今仍是悬案。笔者在 1961 年曾撰文考证过①，以敦煌出土《五脏论》"雷公妙典，咸述炮炙之宜"为依据，结合宋·晁公武《郡斋读书志》著录，认为该书是初成于南北朝刘宋。

1992 年祝亚平先生在《中华医史杂志》刊登"《雷公炮炙论》著作年代新证"一文，认为该书成于唐末②。

1994 年陈新谦先生撰《中华药史纪年》，将该书列在唐垂拱至宝应年间（686—762）③。注明引用祝亚平之文为依据。

笔者认为最初出现的《雷公炮炙论》原书久佚。《证类本草》所存《雷公炮炙论》资料是唐慎微从后人续编《雷公炮炙论》转录的，该续编本亦亡佚。

《证类本草》所存资料，杂有唐代文献、唐代出现的药和地名及制药工具，故《证类本草》所存"雷公云"资料，难以反映最原始《雷公炮炙论》成书时代特征。若以《证类本草》"雷公云"中所杂唐代资料作为《雷公炮炙论》成书年代的依据，是不可信的。

中国有很多本草书，在最初出现时，都不完备，经过后人多次续补，才逐渐趋

---

① 尚志钧. 雷公炮炙论著作年代. 哈尔滨中医，1961，5：26.

② 祝亚平. 雷公炮炙论著作年代新证. 中华医史杂志，1992，4：218.

③ 陈新谦. 中华药史纪年. 北京：中国医药科技出版社. 1994：68.

于完备，当后续完备本子流行后，其原始的本子便被自然淘汰，以致亡佚。《雷公炮炙论》也不例外。最原始的《雷公炮炙论》亡佚了，仅有文献上记载。如几种敦煌出土《五脏论》对之皆有记载，《郡斋读书志》①《中国医籍考》②《宋以前医籍考》③皆记有"《雷公炮炙论》3 卷，古宋雷敩撰，胡洽重定，述百药性味，炮熬煮炙之方，其论多本于乾宁晏先生。敩称内究守国安正公，当是官名。"

在敦煌出土《五脏论》所记"雷公妙典，咸述刨炙之宜"，文中"刨"为"炮"通假字。祝亚平先生不承认文中"刨"是"炮"的通假字，并说此文为后人附会，非原文所有。

笔者在 1961 年撰写"雷公炮炙论的年代"一文，所据敦煌出土《张仲景五脏论》是英国斯坦因 S. 5614 号本胶卷，证之法国伯希和 P. 2115 号本胶卷，该本中"雷公妙典，咸述炮炙之宜"，是原文所有，并非后人所附会。此文中的"炮"，原文作"刨"，根据原文中诸般通假字例，原文中"刨"确定是"炮"的通假字。现在讨论如下。

今存《张仲景五脏论》有很多版本。1952 年罗福颐《西陲古方技书残卷汇编》收录敦煌出土有英国斯坦因编号 S. 5614、法国伯希和编号 P. 2378、P. 2755。1988 年马继兴等，将上述 3 种及法国伯希和编号 P. 2115 号本收入《敦煌古医籍考释》一书中。1445 年朝鲜·金礼蒙等《医方类聚》卷 4 "五脏门"收录一种④，及清末浙西名医张艺成抄录金·张元素藏本⑤。

在 6 种《张仲景五脏论》本子中，有 4 个本子俱载有"雷公妙典，咸述炮炙之宜"文字，这 4 个本子即《医方类聚》本、张艺成抄本、敦煌出土 P. 2115 号本和 S. 5614 号本。另外两种敦煌出土《张仲景五脏论》因残损，此文已缺落了。

其中 S. 5614 号本所存"雷公妙典，咸述炮炙之宜"一文，最后 3 字缺损，而赵健雄《敦煌医粹》校释时，以《医方类聚》补之。祝亚平认为赵健雄所补，并非原本所有，可能出于后人附会，并就"刨""炮"考证，从而否定原本中"刨"之本义。

但从敦煌出土《张仲景五脏论》P. 2115 号本看，确载有完整句子"雷公妙典，

① 晁公武. 郡斋读书志. 卷 15. 上海：上海古籍出版社，1990：711.

② 丹波元胤. 中国医籍考. 北京：人民卫生出版社，1956：164.

③ 冈西为人. 宋以前医籍考. 北京：人民卫生出版社，1958：1352.

④ 金礼蒙，等. 医方类聚. 第一册. 北京：人民卫生出版社，1981：83.

⑤ 褚谨翔. 张仲景五脏论真伪问题的探讨. 中华医史杂志，1983，13（4）：240－242.

咸述刨炙之宜"。句中"刨"确为"炮"的假借字。该本除"刨"假作"炮"字外，尚有数十个其他通假字。

兹将 P. 2115 号本《张仲景五脏论》含通假音字的句子举例如下。

"黄帝而造针灸经"。"黄"原假作"皇"。

"妙娴药性"。"娴"原假作"闲"。

"陶景注经"。"陶"原假作"桃"。

"咸述炮炙之宜"。"炮"原假作"刨"。

"病人悉得瘳愈"。"瘳"原假作"抽"。

"刘涓子秘述"。"涓"原假作"蠲"。

"灵瑞之草"。"灵"原假作"零"。

"差除妖魅"。"妖"原假作"夭"。

"泰山茯苓"。此句原假作"太山伏令"。

"半夏有消痰之力"。"痰"原假作"淡"。

"相使还须白芷"。"芷"原假作"止"。

"泽泻"。"泻"原假作"写"。

"远志"。"志"原假作"枳"。

"白癫须服越桃"。"服"原假作"附"。

"火烧宜贴水萍"。"贴"原假作"帖"。

"蟹黄嗜去漆疮"。"蟹""嗜"原假作"解""者"。

"石胆唯除眼膜"。"膜"原假作"莫"。

"秦艽有结罗纹之状"。"艽""纹"原假作"胶""文"。

"菟丝酒渗乃良"。"良"原假作"凉"。

"朴硝火烧方好"。"方"原假作"防"。

"狼毒唯重为佳"。"佳"原假作"加"。

"黄芩以腐肠为精"。"腐"原假作"附"。

"牡丹搥去其骨"。"牡"原假作"母"。

"痹转应痛"。"痹"原假作"脾"。

"瘙痒皮肤"。"瘙"原假作"臊"。

"水蛭"。"蛭"原假作"蚑"。

"知母通痢开胸"。"知""痢"原假作"智""利"。

从上述例子看，P. 2115 号本《张仲景五脏论》中的"刨"，确为"炮"的假借字。

敦煌出土《五脏论》P. 2115 号本和 S. 5614 号本，俱载有"雷公妙典，咸述炮炙之宜"文，从而联系《医方类聚》本《五脏论》和张艺成抄本《五脏论》中所存"雷公妙典，咸述炮炙之宜"，是原本所固有，并非后人附会伪托。

2. 关于《证类本草》转载《雷公炮炙论》的讨论

今日《证类本草》所存"雷公云"及其序文，除极少数为《蜀本草》、苏颂《本草图经》、掌禹锡《嘉祐本草》所引外，绝大部分为唐慎微所引。前者在《证类本草》中被置于墨盖子之上，后者在《证类本草》中被置于墨盖子之下。不管哪家所引，其资料皆出于同一个续编本《雷公炮炙论》。兹举例说明如下。

例如《证类本草》卷 3 "滑石"条，《图经》转引的"雷公炮炙方"。此方书实即《雷公炮炙论》。因该方所言滑石文义与唐慎微引"雷公云"中滑石内容同。

苏颂《本草图经》云："按雷敩炮炙方，滑石有五色①。"

唐慎微引"雷公云"："滑石有白滑石、绿滑石、乌滑石、黄滑石②。"

比较两家引文，其义相同。唐慎微引文详，《图经》引文简。两家引文内容即相同，其书当为同一书也。

又如《证类本草》卷 10 "钩吻"条，掌禹锡等自《蜀本草》转引的《雷公炮炙论》与唐慎微所引"雷公云"，也是同一种书。

查《蜀本草》引"雷公炮炙方"云："黄精勿令误用钩吻，钩吻叶似黄精，而头尖处有两毛若钩是也。"③

同书卷 6 "黄精"条，唐慎微引"雷公云"："凡使勿用钩吻，真似黄精，只是叶有毛钩子二个，是别识处。"④

比较两家引文，内容全同，则其所引书当是同一种书。

3. 关于《证类本草》转载"雷公文"及其序文中涉及两个唐代文献的讨论

（1）《乾宁记》的问题。

《证类本草》卷 1 转载"雷公炮炙论·序"云："苁蓉并鳝鱼二味作末，以黄

---

① 唐慎微. 重修政和经史证类备用本草. 北京：人民卫生出版社，1957：88.

② 唐慎微. 重修政和经史证类备用本草. 北京：人民卫生出版社，1957：88.

③ 唐慎微. 重修政和经史证类备用本草. 北京：人民卫生出版社，1957：124.

④ 唐慎微. 重修政和经史证类备用本草. 北京：人民卫生出版社，1957：124.

精汁丸服之，可力倍常十也，出《乾宁记》。"①

《证类本草》卷4"雌黄"条墨盖下，唐慎微转载"雷公云"："按《乾宁记》云：指开折、得千重软如烂金者上。"②

《证类本草》卷11"骨碎补"条墨盖下，唐慎微转载"雷公云"："又《乾宁记》云：骨碎补去毛，细切，后用生蜜伴蒸，从巳至亥，准前暴干，捣末用。炮猪肾空心吃，治耳鸣，亦能止诸杂痛。"③ 类似此例还有鹿茸、白花蛇等条，墨盖下"雷公云"文中皆有《乾宁记》的书名。

《乾宁记》是什么时候书呢？

查《证类本草》卷11"骨碎补"条墨盖下，唐慎微又转载"陈藏器"云："骨碎补本名猴姜，开元皇帝以其主伤折，补骨碎，故作此名耳。"④ 按，"开元"即唐玄宗即位年号，始于713年，则骨碎补药名出现，当在713年前后，而《乾宁记》书中既有骨碎补，则《乾宁记》成书时间当在713年前后或以后。

上述雌黄、骨碎补、鹿茸、白花蛇等条下"雷公云"文中，及"雷公炮炙论·序"文中，俱有《乾宁记》书名，则此等资料当是713年以后被补入续编本《雷公炮炙论》中。

（2）陈藏器序文的问题。《证类本草》墨盖下，有些条转载"陈藏器序"，其内容和"雷公炮炙论·序"文中内容相比，其中相同者很多。兹列表比较如下。

药名	《证类》页次	《雷公炮炙论·序》	《证类》页次	陈藏器序文
竹叶	41	久渴心烦宜投竹沥	317	久渴心烦服竹沥
象胆	41	象胆挥粘，乃知药有情异	371	象胆挥粘
雄鼠	41	长齿生牙，赖雄鼠之骨末。注云："其齿若折，年多不生者，取雄骨作末，齿立生如故。"	441	雄鼠脊骨末，长齿，多年不生者效。

① 唐慎微. 重修政和经史证类备用本草. 北京：人民卫生出版社，1957：40.

② 唐慎微. 重修政和经史证类备用本草. 北京：人民卫生出版社，1957：103.

③ 唐慎微. 重修政和经史证类备用本草. 北京：人民卫生出版社，1957：274.

④ 唐慎微. 重修政和经史证类备用本草. 北京：人民卫生出版社，1957：274.

药名	《证类》页次	《雷公炮炙论·序》	《证类》页次	陈藏器序文
五加皮	41	目辟眼䀮，有五花而自正。注云："五加皮是也。其叶有雌雄，三叶为雄，五叶为雌，须使五叶者，作末酒浸饮之，其目䀮者正。"	301	五加皮花者治眼䀮人，捣末，酒调服自正。
甘瓜子	41	血泛经过，饮调瓜子。注云："甜瓜子内仁捣作末，去油，饮调服之，立绝。"	504	甘瓜子，止月经太过，为末，去油，水调服。
五倍子	41	肠虚泻痢，须假草零。注云："捣五倍子作末，以熟水下之，立止也。"	333	泻痢，熟汤服。
苁蓉鳝鱼	41	强筋健骨，须是苁鳝。注云："苁蓉并鳝鱼二味作末，以黄精汁丸服之，可力倍常十也。出《乾宁记》中。"	179	强筋健髓，苁蓉、鳝鱼为末，黄精酒丸服之，力可十倍。此说出《乾宁记》。
延胡索	41	心痛欲死，速觅延胡。注云："以延胡作散，酒服之，立愈也。"	231	延胡索，止心痛，酒服。
蕤核	41	蕤子熟生足睡，不眠立愈。	125	蕤子生熟，足睡不眠。
神砂（硇砂）	41	铁遇神砂如泥似粉。	125	飞炼有法，亦能变铁。
硇砂	41	除癥去块，全仗硝硇。	125	硇砂主妇人丈夫羸瘦积病，食饮不消癥癖。
硝石	41	脑痛欲亡，鼻投消末。注云："头痛者，以硝石作末，内鼻中立止"。	86	头痛欲死，鼻内吹硝末愈。

上表内竹叶、象胆等药，都见录于陈藏器《本草拾遗》序文中，其内容与《雷公炮炙论》中药物主治功用的文句相同。

《雷公炮炙论·序》与"陈藏器序"文，不仅讲药物主治功用的文句相同，而且两序所引的文献亦相同。

例如《乾宁记》同为两序所引用。

两序内容虽相同，但非同一书。"陈藏器序"即《本草拾遗》的序；"雷公炮炙论·序"当是雷敩《炮炙论》的序。

两序内容既相同，就有相互抄引的可能，究竟谁抄引谁的？这要看序中某些资料出现的时间。

先看"陈藏器序"出现的时间。

陈藏器序即《本草拾遗》的序，陈藏器什么时候作的《本草拾遗》呢？按宋·钱易《南部新书·辛集》记载："开元二十七年（739）明州人陈藏器撰《本草拾遗》①。"则"陈藏器序"是成于739年。

再看《雷公炮炙论》中某些资料出现的时间。

《证类本草》卷4"水银"条墨盖下"雷公云"文中有"夜交藤"，夜交藤即何首乌，《日华子》云："其药本草无名，因何首乌见藤夜交，即采食有功，因以采人为名。"② 据《图经》云，此事出唐元和七年（812）。

《证类本草》卷9"补骨脂"条下"雷公云"："补骨脂，凡使性本大燥毒，用酒浸一宿后，沥出，却用东流水浸三日夜，却蒸，从巳到申出，日干用。"③ 据《图经》云："唐郑相国为南海节度，元和七年有诃陵国舶主李摩诃进补骨脂，郑相国因病常服，其功神验。元和十年二月，郑罢郡归京，录方传之。"④ 由此可见，"雷公"所云补骨脂炮制资料，当是812年以后才有的事，这个资料产生时间比"陈藏器序"产生时间晚。

又如《证类本草》卷11"仙茅"条下转载"雷公云"炮制内容，据《图经》记载，仙茅原为婆罗门僧进献给唐明皇的，当时禁方不传。天宝（742—755）之乱，方书流散，此药才传入民间。"雷公云"收载仙茅详细炮制法，则此法当出742年以后。这个时间也比"陈藏器序"成书时间晚。

类似此例很多，此处从略。

将上述两书相比，后者晚于前者，这就提示《证类本草》转载的《雷公炮炙论》中的某些资料有可能是抄引"陈藏器序"的，此是就两序中相同的资料而

① 宋·钱易. 南部新书辛集，丛书集成初编. 商务印书馆，1921—1929：79.

② 宋·唐慎微. 重修政和经史证类备用本草. 北京：人民卫生出版社，1957：262.

③ 宋·唐慎微. 重修政和经史证类备用本草. 北京：人民卫生出版社，1957：231.

④ 宋·唐慎微. 重修政和经史证类备用本草. 北京：人民卫生出版社，1957：231.

言的。

总之，最初出现的《雷公炮炙论》久佚，其名仅见于敦煌出土《五脏论》及《郡斋读书志》。《证类本草》转载的"雷公云"及其序，是唐慎微从后人续编的《雷公炮炙论》中转引的。后人续编的《雷公炮炙论》杂有唐代出现的文献以及唐代出现的药物、地名和制药工具。若以所杂唐代出现的资料为依据确定《雷公炮炙论》成书年代，是难以令人信服的。

（二）辑复《雷公炮炙论》提要

《雷公炮炙论》是我国最早的中药炮制专著。敦煌出土的《五脏论》云："雷公妙典，咸述炮炙之宜。"说明此书产生是很早的。原书久佚。它的内容散存在历代主要本草著述中。

笔者从《证类本草》《容斋随笔》、敦煌出土《五脏论》等书中辑录药物 300 条，分为上、中、下 3 卷。上卷论玉石三品，中卷论草木三品，下卷论兽禽虫鱼果菜米三品。所辑每味药，均注明出处。每味药的条文以善本《证类本草》为底本，并将《本草纲目》《雷公炮炙药性解》《炮炙大法》《修事指南》等书中所载炮制资料，以注文的形式，附录在各药条文之后，以供从事炮制工作的同志及研究本草史的同志参考应用。

本书是中国最早的炮制专著，同时书中收载了大量炮制方法和实验纪录，这些方法和纪录，长期以来，为传统中药炮制者所遵循。老一辈的药工都奉之为典范，常以"遵古炮炙"名之。所以本书不仅有历史文献价值，也有现实的实用价值。

（三）辑复前言

《雷公炮炙论》，是我国最古的中药炮制文献。书中收载了很多有关中药炮制方法和实验记录。原书已佚，但其内容被北宋唐慎微作《证类本草》时收入书中。

关于《雷公炮炙论》的作者和成书年代，争论很大，多数人认为是刘宋时的书。盖此书非成于一时一人之手，最初创于雷公，后人多有增删修饰。正如苏颂《本草图经》滑石条云："按《雷敩炮炙方》，……然雷敩虽名隋人，观其书，乃有言唐以后药名者，或是后人增损之欤？"

笔者在 60 年代初整理过《雷公炮炙论》一书，当时是以《大观本草》《政和本草》所引《雷公炮炙论》的资料为底本，并以载有《雷公炮炙论》资料的书籍，如明·李时珍《本草纲目》、明·李中梓《雷公炮制药性解》、明·缪希雍《炮炙大法》、清·张叡《修事指南》（即《制药指南》）为旁校本，进行整复。在整复过程中，发现《本草纲目》有关《雷公炮炙论》的资料是从《证类本草》转引而来的。而《修事指南》又是从《本草纲目》转引而来的。它们对《雷公炮炙论》的资料，在文字上多加以化裁，在内容上亦有增减。所增减的内容，大都符合实际制药的要求。为了适应制药的需要，本书在作校注时均收录在注文中，以供读者参考。所以本书校记内容与一般书校记内容不同，它并不单纯校勘各书所引《雷公炮炙论》资料互有出入的文字，亦将各书对《雷公炮炙论》资料所引申化裁的内容加以记载。这样做，可以帮助读者对《雷公炮炙论》一书进一步理解，并能更好地将此书应用到实践中去。

《雷公炮炙论·序》云："……列药……三百件……"今检《证类本草》援引"雷公曰"的药物不足此数。兹从敦煌出土《五脏论》中"雷公妙典，咸述炮炙之宜"所载药物中加以摘选，以补足 300 种。

全书收药 300 种。分上、中、下 3 卷。卷上为玉石类，卷中为草木类，卷下为兽禽虫鱼果菜米类。每类又分上、中、下三品。各类药物，凡见录于《唐本草》的，皆按《唐本草》目次编排。凡是后出于《唐本草》的药物，即附于各类药之后。为着检寻方便，对 300 个药名，编成 300 个号码。第 1 号为丹砂，第 300 号为阴胶。

在中医书籍中，对于中药炮制资料的记载，很早就有了。马王堆出土的《五十二病方》中就有很多关于药物炮制的记载。南北朝时陶弘景《本草经集注》对于药物炮制和制药法则，都有系统的介绍。但这些书都把药物炮制的资料作为附属的问题来处理。《雷公炮炙论》则是以药物炮制为内容的专书，它是我国制药专著中最早的一部。

《雷公炮炙论》对药物炮制的方法记载很详，对操作过程和实验数据，亦有较详细的记录。所以，本书是我国最早的系统介绍中药炮制方法和实验记录的专著，它既有历史和文献价值，又有实用价值。

（四）辑校说明

（1）《雷公炮炙论》原书久佚。笔者在 1966 年前曾予以辑录，后整理成书，1983 年由皖南医学院油印，面向国内学术界交流。

（2）《雷公炮炙论》书名的确定。因原书久佚，故在历代书志和本草书中所记载的本书名称各不相同。但它们的书名总由"炮炙""炮制""雷公""雷敩"一些词所组成。现简介如下。

1）称《炮炙论》者，有《崇文总目辑释》卷3、《通志·艺文略》医方上、《国史经籍志》卷4下。

2）称《雷公炮炙论》者，有宋·唐慎微《大观本草》卷1序例、《政和本草》卷1序例、宋·洪迈《容斋随笔》卷3、明·李时珍《本草纲目·历代诸家本草》、《两淮盐鹾书》引证书目。

3）称《雷公炮炙》者，有《文献通考·经籍考》《郡斋读书后志》卷2、《世善堂书目》卷下、《医藏书目·普醒函目》、《汲古阁毛氏藏书目》。

4）称《雷敩炮炙论》者，有苏颂《本草图经》"山茱萸"条。

5）称《雷敩炮炙方》者，有《宋史·艺文志》医书、苏颂《本草图经》"滑石"条。

6）称《药性炮炙》者，有《东医宝鉴·历代医方》。

7）称《雷公炮制》者，有《古今医统大全·采摭诸书》。

8）称《雷公炮制药性解》者，有明·李中梓。

从以上八个书名来看，记载第二个书名的文献最多。而本书辑录的资料，又以《大观本草》《政和本草》为最多。在辑录本书时，笔者又参考《容斋随笔》和《本草纲目》等书，而这些书中亦称本书为《雷公炮炙论》，所以本书即取《雷公炮炙论》为书名。

（3）本书内容。据《雷公炮炙论·序》云："直录炮熬煮炙，列药制方，分为上、中、下3卷，有三百件名。"本书所收300味药名，主要是从《大观本草》《政和本草》所引"雷公曰"及"雷公炮炙论序"、《容斋随笔·雷公炮炙论》、敦煌出土《五脏论》等资料中辑录的。按《唐本草》药物目次编排，并在每个药条末括弧内注明原书出处的页次。

（4）本书资料来源。本书资料，是从《大观本草》《政和本草》所载《雷公炮炙论序》及"雷公曰"的文字辑录的，并参考敦煌出土《五脏论》、宋·洪迈《容斋随笔》、明·李时珍《本草纲目》、明·李中梓《雷公炮炙药性解》、明·缪希雍《炮炙大法》、清·张睿《修事指南》诸书校注而成。在上述各书中，《大观本草》《政和本草》所引"雷公曰"的文字，多数为药物炮制内容，但《大观本草》《政和本草》所引"雷公炮炙论序"、《容斋随笔》所载"雷公炮炙论"、敦煌出土《五脏论》等书，其文字多数为药物主治功用内容，很少涉及药物炮制内容。此与"雷公炮炙论"是名不符实的。本书在辑录时，只能按底本资料辑录。因此本书中有些药物，仅有主治功用内容，并无炮制内容。

（5）校勘。书中同一味药的文字，见录于诸书时，即以最早本为底本，以后出本为校本。凡校本中有歧异处，或有新增的内容，均出注附于当药条文之后。

（6）繁体字的处理。最早底本的文字，多是繁体字，今改用简体字。有些字，古今含义不完全相同。例如"剉"，在《大观本草》《政和本草》作"剉"，但在校点本《本草纲目》俱作"锉"。凡坚硬固体药，当用金属锉来锉。至于软弱苗叶的药，即不能用金属锉来锉。而古代用刀将软弱苗叶剉碎，亦称之为剉。所以本书对"剉"字仍袭用原书字不改。又如"晾"，在校点本《本草纲目》中全改用"晒"。按，"晾"亦即"晒"字含义，但也是炮制法中的一种。缪希雍《炮炙大法》在书首所列十七法，其中第十五法即是"晾"。所以本书辑校时，对某药物条文中的"晾"字未改，以保留其炮制方法的含义。类似此例很多，详见书。

（7）标点。最早的底本文字，多无断句，本书辑校时，多加标点。由于古本草文义难懂，笔者学术水平所限，领会不深，标点可能有误，敬请读者指正。

（8）辑校所用图书版本介绍。

1）《经史证类大观本草》。宋·唐慎微。清光绪三十年（1904 年）武昌柯逢时影宋并重刊。（简称《大观》）

2）《重修政和经史证类备用本草》。宋·唐慎微。1957 年人民卫生出版社版，影印金刻孤本（在目前已知本中是最好的版本）。（简称《政和》）

3）《本草纲目》。明·李时珍。1957 年人民卫生出版社版，影印清光绪十一年（1885 年）合肥张绍堂味古斋重校刊本。（简称《纲目》）

4）《雷公炮炙药性解》。明·李中梓编辑，清·王晋三重订，1956 年上海卫生出版社铅印。（简称《药性解》）

5）《炮炙大法》。明·缪希雍撰，人民卫生出版社影印。

6）清·张叡编著《制药指南》，1927 年上海中华新教育社石印。（此书又名《修事指南》，简称《指南》）

7）《五脏论》。敦煌出土残卷本。

8）《医方类聚·卷4·五脏门·五脏论》。朝鲜金礼蒙等纂。1979 年人民卫生出版社铅印本，第1分册，第83 页。

9）《神农本草经》。1955 年商务印书馆版。（简称《本经》）

10）《名医别录》。尚志钧辑。1986 年人民卫生出版社版。（简称《别录》）

11）《唐·新修本草》。1981 年安徽科学技术出版社版。（简称《唐本》）

第十二章　唐代本草要籍考

一、《药性论》

（一）《药性论》考

《本草纲目·历代诸家本草》载有《药性论》，题甄权著，并言甄权仕隋，至唐太宗时，年已 120 岁。宋·掌禹锡《嘉祐本草·补注所引书传》云："《药性论》不著撰人名氏。"今人范行准《两汉三国南北朝隋唐医方简录》云："《药性论》五代后周孟贯著。"由于《本草纲目》是权威性巨著，流传广，引用的人多，所以长期以来，一般人都认为《药性论》是隋末唐初甄权所著。但日本丹波元胤《中国医籍考》对李时珍所云，抱怀疑态度。丹波元胤说："按《隋志》所载《甄氏本草》，与立言《本草药性》疑是同书，若《药性论》亦岂一书欤！唯卷不同。至李时珍说，亦难信据。"这种论述是有其充分根据的。因为《药性论》中载有唐代中期发现的药物。如骨碎补原名猴姜。唐开元时因它能补骨碎，才命名为骨碎补。开元年号始于 713 年，则骨碎补当在 713 年才有。而《药性论》书中有此药，说明《药性论》不可能是唐初甄氏所著。又如补骨脂，《药性论》亦载此药。《医方类聚》卷 95 页 339 载唐代岭南节度使郑佃序云："舶上破故纸，番人呼为补骨脂……舟人李薄诃来，授予此方，服之七日，力强气壮……故录以传。元和十二年二月十日。"元和十二年即 817 年。则补骨脂当在 817 年时期才输入中国。而《药性论》已经收录，说明《药性论》成书当在 817 年以后。据此可知，《药性论》不似唐初甄权所著。所以范行准依据五代时陶毂《清异录》和日本《和名类聚钞》所引提出的《药性论》是五代时后周（951—960）孟贯所著的观点是可信的。

关于《药性论》的内容，掌禹锡《嘉祐本草·补注所引书传》云："集众药品类，分其性味、君、臣、主病之效，凡四卷。"《药性论》原书已佚，它的内容散存于《证类本草》及《本草纲目》中。掌禹锡作《嘉祐本草》时，在药物畏恶有相制使条例中，引用47条；在各卷药物中，以《药性论》资料作注释文的有370条。另有玄明粉、马牙消两条被《嘉祐本草》收作正品药。总计《嘉祐本草》引用《药性论》资料共419条。除去其重复的，有403条。

笔者在1966年前以《大观本草》《政和本草》为底本，以《本草纲目》为核校本，辑录《药性论》资料403条。按玉石、草、木、兽、禽、虫鱼、果、菜、米等分成类。析为4卷。

《大观本草》《政和本草》《本草纲目》所引的《药性论》资料，大致相同。如《证类本草》所引《药性论》文，都冠有"掌禹锡谨按药性论"黑底白字的标记。一般都作为注释引用。所引用文字长短不一。如第373页"马乳"条引文仅有"无毒"2字。而《本草纲目》引用《药性论》文，注"药性"，或注"甄权"，或注"权曰"。大多是摘录部分文字，或摘录后再行化裁。例如《证类本草》页423"蝟皮"条："烧末，吹，主鼻衄。"《纲目》则改为："猬皮，烧灰，吹鼻，止衄血。"按"蝟"，古代列在虫类，所以"蝟"字从"虫"旁。《证类本草》仍把"蝟皮"排在虫鱼类。到明代李时珍，从实际出发，把"蝟皮"移到兽类，所以"蝟"字改写为"猬"，从"犭（犬）"字旁。但《纲目》引《药性论》文字，误注出处亦是有的。例如《证类本草》页322"芜荑"条引《药性论》云："主积冷气，心腹癥痛，除肌肤节中风淫淫如虫行。"《纲目》页1418"芜荑"条主治项下引此文，则误注出处为"蜀本"。

《药性论》所讨论的内容，有药物正名、性味、君、臣、佐、使、禁忌、主治功效、炮制、配制及附方等。尤以君、臣、佐、使、禁忌等资料收罗较多。全书标明为君药有76味，如黄精、干地黄、菟丝子、车前子、五味子等；标明臣药有72味，如黄连、牛膝、丹参、防风等；注明为使药有108味，如白敛、白及、乌头等。

此外，对有些药还注明为单用，或注明某某为使，或注明得某某良。注明单用的药有50味，如紫草、大蓟、牛蒡等；注明某某为使的药有18味，如人参、马蔺为之使，半夏、海藻、饴糖、柴胡为之使，阿胶、署预为之使；注明得某某良，如巴豆得火良，豆豉得醯良。

又有些药注明畏恶或禁忌。在畏恶方面，如蜀椒畏雄黄，牛黄畏干漆，矾石畏麻黄等，类似这样的例子有 20 味；黄连恶白僵蚕，柏子仁恶菊花，白敛恶乌头等，类似此例有 27 味。在禁忌方面，如麝香禁食大蒜，乌头、天雄忌豉汁，桂心忌生葱，茯苓忌米醋等。注有禁忌的药物共 20 味。其中忌羊血的药最多。如硇砂、阳起石、礜石、钟乳石、孔公蘗、云母、半夏等均忌羊血。由于北方食羊机会多，可以推测此书作者可能是北方人。

有些药注明相反、相杀。例如大戟反芫花、海藻，桂心杀草木毒，豆豉杀六畜毒，巴豆杀斑猫、蛇虺毒。

有些药注明归经。如龙胆归心，蓼实归鼻，蓝实治经络中结气，蒲黄、续断通经脉，牛蒡通十二经脉。

本书对药物毒性较早期本草有进一步的认识。例如朴消，《本经》《别录》并作无毒，本书作有小毒；芒消（芒硝），《别录》作味辛、苦，无毒，本书作味咸，有小毒；石胆，《本经》云有毒，本书说有大毒；丹砂，《本经》云无毒，《日华子》云微毒，本书作有大毒。

本书在主治功用上论述较详。大多数药都讲到主治。多数药物所言主治功效，与其他本草所述大致相同。例如瓜蒂，《药性论》云："和小豆、丁香吹鼻治黄。"《食疗本草》亦有此内容，而且讲得很详细；《食疗》云："瓜蒂主阴黄、黄胆及暴急黄，取瓜蒂、丁香各七枚，小豆七粒，为末，吹黑豆许于鼻中，少时黄水出，差。"

有些药物功效，是《药性论》最先记载的。如藕节止血，《药性论》云："藕节捣汁，主吐血不止，口鼻并皆出血。"又如羌活的功用，《药性论》述之最详，陶弘景等云："羌活形细而多节……独活色微白形虚大。"《唐本草》注云："疗风宜用独活，兼水宜用羌活。"而《药性论》则进一步云："羌活治贼风失音不语，多痒，血癫，手足不遂，口面㖞邪，遍身痛痹。"

对易发汗的药，《药性论》提请医家用时宜慎重。例如薄荷条下云："新病差（病愈）人勿食，令人虚汗不止。"

本书对药物炮制亦有记载。例如：连翘去心。鹿茸炙末。桑螵蛸火炮令热。硇砂道门中有伏炼法。海姜、莨菪焦炒。麻黄根节并故竹杵末。东壁土、蚬壳研细末。常山研末。麻子、大豆熬香为末。莨菪子用石灰清煮一伏时。

本书对药物配制的记载也颇多。配制粉散剂，例如麻黄，"牡蛎粉、粟粉并麻黄根末等分，生绢袋盛。盗汗出即扑。"又如鹿茸，"鹿茸入散用。"真珠，"七宝散用磨翳障。"

配制丸剂，如麝香入十香丸。白蜡和松脂、杏人、枣肉、茯苓为丸。蟾蜍，取眉脂以朱砂、麝香为丸。紫苏子和高良姜、橘皮等分蜜丸。胡麻，白蜜一升、子一升，合之名静神丸。

配制软膏，如皂荚酒浸，熬成膏，涂帛，贴一切肿毒。

配制煎剂，如败蒲席，取以蒲黄、赤芍药、当归、大黄、朴消煎服。陆英煎取汤，入少酒，可浴之。

本书很多药都有附方，如石灰、莨菪子、大麻子、蓼实、苏子等。所附的方子多数为《本草纲目》所采用。例如《纲目》卷14"苏子"条附方云："一切冷气，紫苏子、高良姜、橘皮等分，蜜丸梧子大，每服十丸，空心酒下。"标注出处为"药性论"。《纲目》卷16"蓼实"条附方云："小儿头疮，蓼子为末，蜜和鸡子白同涂之，虫出不作痕。"注出处为"药性论"。类似此例很多。

总之，本书是我国本草药性最早的专著，它对药物性味主治功用论述很详。对后世本草都有影响。

宋·寇宗奭对本书有很高的评价。在他所著《本草衍义》药物条文中，也有称赞《药性论》的话，例如寇氏在葶苈条中说"药性论所说尽矣"。在当归条云："药性论云补女子诸不足，此说尽当归之用也。"所以研究整复本书，不仅可以为本草史及药性发展史研究提供参考资料，同时也可以为临床应用提供参考。

（二）辑复《药性论》提要

《药性论》，题唐·甄权著，原书佚，兹从诸书辑得佚文403条，分为4卷，按《唐本草》药物目次编排。

各药列述正名，性味，君、臣、佐、使，禁忌，功效主治，炮制制剂及附方。

由于本书以讨论药物性能为主，故对君、臣、佐、使及禁忌等论述最详。计有君药76味，臣药72味，使药108味。有些药还注明单用或配伍宜忌。对服药时饮食宜忌也有记载，其中以忌羊血最多，疑原书作者似是北方人。少数药记有归经。

本书对药物良毒也有新的认识，例如本书指出丹砂有毒："本经以丹砂为无毒，故多炼冶服食，鲜有不为药患者。"

本书多数药含有附方，该等附方曾被《本草纲目》所转录。

本书对于科研、教学、生产、临床等，都有实用价值，特别对临床应用，很有参考价值。此外，本书对研究中国医学史、本草史、药性发展史，也有一定的参考价值。

（三）辑复本序言

《药性论》以讨论药物性能为主，故名。

《嘉祐本草·补注所引书传》载："《药性论》，不著撰人名氏。集众药品类，分其性味君臣主病之效。凡四卷。一本题曰陶隐居撰，然所记药性功状，与本草有相戾者，疑非隐居所撰。"然李时珍《本草纲目》曰："《药性论》，即《药性本草》，乃唐甄权所著也。权扶沟（今属河南）人。仕隋为秘书省正字。唐太宗时，年百二十岁。帝幸其第，访以药性，因上此书。授朝散大夫，其书论主治亦详。"李时珍此说流传甚广，引用的人多，现一般采此说。

对李时珍此说表示怀疑的是日本丹波元胤。他说："按《隋志》所载《甄氏本草》，与立言《本草药性》，疑是同书。若《药性论》，亦岂一书欤。至李时珍说，恐难信据。"（《中国医籍考》卷 12）范行准则考证为五代后周·孟贯著，主要依据五代·陶穀《清异录》和日本源顺《和名类聚钞》所引而定。

笔者在辑校《药性论》序中也怀疑此书是否系甄权所撰，理由是书中有唐代中期出现的药物。如骨碎补至开元（713—741）皇帝始予命名；元和十二年（817）始有"补骨脂"传入的记载等。在此问题没有得到进一步的考证之前，本书仍从旧说，暂将作者题为唐·甄权（541—643），将成书年代附于 627 年（即唐太宗贞观初年）。

《药性论》4 卷，原书已佚。北宋·掌禹锡撰《嘉祐本草》时，共引该书资料419 条。其中，药物畏恶有相制相使条例引录 47 条；各卷药物以该书资料作注文的有 370 条。另"玄明粉""马牙消"两条被掌禹锡收作正条。除去少数重复内容，实有 403 条资料。这部分资料现存于《证类本草》中。

该书列述药物正名，性味，君臣佐使，禁忌，功效主治，炮制制剂及附方等。对君臣佐使及禁忌较为关注。计标明君药 76 味，臣药 72 味，使药 108 味。还有些药物注明单用或配伍宜忌等。服药时的饮食宜忌也有不少的记载，如云麝香禁食大蒜，乌头、天雄忌豉汁，桂心忌生葱，茯苓忌米醋等。在 20 余味有饮食禁忌的药物中，以忌羊血者最多（如硇砂、阳起石、钟乳石、半夏等 7 种）。故笔者推测此书真正的作者有可能是北方人。少数药物下有归经络或脏腑等的记载，如龙胆归心、蓼实归鼻、蓝实治络中结气、牛蒡达十二经脉等。

对于药物良毒，该书有一些新的认识。如丹砂，《本经》云无毒，《日华子》云微毒，本书作有大毒，且云："《本经》以丹砂为无毒，故多炼冶服食，鲜有不为药患者。"在当时，这种认识是有其先进性的。此外，该书在叙述药物功效主治时，有一些新的补充。如指出"藕节捣汁，主吐血不止，口鼻并皆出血"；补充了羌活的功效，谓此药可"治贼风失音不语，多痒，血癞，手足不遂，口面㖞邪，遍身瘰痹"等。

本书各药下多数附有方剂，如石灰、莨菪、大麻子、蓼实、苏子等。这些附方多为《本草纲目》转录。在若干药物下，记有炮制（如连翘去心等）、制剂（如蟾蜍取眉脂以朱砂、麝香为丸等）方法。该书专于论药性功治，简明详备，作为我国本草史早期的药性专论，对后世有较大的影响。

本书原书久佚，1982 年笔者辑校《药性论》（4 卷，403 味药），次年由皖南医学院科研科油印行世。2006 年与《药性趋向分类论》合刊本由安徽科学技术出版社出版。

（四）辑复说明

（1）本书作者有二说，一是唐初甄权，二是后周孟贯。本辑本从李时珍说，定本书著者为唐初甄权。

（2）本书的佚文主要散存于《证类本草》中。未见前人有辑本。今从《大观本草》《政和本草》辑得佚文 418 条。其中 15 条药名相同，但引文不同。即按药名相同进行归并，共得药物 403 条。

（3）本书按《唐本草》药物分类。分为玉石、草、木、兽禽、虫鱼、果、菜、米谷八类，厘为 4 卷。

（4）每药条末，注明文献出处，以供读者查阅。

（5）《大观本草》《政和本草》所载《药性论》的资料基本相同，仅个别字不同。辑录时，对不同的字，取义长者为底本，并出注说明之。

（6）《本草纲目》所引《药性论》资料，多经化裁、修饰，或删节。本书用 1957 年人卫影印《本草纲目》校之，凡与《证类本草》引文不同处，均出注说明之。

（7）《证类本草》所引《药物性论》多无断句标点，而且是繁体竖排。本书辑录时，改用简体横排，并加断句和标点。

二、《新修本草》

(一)《新修本草》考

《新修本草》又称《唐本草》,简称《新修》,有世界最早药典之称,它比纽伦堡政府颁布的号称世界第一部药典还要早 883 年。

该书是在唐朝显庆二年(657)由政府组织苏敬等编纂的,到显庆四年成书。编修者共 23 人,由当时握重权的长孙无忌领衔。长孙无忌被排挤后,由英国公李勣领衔。宋代,因避讳(宋太祖赵匡胤的祖父名敬)改苏敬为苏恭。《唐书》无苏氏传。据《唐会要》记载,苏敬为《新修本草》编修实际负责人。苏氏另著有《医方》《脚气论》各 1 卷。李时珍认为苏敬之前,已有《新修本草》编修,其说可存疑。

《新修本草》全书分成三部分:本草、药图、图经。本草是正文,药图是药物的图版,图经是对药图的解释,药图与图经早已完全失传。本草还有部分残存,共有两种。公元 131 年,日人田边史抄录《唐本草》,原是 20 卷,卷轴形式,因历代战争失去一半,仅存 10 卷。此本傅云龙氏曾予影印,收入《籑喜庐丛书》中。

敦煌卷子本 1899 年出土,分别为英、法所得。英得者为残片,一律墨书;法得者存药 30 种,是朱墨分书。卷背面有乾封二年(667)文字,距成书后仅 8 年。罗福颐《西陲古方技书残卷汇编》曾收入。全书共 54 卷,含目录 1 卷、本草 20 卷、药图 26 卷(包括药图目 1 卷)、图经 7 卷。后人有以药图 25 卷,认为全书仅 53 卷者,实非。可见《新修本草》是部内容非常丰富的本草文献,惜大部分失传。该书文献与实物并重,在全国范围内做了一番征集与调查,据孔志约序:"普颁天下,营求药物,羽毛鳞介,无远不臻,根茎花叶,有名咸萃。"文献方面,该书以《本草经集注》作为蓝本,参以《名医别录》《李当之本草》《桐君药录》《李氏本草》《博物志》《小品方》《药对》《千金方》(此系孙思邈以前的同名异书,亦即《隋志》所载范世英撰《千金方》3 卷)。

该书本草部分,由序例(性质同总论)与药物(性质同各论)两部分组成,序例包括卷 1 序和卷 2 例,卷 1 有注释《本草经》序文及合药分剂料理法。卷 2 有诸病通用药、药性标示、解诸药毒、服药食忌例、药不宜入汤酒者、七情合和畏恶条例等。这些内容,基本上是沿袭陶氏《本草经集注》之旧,但也有所发展。卷 3~20 论述各药物的具体内容。

该书药物分类沿《本草经集注》而更详细，均按药物的自然来源划分。共分 9 类，有玉石、草、木、兽禽、虫鱼、果、菜、米谷、有名无用。其中，序例 2 卷，玉石 3 卷，草 6 卷，木 3 卷，兽禽、虫鱼、果、菜、米谷、有名无用各 1 卷，即本草部分之 20 卷。有名无用，即是一些冷僻药物的归类。

关于该书药数，一般认为《本草经集注》（简称《集注》）是 730 种，加以唐代新增 114 种，《新修本草》载药数应为 844 种，但掌禹锡《嘉祐本草》、丹波康赖《医心方》及《开宝本草》重定序等，均认为是 850 种。为什么会多出来 6 种呢？这是《新修》把《集注》的某些药进行了分条的缘故。例如，《新修》序文中批评陶氏"合由跋于鸢尾"，可知二药在《集注》中是一药，《新修》则分之为二药。其实，850 种也不是千古同论，《千金翼》即认为是 853 种。

该书药物条文书写体例也和《集注》一样，用朱书《本经》，墨书《别录》，唐代新增的药，在该药序文之末标以"新附" 2 字。注文一律用小字书写。出于《集注》者，不加记号；《新修》新补充者，在文之首冠以"谨案" 2 字。这种朱墨、大小、加注的综合编写体例，对于古代文献的保存与鉴别，确有很大意义，可见苏敬等治学严谨。唐以后历代本草的编修，都仿照这一方法，仅仅是标记的方式不同而已。今日之所以能了解《本经》和《别录》的资料，全靠前人在书中所做的标记。

该书目录的确立。因为《新修》实存仅有一半，所以对目录的研究是补辑的关键。目录的确立，主要参考《医心方》《本草和名》《千金翼方》。《千金翼方》本所载目录缺彼子，多北行华、领灰；有些药的位置被移（如天鼠屎、蜗牛、莂藋、田中螺、胡桐泪、紫钾、骐骥竭等），移动的结果多与宋代本草目次暗合。所以，《千金翼方》本似不及前两者可靠。但《医心方》所载《唐本草》的目录未注明来源，须据其他资料补充，这是个相当繁重的任务，已在笔者补辑《新修本草》中有结论。附带说一句，《新修》虽取自然分类法，但各类内的每一药物（连新增的在内），均仍按三品分类法加以区别类从。

该书流传。《新修》是官修本草，集中了全国人力、物力，内容丰富、治学严谨，反映了当时药物学的高度发展，极受中外学者重视，流传很广。自公元 659 年成书后，流行了 300 多年。直到宋朝《开宝本草》问世后，才慢慢地被代替，原书就逐渐消失了。现存有署名"天平三年岁次辛未七月十七日书生田边史"抄本，提示该书最迟在 731 年已传入日本。《旧唐书·职官志》及日本古代史书《延喜式》均记载《新修本草》曾被规定为医学生的必修书。

该书价值。《新修本草》是一部价值重大的本草，可以从以下几方面来看：第一，它是世界最早的药典（比纽伦堡药典要早近 900 年）；第二，流传多年，影响中外；第三，体现了中外医学交流，由于唐朝国力强盛，多方进贡，许多外国药变为中药，如龙脑、胡椒、安息香、阿魏等，共计 20 多种；第四，今日常用之中药，多见于《新修》，较之前本草，《新修》不但增加了 114 种新药，而且增添了许多老药的新用途，如蚺蛇治"伯牛疾"（麻风）、天名精治痒疹、蚤休治蛇咬伤等；第五，具有科技史的内容，如琥珀拾芥为电引力、磁石吸铁为磁力，以及与汞齐、焊接、镀铜、染色、制革等有关的认识。

辑复。清末长沙李梦莹曾做过补辑《新修本草》的工作，但书中药物条未作《本经》《别录》、唐附等标记。稿存于中国中医研究院（现中国中医科学院）图书馆中。范行准亦作过《新修本草》的整复工作。日本小岛宝素、中尾万三、冈西为人等也都曾致力于此。冈西为人《重辑新修本草》有台湾老原色印刷有限公司本，《本草经》文是朱书。笔者在 1949 年前即从事本书的整复工作，辑佚本 1962年由安徽芜湖医专油印过，1981 年由安徽科学技术出版社出版，后收入华夏出版社 1988 年《失传本草名著辑复大成》中。2005 年重新修订并附各种残本影印后由安徽科学技术出版社出版，2007 年被评为安徽省优秀图书一等奖。

（二）辑复《新修本草》提要

《新修本草》是唐代政府编修的第一部国家药典，颁行于公元 659 年，比国外《纽伦堡药典》早近 9 个世纪。因此本书有世界最早药典之称。它是我国珍贵的古代本草文献。由于成书不久即传入日本，对日本医学界也产生了深远的影响。

本书全书 54 卷，其中目录 1 卷，本草 20 卷，药图 26 卷（包括图目 1 卷），图经 7 卷。药图、图经全亡佚，本草仅存半数。本书辑校的是本草部分。

全书载药 850 种，其中唐代新增药 114 种，按自然属性分为玉石、草、木、兽禽、虫鱼、果、菜、米谷、有名无用 9 类；除有名无用类外，其余各类又分为上、中、下三品，详述每一种药物的性味、功效、主治、一名、产地、采集时月。所收药物，多数是临床医家常用的药。如蒲公英治乳痈，蚤休治蛇毒，至今仍为民间所沿用。在当时中外经济文化交流的影响下，有不少外来药，如胡椒、阿魏、骐驎竭（血竭）、郁金、诃子、茴香、安息香、龙脑香等，本书及时予以收载，为我国本草学进一步发展奠定了基础。

本书内容丰富，至今仍具有较高学术水平和科学及实用价值。

本书 1981 年曾由安徽科学技术出版社出版，此次修订汲取了国内外很多专家的批评意见，并附录各种《新修本草》残本影印件及有关研究资料。书后附药名索引。

（三）辑复本序

《新修本草》，一名《唐本草》，简称《新修》，是唐代政府制定的本草，有中国最早的药典之称。但 20 世纪 30 年代由政府所编的《中华药典》序文中却说"缅维首制，实始纽伦"。其实《纽伦堡药典》是在 1542 年颁布的，《新修本草》比它要早 883 年。因此，《新修本草》实为世界最早药典。

《新修本草》的编纂，是在 657—659 年一次完成的。但是明·李时珍《本草纲目》卷 1 关于《唐本草》的记载说："唐高宗命司空英国公李勣等修陶隐居所注《神农本草经》，增为七卷。世谓之《英公唐本草》，颇有增益。显庆中，右监门府长史苏恭重加订注，表请修定。帝复命太尉赵国公长孙无忌等二十二人与恭详定……世谓之《唐新本草》。"按照这种说法，《唐本草》好像曾编修了两次：第一次是李勣等所修名为《英公唐本草》，第二次是长孙无忌等所修名为《唐新本草》。但按《新唐书·艺文志》注云"显庆四年，英国公李勣、太尉长孙无忌……右监门府长史苏敬等撰"，并列官衔姓名 22 人。由此说明《唐本草》是李勣、长孙无忌和苏敬等 22 人同时参加，一次修成，并非像李时珍所说两次修成；所谓《英公唐本草》实际即是《唐本草》。

《新修本草》由本草、药图、图经三部组成。本草是文字部分，药图是药物图谱，图经是药图说明文。本草是 20 卷，另有目录 1 卷；药图是 26 卷，含目录 1 卷；图经是 7 卷，合共 54 卷。

《新修本草》对本草部分的编修，是在陶弘景《本草经集注》一书基础上发展而成的。在卷数上，由陶氏书 7 卷扩充为 21 卷，在药物数量上由陶氏书 730 种增加到 850 种，其中有不少的药，如龙脑、安息香、茴香、诃子、阿魏、郁金、胡椒等，都是在当时中外经济文化交流影响下输入中国，经试用有效，才首次正式收入本草的。在药物分类上，陶氏书原分为 7 类，《新修本草》改分为玉石、草、木、兽禽、虫鱼、果、菜、米、有名无用等 9 类。在内容安排上，《新修本草》把陶氏《集注》卷 1 序录析为序例上 1 卷、序例下 1 卷，把其余 6 卷析为 18 卷。这 18 卷中，药物正文用大字书写，注文用小字书写。正文凡属《本经》文用朱字，《别录》文和唐代修订时新增药用黑字。《别录》文不加任何标记；修订时新增药物的正文末尾则标注"新附"字样。凡属陶弘景注文不加任何记号；凡属修订时新增的注文，在注文的开头，一律冠以"谨案"2 字。这些标记，对本草文献来源起着重要保存作用。

苏敬等编纂《新修本草》药图时，很重视对药物实际形态的考察，当时曾下令征询全国各地药物形象，并绘成彩色图。所谓"普颁天下，营求药物，羽毛鳞介，无远不臻，根茎花实，有名咸萃……丹青绮焕，备庶物之形容"，就反映了编绘药图的经过。从卷数上看，药图及对其进行说明的图经的篇幅，远远超过本草部分。《新修本草》在当时是中国本草史上空前的巨著。

《新修本草》是由政府主持集体编修的，取材丰富，结构严谨，一经问世，很快就传播出去。1899 年在敦煌石窟中发现的《新修本草》手抄卷子本背面有乾封二年（667）字样。该年代距离该书颁发的时间仅 8 年，这说明该书颁行后，很快就传播到我国交通不便的西北地区了。不仅中国边远的地区有此书的踪迹，与中国隔海相望的日本亦有此书踪迹。从日本所发现的《新修本草》卷子本第 15 卷末所记"天平三年岁次辛未七月十七日书生田边史"来看，天平三年即公元 731 年，此书渡海传入日本的时间最迟不超过颁发后 70 年。

《新修本草》药图部分的散失比本草部分要早，约在宋代嘉祐时已无药图版本了，但其内容分散地通过《蜀本草》、苏颂《本草图经》而被保存在宋·唐慎微《证类本草》中。其本草部分约在 11 世纪后期亡佚，唐慎微作《证类本草》时，已没有见过它；但其流传到日本的版本，到北宋时还在。所以《日本国见在书目录》记有《唐本草》的书名。但日本也有战乱，《日本国见在书目录》所录之书，后亦大多失传。

清光绪十五年（1889）傅云龙在日本得到《新修本草》卷子本残卷，模刻并收入他编集的《籑喜庐丛书》中，并将日本小岛宝素从《政和本草》中辑出的本书第 3 卷一并刻入。1955 年上海群联出版社曾根据《籑喜庐丛书·新修本草》本将这些残卷影印。

日本流传的《新修本草》卷子本，加上敦煌出土的《新修本草》卷子本，所得仅为《新修本草》本草部分的半数。国内外很多学者都曾有志于整复它所缺的半数，笔者亦曾努力辑复过。

笔者所辑初稿，始于 1947 年，终于 1958 年。同年 10 月赴北京中医学院中药研究班进修，稿子带到北京，并请政治老师看，有无不妥之处。政治老师阅后说无问题，到 1959 年春，接到芜湖医专校长方有成来信说，已同安徽人民出版社联系出版，嘱将书稿寄去。遂将书稿寄往合肥。与此同时，该社也收到安徽中医进修学校编《神农本草经通俗讲义》稿，经研究，该社决定用中医进修学校编本，将拙稿退回北京。我接到退稿，即到北线阁中医研究院医史室，请陈邦贤教授审阅。

不久陈老寄来书稿并附给严棱舟信，向人民卫生出版社推荐出版。我把书稿和推荐信送到天坛西里人民卫生出版社，当时严编辑为了多征求几家意见，又将书稿送请中国军事医学科学院研究员范行准审阅。到1960年，严编辑将书稿退回，并通知我，嘱按范老所提意见修。范老讲要按唐写卷子本修。我即遵照范老意见修订。

回修稿再寄人民卫生出版社，因1961年我国经济困难，许多工程下马，此稿亦随之下马，书稿又被退回芜湖医专。我把退回书稿信给医专领导看，医专领导认为不是质量问题，而是暂时经济困难，于是医专在1962年给予油印出版，并请范行准写序冠于书首。

序云："我们知道从事重辑《新修本草》，中外不止一家，而俱未能问世。今尚先生竟能着其先鞭，使1300年前世界上第一部国家药典的原貌，灿然复见于世，是值得我们庆幸的一件事。"

"文革"结束后，我曾多次写信给人民卫生出版社，提起此稿出版问题，但未见回信。人民卫生出版社不回信，我只好将此稿改投安徽科学技术出版社，该社很慎重，也去信问人卫社，人卫社仍无回信。于是该社决定出版。

当时我受"左"的思潮影响，不为死人树碑立传，于是将原稿卷1～20各卷首所题"司空上柱国英国公臣李勣等奉敕修"等官衔删掉，各卷分目也删掉，卷1、卷2中加上若干小标题；在原书名《新修本草》之前冠以"唐"字。在各卷本经文中，将其生境（生山谷、生平泽）由原稿所注别录文，改成本经文标记（按《唐本草》中本经文原无产地和生境）。诸如此类的增删，皆非原书体例。

书出版后，受到范行准、郑金生、齐云等诸家批评。这就使我意识到1960年范老嘱按唐写卷子本修订是对的。1962年芜湖医专油印稿就是这样做的。现在对1981年我受"左"的思潮影响所删节的内容，除繁体改简体，竖排改横排不动外，余下基本上依1962年油印稿改正。对第一版中存在的失误，也做了订正。如422"梓白皮"条："……梓亦有三种，当用作桦索不腐者，方药不复用……"其中"拌索"，《证类》作"拌索"，《纲目》作"朴素"，皆误。《新修》底本是正确的。本书第一版误从《证类》，此次第二版已作订正。

由于本人学术水平所限，错误和缺点难免，敬希读者批评指正。

（四）辑复凡例

《新修本草》简称《唐本草》，原书 54 卷，本草文字 20 卷，另有目录 1 卷，药图 26 卷（包括图目 1 卷），图经 7 卷。现辑校的是其中本草文字 20 卷。兹将该书辑校说明如下。

1. 版本选目

（1）底本：吐鲁番出土《本草经集注》残卷，1899 年敦煌出土《本草经集注·序录》，敦煌出土《新修本草》残卷，武田本《新修本草》，傅氏影刻《新修本草》，上海古籍出版社影印《新修本草》，孙思邈《千金翼方》，人民卫生出版社影印《重修政和经史证类备用本草》。

（2）主校本：柯逢时影刻《大观本草》，日本望草玄翻刻《大观本草》，商务印书馆影印《政和本草》，明成化年间翻刻《政和本草》，明万历年间翻刻《政和本草》，明万历年间刻《经史证类大全本草》等。

（3）校本：日本丹波康赖《医心方》，日本深江辅仁《本草和名》，宋·寇宗奭《图经衍义》（1924 年上海涵芬楼影印正统道藏本），明·刘文泰《本草品汇精要》（1936 年商务版），明·李时珍《本草纲目》（1957 年人卫版影印本），明·缪希雍《本草经疏》（1891 年周学海刊本），清·邹澍《本经疏证》（1959 年上海科技版），清·邹澍《本经续疏》（1959 年上海科技版），清·孙星衍等辑《神农本草经》（1799 年间经堂刻本、1891 年周学海刊本及 1955 年商务本），清·黄奭辑《神农本草经》（1893 年汉学堂业书本），清·顾观光辑《神农本草经》（1955 年人卫版影印本），日本森立之辑《神农本草经》（1957 年上海卫生出版社影印本），日本狩谷望之志辑《神农本草经》（涩江籀斋订，抄本），清·吴其濬《植物名实图考长编》（1959 年商务版）。

（4）其他参校书：唐·欧阳询《艺文类聚》（1959 年中华书局影印本），唐·徐坚《初学记》（孔氏古香斋刻本），唐·虞世南《北堂书钞》（1888 年孔广陶校注本），宋·李昉等《太平御览》（上海涵芬楼影印本），清康熙年间敕修《古今图书集成·博物汇编》内的《草木典》《禽虫典》《食货典》。

2. 辑复《新修本草》（以下简称《新修》）资料处理

本书的辑复工作以辑录、校勘、标点为主。《新修》文字 20 卷中，有半数亡佚，它的内容散存在各种古本草书、类书，及古典文、史、哲书的注文中。而这些书又因历代传抄和翻刻，对《新修》资料的记载，存在很大差异，有些书所引《新修》资料均非原文抄录，或取其意，或加化裁（如《本草纲目》）。有些书所录《新修》资料，多是间接转引或属第二、三手资料，在文字取舍方面互有参差出入。这次辑录时为着《新修》资料的正确性，必须详加校勘。因此整复《新修》重点工作是在辑佚、校勘、标点。至于本书其他问题，列在次要地位。

（1）《新修》卷数和药物数目：《新修》原书 20 卷载药 850 种。其中新增药有 114 种。按《本草经集注》载药 730 种。从 850 种减去 114 种，是 736 种，比《集注》原书多出 6 种。为何多出 6 种？因为《新修》在编纂时，对《集注》中某些药进行了分条。按陶弘景所注，海蛤、文蛤原是并为 1 条，葱、薤并为 1 条，粉锡、锡铜镜鼻并为 1 条，大豆黄卷、赤小豆并为 1 条，鼠李、郁核并为 1 条，鼺鼠、六畜毛蹄甲并为 1 条。这些合并的药被苏敬编入《新修》时，皆单独分立。由于《新修》对《集注》中药物进行分条，使《集注》药物由 730 种变成 736 种。又《千金翼方》所录《唐本草》药物多"北荇华""领灰"两条，查《医心方》《本草和名》所载《新修》目录，以及日本传抄卷子本《新修》有名无用类中，俱无此 2 条，本书收此 2 条为附录，不作正目计数。

各药物前序数为辑校者所加，以方便读者查阅。

（2）《新修》药物的分类：主要是按药物自然来源分类。敦煌出土《集注·序录》有诸药制使（七情畏恶药物），将药物分成玉石、草木、虫兽、果、菜、米食、有名无实等 7 类。陶氏把草木划为一类，虫兽并为一类。苏敬曾批评说："岂使草木同品，虫兽共条，披览既难，图绘非易。"因此《新修》对药物分类，改按玉石、草、木、兽禽、虫鱼、果、菜、米食、有名无实等，分为 9 大类，除有名无实类外，其他各类，又分为上、中、下三品。

（3）《新修》药物三品分类：本书收载药物，除按药物自然来源分类外，也保留《神农本草经》药物三品分类。

《神农本草经》药物三品分类，因历代人们认识不同，其三品类别亦略有差异。例如水银，《集注·序录》七情畏恶药，将水银列在上品。按本经上品药定义有"久服不老延年，轻身神仙"，而"水银"条经文云："水银……熔化还复为丹，久服神仙不死。"此与本经上品含义吻合。由于水银在古代能炼丹，故列为上品。后来人们发现水银有毒，不能列为上品，就移入中品。又如黄芪，自《新修》以后，列在上品；在《集注·序录》七情畏恶药物中被列为中品。查黄芪《本经》文内容，并无久服神仙等语。所以古人并不把黄芪当作上品来看待。后来人们发现黄芪无毒，有补益作用，就把黄芪从中品移入上品。本书辑录，以《医心方》所载《新修》目次分类为准，将水银列在上品，黄芪列在中品。类似此例很多，此处从略。

（4）原文辑录：把各种古书所载《新修》药物条文，全部录出，加以比较互勘。以最先出现本为底本，以后出本为核校本。一般先以敦煌出土《新修》、武田本《新修》、傅氏影刻《新修》、罗氏收藏抄本《新修》为底本；《新修》所缺，即以《千金翼方》为底本；《千金翼方》所缺，即以人卫版影印《重修政和经史证类备用本草》为底本；然后再以其他后出本为核校本。

（5）校勘：不仅校误字，还要校书中有关错引、脱漏、增衍、颠倒，《本经》文、《别录》文的混淆等。

例如发髲条，原以傅氏刻本《新修》为底本。该底本"发髲"条文末为"疗小儿惊热下"。其句末的"下"字很难理解。再查各种版本《证类本草》，皆作"疗小儿惊热"，无"下"字。查《小儿卫生总微论》引"发髲"作"疗小儿惊热下痢"。则"下"字后似是脱漏"痢"字。查《千金方》《外台秘要》治痢方均载有乱发灰治下痢。据此可知《小儿卫生总微论》所引当属正确。盖因唐代抄本《新修》已脱落"痢"字，到了宋代本草，以"下"字不可解而删之。李时珍援引此文，又用陶弘景注文"百病"2字置换"下"字。从此《新修》原文"疗小儿惊热下痢"，自宋以后已失去真实面貌，同时发髲灰治痢之药效，亦为后世本草所失载。通过诸书的校勘，可以恢复原书条文的真实面貌。

又如各种版本《证类本草》引陶隐居序有"张茂先辈逸民皇甫士安"。各种版本《本草纲目》皆引作"张茂先辈，逸民皇甫士安"。从《本草纲目》断句来看，这句话是讲两个人名字。查敦煌出土《集注》残卷，《集注·序录》作"张茂先裴逸民皇甫士安"，则此句应是三个人名字，即：张茂先、裴逸民、皇甫士安。由于"裴"误作"辈"，遂误断为两个人的名字。这次校勘，对书中时间、地点、人名、人事错引，均加以考证，择善而从之。对残缺或脱漏均予补正。

（6）《本经》文、《别录》文区分。《新修本草》是在陶弘景《本草经集注》基础上编修的。在《本草经集注》中，陶氏对《本经》文用朱字书写，对《别录》文用墨字书写。唐代苏敬修本草时，是沿用陶氏旧例。今苏氏书仅存半数，所存半数又缺乏《本经》《别录》标记，为着分辨《本经》文和《别录》文，必须借助于《证类本草》。又《证类本草》因版本不同，其白字（《本经》文）、墨字（《别录》文）标记亦有差异。例如成化本《政和本草》、商务本《政和本草》对菖蒲、龙胆、白英、麝香、鹿茸、独活等条全作墨书，无白字《本经》文标记。人卫版《政和本草》曾青条亦无白字《本经》文标记。因此还要借助于其他各种本草如《本草纲目》、各种辑本《神农本草经》旁证之。

（7）避讳字的处理。唐代苏敬修《唐本草》是以《集注》为蓝本，由于唐太宗李世民、唐高宗李治的"世""治"等字要避讳，所以《新修》药物条文中，遇到"世"改用"俗"，或改用"造"或删除不用。例如燕屎、鼺鼠等药效，《新修》《证类本草》分别作"燕屎，主蛊毒""鼺鼠，主痈疽"。但吐鲁番出土《本草经集注》断片作"燕屎，主治蛊毒""鼺鼠，主治痈肿"。由此可见，《本草经集注》对药效原作"主治某某"。到《新修》因避唐高宗李治的讳，把"主治"的"治"字删掉。宋代本草沿用《新修》旧例，不用"主治某某"，仅作"主某某"。本书在辑录时，凡因避唐代帝王名讳所改的字，仍复其旧。

（8）通假字一般不予改动。但唐代写本中所用的俗字改用通行字。

《新修本草》夹杂很多通假字，如朱沙（砂）、伏（茯）苓、伏（茯）神、署预（薯蓣）、芎穷（䓖）、淹浃（腌浃）、零（羚）羊、芒消（硝）、流黄（硫黄）、消（硝）石、昌（菖）蒲、胡（狐）臭、射（麝）香、举（榉）树、丹沙（砂）、太（泰）山、朴消（硝）、已（以）来、止（只）说、杏人（仁）、黑志（痣）、桃人（仁）、真（珍）珠、虎魄（琥珀）、枝（栀）子、丁（疔）肿、紫威（葳）、婴（樱）桃、乌臼（柏）、旋萺（覆）花、罡（钢）铁、华（花）、直（值）、傅（敷）、淡（痰）、创（疮）、嗽（咳）、希（稀）、白敛（蔹）、萝摩（藦）子、木绵（棉）、墙（蔷）薇、柔（揉）烂、罗文（纹）、癗（隐）疹等均不改。原则：尊重原著，尽可能保持原著风貌；因原作上下文叙述的需要，不宜改动；以不影响阅读理解为度。但对唐代写本中所用的俗字，如桑、枣、闭、叶、因、热、血、脑、医、亦等字，在卷子本《新修本草》作"桒""棗""閇""菜""囙""熱"、"血""脳""醫""亦"等字，因影响阅读，本书辑校时，均改用通行字。

（9）《证类本草》墨盖下所引"唐本""唐本注"等文，一般视为《唐本草》文，经考证，实为《蜀本草》文。（考证从略）

（10）《新修本草》的药物正文有三种来源，辑复本排版中的标别方法如下。

《本经》文（唐代原底本作"朱书"，宋代本草书引用时刻成黑底白字，明代本草书中以文字注明之）现排为黑体字。

《别录》文（唐代原底本作"墨书"，宋代本草书引用时刻成黑字，明代本草以文字注明之）现排为宋体字。

唐代新修时附增药物的正文（唐代原底本标以“新附”2字，宋代本草书注明“唐本先附”，明代本草书注明“唐本”或“苏恭”2字）现排为宋体字，但条末承唐本旧例，以小字注明“新附”。

（11）各药正文后所附注释文字，一律用小字。其中分为三方面内容，相互间以空位间隔：首列为七情畏恶资料；次为陶弘景注文；最后为唐代新修时所增注文（原底本均冠以“谨案”2字，现承其旧例）。

（12）古本草多无句断，为了读者阅读方便，补辑中试加新式标点。

（五）辑复参考资料

（1）1900年敦煌出土陶弘景《本草经集注》第1卷序录。1955年上海群联出版社据《吉石盦丛书》影印。

（2）吐鲁番出土的陶弘景《本草经集注》残缺的断片，1952年罗福颐影抄收入《西陲古方技书残卷汇编》。

（3）《本草经集注》残片，1947年万斯年译，收入《唐代文献丛考》中，1957年商务版。

（4）武田本《新修本草》，日本国药商武田长兵卫商店制药部内的大阪本草图书刊行会，据唐写卷子本《新修本草》卷4、5、12、17、19，在日本昭和十一年（1936）用珂yyyy版复制印本。

（5）敦煌出土卷子本《新修本草》卷10残卷，1952年罗福颐影抄《西陲古方技书残卷汇编》。

（6）傅刻本《新修本草》，日本天平三年（731）田边史抄苏敬《新修本草》，1955年上海群联出版社据《籑喜庐丛书》本影印。

（7）罗氏藏本《新修本草》，日本天平三年（731）田边史抄苏敬《新修本草》，罗振玉于1901年在日本购得影抄本，1981年上海古籍出版社据以影印。

（8）《唐·新修本草》，尚志钧辑复，1981年安徽科学技术出版社出版。

（9）《本草和名》，日本深江辅仁撰，日本宽政八年（1796）刊印本。日本大正十五年（1926）日本古典全集刊行会据以重刊。

（10）宋·唐慎微《经史证类大观本草》，清光绪三十年（1904）武昌柯逢时影宋并重校刊。此书中果人之“人”皆作“仁”。《说文解字注》卷8人部段玉裁注云：“果人之字，自宋元以前，本草方书诗歌记载，无不作‘人’字，自明成化重刊本草，乃尽为‘仁’字，于理不通，学者所当知也。”据此可知，柯氏所谓影宋当存疑。

（11）宋·唐慎微《经史证类大观本草》，日本安永四年（1775）望草玄据元大德宗文书院刊本翻刻。实乃据明·王大献《大全本草》重刊。

（12）《重刊经史证类大全本草》，明万历二十八年（1600）籍山书院重刊王大献本。

（13）宋·唐慎微《重修政和经史证类备用本草》，1957年人民卫生出版社，据扬州季范董氏藏金泰和张存惠晦明轩本，影印的四页合一页本。1960年文物出版社出版，北京图书馆编《中国版刻图录》第1册51页及99页，对此书作了介绍，认为该书底本是真正的元刻本。

书中药图精工细刻，是《证类本草》各种版本中最好的。

（14）宋·唐慎微《重修政和经史证类备用本草》，1921—1929年商务印书馆影印金泰和甲子己酉晦明轩本、四部丛刊初编子部四页合一页本。实乃据明成化《政和本草》重刊。

（15）明成化翻刻《政和本草》，明成化四年（1468）山东巡抚原杰等据晦明轩《重修政和经史证类备用本草》翻刻。

（16）明万历翻刻《政和本草》，明万历十五年丁亥（1587）刻本《重修政和经史证类备用本草》。

（17）宋·寇宗奭撰《本草衍义》，1957年商务印书馆铅印本。

（18）宋·寇宗奭撰《图经衍义本草》，1924年上海涵芬楼影印正统道藏本。题有宋通道直郎辨验药材寇宗奭编撰，宋太医助教辨验药材许洪校正。该书对《本经》文、《别录》文无标记，而且删去有名无用类药物。

（19）明·刘文泰等《本草品汇精要》，1936年商务印书馆据故宫抄本铅印。该书系摘录《证类本草》主要内容而成。对历代文献出典用文字注之。但对《名医别录》资料注作"名医所录"，对历代医方的内容注作"别录云"，是极易误解的。

（20）明·李时珍《本草纲目》，1957年人民卫生出版社据清光绪十一年（1885）合肥张绍棠味古斋重校刊本影印。

（21）校点《本草纲目》，刘衡如据1603年夏良心、张鼎思序刊的江西初刻本校点，1977—1981年人民卫生出版社出版。

（22）明·卢之颐《本草乘雅半偈》，南京图书馆藏本。

（23）明·缪希雍《神农本草经疏》，明天启五年（1625）绿君亭刊本。该书是一部综合性本草，书中对《本经》和《别录》的资料，皆无区分。

（24）清·邹澍《本经疏证》，1959 年上海科学技术出版社出版。该书名为《本经》，实际是一部综合性本草。书中《本经》文用黑体字排印。

（25）清·邹澍《本经续疏》，1959 年上海科学技术出版社出版。是书附在《本经疏证》之后，也是一部综合性本草，书中《本经》文用黑体字排印。

（26）《草木典》，清康熙时敕修《古今图书集成·博物汇编·草木典》，中华书局影印本。

（27）《禽虫典》，清康熙时敕修《古今图书集成·博物汇编·禽虫典》，中华书局影印本。

（28）《食货典》，清康熙时敕修《古今图书集成·经济汇编·食货典》，中华书局影印本。

（29）明·卢复辑《神农本草经》，日本宽政十一年（1799）新镌。

（30）日本嘉永七年（1854）森立之辑《神农本草经》，1955 年上海群联出版社据日本森氏温知药室本影印。

（31）日本文政七年（1824）狩谷望之志辑《神农本草经》，南京图书馆藏有手抄本。是书取《证类本草》中白字《本草经》文，按《新修本草》药物目录次序编排，并以善本《大观本草》校注之。

（32）清嘉庆四年（1799）孙星衍和孙冯翼合辑《神农本草经》，1955 年商务版铅印本。

（33）清·孙星衍和孙冯翼合辑《神农本草经》，清嘉庆四年（1799）阳湖孙氏刻问经堂丛书本。

（34）清·孙星衍和孙冯翼合辑《神农本草经》，清光绪十七年辛卯（1891）池阳周学海刊周氏医学丛书初集。

（35）清·徐大椿《神农本草经百种录》，1956 年人卫版影印本。

（36）清·黄奭辑《神农本草经》，清光绪十九年（1893）仪征刘富增刻汉学堂丛书本。是书全抄自孙星衍本，仅在书末补录几条本草经逸文而已。

（37）清道光二十四年（1844）顾观光辑《神农本草经》，1955 年人民卫生出版社据武陵山人遗书本影印。

（38）清·吴其濬《植物名实图考长编》，1959 年商务版。

（39）《补注黄帝内经素问》，光绪二十二年（1896）图书集成书局印。

（40）汉·张仲景著，宋·成无己注《注解伤寒论》，1955 年商务印书馆铅印本。

（41）汉·张仲景著《金匮要略方论》，1956年人民卫生出版社据明·赵开美刻《仲景全书》本影印。

（42）晋·葛洪撰《肘后备急方》，1956年人民卫生出版社据明万历二年甲戌（1574）李栻刻刘自化校刊本影印。

（43）《补辑肘后方》，尚志钧辑校，1983年安徽科学技术出版社出版。

（44）隋·巢元方等撰《巢氏诸病源候总论》，明新安汪氏一斋校刊本。

（45）唐·孙思邈《备急千金要方》，1955年人民卫生出版社据江户医学本影印。

（46）唐·孙思邈《千金翼方》，1955年人民卫生出版社据江户医学本影印。

（47）唐·王焘著《外台秘要》，1955年人民卫生出版社据歙西槐塘经余居藏本影印。

（48）《小儿卫生总微论方》，1958年上海卫生出版社出版。

（49）日本永观二年（984）丹波康赖撰《医心方》，1955年人民卫生出版社据日本浅仓屋藏版影印。

（50）日本源顺撰《和名类聚钞》，清光绪三十二年丙午年（1906）龙璧勤据杨守敬抄本刊印。

（51）晋·张华撰《博物志》，清·黄丕烈据汲古阁影宋本翻刻，收入士礼居黄氏丛书本，据张心澂《伪书通考》云是后人缀辑。

（52）宋·李石撰《续博物志》，清康熙七年戊申（1668）新安汪士汉刊本。是书刻晋代李石撰，但书中提到宋代曾公亮、王安石、方舟先生等。方舟别名李石，故该书可能误宋代李石为晋代李石。

（53）后魏·贾思勰撰《齐民要术》，商务版，丛书集成初编本。

（54）宋·沈括著，胡道静校注《梦溪笔谈校正》，1957年上海古典文学出版社出版，是书卷26"药议"引有本草资料。

（55）宋·沈括著，胡道静校注《梦溪补笔谈》，1957年上海古典文学出版社出版，是书附刊在《梦溪笔谈校正》一书中。

（56）宋·郑樵《通志略·昆虫草木略》，中华书局聚珍仿宋版印。

（57）唐·陆羽撰《茶经》，民国二十年（1931）上海博古斋影印，百川学海丛书本。

（58）宋·洪刍撰《香谱》，民国二十年（1931）上海博古斋影印，百川学海丛书本。

（59）宋·刘蒙撰《刘氏菊谱》，民国二十年（1931）上海博古斋影印，百川学海丛书本。

（60）宋·史正志撰《史氏菊谱》，民国二十年（1931）上海博古斋影印，百川学海丛书本。

（61）宋·释赞宁撰《笋谱》，民国二十年（1931）上海博古斋影印，百川学海丛书本。

（62）宋·傅肱撰《蟹谱》，民国二十年（1931）上海博古斋影印，百川学海丛书本。

（63）宋·韩彦直撰《橘录》，民国二十年（1931）上海博古斋影印，百川学海丛书本。

（64）清·汪灏等《御定佩文斋广群芳谱》，清康熙四十七年（1608）刻本，该书是在明·王象晋《群芳谱》的基础上增修而成。书中把杂录资料冠以"别录"作白字标题，其含义不同于《名医别录》含义。

（65）唐·孔颖达疏注《毛诗注疏》，中华书局聚珍仿宋本印，四部备要本。

（66）清·郝懿行注《山海经笺疏》，四部备要本，上海中华书局据郝氏遗书本校刊。

（67）汉·史游撰，唐·颜师古注，宋·王应麟补注《急就篇》，光绪五年（1879）福山王氏刻天壤阁丛书本。

（68）东汉·许慎撰，清·段玉裁注《说文解字注》，1981年上海古籍出版社据经韵楼藏版影印。

（69）《说文解字系传通释》，北宋初徐锴撰，商务版，四部丛刊本。

（70）《尔雅》，商务版，四部丛书刊本。书中有郭璞注，所引本草资料，与现存古本草中内容不同。

（71）宋·邢昺注《尔雅注疏》，中华书局聚珍仿宋版印，四部备要本。

（72）清·王念孙注《广雅疏证》，中华书局聚珍仿宋版印，四部备要本。

（73）唐·西明寺翻经沙门慧琳撰《一切经音义》，日本元文三年（1738）东狮谷白莲社刻本。

（74）梁·昭明太子撰，唐·李善注《文选》，中华书局聚珍仿宋版印，四部备要本。

（75）北齐·颜之推《颜氏家训》，王利器集解，1980年上海古籍出版社出版。

（76）唐·段成式《酉阳杂俎》，方南生点校，1981 年中华书局出版。

（77）隋大业四年（608）杜公瞻纂修《编珠》，清康熙三十七年（1698）高士奇刻巾箱本。是书，据张心澂《伪书通考》页 944 云是伪书。

（78）唐·白居易撰，宋·孔传续撰《白孔六贴》，明刊本。是书收载本草资料不多。

（79）唐·欧阳询等奉敕修《艺文类聚》，1959 年中华书局据宋绍兴本影印。是书卷 81～89 引有本草资料。

（80）隋末唐初，虞世南撰《北堂书钞》，光绪戊子（1888）南海孔广陶三十有三万卷堂刊本。

（81）唐·徐坚等撰《初学记》，古香斋袖珍本。是书卷 27～30 有本草资料。

（82）宋初李昉等修纂《太平御览》，上海涵芬楼影印宋本。

（83）宋·吴淑撰《事类赋》，清嘉庆癸酉（1813）聚秀堂翻刻剑光阁本。

（84）宋·谢维新撰《古今合璧事类备要》，明嘉靖丙辰（1556）夏氏据宋本复刻本。是书分前集、后集、续集、别集、外集五大部分，其中别集有本草资料。

（85）宋·祝穆撰《新编古今事文类聚》，明翻刻元刊本。是书序言中题"宋淳祐丙午（1246）腊月望日晚进祝穆伯和父谨识"。

（86）宋末刘省轩《新编事文类聚翰墨全书》，元刻本。是书分前集、后集两大部，前集和后集，各按甲、乙、丙……分为十集、合二十集，每一集又分若干卷，其中后戊卷 1～4 有本草资料。

（87）宋淳熙中（1174—1189）不著撰人名氏《锦绣万花谷》，明嘉靖十四年（1535）徽藩刊本。是书分前集、后集、续集三大部，其前集卷 30～39 有本草资料。

（88）宋绍兴十九年（1149）叶廷珪撰《海录碎事》，明万历戊戌（1598）刊本，是书卷 14～22 有本草资料。

（89）宋·潘自牧撰《记纂渊海》，明万历己卯（1579）胡维新刻。是书卷 90～99 有本草资料。

（90）清康熙四十九年（1710）张英等奉敕纂《渊鉴类函》，民国六年（1917）同文图书馆复印本。

（91）陈垣《史讳举例》，1958 年科学出版社出版。

三、《食疗本草》

《食疗本草》是唐代食物药治病专书。唐、宋书志皆题孟诜撰。范行准认为原书是孟诜《补养方》，后经张鼎增补，而易此名。

该书原书久佚，《证类本草》《医心方》《本草和名》存其佚文，1907 年敦煌出土该书残卷，存药 26 味。各本所存佚文出入很大。本书将各本佚文按自然属性归类，共录 291 条。每条集诸书佚文，不加连缀，以存各底本原貌。

很多药物条文被"案"或"案经"分割为前后两段，后段文字一般认为是张鼎增补之文。

从现有残存佚文看，有不少条为《唐本草》失载的药物。如荞麦、绿豆、菠菜、白苣、胡荽、鲈鱼、鳜鱼、石首鱼等，都由本书首次记载。所录波斯石蜜、高昌榆白皮等，能反映亚洲中部地区使用食疗药的情况。

本书对研究《食疗本草》文献及饮食疗法发展史，有重要参考价值。

（一）辑复本序

《食疗本草》，简称《食疗》，为唐代孟诜所著。《唐书·艺文志》丙部子录医术类载孟诜《食疗本草》3 卷。据范行准研究，《食疗本草》原为孟诜《补养方》3 卷，经张鼎增改，而易此名。《嘉祐本草·补注所引书传》云："《食疗本草》，唐同州刺史孟诜撰，张鼎又补其不足者 89 种，并归为 227 条，凡 3 卷。"

张鼎，史书无传，但《医心方》所载"晤玄子张云"，其内容与《证类本草》所引《食疗》的文字，几乎相同。疑"晤玄子张"，即张鼎的别名。

例如《医心方》卷 30 "白粱米"条云："孟诜云：'患胃虚并呕吐食水者，用米汁二合，生姜汁一合，和服之。'晤玄子张云：'除胸膈中客热，移五脏气，续筋骨'。"

《证类本草》卷 25 "白粱米"条云："白粱米，患胃虚并呕吐食及水者，用米汁二合，生姜汁一合服之。性微寒，除胸膈中客热，移五脏气，续筋骨。"

比较《医心方》和《证类本草》所引"白粱米"条的文字，几乎全同。所不同者，在条文的后半段"除胸膈中客热，移五脏气，续筋骨"13 字，《医心方》注为"晤玄子张"，按此 13 字原为张鼎所增。据此可知晤玄子张即张鼎。

《医心方》所引《食疗本草》资料中，标注"晤玄子张云"者如"荞麦""柰"等共有 13 条。在此 13 条条文中，所讲的晤玄子张，实即张鼎。《宋史·艺文志》载有晤玄子《安神养性方》1 卷，疑即张鼎的书。

在《证类本草》中，有些药物，援引《食疗本草》的资料，内容相同，由于援引人的不同，标注名称各异。

例如《证类本草》卷19"燕矢"条，掌禹锡引"孟诜云"曰："石燕在乳穴石洞中者，冬月采之，堪食。"同书卷5"石燕"条，唐慎微引此文全同，但注引出处为"食疗云"。又如《证类本草》卷13"桑根白皮"条掌禹锡引"孟诜云"曰："菌子，寒，发五脏风，壅经脉，动痔病，令人昏昏多睡，背膊四肢无力。"同书卷10"蘿菌"条唐慎微引文全同，但标出处为"食疗"。类似例子很多。所以"食疗"资料在《证类本草》中虽属同一个内容，掌禹锡援引时，注出处为"孟诜云"。而唐慎微所引，注出处"食疗云"。

张鼎别名为晤玄子张，张鼎在孟诜《补养方》中增加资料后，即将书名改为《食疗本草》。《证类本草》援引此等资料时，或注"孟诜云"，或注"食疗云"，对张鼎所增补的部分，并不注明"张鼎云"。但《医心方》援引此类资料，对孟诜《补养方》内容注"孟诜云"，对张鼎增的内容，注"晤玄子张云"。（例子见"白粱米"条）

《证类本草》援引《食疗本草》资料，标注"孟诜云"者163条，标注"食疗云"者183条；其中有些药，如艾叶、鸡肠等，既有掌禹锡引，注"孟诜云"，又有唐慎微所引，注"食疗云"。剔除其重复，共260条。

《医心方》援引《食疗本草》资料，标注"孟诜云"者162条，标注"孟诜食经云"者16条，标注"晤玄子张云"者13条，合共191条。

《证类本草》和《医心方》两书所引《食疗本草》资料，尽管标注出处各异，但所引内容全同。

《证类本草》和《医心方》两书所引《食疗本草》资料，都是节略文，持以敦煌出土的《食疗本草》残卷核之，皆不及残卷中条文完整。

敦煌出土残卷《食疗本草》于1907年为英国人斯坦因所劫，今藏英国伦敦博物馆，编有斯氏号码76号。残卷本每行20余字，朱、墨分书。始"石榴"条后半条，终"芋"条前半条，其间存录有石榴、木瓜等26味药。残卷背面有陈鲁俙等牒状，牒文有"长兴五年正月一日行首陈鲁俙牒"。

按 "长兴"是五代十国时后唐明宗李嗣源年号。李嗣源死于长兴四年（933），由李从厚继位，次年正月改为应顺元年（934），所以长兴无五年。因为李嗣源都洛阳，离敦煌远，信息难通，"长兴四年"虽终止，而敦煌仍袭旧历，故书"长兴五年"。

残卷药名及分隔点是朱书，附方前的"又""又方"亦朱书，每味药有药性、主治、功用、禁忌、附方。有些条文有药物形态记载。部分药物条文以"案经"2

字分割为两段。"案经"的"案"字前标有朱点。"案经"后的文字为张鼎增补之文。

残卷中药物的药性,用小字注在药名之下,计有寒、冷、温、平四性。无五味的记载。但《证类本草》所引《食疗本草》药物的药性比较复杂,如寒有微寒、寒、大寒三种,温有微温、温、热三种。

本书附方很多。敦煌残卷所存 26 味药,每味药均有附方,少则一方,多则数方。

诸书所引《食疗本草》的药物,按其自然来源有石类 4 种,草类 36 种,木类 25 种,兽禽类 29 种,虫鱼类 45 种,果类 33 种,菜类 52 种,米谷类 26 种。总计 250 种。比掌禹锡所云 277 种,少 27 种。

《食疗本草》佚文中,常可见到引录的书名,如《食禁》《本草》《淮南术方》《洞神经》《灵宝五符经》《神通目法》《北帝摄鬼录》《龙鱼河图》等。其中道家书较多,盖与张鼎受道家影响有关。张鼎所称的"晤玄子",像道家名号。

本书是唐代比较齐全的一部营养学和食疗的专著。书中所收罗的药物,有很多被宋代《开宝本草》《嘉祐本草》录为正品药物。

由于本书是唐代食疗一类书的名著,所以本书对于研究饮食疗法发展史,有重要的参考的价值。例如本书中收罗的鲈鱼、鳜鱼、石首鱼、菠菜等,在本草文献史上,都是由本书最早记载。

(二) 辑校说明

(1) 本书书名,以掌禹锡《嘉祐本草·补注所引书传》所引"食疗本草"为正名,题孟诜撰,张鼎增补。

《唐书·艺文志》《宋史·艺文志》作"孟诜食疗本草"。

《通志·艺文略》《日本国见在书目录》《东医宝鉴》作"《食疗本草》,孟诜撰"。

《本草拾遗》引作"张鼎""张鼎食疗"。

《本草和名》《和名钞引用汉籍》《医心方》皆引作"孟诜""孟诜食经"。

《医心方》又引作"晤玄子张"及"晤玄子张食经"。

《本草纲目·历代诸家本草》引作"食疗本草"。但在各卷药物条文内所引《食疗》,标注文献名称各异,计有:"孟诜""孟诜食疗""孟诜食疗本草""张鼎""张鼎食疗""张鼎食疗本草"。

范行准《医方简录》题作"食疗本草"3卷。并注云："又有孟诜补养方3卷，张鼎增改而易此名，倭抄作食经或食疗经。题孟诜、张鼎撰。"

（2）本书收录药物290条。与《嘉祐本草·补注所引书传》"食疗本草"记载227条数字不符。这种数字不符，与各书对药合并或分条有关。如残卷本《食疗》"甜瓜"条并有"瓜蒂"，《证类本草》将甜瓜、瓜蒂分为两条。又如《证类本草》"木瓜"条并有"楂子"，"藕"条并有"莲子"，"通草"条并有"燕覆子"；但残卷本《食疗》将楂子、莲子、燕覆子拨出分别独立成条。这种分条、并条，可使药物总数发生变化。

（3）本书药物分类。由于本书久佚，无目录可据。残卷本《食疗》仅存果部药物26味。据此推测，全书应有米谷、蔬菜、果实、鸟兽、虫鱼等类。参考孙思邈《千金食治》分类，本书暂分为3卷。米谷、蔬菜部1卷，草木果实部1卷，兽禽、虫鱼部1卷。各部药物按《唐本草》药物目次排列。

（4）本书以收罗佚文为主，不敢妄加连缀，以供读者重新研究参考。妄加连缀，未必符合原书旨义，甚至造成以讹传讹。本书所提供素材，未必齐全。待他日获得更多出土资料，重新连缀，庶几更接近原书。

（5）诸书所存佚文互有差异。因各书所存佚文，相互勘比，同一药物，诸书所引资料，无一条全同。各书引文或节录，或删改，或损益，或化裁。加上传抄的脱漏、讹误，使每个药物佚文存在很大分歧与差异。越是后出的佚文，其差异越大。盖早出者，可信程度高，晚出者可信程度低。如以《纲目》引文作为取舍依据，就不及《证类》引文可信，《证类》引文不及《医心方》可信，《医心方》引文不及残卷本《食疗》可信。

（6）同一药物在各书所存佚文，条文很少完全相同。其间文字都有不同程度差异，本书即予以并存。

（7）摘录佚文排列，按所引书年代次序排。每条佚文，按现存文献出现年代次序排列，早出者列在前，晚出者列于后，一般按敦煌出土残卷本《食疗》《本草拾遗》《本草和名》《医心方》《证类本草》《本草纲目》的次序排列。

（8）各书援引《食疗本草》资料，所标注《食疗本草》异名各不相同，或注"诜曰"，或注"孟诜"，或注"孟诜食经"，或注"鼎曰"，或注"张鼎"，或注"张鼎食疗"，或注"张鼎食疗本草"，或注"食疗方"，或注"晤玄子张"，或注"晤玄子张食经"等。

本书摘录《食疗》佚文时，先将某书所标注的《食疗本草》或其异名，冠于佚文之首，并将某书名加括号，列在《食疗本草》异名之后。

例如《医心方》页 263 引有"孟诜食经消渴方，麻子一升捣……五日即愈"。文中"孟诜食经"为原书《医心方》引文标注书名。本书摘录见下。

孟诜《食经》[《医心方》引]：麻子，治消渴。麻子一升捣……五日即愈。

《证类本草》掌禹锡引《食疗本草》多注"孟诜云"。本书在所辑佚文开头冠以"孟诜（掌氏引）"。

《证类本草》唐慎微引《食疗本草》多注"食疗云"。本书在所辑佚文开头冠以"食疗（唐氏引）"。

《纲目》卷 39 "蜂蜜"附方："大风癞疮。取白蜜一斤……不能一一具之。食疗方"。本书摘录见下。

食疗方（《纲目》引）："大风癞疮。取白蜜一斤……不能一一具之。"

又如《纲目》卷 27 "马齿苋"附方有"腹中白虫，马齿苋……少顷，白虫尽出。孟诜食疗"。本书摘录见下。

孟诜《食疗》（《纲目》引）：腹中白虫，马齿苋……少顷，白虫尽出。

（9）每药所录各条佚文，均注明文献出处。

（10）每药后附有辑校文注释。注释内容，包括药物品种、基源，各条文之间明显的差异，条文中古词、古名物、古地名、病名等简释。各个注释编有序码，列于各药条文之后。

（11）辑文所据的参考书版本及简称。

1）残卷本《食疗》：1907 年敦煌出土残卷本《食疗本草》影印本，其原件为英国人 Sir Aurel Stein 所掠。存英伦敦博物馆。馆藏编号为斯氏 76 号（Stein Rolls No. 76）。

2）《本草和名》：公元 918 年日本深江辅仁编。日本宽政八年（1796）日本丹波元简校刊本。日本大正十五年（1926）日本东京古典全集刊行会，铅印日本丹波元简刻本。

3）《医心方》：公元 982 年，日本天元五年丹波康赖撰，1955 年人民卫生出版社影印。

4）《证类本草》：宋·唐慎微撰《重修政和经史证类备用本草》，1957 年人民卫生出版社影印本。

5）《大观本草》：宋·唐慎微撰，艾晟增订《大观经史证类备用本草》，清光绪三十年（1904）柯逢时影刻宋本。

6）《本草衍义》：宋·寇宗奭撰，1957 年上海商务印书馆铅印本。

7）《本草纲目》：明·李时珍撰。1957 年人民卫生出版社据清光绪十一年合肥张绍棠刊本影印。

（三）郭煌出土残卷本《食疗本草》考

1. 残卷本《食疗》出土情况

残卷本《食疗》是甘肃敦煌莫高窟出土的古本草之一。该书于 1907 年为英国人 Sir Aurel Stein 所掠。存英国伦敦博物馆，馆藏编号为 Stein Rolls No. 76。原件存文 137 行，每行 22 字左右，各行中"药名""又方"的分割点及"又"均朱书，其余文字均墨书。全卷无首尾，存药 26 味。前人用《证类》中"孟诜"文、"食疗"文校之确认为《食疗本草》残卷。

2. 残卷本抄写年代

该残卷为卷子本，原卷子背面有陈鲁脩、刘廷坚、潘宗绪、刘筹诸牒状。其中陈鲁脩牒题有"长兴五年正月一日行首陈鲁脩牒"之文。

"长兴"是五代十国时后唐明宗李嗣源年号。李嗣源死于长兴四年（933），由李从厚继位，次年正月改为应顺元年（934）。李嗣源都洛阳，距离敦煌较远，信息难通，"长兴四年"虽终止，而敦煌处仍袭旧历，故书"长兴五年"，即 934 年，距离孟诜成书时间较近。

从以上事实来看，残卷本《食疗》的抄写时间，当在 934 年或稍前几年。

3. 残卷本所存药物数目

残卷本《食疗》仅存 26 种食物，计有石榴、木瓜、胡桃、软枣、栟子、芜荑、榆荚、吴茱萸、蒲桃、甜瓜、越瓜、胡瓜、冬瓜、瓠瓜、莲子、燕覆子、楂子、藤梨、羊梅、覆盆子、藕、鸡头子、菱实、石蜜、砂糖、芋。其余皆缺。

从残卷本所存 26 味药物品种来看，此残卷似是瓜果类中的一部分。按《证类》唐慎微所引《食疗》药物品种，全书应有米谷、蔬菜、虫鱼、鸟兽等类。

4. 残卷本药物内容

残卷本《食疗》每个药的内容，有药名、药性、主治功用、禁忌、附方。有些药物亦记有形态、修治、产地。

残卷本《食疗》药物条文中的"药名""又"（即又方）的分割点皆朱书。王国维认为"其药名皆朱书，余所见唐写本《周易》释文之卦名，唐韵之部首皆然。

但用以与余文识别，更无他义"。

残卷本《食疗》存药26味，其中有些药物条文，都被"案经"分割为前后两段。"案经"的"案"字前标有朱点。

一般人认为"案经"前段文为孟诜书的原文，"案经"后段文为张鼎增补的文字。从编修层次看，应是如此。

但笔者另有不同的看法。笔者认为"案经"的"经"似指"孟诜食经"的经。"案经"后的文疑为孟诜书原文，"案经"前的文疑为张鼎增补之文。这种设想，可从《医心方》节引"孟诜食经"文证实之。因为残卷本"案经"后的文字，与《医心方》所引"孟诜食经"文同。例如：残卷本《食疗》第11行"胡桃"条，条中有"案经"分割两截。"案经"后的文为"除去风，润脂肉，令人能食……<u>又烧至烟尽，研为泥，和胡粉为膏，拔去白发，傅之即黑毛发生</u>"。文中画波浪线者，为《医心方》所节引。《医心方》页105引此文标注为"孟诜食经白发方"。说明此波浪线文出于"孟诜食经"。而此波浪线文是在"案经"之后。则"案经"后的文字，当是孟诜书的原文。

5. 残卷本《食疗》与诸书引文勘比

残卷本《食疗》与诸书引文勘比，有几点不同，兹分述如下。

（1）内容多寡不同。残卷本《食疗》中药物条文，都很完整，但现存诸医药书中所引的《食疗本草》资料，都不完整，多是节略的文字，而且诸书引文，多取其大意，很少原文转录，有些引文还加修改，文句都重新组合。

（2）诸书引文标注书名多不同。出土的残卷本《食疗》无书名，诸书引《食疗》标注很多不同书名。因此诸书节引《食疗》同一药物中的文字，或注"孟诜"，或注"食疗"，或注"孟诜食经"，或注"晤玄子张"，或注"晤玄子张食经"。

在《证类本草》中，掌禹锡引文注出处为"孟诜"；唐慎微引文注出处为"食疗"。在《医心方》中，引文或注"孟诜"，或注"孟诜食经"，或注"晤玄子张"，或注"晤玄子张食经。"

在《本草和名》中，引文或注"孟诜"，或注"孟诜食经"。

诸书引文所注书名虽不同，但所引药物，只要在残卷本《食疗本草》能找出者，其内容均相同，这就提示《食疗本草》有同书异名存在，否则诸书节引同一种《食疗》资料，不应标注许多不同的书名。

（3）残卷本《食疗》药物条文有脱漏。残卷本《食疗》同诸书节引文互勘，药物条文有脱漏。兹举例如下。

例如木瓜条，《证类》页 467 "木瓜" 条，唐慎微引《食疗》文有 "脚膝筋急痛，煮木瓜令烂，研作浆粥样，用裹痛处，冷即易，一宿三五度，热裹便差，煮木瓜时，入一半酒同煮之"。而残卷本《食疗》无此文。说明残卷本有脱漏。

又如残卷本《食疗》"甜瓜" 条，用《证类》页 503 "甜瓜" 条唐慎微引 "食疗" 文校之，其文大体相同。但唐氏引 "食疗" 文有 "又补中，打损折，碾末酒服，去瘀血，治小儿疳。《龙鱼河图》云：瓜有两鼻者杀人，沉水者杀人。食腹胀，可食盐花成水" 等语。而残卷本无此等语。说明残卷本有脱漏。

《本草和名》第十八菜部 "胡瓜" 条引 "孟诜食经" 云："胡瓜，胡域多之，故以名之。" 查残卷本《食疗》胡瓜条无此文。说明残卷本《食疗》有脱漏。

《证类本草》卷 23 果部 "石蜜" "砂糖" 之间有 "甘蔗" 条，在 "甘蔗" 条下，唐慎微引《食疗》"甘蔗" 文作注。说明《食疗本草》"石蜜" "砂糖" 之间有 "甘蔗"。而残卷本《食疗》"石蜜" "砂糖" 之间没有 "甘蔗"。

（4）残卷本《食疗》中药物合并与分条。《食疗》载药，据掌禹锡所引书传云："食疗本草，孟诜撰，张鼎又补其不足者 89 种，并归为 227 条，凡三卷。"

今从《证类本草》《医心方》所引，除去重复，共得 260 余种，比 227 条要多出 33 条。为何多出呢？可能因各书对药物合并与分条不同所致。

例如莲子及藕，《证类》页 460 并为 1 条，而残卷本《食疗》分列为 2 条。

木瓜及楂子，《证类》页 467 并为 1 条，残卷本《食疗》分为 2 条。

大枣及软枣，《证类》页 462 并为 1 条，残卷本《食疗》分为 2 条。

又如白瓜子及白冬瓜，《证类》页 503、504，分作 2 条记载，残卷本《食疗》并为 1 条。

瓜蒂及甜瓜，《证类》页 503、504 分作 2 条，残卷本《食疗》并为 1 条。

燕覆子，《证类》页 200 附在 "通草" 条内，残卷本《食疗》独立为 1 条。

由于药物合并或分条的不同，诸书所引《食疗》药物，在数目上，互有出入。掌禹锡《嘉祐本草·补注所引书传》中说《食疗》载药 227 条，但《证类》全书所引《食疗》药物达 260 条，比掌氏所言 227 条多 33 条，所多 33 条，即可能为分条所致。

6. 残卷本《食疗》传录与翻印

（1）最早传录残卷本《食疗》的，为日本人狩野直喜氏。1924 年国人罗振玉将狩野抄本录入《敦煌石室碎金》。

罗氏说："此卷初见日狩野博士直喜抄录，其目凡 24 种，未及全文。今年友人从美国某博物馆借影印本，则总得 26 种。因命儿子福葆稽录付印。原本伪误，悉仍其旧。"次年由东方学会刊印问世。书后附有王国维、唐兰、罗振玉题跋。兹将王国维、唐兰题跋摘录如下。

王国维"唐写本《食疗本草》残卷跋"云："唐写本本草存药名二十六，唯木瓜、胡桃有注，余未录。其木瓜、胡桃二注，以《政和本草》所引《食疗本草》校之皆合，唯语有长略耳。案《唐书·艺文志》有孟诜《食疗本草》三卷。《嘉祐补注本草》所引书传有《食疗本草》，云唐同州刺史孟诜撰，张鼎又补其不足者八十九种，并归为二百七十七条，凡三卷云云。今存二十六条，则仅得十之一矣。"（《观堂集林》卷21，中华书局第4册，1961）

唐兰跋云："按今《食疗本草》久亡，而其二百二十七条尚存于证类中，唯仅题孟诜，未有题张鼎者……此残卷起石榴，止芋，凡得药二十六味。前后皆阙，本无书题，以证类校之，始知为《食疗本草》，其为孟本，抑为张本，亦不可辨也。其体，先主治，次按语，次处方……以此本与《证类》对较，则此多详。其主治与按语，证类每有削落，其处方也不全载。"

（2）日本中尾万三根据残卷本原文，参考《证类本草》《医心方》等书，辑校《食疗本草》佚文，共录 241 种。中尾万三辑本所漏收《食疗》药有 16 种（苡仁、木耳、邪蒿、同蒿、罗勒、石胡荽、橙、樱桃、乳腐、鹿、鲈鱼、慈竹、酱、胡荽、蚶、蛏），所录佚文，悉数堆积，未加连缀。

1930 年上海自然科学研究所汇报一集刊登日本中尾万三《食疗本草之考察》，论述了以下几个问题。敦煌石室发现《食疗本草》，发现和研究状况；孟诜著《补养方》，后来张鼎增订，改名为《食疗本草》，孟诜编书约在武后长安中（701—704），而张鼎增补，在开元九至二十七年（721—739）；张鼎增补内容；《食疗》文献源流；几种古食经内容。

（3）1931 年范凤源取日本中尾万三辑本，删去其中校注及旁注假名，摘录正文，定名为《敦煌石室古本草》，由大东书局铅印。

（四）关于《食疗本草》作者及其他

1. 作者

本书原作者是孟诜，增补者是张鼎。按《旧唐书》《新唐书》"孟诜传"所载，孟诜是唐代汝州梁人（今河南临汝），生于唐武德年间（618—626），少好方术，长举进士，垂拱初（685—688），累迁凤阁舍人。长安中（701—704）出任同州刺史。神龙初（705—706）致仕，归伊阳之山，第以药饵为事。孟诜年虽晚暮，志力如壮。710 年睿宗即位，召赴京师，固辞。卒年九十三。撰有《补养方》《必效方》《丧服要》《家礼》《祭礼》等书。

孟诜《补养方》，后由张鼎增补，更名为《食疗本草》。张鼎史书无传。《唐书·艺文志》医术类载《冲和子玉房秘诀》10 卷，题张鼎撰。《宋史·艺文志》载有晤玄子《安神养生方》1 卷，题张鼎撰。另《医心方》引"晤玄子张"13 条，经核校，和《证类本草》所引《食疗》文字大体相同，是知晤玄子即张鼎的道号。

2. 成书时间

孟诜作《补养方》，大约在神龙初（705—706）。《旧唐书》本传说孟诜此时以药饵为事，并云孟诜年虽晚暮，志力如壮，而孟诜亦尝谓"若能保身养性者，常须善言莫离口，良药莫离手"。从孟诜晚年身体健壮和养生方法重视药饵来看，《补养方》似是在这个时候所著的。

张鼎增订《补养方》，并将之更名为《食疗本草》，似在开元中（约 721—739）。

因为在开元九年（721），唐代所编《开元四部书目》中有孟诜《补养方》，而无《食疗本草》。至开元二十七年（739），陈藏器《本草拾遗》鮀鱼甲条、鼊条，引有张鼎之名。假苏条、桃竹笋条引有张鼎《食疗》的书名。

由于原书已佚，《食疗本草》的内容通过《本草拾遗》《开宝本草》《嘉祐本草》保存在《证类本草》中。又日本丹波康赖《医心方》保存本书内容亦很多。此外本书出土的残卷，亦是很重要参考资料。

3. 同书异名的讨论

《证类本草》《医心方》援引本书资料，标注书名各不相同，有"孟诜云""孟诜食经""晤玄子张云""晤玄子张食经云"。这些标注于不同名称下的资料，相互核校，其内容大致相同。由此可知，这些不同的标注，其资料都是《食疗本草》的内容。

例如《证类本草》记载掌禹锡所引本书资料全标注"孟诜云"。但掌氏在《嘉祐本草·补注所引书传》中仍题为"食疗本草"书名。

《食疗本草》中"石燕"和"菌子"的条文。掌氏引此文时即标注"孟诜云"（见《证类》"燕屎"和"桑根白皮"条注）。而唐慎微引此文时即标注"食疗云"（见《证类》石燕和蘲菌条注）。由此可见《证类本草》中所标注的"孟诜云"和

"食疗云"的资料，皆是《食疗本草》的内容。

《医心方》卷30页689"白粱米"条，援引本书资料："除胸膈中客热，移易五脏气，续筋骨"，标注"晤玄子张云"。但《证类》卷25页490"白粱米"条，掌氏引此文时，就标注"孟诜云"。

《医心方》卷30页689"荞麦"条及页694"柰"条引本书资料，均标注"晤玄子张云"。但《证类》页493"荞麦"条、页478"柰"条有掌氏引此等资料，均标注"孟诜云"。由此可见《医心方》所标注"晤玄子张云"的资料，亦是《食疗本草》的内容。

关于敦煌出土的残卷，原无书名，把它的条文同《医心方》及《证类本草》所引"孟诜云""孟诜食经云""食疗云""晤玄子张云"等核对，均相同。前人据此考订该出土的残卷是《食疗本草》。该残卷存药仅26味，每一味条文都很完整。但同一个条文，其中各部分，在《证类本草》《医心方》所引时，标注书名都各不相同。

例如残卷"菲子"条文为："菲子，平，右主治五种痔，去三虫，杀鬼毒恶疰。又患寸白虫，人日食七颗，经七日满，其虫尽消作水，即差。案经多食三升二升佳，不发病，令人消食助筋骨，安荣卫，补中益气，明目轻身。"

以《证类本草》卷14页356"榧实"条校之，条文下画波浪线为掌禹锡引文，标注"孟诜云"。条文下画直线为唐慎微引文，标注"食疗云"。由此可见掌氏标注"孟诜云"和唐氏标注"食疗云"的文字，皆是《食疗本草》的内容。而且掌禹锡引文时，对本书资料中，凡与旧本药物正文大字相同文字，即省略。如残卷"菲子"条中"治五种痔，去三虫，杀鬼毒恶疰"和旧本"榧实"条正文大字同，掌氏即省掉不录了。

而唐慎微所引，都是掌禹锡援引后剩下的文字。又如残卷芜荑条文为："芜荑，平，右主治五内邪气，散皮肤支节间风气，能化食，去三虫，逐寸白，散腹中冷气。又患热疮为末和猪脂涂差。又方：和白沙蜜治湿癣。又方：和马酪治干癣，和沙牛酪疗一切瘭（疮）。案经：作酱食之甚香美，其功尤胜于榆人，唯陈久者更良，可少吃，多食发热心痛，为其味辛之故。秋天食之宜人，长吃治五种痔病。又杀肠恶虫。"

校以《证类》卷13页322"芜荑"条，《嘉祐本草》掌禹锡所引标以"孟诜云"（见文中画波浪线的文字）。《证类本草》唐慎微所引标以"食疗云"（见文中画直线的文字）。可见掌氏、唐氏援引本书标示名称虽不同，但所引的内容，都是

《食疗本草》的文字。

残卷中同一个条文，掌氏、唐氏从中节录不同的部分，标注不同的书名。由此可见掌氏、唐氏所引本书资料，标注书名虽不同，其内容皆是《食疗本草》。

《医心方》的情况也是如此。

例如《医心方》卷4页105有"治白发方，胡桃烧令烟尽，研为泥，和胡粉，拔白毛傅之，即生毛"，并标注出典为"孟诜食经云"。将此方以残卷本胡桃的附方校之，则全同。由此可见《医心方》所标注"孟诜食经云"的资料，亦是《食疗本草》的内容。掌氏所引，标注"孟诜云"，计有163条。唐氏所引的标注食疗，有183条，其中有些药，如艾叶、鸡肠、菰菜、牛乳等，以及一些动物药，掌氏、唐氏各自都有引文。剔除其重复，共有260条。

《医心方》援引本书资料，标注"孟诜云"162条，标注"孟诜食经云"18条，标注"晤玄子张云"13条。合共191条，药味68种。

4. 内容

本书载药，据掌禹锡所引书传云："食疗本草，孟诜撰，张鼎又补其不足者89种，并归为227条，凡三卷。"今从《证类本草》《医心方》所引，除去重复，共260种，比227条要多出33条。为何多出呢？可能因各书对药物分合不同所致。例如莲子和藕，敦煌残卷作2条，而《证类本草》合并为1条。由于合并或分条不同，诸书所引《食疗》资料，按药物计算有260味。由于原书目录不存，这些药物如何归并，不详。

诸书所引《食疗》资料，按其药物来源，有石类4种，草类36种，木类25种，兽禽类29种，虫鱼类45种，果类33种，菜类52种，米谷类26种。

《证类本草》和《医心方》援引本书药物品种虽多，但所引每个药物条文都不完整。欲了解本书药物的全貌，只有从敦煌出土《食疗本草》残卷（以下简称《食疗》残卷）研究之。该残卷本在1907年为英国人斯坦因（Sir Aurel Stein）所得，今存英国伦敦博物馆，馆藏编号为斯氏76号（Stein Rolls No. 76）。

该残卷为卷子本，每行20余字，朱、墨分书。留存药物26条，始石榴条后半条，终芋条前半条，其间存录药有：石榴、木瓜、胡桃、软枣、柰子、芜荑、榆荚、吴茱萸、蒲桃、甜瓜、越瓜、胡瓜、冬瓜、瓠瓜、莲子、燕覆子、楂子、藤梨、羊梅、覆盆子、藕、鸡头子、菱实、石蜜、砂糖、芋等26条。

该残卷为卷子本，卷子背面有陈鲁俦、刘廷坚、潘宗绪、刘筹诸牒状。其中陈鲁俦牒上有"长兴五年正月一日行首陈鲁俦牒"之文。

李嗣源定都洛阳，距离敦煌较远，信息难通，"长兴四年"虽终止，而敦煌处仍袭旧历，故书"长兴五年"，即 934 年，距离孟诜成书时间颇近。

残卷中每个药名是朱书，条文中附方前的"又""又方"亦朱书，还有分隔句、段的点，亦用朱点表示之。王国维认为："其药名皆朱书，余所见唐写本《周易》，释文之卦名，唐韵之部首皆然。但用以与余文识别，更无他义。"

残卷每个药的内容，有药名、药性、主治功用、禁忌、附方。有些药物间或夹有形态、修治、产地。部分药物条文被"案经"分割为前后两段，"案经"的"案"字前标有朱点。"案经"的标记和《证类本草》引文中"谨案"标记义同。"案经"后的文字，是张鼎增补之文。

残卷中存药条文，校以《证类本草》，亦互有出入，例如木瓜条，《证类》引文有"脚膝筋急痛，煮木瓜令烘，研作浆粥样，用裹痛处，冷即易，一宿三五度，热裹便差。煮木瓜时入一半酒同煮之"。而残卷本脱此文。类似此例，还有甜瓜，残卷本也是成段脱落。

残卷中每个药物的药性，用小字注在药名之下，计有寒、冷、温、平四性。无五味记载。

但《证类本草》所引本书资料，有关药物性味比残卷多，例如寒有微寒、寒、大寒三种，温有微温、温、热三种。兹将《证类本草》所记食疗药物性味，不见于残卷者列举如下。

注明微寒的药物：干地黄、苦芺、鼠李、熊脂、豚卵、狐肠肚、麻蕡、大豆、藕实、醋、鹜肪、青粱米、白粱米。

注明大寒的药物：甘蔗根、甘蔗子、淡竹沥、蚌、田中螺。

注明微温的药物：吴茱萸、犀牛肉、石蜜、嘉鱼、鼋、鳝、荔枝。

注明热的药物：羊骨、樱桃、杏核人、瓜蒂的子。

注明味苦的药物：堇汁、龙葵、酒、猪肉。

注明味酸的药物：兔肉、江猪肉、猯膏、诸鸡、龟甲、覆盆子。

注明甘滑的药物：熊脂。

注明苦涩的药物：林檎。

本书除对主治功用有论述外，对药物产地、采集、炮制、禁忌亦有论述。列举如下。

产地：鳖甲，岳州、昌江者为上。大枣，第一青州，次蒲州者好。石蜜，蜀中、波斯者良，东吴亦有，并不如两处者。橄榄，生岭南山谷。

采收：菊花，其叶正月采，可作羹；茎五月五日采；花九月九日采。艾叶，春初采为干饼子，三月三日采作煎。

炮制：蛇蜕，熬用之。羊肝，煿令脂汁尽。天门冬，可去皮心，入蜜煮之，食后服之，若暴干入蜜丸尤佳。

禁忌：雉肉，忌胡桃、菌子、木耳。大豆黄屑，忌猪肉。醋，妨忌大麦。葱，切不得与蜜相和食之。石榴，多食损齿令黑。砂糖，多食损齿，发疳䘌。鲩鮧鱼，有毒，不可食之，其肝毒杀人。鳖甲，赤足者不可食，杀人。栗，蒸炒食之，令气壅，患风水气不宜食。

5. 流传

本书编成于 739 年，南方的陈藏器作《本草拾遗》时，即加以引用，如《拾遗》的桃竹笋、假苏等条，引有"张鼎食疗"。其后亦流传到祖国的西北，如敦煌出土的残卷本背面记有"长兴五年"（934）的时间。

本书在宋代亦广为流传，宋代政府几次编修大型本草书，如《开宝本草》《嘉祐本草》《证类本草》等，都曾参考过本书。

唐、宋图书目录，对本书都有记载。如《新唐书·艺文志》载有孟诜《食疗本草》3 卷。《证类本草》转引《嘉祐本草·补注所引书传》记载《食疗本草》3 卷。郑樵《通志·艺文略》记载孟诜《食疗本草》3 卷。《宋史·艺文志》亦记有本书的书名。

《食疗本草》不仅在国内流行，并且流传到了日本。如日本延喜十八年（918）深江辅仁撰的《本草和名》及日本圆融永观二年（984）丹波康赖《医心方》均引有本书的资料。《日本国见在书目录》医方家类及朝鲜的《东医宝鉴》历代医方，亦记有唐·孟诜《食疗本草》3 卷。

这些资料都说明本书流传地域广，流传时间长。

6. 特点

（1）本书附方很多。从敦煌残卷所存 26 味药来看，几乎每味药都有附方，少则一方，多则数方。

例如残卷中"榆荚"条，在"案经"前后各有三个附方。

本书所附的方子中，记有药味、主治功效、用法、用量等。在唐以前本草中，讲食治，多以宜忌为主，很少附有方子。

经考查，本草附方最早始于《名医别录》。

例如《证类》卷 21 页 424 "露蜂房"条，"唐本注"引《别录》云："蜂房、乱发、蛇皮三味合烧灰，酒服方寸匕，日二，主诸恶疽，附骨痈。"

《证类》卷 22 页 451 "蜣螂"条，"唐本注"引《别录》云："捣为丸，塞下部，引痔虫出尽，永差。"

《证类》卷 15 页 364 "人乳汁"条，"唐本注"引《别录》云："首生男乳，疗目赤痛多泪，解独肝牛肉毒，合豉浓汁服之，神效。"

《证类》卷 19 页 401 "雀卵"条，"唐本注"引《别录》云："雀屎和男首子乳，如薄泥，点目中胬肉赤脉贯瞳子者，即消，神效。"

类似此例很多，所以本草书中的附方，最早是始于《名医别录》。

（2）本书收罗药物品类较多。如玉石、草、木、虫、鱼、鸟兽、果、菜、米各类药物都有。孙思邈《千金食治》收罗药仅限于果实、菜蔬、米谷、鸟兽等药物，为数只有 154 种。对于玉石、草、木及虫类等药没有收载。

本书收载草类药物，其中木耳、菌子、海藻、昆布、干苔、船底苔、紫菜、鹿角菜等，都是一些低等植物，其中藻类亦很多，这些食物在今天已引起人们的重视。

（3）本书所记内容亦较广泛。本书中药物虽以主治和功用为主，但也兼记其他与食治有关的内容，兹举例如下。

1）记载不同地区的人，对同一药物有不同的反应。《证类》卷 9 页 221 "海藻"条引孟诜云："海藻常食之，消男子㿗疾，南方人多食之。传于北人，北人食之倍生诸病，更不宜矣。"同书页 222 "昆布"条引《食疗》云："海岛之人，食此物，服久，病亦不生。遂传说其传于北人，北人食之，病皆生。"

《证类》卷 23 页 477 "杨梅"条引《食疗》云："南方人北居，杏亦不食；北地人南住，梅乃噉（吃）多。"

2）注意到食物变质和不纯。《证类》卷 25 页 491 "小麦"条，引孟诜云："小麦作面有热毒，多是陈裹之色。"同条又引《食疗》云："面有热毒者，为多是陈黝之色，又为磨中石末在内，所以有毒，但杵食之，即良。"

3）书中记载一些动物脏器疗法。《证类》卷 17 页 377 "牛角䚡"条，引《食疗》云："牛肾主补肾髓。"同书页 379 "羖羊角"条引孟诜云："羊肚，主补胃。"又引《食疗》云："羊肝，治肝风虚热，目赤黯痛。生羊子肝吞，主目失明。"

同书页 381 "牡狗阴茎"条引《食疗》云："上伏日采胆，以酒调服之明目。"

同书页 385 "兔头骨"条引孟诜云："兔肝主明目，和决明子作丸服之。"

此外，从今存《食疗本草》佚文中见到的引录的书名有《食禁》《本草》《淮南术方》《洞神经》《灵宝五符经》《神通目法》《北帝摄鬼录》《龙鱼河图》等书。其中道家书较多，此与孟诜、张鼎受道家影响有关。

又，张鼎在增订时，亦引用孟诜的话。例如《证类》卷 27 页 503 "白冬瓜"条，唐氏引《食疗》云："欲得瘦轻健者，则可长食之，若要肥则勿食。孟诜说：'肺热消渴，取濮瓜去皮，每食后嚼吃三二两，五七度良。'"

7. 价值

（1）实用价值。

本书是唐代比较齐全的一部营养学和食疗的专著，收罗药物多，附方多，内容丰富，在当时同类著作中首屈一指。其中很多食品如牛、马、羊肉及乳等至今仍是常用食品，所以本书至今仍有实用价值。

（2）学术价值。

唐宋时期很多本草著作都参考过本书。

例如《开宝本草》新增的药物，虽未注明出典于本书，但从新增药物条文内容来看，有些条文与《食疗本草》内容几乎相同。例如"越瓜"条，《开宝本草》云："越瓜味甘寒，利肠胃，止烦渴，不可多食，动气发诸疮，令人虚弱，不能行，不益小儿，天行病后不可食。"残卷本《食疗》云："越瓜，小儿夏月不可与食，又发诸疮，令人虚弱，冷中，常令人脐下为癥，痛不可止，又天行病后不可食。"

比较两书，文字极相似，说明《开宝本草》新增药中部分文字，是取材于《食疗》的。

在《嘉祐本草》新增的药物中，标注"新补见孟诜"的药物有：船底苔、干苔、乳腐、鲨、蚶、蛏、淡菜、石胡荽、邪蒿、同蒿、罗勒、白苣、雍菜、菠菜、鹿角菜、苦荬、莙达（甜菜）、麹、荞麦、白豆、白油麻、甜瓜、胡瓜等二十余种。说明《嘉祐本草》中，有些新增的药物，也是直接取材于本书的。

掌禹锡作《嘉祐本草》时和唐慎微作《证类本草》时，也都大量援引本书资料作注文。掌氏所引有 163 条，唐氏所引有 183 条。

此外日本深江浦仁作《本草和名》及丹波康赖作《医心方》时，亦参考过本书，后者援引本书资料 191 条，计药味 68 种。

（3）文献价值。

本书是唐代食疗一类书的名著，对于研究饮食疗法发展史，有重要参考价值。对研究个别药物发展史，亦有参考价值。例如本书中收罗的鲈鱼、鳜鱼（桂鱼），石首鱼（黄花鱼）、菠菜、雍菜（空心菜）等，在本草文献中，本书是最早记载的。

由于历史条件的限制，本书亦存在一些缺点。例如《证类》卷 17 页 378 "牛角鳃"条引《食疗》云："十二月勿食牛肉，伤神。"对治丹石发作的药物的记载很多。例如《医心方》卷 30 页 703 引"晤玄子张"云："冬瓜食之压丹石。"同书页 689 "荞麦"条引"晤玄子张"云："荞麦虽动诸病，犹压丹石，能炼五脏滓。"此为张鼎受道家影响所致。晤玄子，盖为张鼎的道号。本书对畸形异体之物，常怀疑惧。例如《证类》卷 17 页 375 "白马茎"条引《食疗》云："白马黑头，食令人癫。"《证类》卷 19 页 397 "丹雄鸡"条引《食疗》云："鸡具五色者，食之致狂。"本书对某些药物作用以主观取象比类进行推测。例如《证类》卷 19 页 406 "鸳鸯"条引《食疗》云："其肉主夫妇不和，作羹脍私与食之，即立相怜爱也。"此条以鸳鸯成双最亲密，推想到夫妇不和食之当亦会相爱的。

这些小小的缺点，并不能掩盖本书巨大的成就。

四、《食医心镜》

《食医心镜》，一作《食医心鉴》，唐·昝殷撰。原书久佚。日本人曾从《医方类聚》辑出 190 余方，1924 年北京东方学会予以铅印出版。该铅印本遗漏佚方很多。笔者从《证类本草》《本草纲目》中又辑得 176 方，合旧方共有 366 方，每方标以序号。

本书主要以食物药品组成方子，制成便于服用的剂型，或煮粥，或制成鱼鲙、菜羹，或浸酒。所以本书是一部方书，不是药书。习惯上将此书归入本草类，是不够恰当的。由于本书是方书，且以饮食疗法为主，所以本书对饮食疗法，研究饮食文化，有较高的实用参考价值。

（一）重辑本前言

《食医心镜》是唐·昝殷撰，宋代时因避宋太祖赵匡胤祖父名"敬"的讳，改书名末字"镜"为"鉴"。又昝殷的"殷"，因避宋太祖父名讳，改为"商"，宋·郑樵《通志·艺文略》题此书为《食医心鉴》唐昝商撰。其后书志，皆沿用《食医心鉴》为此书名。

昝殷是唐代四川成都人，为成都医学博士。唐大中（847—859）年间相国白敏中寻访名医，昝殷得到举荐。（见《产宝》周颋序）

该书成于唐大中十三年（859），原书在明代尚存，明正统（1436—1449）年间朝鲜金礼蒙等《医方类聚》引用过此书，以后亡佚。

今存辑本为日本人从《医方类聚》辑成。清光绪三十四年（1908），罗振玉游历日本东京，购得此书，1924年由北京东方学会铅印出版。书后附有罗振玉跋。

罗在跋文中提到，此辑本卷端有青山求精堂书藏书画之记及森氏二印。卷后有丹波元坚及森立之手识各一则。

丹波元坚手识为"辛丑（1841）六月朔校读于掖庭医局，是书伪字殊多，不敢臆改，一依其旧云，元坚识"。

森约之手识为"嘉永甲寅（1854）仲秋晦夜灯下校正一过，约之识"。

按森约之手识所云，森氏于1854年校正过一次，从现存辑本内容来看，基本上与《医方类聚》所存佚文相同。这就说明，森约之校正，是据《医方类聚》校的，对其他文献未作参考。因此该辑本遗漏佚方很多，书中存在的讹误也不少。1924年东方学会铅印本是用繁体字排的，无断句，无标点，导致青年人对之阅读与应用存在一定的困难。

由于现存辑本存在上述缺点，笔者又从《大观本草》《政和本草》《本草纲目》中重新补辑该书，得佚方177条，连同《医方类聚》所存190方，共得367方。按病证分32类。有些类的开头附有简短的叙论。全书有叙论的共13类，每类收录主治功用相近的方子，每个方子标以自然序码，从1号标到342号。

但其中有些方子下，又附有主治功用完全相同的方，这些附方不另标号，仅注"又方"字样。全书所附的"又方"有24方，按方子总数计是366方，比现存本多166方。

至于该书原来有多少方子，由于书志失载，目前已无法得知。

本书以食物药品为主，组成药方，制成便于服用的食品，或煮粥，或制成菜羹、鱼鲙，或浸酒。所以本书是一部方书，不是本草书，但习惯上都将此书归入本草类。

由于本书是方书，且以饮食疗法为主，所以本书对饮食疗法的发展，有一定的贡献。

全书加了标点，对每一个方子均注明文献出处，并用诸书勘比，凡有歧异处，均出校注说明。

（二）辑校说明

1. 书名

本书原名《食医心镜》，宋代书目因避宋讳，改名为《食医心鉴》。1924年北京东方学会铅印本沿用此名，今为恢复原貌，仍用原名。

2. 卷次

本书卷次，各书志记载不一。《崇文总目辑释》卷3医书类、《通志·艺文略》均记为3卷，《宋史·艺文志》记为2卷，《证类所出经史方书》《古今医统大全》《本草纲目》引据书目、《医方类聚》引用书，仅记书名《食医心鉴》，未记卷次。

3. 分类

本书散佚很久，因无任何目录可据，原书如何分类不详。今依《外台秘要》，按病证分为32类。其中有些类的开头附有简短的叙论。全书叙论共有13类。每类罗列一些主治功用相似的方子，每方标一序码，从1号标到342号。其中有些号下，兼附一些功用完全相同的方子，这些方子，不另标号，但注明"又方"2字。全书附的"又方"24个。连同标号342方，共有366方，比现存东方学会本《食医心鉴》多出176方。

4. 方子组成

每个方子由三部分组成。一是方名，二是方子成分，三是制法及使用说明。在方名中，包含有主治症的病名；在方子成分中，含有药名及用量；在制法及使用说明中，介绍一些操作和使用方法。

5. 辑方来源

本书所辑的方，以《医方类聚》为主；《医方类聚》所缺，以《证类本草》补之；《证类本草》所缺，以《本草纲目》补之。《纲目》引方基本与《证类本草》同，凡《医方类聚》有的方子，《证类本草》未见引，则《纲目》亦无。又《纲目》引文多有删改。例如《纲目》卷47"鹜肪"条附方引《心镜》两个方子，即用一个方名"治十种水病垂死"。《政和本草》卷19"鹜肪"条附方是用两个方名，第一方名同《纲目》，第二方名为"主水气胀满浮肿小便涩少"。因此，《纲目》引文，不能作为底本用。

6. 校勘

本书辑文，以《医方类聚》《证类本草》为底本，以《本草纲目》及其方书作校本。凡底本与校本有不同处，以底本为主，将校本歧异处出注说明，例如底本用的药名有"土苏""蓑苨"，但校本作"酥""薄荷"，本书即出注说明。

7. 本书所用简称书名

《类聚》，即《医方类聚》，明代朝鲜金礼蒙等集纂，1981年人民卫生出版社出版。

《大观》，即《经史证类大观本草》，宋·唐慎微撰，1904 年柯逢时影宋并重刊。

《政和》，即《重修政和经史证类备用本草》，宋·唐慎微撰，1957 年人民卫生出版社影印。

《纲目》，即《本草纲目》，明·李时珍撰，1977—1981 年人民卫生出版社出版。

《千金翼》，即《千金翼方》，唐·孙思邈撰，1955 年人民卫生出版社影印。

《食医心鉴》，即《食医心镜》，唐·咎殷撰，1924 年北京东方学会铅印。

《〈本草拾遗〉辑释》，唐·陈藏器撰，尚志钧辑校，2002 年安徽科学技术出版社出版。

《易简方》，宋·王硕著，1889 年清·孙诒让据元代杨氏纯德堂重刻。

《卫生易简方》，明·胡濙著，1562 年江西刻本。

《圣惠方》，即《太平圣惠方》，宋·王怀隐等撰，1958 年人民卫生出版社出版。

《寿亲养老书》，即《寿亲养老新书》，宋·陈直原著，1919 年邹铉续增，上海朝记书庄出版。

《得效方》，即《世医得效方》，元·危亦林撰，1957 年上海卫生出版社出版。

五、《本草拾遗》

《本草拾遗》是唐代陈藏器所撰的总结唐代药物学的一部名著。《唐本草》较前代本草新增药物只有114 种，而本书载药比《唐本草》新增药多六倍。书中收罗广博，内容丰富。明·李时珍曾评价说："藏器著述，博极群书，精核物类，订绳谬误，搜罗幽隐，自本草以来一人而已。"《本草拾遗》于 739 年编成，原书早佚。笔者根据《证类本草》《医心方》诸书中所辑的本书资料，加以归类排比、编辑，恢复此书旧貌。笔者在《〈本草拾遗〉辑释》中对每个药物条文来源均标明出处，对于辑录中诸家文字上的增减参差作了校勘，而对古本草中较生僻的地名、物名则加以注释，以方便读者阅读。

《〈本草拾遗〉辑释》基本恢复了这一唐代药学名著的原貌，弥补了佚书的空缺，而且在辑复过程中考订校正了诸书在辑录传抄中的衍误，对研究药物发展史和研究本草文献，都有很重要的参考价值。

（一）《本草拾遗》综述

《本草拾遗》为唐·陈藏器所撰，掌禹锡《嘉祐本草·补注所引书传》谓陈藏器是唐开元中京兆府三原县尉。《秘书省续编到四库阙书目》谓陈藏器是四明人。李时珍《本草纲目》所云同此。《古今图书集成医部全录·医术名流列传》云："按《医学入门》，陈藏器，唐三元尹，撰《神农本草经》，曰《本草拾遗》。"

1.《本草拾遗》的撰述年代

本书的撰写，当是在开元年间（713—741）。因为《本草拾遗》"骨碎补"条注云："本名猴姜，开元皇帝以其主伤折补骨碎，故作此名耳。"按宋·钱易《南部新书·辛集》云："开元二十七年（739），明州人陈藏器撰《本草拾遗》云：'人肉治羸疾。'自是闾阎相效割股，于今尚之。"则《本草拾遗》当成书于739年。正好是《唐本草》颁行80年之时。

2.《本草拾遗》卷数

《唐书·艺文志》《崇文总目辑释》《通志·艺文略》《玉海》《宋史·艺文志》《和名钞引用汉籍》、掌禹锡《嘉祐本草·补注所引书传》皆作10卷。唯《秘书省续编到四库阙书目》云："陈藏器，四明人，《本草拾遗》二十卷。"疑20卷为10卷之误。

3.《本草拾遗》的组成

掌禹锡《嘉祐本草·补注所引书传》云："《本草拾遗》，陈藏器撰。以《神农本草经》虽有陶、苏补集之说，然遗逸尚多，故别为序例一卷，拾遗六卷，解纷三卷，总曰《本草拾遗》，共十卷。"可见《本草拾遗》是由序例、拾遗和解纷三部分组成。

"拾遗"是拾补《唐本草》遗漏的药物，掌禹锡《补注本草》和宋僧赞宁《竹谱》皆说陈藏器作《本草拾遗》，是因为《神农本草》虽有陶弘景、苏敬诸人增注，但是仍有遗漏，故为拾补。所以"拾遗"收载的药物，都是不见录于《唐本草》书中的。

4.《本草拾遗》收载药数

从《证类本草》所标注的"陈藏器云"统计，共有628种，这些品种都不见录于《唐本草》。其中有很多药，曾为后世本草书如《海药本草》《开宝本草》《嘉祐本草》《证类本草》等书所引用。计《海药本草》引用2种，《开宝本草》

引用 64 种,《嘉祐本草》引用 59 种,《证类本草》引用 488 种,《医心方》引用 25 种,剔除其重复,尚有 628 种。可见《本草拾遗》载药不会少于 628 种。

5. 《本草拾遗·解纷》的内容

"解纷"是讨论药物品种混乱以及辨别前代本草著作舛误的。因此其中所录的药物,大多已见于《唐本草》。在讨论品种问题方面,如苏颂《本草图经》曰:"陈藏器解纷云:'鬼臼,味苦色青;姜黄,味辛温,色黄;郁金,味苦寒,色赤,主马热病。三物不同,所用全别。'"又如"桂"条,陈藏器《本草拾遗》云:"菌桂、牡桂、桂心,以上三种,并同是一物。板薄者即牡桂也,筒卷者即菌桂也。古方有筒桂,字似菌字,后人误而书之,习而成俗。"

在辨别前代本草著作错误方面,如"姜黄性热不冷,本经(指《唐本草》)云寒,误也""接骨木有小毒,《本经》(指《唐本草》)云无毒,误也"。

由于本书的"拾遗"所论药物,都是《唐本草》遗漏的药物,而"解纷"又都是论述《唐本草》已见录的药物,而有些药物,在"拾遗"和"解纷"中皆有记载,例如地松是《唐本草》不载的药物,应收录在"拾遗"中,但天名精的别名亦称地松,则是《唐本草》已见录的药物,陈氏注释为天名精,又在"解纷"中重出地松。所以《嘉祐本草》批评陈藏器云:"据陈藏器'解纷'合陶、苏二说,亦以天名精为地松,则今此条不当重出。虽陈藏器'拾遗',别立地松条,此乃藏器自成一书,务多条目尔。'解纷''拾遗'亦自差互。"

6. 《本草拾遗》的药物分类

本书对药的分类,基本上与《唐本草》的分类相同,有玉石、草、木、兽禽、虫鱼、果、菜、米等各部,每部又分为上中下三品。

7. 《本草拾遗》的特点

(1)参考资料广博。从《证类本草》中统计,在冠有"陈藏器曰"的条文中,引用的书名如史书、地志、杂记、小学、医方等共 116 种,书名从略。其中有些书与陈氏几乎是同时代人的作品。如张鼎《食疗本草》《崔知悌方》等。

(2)内容丰富。正如李时珍所说:"藏器著述,博极群书,精核物类,订绳谬误,搜罗幽隐,自本草以来,一人而已。肤浅之士,不察其详,唯诮其僻怪,岂知天地品物无穷,古今隐显亦异,用舍有时,名称或变。如海马、胡豆之类,皆隐于昔,而用于今;仰天皮、灯花、败扇之类,皆万家所用者,若非此书收载,何以稽考?"

（3）重视实际，不迷信古人。例如《神农本草经》有"柳华，一名柳絮"。按"华"同"花"。陈藏器从实地观察，发现柳絮不是柳树花，而是柳树的种子。所以陈藏器本草说："柳絮，《本经》以絮为花，花即初发时黄蕊，子为飞絮。以絮为花，其误甚矣。"

8. 《本草拾遗》对医药学的贡献

（1）发现了维生素 B_1 缺乏病。"稻米"条云："黍米及糯饲小猫犬，令脚屈不能行。"

（2）指出了无机碱的腐蚀作用。"草蒿"条云："草蒿烧为灰，淋取汁，和石灰，去息肉。"

（3）对药物毒性的认识。如"莨菪子"条云："勿令子破，破即令人发狂。"

（4）认识到生物碱可由伤口吸收中毒。如"乌头"条云："乌头，有生血及新伤肉破，即不可涂，立杀人。"

（5）记载热敷物理疗法。如"六月河中热砂"条云："取干砂日暴，令极热，伏坐其中，冷则更易之，取热彻通汗，治风湿顽痹不仁，筋骨挛缩，脚疼，冷风掣瘫缓。"

（6）记载制药的飞法。如"铁精"条云："针砂飞为粉，功用如铁粉。"

9. 记载了不少可贵的理化史料

（1）升华法。"烟药"条云："取铁片阔五寸烧赤，以药置铁上，用瓷碗，以猪脂涂碗底，药飞上，待冷即开。"

（2）比重的认识。"藕实"条云："石莲入水必沉，唯煎盐卤能浮之。"乳穴中水条云："其水浓者，秤，重他水，煎上有盐花，此真乳液也。"

（3）过滤。"草蒿"条云："草蒿，烧为灰，纸八九重，淋取汁。"

（4）石油的记载。"石漆"条云："堪燃烛膏半缸如漆，不可食……《博物志》酒泉南山石出水，其如肥肉汁，取著器中如凝脂正黑，与膏无异。"

（5）盐的渗透压作用。"蟹膏"条云："蚯蚓破之，去泥，以盐涂之化成水。"

（6）从植物灰中取盐。"食盐"条，陈藏器云："按盐，唯西南诸夷稍少，人皆烧竹及木盐当之。"

（7）碱的发现。"自然灰"条，陈藏器云："自然灰，能软琉璃玉石如泥，至易雕刻及浣衣令白。"

（8）硫化银的发现。"黄银"条，陈藏器云："今人作乌银，以硫黄熏之再宿，泻之出，即其银黑矣。"

（9）鞣酸铁的发现。"针砂"条，陈藏器云："针砂性平，无毒，堪染白为皂（黑），及和没食子（含鞣酸）染须至黑。"

（10）酒的防腐作用。"酒"条，陈藏器云："甜糟，杀腥，去草菜毒，藏物不败。"

（二）《〈本草拾遗〉辑释》序

陈藏器是唐代开元年间（713—741）四明（今宁波）人，曾做过京兆府（今西安市）三原（今属陕西）县尉（唐县令下掌治安官）。他看到唐代颁布的《新修本草》多有遗漏，因而撰《本草拾遗》。

《本草拾遗》成书年代，约在唐代开元后期，因为《本草拾遗》"骨碎补"条注云："本名猴姜，开元皇帝以其主伤折，补骨碎，故作此名耳。"宋·钱易《南部新书·辛集》云："开元二十七年（739），明州人陈藏器撰《本草拾遗》云：'人肉治羸疾'，自是闾阎相效割股，于今尚之。"是以本书撰成年代当在739年，正好是《唐本草》颁行80年后。

本书撰成后，流传较广，五代时日本源顺《和名类聚钞》和日本丹波康赖《医心方》都曾引用过本书。宋代的《太平御览》《开宝本草》《嘉祐本草》《本草图经》《证类本草》等都相继引用过本书，唐、宋图书目录均有记载。说明本书在唐、宋时代国内外都有流行。原书已佚，笔者于"文革"前辑有本书手稿本，与诸稿捆在一起，置之楼角，幸免于"扫四旧"之灾。今乘诊余之暇，将捆放多年的旧稿捡出，在无人打扰的陋室中，日以继夜重行整理成册。

《本草拾遗》由序例、拾遗、解纷三部分组成。宋·掌禹锡《嘉祐本草·补注所引书传》云："《本草拾遗》，陈藏器撰，以《神农本草经》虽有陶、苏补集之说，然遗逸尚多，故别为'序例'一卷，'拾遗'六卷，'解纷'三卷，总曰《本草拾遗》。"

其卷1序例，相当于总论部分，序文虽佚，但部分内容仍散见于《证类本草》中。《证类本草》所引陈藏器《本草拾遗》的条文，其内容和《雷公炮炙论·序》文词异义同。例如《拾遗·序》云："久渴心烦，服竹沥；延胡索止心痛，酒服……"而《雷公炮炙论·序》云："久渴心烦，宜投竹沥；心痛欲死，速觅延胡……"

另外序例中尚有"十剂"的内容。谓诸药有宣、通、补、泄、轻、重、涩、滑、燥、湿等十种。又云"重可去怯，即慈石、铁粉之属是也""湿可去枯，即紫石英、白石英之属是也"。《本草纲目》注此等资料出典，既标为"徐之才曰"，又注为"陈藏器曰"。

其卷 2~7 为"拾遗"部分。"拾遗"收载药物有 712 种，这些药都不见录于《唐本草》。其中绝大部分被后世本草著作引用为正品。计《海药本草》引用 2 种，《开宝本草》引用 64 种，《嘉祐本草》引用 59 种，《证类本草》引用 488 种，《本草纲目》引用 368 种。而《纲目》新增药合计 374 种，即引自《拾遗》的药物占《纲目》新增药的 98% 以上。其他如《和名类聚钞》《医心方》《太平御览》等亦都有引用。可见本书收罗资料极为广博，内容亦很丰富。正如李时珍《本草纲目·历代诸家本草》所说那样："藏器著述，博极群书，精核物类，订绳谬误，搜罗幽隐，自本草以来，一人而已。"

其卷 8~10 为"解纷"部分。"解纷"所论的药物 265 种，多数已见录于《唐本草》中。其内容以审辨药物为主。例如《证类本草》卷 9"姜黄"条云："陈藏器'解纷'云：'蒁，味苦，色青；姜黄，味辛，温，色黄；郁金，味苦，寒，色赤，主马热病，三物不同，所用全别。'"

"解纷"另一些内容是纠正《唐本草》的错误。例如《唐本草》新增的药"接骨木，味甘、苦，平，无毒"。陈藏器云："接骨木有小毒，《本经》云无毒，误也。"（《本经》云，是指《唐本草》云，因接骨木是《唐本草》新增的。）

由于"解纷"以审辨药物为主，所以《本草纲目》"黄精"条注云："历代本草唯陈藏器辨物最精审，尤当信之。"

本书对药物的分类，基本上和《唐本草》药物分类相同，分为玉石、草、木、兽禽、虫鱼、果、菜、米谷等各部。

例如"兰草"条云："泽兰……已别出中品之下。"查《唐本草·目录》，泽兰就是列在"中品之下"的。又"千金藤"条云："其中有草，今并入木部，草部亦重载之。"又如"独自草"条云："解之法，在拾遗石部盐药条中。""鳜鱼"条云："橄榄木、鱼茗木，已出木部。""乳穴中水"条云："穴中有鱼，出鱼部中。"从这类药物条文中，可以窥测到本书有石部、草部、木部、鱼部等类别名称。这些类别名称和《唐本草》目次相吻合，这就提示本书目次是沿用《唐本草》目次的。

本书的价值有下列四点。

1. 在《唐本草》基础上，继续总结唐代药物学的成就

如《开宝本草》新增的药物京三棱、青黛、天麻等，早在本书中已有收录。

正如李时珍说："海马、胡豆之类，皆隐于昔而用于今；仰天皮、灯花、败扇之类，皆万家所用者，若非此书收载，何以稽考。"

2. 本书有一定学术价值，在本书刊行不久，即受国内外学者所重视

如李珣《海药本草》、日本源顺《和名类聚钞》、日本丹波康赖《医心方》、马志等《开宝本草》、掌禹锡《嘉祐本草》、李昉等《太平御览》等皆有引用。

3. 从本书的内容，可以看出陈藏器治学态度的严谨

陈藏器著述本书时，参考的文献有史书、地志、杂记、小学、医方等共116种，其中有些书是和陈藏器同时代的人的作品，如《食疗本草》《崔知悌方》等。

陈氏著述不单纯参考文献，也有不少来自陈氏本人的实际观察。例如《神农本草经》有"柳华，一名柳絮。"陈氏观察到，柳絮不是柳树花，而是柳树的种子，所以陈藏器说："柳絮，《本经》以絮为花，花即初发时黄蕊，子为飞絮，以絮为花，其误甚矣。"类似此例很多。

4. 本书记载很多可贵的自然科学史料

例如"石漆"条云："堪燃，烛膏半缸如漆，不可食……"这是对石油的记载。又如"蟹膏"条云："蚯蚓破之，去泥，以盐涂之化成水"，这是盐的渗透压作用的记载。类似例子很多，此处从略。

由于历史条件的限制，书中也存在一些封建迷信的糟粕。例如"姑获"条，陈藏器云："姑获能收入魂魄，今人一云乳母鸟，言产妇死，变化作之，能取人之子以为己子。"对于这类内容的批评、分析自属本草研究之要务，但本辑复本的主旨是先复归其旧，一般未加删削。

书中有些记载亦系传闻，缺乏实践的基础。宋代《开宝本草》即对本书"金屑"条批评道："按陈藏器《拾遗》云：'岭南人云：生金是毒蛇屎，此有毒。'此乃藏器传闻之言，全非。据皇朝（指北宋）收复岭表，询其事于彼人，殊无蛇屎之事，恐后人览藏器之言惑之，故此明辨。"诸如此类，想今之学者定能批判继承，正确对待。

《〈本草拾遗〉辑释》基本上恢复了这一唐代药学名著的原貌，聊以弥补本草馆藏典籍的空白；而且在辑复过程中，通过对诸书相关辑复内容的考订，校正了诸书在辑录传抄中的衍误。相信这个辑释本对研究药物发展史和本草文献的渊源嬗递，都会有较好的参考价值。

（三）辑释说明

1. 陈藏器《本草拾遗》，原书早佚，辑释本主要从下列各书辑之

日本丹波康赖《医心方》，1955 年人民卫生出版社影印。

孙思邈《千金方》，1955 年人民卫生出版社影印。

日本深江辅仁《本草和名》，1926 年日本古典全集刊行会影印。

日本源顺《和名类聚钞》，日本元和三年（1617）镌版。

唐慎微《经史证类备急大观本草》，清光绪三十年武昌柯逢时影宋并重刊，简称《大观》。

唐慎微《重修政和经史证类备用本草》，1957 年人民卫生出版社影印，又名《政和本草》。该书是《证类本草》中最佳的本子，可以作为《证类本草》代表本，简称《证类》。

李时珍《本草纲目》，1957 年人民卫生出版社影印，简称《纲目》。

2. 《大观本草》及《政和本草》与《本草拾遗》的关系

《大观本草》及《政和本草》中所存陈藏器文有下列六种情况。

（1）《开宝本草》新增药物正文大字中，包含陈藏器《拾遗》文字，及《开宝本草》援引《拾遗》文作注文。

（2）《嘉祐本草》新增药物中，注明"新补见陈藏器"。

（3）《证类本草》收载"陈藏器余"药物。

（4）掌禹锡引《本草拾遗》作的注文。

（5）唐慎微引《本草拾遗》作的注文。

（6）苏颂《本草图经》引《本草拾遗》文。

兹将这六种情况简述如下。

第一，关于《开宝本草》采用陈藏器《本草拾遗》文所组成新增药物的内容，由于《开宝本草》未标注任何记号，加以《本草拾遗》文全被糅合，所以在实际上无法区别《本草拾遗》文和非《本草拾遗》文。

如何知道《开宝本草》新增药物中，采用过《本草拾遗》文字呢？这可以从《证类》《医心方》所引《拾遗》文了解之。

例如《证类》卷 4 页 110 "生银"条，是《开宝本草》新增的。《医心方》卷 25 页 578 引《本草拾遗》云："生银治小儿诸热，以水磨服。功胜紫雪。"此文与《开宝本草》新增药"生银"条正文大字相同。由此可知《开宝本草》新增药是采

用过《本草拾遗》文的。

又如《证类》卷23页478"胡桃"条是《开宝本草》新增的药，《医心方》卷4页105云："今案《本草拾遗》胡桃烧令烟尽，和胡粉为泥，拔白发，以内孔中，其毛皆黑。"同书卷30页695"胡桃"条引《拾遗》云："胡桃，味甘，平，无毒。食之令人肥健，润肤黑发，去野鸡病。"把这两段文字合并起来，与《开宝本草》新增"胡桃"条文字基本相同。由此可见《开宝本草》新增药"胡桃"条，主要是根据《拾遗》中胡桃文字编成的。

又如《证类》卷5页135"淋石"条，是《开宝本草》新增的药，其条文与《医心方》卷12页266引《拾遗》文全同。由此可知《开宝本草》新增"淋石"条，是采用《拾遗》文字编写而成的。

《开宝本草》除新增药物条文杂有《拾遗》资料外，还援引《拾遗》资料作某些药物注释文。其标记为"今按陈藏器云"。这种标记，就是该书辑录《拾遗》文依据之一。

第二，关于《嘉祐本草》新增药物正文大字，凡引用《拾遗》时，都注明"新补见陈藏器"，或注"新补见孟诜、陈藏器、日华子"。前者注明的引文是纯《拾遗》文字；后者注明的引文，已把《拾遗》文同诸家本草著作文字糅合在一起，目前无法区分各家之文，所以本书虽将这两类文字辑入，但必须指出，其中的后者并不是纯粹的《拾遗》佚文。

第三，关于《证类本草》收载"陈藏器余"的条文，都是很完整的条文。不像掌氏、唐氏所引《拾遗》文，经过节略，都不完整。例如在《证类》卷13页328"墨"条下，掌氏引《拾遗》文，仅云"墨温"2字。通检"陈藏器余"的条文，没有一条文字简短到像"墨温"般只有两个字。这就说明掌氏引《拾遗》文删节的很多。只有《证类》自引的"陈藏器余"条文没有节略。本书所辑录的"陈藏器余"文字，都是完整的条文，这些完整条文对研究陈藏器《拾遗》最有价值。

第四，关于掌禹锡作小注的"引《拾遗》"，其引文前冠有"臣禹锡等谨案陈藏器"黑底白字标记。掌氏引文，凡与《嘉祐本草》正文大字功用相同文，多省略之。例如《证类》卷24页483，"胡麻油"条中有"生秃发"。掌禹锡引《拾遗》文时，有关"生秃发"功用即省略掉。但《医心方》卷30页688援引陈藏器《拾遗》文时，却有"叶：沐头，长发"。所以本书辑录掌氏引《拾遗》时，还用《医心方》核校补缀之。

另外，掌氏引《拾遗》文，往往夹有掌氏本人的按语。例如《证类》卷13页331"郁金香"条，掌氏引《拾遗》云："郁金香……为百草之英，合而酿酒，以降神也。以此言之，则草也，不当附于木部。"文末"以此言之，则草也，不当附于木部"13字，是掌氏的按语，不是陈藏器之言。因为"郁金香"是《开宝本草》新增药，《开宝本草》将它列入木部。掌氏引《拾遗》文，见文中有"百草之英"，认为郁金香既是"百草之英"，故加此13字按语。本书辑录时，即删除此13字。

第五，关于唐慎微援引《拾遗》文，其引文都排列在墨盖子标记之下。唐氏援引《拾遗》文时，凡与旧本药物正文大字相同的文字，唐氏也是省略不录的。例如《证类》卷5页135"淋石"条，是《开宝本草》新增的药，其条文有"淋石，主石淋，水磨服之，当碎石随溺出也"16个字。唐氏引《拾遗》文时，即把此16个字省略不录了。但《医心方》卷12页266"治石淋方"，援引的《拾遗》文却有此16字。这说明唐氏引《拾遗》文时，凡与旧文相同的文字即省略了。所以本书辑唐氏所引《拾遗》文，仍用《医心方》核校补缀之。

由于掌氏、唐氏引《拾遗》文有省略，因而以掌氏、唐氏引文辑录《拾遗》资料，不及"陈藏器余"文完整。

在《证类本草》中，有些药物，既有掌氏引文，又有唐氏引文。一般唐氏都掇拾掌氏不录之文。换句话说，掌氏、唐氏援引的《拾遗》文，文字很少有相同的。所以唐氏引文并不与掌氏引文重复，仅有个别条文，因分类不同，偶有重复。例如《拾遗》的"枫皮"条，掌氏在"枫香脂"条下援引此文（《证类》卷12页305），而唐氏在"枫柳皮"条下亦引此文（《证类》卷14页356）。

又唐氏引文间或夹有唐代人读《拾遗》时所加的批注文。例如《证类》卷5页136"不灰木"条，唐氏引《拾遗》文有"中和二年于李宗处见传"10个字。这个"中和二年"，即882年，《拾遗》书成书于开元二十七年，即739年。二者相隔143年，则此10个字当非《拾遗》文，可能是882年时的人读《拾遗》书所加的注文。

第六，关于苏颂《本草图经》援引《拾遗》文，大多经过化裁，并非原貌。

例如《证类本草》卷18页393"鼺鼠"条，有两段援引《拾遗》文的文字。一是《开宝本草》引陈藏器云："陶云有水马，生海中，主产。按水马，妇人临产带之，不尔临时烧末饮服，亦可手持之。出南海，形如马，长五六寸，虾粪也。"二是苏颂《本草图经》云："又有一种水马，生南海中，头如弓形，长五六寸，虾粪也。陈藏器云；妇人将产带之，不尔临时烧末饮服，亦可手持之。"比较这两个引文，内容全同，《开宝》全文转录，而苏颂引文是经过化裁的。如无《开宝》引文在前，很难看出苏颂化裁了《拾遗》文。根据这个例子，我们也可以从苏颂《本草图经》中找出一些陈藏器《拾遗》的佚文。如本书中"泽兰"条，就是从《本草图经》中辑录的。

又如《证类》卷22页443"蚺蛇胆"条，苏颂《本草图经》曰："陈藏器说，蛇中此蛇独胎产，形短，鼻反，锦文。其毒最猛，著手断手，著足断足，不尔合身糜溃矣。蝮蛇至七八月毒盛，常自啮木，以泄其毒，其木即死。又吐口中沫于草木上，著人身成疮，名曰蛇瘼，卒难疗治。所主与众蛇同方。"此文字与"蝮蛇胆"条《嘉祐本草》所引"陈藏器云"文，各不相同，盖苏颂所引《拾遗》文，是经过一番化裁的。

3.《医心方》与《本草拾遗》的关系

关于《医心方》中所存的《拾遗》佚文，为数不及《证类》多，而且很零碎，因为《医心方》是方书体例，其援引是根据《医心方》中所列病证治疗需要而录的。

例如《医心方》卷25页567"治小儿腹胀方"，引《本草拾遗》云："小儿痞，三白草捣汁服之，令人吐。"同页"治小儿癥癖方"引《本草拾遗》云："苦瓠取未硬者，煮令热解开，熨小儿闪癖。"同书页572"治小儿夜啼方"引《本草拾遗》云："灶中土及四交道中土合末，以饮小儿，辟夜啼。"

又如《医心方》卷1页34，仅引《本草拾遗》药名砺石、温石、鼠场土等25种。

《医心方》所引《拾遗》文，有的亦不见于《证类本草》中。

例如《医心方》卷24页531引《本草拾遗》云："夫溺处土，令人有子，壬子日妇人取少许，水和服之，是日就房，即有娠也。"同书卷25页583"治小儿恶疮久不差方"，引《本草拾遗》云："厕中泥傅之。"以上两条《拾遗》文，皆不见录于《证类本草》。

此外，还有同样的条文，《证类》《医心方》皆援引，而隶属的药名不同。例如《医心方》卷30页690"粳米"条引《拾遗》云："凡米，热食则热，冷食则冷，假以火气，体自温平。"《证类》卷25页489"粳米"无此文，但卷26页497"陈廪米"条，唐氏援引有此文。

4. 关于辑文的采集和处理

一部分辑文采自《证类本草》"陈藏器余"条文。这些条文一般都很完整。

一部分辑文采自《证类本草》掌氏或唐氏援引的《拾遗》文。对掌氏、唐氏在同一药物下援引的，即进行合并。对掌氏或唐氏分别在不同药物下援引的，即各自立为条目。由于掌氏或唐氏在援引时有所节略，因而此等辑录文大多数是不够完整的。

一部分辑文取自《医心方》《太平御览》《和名类聚钞》《南部新书》。

凡《医心方》引文和《证类本草》引文相同的，即进行归并，对其中差异之处加以说明，注于当药之下。

全书所辑之文，以《纲目》核校之，并将其差异注于当药之下。

每条辑文末，标注文献出典，并加括号。括号内文献出典，原先标注《大观本草》卷次页次。但该书不及人卫影印四页合一页的《重修政和本草经史证类备用本草》（简称《证类》）流传广。为便于检索，改用《证类》页次行次。

对所有采集的条文，进行分门别类，参照《嘉祐本草》所记载《本草拾遗》"别为序例一卷，拾遗六卷，解纷三卷，总曰《本草拾遗》，共十卷"的格局进行归复。

"拾遗"6 卷，载药物 712 种，每味药编一个序码。卷 2 为石部，载药 143 种；卷 3 为草部，载药 178 种；卷 4 为木部，载药 140 种；卷 5 为兽禽部，载药 63 种；卷 6 为虫鱼部，载药 97 种；卷 7 为果、菜、米部，载药 91 种。

"解纷"3 卷，涉及药物 265 种，每味药各编一个序码。卷 8 解纷（一），涉及药物 131 种；卷 9 解纷（二），涉及药物 69 种；卷 10 解纷（三），涉及药物 65 种。

六、《石药尔雅》

《石药尔雅》，一名《百药尔雅》，梅彪撰。梅彪为唐代炼丹家，西蜀江源（今四川松潘）人。少好丹术，穷究经方，尝注释唐以前道家炼丹书中所用药物、丹方的各种隐名，撰成《石药尔雅》。其在书自序中云："余西蜀江源人也，少好道艺，性攻丹术，自弱至于知命，穷究经方，用药皆是隐名。"

本书成于唐宪宗元和元年，即公元 806 年。《石药尔雅》序末，有梅彪题署"时唐元和丙戌梅序"。

全书分上、下两卷。上卷有个标题为"飞炼要诀"，其下子目为释诸药隐名。下卷有五个标题：①载诸有法可营造丹名；②释诸丹中有别名异号；③叙诸经传歌诀名目；④释诸经记中所造药物名目；⑤论诸大仙丹有名无法者。

全书所释药名，都在上卷"释诸药隐名"篇内。该篇所释药名168种，计有玄黄花、铅黄花、锡精、铅精、水银、水银霜、丹砂、雄黄、雌黄、赤雌、石硫黄、硇砂、曾青、空青、磁石、阳起石、理石、胡桐律、金牙、石钟乳、胡粉、白玉、白青、绿青、石绿、石胆、云母、消石、朴消、白矾石、鸡屎矾、滑石、紫石英、白石脂、白石英、青石脂、太一禹馀粮、鸡屎礜石、握雪礜石、太阴玄精、太阳玄精、凝水石、礜石、长石、青琅玕、方解石、石黛、牡蛎、金、银、瑜石、熟铜、铅白、白蜡、水精精、紫石英、戎盐、代赭、卤咸、大盐、石盐、黑盐、赤盐、白盐、青盐、乌头、附子、郁金、五牙（谷、粟、豆、黍、大麦等牙）、桑汁、葱涕、覆盆子、西龙膏、桑树上露、白云汁、蚯蚓屎、白茅、桑木、苏膏、白颈蚯蚓汁、白僵蚕、白狗胆、狗屎、白狗耳上血、黑狗粪汁、黑狗血、牛乳汁、牛胆、黄牛粪汁、水牛脂、羊脂、猪项上脂、猪脂、大虫睛、母猪足、猴狲头、鹳鹊血、雨水汁、野鹊脑、鲤鱼眼睛、马粪、猥脂、萤火虫、蜂子、蜂蜜、韦麻火、鳔胶、虾蟆皮、蛇蜕皮、墙上草、楸木耳、章陆根、桃胶、竹根、松根、柏根、石苔衣、松脂、牡丹、青牛苔者、西兽衣者、石灰、甘土、黄土、赤土、黄鹦头、苋根、鼎、铁釜、土釜、阴华羽盖、阳曹萼、越灶、酢、铜青、五茄皮、地榆、蜂、砌黄、井华水、铅丹、烛烬、桑寄生、地黄、黄精、茯苓、天门冬、蜂子蜜、泽泻、未嫁女子月水、小儿尿、水泡沫、五茄地榆匹、肉苁蓉、死人血、杏人、白昌、持子屎、乌头没、人粪汁、紫矿、千寻子、牡荆子、蝙蝠、青蚨、子东灰、紫亭脂。

以上共释药名168味，其中石类81味，动物类40味，植物类42味，不明类别者5味。前65味是石类，后石类、动物类、植物类，混杂排列。

每味药名下，列举若干隐名，少则一个隐名，多则数十个隐名，例如方解石列1个隐名，"一名黄石"，而水银列举21个隐名。

《石药尔雅》序云："今附有六家之口诀，众石之异名，象《尔雅》词句，凡六篇，勒为一卷"。书名虽是《石药尔雅》，而石类仅占半数。由于梅彪是炼丹道家，重视矿物药，故将矿物药列在诸药的开头，并以"石药"命书名。

本书最早见录于《崇文总目辑释》道书类七，《石药尔雅》1卷，梅彪撰。

《抱经楼藏书志》卷36医家载《石药尔雅》2卷，题唐梅彪集。

朱彝尊《曝书亭集》卷42《石药尔雅》跋云："唐元和中（806—820）西蜀人梅彪撰《石药尔雅》，医方以药石并称，《尔雅》只释草木，石不及焉，梅彪取其隐名而显著之也。"

《石药尔雅》刊本如下。

（1）明末汲古阁精抄本。

（2）清道光十七年丁酉（1837）武林竹简斋重印别下斋丛书本。

（3）1936年涵芬楼影印明正统道藏本。

（4）1937年上海商务印书馆铅印丛书集成初编本。

（5）民国商务印书馆影印别下斋丛书本。

（6）民国初据汲古阁本刻本。

（7）民国武林竹简斋据别下斋丛书本影印本。

（8）民国据汲古阁本晒图纸本。

（9）影印汲古阁抄本。

（10）据别下斋丛书本抄本。

（11）见《道藏》。

（12）见《丛书集成初》编。

七、《四声本草》

《嘉祐本草》所引书传云："《四声本草》，唐兰陵处士萧炳撰。"

兰陵是隋代地名，在今山东峄成东25千米（今山东苍县），疑萧炳生于隋末，否则不会称他为"兰陵处士"。所谓"处士"，是指一些有学问而不愿做官的知识分子。由此可联想到，隋唐之际，社会动乱，萧炳隐居不仕，故有"处士"称号。

萧炳是个文人，他从小学声韵的角度，把四声应用到药物分类上来，开创后世笔画、拼音、部首等排列药物的先河。《嘉祐本草》云："萧炳取本草药名每上一字，以四声相从，以便讨阅，凡五卷。前进士王牧撰序。"《本草纲目·历代诸家本草》"四声本草"条云："取本草药名上一字，以平、上、去、入四声相从，以便讨阅。"近代萧步丹《岭南采药录》即直接仿照萧炳的方法，进行药物分类。

成书年代。萧炳作《四声本草》成于唐代，书中有避"世"字讳，例如"钓樟"条，萧炳云："俗人取茎叶，置门上，辟天行时疾。"又如"樗皮"条，萧炳云："俗人呼为虎眼树。"此文中"俗人"，唐以前书俱作世人。因避李世民讳，"世"改为"俗"。从避讳字来看，成书时间当在唐太宗为帝之后。

本书内容。《四声本草》原书久佚。其佚文曾被《嘉祐本草》所引用，散存于《大观本草》《政和本草》中。明·李时珍又从《大观本草》《政和本草》转录在《本草纲目》中。

《嘉祐本草》所引《四声本草》资料，仅限于为前代本草资料所无，凡前代本草已有的内容，即不录。从《嘉祐本草》所引的《四声本草》内容很少。这也说明《四声本草》新的内容不多。所以《本草纲目》曾批评其说："无所发明。"

《大观本草》《政和本草》转载《嘉祐本草》引用的《四声本草》的资料有80余条，各条内容多寡不一。《嘉祐本草》引用本书资料，绝大部分用作注释旧药。其中有8味药，参考其他几种本草，糅合成为《嘉祐本草》"新补"药的内容。从《嘉祐本草》所引该书片断的资料，大致可以窥测该书有以下内容。

在药物分类上，该书创四声分类法。即该书所载药物，按平、上、去、入四声分类。《证类本草》"旋覆花"条，在"旋"字下，注有小字"平声"2字，这是现存本草中，保留了"四声"痕迹的证据。

书中有些药，补记别名和释名。如下。

伏龙肝："釜月中墨，一名釜脐下墨。"

丹参："治风软脚，可逐奔马，故名奔马草。"

生姜："生姜一名母姜。"

秦艽："本经名秦瓜。"

有些药补记同名异物。如下。

石燕："别有乳洞中食乳有命者，亦名石燕，似蝙蝠，口方，生气物也。"

书中补记一些外来药。如下。

青木香："昆仑船上来，形如枯骨者良。"

诃梨勒："波斯舶上来者，六路黑色肉厚者良。"

有些药补记辨误。如下。

旋花："旋覆用花，蔐旋用根。今云旋覆根即蔐旋误矣。"

阿魏："今人曰煎蒜白为假者。真者极臭。"

有些药补记药物形态。如下。

松："又有五叶者，一丛五叶，如钗，名五粒松，子如巴豆。"

梓白皮："树似桐而叶小，花紫。"

有些药补记药物品质优劣。如下。

石钟乳："如蝉翅者上，爪甲者次，鹅管者下，明白薄者可服。"

空青："腹中空如杨梅者胜。"

硇砂："光净者良，今生北庭为上。"

牡丹："出合州者佳，白者补，赤者利，出和州、宣州并良。"

黄连："出宣州绝佳，歙州、处州者次。"

有些药补记炮制、制剂。如下。

龟甲："炙之，末，酒服。"

鳢肠："作膏点鼻中。"

青葙子："为丸。"

蔓菁子："别入丸药用。"

礜石、铅丹、白垩："不入汤。"

梅实："今人多用烟薰为乌梅。"

飞廉："为散，以浆水下之，治小儿疳痢。"

桑叶："炙，煮饮，止霍乱。"

糯米："骆驼脂，作煎饼服之。"

丹参："酒浸服之。"

有些药补记保管方法。如下。

人参："人参见风日则易蛀，唯用盛过麻油瓦罐，泡净焙干，入华阴细辛，与参相间收之，密封，可留经年。"

有些药补记性味和畏恶。如下。

黄精："性寒。"

诃梨勒："味苦酸。"

白石脂："畏黄连、甘草、飞廉。"

有些药补记君、臣、佐使。如下。

雄黄记有"君"。

硫黄、石膏、阳起石、铅丹、代赭、大盐记有"臣"。

硇砂记有"使"。

禹馀粮记有"牡丹为使"。

蜀漆记有"桔梗为使"。

有些补记药物主治功用。如下。

阿魏："下细虫极效。"

柴胡："主痰满胸胁中痞。"

车前："养肝。"

葳蕤："补中益气。"

驴乳："主热黄，小儿热，惊邪，赤痢。"

萝卜："制面毒，凡人饮食过度，生嚼咽之便消。"

生地黄："为黑须发良药。"

龟甲："主风脚弱。"

诃梨勒："止肠澼，久泄赤白痢。"

有些药补记药物配伍。如下。

常山："得甘草，吐疟。"

樗皮："得地榆，同疗疳痢。"

韭子："合龙骨服，甚补中。"

有些药补记药物宜忌。如下。

昆布："有小螺子损人，不可多食。"

小麦："麦酱和鲤鱼食之，令人口疮。"

硇砂："生不宜多服。"

本书对某些药物中的同类药，多连类述之。如下。

穬麦："大麦之类，西川人种食之。"

青葙子："又有一种花黄，名陶珠术，苗相似。"

本书所记药物产地遍及全国。如下。

硇砂生北庭（今新疆乌鲁木齐东北地区）。

黄芪出原州（今宁夏固原）、华原（今陕西耀州）。

防己出华州（今陕西华县）。

牡丹出合州（今四川合川）、和州（今安徽和县）、宣州（今安徽宣城）。

葳蕤出均州（今湖北均县）。

黄连出宣州（今安徽宣城）、东阳（今浙江东阳）、歙州（今安徽歙县）、处州（今浙江丽水）。

文蛤出密州（今山东诸城）。

本书流传情况。本书主要流行于宋代。宋代书志都有记载。《崇文总目》卷3，载《四声本草》4卷，题萧炳撰。《通志·艺文略·本草》《宋史·艺文志》卷6子部医书类，所记相同。《嘉祐本草》《本草衍义》等书，都引用过《四声本草》资料。宋以后，未见书志收录此书。《本草纲目·历代诸家本草》所载《四声本草》，乃是转录《嘉祐本草·补注所引书传》的书名。

本书特点。本书在药物分类方法上有所发展。中国药物分类，在唐以前，主要是三品分类和药物自然属性分类，前者始于《神农本草经》，后者始于郑玄注《周礼》，将药物分为草木、虫、石、谷。到南北朝，陶弘景作《本草经集注》时，将药物按自然属性分为玉石、草木、虫兽、果、菜、米、有名无用。唐代苏敬作《新修本草》时，沿用陶氏分类法，将药物分为玉石、草、木、兽禽、虫鱼、果、菜、米、有名无用。但本书作者萧炳，创四声分类法，是中药分类史上一大发展。这也是本书主要特点。

第十三章　五代本草要籍考

一、《海药本草》

《通志·艺文略》云："《海药本草》六卷，李珣撰。"《本草纲目》云："《海药本草》凡六卷，唐·李珣所撰，珣盖肃代时人。"按，唐代有两个李珣，一是唐睿宗李旦的孙子名李珣，另一个是唐末五代时李珣。据《旧唐书》睿宗三子传，说李旦之孙在玄宗天宝三年（744）已死，并云早卒，无事迹可传，当非《海药本草》作者。所以五代时李珣应为《海药本草》的作者。《纲目》说珣为肃、代时人，存疑。

吴任臣《十国春秋》卷44"李珣传"云："李珣，字德润，梓州（今四川三台）人，昭仪李舜弦之兄也。珣以小辞为后主所赏……著《琼瑶集》若干卷。"李珣原在前蜀做官，925年前蜀亡后，李珣即到南方去游历，并在南方作了很多词，他的词中记述了很多南方物产和风景。如孔雀、象、真珠、豆蔻、荔枝、椰子、越王台、海潮等。

李珣家是卖香药的，他又游历过岭南，故对香药及岭南物产和番药都很熟悉，加上他本人擅长文学，所以能写出一部外来药的专著——《海药本草》。

《海药本草》原书已佚，它的内容为后世本草书所援引，其中以《证类本草》援引最多，其他如宋·傅肱《蟹谱》、洪刍《香谱》等书亦有援引。明·李时珍《本草纲目》引述的也不少。但是李时珍所引，并非直接来自原书，多是从《证类本草》及其他书间接转引的。

宋·唐慎微作《证类本草》时，所引《海药本草》资料，是作为补充前代本草书之不足而摘录的。所录内容，以前代本草书所无为主。例如藤黄、车渠等条即是。前代本草从未收载过的，即全文抄录。如果某些药与前代本草书部分内容不相同，即节录其不同的内容，相同的部分不录。例如《证类本草》卷7海根条，唐慎微援引《海药本草》云："海根，胡人采得蒸而用之。余并同。"引文中"余并同"，是说海根条文还有其余的部分和前代本草内容相同，用"余并同"3字概括之。

笔者以1957年人卫影印《政和本草》为底本，用1904年柯逢时影刻《大观本草》为校本，并以《本草纲目》为旁校本，参考傅肱《蟹谱》、洪刍《香谱》及其他诸书，辑录《海药本草》131条。这个数字当然不是原书药物总数，原书所载药物总数，应大于此数。

在131条辑文中，除藤黄、海红豆等16味药条文完整外，其余115味药物条文皆残缺不全。有的条文仅存一点功用部分，如"黄龙眼"条，仅有"功力胜解毒子也"。有的条文仅有畏恶。如"补骨脂"条，仅有"恶甘草"3字。

《海药本草》原书虽佚，但从残存131条文中，仍可窥其大概。

在药物类别方面，从所辑131条来看，有13条是玉石类，38条是草类，48条是木类，3条是兽类，17条是虫鱼类，11条是果类，1条是米类。按照《唐本草》药物分类的旧例，则《海药本草》对药物分类，亦应分为玉石、草、木、兽禽、虫鱼、果、菜、米等类。但《海药本草》残存药，未见有禽类和菜类药。

在药物书写体例方面，可从辑文完整的条文考察之。今存《海药本草》完整的条文有16味药。把这16味药条文进行比较，可以看出李珣对药物条文编写，似有一定的体例。先药名，次引文献说明产地、形态、特性，再次性味，再次主治功用及其他。兹举例说明如下。

海蚕沙（药名），谨案《南州记》（引用前代文献）云：生南海山石间（产地），其蚕形大如拇指，沙甚白如玉粉状，每有节（形态和特性）。味咸，大温，无毒（性味）。主虚劳冷气……（主治功用）。

余下15味药物条文书写体例，基本与海蚕沙相同，在用词上仍袭《唐本草》旧例。如引前代文献，多冠以"谨案"2字。对于药物功效，多冠以"主"或"疗"字等。

在药物条文内容方面，涉及范围很广。举凡药名释义、药物出处、产地、形态、品质优劣、真伪鉴别、采收、炮制、性味、主治、附方、用法、禁忌、畏恶等各个方面都有记载。虽然不是每个药都按这些条目叙述，但大体上，在不同的药物中，对这些条目都有所涉及。现在各举一例说明如下。

关于药物名词解释，如"落雁木"条："雁衔至代州雁门（山西代县雁门关），皆放落而生，以此名。"

关于药物文献出处，李珣作《海药本草》所取的材料，除李珣目睹外，大多根据文献摘录，所录文献，均注明出处。例如"瓶香"条注明出自陈藏器，"槟榔"条注明出自陶弘景，"龙脑"条注明出自《名医别录》等。

《海药本草》对药物形态记载较详。例如丁香，"二月三月花开紫白色，到七月方始成实，大者如巴豆，为之母丁香，小者实之为丁香。"

对药物品质优劣记载，例如乳香，"紫赤如樱桃者为上。"蒟酱，"实状若桑葚，紫褐色者为上，黑者是老不堪。"

对药物真伪的鉴别，例如蛤蚧，"凡用炙令黄熟，熟捣，口含少许，奔走，令人不喘者是其真也。"琥珀，"凡验真假，于手心热磨，吸得芥为真。"

药物的采收，例如豆蔻，"三月采其叶，细破阴干之。"橄榄，"木高大难采，以盐擦木身，则其实自落。"

对药物炮制记载，例如仙茅，"用时竹刀切，糯米泔浸。"石决明，"凡用先以面裹熟煨，然后磨去其外黑处并粗皮了，烂捣之，细罗，于乳钵中，再研如面。"阿勒勃，"凡用先炙令黄用。"贝子，"烧过入药中用。"柯树皮，"采皮，以水煮，去滓，复炼，候凝结丸为度。"返魂香，"采其根皮于釜中，以水煮，候成汁，方去滓，重火炼之如漆。"

对于药物使用方法：有内服、外用、含漱、佩带、焚烧香气辟疫、煮水浴、染须发等。

对于药物畏恶，波斯白矾，"火炼良，恶牡蛎。"甘松香，"得白芷、附子良。"补骨脂，"恶甘草。"

但是本书有些内容亦不可靠。如青蚨，"人采得，以法末之，用涂钱以货易，昼用夜归。"即不可信。

《海药本草》特点很多，兹分述如下。

本书收外来药很多。如龙脑出律国，没药出波斯国，金屑出大食国，降真香出大秦国，肉豆蔻出昆仑国，偏桃人出卑占国，艾纳香出剽国，延胡出奚国，缩砂蜜生西戎诸国等。从出产数量来看，产于波斯国有 15 种，产于大秦国有 5 种，产于西海有 5 种，产于岭南有 20 余种，产于南海有 32 种。所以本书称《海药本草》是名实相符的。

本书收录香药很多。香药有两种概念，一指有香味的药物，另一指外来药。如古代阿拉伯商人贩卖的香药，其中如石硫黄、珊瑚、琥珀等均无香味，但也称为香药。此处所讲的香药指有香味的药。本书所收载的香药有数十种，如丁香、乳香、茅香、迷迭香、降真香、甘松香、沉香等。其中丁香、沉香、乳香至今仍然是很常用的中药。这些香药在当时多作焚香用，或作薰衣用，或作佩带用。《海药本草》为什么会收录这么多香药呢？一方面是因李珣以香药为家业，另一方面是受当时风气所影响。当时权贵们都把香药当作最豪华的享乐品，宋·陈敬《香谱》说唐明皇君臣多以沉香、檀香、龙脑香为亭阁。

本书记载五石散和炼丹之事很多。服五石散是从魏晋开始的，到了隋唐五代，此风仍在流行。唐代柳宗元亦提倡服石钟乳。《柳与崔连州书》云："食之使人荣华温柔……寿考康宁。"因此本书记载的这方面的资料很多。如"菴摩勒"条云："凡服乳石之人，常宜服也。""含水藤"条云："丹石发动，亦宜服之。"又，本书对烧丹之事记的亦不少，如"金线矾"条云："多入烧家用。""波斯白矾"条云："多入丹灶家。"李珣收集炼丹资料，可能是受其弟李玹的影响。黄休复《茅亭客话》卷 4 云："李弦好摄养，以金丹延驻为务。"所以李珣书中涉及养生炼丹辟谷的很多。如"乳香"条云："仙方多用辟谷。""桄榔子"条云："久服轻身辟谷。"

本书参考的资料很多。在 131 种药物条文中，援引前代书名或人名 58 次。所引书名大多是六朝时的书，也有唐代的书。从书的种类来看，有《山海经》《尔雅》及历史、地志、杂记、方书、本草书等。如返魂香引自《汉书》和《武王内传》、珊瑚引自《晋书》、波斯白矾等引自《广州记》、通草等引自《徐表南州记》。总计所引书名有 52 个，其中有些书名是同书异名。

本书对前代本草书补正很多。例如迷迭香，陈藏器云："迷迭香味辛，温，无毒。主恶气，令人衣香，烧之去鬼。"李珣补充说："迷迭香性味平，不治疾，烧之祛鬼气。合羌活为丸，夜烧之，辟蚊蚋。"白附子，《名医别录》云："主心痛血痹，面上百病，引药势。"李珣云："主治疥癣风疮，头面痕，阴囊下湿，腿无力，诸风冷，入面脂甚好。"又如宜南草，李珣说："此草生南方，故作南北字。今人多以男女字，非也。"

《海药本草》的意义。

首先，《海药本草》是我国第一部外来药的专著，也是唐末五代南方出产药物的总结，同时还是最早的地方本草专著。通过本书，可以了解唐末五代时外来药的情况和我国南方产药情况。通过书中收载的大量外来药及其产地，可以看出我国在唐代与中亚、南亚以及西亚各国之间的文化交流和友好关系；可了解到，当时良好的中外贸易关系，使许多外来药移植于我国，成为中药的组成部分；也可了解到，有很多外籍人定居中国，成为外裔华人。如李珣一家，其祖先原是波斯人，通过丝绸之路，定居长安。唐末战乱，随僖宗入蜀（880），在四川梓州（今四川三台）出生的李珣及其弟妹数人，就成为波斯裔四川人。

其次，研究本书有利于全面系统地研究我国本草学的发展，对于祖国医药遗产的整理和发掘也有一定的帮助。

二、《南海药谱》

《本草纲目·历代诸家本草》，记载本草书名 42 种，其中第 14 种是《海药本草》。在该书名下，有两个注文，第一个注文是："禹锡曰《南海药谱》二卷，不著撰人名氏，杂记南方药物所产郡县及疗疾之功，颇无伦次。"第二个注文是："时珍曰此即《海药本草》也，凡六卷，唐人李珣所撰。珣盖肃、代时人，收采海药亦颇详明。"

把这两个注文合并起来看，其含义即李时诊认为《南海药谱》即是《海药本草》，两书是同书异名，作者都是李珣，并说李珣是唐朝肃、代时人。这种说法对不对呢？现在讨论如下。

先讨论《南海药谱》与《海药本草》是否为同一本书。

《中国医籍考》页 172 丹波元胤说："按《南海药谱》与《海药本草》，其目各见于《崇文总目》，不知李时珍何据为一，其言殆难信焉。"根据日本丹波元胤的看法，《南海药谱》与《海药本草》应为两种书，不是同书异名。

郑樵《通志·艺文略·本草类》既载有《南海药谱》，又载有《海药本草》。《证类本草》的槟榔、龙脑、象牙等三味药物注文，既有掌禹锡援引《南海药谱》的资料，又有唐慎微援引《海药本草》的资料。根据这一事实来看，《南海药谱》与《海药本草》似是两本书，不是一本书。而李时珍说这两本书为一本书，存疑。

宋·掌禹锡《嘉祐本草·补注所引书传》中说："不著撰人名氏。杂记南方药所产郡县及疗疾之验，颇无伦次。似唐末人所作。凡二卷。"《崇文总目辑释》首次著录，云"《南海药谱》一卷"。此后《通志·艺文略》记作 7 卷、《宋史·艺文志》作 1 卷。

据掌禹锡《嘉祐本草》所记，该书的卷数与内容都与《海药本草》不合。《南海药谱》记载"南方药"，包括我国南部数省及现在为东南亚的一些国家。而《海药本草》的药物却包括来自西域、新罗的药物，这也是二书命名有异之所在。尽管南宋时郑樵等混引这两书的文字，但并不足以说明这二书实为一体，故本书分列之。

《证类本草》存《南海药谱》佚文6条，可见于《证类本草》中的阳起石、桃花石、芦荟、槟榔、龙脑、象牙之下。

《南海药谱》所载药物多为南方所产（"阳起石"条注出中原地名）。对药物基原性状有所记载（见"桃花石"条）。此外，亦记载性味功治及附方。

三、《药谱》

《药谱》，五代后唐时，侯宁极撰于935年。

侯宁极，五代后唐天成（926—929）年间进士。曾戏作《药名谱》1卷，亦称《药谱》。全书共录190种常用药诡异名，每味诡异名下注出通行药名，例如开头两味为：假君子，牵牛；昌明童子，川乌头。末尾两味为：备身弩，芫花；玉灵片，石膏。

全书诡异名大部分为侯氏本人所造，少数为当时民间习用的诡异名。

全书药名排列次序零乱，动物、矿物不分，草、木混同。

该书的书名称《药名谱》比较适合，称《药谱》欠妥。因全书除录药名外，未记其他内容。

本书除抄本外，见《说郛》《唐代丛书》《逊敏堂丛书》等。

四、《蜀本草》

（一）《蜀本草》概述

本书原名《重广英公本草》，简称《蜀本草》，原书已佚，其文散存于《证类本草》中。

《蜀本草》是由韩保昇等与诸医工修的。韩保昇生卒年不详，掌禹锡《嘉祐本草·补注所引书传》，说他是伪蜀翰林学士。伪蜀即五代时后蜀（934—965）。徐春甫《古今医统大全》"历世圣贤名医姓氏"云："韩保昇，蜀人（应改为后蜀人），精医，不拘局方，详察药品，释本草甚功，所以深知药性，施药辄神效。"

本书成书时间，按《嘉祐补注总叙》云："伪蜀孟昶亦尝命其学士韩保昇等，以《唐本》《图经》参比为书，稍或增广，世谓之《蜀之草》。"按，孟昶在位于935—945年，故《蜀本草》成书应在935—945年。

本书流行于北宋。宋代书志及本草著作皆有著录，郑樵《通志·艺文略》、陈振孙《直斋书录解题》、王应麟《玉海》、掌禹锡《嘉祐本草·补注所引书传》等，皆有著录。《嘉祐本草》《证类本草》皆援引本书资料。本书在南宋已亡佚，但其部分内容，尚存于《证类本草》中。兹将本书内容讨论如下。

本书名《重广英公本草》，即对《唐本草》进行重修之义。掌禹锡《嘉祐本草·补注所引书传》云："伪蜀翰林学士韩保昇等，与诸医工取《唐本草》并《图经》相参校正。更加删定，稍增注释，孟昶自为序，凡廿卷，今谓之《蜀本草》。"

根据掌禹锡所说，《蜀本草》是由韩保昇等并《唐本草》及《图经》互相参考校订的，共20卷。

但李时珍《本草纲目·历代诸家本草》的"蜀本草"标题下云："韩保昇等与诸医士，取《唐本草》参校增补注释，别为图经。"照李时珍所说，韩保昇另外还编有《图经》，但掌禹锡《嘉祐本草·补注所引书传》中仅言《蜀本草》20卷，并未提到另有《蜀本草图经》的书名和卷数。由此可知李时珍说韩保昇"别为图经"，应存疑。《蜀本草》中的"图经"既非韩保昇等撰写，当是转引《唐本草·图经》之文。此可从《蜀本草》注文语气窥测而知之。

例如白瓜子条，《蜀本草》注云："苏云是甘瓜子，图经云别有胡瓜黄赤无味，今据此两说，俱不可凭矣。"在此注文中所言"图经云"显然是转引他书的语气，不是韩保昇等人撰写。

又如蚱蝉条，《蜀本草》注云："图经云此鸣蝉也，六月、七月收蒸干之。陶云是痖蝉不能鸣者，雌蝉也。二说即相矛盾。"在此注文中的"图经云"，也是转引他书的语气。类似者很多。

因此我们可以说《蜀本草》中"图经云"是从《唐本草》中图经转引而来的，并非如李时珍所说的那样"韩保昇等……别为图经"。另外，掌禹锡所引《蜀本草》"图经"的药物，几乎全部是《唐本草》见录的药物。凡《蜀本草》新增的药物如铛墨、续随子、威灵仙、金樱子、丁香、蝎、马齿苋等，掌氏仅引作"蜀本"或"蜀本注"，但无一条引过"蜀本图经"。又，唐慎微引《蜀本草》新增药"麹"，仅注明"蜀本"2字。这也能证明《蜀本草》并没有别立《图经》。

本书既用《唐本草》及《图经》相互参校删定而成。所以本书的卷数、体例等，皆依《唐本草》旧例编排。《唐本草》是 20 卷，卷 1、2 为序例，卷 3～20 为各论。而本书也是 20 卷，其卷 1、2 为序例，卷 3～20 为各论。

《唐本草》虽然部分亡佚，但其序例通过《开宝本草》《嘉祐本草》被保存在《证类本草》中。从《证类本草》所引《唐本草》序例，还可以见到掌禹锡在序例中援引"蜀本草注"资料。例如掌禹锡在序例中引《蜀本草·序》云："唐英公进本草表云，勒成本草廿卷，目录一卷，药图二十五卷，图经七卷，凡五十三卷。又英公序云……二说不同，今并注之。"

又如在梁陶隐居序中，掌氏引"蜀本注"云："韩保昇又云：'神农本草上、中、下并序录合四卷'。"又云："普广陵人也，华佗弟子，撰本草本卷。"又云："李当之，华佗弟子，修神农旧经，而世少行用。"类似此类注，在序例中引的很多。

又在药物畏恶七情条例中，有很多药物都有掌禹锡援引《蜀本草》的药性。如：茯苓、茯神、蜂子、乌贼鱼骨、蛇蜕、豉、白及、麻黄、天名精、狗脊、黄连、菊花、生银、消石等。

掌禹锡既在序例中引用"蜀本注"，说明这些"蜀本注"的资料，当出于《蜀本草》序例。这也可证明《蜀本草》中是有序例的，其序例体例和《唐本草》序例相同。本书卷 3～20 为药物各论，其分类和《唐本草》相同。分为玉石、草、木、兽禽、虫鱼、果、米、菜、有名无用等类。

本书是增修《唐本草》而成，很多药物都有新增的内容，这些新增加的内容，后来被掌禹锡收入《嘉祐本草》中，极少的内容被唐慎微引入《证类本草》中。计掌氏援引《蜀本草》276 味药药物资料，唐慎微仅引用 1 味药"麹"。

掌禹锡和唐慎微引用《蜀本草》资料时，多冠以"蜀本""蜀本注""蜀本图经"等标题。冠以"蜀本"的，有 66 种药；冠以"蜀本注"的有 35 种药；冠以"蜀本图经"的有 159 种；另外有 15 味药既引有"蜀本"，又引"图经"。

从所引资料冠的标题来看，《蜀本草》包括正文、注文、图经等内容。

由于本书已佚，其药物正文、注文全貌难以见到。掌氏所引，多是摘录本书片断文字。但在"钩吻"条中，掌氏所引本书中"秦钩吻"，正文和注文还是比较完整的，兹摘录如下。

秦钩吻，主喉痹，咽中塞，声变，咳逆气，温中。一名除辛。生寒石山。二月、八月采。（以上是正文）谨案钩吻，一名野葛者……若钩是也。（以上是注文）

这条完整的正文和注文体例和《唐本草》全同。对药物功效用"主"字，不用"治"字，这是沿袭《唐本草》避讳的旧例。在注文开头，冠以"谨案"字样，这也是仿效《唐本草》体例的。

本书药物的正文是论述药物性味、功用及七情畏恶的。例如"蠡实寒""石灰有毒，堕胎""石韦，络石、杏人为之使，得菖蒲良"。本书注文是注释正文的。例如"磁石"条注云："吸铁虚连十数针，乃至一二斤刀器回转不落。"图经是描述药物形状、形态、采收时月、炮制等的。例如"葛上亭长"条，《蜀本草·图经》云："五月、六月，葛叶上采取之。形似芫青而苍黑色。凡用斑苗、芫青、亭长之类，当以糯米同炒，看米色黄黑即出，去头足及翅脚，以乱发裹悬屋栋上一宿，然后入药用。"

本书收载药物，除转录《唐本草》药物外，也有些新增的药物。如铛墨、续随子、威灵仙、金樱子、丁香、蝎、马齿苋、麹等。这些新增的药物，后为《开宝本草》《嘉祐本草》收录为正品药物。

本书对药物性味有所发展。例如井中苔及萍，前代本草未记载何味，本书称它味苦；又如郁李人，《本经》记为味酸，本书称它有少涩味；又如驴乳，《唐本草》原无性味记载，本书说它味甘，性冷利。类似者很多。

本书对于药物七情畏恶，不论在序例中或在各卷正文中，皆有较详论述。例如在序例"药物七情表"中，有"消石，大黄为使""黄连，畏牛膝"等。

本书对药物炮制亦有论述，其文多载于《蜀本草》图经文中。例如桑螵蛸，《蜀本草·图经》云"此物……以热浆水浸之一伏时，焙干，于柳木灰中炮令黄色用之"。又如海蛤，《蜀本草·图经》云："当以半天河煮五十刻，然后以枸杞子汁和簟竹筒盛，蒸一伏时。"

本书对药物品质好坏，提出一些鉴别方法。例如："桑上寄生，方家唯须桑上者，然非自采，即难以别，可断茎视之，以色深黄者为验""水蛭……勿误采石蛭、泥蛭，石、泥二蛭，头尖腹粗，色赤，不入药。误食之，则令人眼中生烟渐至枯损"。

本书虽用《唐本草》合《图经》参校而订，但遇《唐本草》中有错误，本书亦加以明辨。例如"石脑"条云："今据下品握雪礜石主疗与此不同，苏妄引握雪礜石注之。""侧子"条云："苏云只是乌头，不共附子同生，小者为侧子，大者为附子，殊无证据……"

关于本书价值，简述如下。

1. 本书保存了前代本草资料

《蜀本草》序例中，记有统计《本经》药物七情畏恶药数以注释《本经》序文云："凡三百六十五种，单行者七十一种，相须者十二种，相使者九十种，相畏者七十八种，相恶者六十种，相反者十八种，相杀者三十六种，凡此七情，合和视之。"从《蜀本草》序例的注，我们可以了解到，《本经》药物原有畏恶七情内容的，可是现存各家辑本，皆无此内容。

又如《唐本草·图经》久已亡佚，掌禹锡作《嘉祐本草》时，仅见到《唐本草》本草部分，但未见到《唐本草·图经》，而本书转录了《唐本草·图经》，掌禹锡又将本书收入《嘉祐本草》中。这样《唐本草·图经》通过《蜀本草》被保存下来部分内容。

2. 总结五代时药物学的成就

本书素材虽出自《唐本草》，但也增添不少新的内容。一是增加很多新的药物（见上述）。二是对老药发现一些新的主治功效。这些新增的内容，分别被《开宝本草》《嘉祐本草》《证类本草》收入书中。

3. 从《蜀本草》可以看出五代时后蜀文化的发达程度

《蜀本草》是国家修的本草著作，国家修订本草著作都是在升平昌盛时期进行的。五代时期是动乱时期，当时分裂为多小国。北方各个小国战争频繁，使得社会遭受大破坏，因此经济文化中心转移到南方。后蜀和南唐地处南方，成为五代时期文化最发达的地区。所以南唐有陈士良著《食性本草》，而后蜀有韩保昇等修《蜀本草》。

（二）辑复《蜀本草》详考

《蜀本草》是五代后蜀（934—965）时由政府编修的国家药典性本草。在五代时，北方大乱，文化遭受破坏。南方的成都、南京，成为文化由北方南移的中心。所以后蜀有条件首次校补《新修本草》。

据掌禹锡《嘉祐本草·补注所引书传》所言，《蜀本草》由韩保昇等并《唐本草》及《图经》互相参考校订，所以《蜀本草》包含有《唐本草》资料、《唐本草·图经》及《蜀本草》新增的内容。

《蜀本草》久佚，其文散存在残卷本《新修本草》及各种版本《证类本草》中。

本文分三部分来讨论：

第一，关于《蜀本草》转录《唐本草》的资料；

第二，关于《蜀本草》新增的药物；

第三，关于《蜀本草》注释文。

兹分述如下。

1. 关于《蜀本草》转录《唐本草》资料

《蜀本草》是在《唐本草》基础上修订的，所以《蜀本草》包含有《唐本草》内容。辑复《蜀本草》资料，先要辑复《唐本草》资料。

辑复《蜀本草》中有关《唐本草》资料，可用现存日本传抄卷子本及敦煌出土《新修本草》为底本，卷子本《新修》所缺，以《大观本草》（简称《大观》）、《政类本草》（简称《证类》）所存《唐本草》资料补充。

卷子本《新修》（包括日本传抄本、敦煌出土本）及《大观》《政类》所存《唐本草》佚文，由于多次传抄或翻刻，其间异处很多，必须用多种善本互校，择其善者而从之。

将卷子本《新修》和《证类》中所存《唐本草》佚文互勘，其间差异很大。有些佚文是卷子本讹误、脱漏，也有些佚文是《证类本草》讹误、脱漏。

今以卷子本《新修》（指1955年群联影印本）和《证类》（指柯氏影刻《大观本草》和1957年人卫影印《政和本草》）互勘如下。

（1）有关卷子本《新修》讹误、脱漏。

1）卷子本《新修》所载药物正文脱漏。例如"小麦"条，《新修》页298"小麦"条正文有"消热止烦"4字。校以《证类》，在此4字前，《新修》脱"不能"2字。脱此2字，其文义全不相同。

又如"牛角䚡"条，《新修》页202"牛角䚡"条正文，校以《证类》，在"心主虚忘"后，《新修》脱漏"肝主明目"4字。

2）卷子本《新修》所载陶隐居注文（简称陶注）脱漏。例如"戎盐"条，《新修》页73"戎盐"注文，校以《证类》，《新修》脱漏"又巴东朐䏰县……如此二说并未详"92字。

又如"茯苓"条，《新修》页86"茯苓"条陶注，校以《证类》，《新修》脱漏"应三寸许年……其有衔松根对度者为"25字。

3）卷子本《新修》所载苏敬注文脱漏。例如"白垩"条，《新修》页75"白垩"条的苏敬注文，校以《证类》，《新修》脱漏"谨案……有白善"17字。

又如"橘柚"条，《新修》页121"橘柚"的苏敬注文，校以《证类》，《新修》脱漏"味辛而苦……有甘"12字。又如"葫"条，《新修》页284"葫"的苏敬注文，校以《证类》，《新修》脱漏"为羹臛极俊美"6字。类似此例极多，此处从略。

4）卷子本《新修》因脱漏或字误，使文义不可解。例如"发髲"条，《新修》页186"发髲"条末有"疗小儿惊热下"句，句末"下"字后，因脱文而费解。而《小儿卫生总微论》引刘禹锡读《本草》作"疗小儿惊热下痢"。由此可见，卷子本《新修本草》原脱"痢"字。

"棘刺花"条，《新修》页144"棘刺花"条陶注有"然复无导其花兼一夕折别一物"句，此句因脱误，使文义难解。校以《证类》，则当为"然复道其花，一名菥蓂，此恐别是一物"。"雀卵"条，《新修》页233"雀卵"条，苏敬注文有"胬肉赤脉贯上金子"句，句中因字误难解。校以《证类》，则为"胬肉赤脉贯瞳子上"。

又如"青粱米"条，《新修》页297"青粱米"条正文有"渴利心泄"句，句中因字误难解，校以《证类》，则为"消渴，止泻痢"。

类似此例很多，此处从略。

上述诸例，说明卷子本《新修》并非绝对可信，也存在大量脱漏、讹误，少则几个字，多则数十字。

（2）《证类》所存《新修》佚文的脱漏。

若将《证类》所存《唐本草》佚文用卷子本《新修》相勘比，亦可发现《证类》也存在很多讹误与脱漏。兹举数例说明如下。

1）《证类本草》所载《唐本草》正文脱漏或讹误。例如"牛乳"条，卷子本《新修》页190"牛乳"条正文末有"止渴下气"。《证类》"牛乳"条正文，脱漏"下气"2字。

又如"鹿茸"条，卷子本《新修》页210"鹿茸"条，有"鹿茸……疗骨中热疽，养骨，安胎，下气"文。文中"养骨"的"养"，《证类》误作"痒"，并从"骨"字拆开。断句为"鹿茸……疗骨中热，疽痒。骨，安胎，下气……"按，《新修》文，均是鹿茸的文字，《证类》因字误，从"鹿茸"条中，另分出"鹿骨"的文字，全失《新修》原文旨义。

2）《证类本草》所载《唐本草》序例，用敦煌出土《集注·序录》校之，也脱漏、讹误。例如《证类》卷1序例所载"梁·陶隐居序"中有"其贵胜阮德如张茂先辈逸民皇甫士安"16字。文中"辈"，校以敦煌本《集注·序录》，实为

"裴"之误。清代人未见过敦煌本《集注·序录》，将《本草纲目》所引此16字误断句为"其贵胜阮德如。张茂先辈。逸民皇甫士安"。按敦煌本文，应断句为"其贵胜阮德如、张茂先、裴逸民、皇甫士安"。只因"裴"误为"辈"，使文义全然改变。

《证类本草》所载《唐本草》正文脱漏有数十条。掌禹锡曾用注文补充说明之。例如《证类》卷1序录，论"古秤"之文，脱漏76字，掌禹锡据《唐本草》文补充之。

又如《证类》卷1序录，论丸剂大小的标准之文，脱漏39字，掌禹锡据《唐本草》补充之。

类似此例很多，此处从略。

3）《证类本草》所载陶隐居注文脱漏。例如"梄实"条，卷子本《新修》页159"梄实"条的陶注有"不复有余用，不入药方，疑此与前虫品彼子疗说符同"21字。《证类》"梄实"条的陶注脱此21字。

"乱发"条，卷子本《新修》页187"乱发"条的陶注有"术家用已乱发及爪烧，山人饮之相亲爱"16字。《证类》"乱发"条的陶注脱此16字。

"瓜蒂"条，卷子本《新修》页265"瓜蒂"条的陶注文末有"《博物志》云：水浸至项，食瓜无数。又云斑瓜花有毒，分采之。瓜皮杀蟁虫也"28字。《证类》"瓜蒂"的陶注无此28字。

"饴糖"条，卷子本《新修》页292"饴糖"条的陶注有"又胡麻亦可作糖弥甘补"10字。《证类》"饴糖"条的陶注无此10字。

"豉"条，卷子本《新修》页294"豉"条的陶注有"暑热烦闷，冷水渍饮二三升"11字。《证类》"豉"条的陶注无此11字。

"鼹鼠"条，卷子本《新修》页220"鼹鼠"条的陶注有"此鼠蹄烧末酒服，又以骨捣碎酿酒将服之，并治瘘良验也"23字。《证类》"鼹鼠"条的陶注无此23字。

类似此例很多，《证类》脱漏文，少则几个字，多则数十字。

4）《证类本草》所载《唐本草》注文（简称"唐本注"）脱漏。例如"水杨"条，卷子本《新修》页164"水杨"条的唐本注有"此陶注柳者是"6字，《证类》"水杨"条唐本注脱漏此6字。

"水靳"条，卷子本《新修》页281"水靳"条的唐本注有"出无用条"4字，《证类》"水靳"条唐本注，脱漏此4字。

"茬子"条，卷子本《新修》页271"茬子"条唐本注有"言为重油入漆及油绵绢帛，此乃用大麻子油，非用此也。漆及油帛，江左所无，故陶为谬误也"36字。《证类》"茬子"条唐本注脱漏此36字。

类似此例很多，此处从略。

总之，辑复《蜀本草》中有关《唐本草》资料，宜选多种善本互勘，择其善者而从之，使辑复的佚文，更能接近原貌。

2. 关于《蜀本草》新增的药物

《蜀本草》除转录《唐本草》《唐本草·图经》文外，还增加一些新药及注释的内容。

《蜀本草》新增药，可从《开宝本草》《嘉祐本草》新增药中寻求。《开宝本草》《嘉祐本草》亦亡，此两书的新增药散存在各种版本《证类本草》中。《证类本草》所录《开宝本草》新增药，均标注"今附"2字，所录《嘉祐》新增药，标有"新补"字样。《开宝》《嘉祐》新增药的注文中，含有"蜀本云"或"蜀本注"者，原先出自《蜀本草》，后为《开宝》《嘉祐》收为正品，成为《开宝》《嘉祐》新增药。

现存各种版本《证类本草》《本草纲目》中，凡《唐本草》以后的药物，其注文内，含有"蜀本"字样，则该药即出于《蜀本草》。

在《证类本草》中有掌禹锡和唐慎微两家的注文，兹将两家注文中引有《蜀本草》资料介绍如下。

（1）掌禹锡所引《蜀本草》资料。

在《证类本草》中，掌禹锡引《蜀本草》资料有三。

1）《证类本草》"诸病通用药"各条病名下，列有掌禹锡按"蜀本"所增的药性。其中有很多药，都是《蜀本草》新增的药。如暴风瘙痒条"乌蛇"，温疟条"天灵盖"，肠澼下痢条"金樱子"，上气咳嗽条"蛤蚧"等，都是《蜀本草》的新增药。

2）《证类本草》"七情畏恶药例"中，有掌禹锡据"蜀本"增补的药，其中也有些药是《蜀本草》新增药。如"七情畏恶药例"玉石中部"生银"条，有掌禹锡据"蜀本"云："生银畏黄连、甘草、飞廉。"则生银即是《蜀本草》新增药。

3）在《证类本草》"唐本草"以后的药，凡有掌禹锡据"蜀本""蜀本注"的资料作注者，则该药也是《蜀本草》新增的药。例如125铛墨条（药名前号码，为1957年人卫影印《政和本草》页次，下同），有掌禹锡按"蜀本"云"铛墨无毒"，则铠墨即是《蜀本草》新增药。307 丁香条，有掌禹锡按"蜀本注"云："母丁香，击之，则顺理折两向，疗呕逆甚验。"则丁香即是《蜀本草》新增药。452 蝎条，有掌禹锡按"蜀本"云："蝎，紧小者名蚵蛆。"则蝎即是《蜀本草》新增药。

（2）唐慎微所引《蜀本草》资料。

在《证类本草》"唐本草"以后的药，凡有唐慎微在墨盖子下引有"唐本""唐本注""唐本余"等资料，则该药亦是《蜀本草》新增药。

例如 118 太阴玄精条，其墨盖子下，有唐慎微引"唐本余"云："近地亦有，色赤青白，片大不佳。"则太阴玄精即是《蜀本草》新增药。

226 红蓝花条，其墨盖子下，有唐慎微引"唐本注"云："治口噤不语，血结，产后诸疾。"则红蓝花即是《蜀本草》新增药。

235 胡黄连条，其墨盖子下，有唐慎微引"唐本"云："大寒，主骨蒸劳热……"则胡黄连即《蜀本草》新增药。

按 《证类本草》墨盖子下，唐慎微所引的"唐本""唐本注""唐本余"资料，皆出于《蜀本草》，其理由详见后文。

根据上述几方面查证，《蜀本草》新增药有 46 种，兹列举如下。

95 无名异 110 生银 118 太阴玄精 116 石蟹 110 银膏 135 淋石 133 自然铜 168 辟虺雷 182 地不容 182 独用将军 182 留军待 182 山胡椒 182 灯笼草 232 蓬莪茂 227 京三棱 230 卢会 235 胡黄连 223 天麻 232 缩沙蜜 231 肉豆蔻 236 红豆蔻 239 白豆蔻 232 零陵香 228 荜拨 235 荜澄茄 231 补骨脂 239 使君子 333 伏牛花 226 红蓝花 252 秦钩吻 274 骨碎补 266 天南星 264 威灵仙 262 何首乌 333 五倍子 310 金樱子 275 续随子 285 列当 286 鹿药 355 漆姑草 307 丁香 333 天竺黄 331 海桐皮 357 木鳖子 365 天灵盖 394 膃肭脐 395 野驼脂 452 五灵脂 415 璏珸 451 乌蛇 452 蚵蛆（蝎）478 海松子 519 马齿苋 492 麹

以上共录 46 种。实际上《蜀本草》新增药应多于 46 种。因为掌禹锡、唐慎微未必将《蜀本草》新增药全部加以援引。

在 46 种中，有 8 种，唐慎微注出"唐本余"。余下 38 种见于《证类本草》"诸病通用病""七情畏恶药例"及各药的注文中。

在 38 种中，"麹"被《嘉祐本草》录为新增药，余下 37 种为《开宝本草》收为新增药。

3. 关于《蜀本草》注释文

关于《蜀本草》注释文，可从各种版本《证类本草》及各种版本《本草纲目》中寻求。由于《本草纲目》是转引《证类本草》之文，而且节略援引或加以化裁，因此《纲目》所存《蜀本草》资料，不及《证类本草》更能接近原貌。

《证类本草》所存《蜀本草》注释文包含 3 家援引的文字。一是《开宝本草》引的《蜀本草》资料；二是《嘉祐本草》引的《蜀本草》资料；三是唐慎微引的《蜀本草》资料。这 3 家所引的资料，都是辑复《蜀本草》重要的依据。今分以下 3 点来讨论：《开宝本草》所引《蜀本草》的注文；《嘉祐本草》掌禹锡所引《蜀本草》的注文；《证类本草》唐慎微所引《蜀本草》的注文。

（1）《开宝本草》所引《蜀本草》注文。

《开宝本草》是北宋开宝六年（973）由北宋政府组织刘翰、马志等 9 人编纂的一部国家药典性本草。该书是在《唐本草》基础上修订的，刘翰、马志等增加的注文标有"今注""今按"等字样。其中标"今注"的 83 条，标"今按"的 189 条。

在"今按"下引录书有 8 种。其中有 7 种注有书名。只有 1 种未注书名，仅作"别本注"。

《开宝本草》是在《唐本草》基础上修订的。在编纂时，搜罗的《唐本草》本子很多，各种本子差异很大。《开宝本草重定序》云："朱字墨字（指《唐本草》朱墨杂书）无本得同。"说明《开宝本草》编修时所见到《唐本草》抄本很多。而"今按"下引录的"别本注"中的"别本"，似是对《唐本草》的另一种称呼。

若从"别本注"的文字来看，又不像是《唐本草》。"别本注"的文字中，常有反驳《唐本草》的一些话。如果"别本注"的文字是出于《唐本草》，不应有反驳《唐本草》之言。

例如 142 黄精条，《别录》云："采根阴干。"《开宝本草》引"别本注"云："今人服用，以九蒸九暴为胜，而云阴干者，恐为烂坏。"

160 木香条，陶注云："不入药用。"《开宝》引"别本注"云："功效极多，为药之要用。陶云不入药用，非也。"

270 白头翁条，《开宝》引"别本注"云："旧经陶注则未述其茎叶，唐注又云叶似芍药，实大如鸡子，白毛寸余，此皆误也。"此文提到"唐注"，并批驳唐注之误。说明"别本"不是《唐本草》的另一种本子。

181 漏芦条，《开宝》引"别本注"云："陶注云，根名鹿骊，唐注云，山南人名木藜芦，皆非也。漏芦自别尔。"

125 硇砂条，唐本注云"温"。《开宝》引"别本注"云："其性大热，今云温，恐有误也。"

237 凫葵条，唐本注云："南人名猪莼堪食。"《开宝》引"别本注"云："江南人多食，云是猪莼，全为误也。"此注文与唐本注恰相反，说明《开宝》所引"别本注"，不是《唐本草》另一种本子的注文。

以上《开宝》所引"别本注"的文中，都有批驳《唐本草》的谬误。说明"别本"不是《唐本草》的另一种本子。《开宝本草》所引的"别本注"，其文很像《蜀本草》的注。掌禹锡在引"蜀本""蜀本注"的文中，对《唐本草》批驳的例子很多，兹举例如下。

116 石脑条，掌氏引"蜀本"云："今据下品握雪礜石，主疗与此不同，苏妄引握雪礜石注为之。"这是《蜀本草》对苏敬注的批驳。

134 土殷孽条，掌禹锡引"蜀本注"云："今据《本经》所载，既与陶注同，而苏（敬）说独异，恐亦未是。"

540 越砥条，是有名无用草木部药。陶注云："今细砺石，出临平者。"掌禹锡引"蜀本注"云："今据此在草木类，恐非细砺石也。"

类似此例很多。这些例子，都说明《蜀本草》对《唐本草》的错误多加以纠谬。《开宝本草》所引"别本注"的资料，亦有此内容。这就提示，《开宝本草》所引"别本注"，与掌禹锡所引"蜀本""蜀本注"，当是同出于《蜀本草》。

又如旧本有些药缺性味，掌禹锡引的《蜀本草》多有补充。

例如 521 鸡肠草缺性味。掌禹锡引"蜀本"云："鸡肠草，平，无毒。"而《开宝》所引"别本注"也有同样的内容。

519 水靳，前代本草未言药性，《开宝》引"别本注"云："水靳，芹菜也，味甘，其性大寒无毒。"

224 高良姜，《唐本草》说"味亦不甚辛"。《开宝》引"别本注"云："高良姜味辛苦，大热，无毒。"

《开宝》所引"别本注"，在内容上，很像《蜀本草》的内容，对《唐本草》进行了注释或补充。

例如 237 菟葵条，《唐本草》言"止虎蛇毒"，但未言明如何用，且无采收时月。《开宝》所引的"别本注"加以说明云："蛇虎毒诸疮，捣汁饮之及涂疮，能解毒，止痛。六月七月采茎叶，暴干。"

258 蕺草条，唐本注云"亦堪啖，所在有之"，此文未言明如何啖，亦无采收时月。《开宝》引"别本注"云："江南人用蒸鱼食之，甚美。五月六月采茎暴干。"

《开宝》所引"别本注"，与掌禹锡所引"蜀本注"在体例上亦相同。

例如284 屋游，《开宝》引"别本注"云："无毒，主小儿痫热，时气烦闷，止渴。"256 泽漆，掌禹锡引"蜀本"云："有小毒，逐水，主蛊毒。"

总之，《开宝》所引"别本注"和掌禹锡所引"蜀本注"，在内容上、体例上均相同。所以《开宝》所引的"别本注"，实际上即是"蜀本注"。"别本"即《蜀本草》的另一种称呼。

《开宝本草》既引《蜀本草》资料，为什么不注"蜀本草"，而要注"别本"呢？这可能与当时的政治有关。

当北宋兴起时，五代的后蜀仍在，未向宋投降。北宋建国6 年，才灭掉后蜀。宋政府不承认后蜀，称它为伪蜀。而《蜀本草》是蜀政府组织人力修的。为此，宋代也不承认蜀政府修的《蜀本草》。由于《蜀本草》是重修《唐本草》的书，但又不是真正的《唐本草》，所以宋政府以"别本"（义为《唐本草》另一种本子）称之。

宋政府虽然不提《蜀本草》书名，以"别本"名之，但在所引"别本注"的文字中，仍可见到《蜀本草》编者用"蜀"字。

例如158 升麻条，《开宝》引"别本注"云："今嵩高出者色青，功用不如蜀者。"此文中"蜀者"，当是《蜀本草》编者的用词。这也提示，"别本"是宋代对《蜀本草》的称呼。

（2）《嘉祐本草》掌禹锡引《蜀本草》注文。

掌禹锡所引《蜀本草》资料，转录在《证类本草》序例及各药物注文中。兹分述如下。

1）掌禹锡引《蜀本》资料，作为序例的注文。在《证类序例》中，有三处载掌禹锡引《蜀本》资料作的注文，即"诸病通用药""广序例正文""七情畏恶药例"。兹分别介绍如下。

第一处，"诸病通用药"载掌氏引"蜀本草"资料。

"诸病通用药"是陶弘景首创，为方便临床用药而设，以病为纲，类列药物，注出药性。掌禹锡在《嘉祐本草》"诸病通用药"很多病名下，据《蜀本》增补一些主治药。

例如疗风病名下，掌禹锡据《蜀本》增补有：鹿药，温。天麻，平。海桐皮，平。蚺蜋，平。威灵仙，温。

兹将"诸病通用药"中各病名下，掌禹锡据《蜀本草》增补的药性，摘录如下。

风眩：伏牛花，平。

头面风：何首乌，微温。

暴风瘙痒：乌蛇，平。

劳复：大黄，大寒。葱白，平，犀角，寒。防己，平。虎掌，温。牡蛎，微寒。生姜，微温。

温疟：天灵盖，平。莞花，寒。茵陈蒿，平。

中恶：海桐皮，平。肉豆蔻，温。蓬莪茂，温。

霍乱：小蒜，温。鸡屎白，微寒。扁豆叶，平。鸡舌香，微温。豆蔻，温。楠材，微温。蓬莪茂，温。肉豆蔻，温。海桐皮，平。

呕哕：枇杷叶，平。麝香，温。肉豆蔻，温。

大腹水肿：海松子，小温。

肠澼下痢：使君子，温。金樱子，温、平。

小便淋：淋石，暖。

溺血：葱涕，平。

上气咳嗽：蛤蚧，平。缩沙蜜，温。

呕吐：旋复花，温。白豆蔻，大温。

痰饮：威灵仙，温。

腹胀满：荜澄茄，温。

心腹冷痛：腽肭脐，大热。肉豆蔻，温。零陵香，平。胡椒，大温。红豆蔻，温。

心烦：卢会，寒。天竺黄，寒。胡黄连，平。

积聚癥瘕：续随子，温。京三棱，平。太阴玄精，温。威灵仙，温。

鬼疰尸疰：天灵盖，平。腽肭脐，大热。

惊邪：缩砂蜜，温。

癫痫：卢会，寒。瑇瑁，寒。

齿痛：枫香脂，平。

吐唾血：铛墨，平。

目肤翳：石蟹，寒。

踒折：自然铜，平。木鳖子，温。骨碎补，温。无名异，平。

瘀血：天南星，平。

恶疮：野驼脂，平。

漆疮：石蟹，寒。漆姑叶，微寒。

五痔：五灵脂，温。五倍子，平。

虚劳：补骨脂，大温。

腰痛：木鳖子，温。

无子：列当，温。

安胎：猪苓，平。

以上列举病名 34 条，各条病名下，掌禹锡增补药数不等。若按单味药计算，掌禹锡据《蜀本草》增补的"诸病通用药"有 68 种，兹列举如下：

芒消　太阴玄精　淋石　无名异　铛墨　石蟹　自然铜　鹿药　茵陈蒿　天麻　卢会　大黄　补骨脂　骨碎补　列当　京三棱　蓬莪茂　零陵香　枫香脂　鸡舌香　天南星　虎掌　何首乌　威灵仙　旋复花　荛花　伏牛花　海桐皮　漆姑叶　枇杷叶　海松子　使君子　金樱子　续随子　五倍子　木鳖子　猪苓　防己　南材　天竺黄　犀角　麝香　五灵脂　野驼脂　天灵盖　腽肭脐　鸡屎白　蚚螂(蝎)　璃珂　蛤蚧　牡蛎　乌蛇　胡椒　荜澄茄　豆蔻　白豆蔻　红豆蔻　缩沙蜜　肉豆蔻　豉　扁豆叶　麹　蘖　小蒜　生姜　葱白　葱涕　胡黄连

第二处，序例正文所载掌氏引《蜀本》的注文。

《证类本草》序例正文中，掌禹锡引《蜀本草》文作注的很多。

例如序例所载《唐本草》序文有"撰本草并图经目录等凡成五十四卷"。掌禹锡据《蜀本草》作注云："五十四卷，按《蜀本草》序作五十三卷。"

序例中讲到"吴普""李当之"。掌禹锡在"吴普"下注云："按蜀本注：普，广陵人也，华佗弟子，撰本一卷。"又在"李当之"下注云："按蜀本注：李当之，华佗弟子，修神农旧经，而世少引用。"

序例讲到"药有阴阳配合"。掌禹锡引《蜀本草》作注云："凡天地万物，皆有阴阳大小，各有色类，寻究其理，并有法象，故羽毛之类，皆生于阳而属于阴；鳞介之类，皆生于阴而属于阳。所以空青法木，故色青而主肝；丹砂法火，故色赤而主心；云母法金，故色白而主肺；雌黄法土，故色黄而主脾；磁石法水，故色黑而主肾。余皆以此推之，例可知也。"

序例讲到"药有子母兄弟"。掌禹锡引《蜀本草》作注云："若榆皮为母，厚朴为子之类是也。"

序例讲到"《本经》药有七情"，掌禹锡引《蜀本草》作注云："凡三百六十五种；有单行者七十一种，相须者十二种，相使者九十种，相畏者七十八种，相恶者六十种，相反者十八种，相杀者三十六种，凡此七情，合和视之。"

第三处，七情药例所载掌氏引《蜀本草》资料。

《证类本草》序例末"七情畏恶药例"，掌禹锡据《蜀本草》增补的药很多，兹摘录如下。

白石脂：畏黄连、甘草、飞廉。

消石：大黄为使。

黄连：畏牛膝。

天名精：地黄为使。

生银：畏黄连、甘草、飞廉。

石韦：络石、杏人为使，得菖蒲良。

麻黄：白微为使。

狗脊：恶莎草。

白及：反乌头。

茯苓、茯神：马蔺为使。

菊花：青葙叶为使。

白胶：恶大黄。

蜂子：畏白前。

乌贼鱼骨：恶附子。

蛇蜕：酒熬之良。

豉：杀六畜胎子毒。

2）掌禹锡引《蜀本草》资料作为药物注文。掌禹锡引《蜀本草》文字有3种。即：《蜀本草》正文、《蜀本草》注文、《蜀本草·图经》文。掌禹锡援引3种文字，分别标注"蜀本云""蜀本注云""蜀本草图经云"。兹分述如下。

第一种，掌禹锡引《蜀本草》正文作的注。

掌禹锡引《蜀本草》药物正文作注，标"蜀本云"。所谓"蜀本云"，指《蜀本草》记载的一些新增药功用，或记载的《唐本草》中旧药的新功能。

例如蝎，是《唐本草》所无，为《蜀本草》新增药。掌氏引蜀本云："蝎，平。主治诸风。其紧小者名蚚蜋。"

又如桃花石，是《唐本草》的旧药。掌氏引蜀本云："桃花石，令人肥悦能食"。此文所言功能，是《唐本草》的"桃花石"条所无，为《蜀本草》所新增。类似此例很多。

兹将掌禹锡引《蜀本草》正文作注的药名列举如下。

86 芒消　93 五色石脂　113 孔公蘖　115 石脑　117 桃花石　123 石灰　167 菥蓂　202 蠡实　206 淫羊藿　211 酸浆　212 石韦　225 百部　233 白前　238 井中苔及萍　245 半夏　246 鸢尾　246 大黄　248 葶苈　252 钩吻　255 白及　252 射干　257 贯众　264 威灵仙　269 马鞭草　275 连翘　275 续随子　278 甑带灰　279 白附子　280 乌蔹莓　191 鬼督邮　160 木香　305 枫香脂　310 金樱子　330 龙眼　332 合欢　345 郁李仁　351 石南　353 枳椇　357 钓藤　363 发髲　364 人乳　373 牛乳　373 酥　373 醍醐　373 马乳　385 狸肉　386 獐肉　390 驴屎　393 鼹鼠　412 牡蛎　415 石决明　418 鲫鱼　425 鳖甲　429 原蚕蛾　448 水蛭　452 蝎　489 粳米　491 小麦　492 麹　106 食盐　519 马齿苋　512 鸡肠草

第二种，掌禹锡引《蜀本注》作的注。

掌禹锡引《蜀本草》注文作的注，多标以"蜀本注云"。所谓"蜀本注"是《蜀本草》对药物条文中病名、物名及词、字的解释。

例如《唐本草》蜜陀僧的正文有"五痔"病名。《蜀本草》注云："五痔谓牡痔、酒痔、肠痔、血痔、气痔。"

掌禹锡引《蜀本草》解释文作注的药物，有下列一些药。

111 磁石　113 蜜陀僧　117 光明盐　134 握雪礜石　134 土阴蘖　237 王孙　244 侧子　270 苎根　289 桂　309 干漆　303 蔓荆实　304 桑上寄生　307 丁香　327 棘刺花　374 白马茎　377 牛角䚡　377 黄牛溺　397 鸡子　400 鹜肪　423 猬皮　428 蛴螬　432 蛞蝓　446 蟋蟀　449 石蚕　450 雀瓮　453 蝼蛄　453 蛙　455 鼠妇　455 萤火　465 覆盆子　467 木瓜　486 生大豆　487 赤小豆　500 苋实　504 白瓜子　513 假苏　516 苦瓠

第三种，掌禹锡引《蜀本草·图经》文作的注。

掌禹锡引《蜀本草·图经》文所作的注，多标以"蜀本图经云"。所谓《蜀本草·图经》文，是《蜀本草》对药物性状、形态的描述，以及对生态环境及采收时月的记载。

例如"王不留行"条，掌禹锡引《蜀本草·图经》云："叶似菘蓝等，花红白，子壳似酸浆，实圆黑似菘，子如黍粟。今所在有之。三月收苗，五月收子，晒干。”

掌禹锡引《蜀本草·图经》作注的药，有170余条。但这些药都是《唐本草》旧药，没有一味是《蜀本草》新增的药。这就提示，《蜀本草》的图经文，是转录的《唐本草·图经》文。盖《蜀本草》转录《唐本草》图经文，犹如《蜀本草》正文转录《唐本草》的正文一样。这在掌禹锡《嘉祐本草·补注所引书传》已有说明，该书云：“重广英公本草，伪蜀翰林学士韩保昇等，与诸医工取《唐本草》并《图经》相参校……凡二十卷，今谓之《蜀本草》。”由此可见，《蜀本草》含有《唐本草》的药物正文和图经文。

从《蜀本草·图经》文语气看，《蜀本草·图经》文是转录《唐本草》的“图经文”。

例如“白瓜子”条，掌禹锡引“蜀本注”云：“苏云是甘瓜子也。图经云别有胡瓜，黄赤，无味。今据此两说，俱不可凭。”文中“图经云”，显然是转引《唐本草·图经》的语气。非韩保昇自撰之文。

又如“蚱蝉”条，掌禹锡引《蜀本草·图经》云：“此鸣蝉也，六月、七月收蒸，干之。陶云是哑蝉不能鸣者，雌蝉也。二说即相矛盾。”此文开头几句，也是转录他书的语气，非韩保昇自撰之文。

《证类本草》有很多药物注文中，转载了掌禹锡引《蜀本草·图经》文作的注。兹列举药名如下。

173 蓝实　175 黄连　176 络石　174 芎䓖　179 防风　179 肉苁蓉　178 黄芪　181 漏芦　182 营实　182 天名精　181 续断　183 丹参　183 决明子　184 茜根　186 蛇床　184 飞廉　185 五味子　187 千岁虆汁　187 景天　186 兰草　188 茵陈　189 沙参　187 地肤子　189 杜若　190 云实　190 徐长卿　190 石龙刍　190 白兔藿　190 薇蘅　191 王不留行　191 鬼督邮　191 白花藤　248 葶苈　246 鸢尾　246 虎掌　246 由跋　249 莨菪　250 草蒿　251 藜芦　253 蛇全　253 常山　254 蜀漆　255 青葙　252 射干　255 雚菌　255 白及　255 白敛　256 大戟　257 尧花　257 贯众　257 赭魁　257 茵芋　258 牙子　258 及已　258 羊踯躅　256 泽漆　246 大黄　251 旋复花　263 商陆　264 牵牛子　265 萞麻　267 菰根　268 狼毒　267 羊蹄　269 稀莶　269 马鞭草　270 甘蕉根　268 篇蓄　271 鬼臼　272 角蒿　274 刘寄奴　275 连翘　277 律草　279 猪膏莓　279 蚤休　270 白头翁　273 羊桃　273 鼠尾草　276 三白草　278 赤地利　279 紫葛　279 独行根　279 白附子　280 乌蔹莓　281 蒲公英　276 蛇莓汁　282 牛扁　282 苦芙　282 酸浆草　283 昨叶荷草　284 茼实

285 屐屩鼻绳灰　284 赤车使者　285 马勃　276 菡茹　279 鹿藿　290 箘桂　290 牡桂　296 茯苓　298 酸枣　299 檗木　286 格注草　300 楮实　301 干漆　303 蔓荆实　301 五加皮　303 辛夷　295 柏实　305 杜仲　306 女贞　304 桑上寄生　306 蕤核　306 木兰　316 竹黄　327 胡桐泪　333 虎杖　360 芫花　413 秦龟　413 龟甲　416 文蛤　415 桑螵蛸　416 海蛤　417 魁蛤　417 鮧鱼　418 鳝鱼　419 鲍鱼　423 猬皮　427 蚱蝉　424 露蜂房　430 白僵蚕　431 鮀鱼甲　428 乌贼骨　434 鲛鱼皮　440 虾蟆　441 马刀　443 蚹蛇　445 蝮蛇胆　446 蜈蚣　446 葛上亭长　449 田中螺　454 鲮鲤甲　448 斑猫　451 蜣螂　454 芜菁　460 豆蔻　460 藕实茎　463 葡萄　464 栗　465 芰实　466 鸡头实　468 芋　469 枇杷叶　471 甘蔗　475 安石榴　454 地胆　484 饴糖　500 芡实　504 白瓜子　505 芥　506 苦菜　506 莱菔根　510 蓼实　510 葱实　512 薤　513 白蘘荷　513 荙菜　514 水苏　519 莼　519 水靳　517 葫　518 蒜　520 繁蒌　521 落葵　521 蕺　522 马芹子　449 贝子　453 蝼蛄　245 半夏

以上共列 178 种。掌氏所引《蜀本草·图经》文，大部分是单独援引的。其中有不少"图经"文，是并在"蜀本"文或"蜀本注"文内叙述。

并在"蜀本"文内的"图经"文，有：245 半夏　246 鸢尾　246 大黄　248 葶苈　252 射干　257 贯众　269 马鞭草　275 连翘　279 白附子　280 乌蔹莓　191 鬼督邮

并在"蜀本注"文内的"图经"文，有：309 干漆　303 蔓荆实　423 猬皮　453 蝼蛄　504 白瓜子　500 芡实　304 桑上寄生

（3）《证类本草》唐慎微引《蜀本草》注文。

《证类本草》墨盖子标记下，唐慎微引《蜀本草》资料，所注文献出处有 4 种，即："蜀本""唐本""唐本注""唐本余"。

同一类"蜀本资料"，为何标注不同文献名称？情况是这样的。

唐慎微是四川名医，原居晋原（今重庆），后迁成都。其人医技高，态度好，诊务繁忙，无暇参考经史百家之书。他采取义诊的方法，对读书人不收诊费，但求读书人见到一方一药，录以告之，读书人乐而为之。金·宇文虚中《书证类本草后》云："慎微为士人疗病，不取一钱，但以名方秘录为请，以此士人尤喜之，每于经史诸书中，得一药名，一方论，必录以告，遂集为此书（指《证类本草》）。"

《蜀本草》是后蜀重修《唐本草》的书。宋代灭后蜀，不承认后蜀，称它为伪蜀，称其书为《唐本草》（简称"唐本"），或称《唐本草余》（简称"唐本余"）。

当时读书人从《蜀本草》中所录的资料，各人标注书名不一，或注"唐本"，或注"唐本余"送给唐慎微。唐慎微沿用读书人所注书名。所以《证类本草》中唐慎微所标注的"唐本""唐本余""唐本注"，皆是当时读书人对《蜀本草》的称呼。

兹将唐慎微所引"唐本""唐本注""唐本余"分别讨论如下。

1）唐慎微所引"唐本""唐本注"。唐慎微所引的"唐本""唐本注"的内容，用掌禹锡所引的"蜀本"来勘比，则唐慎微所引的"唐本""唐本注"，都是《蜀本草》的内容。

例如225百部（药名前号码为1957年人卫影印《政和本草》页次，下同）墨盖下唐慎微引"唐本云"有"微寒"，但掌禹锡引此文，注出处为"蜀本"。

227白前，唐慎微引"唐本云"有"微寒"，掌禹锡引此文注出处为"蜀本"。

246大黄的注文中，有"叶似蓖麻，根如大芋，旁生细根如牛蒡。图经云：'高六七尺，茎脆'。"掌禹锡引此文，注出处为"蜀本云"。然唐慎微在墨盖子下，同引此文，但注出处为"唐本云"。

486生大豆的注文中，有"煮食之，主湿毒水肿"。掌禹锡引此文注出处为"蜀本注"，但唐慎微在墨盖子下，同引此文，注出处为"唐本云"。

以上几条，唐慎微所标"唐本云"资料，掌禹锡皆注出"蜀本"。由此可见，唐慎微所注"唐本云"资料，实际上都是《蜀本草》的资料。

在上述"大黄"条中，唐慎微引"唐本云"文提到"图经云"。按掌禹锡所注，此"图经云"是出"蜀本"，非出于《唐本草·图经》。《唐本草·图经》到掌禹锡作《嘉祐本草》时已亡佚，唐慎微不可能见到。

类似此例者有151术、198苦参、309熏陆香、468芋、495稻米等条。

还有一些非《唐本草》的药，唐慎微在墨盖下引文，亦注出"唐本云"。

例如264威灵仙，是《唐本草》以后的药物。唐慎微在墨盖子下引"唐本云"有"腰肾脚膝积聚，肠内诸冷病，积年不差者，服之无不立效。九月至十二月采，阴干，余月并不堪采"。查《千金翼方》《医心方》《本草和名》"唐本草药物目录"，俱无"威灵仙"药名。说明威灵仙不是《唐本草》的药。唐慎微引此文注出处为"唐本注"，掌禹锡引此文，注出处为"蜀本注"。由此可见，唐慎微在威灵仙条下所引"唐本云"的资料，实出于《蜀本草》。

又如235胡黄连，唐慎微在墨盖子下引"唐本云"有"胡黄连，大寒。主骨蒸劳热，补肝胆，明目。治冷热泻痢……"。查《千金翼》《医心方》《本草和名》所载《唐本草》药物目录，俱无"胡黄连"药名。该药始载于《蜀本草》，后为宋代《开宝本草》录为正品新药。唐慎微引胡黄连注出处为"唐本云"，这是唐慎微沿用当时读书人所录《蜀本草》资料标注的名称而致。

类似此例者，还有 226 红蓝花、228 荜拨、232 零陵香等，皆不是《唐本草》药，但慎微在此等药条中皆引有"唐本注云"，这个"唐本注"实际也是"蜀本注"。

2）唐慎微所引的"唐本余"。《证类本草》墨盖子下，唐慎微引的"唐本余"，其内容亦属《蜀本草》。用掌禹锡引"蜀本注"，可以测知之。

例如 381 牡狗阴茎条，有"主补虚小儿惊痫，止下痢"。掌禹锡引此文，注出处为"蜀本"，而唐慎微同引此文注出处为"唐本余"。由此可见，唐慎微所引"唐本余"，实际即是《蜀本草》。此与前面 225 百部、233 白前、486 生大豆等条唐慎微引的文注为"唐本"，掌氏引之则注"蜀本"，其情况是相同的。

又如 286 格注草，唐慎微在墨盖子下引"唐本余注云"有"图经出齐州、兖州山谷间"。文中提到"图经"，并不是《唐本草》的"图经"。因为《唐本草》的"图经"比《唐本草》早亡。唐慎微不可能见到。此文中"图经"与前面 246 大黄、468 芋等条中"图经"情况相同，皆是出于《蜀本草·图经》。

在"大黄"条中，同样的"图经"文，掌禹锡援引注为"蜀本"，而唐慎微援引注为"唐本"。前面讲过，唐慎微作《证类本草》所用的资料，是当时读书人提供的。各个读书人对《蜀本草》称呼各不相同，或称"蜀本"，或称"唐本"，或称"唐本注"，或称"唐本余"。唐慎微所注出处，皆据读书人提供资料时所标注的书名来注的。

又如 118 太阴玄精、168 辟虺雷、191 留军待、191 地不容、192 山胡椒、192 灯笼草等，唐慎微引此等药资料，注出处为"唐本余"。查《千金翼方》《医心方》《本草和名》、卷子本《新修本草》俱无此等药。

此与前面 235 胡黄连、264 威灵仙情况相同。胡黄连、威灵仙皆非《唐本草》药，慎微引其文注出处为"唐本"，而掌禹锡引其文注出处为"蜀本"。说明这些药皆出于"蜀本"。"太阴玄精"等条皆非《唐本草》药，慎微引其文注出处为"唐本余"，是沿用读书人提供资料时所标的书名。

查《证类本草》墨盖子下，慎微引《蜀本草》资料标注"唐本余"的，还有下列药物。

89 石胆　93 黄石脂　132 白垩　132 青琅玕　209 紫菀　256 泽漆　271 芦根　280 石长生　310 苏合香　328 猪苓　346 莽草　391 狐阴茎　482 麻黄　464 蓬蘽　491 蘪米

五、《食性本草》

（一）《食性本草》考

本书是南唐（937—975）陈士良所撰。《嘉祐本草·补注所引书传》云："《食性本草》伪唐陪戎副尉，剑州（今福建南平）医学助教陈士良撰。"①

《中国医学人名志》云："陈士良，唐钱塘县人。乾宁时以医名于时，诏修圣惠方，官药局奉御。又撰《食性本草》十卷。"②

《古今图书集成·医部全录》卷510医术名流列传四引《钱塘县志》云："唐乾宁时，有陈士良者，以医名于时，诏修《圣惠方》，官药局奉御。"

查《旧唐书·经籍志》和《新唐书·艺文志》皆无《圣惠方》书名，只有北宋初太平兴国七年（982）诏修过《太平圣惠方》。太平兴国七年离唐代乾宁元年（894）已88年，时间不对。说陈士良是唐乾宁时人，又修过《圣惠方》，应存疑。

一般书都说陈士良是五代南唐时（937—975）人。

陈士良又名陈巽。《证类》卷28"假苏"条，《嘉祐本草》引陈士良云："按假苏叶锐圆，多野生，以香气似苏，故呼为假苏。"③ 同条《本草图经》引陈巽云："假苏叶锐圆，多野生，以香气，故名之。"④ 陈士良、陈巽的文字全同，则陈士良即陈巽。范行准《两汉三国南北朝隋唐医方简录》第15载南唐陈巽《食性本草》10卷⑤，则可知范氏认为陈士良即是陈巽。陈巽除著《食性本草》外，尚有其他著述。如范氏《医方简录》还记载陈巽著有《经验方》⑥ 及《南唐食医方》⑦ 又《证类》卷26"罂子粟"条，《本草图经》亦引有《南唐食医方》书名⑧。《证类》卷5"硇砂"条，唐慎微亦引有陈巽的方子⑨。据此可知，陈士良、陈巽是同一人。

《食性本草》成书的时间。《嘉祐本草·补注所引书传》谓本书为伪唐剑州医

① 宋·唐慎微. 重修政和经史证类备用本草, 第1卷. 人民卫生出版社, 1957：40.
② 陈邦贤等. 中国医学人名志. 人民卫生出版社, 1956：153.
③ 宋·唐慎微. 重修政和经史证类备用本草, 第1卷. 人民卫生出版社, 1957：513.
④ 宋·唐慎微. 重修政和经史证类备用本草, 第1卷. 人民卫生出版社, 1957：513.
⑤ 范行准. 两汉三国南北朝隋唐医方简录//中华文史丛. 1965, (6)：341.
⑥ 范行准. 两汉三国南北朝隋唐医方简录//中华文史丛. 1965, (6)：342.
⑦ 范行准. 两汉三国南北朝隋唐医方简录//中华文史丛. 1965, (6)：343.
⑧ 宋·唐慎微. 重修政和经史证类备用本草, 第1卷. 人民卫生出版社, 1957：497.
⑨ 宋·唐慎微. 重修政和经史证类备用本草, 第1卷. 人民卫生出版社, 1957：126.

学助教陈士良撰。按，伪唐即南唐，南唐始于 937 年，终于 975 年①，共历 39 年。其鼎盛时期在 937—957 年，建都金陵（今南京），在五代十国时，南京是文化最著名的地区，陈士良《食性本草》的成书时间，当在 937—957 年。

本书纂集的情况。据《嘉祐本草》载，陈士良是以古有食医之官，因所养以治百病，故将《神农本经》及陶隐居、苏敬、孟诜、陈藏器等诸家著作中有关饮食方面的药物汇集起来，附以己说，又载食医诸方及五时调养脏腑之术，并有集贤殿学士徐锴为之序②。

本书已佚，它的部分资料散存于《证类本草》中。《嘉祐本草》摘录的《食性本草》药物有 13 味。而《嘉祐本草》作注时，其中有 36 条是引本书资料作注的。《宋以前医籍考》谓《嘉祐本草》所引有陈士良《食性本草》资料 34 条③，这个数字可能有误。笔者统计《嘉祐本草》所引陈士良《食性本草》资料有 49 条，计：草类 1 种（通草），兽类 3 种（马肉、麋、鼹鼠），禽类 1 种（鹜肪），虫鱼类 7 种（秦龟、鲤鱼、鳗鲡鱼、鲙鱼、紫贝、玳瑁、石首鱼），果类 11 种（蓬蘽、覆盆子、藕实、鸡头实、栗子、樱桃、仲思枣、橙子、林檎、楱椋、庵罗果），菜类 15 种（荠、菘菜、甜菜、假苏、薄荷、雍菜、菠菜、苦荬、鹿角菜、莙达、胡荽、石胡荽、邪蒿、同蒿、罗勒），米类 11 种（胡麻、麻蕡、赤小豆、大麦、粟米、陈仓米、酒、稻米、白油麻、曲、荞麦）。其中果菜类最多，草类只有 1 种，缺木石类。总之，本书是集《本草经》《名医别录》《本草经集注》《唐本草》《食疗本草》《本草拾遗》等书中有关食用药物，并增加陈士良本人见解，又附食医诸方及脏腑调养等术编纂而成。

《食性本草》的内容。从《嘉祐本草》所引资料看，本书对于药物性味、主治、功用、禁忌、药物性状、鉴别、制剂等都有论述。

在药性方面，凡前代本草未言明药性的，本书予以补记。例如下列药物原缺性味，而本书予以补录。计有：庵罗果、赤小豆，微寒；燕覆子、鼹鼠、秦龟、鳗鲡鱼，寒；鹜肪、仲思枣，大寒。大麦叶，微暖；鲙鱼、橙子，暖。玳瑁肉、石首鱼、紫贝、樱桃、菘菜等，性平。林檎，味涩。

在药物选择上，以收集可食的药物为主。例如木通不能食，但木通种子能食，

① 荣孟源. 中国历史纪年. 生活·读书·新知三联书店，1957：75.

② 宋·唐慎微. 重修政和经史证类备用本草，第 1 卷. 人民卫生出版社，1957：40.

③ 冈西为人. 宋以前医籍考，人民卫生出版社，1958：1402.

本书即将木通子收入书中。木通子名桴核子，又名燕覆子，主胃口热闭，反胃，不下食，除三焦客热，宜煎汤并葱食之。

本书还记载一些食物宜忌，如下。

1）有些药食之宜人。例如"甜菜"条云："食之宜妇人。"

2）有些药不能多食。例如"麻蕡"条云："妇人多食发带疾。""榅桲"条云："发热毒，秘大小肠，聚胸中痰壅，不宜多食。"

3）有些药不能久食。例如"赤小豆"条云："久食瘦人。""酒"条云："诸石不可长以酒下，遂引石药气入四肢，滞血化为痈疽。""大麦"条云："蘖，久食消肾。"

4）有些药不能与他药同食。例如"橙子皮"条云："不与猕肉同食，发头旋恶心。""糯米"条云："不可合酒共食，醉难醒。"

本书对药物性状的记载。例如"玳瑁"条云："玳瑁身似龟首，嘴如鹦鹉。""栗条"云："栗有数种，其性一类，三颗一球，其中者栗楔也。"

本书对药物鉴别的记载。例如"林檎"条云："此有三种，大长者为柰：圆者林檎，夏熟；小者味涩为梣，秋熟。""蓬蘽"条云："诸家本草皆说是覆盆子根，今观采取之家，按草本类所说，自有蓬蘽似蚕莓子，红色，其叶似野蔷薇，有刺，食之酸甘，恐诸不识，误说是覆盆也。"

本书对药物制剂的介绍。例如"燕覆子"条云："宜煎汤并食之。""仲思枣"条云："取肉煮研为蜜丸药佳。""龟"条云："凡扑损，取肉生研厚涂。""藕实"条云："莲子心，生取为末。""庵罗果"条云："可以作汤。""陈仓米"条云："宜作汤食。"本书流传不广，新、旧两唐志未录本书，仅《嘉祐本草》所引书传载有本书的名字。《通志·艺文略》①《宋史·艺文志》② 载有陈士良《食性本草》10 卷。

本书是从前代本草中摘录有关食物药品汇编而成，陈士良本人创见很少，因此本书影响不大。《本草纲目》批评道："《食性本草》，书凡十卷，总集旧说，无甚新义。"③ 李时珍的批评是正确的。

---

① 宋·郑樵：通志艺文略·艺文七，卷 45. 中华书局局聚珍仿宋版：20.

② 元·脱脱等修. 宋史·艺文志，卷 6·子·医书类. 商务印书馆，1957：170.

③ 明·李时珍：本草纲目，卷 1·序例上. 人民卫生出版社影印，1957：334.

（二）辑复《食性本草》说明

（1）《食性本草》原书久佚，今从《大观本草》《政和本草》辑得佚文61条，仿《千金食治》分为果实、菜蔬、谷米、鸟兽四类。每类药物按《新修本草》目次编排列。

（2）每条佚文，以《大观本草》《政和本草》所载佚文为底本，用《本草纲目》校勘之，并将校勘不同点出注，列于当药之下。

（3）每条佚文末加括号，括号内注明《大观》《政和》《纲目》页次，以便读者查寻。《大观》即1904年柯逢时影刻《大观本草》，《政和》即1957年人民卫生出版社影印金泰和晦明轩本《政和本草》；《纲目》即1957年人民卫生出版社影印张绍棠刻本《本草纲目》。

（4）《大观》《政和》所存《食性本草》佚文，都是转录的《嘉祐本草》引文。《嘉祐本草》所引《食性本草》佚文有以下两种情况。

1）《嘉祐本草》旧药引用《食性本草》佚文作注释。《大观》《政和》对这些佚文，都冠以"士良曰"。

2）《嘉祐本草》新补药，若是参考本书及其他书糅合而成，则《大观》《政和》在此等新补药条末，均注明"新补见××××××"。这种小字注，即表示该条新补药是掌禹锡糅合几家本草著作而成。经糅合后，各家原文无法区分。凡《嘉祐本草》新补药条末注文中含有陈士良者，本书即将该条新补药收入书中。由于该新补药是糅合几家本草书文字而成，又无法甄别出各家原文，所以本书即全文转录以附之。

（5）《纲目》引用《食性本草》资料，多从《大观》《政和》转录。《纲目》在转录时，多加化裁，或增删或修改，或重行组合，很少原封不动转录。因此笔者在引用《纲目》所引佚文时，将与《大观》《政和》所引佚文的不同点出注，以供读者研究和参考。

（6）《嘉祐本草》新补药有雍菜、菠薐、苦荬菜、鹿角菜、莙荙、白油麻，其条末注云："新补见孟诜、陈藏器、陈士良、日华子。"即此等药物文献出处，应注出4家。但《纲目》对各条所注出处，互不一致，兹举例如下。

雍菜，《纲目》页1207注出处为"藏器曰"一家之文，与《嘉祐本草》注出处为4家之语不同。

菠薐，《纲目》页1207注出处为"孟诜"一家之言，与《嘉祐本草》注出处为 4 家之文不符。

苦荬，《纲目》页 1216 注出处为"藏器、嘉祐、大明、士良"4 家。而且所引文字多加化裁。与《嘉祐本草》所引之文和所注出处不尽相同。

鹿角菜，《纲目》页 1240 注出处为"孟诜""士良"两家文字，与《嘉祐本草》注出处为 4 家之文不符。

白油麻，《纲目》页 1102 注出处为"孟诜"一家之文，与《嘉祐本草》注出处为 4 家之文不符。

（7）《嘉祐本草》新补药，如胡荽、邪蒿、同蒿、罗勒、石胡荽、曲、荞麦等，其条末注云："新补见孟诜、陈藏器、萧炳、陈士良、日华子。"即此等药物条文，由掌禹锡糅合 5 家本草文字而成。《纲目》引用此等药物文字，所注出处，与《嘉祐本草》注出处为 5 家之文，不尽相同。兹举例如下。

胡荽，《纲目》页 1199 注出处为"藏器"一家之文，与《嘉祐本草》注出处为 5 家之文不符。

邪蒿，《纲目》页 1148 注出处为"孟诜""藏器"两家之文，与《嘉祐本草》注出处为 5 家之文不符。

同蒿，《纲目》页 1198 注出处为"禹锡曰"。

罗勒，《纲目》页 1204 注出处为"嘉祐"。

石胡荽，《纲目》页 1080 注出处为"萧炳""藏器"两家之文，与《嘉祐本草》注出处为 5 家之文不符。

曲，《纲目》页 1155 注出处为"藏器""孟诜""吴瑞""日华"4 家之文。其中"吴瑞"为元代人，当属误注。又曲条中所附"神曲"，《纲目》注出处为"药性论"，亦属可疑。因《嘉祐本草》对"曲"条及"神曲"条注的出处，是"孟诜""陈藏器""萧炳""陈士良""日华子"，并无"药性论"。

荞麦，《纲目》页 1113 所注出处为"孟诜""萧炳"两家文字。掌禹锡言本条参考 5 家本草书文字糅合而成。除"孟诜""萧炳"外，还有"陈藏器""日华子""陈士良"3 家之文。由此可见，《纲目》所注出处，与掌禹锡糅合 5 家之文不尽相符。

（8）《纲目》页 1175"葱"条"葱茎白"主治引陈士良"杀一切鱼、肉毒"6字。查此 6 字，在《大观》卷 28 页 3、《政和》页 510"葱实"条，是出日华子文，非陈士良文，《纲目》误以日华子为陈士良，本书不予收录。

六、《日华子本草》

（一）《日华子本草》概述

1. 作者和成书时间

本书原名《日华子诸家本草》，通称《日华子本草》，有时简称《日华子》，或名《日华》；有时亦称《大明本草》，或简称《大明》。作者姓氏不详。宋代《嘉祐本草》作者掌禹锡说："《日华子诸家本草》，国初开宝中四明人撰，不著姓氏，但云日华子大明。"李时珍说："按十家姓，大姓出东莱，日华子盖姓大，名明也，或云其姓田，未审然否？"按掌禹锡所说，本书作者姓氏不详，但知本书作者是四明人，即今宁波人。

关于本书著成的时间，争论很多。

范行准先生认为本书成于五代十国吴越（895—978）似较为可信。（见《中华文史论丛》6 集，第 340 页，1965 年）

2. 流传

本书虽成于五代，但不见录于古代书志，不过五代末和宋代方书以及本草书等引用较多。日本《和名类聚钞》《香要钞》等书也引用过《日华子本草》。尤以《嘉祐本草》引证最多。由此可见，本书在宋代是流行的。明·李时珍《本草纲目》和朝鲜许浚等《东医宝鉴》虽然引有《日华子本草》，但多是从《证类本草》中转引，未必见到原书。所以明代时本书是否存在，是一个疑问。

3. 基本内容

按掌禹锡所说，本书序集诸家本草，及当时所用的药，各以寒、温、性味、华、实、虫、兽为类，其言近用，功状甚悉，凡二十卷。原书已佚。笔者从《证类本草》辑录 618 味药，按玉石、草、木、兽、禽、鱼、虫、果、菜、米等分为 10 类，连序例，分为 20 卷。

各个药物有性味、主治、炮制、七情、产地、形态、采收时月等内容。

4. 特点

（1）本书所论药性，种类较多，计有凉、冷、温、暖、热、平等 6 类。

凉性药物有 53 味，冷性药物有 52 味，温性药物有 25 味，暖性药物有 24 味，热性药物有 15 味，平性药物有 44 味。而且同一药物因药用部分不同，其药性亦异。如茅性平，茅针性凉；李子温，李树根凉，李树叶平。有些药因制法不同，其药性亦异。例如干地黄，日干者平，火干者温。还有很多药物提出了新的药性。天麻，《别录》作平，《本草拾遗》作寒，本书作暖。

（2）本书提出一些新的药物气味。

例如白垩，《本经》作味苦，《别录》作味辛，本书作味甘。又如白及，《本经》作味苦，《别录》作味辛，本书作味硙（硙即刺激咽喉的辛辣感）。槟榔，《别录》作味辛，本书作味涩。其他如天南星味辛烈，苎根味甘滑。这些涩、滑等味，都是本书新增的药味。

（3）本书论药物功用，都从实效出发，并注意到药效与炮制的关系。

如木通下乳，至今依然在沿用。又如雷丸入药炮用。厚朴入药去粗皮以姜汁炙用。樗皮入药蜜炙用。龟甲入药酥炙用。蜻蜓入药去翼足炒用。

（4）本书对药物炮制亦有记载。

同一味药，因炮制方法不同，其功用各异。例如卷柏，生用破血，炙用止血。青蒿子，明目开胃，炒用；治劳，小便浸用。王瓜，润心肺，治黄病生用；肺痿，吐血，肠风，泻血，赤白痢，炒用。

关于药物炮制方法，有炒，微炒，搗炒；炙，微炙，姜炙，蜜炙；炮，烧，煅，淬，飞，浸，蒸，煮等法。

（5）本书对药物七情畏恶论述较详。

例如芎䓖畏黄连，水蛭畏石灰，大戟恶薯蓣，黄芪恶白鲜皮，生地黄煎忌铁器，茯苓忌醋及酸物。酒杀一切蔬菜毒，醋杀一切鱼肉毒，柚子解酒毒。天门冬，贝母为使。大戟，小豆为使。牵牛子得青木香、干姜良。白头翁得酒良。类似此例者极多。

（6）本书对于药物形态记载较详。

如"空青"条云："空青，大者如鸡子，小者如相思子，其青厚如荔枝，壳内有浆酸甜。"这种药物形态的描述，《本经》《唐本草》中都无记载。

对产地、形态的描述。如"地榆"条云："地榆，是平原川泽皆有，独茎，花紫。"

（7）本书对药采收时月，多从实际出发。

例如茵芋、射干，《别录》作三月三日采，本书作六月、七月采。又如泽漆，《别录》作三月三日、七月七日采，本书作四、五月采。

（8）有些药物还有归经的记载。

如"白石"条云："其补益随脏色而治，青者治肝，赤者治心，黄者治脾，白者治肺，黑者治肾。"

5. 价值

本书是总结唐末及五代时的药物成就之作，其中大部分药被宋代本草书作为正品收入。如延胡、自然铜、仙茅、谷精草、盐肤子等为《开宝本草》收入正品；绿矾、蓬砂等为《嘉祐本草》收入正品。

本书和陈藏器《本草拾遗》是有同等价值的本草著作。日本源顺《和名类聚钞》和掌禹锡《嘉祐本草》将二书相提并论。《和名类聚钞》葳蕤、续断、莔蓲等条分别引用二书资料。《嘉祐本草》新增的鸭跖草、山慈姑等，在条末均注"新补见陈藏器、日华子。"

正由于《日华子》和《本草拾遗》学术价值相等，日华子与陈藏器又同为四明（今宁波）人，所以有些人误以为日华子和陈藏器是同时代的人，说日华子也是唐开元年间人。如《古今图书集成医部全录·医术列传四》引《鄞县志》云："日华子姓大，名明，自号日华，唐开元时人。"陈邦贤《中国医学人名志》和赵燏黄氏均持此说，殊误。

由于本书对药物性味阐述甚详，所以本书对于研究中药性味的发展，有重要参考价值。如性冷、性凉、性暖等，在前代本草书中是很少见的；对药物气味，提出味涩、味滑、味砬等，也是前代本草书所未见的。有些药物，前代本草书并无药性记载，本书均提出新的性味，如檀香，前代本草就没有记载性味，本书说它"性热无毒"。

《日华子本草》所记内容确实可靠。如蛇床子治湿癣、赤白带下，煎汤浴大风身痒；胡麻仁润五脏，利大小肠。羊蹄治癣，杀一切虫，醋磨贴肿毒等，均有确效。现行的高等医药院校教材《中药学》所收药物中，有75味药参考并摘录了《日华子本草》资料，所以本书至今仍有实用价值。

本书刊本：1983年皖南医学院出版尚志钧辑复本（油印本），2005年安徽科学技术出版社出版与《蜀本草》合刊本。

（二）辑复本提要

本书原名《日华子诸家本草》，简称《日华子本草》，又称《日华子》。《本草纲目》称它为"大明"或"日华"。原书久佚，部分内容保存在《证类本草》中。笔者在"文革"前以《经史证类大观本草》及《重修政和经史证类备用本草》为底本，用《本草纲目》《本草品汇精要》等书为核校本，辑校成手稿本，并就其中若干问题，撰成论文。后来分别在《中华医史杂志》和《中成药研究》发表。1983 年由皖南医学院科研科油印，用作内部交流。今对原稿重加点校。原稿各药条文，均用善本逐条核对，凡遇互异处，悉以《大观》《政和》为准，做出校记，附于各药条文之后。至于《纲目》《品汇》误注他书为日华子语者，此次校释，均予以辨明，并指出误注的缘由。经过注释、校勘，本书质量得到进一步提高，同时将本书相关的若干问题作为附录，列于书后，藉以帮助读者了解本书。

（三）辑复本序

《日华子本草》原名《日华子诸家本草》，《本草纲目》简称它为"日华"或"大明"。宋代《嘉祐本草》作者掌禹锡说："《日华子诸家本草》，四明人撰，不著姓氏，但云日华子大明。"李时珍说："按千家姓，大姓出东莱，日华子盖姓大，名明也。或云其姓田。未审然否？"

《日华子本草》原书已佚，部分内容保存在各种本草书中。宋·唐慎微《证类本草》转载本书的内容很多。笔者在"文革"前辑有手稿本。1983 年皖南医学院科研科曾油印发行。兹将本书若干问题分述如下。

1.《日华子本草》著述年代的讨论

关于本书著成年代，有以下 4 种说法。

其一，认为本书成于北齐年间（550—580）。《古今医统》云："日华子北齐雁门人，深察药性，极辨其微，本草经方，多由注疏，至今是赖。"

其二，认为本书成于唐开元年间（713—741）。《鄞县志》云："日华子姓大，名明，自号日华，唐开元时人，精于医，深察药性，极辨其微，集诸家本草近世所用药，分其门类，详其性质，别其功用，凡二十卷。"

其三，范行准认为本书成于五代十国吴越（895—978）（见《中华文史论丛》6 集，1965：240）。

其四，认为本书成于北宋开宝年间（968—975）（见人卫版《政和》，1957：40）。

《大观》《政和》卷 11 "何首乌" 条，掌禹锡引《日华子》云："其药无名，因何首乌见藤夜交，便即采食有功，因以采人为名。"又据《本草图经》云："唐元和七年（812）僧文象遇茅山老人遂传其事（指何首乌事），李翔因著方录云。"何首乌事既始于唐元和七年，则《日华子本草》成书当在 812 年以后，前一、二两说均早于 812 年，当然不能成立。第三说认为其成于吴越，吴越始于 895 年，终于 978 年，共历 84 年。在这 84 年中，本书成于何年，应加以研究。据日本源顺《和名类聚钞》卷 10 "蒴藋"条引《日华子》云："水蓼，味辛、冷，无毒。"《和名类聚钞》约成于醍醐天皇时期，相当于中国后唐同光年间（923—925），则本书著成时间应早于《和名类聚钞》，在吴越天宝年间（908—923）。第三说似可信。亦有人相信第四说，如《本草纲目》、丹波元胤《中国医籍考》、冈西为人《宋以前医籍考》等。

本书虽不见录于古代书志，但五代末及宋代方书和本草书对其引用较多，如日本《和名类聚钞》《香要钞》等书，皆引用过《日华子本草》，尤以《嘉祐本草》作者掌禹锡引证最多。

掌禹锡引用的《日华子》资料，是本书现存较早的资料，也是辑校本书唯一的依据。掌禹锡援引《日华子》资料有以下三种情况。

（1）《嘉祐本草》引用《日华子》作注释文。所引《日华子》文，均冠有"臣禹锡等谨案日华子云"。其内容都是片断的。

（2）《嘉祐本草》引《日华子》作新增药，其条末注有小字"新补见日华子"，具有这样注的药物有菩萨石、绿矾、柳絮帆、铅、铅霜、古文钱、蓬砂、桑花、槐叶、蚌等。

（3）《嘉祐本草》引《日华子》和其他本草书糅合成新增药，其条末注有小字"新补见某某并日华子"。这种形式的引文虽包含有《日华子》之文，但因系糅合诸家内容而成，目前无法甄别出原文来。

明·刘文泰等纂《本草品汇精要》，商务印书馆于 1956 年出版该书排印本，简称《品汇》。该书引用《日华子》文，误注的很多。

《纲目》所引《日华子》文，多加化裁或误注。例如"淋石"条，《纲目》引《日华子》有"主治石淋，水磨服之，当得碎石随溺出"15 字。《大观》《政和》引《日华子》作"暖"，无此 15 字。《医心方》卷 12 页 266 引《本草拾遗》云："有以病为药者，淋石主石淋，水磨服之，当碎石随溺出也。"由此可见，《纲目》所引《日华子》15 字，注出"大明"，实为"藏器"之误。这是利用《医心方》来旁证《纲目》误注陈藏器《本草拾遗》为《日华子》语。

2. 《日华子本草》收载药数

《日华子本草》收载的药物数量，据日本冈西为人《宋以前医籍考》（1958 年人卫版 1372 页）云："按《嘉祐本草》所引《日华子》有 533 条。又按日本《香要钞》等书，亦多引《日华子》，或是从《证类》（即《证类本草》）中所引者欤。"

《大观》《政和》载"臣禹锡谨按日华子云"的药有553味，其中有些药，同一条引《日华子》若干次，例如兔头骨引《日华子》3次，鹿茸引《日华子》4次。其中有些条，按药用部位分，又可析出若干条。例如从"松脂"条析出"松叶""松节""松根白皮"3条。从"槐"条析出"槐花""槐叶""槐皮"3条。按药用部位分，其种数有600余条。

在"文革"前，笔者整复《日华子本草》时，统计《证类本草》引用《日华子》共604条，若按引的次数算，有的药引《日华子》若干次，连同序论中的畏恶药物所引，共计664次。其次有同一条重复引日华子文若干次。总之，《证类本草》所引的《日华子本草》收载的药物资料，不会少于604条。

3.《日华子本草》药物目次和分卷

《日华子本草》据掌禹锡《嘉祐本草·补注所引书传》云："凡二十卷。"收载药物总数不详。关于药物条目排列，掌禹锡曾说："各以寒温性味华实虫兽为类"。但是《日华子》绝大部分药物性味，掌氏没有摘录，因此难以根据药物寒温性味归类；又，玉石类药品，不好按华实虫兽分。本书只能按《唐本草》目次分。由于《日华子》是五代时作品，五代时《蜀本草》是按《唐本草》目次分的，所以本书亦按《唐本草》目次编排，仍分为20卷。卷1序例，卷2~4玉石部，卷5~10草部，卷11~13木部，卷14~17兽禽虫鱼部，卷18果部，卷19菜部，卷20米谷部。

4.《日华子本草》的特点

（1）本书对本草药性有所发展。

前面讲过，掌氏所录《日华子》药物性味，多以与前代本草书所不同者为主。在600多味药物中，有200余味药性是与前代药物不同的。在此200余味药物中，计凉性药53味，冷性药52味，温性药25味，暖性药24味，热性药15味，平性药44味。又，同一植物药用部位不同，药性亦异。如茅性平，茅针性凉；李子温，李树根凉，李树叶平。有些药物因炮制法不同，其药性亦异。例如干地黄，日干者平，火干者温。另外对某些药亦提出新的性味。例如白及，《本经》作苦平，《别录》作味辛，而《日华子》作味磈（即刺激咽喉的辛辣感）。天麻，《别录》作平，《本草拾遗》作寒，《日华子》作暖。白垩，《本经》作味苦，《别录》作味辛，《日华子》作味甘。槟榔，《别录》作味辛，《日华子》作味涩。又如檀香，前代本草书未记性味，《日华子》提出"性热无毒"。其他如天南星味辛烈，苎根味甘滑。此等涩、滑等味，都是《日华子》新提出的性味。

（2）本书对药物炮制记述颇详，并注意到炮制与药效的关系，在炮制方法上有炒、微炒、捣炒、淬、飞、烫、蒸、煮诸法。并记载同一味药，炮制方法不同，其功用各异。例如卷柏，生用破血，炙用止血。青蒿子明目开胃，炒用；治劳，小便浸用。王瓜，润心肺，治黄病生用；肺痿、吐血、肠风泻血、赤白痢炒用。

（3）本书对药物"有相制使"（畏恶相反）的论述很详，现存《日华子》药物600余味，其中有70多味具有"畏恶相反"的内容。例如天门冬，贝母为使。车前子，常山为使。大戟，赤小豆为使。消石，畏杏仁、竹叶。芎䓖，畏黄连。天南星，畏附子、干姜、生姜。牡丹，忌蒜。菖蒲，忌饴糖、羊肉。茯苓，忌醋及酸物。酒杀一切蔬菜毒。醋杀一切鱼、肉毒。白头翁得酒良。牵牛子得青木香、干姜良。在《嘉祐本草》的畏恶相反药例中，引用《日华子》畏恶例25条，例如乌韭、牵牛子、商陆、天南星、骐骥竭、水蛭、莲花、杨梅等畏恶相反的药例，都是据《日华子》新增的。

（4）本书对药物形态的记载，均依据实地观察。例如"空青"条云："大者如鸡子，小者如相思子，其青厚如荔枝壳，内有浆酸味。"又如"菟丝子"条云："苗茎似黄麻线，无根，株附田中草，被缠死。或生一丛，开花结子不分明，如碎黍米粒。""石帆"条云："紫色，梗大者如筋，见风渐硬，色如漆，人多饰作珊瑚装。"菟丝子生长在田野，石帆（柳珊瑚骨骼）生在海水岩礁间。这些记载，只有实地观察，才能描述得真实。这也提示日华子是长期生活在田野和海滨的。

（5）本书载药物采收时月，多从实际出发。例如茵芋、射干，《别录》作三月三日采，《日华子》作六月、七月采。又如泽漆，《别录》作三月三日、七月七日采，《日华子》作四月、五月采。前胡，《别录》作二月八月采，《日华子》作七月、八月采。

（6）本书所记药物产地，遍及全国。大黄出廓州（今甘肃化隆回族自治县西）马蹄峡中。菖蒲出宣州（今安徽宣城）。石胆出蒲州（今山西永济）。牡丹出巴（今四川巴中）、蜀（今四川崇庆）、渝（今重庆）、合（今四川合川）、海盐（浙江海盐）。鹿角菜出海州（今江苏连云港）、登（今山东蓬莱）、莱（今山东掖县）、沂（今山东临沂）、密（今山东诸城）。前胡出越（今浙江绍兴）、衢（今浙江衢州）、婺（今浙江金华）、睦（今浙江梅城）。芍药出海盐、杭（今浙江杭州）、越。山慈姑出零陵（今湖南零陵）。鼠曲草，江西人呼为鼠耳草。

（7）本书对过去一些旧药，记载了新用途。例如地榆，过去只言治各种痢疾，很少讲到止血。而《日华子》除讲治痢外，大讲止血新用途。说地榆能止吐血、鼻洪、月经不止、血崩、产前后诸血疾。这些止血新功效，至今仍然在沿用。

5.《日华子本草》的价值

（1）本书的学术价值。本书是总结唐末及五代时药学成就之作，内容丰富，学术价值大，深受宋代本草学家的重视。书中有些药物为宋代本草著作作为正品收入。如仙茅、谷精草、盐肤子等被《开宝本草》收为正品；菩萨石、绿矾、柳絮矾等为《嘉祐本草》收入正品。书中绝大部分药物内容被掌氏摘录，用以补充注释《嘉祐本草》中的药物；或全文援引，用以补充《嘉祐本草》新增药；或糅合其他诸家本草文字，组成《嘉祐本草》新增药。

（2）本书是和陈藏器《本草拾遗》有同等价值的本草著作。日本源顺《和名类聚钞》及掌禹锡《嘉祐本草》多将两书相提并论。《和名类聚钞》葳蕤、续断、蒳藘等条均同时引用两书的资料。《嘉祐本草》水银粉、铜青等23味新增药条末，均注"新补见日华子、陈藏器"。又由于日华子和陈藏器生的时代相近，有人说日华子也是唐开元年间人。如《鄞县志》云："日华子姓大，名明，自号日华，唐开元时人。"陈邦贤《中国医学人名志》亦持此说，殊误。

（3）本书有实用价值。《日华子》是我国五代时民间一部著名的本草著作，书中收录的药物都很实用。如羊蹄治癣，杀一切虫，醋磨贴肿毒。蛇床子，煎汤浴治大风身痒，都有确效。现行高等医药院校教材《中药学》所收药物中，有75味药参考过《日华子》资料。所以本书仍有实用价值。书中收载了不少民间药，如浮石、瓦楞子（蚶）等，这些药至今仍为常用药。

（四）辑复说明

1. 本书基本情况

《日华子本草》一名《日华子诸家本草》，系五代吴越日华子所集。原书已佚，今所辑佚文主要取材于下列各书。

（1）《经史证类大观本草》，清光绪三十年武昌柯逢时影宋本。

简称"《大观》"。本书柯氏虽言影宋本，但书中果人之字，全作"果仁"。《说文解字注》段玉裁云："果人之字，自宋元以前，本草方书诗歌记载，无不作人字，自明成化重刊本草，乃尽为仁字，于理不通，学者所当知也。"

（2）《重修政和经史证类备用本草》，人民卫生出版社1957年影印金·张存惠晦明轩本。

简称"《政和》"。现存各种刊本《重修政和经史证类备用本草》，均题金·张存惠晦明轩本。但这些刊本多数是明成化以后复刻本，因为这些刊本中果人之字，俱作"果仁"，唯人卫影印本作"果人"，所以人卫影印本是目前已知比较早的刊本。

（3）在《大观》《政和》中，有以下三种形式的佚文。

1）《嘉祐本草》引用《日华子》作注释文。所引《日华子》文，均冠有"臣禹锡等谨案日华子云"。其内容都是片断的。

2）《嘉祐本草》引《日华子》作新增药，其条末注有小字"新补见日华子"，具有这样注的药物，有菩萨石、绿矾、柳絮矾、铅、铅霜、古文钱、蓬砂、桑花、槐叶、蚌等。

3）《嘉祐本草》引《日华子》和其他本草书糅合成新增药，其条末注有小字"新补见某某并日华子"。这种形式引文虽包含有《日华子》之文，但因系糅合诸家内容而成，目前尚无法一一甄别原出处。

2. 主要核校书

（1）明·李时珍《本草纲目》，人民卫生出版社1955年影印合肥张绍棠刊本。

简称"张本《纲目》"。

（2）明·李时珍《本草纲目》，人民卫生出版社1977年校点本。

简称"校点本《纲目》"。《纲目》所引《日华子》文，多加化裁，或增删，或误注。

（3）明·刘文泰等纂《本草品汇精要》，商务印书馆1956年排印本。

简称"《品汇》"。该书引用的《日华子》文误注的很多。

3. 其他参考书（主要作旁校和注释用）

本书主要参考书有日本源顺《和名类聚钞》、日本丹波康赖《医心方》、朝鲜许浚《东医宝鉴》、孙思邈《千金方》、巢元方《诸病源候论》、贾思勰《齐民要术》、孟诜《食疗本草》、寇宗奭《本草衍义》、刘蒙《菊谱》、郑樵《通志·昆虫草木略》、吴其濬《植物名实图考长编》、谭其骧《中国历史地图集》、段玉裁《说文解字注》等。

4. 辑录《日华子本草》佚文的依据

保存《日华子本草》佚文的本草古籍较多，如《证类本草》《本草纲目》《本草品汇精要》《东医宝鉴》《和名类聚钞》《本草衍义》等。前4种援引《日华子》

资料最多，后两种援引《日华子》资料很少。其中《东医宝鉴·汤液篇》3 卷中援引《日华子》佚文，校以《证类本草》，多有相同之处，但未注明出处，无法用以作为辑佚的依据。《本草纲目》和《本草品汇精要》援引《日华子》佚文，均有注出"日华子"，或注出"大明"。但校以《大观》《政和》，其引文误注很多，难以作为辑校的依据。因此，能够作为辑校依据的，就是《大观》《政和》等书，此等书引用《日华子》是比较早的。

5. 《日华子本草》药物目次和分卷

《日华子》，据掌禹锡《嘉祐本草·补注所引书传》云："凡二十卷。"收载药物总数不详。《大观》《政和》所载"臣禹锡谨按日华子云"，有 553 味，其中有些药，同一条引《日华子》有若干次。例如兔头骨引《日华子》3 次，鹿茸引《日华子》4 次。若按轮次计算，有 639 次，若再加序例的"畏恶相反"药物所引 25次，共有 664 次。其中有些条，按药用部位分，又可析出若干条。例如从"松脂"条析出"松叶""松节""松根白皮"3 条。从"槐"条析出"槐花""槐叶""槐皮"3 条。按药用部位分，其种数有 600 余条。至于药品条目排列，掌禹锡曾说："各以寒温性味华实虫兽为类。"但是《日华子》绝大部分药物性味，掌氏没有摘录，因此难以根据药物寒温性味归类；又，玉石类药品，不好按华实虫兽分。本书只能按《唐本草》目次分。因为《日华子本草》是五代时作品，五代时《蜀本草》是按《唐本草》目次分的。所以本书亦按《唐本草》目次编排。仍分为 20 卷。卷1 序例，卷 2～4 玉石部，卷 5～10 草部，卷 11～13 木部，卷 14～17 兽禽虫鱼部，卷 18 果部，卷 19 菜部，卷 20 米谷部。

6. 校勘与注释

本书校勘与注释，是按《中医古籍校注通则》进行，并将校勘与注释用"脚注序码"标于本药之末。校记中所用书名，均系简称。在注释方面，对有关药物的基原形态与产地作了今释，对药物主治功用，亦作详细的注释，以作临床应用的参考。

［附］《本草和名》

（一）《本草和名》考

《本草和名》是日本醍醐天皇延喜年间（901—922）太医博士深江辅仁所撰。全书汇集中国流传在日本的隋唐医药古籍中的药名，并附以日本对译的和名。全书收载药名 1025 种，引用中国古医药书 30 余部。是日本古代撰述本草的第二部名著。它与百年前广世所撰《药经太素》，同属日本 10 世纪以前有名的药物学专书。

日本醍醐天皇延长五年（927）源顺所撰《和名类聚钞·序》及其引用书目中，均著录有《本草和名》。后来《仁和寺书目》中也收载《本草和名》的书名。以后有很长时间未见此书流行。直至日本宝历五年（1756）后，日本考据学家丹波元简偶尔在幕府书库内发现《本草和名》抄本，丹波元简根据各种古籍加以校订，于日本宽政八年（1796）刊刻，使本书重见于世。至大正十五年（1926）六月与谢野宽等编纂《日本古典全集》时，又将《本草和名》加以重印，收入《日本古典全集》第一回中。

此外，旅大市图书馆藏有抄本。

以上各本，以宽政八年丹波元简镌板为最早（以下简称"宽政本"）。日本大正十五年（1926）与谢野宽重印本（以下简称"大正本"）较晚。

现存的几种版本的共同点是俗字多，有些俗字现在已不用了。

例如上卷页 52 "桑上寄生"，页 59 "桑根白皮""桑菌"，下卷页 14 "桑螵蛸"，页 47 "桑茎实"等药名的"桑"字，俱作"枽"。下卷页 13 "腊蜜"，书写作"臈蜜"，枽、臈都是古代同义异体字，今已很少用了。

还有些字，连字书都难以检出。例如上卷页 7 "钢铁"写成"剄鐅"，上卷页 6 "石脑"的"脑"字，写作"腄"，下卷 15 页 "秦龟""龟甲"的"龟"字写作"亀"。这些"剄""腄""亀"等字，不仅国内医药书未见用，而且连字书也难以检出。

全书中"椒"字写成"株"，"杉"字写成"枚"，"龙"字写成"竜"。例如"龙"字：下卷页 47 "龙常草"，页 48 "天蓼，一名石龙"，页 45 "龙石膏"等，药名中"龙"字，俱作"竜"。并且书中存在同一个字在各个药名中书写也不相同的情况。例如"铁"字：上卷 7 页 "铁落""铁""钢铁""铁精"等药名中的"铁"字，写法不一。

《本草和名》还存在一些笔误。例如下卷页 15 "蠡鱼"条有"一名鲖鱼"，其中"鲖"字误作"鲷"；将所引书名《范汪方》误作《范注方》。《本草和名》有些注文有脱漏字。例如《本草和名》上卷页 8 "石床"条中有"出钟乳中" 4 字。傅本《新修本草》卷 4 页 62、罗本《新修本草》卷 4 页 31，《证类本草》卷 4 页 117 "石床"条俱作"出钟乳堂中"。由此可见，《本草和名》"出钟乳中"的"钟"字后，脱"堂"字。《本草和名》中有些药物异名，出现了张冠李戴。例如下卷15页"蠡鱼"条有"一名鲔",下有小字注云:"大者也,古今注。"查《古今注》卷中(《丛书集成初编》商务版15页)鱼虫第5"鲤"条云:"鲤之大者曰鳣,鳣之大者曰鲔。""鲤"和"蠡"虽音同,但实物是两种鱼。《本草和名》将"鲤"列在"蠡鱼"条下,显然是张冠李戴。

另外,还有些字因避讳而更改或删掉。

例如全书所引"陶弘景注",因避唐高宗太子弘的讳,将陶弘景改成"陶景",删去"弘"字。

从以上所举的例子来看,今存本《本草和名》存在不少问题。

《本草和名》2卷,约成书于918年,其刊本有:

(1)日本宽政八年丙辰(1796)刻本;

(2)1926年东京日本古典全集刊行会影印本。

(二)校点《本草和名》序言

这次校勘,系用宽政本为底本,以大正本为主校本,以抄本为旁校本,以《医心方》《千金方》《新修本草》《大观本草》《政和本草》《说文》《尔雅》《广雅》《古今注》《肘后方》《外台秘要》等为参校本。以对校、本校为主,间或进行理校、他校。

在具体做法上,按校点通则进行。但《本草和名》有其特殊性,其是日本人所撰的较古的本草书,为着保持该书原来面貌,除对正文加标点外,至于前面所列举各项问题,均不予更改,用校注说明之。为着避免出注繁冗,对异体字、错字、脱漏字做如下的处理。

(1)对异体字,即随文注出,外加"()"号。例如下卷页45"竜石膏"即写成"竜(龙)石膏",上卷页6"石膑"即写成"石膑(脑)"

(2)对错字,随文注明正字,外加"〈〉"号。例如下卷页15"蠡鱼"条有"一名鲷鱼",即写成"一名鲷〈鲖〉鱼"。

(3)对脱漏字,随文补出,外加"〔〕"号。例如上卷页8"石床"条有"出钟乳中",即写成"出钟乳〔堂〕中"。

(4)对于多次重复出现的错字,或因避讳省去的字,不予改动,在首次见时,出注说明。如"范注方"的"注"为"汪"之误;"陶景注"为"陶弘景注",只因避讳省去"弘"字。

(5)对引文有误者,不予改动,亦出注说明之。例如下卷"蠡鱼"条有"一名鲔，大者也，古今注"，出注：据崔豹《古今注》卷中"鲤"条有此文，则此文应属"鲤"条，误入"蠡鱼"条。"鲤""蠡"音同，非一物也。

（三）校点说明

1. 书名

本书为日本古代太医博士深江（根）辅仁所撰。全书汇集中国流传在日本隋唐医药古籍中的药名，并附以日本对译的和名。称为《本草和名》。

2. 底本

本书点校所用底本，为日本森立之据红叶山文库所藏抄本之影写本，简称"红叶本"。

3. 主要校本

（1）《本草和名》，日本宽政八年（1796）丹波元简校刊本，简称"宽政本"。

（2）《本草和名》，日本大正十五年（1926）日本东京古典全集刊行会据日本丹波元简刻本的铅印本，收入日本古典全集第一回。简称"大正本"。

4. 他校本及参考本

详见书后附列参考文献。

5. 校勘

（1）为着保持底本字句原来面貌，对校勘出的歧异文字，不在底本上改动，而是另外出注，出注序码标在相应的行次头上。注的方法是：先将底本《本草和名》全书 206 页标注自然序码，第 1 页标"1"号，第 206 页标"206"号。每一页有 9 行，每行亦标以自然号码，第 1 行标为"1"号，第 9 行标为"9"号，此页次号作分母，以行次号作分子，即成"某行/某页"检索序码。以下所言"某行/某页"，即指底本页次、行次而言。

（2）在校勘时，以对校、他校为主。个别地方，则兼用理校。或者对校、他校、理校结合应用。

（3）凡底本文和校本文中字词歧异、增衍、脱漏、讹误、错简、倒置等，一律不改动底本，但在相应的页次、行次中，择录提示字、词，出注说明之。在提示字词头上冠以底本"某行/某页"，以便查寻。

（4）对某些相同的问题时，在首次出现时，予以出注，以后再见时，不再重复出注。例如底本全书，对"陶弘景"人名，皆作"陶景"，本书在首次出现时，予以出注云："唐代因避唐高宗太子弘的讳，将'陶弘景'的弘字删去，改为'陶景'。"以后再见时，即不予重复出注。又如全书所引"范汪方"书名，皆作"范注方"。本书在校勘时，亦在首次见时，予以出注，以后见时，不再出注。

（5）在校勘时，凡校本，经前人校勘过的问题，所出的注，均予以保留选用。如宽政本眉批，大正本旁注，皆予以转录，以作参考。

（6）为着阅读方便，在底本原文每行右侧，用通行的繁体小字，注出校勘后的正文。

（7）有关底本各方面问题，均留在本书点校后记中介绍，此处从略。

第十四章　宋代本草要籍考

一、《太平御览·药部》

《太平御览》是李昉等 14 人奉敕修纂。按王应麟《玉海》卷 54 所述，李昉等于太平兴国二年三月十日（977 年 4 月 18 日）受诏，到八年十二月十九日（983 年 1 月 24 日）编成。初名《太平总类》。书成前夕，太宗赵匡义为着表示自己好学，命每天进呈 3 卷，以备"乙夜之览"。因此就下诏改名为《太平御览》。

参与编修的人员，除李昉外，还有扈蒙、徐铉、汤悦、张洎、陈鄂、吴淑、舒雅、宋白、李文仲、李穆、李克勤、阮思道、徐用宾等人，后来末尾三人调职，另由董淳、王克贞、赵邻几补其缺，前后都是 14 人。其中李昉、扈蒙是领衔的。

《太平御览》的编纂，是以《修文殿御览》《艺文类聚》《文思博要》等类书为基础，参考了 1690 多种经、史、子、集百家的书（实际列举 1689 种，这个数字不包括古律诗、古赋、铭、箴、杂书等在内），编为 1000 卷，按照《周易·系辞》"凡天地之数五十有五"的意思分为 55 门，每门又分细目，总计类别有 50 多种，包罗万象，应有尽有，是当时国家编纂的最大的百科全书。

其中关于本草的部分，列在卷 984～993，共 10 卷。卷 984 为"药部一"，卷 985 为"药部二"，以此类推，到卷 993 为"药部十"。此 10 卷收载药物 380 余种，但还有大批的药物，由于照顾分类的方便，被分散在其他门类各卷中。例如龙眼、木瓜被列在果类卷 973，蘼芜、白芷被列在香类卷 983，桑根白皮被列在木类卷

955，文蛤、蟹被列在鳞介类卷 942，水蛭、斑猫被列在虫类卷 950、951。像这样分散在药部以外的各卷中药物，有 120 多种。总计全书收录药物 500 余种，远比《艺文类聚》《北堂书钞》《初学记》等类书收载药物要多得多。

《太平御览》所载的药物，在内容上和一般本草书中药物的内容不同。它仅仅汇集古书中有关药物断章的条文，每个药物汇集的条文多寡不一，多的有数十条，少的仅 1 条，每一条文的开头皆冠以出典的书名。兹举 1 例，可见一斑。例如"地榆"汇集 3 条，如下。《本草经》曰："地榆止汗气，消酒明目。"《广志》曰："地榆可生食。"《神农本草经》曰："地榆苦寒，主消酒，生冤句。"

《太平御览》全书药物所引的文献很多，其中有关的本草文献有十数种，如《神农本草经》《吴氏本草》《甄氏本草》《桐君录》《李当之药录》、陶弘景《本草经集注》《食经》等。所列书名的名称前后多不一致。例如《神农本草经》有时作《本草经》，有时作《本经》，有时作《本草》，有时作《神农本草》。又如陶弘景《本草经集注》有时作《陶洪景集注本草经》，有时作《陶弘景本草经》，有时作《陶隐居本草注》，有时作《神农本草注》。

在引用本草轮次上，以《本草经》为最多，约有 218 次，引《吴氏本草》有 190 余次，引《本草》有 13 次，引《神农本草》有 6 次，引其他各种本草次数较少。

从收录药品文献出处看，有《神农本草经》的药物，如当归、大黄。有《名医别录》的药物，如昆布、占斯。有《唐本草》新增的药，如龙脑香。有《本草拾遗》的药物，如木蜜。有《开宝本草》新增的药，如玳瑁。还有"芦精""陵若"等药物不知出于何书。

《太平御览》保存了很多失传的古本草内容。当我们研究古本草著作但看不到原书时，还可以从它那里找到这些古本草的断编残简，藉以得知其大概。清代辑佚的学者如黄奭、马国翰、严可均等人，皆视《太平御览》为至宝。孙星衍、黄奭、日本的森立之等所辑的《神农本草经》皆以《太平御览》为重要的参考资料。焦循所辑的《吴普本草》，其辑文亦出自《太平御览》。

《太平御览》所引《本草经》资料，和历代本草书所引《本草经》资料，不完全相同，和《证类本草》所载白字《本草经》文，在书写程序上也不相同，兹举例如下。

同一个药物，内容相同，句子亦相同，但是《证类本草》和《太平御览》对文句排列顺序不同。

《证类本草》对药物条文书写体例为药物正名→性味→主治功用→药物异名→生长环境。

《太平御览》对药物条文书写体例为药物正名→药物异名→性味→生长环境→主治功用。

在《证类本草》药物条文中，药物异名在正名之后，生长环境列在条末。

在《太平御览》药物条文中，药物异名在正名之后，生长环境列在性味之后，主治功用列在条末。

例如"石斛"条，《太平御览》引《本草经》曰作："石斛，一名林兰，一名禁生。味甘，平。生山谷。治伤中，下气，虚劳，补五脏羸瘦。久服除痹，厚肠胃，强阴。出六安。"但《证类本草》对"石斛"条文排列为："石斛，味甘，平。主伤中，除痹，下气，补五脏虚劳羸瘦，强阴。久服厚肠胃……一名林兰，一名禁生。生六安山谷。"

《证类本草》向上推溯，源于《本草经集注》，所以《证类本草》药物条文书写体例，可以代表《本草经集注》药物条文书写体例。

《太平御览》所载药物条文，冠有"本草经曰"，其文当是出自《神农本草经》，则《太平御览》药物条文书写体例，可以代表《本草经》药物条文书写体例。日本森立之所辑的《神农本草经》，就是以《证类本草》中的黑底白字文字，按照《太平御览》书写体例进行编写的。

森立之认为《证类本草》药物条文书写体例的变更，是唐代苏敬作《新修本草》时改变的。森氏在辑本序文中"次记出处"下注云："《御览》气味下，每有生山谷等语，必是朱书原文；主治末，亦有生太山等字，必是墨书原文。苏敬修时，一变此体，直于主治下，记生太山山谷等语。《开宝》以后，全仿此体，古色不可见，今依《御览》补生山谷等字，陶氏以前之旧面，盖如此矣。"

森立之认为《证类本草》药物条文书写体例是唐代苏敬改的，其实不然。《证类本草》向上推溯，是源于《本草经集注》。吐鲁番出土的《本草经集注》，其药物条文书写体例，全同《证类本草》，和《太平御览》并不相同，足证森立之所云不可信。

有些《别录》药在《御览》中，标注有"本草经曰"，说明《别录》药原先是名医在《本草经》中增录的，否则《御览》不会标注"本草经曰"的。

例如升麻、昆布、占斯、神护草、白梁等药，在《证类》中均作黑字别录药，但在《御览》中均标注有"本草经曰"，不仅《御览》引此等药标注"本草经

283

曰"，其他类书如《初学记》援引此等药物时，也注有"本草经曰"。

例如《御览》卷39、《初学记》卷5，皆引有《本草经》曰："常山有草名神护，置之门上，每夜叱人。"《御览》卷842、《初学记》卷27亦皆引有《本草经》曰："白粱，味甘微寒无毒，主除热益气，有襄阳竹根者最佳。"

《御览》《初学记》援引此等药，即标注"本草经曰"，说明这些药一定是载在《本草经》中的，否则《御览》《初学记》是不会标注"本草经曰"字样的。

《别录》药物在《证类》中书写体例同《证类》体例；但在《御览》中书写体例同《御览》体例。

例如《证类》卷6"升麻"条文为："升麻，味甘、苦、平，微寒，无毒。主解主毒……一名周升麻。生益州山谷，二月、八月采，阴干。"

其书写体例为：药物正名→性味→主治→功用→药物一名→产地→生长环境→采集加工。

如《御览》卷990"升麻"条，引《本草经》曰："升麻，一名周升麻，味甘、辛。生山谷。治辟百毒……生益州。"

其书写体例为：药物正名→药物一名→性味→生长环境→主治功用→产地。

在《证类》《御览》两书中，升麻条文书写体例各不相同。《证类》将药物与环境合并书写。《御览》将药物一名列在性味主治之前，并将产地、环境分开书写。

不仅升麻如此，其他《别录》药如忍冬、芋、昆布、神护草、石脾、石肺、奈、占斯、鹳骨等，在《御览》中均标注"本草经曰"，其书写体例皆按《御览》体例书写。此等药在《证类》中，均注为黑字别录，其书写体例，又按《证类》体例书写。

同一个药物，在《御览》《证类》两书中，标注类别和书写体例各不相同，其原因，就是《证类》黑字《别录》药，是陶氏从《本草经》内名医增录的资料，经过"苞综诸经，研括烦省"整理而成的。

二、《开宝本草》

（一）《开宝本草》考

《开宝本草》是以宋太祖赵匡胤第3个年号"开宝"命名的中药文献。据《嘉祐本草·补注所引书传》记载，《开宝本草》共修两次，第一次在开宝六年

（973），定名《开宝新详定本草》，次年（974）又重修，名曰《开宝重定本草》。

《开宝新详定本草》，是北宋初由国家组织人员编修的。参加人员有：尚药奉御刘翰，道士马志，翰林医官翟煦、张素、王从蕴、吴复圭、王光祐、陈昭遇、安自良等9人。主要由刘翰负责。本书的编修，以《唐本草》为蓝本，参考陈藏器《本草拾遗》、李含光《本草音义》、韩保昇《蜀本草》及其他诸书，增加一些新药，勘正一些别名，作了一些注释。清本完成后，经扈蒙、卢多逊审阅，由国子监出版。

《开宝新详定本草》是第一次用雕版印刷的本草书（以往本草书是手工抄录的）。李昉等在校阅时，发现雕工雕刻时对《本经》《别录》无标记（全刻成墨字）；加以书中注解有错误，所以进行重修重刻。把《本经》文刻成黑底白字，把《别录》文刻成黑字。书成后改名为《开宝重定本草》。宋代书志把《开宝重定本草》题李昉等撰，本文所述即为此本。

《开宝本草》原书已佚，但其内容散存于《证类本草》中，从该书所载，研究《开宝本草》信息如下。

《开宝重定本草》为20卷，另有目录1卷。全书分序例与药物两大部分。序例的性质同总论，药物部分相当于各论。

序例是从《唐本草》序例发展而成的，分为两部分，第一部分有"开宝重定序""唐本序""陶隐居序"的上半截。第二部分有"诸病通用药""解百药及金石药毒例""服药食忌例""凡药不宜入汤酒者""三品药物畏恶相反等七情例"。

药物部分分别介绍各种药物的内容。在药物分类方面，本书基本上与《唐本草》相同，共分为玉石、草、木、兽禽、虫鱼、果、菜、米谷、有名无用等9类。每一类（除有名无用类外）又分上、中、下三品。

本书收录药数。《开宝本草·重定序》云："新旧药合983种。"按，《开宝本草》是以《唐本草》为蓝本编修的。《唐本草》载药850种，《开宝本草》新增药133种，合共983种，但是过去有的书（如1964年上海科技版，北京中医学院编《中国医学史讲义》第64页）记载《开宝本草》增药139种。这个数字是某些文献表面数据推算出来的，因为陶弘景《本草经集注》载药730种，《唐本草》增药114种，则《唐本草》收药总数应为844种，而《开宝本草·重定序》说载药983种，减去《唐本草》844种，即得《开宝本草》新增139种。其实《唐本草》在编纂时，对于陶弘景《本草经集注》中的某些药物已进行过合并或分条，故其总数不是844种，而是850种。从《开宝本草》总数983种剔除850种，则《开宝本草》实际增加的药是 133 种，并不是 139 种。

《开宝本草》的目录，沿用了《唐本草》目录的旧例。所以《开宝本草》目录同《唐本草》目录是相近的，但是某些药物的位置，则作了一些更动。例如把彼子从虫鱼部移到有名无用类中。食盐从米部移到玉石部。半天河、地浆从草部移到玉石部。橘柚从木部移到果部。笔头灰、败鼓皮从草部移到兽禽部。生姜从菜部韭条中移到草部，并在干姜条下。伏翼自虫鱼部移到兽禽部。

《开宝本草》编写体例，基本上和《唐本草》相同。《唐本草》原是书写的卷子本，对《本经》文是用朱字书写的，对《别录》文是用墨字书写的。《开宝本草》是用雕板印刷的，把《本经》文由朱字改成黑底白字，《别录》文刻成墨字。《开宝本草》对每个药的正文刻成单行大字，对每个药注文刻成双行小字。

正文大字有 4 种，分别作有标记。

大字属《本经》文，刻成黑底白字。

大字属《别录》文，有两种情况。一种是《本经》药物中有《别录》资料，即以墨字间于白字；另一种情况，纯属《别录》药物条文，即刻成墨字，并在文末附以双行小字七情畏恶资料及陶隐居注文。

大字属《唐本草》新增药，在文末加"唐附"2 字。

大字属《开宝本草》新增药，在文末加"今附"2 字。

注文刻成双行小字，也分 4 种。

注文出于陶弘景《本草经集注》的，在注文开头，冠以"陶隐居云"字样。

注文出于《唐本草》所注的，在注文开头，冠以"唐本注"字样。

注文出于《开宝本草》所注，在注文开头冠以"今按"或"今注"。"今按"是根据文献资料所作的注文。"今注"是根据当时医药知识所作的注。《开宝本草》所注不多，全书 933 味药，仅有 200 余味药为《开宝本草》所注释。其中绝大部分都是引用前代文献注的。例如引用陈藏器《本草拾遗》作注文 129 次。按别本资料作注 60 次。

《开宝本草》新增药物，大部分都是前代文献所记载的药物。例如益智子见录于《齐民要术》，真珠见录于《肘后方》，蛤蚧见录于《雷公炮炙论》，丁香见录于孙思邈《千金方》，莪术见录于《药性论》，郁金香见录于陈藏器《本草拾遗》，仙草见录于《海药本草》，芦荟见录于《南海药谱》，何首乌见录于唐·李翱《何首乌传》，威灵仙见录于唐·周君巢《威灵仙传》，红蓝花见录于《唐本草》，金樱子见录于《蜀本草》，瑚珊见录于陈士良《食性本草》等。从这些例子可以看出，

《开宝本草》新增药物，并不是因为这些药在宋代时才被人民所认识和应用，而是它们在宋以前就被劳动人民所认识和应用，并已有文献记载了它们。这些文献早在《开宝本草》以前就存在了。过去有些人认为宋以前有些书，载有《开宝本草》新增的药物，往往就认为那些书应成于《开宝本草》之后，像《雷公炮炙论》就是其中一例，所以有人就据此而把《雷公炮炙论》说成是赵宋时候的作品，那是不正确的。

《开宝本草》在本草史上有承先启后的作用。它继承了唐以前的本草著作，同时也为宋代本草著作开创新的编写体例，对本草文献保存也有一定的作用。它对《本经》《别录》《唐本草》等资料，都分别加了标记，使后世本草有所依据。

《开宝本草》新增的药物，多数是摘录前代文献整理而成。

如河豚，《开宝本草》云："河豚，味甘，温，无毒。"寇宗奭《本草衍义》批评道："河豚，经（指《开宝本草》）言无毒，此鱼实有大毒，味虽珍，然修治不如法，食之杀人，不可不慎也。"

《开宝本草》仅流行于宋代。宋代书志如《崇文总目辑释》《通志·艺文略》《玉海》《宋史·艺文志》都有记载。宋代后书志，即未见收录。

此外，《开宝本草》引的"陶隐居序"有脱漏。如 1957 年人卫版《政和本草》35 页，"臣掌禹锡等谨按唐本"下云："但古秤皆复，今南秤是也。晋秤始后汉末已来，分一斤为二斤耳，一两为二两耳。金银丝绵，并与药用，无轻重矣。古方唯有仲景而已，涉今秤，若用古秤作汤，则为水殊少，故知非复秤，悉用今者耳。"此文共 75 字，在《唐本草》应属"陶隐居序"中正文大字。1955 年群联出版社影印《本草经集注》33 页末行到 34 页 5 行即有此 75 字。从《开宝本草》起，以后各种本草书，所引"陶隐居序"均脱漏此文。

（二）辑复本序

《开宝本草》是以宋太祖赵匡胤的第 3 个年号"开宝"命名的。据《嘉祐本草·补注所引书传》记载，《开宝本草》共修两次，先在开宝六年（973）修成，名《开宝新详定本草》；次年（974）又重修，名《开宝重定本草》。通常讲《开宝本草》侧重指后者。

《开宝本草》是北宋初，由国家组织尚药奉御刘翰，道士马志，翰林医官翟煦、张素、王从蕴、吴复圭、王光祐、陈昭遇、安自良等 9 人，以《唐本草》为基础，参考陈藏器《本草拾遗》、李含光《本草音义》、韩保昇《蜀本草》及其他诸书，修订而成的，并增加一些新药，勘正一些别名，马志作了注释。清本完成后，经扈蒙、卢多逊审阅，由皇帝作序，在国子监出版，凡 20 卷，名为《开宝新详定本草》。

《开宝新详定本草》是首次用雕板印刷的本草著作（以往本草书皆是手工抄的）。经李昉等校阅，发现雕工雕刻时对《本经》《别录》文字无标记，全刻成了墨字，书中注解也有错误，于是重修重刻，把《本经》文刻成墨底白字，把《别录》文刻成黑字，书成并目录共 21 卷，定名为《开宝重定本草》，宋代书志题为李昉等撰。从《开宝本草》修订两次的事实来看，北宋政府对中国药典性本草著作的编纂是十分重视的。

全书分序例与药物两大部分，序例相当于总论，药物相当于各论。

序例是由《唐本草》序例发展而成的。《开宝本草》序例分为两卷，卷 1 有"开宝重定序""唐本序""陶隐居序"的上半截；卷 2 有"诸病通用药""解百药及金石药等毒例""服药食忌例""凡药不宜入汤酒者""三品药物畏恶相反等七情例"。

药物部分共 18 卷，从卷 3～20，分别详论每个药物的内容。

全书药物分类，沿袭《唐本草》。将药物分为玉石、草、木、兽禽、虫鱼、果、菜、米谷、有名无用等 9 类。

全书收药 983 种，其中含《唐本草》药 850 种，《开宝本草》新增药 133 种。《嘉祐补注总序》云："国朝开宝中，两诏医工刘翰、道士马志等，相与撰集，又取医家常用有效者 133 种。"

全书目录，沿用《唐本草》，但对某些药物的位置作了一些更动。例如把彼子从虫鱼部退到有名无用类；食盐从米部移到玉石部；半天河、地浆从草部移到玉石部；橘柚自木部迁到果部；笔头灰、败鼓皮从草部移到兽禽部；生姜从菜部韭条移到草部，并在干姜条下；伏翼自虫鱼部移到兽禽部。

全书编写体例，和《唐本草》相同。《唐本草》原是手抄本，《本经》文朱书，《别录》文墨书。由于雕板的应用，《开宝本草》改为雕板印刷，把《本经》文印成黑底白字，《别录》文印成黑字，对序例中原用朱墨点标记的药性寒温，改用文字说明之。这样做，也是为了适应由手工抄录转为印刷的需要，同时能达到保存文献的目的。所以《开宝本草》的印刷，由雕板的阴阳文代替了朱墨分书，使中国药典性本草有了第一个印刷刊本。

《开宝本草》在印刷时，将每个药正文印成大字，注文印成小字。

对正文大字标记，除《本经》文印成白字，《别录》文印成黑字外，还对《唐本草》新增药标"唐附"，《开宝本草》新增药标"今附"。

注文也作有标记：凡陶隐居注，冠以"陶隐居云"；《唐本草》注，冠以"唐本注"；《开宝本草》注，冠以"今按""今注"。"今按"是根据文献作的注，"今注"是注解药物形性，纠正前人记述的错误。

在全书 983 味药物中，有 270 余味药有注释。属"今按"有 179 次，"今注"64 次。引用前代文献有 10 余种，其中引用陈藏器《本草拾遗》次数最多，为 129次；其次为"别本注"60 次，李含光《本草音义》2 次。有些注文还重视实际调查。

例如鼹鼠条，《开宝》注云："今博访山人，无精溺成鼠事，亦不能土中行，此是人妄说，陶闻误记尔。"

金屑条，《开宝》注云："据皇朝收复岭表，询其事于彼人，殊无蛇屎之事。恐后人览藏器之言惑之，故此明辨。"

不过有些注文来自传闻，内容有误。例如兔头骨条，《开宝》注云："兔窍有五六穴，子从口出，今怀妊娠忌食其肉，非为缺唇，亦缘口出。"

乌贼鱼骨条，《开宝》注云："海人云：昔秦王东游，弃算袋于海，化为此鱼。"

《开宝本草》新增药物，部分来自前代文献记载的药物，但是大部分新增药，是出自当时医家习用的有效药，如延胡、没药、乌药、天麻、五灵脂等，沿用至今，仍是常用的有效药。其中有些药，如山豆根、白豆蔻、使君子等，都是由本书首次记载。

《开宝本草》仅流行于宋代，宋代书志如《崇文总目辑释》《通志·艺文略》《玉海》《宋史·艺文志》都有记载。宋以后书志未见收录。

《开宝本草》原书已佚，它的内容散存于《证类本草》中。笔者数十年来，从大量古籍中进行搜集整理，以清代乾嘉考据学的方法，按经、史、子、集、专书、类书，相互参证，将本书予以整复。为今后研究本草史和宋代本草文献，提供了重要的参考资料。

（三）辑校说明

（1）《开宝本草》是北宋在开宝年间（968—975）两次修订的官修本草著作。第一次是在开宝六年（973）修订的，名《开宝新详定本草》；第二次是在开宝七年（974）修订的，称为《开宝重定本草》。后世所言《开宝本草》多侧重指后者。

（2）《开宝本草》共 20 卷，卷 1、2 为序例，卷 3 ~ 20 为药物各论。

（3）《开宝本草》卷3～20，载药983种，各药的次序，是按《唐本草》药物目次，参照《本草衍义》《证类本草》等书药物目次编排的。原卷3～20各卷开头有卷内药物目次，书首另有目录。为了节约幅面，辑复时省去各卷分目，保留书首目录。

（4）本书的辑复校订，以现存最早本为底本，以后出本为核校本。本书药物条文首先以《唐本草》为底本，《唐本草》所缺，以《大观本草》《政和本草》为底本。此外还用现存的有古本草资料的典籍予以校订，如《千金方》《千金翼方》《医心方》、各种刊本《证类本草》、各种类书（《太平御览》《草木典》《禽虫典》等）、各种版本《本草纲目》等。

（5）本书所辑资料，以善本底为主，核校本仅作参考。凡遇底本有疑义处，如舛错、脱漏、衍生、重叠、颠倒、误抄、误刻等，均博引旁征，详加考证后定夺之。

（6）全书中《本经》文，均以《大观本草》《政和本草》黑底白字为依据。当本书以《唐本草》为底本时，由于无"本经"标记，仍参照《大观本草》《政和本草》白字为依据。

（7）全书中涉及避讳字，亦依《大观本草》《政和本草》为准。如苏敬的"敬"字，在宋代本草皆作"恭"，本书仍沿袭旧例不改。

（8）本书采用简化字。各底本中凡异体字、俗字及明显误字、衍文、脱漏文，在辑复中均予改正。

（9）《开宝本草》药物正文资料有4种来源，本书作如下的标示。

《本经》文，宋代本草书刻成黑底白字，现排成黑体字。

《别录》文，宋代本草书刻成黑字，现排成宋体字。

《唐本草》新增药正文，宋代本草书刻成黑字，在文末标注"唐本先附"，现排成宋体字，在条末标注"唐附"2字。

《开宝本草》新增药正文，在宋代本草刻成黑字，在文末标注"唐本先附"，现排成宋体字，在条末标注"唐附"2字。

（10）各药正文后附注释文，一律用小字。其中有4种内容，相互间以空位间隔：首列为七情畏恶资料，紧附在正文大字末尾；次为陶弘景注文，在注文开头冠以"陶隐居云"4字；再次为苏敬注文，在注文开头冠以"唐本注云"4字；最后为《开宝本草》注文，在注文开头冠以"今按"或"今注""今详"。

（11）古本草多无断句，为了读者阅读方便，辑校中试加新式标点。

（12）本书在辑校时，对本书目录的考订及其资料辑复和处理，另有专文说明。

（13）本书辑复者对每条辑文原曾加注版本出处并附有校勘注文，出版时为了节省篇幅，已予删除。

（四）辑校本目录考订

《开宝本草》是在《唐本草》基础上编修的，故《开宝本草》的目录和《唐本草》目录是相近的。《嘉祐本草》是在《开宝本草》基础上编修的，故《嘉祐本草》目录也和《唐本草》目录相近。寇宗奭《本草衍义》目录沿用了《嘉祐本草》的目录，故《本草衍义》的目录也和《唐本草》目录相近。但是也有人认为《本草衍义》的目录，是寇氏直接抄的《唐本草》目录，日本森立之就持这种观点。清·杨守敬《日本访书志》（姑苏园刊书）所载"本草衍义"条引森立之云："此书通编药名次第，全与苏敬《新修本草》相符。寇氏盖以《证类本草》分门增药为非是，因就《新修》而作《衍义》也。然则掌氏、苏氏之书，与《新修本草》义例相同。"（《四部总录·子部·医家类》页454引文同）。

但从《本草衍义》目录的卷首语来看，又不像是抄袭了《新修本草》目录。该书卷头语云："其《神农本草经》《名医别录》、唐本先附、今附、新补、新定之目，缘《本经》已著，此更不声说。"这个卷头语是讲药物出处的标记。凡药物出于《神农本草经》的，即标注"神农本草经"；出于《开宝本草》的新增药，即标注"今附"；出于《名医别录》的，即标注"名医别录"；出于《唐本草》的，即标注"唐本先附"；出于《嘉祐本草》新增药，即标注"新补"或"新定"。寇氏说，这些标记，在《本经》（指《嘉祐本草》）已经有著录，所以在《本草衍义》书中，就不再重新标记了。

从《本草衍义》目录的卷首语来看，《本草衍义》的目录，不是根据《唐本草》编排的，而是根据《嘉祐本草》目次编的，由于这些书的目次大致相同，使森立之误以为《本草衍义》目录是据《唐本草》而作。

《开宝本草》目录基本上是和《唐本草》一致的，但也有些不同之处，如《开宝本草》对《唐本草》目录中某些药物位置进行了移动。

《开宝本草》序云："笔头灰，兔毫也，而在草部，今移附兔头骨之下。半天河、地浆皆水也，亦在草部，今移附玉石类之间。败鼓皮移附于兽皮。胡桐泪改从于木类。紫矿亦木也，自玉石而取焉。伏翼实禽也，由虫鱼部而移焉。橘柚附于果

291

实。食盐附于光明盐。生姜、干姜同归一说。鸡肠、繁蒌、陆英、蒴藋以类相从而附之。"

从《开宝本草》序文来看，《开宝本草》对《唐本草》药物位置的移动，多数是根据药物来源，将来源相同的药物迁移在一起。兹将《唐本草》目录中某些药物位置被《开宝本草》移动的例子，列举如下（药物名称前的号码，是指1957年人卫影印《政和本草》的页次，下同）。

106 食盐，《唐本草》列在米部，《开宝》移在玉石部。《开宝》注云："唐本原在米部，今移。"

320 紫矿、骐驎竭，《唐本草》列在玉石部，《开宝》移在木部。《开宝》注云："唐本先附玉石部，今移。"

327 胡桐泪，《唐本草》列在玉石部，《开宝》移在木部。《开宝》注云："唐本先附玉石部，今移。"

131 半天河，《唐本草》列在草部，《开宝》移在玉石部。《开宝》注云："唐本原在草部，今移。"

131 地浆，《唐本草》列在草部，《开宝》移在玉石部。《开宝》注云："唐本原在草部下品之下，今移。"

521 鸡肠草，《唐本草》列在草部，《开宝本草》移在菜部。《开宝》注云："鸡肠草亦在草部下品，唐注以为剩出一条，详此主疗相似，其一物乎？今移附繁蒌之下。"

265 蒴藋，《唐本草》列在草部的"狼跋子"之后，《开宝本草》移在草部"陆英"之后。《开宝》注云："蒴藋条《唐本草》编在狼跋子之后……今但移附陆英之下。"

491 舂杵头细糠，《唐本草》列在草部，《开宝本草》移在米部。《开宝》注云："自草部今移。"

395 败鼓皮，《唐本草》列在草部，《开宝本草》移在兽部。《开宝》注云："唐本先附，自草部今移。"

387 笔头灰，《唐本草》列在草部，《开宝本草》移在兽部。《开宝》注云："唐本先附，自草部今移。"

461 橘柚，《唐本草》列在木部，《开宝本草》移在果部。《开宝》注云："自木部今移。"

402 伏翼，《唐本草》列在虫鱼部，《开宝本草》移在禽部。《开宝》注云：

"伏翼，自虫鱼部今移。"

402 天鼠屎，《唐本草》列在虫鱼部，《开宝本草》移在禽部。

541 彼子，《唐本草》列在虫鱼部，《开宝本草》退在有名无用类。《开宝》注云："今移入此卷末，以俟识者。"

432 蜗牛，《唐本草》列在"田螺"之后，《开宝本草》移在"蛞蝓"之后。《开宝》注云："蜗牛，唐本编在田中螺之后，今详陶隐居云：形似蛞蝓而背负壳。唐本注云：'蛞蝓乃无壳蜗蠡'，即二种当近似一种，主疗颇同。今移蛞蝓之下。"

此外，在现存《证类本草》中，有些药物排列次序和《唐本草》目录并不相同，又无迁移说明的注文，这些药物的排列又是如何确定的呢？这要从《证类本草》中各种注文来研究。

例如：菜部有白瓜子、白冬瓜、瓜蒂3味药。

《唐本草》排列次序为白瓜子、白冬瓜、瓜蒂。

《证类本草》排列次序为瓜蒂、白冬瓜、白瓜子。

那么，《开宝本草》对此三味药排列次序究竟怎样呢？从《开宝本草》注文来看，人卫本《政和本草》页503"瓜蒂"条有今注（即《开宝本草注》）云："入药当用青瓜蒂，前条白瓜子……"，此注中提到"前条白瓜子"，说明《开宝本草》瓜蒂是在白瓜子之后。

又同书页503"白冬瓜"条今注云："此物经霜后，皮上白如粉涂，故云白冬瓜也，前条即冬瓜子之功……"，此注中提到"前条即冬瓜子"6字，说明白冬瓜是列在白瓜子之后的。

上文说过，瓜蒂也在白瓜子之后，那就是说瓜蒂与白冬瓜均在白瓜子之后。现在要问，瓜蒂与白冬瓜，哪一个更靠近白瓜子呢？人卫本《政和》页504"白瓜子"条今注云："陶以白冬瓜附于白瓜子之下。"由此注文来看，白冬瓜是靠白瓜子最近，那么瓜蒂自应在白冬瓜之后。这就可以看出，《开宝本草》对这三味药的排列次序为"白瓜子、白冬瓜、瓜蒂"，这种排列和现存《证类本草》目录排列不同，而与《唐本草》目录排列相同。所以说《开宝本草》目录排列，是沿袭《唐本草》而来的。

其次，关于《开宝本草》新增药的排列，也可从《证类本草》的注文为研究。因为《证类本草》《嘉祐本草》的目录，都是来源于《开宝本草》，但《证类本草》和《嘉祐本草》对《开宝本草》目录均有所改动，从《证类本草》注文，仍可看出它们改动的痕迹。兹举一些例子说明如下。

196 葛粉，是《开宝本草》新增药。《开宝本草》列在下品，《证类本草》将"葛粉"从下品移到中品，列在"葛根"之后。《本草图经》云："葛根……下品有葛粉条，即此谓也。"《嘉祐本草》作者掌禹锡注云："葛粉，按中品上卷葛根条功用与此相通。"从《本草图经》《嘉祐本草》注文来看，《开宝本草》是将"葛根"列在中品上卷，将"葛粉"列在下品的，不像今日《证类本草》把"葛粉"列在"葛根"之后的。

310 金樱子，是《开宝本草》新增药。《开宝本草》列在草部，《证类本草》迁在木部。《证类本草》在目录中注云："今附，自草部今移。"

334 蜜蒙花，是《开宝本草》新增药。《开宝本草》列在草部，《证类本草》移在木部。这可从《本草衍义》和《本草图经》注文证实之。《本草衍义》云："蜜蒙花，此木也，今居草部恐未尽。"《本草图经》云："此木类，而在草部，不知何至于此。"

《证类本草》从草部移到木部的药，尚有 333 伏牛花、333 五倍子、333 虎杖。

452 五灵脂，是《开宝本草》新增药。《开宝本草》列在禽部，《嘉祐本草》移在虫鱼部。《嘉祐本草》作者掌禹锡注云："今据寒号虫四足有肉翅，不能远飞，所以不入禽部。"

以上诸例，都说明了《开宝本草》新增药物排列位置，其中有不符合自然属性要求的，到《嘉祐本草》或《证类本草》编纂时，均予以重排了。

（五）资料辑复与处理

《开宝本草》的资料，主要散存于《证类本草》中。《证类本草》是各种刊本《大观本草》《政和本草》，以及《经史证类大全本草》和《绍兴本草》的简称。《证类本草》收录《开宝本草》新增的药，都标注"今附"2 字；收录《开宝本草》的注文，都冠有"今注""今按""今详"等。此外，《开宝本草》所载《唐本草》内容，亦被《证类本草》转录。

《证类本草》转录《唐本草》内容，用各种卷子本《唐本草》，以及《千金翼方》《医心方》《本草和名》等书来校，可以发现与现存《唐本草》残卷内容不完全相同，多数是有脱漏的。按辑校要求来讲，有脱漏的资料，就不能选用，要以早出而比较完整的资料才可用。为此，在本书辑校时，所选资料都以最早的资料为主；如无最早的资料，才用后出的资料补充。一般来讲，《唐本草》记载的资料比宋代《证类本草》记载的资料要早，而且《唐本草》收载的古本草资料比《证类本草》详细些。所以辑录《开宝本草》中有关古本草资料，皆以《唐本草》为底本。笔者曾将《唐本草》和《证类本草》作过详细的比较，发现《证类本草》所载古本草资料脱漏的很多，兹举一些例子说明如下。

（1）《证类本草》所载《唐本草》正文有脱漏。

例如"牛乳"条，《唐本草》"牛乳"条正文末有"下气"2字。《证类本草》"牛乳"条脱此两字。

又如"发髪"条，《唐本草》"发髪"条末原有"下痢"2字，《证类本草》脱此2字。按，《小儿卫生总微论》方引刘禹锡云："因阅本草有云：乱发合鸡子黄煎，消为水，疗小儿惊热下痢。"此文末"下痢"2字，在《唐本草》中是有的，但《证类本草》脱此2字。

（2）《证类本草》所载《唐本草》注文也有脱漏。

例如木部柳华，《唐本草》"柳华"条的唐本注文有"本草载：花瘥炙疮"7字。《证类本草》"柳华"条唐本注脱漏此7字。

兽部酪，《唐本草》"酪"条的唐本注有"并可作酪，水牛乳作酪浓厚，味胜犇牛。马乳作酪性冷"21字。《证类本草》"酪"条唐本注脱漏此21字。

菜部荏子，《唐本草》"荏子"条唐本注有"言为重油入漆及油绢帛，此乃用大麻子油，非用此也。漆及油帛，江左所无。故陶为谬误也"35字。而《证类本草》脱漏此35字。

（3）《证类本草》所载陶隐居注文也有脱漏。

例如果部木瓜，《唐本草》"木瓜"条后陶隐居注文末有"凡此属多不益人者也"9字。而《证类本草》脱漏此9字。

木部猪苓，《唐本草》"猪苓"条后陶隐居注文末有"比年殊难得耳"6字，《证类本草》"猪苓"条陶隐居注文末脱漏此6字。

本部鼠李，《唐本草》"鼠李"条后陶隐居注文末有"此条又附见，今亦在副品限也"12字。《证类本草》"鼠李"条脱此12字。

本部榧实，《唐本草》"榧实"条后陶隐居注文有"不复有余用，不入药方，疑此与前虫彼子疗说符同"20字。《证类本草》"榧实"条脱漏此20字。

兽部牛黄，《唐本草》"牛黄"条后陶隐居注文有"俗人多假作，甚相似，唯以磨爪甲舐拭不脱者是真之"21字。《证类本草》"牛黄"条脱漏此21字。

类似以上的例子很多，此处从略。

其次，关于《证类本草》对《开宝本草》新增药标注"今附"，也存在后列一些问题。

（1）《证类本草》将《名医别录》药误注为《开宝本草》新增药。

例如《证类本草》卷11草部下品之下"蒴藋"，原是《名医别录》药，《证类本草》在其条文末尾误注"今附"2字（"今附"为《开宝》新增药的标记）。

《证类本草》收录《开宝本草》新增药共有133条，每条末均注有"今附"2字。日本学者冈西为人对《证类本草》中"今附"2字曾作过统计，统计的结果与133种不符。所以冈西为人《宋以前医籍考》页1273云："按右序（指《嘉祐本草》序）末所记药品数，未曾闻有疑之者。然今查其实数，即以《开宝》'今附'则134种。"

冈西为人的统计为什么会多出一种？这是由《证类本草》对某些药所注"今附"乃出于误注所致。

（2）《证类本草》对《开宝本草》新增药，脱漏标注"今附"。

《证类本草》转录《开宝本草》新增药，漏药"今附"标记的，有下列数种药。

333 五倍子、310 金樱子、334 蜜蒙花、333 伏牛花。

此外，《证类本草》因翻刻次数多，亦存在很多误字，对文义产生很大的影响。

例如《证类本草》卷1序例所载"梁·陶隐居序"中有"其贵胜阮德如张茂先辈逸民皇甫士安"16字。清代版本《本草纲目》引此16字断句为"其贵胜阮德如。张茂先辈。逸民皇甫士安。"按《本草纲目》所断的句，则此16字文义为三个人的名字。其实，在此16字中，有个"辈"字是"裴"字的笔误。因为敦煌出土陶弘景《本草经集注》序录中有此16字，其中"辈"作"裴"。按文理应断句为"其贵胜阮德如、张茂先、裴逸民、皇甫士安。"则16字文义应该是四个人名字。只因"辈""裴"一字之差，文义全然不同。

又如《证类本草》兽部"鹿茸"条中有"……骨中热疽痒骨安胎下气……"，《证类本草》在"痒""骨"之间插以掌禹锡注文，将"鹿茸"条全文析为两段。"痒"字以上为一段，"骨"字以下为另一段。校以卷子本《唐本草》，"痒"为"养"之误。则此文应断句为"……骨中热疽，养骨，安胎，下气……"，但清代版本《本草纲目》引此文，断句为"……骨中热，疽痒，安胎下气……"，使文义与原意全不相同。

从以上的例子来看，辑录，需要用多方面资料来勘比，才能得出比较可靠的正确资料。

（3）关于《本经》文中"生境"的处理，"生境"指生山谷、川泽、田野。清·孙星衍辑的《神农本草经》，根据《太平御览》引"《经》上云生山谷或川泽，下云生某某郡"，遂定"生山谷、生川泽"为《本经》文。日本森立之辑《本草经》采用孙氏的做法，本书亦从孙氏之说，定"生境"（生山谷、川泽、田野）为《本经》文。

笔者对《开宝本草》全书资料的辑录，都是经过反复勘比考核，力求资料真实精确可靠。但由于个人学识水平所限，可能存在疏误，敬请读者不吝指正为盼。

三、《嘉祐本草》

（一）辑复《嘉祐本草》简介

《嘉祐本草》是在北宋嘉祐年间编修的，故名《嘉祐本草》，原名《嘉祐补注神农本草》，亦称《嘉祐补注本草》，简称《嘉祐本草》，又简称《嘉祐》。

《嘉祐本草》亦是北宋官修本草，在嘉祐二年（1057），由政府组织掌禹锡、林亿、苏颂、张洞、陈检、高保衡、秦宗古、朱有章等人编修的，实际是掌禹锡主编。

《嘉祐本草》从嘉祐二年（1057）八月开始，至嘉祐五年（1060）八月完成，前后共历3年。

《嘉祐本草》是以《开宝重定本草》为基础而编纂。其一切体制悉同《开宝本草》，选择药品亦比较慎重。其序云："诸家医书，药谱所载物品功用，并从采掇，唯名近迂僻，类乎怪诞，则所不取……其间或有参说药验，较然可据者，亦兼收载，务从赅洽。"

据宋代书志所载，《嘉祐本草》20卷。《通志·艺文略》《直斋书录解题》《郡斋读书后志》《玉海》《文献通考》《宋史·艺文志》等皆作20卷。

全书分为序例和药物两大部分，序例性质似总论，药物部分相当于各论。

序例又分为两部分，第一部分有"嘉祐补注总叙""开宝重定序""唐本草""陶隐居序"上半截。所以"嘉祐本草序"云："开宝、英公、陶氏三序，皆有义例，所不可去，仍载于卷首云。"第二部分为"诸病通用药""解百药及金石药等毒例""服药食忌例""凡药不宜人汤酒者""三品药物畏恶相反例"。在这些标题下，除援引前代本草文献内容外，《嘉祐本草》亦有所发展。例如"诸病通用药"

旧有病名 83 种，而《嘉祐本草》增加到 92 种。而且对每种病名，又增加很多功用相同的药物。例如治肠澼下痢，《嘉祐本草》增加金樱子、地榆等 30 种。又如对"三品药物畏恶相反例"，除对旧有药物增加畏恶资料外，还添加 33 种有畏恶相反的药物，使药名由旧有 199 种发展到 232 种。

药物部分是分别逐条论述的。

《嘉祐本草》载药 1082 种，计取《神农本草经》360 种，《名医别录》182 种，《唐本草》114 种，《开宝本草》133 种，有名无用 194 种，《嘉祐本草》新增 99 种。在新增 99 种中，有 82 种是从历代文献摘录补入书中的，称为"新补"。另有 17 种是当时民间习用的中药，诸书亦无记载，是根据太医院各位医生讨论定下来的，称为"新定"。在新补的药物中，以采录陈藏器《本草拾遗》和《日华子本草》资料为最多。

总之《嘉祐本草》虽收录药物 1082 种，但绝大部分都是承袭前代文献记载而来，真正属于当时新增的药物，只有 17 种。

《嘉祐本草》和《开宝本草》药物分类相同。序例为 2 卷，药物为 18 卷。按玉石、草、木、兽禽、虫鱼、果、菜、米、有名无用等分为 9 类。计玉石 3 卷，草 6 卷，木 3 卷，兽禽、虫鱼、果、菜、米、有名无用各 1 卷。除有名无用类外，每一类又分上、中、下三品。

《嘉祐本草》沿用《开宝本草》目录。唯对《嘉祐本草》新增的药物，难于分辨其上、中、下三品时，就其性质相近者归类之。例如新增的绿矾，列在矾石之后，山姜花列于豆蔻之后，枳椇木列在水杨之后等。

还有些药已见录于旧注，但本草书皆未作正品药名计算，《嘉祐本草》对这些药并不另立一条，而是把这些药作为附录品计之，称为"续注"。例如"地衣"附录"垣衣"条下，"燕覆"附录"通草"条下，"马藻"附录"海藻"条下等。

《嘉祐本草》药物体例和《开宝本草》相似。全书正文刻成单行大字。注文刻成双行小字。

正文出于《神农本草经》者刻成黑底白字。出于《名医别录》者刻成墨字。

黑字正文，有两种情况。一种情况属《本经》药名，有新增《别录》内容者，即以墨字间于白字。另一种情况，是纯粹《名医别录》药，即刻成墨字，但在文尾附以陶隐居注文双行小字。

正文出于《唐本草》者，在条末注"唐本先附"字样。

正文于《开宝本草》所增，在文末加"今附"2 字。

正文出于《嘉祐本草》所增有三种情况。一是从文献援引的药物。例如，萱草在《嵇康养生论》、陈藏器《本草拾遗》已有记载，《嘉祐本草》把它作正品药收入书中，在文尾标"新补"2字。二是取当时民间习用的药物。例如，海金沙是当时民间习用有效的药物，但文献未见著录，《嘉祐本草》把它当作正品药物收入书中，在文尾标以"新定"2字。三是有些民间习用药，它和过去本草书中所记药名有联系，就不再另立一条，直接附在某药之中。例如"瞿麦叶"附在"瞿麦"条中，"紫菜"附在"昆布"条中，标以"续注"字样。

关于小字注文，有下列几种情况。

注文出于陶弘景所注，冠以"陶隐居云"字样。

注文出于苏敬所注，冠以"唐本注"3字。

注文出于《开宝本草》新注，标以"今注"2字，若《开宝本草》根据文献所作的注标则以"今按""今详""又按"等字样。

注文出于《嘉祐本草》新注，则冠以"臣禹锡等谨按"。

《嘉祐本草》的注文比《开宝本草》多，引用的文献是《开宝本草》的10多倍。根据统计，《嘉祐本草》引用的文献有50多种，其中援引的前代本草有17种，经史、方书杂记有30多种（书名从略）。

从时序上看，《嘉祐本草》介于《开宝本草》和《证类本草》之间，它在本草史上也有承先启后的作用，并对前代文献分别作了标记，这对保存文献有很重要的意义。

《嘉祐本草》问世不久，就被《证类本草》所代替。因此《嘉祐本草》流传时间不久就散佚了。只有宋代书志有记载。如《通志·艺文略》《直斋书录解题》《郡斋读书后志》《玉海》《文献通考》《宋史·艺文志》等都有记载。宋以后书志很少收录它了。

（二）辑复说明

《嘉祐本草》原书已佚，它的内容散存于《大观本草》《政和本草》《本草纲目》及各种专书、类书中。笔者数十年来，从大量医药古籍中，进行搜集整理，以清代乾嘉学派考据学的方法，用经、史、子、集、专书、类书相互参证，将本书予以整复，为今后研究医学史、本草史和宋代本草文献，提供了重要的参考资料。兹说明如下。

（1）书名。《嘉祐本草》是在《开宝本草》基础上，采拾补注药物主治功用性味，成书于嘉祐年间（1057—1059），宋仁宗赐名《嘉祐补注神农本草》，简称《嘉祐本草》。

（2）《嘉祐本草》由宋·掌禹锡等人主编。旨在补前代本草书之疏漏，并保持《开宝本草》旧貌。其凡例、卷次，悉同《开宝本草》，载药1082种，比《开宝本草》多99种，其中新定17种，新补82种。

（3）本书20卷，卷1、2为序例，卷3～20为药物各论。

（4）药物目录。从《证类本草》所载"嘉祐本草序"，可知《嘉祐本草》载药1082种。由于原书久佚，具体药物目录早已不存。但《本草衍义》药物目录是据《嘉祐本草》目录编纂的。《衍义》序云："今则编次成书，谨以二经（指《嘉祐本草》《本草图经》）类例，分门条析。其神农本草、名医别录、唐本先附、今附（指《开宝本草》新增药），新补、新定（指《嘉祐本草》新增药）之目，缘本经（指《嘉祐本草》）已著，依旧作二十卷。"

又，《本草衍义》药物排列次序悉与《唐本草》相同。而《嘉祐本草》来自《开宝本草》；《开宝本草》来自《唐本草》，所以《嘉祐本草》《开宝本草》《唐本草》三书目次应相同。由于前二书已佚，《唐本草》目次尚存，笔者根据《唐本草》目次，《本草衍义》目次，《证类本草》目次，三者相参证，厘定出《嘉祐本草》目录。

（5）本书辑复，以现存最早本为底本，以后出本为校本。本书药物条文，首先以卷子本《唐本草》为底本。《唐本草》所缺，以《大观本草》《政和本草》为底本。此外，还用现存载有古本草资料的古书予以校勘，如《千金方》《千金翼方》《太平御览》《外台秘要》等。

（6）本书中有关《本经》文，以《证类本草》白字为依据。如《唐本草》中所存《本经》佚文，要用《证类本草》白字来厘定。若《唐本草》中《本经》《别录》文均无标记，亦必须用《证类本草》白字来确定。

关于《本经》文中"生境"的处理。"生境"指生山谷、川泽、田野。孙星衍辑的《本经》，根据《太平御览》引"经上云生山谷或川泽；下云生某某郡"，遂定"生山谷、川泽"为《本经》文。本书从孙氏之说，亦定"生境"（生山谷、川泽、田野）为《本经》文。

（7）本书药物来源的标记。本书药物来源有《本经》文、《别录》文、《唐本草》新增文、《开宝本草》新增文、《嘉祐本草》新增文5类。《本经》文在《大观》《政和》原作白字标记，本书用黑体大号字表示之。《别录》文用宋体大号字表示之（其文末无文字说明，但其后接"陶隐居云"）。《唐本草》文，其条末注有"唐本先附"。《开宝本草》文，其条末注有"今附"。《嘉祐本草》文，其条末注有"新补"或"新定"。"新补"为取自前代文献，"新定"为前代文献所无，当时已用，由太医议定的。

（8）本书每条辑文原注明出处并附有校勘注文，为了节省篇幅，出版时均予以删除。

（9）本书中涉及一些避讳字，悉依《证类本草》之旧。例如《唐本草》作者苏敬，在宋代本草书中，因避赵匡胤祖父赵敬讳，改为"苏恭"。本书仍沿袭旧例不改。

（10）本书采用通行简化字横排，各底本中异体字、俗字、衍文、脱漏文，在辑复中均予以改正。

四、《本草图经》

（一）辑复《本草图经》提要

《本草图经》是宋代官修的图文并重的本草名著，由北宋嘉祐六年（1061）大学者苏颂等负责主编。原书已佚。作者从《证类本草》等书中，考察编写经过、本书卷数、排列次序、书中图谱概况以及药图说明文的内容等辑校而成本书。

全书 20 卷，目录 1 卷。原书无序例。其 1～18 卷大致对应于《嘉祐本草》3～20 卷。

全书收载药 780 种，药图 933 幅，按药物自然属性分为玉石、草、木、兽、禽、虫、鱼、果、菜、米谷及本经外草木类。本书汇集了北宋民间药发展实际状况。

全书药图与说明文并重。在说明文中讨论药物产地、形态、性状、鉴别、主治、功用、附方，并把药物鉴别与功用相结合讨论。书中收录大量单方、验方，对临床医家有实际应用价值；书中详述药物炮制，对制药家有参考价值。

书中药图，为今日中药基原考订、品种混乱澄清、药物名实考核，均能发挥重要作用。对于药农、药圃按图识药，有现实意义。由于药图范围广，品种多，所涉及的种类有玉石矿物、植物、动物、果菜、米谷各种药图，因此本书对矿产业、林业、农业、渔牧业、园艺等都有参考应用价值。书中收录科技、医药文献资料很丰富，对于研究中国科技史、中医史均有实用参考价值。又，本书所据底本为金代平水系版画最佳本，所以本书版刻图谱对研究中国版画发展史有重要的参考价值。

（二）辑复本前言

1.《本草图经》的书名

《本草图经》为宋·苏颂编撰。"本草图经"是指药图与说明文合一而言。历代书志对本书的书名，题法不一。宋·王应麟《玉海》卷63题作《图经》；宋·赵希弁《郡斋读书后志》卷2、宋·马端临《文献通考·经籍考》、明·徐春甫《古今医统大全》采撷诸书、明·李时珍《本草纲目·历代诸家本草》、明·叶盛《箓竹堂书目》卷5、明·毛晋《汲古阁毛氏藏书目录》医家等，均题作《图经本草》；宋·郑樵《通志·艺文略》医方上、宋·陈骙《中兴馆阁书目》卷4、元·脱脱《宋史·艺文志》医书类、明·陈第《世善堂藏书目录》卷下、宋·唐慎微《大观本草》《政和本草》以及各种版本《证类本草》，俱题为《本草图经》。

《大观本草》《政和本草》两书的卷1序例上收载本书序，即称"本草图经序"。两书卷1所载"林枢密重广本草图经序"中，提到本书名时，亦称《本草图经》。又，两书卷10"狼杷草"条，有掌禹锡谨按云："书于《本草图经》外类篇首云。"两书卷末收载宋代民间药，亦题《本草图经》本经外草类75种，《本草图经》本经外木蔓类25种。据此可知，苏颂当初编纂此书时，用的书名是《本草图经》，而不是《图经本草》。其书名应为《本草图经》。为了恢复苏颂编著此书原始用名，本辑校本仍采用《本草图经》为正名。

2.《本草图经》编写背景

程俱《麟台故事》卷3云："国初循前之制，以昭文馆、史馆、集贤院为三馆。通名曰崇文院，校理群书。"崇文院集当时名流之士任之。如沈括、苏颂等人学问博通，举凡天文、地理、音律、算法、医方、本草，均有精湛研究。每校一书，都有叙录，仿佛和刘向校书时相同。又云："嘉祐二年（1057）八月集贤院置校正医书局于编修院，以苏颂、陈检等并为校正医书官。"

嘉祐三年（1058），掌禹锡、苏颂、张洞在编修《嘉祐本草》时，提议撰写《本草图经》。丞相文彦博也曾建议修此书。盖唐代编的《唐本草·药图》及《唐本草·图经》，到了宋代已丧失殆尽。但唐代"取诸般药品，绘画成图，及别撰图经等，辨别诸药，最为详备"这一做法，给北宋校正医书局的医官们提供了思路。经奏请朝廷，"用永徽故事"，征集全国药物，进行编纂。

3.《本草图经》的药物内容

全书药物内容，分为两大部分，一部分是药物说明文，一部分是药物图谱。现分述如下。

（1）药物说明文。

《本草图经》的药物说明文，《证类本草》引用时均题"图经曰"。从《证类本草》中统计，标有"图经曰"的药物为 780 种。当时从全国进献的药图，都有说明文。凡同类药物说明文为避免重复，即归并在同类药中某一药图之下，其余药物，不另立说明文，只注明："文具某某条下。"例如磁石、玄石两药说明文内容相近，即把两药说明文并在"磁石"条，而"玄石"不另立说明文，只注明"文具磁石条"。又如消石、朴硝是同类药，其说明文内容亦相近，即把两药说明文并在"朴硝"条，在"消石"不另立说明文，只注明"文具朴硝条"。全书注明"文具某某条"的药物，有 176 种。

《本草图经》的药物说明文内容很丰富，涉及范围较广，对诸药的药物来源、历史文献、产地、异名、性状、鉴别、同名异物、同物异名、炮制、主治功用、附方、用方、保管、栽培、驯养等均有论述。所引文献比《嘉祐本草》多三倍，整理材料颇有章法，使之融成一体而又层次清晰。兹举例如下。

1）说明文对药物形态的记载。"薏苡人"条，《图经》曰："薏苡人，生真定平泽。春生苗，茎高三、四尺。叶如黍。开红白花，作穗子。五月、六月结实，青白色，形如珠子而稍长，故呼意珠子，小儿多以线穿如贯珠为戏。"

全书对于药物形态，不论是矿物、动物、植物，都有详细的记载。在植物方面，一般按苗、茎、叶、花、果实、根的次序描述植物各部的形态，使用一些相对稳定的术语来描述。这些描述，都是各地呈送上来的原始描述。它的实用价值很大。对于识别药物、考订基原，以及研究者确定宋代药用植物的科、属、种等，都具有实用价值。

2）说明文对药物品种的记载。"石斛"条，《图经》曰："石斛有二种：一种似大麦，累累相连，头生一叶，名麦斛；一种大如雀髀，中雀髀斛，唯生石上者胜。亦有生栎上者，名木斛，不堪用。"

类似此例很多。如记大枣有 11 个品种，橘柚有 5 个品种，葡萄有 2 个品种，荔枝记有 30 个品种，并记载有无核葡萄。

3）说明文对于药物品质优劣的记载。木香，《图经》曰："木香，以其形如枯骨者良。"薯蓣，《图经》曰："薯蓣，刮之白色者为上，青黑者不堪用。"桑螵蛸，

《图经》曰："桑螵蛸，市之货者，多非真，须连枝折之为验。然伪者，亦都以胶桑枝上，入药不宜用也。"

4）说明文对药物鉴别的记载。桔梗，《图经》曰："其根有心；无心者乃荠苨也。"无名异，《图经》曰："无名异出大食国，黑褐色，大者如弹丸，小者如墨石子。今人有得指面许块，则价值百金，人莫能辨，但水靡涓滴，点鸡冠热血当化成水，乃真也。"

5）说明文对于药物栽培的记载。干地黄，《图经》曰："种地黄法：以苇席圆编如车轮，径丈余，以壤土实苇席中为坛，坛上又以苇席实土为一级，比下坛径减一尺，如此数及，如浮屠也。乃以地黄根节多者寸断之，莳坛上层，层令满，逐日以水灌之，令茂盛，至春分时，自上层取之，根皆长大而不断折。得根暴干之。"侧子，《图经》曰："种之法：冬至前，先将肥腴陆田耕五、七遍，以猪粪粪之，然后布种，逐月耘耔，至次年八月后方成。"薯蓣，《图经》曰："近人种之，极有息。春取宿根头，以黄沙和牛粪用畦种。苗生，以竹梢用援，援高不过一二尺。夏月频溉之，当年可食。"

6）说明文对药物采收的记载。木香，《图经》曰"木香，不拘时月，采根芽为药"。薯蓣，《图经》曰"二月、八月采根，今人冬春采"。桑螵蛸，《图经》曰"三月、四月采"。

7）说明文对药物产地加工记载。薯蓣，《图经》曰："薯蓣，法取粗根，刮去黄皮，以水浸末，白矾少许，渗水中，经宿取，净洗去涎，焙干。"桑螵蛸，《图经》曰："桑螵蛸，采，蒸过收之。"

8）说明文对药物炮制的记载。桑螵蛸，《图经》曰："桑螵蛸采得，便以热浆水浸一伏时，焙干。更于柳木灰中炮令黄。"大黄，《图经》曰："横寸截，著石上傅之。"

9）说明文对临床用药经验的记载。黄芪，《图经》曰："唐许裔宗初仕陈，为新蔡王外兵参军，对柳太后感风不能言，脉沉而口噤，裔宗曰：'即不能下药，宜汤气熏人，药入腠理，周时可差。'乃造黄芪防风汤数斛，置于床下，所如烟雾，其夕便得语，药力熏蒸，其效如此。"

10）说明文对民间用药经验的记载。牛黄，《图经》曰："牛屎烧灰傅炙疮不差者。口中涎，主反胃。老牛涎沫，主噎。口中齝草，绞汁，主哕。方书鲜用。"此文末讲到"方书鲜用"，就意味着这些治法是出于民间药的经验。

11）说明文中附方很多。庵䕡子，《图经》曰："如治疗惊邪，狸骨丸之类，皆大方中用之。孙思邈《千金翼》、韦宙《独行方》主腕折瘀血，单用庵蕳一物煮汁服之，亦可末服。"

苏颂在叙述药物主治功能时，收录了很多方子。其中有古方，也有当时流行的方子。所录古方，大多出自汉、魏、晋、唐著名方书，有的方书早已佚失，后世方书亦少见记载，通过本书的转录，被保存在《本草图经》中。所以本书研究宋以前的方药，亦有很重要的参考价值。

12）说明文对药物文献考证较详。白蒿，《图经》曰："《尔雅》所谓繁，皤蒿是也。疏云：蓬蒿可以为菹。故《诗》笺云：以豆荐繁菹。陆机云：凡艾白色为皤蒿。今白蒿春始生，及秋香美，可生食。又可蒸食，一名游湖，北海人谓之旁勃。故《大戴礼·夏小正》云：'繁，游湖；游湖，旁勃'。"

13）有些说明文所记沿袭前人之误。益智，《图经》曰："益智，生昆仑国。叶似蘘荷，长丈余。其根旁生小枝，高七八寸。无叶，花萼作穗生其上。"此文原出顾微《广州记》，所云"其叶似蘘荷，长丈余"实为误传。葛根，《图经》曰："葛根，七月著花，似豌豆花，不结实。"其实葛根，开蝶形紫红色花，结有荚果条形，所云"不结实"亦是误传。鸬鹚屎，《图经》曰："此鸟胎生，从口中吐雏，如兔子类。"此乃沿袭陈藏器《本草拾遗》之误。兔头骨，《图经》曰："兔窍乃有六七穴子从口出。"此亦沿袭《本草拾遗》之误。

（2）药物图谱介绍。

用文字描述药物形态、特征固然重要，但是一幅实地写生的药图，在某种意义上，比文字描述更为可靠。我国用图形表达药物的本草著作在唐以前即有了。《隋书·经籍志》收载有《灵秀本草图》6卷、《芝草图》1卷。《唐本草》"积雪草"条云："荆楚人以叶如钱，谓之为地钱草。"徐仪《药图》名为"连钱草"。唐代与《新修本草》相辅而行的《图经》已达到25卷之多。但许多早期的本草图，今已丧失殆尽。苏颂《本草图经》原书已佚，其药图散存于《证类本草》中。兹介绍《本草图经》药图如下。

1）药物附图情况。《本草图经》有635味药，载药图933幅。多数是一药一图，少数一药数图。如柴胡、前胡、独活、远志、知母等，每一个药有5个图。乌头、天门冬每一个药有6个图，黄精一药有10个图。

2）药图有同名异物现象。由于一药多图，其中有可能存在同名异物现象。

例如人参有4幅图，"潞州人参"图，是五加科人参；"滁州人参"图，很像今日党参或沙参。而"威胜军人参"图，可能是蓼科某种植物。

又如黄精条有 10 个药图，其中"永康军黄精"图，可能是玉竹。

"木香"条，《图经》曰："木香，今唯广州舶上有来者，他无所出。陶隐居云，即青木香也。极窠大，类茄子，叶似长蹄而长大，花如菊，实黄黑。"苏颂将广州木香、海州青木香、滁州青木香 3 幅药图均列在"木香"条下。陈承《别说》指出："木香，今皆从外国来，即青木香也。陶说为得木在草部，而《图经》所载广州一种乃是木类，又载滁州海州者，乃马兜铃根。"在此 3 种附图中，没有一种图是今日菊科广木香的图。

在植物药图中，个别药图因地区习惯用药不同，其名同而实物并不完全相同。例如谷精草药图，有"江宁府谷精草"和"秦州谷精草" 2 图。此 2 图形与今谷精草并不相同。但《图经》说明文记载"叶细花白而小圆"，显然是指今谷精草科的谷精草。"秦州谷精草"图与之略相似。"江宁府谷精草"从形态判断，应为报春花科点地梅，当是宋代谷精草的一个地区用药品种。

3）药图反映药品的情况。本书附图是今存最早的药物图。尽管各地所上药图风格或异，精粗不一，但绝大多数是有较高水平的实地写生的绘图。书中的植物药图能真实地反映原植物形态，像虎掌天南星、合欢、槐实、瞿麦、麦冬、通脱木、茯苓、菖蒲、车前草、生姜、芡实、茄子等药图，都十分逼真。

但也有些药图，不能反映原植物的特点。例如天门冬图中"西京天门冬"图，显然不是单子叶植物，当然也不会是今日百合科的天门冬。通草条中的"解州通草"不知是何种植物，"兴元府通草"很像木通科的三味木通。有些药物，古今所用品种不同，其药图亦异，如威灵仙，宋代用的是草灵仙，而今日用的是毛茛科铁线莲属植物。

4）药图所注明产地及其意义。每个药图皆注明产地。例如防风有 4 个药图，分别为：齐州（今山东济南）防风，同州（今陕西大荔）防风，河中府（今山西永济）防风，解州（今山西解县）防风。漏芦有 4 个药图，分别为：海州（今江苏东海县东北）漏芦，单州（今山东单县）漏芦，秦州（今甘肃天水）漏芦，沂州（今山东临沂）漏芦。知母有 5 个药图，分别为：滁州（今安徽滁县）知母，威胜军（今四川彭县）知母，卫州（今河南汲县）知母，解州（今山西解县）知母，隰州（今山西）知母。

全书药图，注明的产地名称有 150 个州、军。各药图所注明的产地，给用药者提供了道地药材应用的范围，同时也给用药者注意到药物有同名异物的存在，并为研究药物品种考证，提供了重要参考依据。

5）少数药图归类上存在问题。在药图归类上，一般仅就其形态相近而归属于某一药名之下。这就难免产生将同一植物分列为两处。如青木香与马兜铃分列两处，天麻与赤箭分列为两处。或将不同植物药图列于同一药名之下。如椿木叶条，把樗木、椿木两种不同植物同列一个药名之下。

6）少数药图在绘制上存在问题。在药图描绘上，有个别药图比例失调，有的甚至带有绘画性质。不过辨识者也无须以古律今，苛求古人。古人对植物某些特征认识，不可能像今日这样细致。因此有些图把羽状复叶绘成单叶生的枝条。至于所绘叶缘、花瓣数、托叶等细节部分，有的描绘亦欠精，对这些问题应充分予以理解。书中少数海外药物只能据药商提供的传闻绘图（如龙脑、骐骥竭、胡桐泪等），并非全是写生。某些矿物药带有一些示意的成分，参考价值远逊于动、植物药图。

7）少数药图与文不相应。由于当时全国进呈的药图数量过大。苏颂一个人无法一一核实，只好将各地药图和盘托出。难以区分出哪些药图是正品，哪些是地区用药品种。因此书中有时会出现图、文不相对应的情况。

例如"术"条下，收有7个药图分别为：齐州（今济南）术、商州（今陕西商县）术、荆门军（今湖北江陵）术、石州（今山西离石）术、舒州（今安徽怀宁一带）术、越州（今浙江绍兴）术、歙州（今安徽歙县）术，条下说明文极简单，未能指出上述7种术中哪一种是正品。"海桐皮"条，收有雷州海桐皮图。但其说明文，仅言"叶如手大，作三花尖，皮若梓白皮"。所言不仅过简，而且与附图亦不相对应。又如"淫羊藿"条，附有永康军淫羊藿、沂州淫羊藿2个药图。而说明文与所附图，均不相对应。

李时珍曾批评该书说："图与说异，两不相应。或有图而无文，或有文而无图。"这种现象存在也是难免的。

8）个别药品存在重复的问题。该书存在个别药品重复的现象。李时珍曾指出："如江州拔葜乃仙遗粮，滁州青木香乃兜铃根，俱混列图；棠球子即赤爪木，天花粉即栝楼根，乃重出条之类。"（《本草纲目·历代诸家本草》）这些不足之处，寇宗奭、沈括曾弥补过一部分。例如《本草衍义》曰："今《图经》又立苦耽条，显然重复，《本经》无苦耽。"《梦溪笔谈·药议》云："苦耽即本草酸浆也，新集本草又重出苦耽一条。"

9）《本草图经》本经外类药。当时各地所进呈的药图数量过大，远远超出了《嘉祐本草》收药的范围，这是事先未曾预料到的。作为与《嘉祐本草》相辅而行的《本草图经》，不可能随意将这些药图插进各卷药名之下。凡与《嘉祐本草》药名有异，不能插入的药图，苏颂另立"本经外草类""本经外木蔓类"两篇，前者载药（一药一图）75 种，后者 25 种，另有 3 幅矿物图则插入玉石部之末。"本经外草类"中的地芙蓉即今日常用的木芙蓉。在这两篇药图中，如紫金牛、拳参、剪刀草等药图，均能反映植物的形貌。但也有些药图绘制不精，使植物特征未能得到很好的展现，同时说明文叙述过于简略，因此其中部分品种难以考证，成为历史遗留下来的一个问题。

4.《本草图经》的特点

（1）内容特点。

该书内容广泛而充实，科学性强，合辨药与用药于一书，"叙物真切，使人易知；原诊处方，有所依据"，为宋代本草书之别开生面者。书中以本草史上第二次全国药物普查的资料为基础，又补充了大量文献资料，因而集中反映了北宋本草发展的实际情况。是为宋代本草著作的精华。

（2）编纂特点。

该书由苏颂一人执笔编成。全书前后体例统一。对验证核实的药物，则与文献考证相结合，使各药解说统而述之。一般首叙产地、生长环境，次辨形状真伪及采制，末论药性、主治功用。

从《本草图经》序文中可以看出，苏颂所做的工作大致有：辨析药物名实及本草；补充药物产地资料；增加采收时月及药用部分的记载；注意收录外国或少数民族药物；添附单方、验方；搜罗民间草药。

（三）辑复说明

（1）本书这次公开出版，是据 1983 年皖南医学院出版《本草图经》油印本（以下简称《皖本》）加以重印。1987 年上海科学技术出版社出版李经纬等主编《中国医学百科全书·医学史》第 175 页"本草图经"条，载有"1983 年该书有尚志钧辑本油印行世"之语。世人有好心者欲广其传，曾将《皖本》改头换面翻印，除书中内容及全书药物排列次序未动外，其书名、序、辑者皆已面目全非，实为憾事。

（2）原《皖本》用的书名为《本草图经》。此名是据《证类本草》卷 1 所载"本草图经序"的名称确定的。《证类本草》卷 10 "狼杷草"条掌禹锡注文中，亦用"本草图经"为书名。但后人或用"图经本草"为其书名。从辑佚角度出发，为恢复其历史本来面目，当以《本草图经》书名为正。仿宋·曹孝忠作《政和新修经史证类备用本草》时，署有作者官衔，本书原作者苏颂亦应题其官衔。苏颂的官衔，按苏颂《本草图经·序》末题署，应为"朝奉郎太常博士充集贤校理新差和颍州军州兼管内劝农及管句开治沟洫河道士骑都尉借紫臣苏颂奉敕撰"。

（3）原《皖本》是 1966 年以前，笔者在芜湖医学专科学校教学时，利用寒暑假到外地查阅资料整理的。当时是自费外出，家庭负担重，不能久居外地，必须抢时间查阅，因此辑校多有疏漏。1966 年以后，一直无机会外出复核。1983 年，皖南医学院即据旧稿匆匆付印。因此"皖本"存在不少错误和缺点。正如湖南溆浦卫生职工中专王林生老师，在《基层中药杂志》（1991 年 3 期）对《皖本》评论的那样，《皖本》有脱漏，须重加修订。

（4）原《皖本》所载药物，是据《政和本草》所引"图经曰"780 条收录的。王林生老师提出：《大观本草》卷 9 页 60"海带"条下有"图经曰"，《本草图经·序》中有"通脱次于木通"条等，这次重印时，均予以补录。在此向王老师致谢。

（5）《本草图经》原书久佚，无任何目录可依据。原《皖本》所列卷次，是笔者在当年通过花蕊石条考证所得（详见《皖本》前言第 9 页）。

（6）原《皖本》药物排列次序，除卷 19、20 按《证类本草》外草类以及外木蔓类次序编排外，卷 1～18 药物，是按笔者通过考证所得《嘉祐本草》目次编排的（详见《皖本》前言第 8 页）。

（7）原《皖本》对每味药物内容的编排，先列正名，次列药图，再次列"图经曰"说明文字，末附校勘注。今仍其旧。

（8）原《皖本》每味药物条文末有 3 套索引，即《大观本草》《政和本草》《本草纲目》等书参考文献索引，今仍袭用之。

（9）原《皖本》药图，是据 1957 年人民卫生出版社影印《重修政和经史证类备用本草》线装本药图，采用扫描套印，该药图大，占的篇幅多。这次重印时，改用 1957 年人民卫生出版社影印四幅一页平装本药图临摹绘印。平装本药图仅为线装本药图 1/4 大小，占的篇幅少，降低出版成本，可以减轻读者负担。

（10）原《皖本》在 1966 年以前辑校时，所用底本全是繁体字。当时对大多数繁体字均改为简体字，但未改完。这次重印时，对《皖本》中遗留的少数繁体字，全部予以改订。

五、《证类本草》

（一）《证类本草》考

1.《证类本草》的作者唐慎微

北宋时，四川名医唐慎微以《嘉祐本草》为基础，将经、史、子、集中有关药物的资料全部都汇集其中，参以自己经验，编成《经史证类备急本草》。由于唐氏书没有序介绍其闾里，加以交通不便，唐氏居成都，所以外地人都不知道他。当唐氏书传到杭州，杭州仁和县尉艾晟对之进行修订，更名为《大观本草》，并作《大观本草序》。艾氏在序中说："慎微姓唐，不知为何许人。传其书者，失其邑里族氏，故不及载云。"

北宋亡于金后，唐慎微同乡宇文虚中，在建炎二年（1128）使金不归，被金留用为翰林学士。至皇统三年（1143），虚中了解唐慎微，特为唐慎微的书作跋[1]云："唐慎微字审元，成都华阳人。貌寝陋，举措语言朴讷而中，极明敏。其治病，百不失一……不以贵贱，有所召必往，寒暑雨雪不避也。其为士人疗病，不取一钱，但以名方秘录为请，以此士人尤喜之。每于经史诸书得一药名，一方论，必录以告，遂集为此书。尚书左丞蒲公传正[2]，欲以执政恩例奏与一官，拒而不授。二子五十一、五十四（偶忘其名）及婿张宗说，字岩老，皆传其艺，为成都名医。元祐间，虚中为儿童时，先人感风毒之病，审元疗之神……皇统三年（1143）九

---

① 见1957年人卫影印《政和本草》页549。宇文虚中"书证类本草后"，说唐慎微是成都华阳人。而宇文虚中本人也是成都华阳人。《华阳人物志》《全蜀艺文志》《宋史》《金史》俱有宇文虚中传略云：宇文虚中字叔通，成都华阳人，大观三年（1109）进士，官资政殿大学士。建炎二年（1128）为金祈请使，使金不归，授其官为翰林学士知制诰兼太常卿，进而封河内郡开国公，号为国师。虚中子师瑷原官于南宋，绍兴四年（1134）知汉州（今四川广汉）。其兄辟中知潼州府，亦官华阳。其弟时中及侄师献皆官于南宋。宇文虚中为华阳世族，虚中在儿童时，亲见唐慎微为其父邦彦治过病。皇统二年（1142），虚中子师瑷等数十人由华阳至金，虚中从其子师瑷得知唐慎微身世。金皇统三年（1143），虚中为唐氏所作书后，提及唐氏后代"唐慎微……二子五十一、五十四"等详细情况。所以虚中言唐慎微为成都华阳人，是可信的。

② 《宋史》卷328有蒲宗孟传。宗孟字传正，任尚书左丞。他想为唐慎微的《证类本草》"欲以执政恩例"，奏与一官，唐氏拒而不受。

月望①，成都宇文虚中书。"（1957 年人卫本《政和本草》页 549）

当时金与南宋呈对峙局面，南北互不往来，虚中作书后，南方人见不到。70 年后，南宋嘉定（1208—1224）中，居在南方的唐慎微另一个同乡赵与时，见到艾晟序说慎微不知何许人，特在《宾退录》中介绍说："唐慎微，蜀州晋原（今四川崇庆）人，世为医，深于经方，一时知名，元祐间（1086—1093），蜀帅李端伯招之居成都，尝著《经史证类备急本草》三十二卷，盛行于世。而艾晟序其书，谓慎微不知何许人，故为表出。蜀今为崇庆府（今四川崇庆）。"

按《宾退录》② 所云，唐慎微原籍崇庆府，在元祐间（1086—1093）迁居成都府，此时虚中尚在儿童时，故不知此原委。唐慎微居成都府日久，人称之为成都人。成都亦称华阳，故又称唐氏为华阳人③。

2. 《证类本草》成书年代

《证类本草》成书年代有以下三说。

一说是大观二年（1108）。《本草纲目·历代诸家本草》云："宋徽宗大观二年（1108），蜀医唐慎微，取《嘉祐补注本草》及《图经本草》合为一书……名《证类本草》，上之朝廷，改名《大观本草》。"陈邦贤《中国医学史》从此说。

二说是 1082 年。倡此说者为日本中尾万三《上海自然科学研究所汇报》第 2 号："慎微之《证类本草》成于元丰五至六年之间（1082—1083），而当时既有刊刻，逮乎元祐五年至八年（1090—1093），孙升重刊。"《中药通报》1958 年 4 卷 2 期 38 页，赵燏黄《唐慎微及其著作〈证类本草〉》云："最早出版时期在元丰五六年（1082—1083）。"1964 年上海科技版《中国医学史讲义》从此说。

---

① 宇文虚中作"书证类本草后"题署皇统三年（1143）九月望日。艾晟修唐慎微书改名为《大观本草》是在 1108 年，比虚中所作"书后"早 35 年，艾氏当然是不知唐慎微底细的。

② 宋·赵与时：《宾退录》卷 3 页 15（学海类编本）第 81 册。

又按：《中国人名大辞典》《宾退录后序》谓赵与时，字行之，又字德行，宝庆（1225—1227）进士。官丽水（今属浙江）丞。《宾退录》成于南宋嘉定中（1206—1224），晚于宇文虚中 70 年左右。因南北隔绝，赵氏未见到虚中跋，故在《宾退录》中，针对艾晟序而言，"艾晟序其书，谓慎微不知何许人，故为表出"。

③ 《崇庆县志》《中国医药汇海》《宾退录》皆说唐慎微是晋原（今四川崇庆）人。后迁成都，故称他成都人。成都一名华阳，又称他为华阳人。但《古今医统大全·名医姓氏》说唐慎微是蜀汉人。《古今图书集成·医部全录·医术名流列传》，将唐慎微列为五代人，与孟昶、韩保昇并列，皆不可信。《医学入门》将唐慎微列于晋代王叔和之前，更不足信。

三说是 1097—1100 年。一般认为，第三说较为可靠，其论证有三：其一，书中引有孙尚药《秘宝方》，该书刊于元丰八年（1085）；其二，书中引有沈括《梦溪笔谈》，该书刊于 1093 年；其三，书中引有初虞世《养生必用方》，该方成于绍圣四年（1097）。故《证类本草》成书时间，当在 1097—1100 年。

3.《证类本草》收载药物数字

《证类本草》收载药物数，有以下四种说法。

一是 1518 种。《本草讲义》（1958 年北京中医学院编）记为 1518 种，这是抄《本草纲目》王世贞序文中"旧本 1518 种，今增药 374"误解而来。按，《本草纲目》是在《证类本草》基础上修纂而成。王世贞序文中所云"旧本 1518"即指《证类本草》而言。其实王世贞序中所言"旧本"不局限《证类本草》一种书，也包括其他本草，如《救荒本草》等。

二是 1455 种。《药材学》（1960 年南京药学院编）记为 1455 种，此是抄袭日本久保田晴光《汉药研究纲要》的数字。这个数字只计算《证类本草》主要药物数字，对有名无用及本经外类药皆未计入在内。

三是 1558 种。《中国医学史讲义》（1964 年上海科技版 65 页，1963 年人卫版 63 页）记为 1558 种。这是从《嘉祐本草》的 1082 种（见人卫本《政和本草》26 页《嘉祐补注总序》），加上唐慎微部分新增药名 476 种而来（唐慎微所增总数实为 628 种）。

四是 1746 种。《政和本草》总目录末尾方框中所记为 1746 种，谓"《嘉祐补注本草》药品 1118 种，《证类本草》新增药品 628 种，总 1746 种"。在《嘉祐补注总序》中，只讲《嘉祐》药品总数是 1082 种，处此又云 1118，为何多出 36 种呢？情况是这样的。

《嘉祐补注总序》中所言 1082 种，是《嘉祐本草》收录药品总数，《证类本草》把某些药进行分条，使《嘉祐》所载总数即成 1118 种。今将分条药名列举如下。

从五色石脂分出青、赤、黄、白、黑石脂 5 条（《政和》页 93）；从铁精分出铁浆 1 条（《政和》页 114），从白药分出剪草 1 条（《政和》页 240），从琥珀分出瑿条（《政和》页 297）；从沉香分出熏陆香等 6 条（《政和》页 309），从天灵盖分出入齿、耳塞 2 条（《政和》页 364 ~ 365），从人屎分出溺白垽等 6 条（《政和》页 365），从马刀分出蛤蜊等 8 条（《政和》页 441 ~ 442），从胡麻分出胡麻油 1 条（《政和》页 483），从大豆黄卷分出生大豆 1 条（《政和》页 486）；从苦苣分出白苣、莴苣 2 条（《政和》页 521）；从干姜分出生姜 1 条（《政和》页 194）；另外增补虾 1 条（《政和》页 442，此条在目录中脱漏标记）。总计 36 种。1082 加上 36 即成 1118 种。

以上分条 36 种，在数目上是增加了，但从来源上考虑，此 36 种仍出自《嘉祐本草》药物条目中，所以《证类本草》仍可称为"《嘉祐补注本草》药品 1118 种"。

至于《证类本草》新增药物 628 种，这个数字是包括唐慎微摘录前代本草书内药品而言。唐慎微所增的仅 8 种，即灵砂、井底砂、降真香、人髭、猕猴、缘桑螺、蝉花、醍醐。其余 620 种是摘录他种本草书而来。计摘录陈藏器《本草拾遗》488 种，《本草图经》外草木类 98 种（按《大观》计 98 种，按《政和》是 100 种），《海药》16 种，《食疗》8 种，唐本余 7 种，图经余 3 种。

上述 4 种数字，当以《政和》总目录末尾方框中所记 1746 种为准。至于《大观本草》，因刊本不同，其数字亦各异。例如元大德壬寅（1302）年宗文书院刊本脱漏"葛根""栝楼"等条，其总数即不足 1746 种。

又，1958 年 4 卷 2 期《中药通报》38 页，赵燏黄《唐慎微及其著作〈证类本草〉》云："收载药品 1744 种。"此就柯逢时影刻《大观本草》所统计。该本《大观本草》的本经外草类 84 种，木类 24 种，比《政和本草》少 2 种，故其总数为 1744 种。《政和本草》本经外草类多金灯，木蔓类多天仙藤，卷 4 玉石类中多石蛇、黑羊石、白羊石。《大观本草》少此 5 种，但《大观本草》卷 15 人部多人口中涎及唾（《政和》列在"人溺"条下今按的注文中）。

用人卫本《政和》目录统计是 1749 种，其中《本经》367 种，《别录》372 种，《唐本》先附 114 种，《开宝》今附 134 种，《嘉祐》新补 81 种，《嘉祐》新定 17 种，《嘉祐》新分条 34 种，"唐本余" 7 种，"海药余" 16 种，"食疗余" 8 种，"陈藏器余" 488 种，唐慎微续添 8 种，"图经余" 3 种，"本经外类" 100 种。

用人卫本《政和》正文统计是 1746 种，其中本经 367 种，别录 369 种，（目录作 372 种，其中因卷 22 多注 2 个《别录》，卷 24 多注 1 个《别录》，实仍是 369 个），《开宝》今附 133 种（目录统计为 134，实际为 133），《嘉祐》新补 82 种（目录统计为 81，少注 1 个，实为 82 个），其余相同。

4.《证类本草》编纂体例

赵希弁的《郡斋读书后志》云："《证类本草》32 卷（连目录计算），右皇朝（指宋朝）唐慎微纂，合两本草（《嘉祐本草》《本草图经》）为一本，且集书传所记单方，附方于本条之下，殊为详博。"

陈振孙《直斋书录解题》云："《大观本草》三十一卷，唐慎微撰，不知何许人？仁和县尉艾晟作序曰：《经史证类本草》……及嘉祐中，掌禹锡，林亿等，重加校正，更为补注，以朱墨书（指上模刻印时抄的朱墨书）为之别，凡新旧药一千零八十二种，盖亦备矣，今慎微《证类》，复有所增益，而以墨盖（一）置名物之上，然亦殊多也。"

由于《证类本草》是合《嘉祐本草》和《本草图经》两书为一书，原文照录，并做了一番文献增补工作，所以在形式上同《嘉祐本草》。全书分为序例（性质同总论）和药物（性质同各论）两部分。序例有序例上、序例下。序列上除承袭《嘉祐本草》外，增加了《雷公炮炙论·序》；序例下虽然也是承袭《嘉祐本草》，但在"诸病通用药"方面有所增加。例如治腰痛诸药，慎微又增加了牛膝、续断、鹿茸、乌喙等药。在药物方面，由于唐氏增加药物及文献资料很多，所以在卷数上由《嘉祐本草》21 卷增为 32 卷。

从《嘉祐本草》向上推溯，是《开宝本草》《唐本草》《本草经集注》《神农本草经》。从《神农本草经》起，以《本草经》为基础，本草著作内容像滚雪球式的扩充、囊括，把历代主流本草著作，一层层加上去，形成了《证类本草》，犹如包心菜似的层层包裹，逐代增多加大。所以《证类本草》可说是集北宋以前本草学之大成，它概括了宋以前历代主要本草文献的精华。明·李时珍《本草纲目》也是在《证类本草》基础上发展起来的，不过《本草纲目》编纂的体例与《证类本草》有所不同。

5. 《证类本草》文献的标记

《证类本草》是在《嘉祐本草》基础上编修而成的。《证类本草》资料由《嘉祐本草》合《本草图经》及唐慎微引用的经、史、子、集、方书等资料汇编而成。唐慎微只作资料的汇集，他本人并无注释。但是《证类本草》采纳前人所著本草书的内容，均明确标注原出处，这为我国本草著作在发展过程中形成的优良传统打下了基础。兹将《证类本草》对文献出处标注介绍如下。

（1）《证类本草》对《本草经集注》资料标记。

1）凡《本经》资料，印成黑底白字大字。

2）凡《别录》资料，印成墨书大字。

3）凡七情畏恶相反资料，印成双行小字，续在条文大字末尾。

4）凡陶隐居注文，印成双行小字，冠以"陶隐居"黑底白字小字。

（2）《证类本草》对《唐本草》资料标记。

1）凡《唐本草》新增药，印成大字，在文末注以"唐本先附"。

2）凡《唐本草》的注文，印成双行小字，在注文开头冠以"唐本注"黑底白字。

（3）《证类本草》对《开宝本草》资料标记。

1）凡《开宝本草》新增药，印成大字，在条文末注以"今附"。

2）凡《开宝本草》注文，印成双行小字。在注文前或冠以"今注"，或冠以"今按"或冠以"又按"，或冠以"今详"。《开宝本草》注文多列在"唐本注"之后。

今注：是《开宝本草》作者自家的注文。

今按：是引用前代文献论述的注文。

又按：在今注、今按之后，又作进一步考证辨误的注文。

今详：表示自家据医药理论所作的考证性的注文。

（4）《证类本草》对《嘉祐本草》资料标记。

1）凡《嘉祐本草》新增药，书写成黑大字，在条文末，或注以"新补"，或注以"新定"。

新补：表示该药是从前代本草书中摘录的。从某书摘录的，即注以"新补见某书"。

新定：表示该药是当时习用的药，文献尚未记载过。如海带、葫芦巴之类，由太医讨论，定为新增的药。

2）对新补药物三品的分类，是按同类药排列在同一品级。例如绿矾、柳絮矾是新增的，它与矾石是同类的，矾石列在玉石上品，则新增的绿矾、柳絮矾也列在玉石上品。同理，山姜花次于豆蔻，移次于水杨之类是也。

3）有些药，前代本草并未收录为正品，但在注文中已有论述，对这些药不再另立为条，其注文在某药物条文下，即在目录的相应药名下，标明"续注"字样。

例如卷5"砒霜"条下，所引《日华子》的注文中，提到另一同类药，如"砒黄"的性味主治功用。这味"砒黄"算是一味药但不拨出另立为一条，只是在卷5目录中"砒霜"条下，标明"砒黄续注"字样。同理在"垣衣"条下续注"地衣"，"通草"条下续注"燕覆"，"海藻"条下续注"马藻"之类是也。

4）凡《嘉祐本草》的注文，墨书成双行小字，在注文开头冠以"臣禹锡等谨按"黑底白字小字。在此标记下，依次标列所引用文献及内容。若是掌氏自家注说，则冠以"今据"。若引用某书资料作注，即冠以"某书"白字为标记。

这里要说明的一点，就是《证类本草》在编纂时，对《嘉祐本草》中某些药物条文或注文中，曾分析出一些药目，并将这些药目及其内容拨出另立为条，作新药来看待，书以单行大字，在条末注以"新补见某某"，该新分条的药，在目录中亦立为新增药名，并在药名下注"原附某某条下，今分条"等小字。

例如《政和》页 22 目录卷 27 "苦苣"条下注有"新补" 2 字，表示苦苣为《嘉祐本草》新增药。同页目录卷 29 "白苣"条下又注云："莴苣附，原附苦苣条下，今分条。"此注文中"今分条"，当是《证类本草》编纂时所分。

兹将新分条药列举如下：

"青石脂""赤石脂""黄石脂""白石脂""黑石脂" 5 条自"五色石脂"条分出（《政和》页 93）；

"铁浆"自"铁精"条分出（《政和》页 114）；

"剪草"自"白药"条分出（《政和》页 240）；

"熏陆香"等 6 条自"沉香"条分出（《政和》页 209）；

"人齿""耳塞"自"天灵盖"条分出（《政和》页 364、365）；

"溺白垽"等 6 条自"人屎"条分出（《政和》页 365）；

"蛤"等 8 条自"马刀"条分出（《政和》页 441~442）；

"虾"条新补见孟诜（《政和》页 442）；

"胡麻油"自"胡麻"条分出（《政和》页 483）；

"生大豆"自"大豆黄卷"条分出（《政和》页 486）；

"白苣""莴苣"自"苦苣"条分出（《政和》页 521）；

"生姜"自"干姜"条分出（《政和》页 194）；

"瑿"自"琥珀"条分出（《政和》页 297）。

以上共分条 36 味。

（5）《证类本草》对《本草图经》资料标记。

凡资料来自《本草图经》，即列在《嘉祐本草》注文之后，作双行小字注文，并在注文的开头冠以"图经曰"大字。另外还将《本草图经》独立的两卷草药图文放入《证类本草》第 30、31 卷，称为本草经外草类和木蔓类。

（6）《证类本草》对唐慎微新增的资料标注。

1）唐慎微所增的内容，称为"唐慎微续添"，并用墨盖子"▬"标记之，同时在各卷目录中注云"凡墨盖子已下并唐慎微续证类"。

在墨盖子下有以下两种资料。

一是唐慎微新增的 8 味药，在此 8 味条文头上均加有" ━ "标记。在各卷目录中，凡有唐慎微新增药，均列"若干种唐慎微续补"，并在"补"字下注有"墨盖子下是" 5 个小字。

唐慎微续补的药有灵砂、井底砂、降真香、人髭、猕猴、缘桑螺、蝉花、醍醐。这些药不论在目录中或在正文中，皆冠有墨盖子标记。

二是唐慎微对某些药物增加的本草内容及单方、验方内容，亦用墨盖子与前文隔开。所增加的本草内容或单方验方，均作双行小字书写，并将注文原始出处用大字冠在注文的开头。

这里要说明的是，在《证类本草》开始编纂时，其墨盖子下资料，全出自唐慎微所增。到《大观本草》，其墨盖子下"别说"和某些无出处的单方为艾晟所增。到晦明轩《政和本草》，其墨盖子下除保留艾晟所增资料外，又添张存惠所增入的寇宗奭《本草衍义》。

此外在《政和本草》中，有些药物条文下脱漏墨盖子。如人卫影印本《政和本草》页 106 "食盐"、页 208 "茅根"、页 130 "大盐"、页 87 "朴硝"、页 92 "白石英"等条，均脱漏墨盖子的标记。

2）唐慎微将《本草图经》各个药图插在每个药的前面。又将《本草图经》独立的两卷草药图文放入《证类本草》第 30 卷、31 卷，称为本经外草类和本经外木蔓类。

3）唐慎微将其他书中未经掌禹锡收入《嘉祐本草》的完整药物条文，集中地附在某些卷次之末，称为"某某余"。如"唐本余""食疗余""陈藏器余""海药余""图经余"。

总之，《证类本草》文献标记为：依《嘉祐本草》，即正文用大字；《本草经》文系墨底白字；《别录》文用墨字；《新修》文注以"唐本先附"；《开宝本草》文注以"今附"；《嘉祐》新增者或用"新补"（择自文献），或用"新定"（取于当时）。注文用双行小字，《集注》者冠以"陶隐居"；《新修》者冠以"唐本注"；《开宝》者冠以"今按"（据文献）或"今注"（从时医）；《嘉祐》者冠以"臣掌禹锡谨案"。在《证类》中，唐慎微新加者，皆冠以墨盖子（ ━ ）作为标志。所以，虽然体量巨大，《证类本草》依旧能严谨地保持文献的原来面目。

6. 《证类本草》价值

（1）总结宋以前药学之大成。

中国本草学，从《神农本草经》到《证类本草》，像滚雪球一般扩充，把历史主要本草著作内容，一层层加上去，犹如包心菜样，层层裹起来，形成了《证类本草》。举凡药物各方面知识，如药名、异名、产地、性状、形态、鉴别、炮制、性味、主治功用、七情畏恶相反等，无不囊括在内，所以本书集宋以前之大成，在明·李时珍《本草纲目》刊行前，上下五百年间，一直被作为研究本草学的范本。

（2）有很大实用价值。

本书是我国今日流传最早而最完整的系统本草。载药1746种，其中有300多种仍为今日常用的药物。这些常用药，在医家临床处方中是必不可少的药。书中所附《本草衍义》的内容，对某些药物的产地和药理方面，有进一步的考订和补充，这对药材研究等均有很大实用价值。尤其是书中所附药图，对于中药品种鉴别，有极重要的参考价值。例如人参，有人认为古代的上党（今山西长治）人参并非五加科人参，而是桔梗科的党参。翻开人卫本《政和本草》145页人参的4个药图，其第一个药图，标注"潞州（今山西长治）人参"，该图为逼真的五加科人参，与文字所记完全相符。这就可以证明北宋时潞州（今山西长治）确实生长着真正的五加科人参。

（3）保存了大量古代本草书和方书的文献资料。

从《神农本草经》到《证类本草》，中间经过了《名医别录》《本草经集注》《唐本草》《开宝本草》《嘉祐本草》等书，这些书虽已久佚，但它们主要内容，仍保存于《证类本草》中。

又，本书对古代本草，是原文采录的，那些失传已久的古本草著作，如《本草拾遗》《食疗本草》《药性论》《海药本草》《雷公炮炙论》《日华子本草》等，《证类本草》保存了它们的主要内容。所以这些失传的本草，从本书所引的资料，尚能窥其概略。

又，本书采录古典医方，如《伤寒论》《金匮要略》《外台秘要》等书中的古方，以及宋以前历代名医方论，又搜罗到当时医家常用和民间习用单方，总计有3000余首，分别载入有关药物条文之后。某些失传的古方，全赖本书得以保存其大概。所以李时珍曾评论此书说："蜀医唐慎微……使诸家本草及药单方，垂之千古，不致沦没者，皆其功也。"由此可见，本书除有实用价值外，还富有历史意义。

（二）四库《证类本草》考

1991年4月上海古籍出版社出版了"四库医学丛书"。该丛书收录清初以前历代各家各派医学主要著作，包括有医经、脏象、骨度、病源、本草、方书、伤寒、金匮、温病、临床各科、针灸等内容。其中本草书有《证类本草》《汤液本草》《本草纲目》《本草乘雅半偈》《神农本草经百种录》《神农本草经疏》等。

其中《证类本草》是宋·唐慎微所撰《经史证类备急本草》及其各种刊本的通称。该书1098年前后成书，宋、金、元、明、清各代都有翻刻本。由于翻刻及校勘不精，加以翻刻时的改纂，各种刊本在名称、卷数、药物总数、排列次序、内容上，和唐慎微原书有差异，且各种刊本之间也存在不同程度的差异。随着年代变迁，翻刻资料增多，差异程度也越大，产生的讹误也越来越多。

四库全书所录的《证类本草》（以下简称四库《证类》），是各种刊本中的1种。今将四库《证类》的版本讨论如下。

四库《证类》书首有个"提要"。据"提要"所云，四库全书当时所搜集的《证类本草》有两种刊本。一是翻刻元大德壬寅宗文书院本，元大德壬寅（1302）所刊的本即《大观本草》；一是明成化翻刻金泰和甲子晦明轩本，金泰和所刻晦明轩本即《政和本草》。但"提要"又云："泰和本有平阳张存惠增入寇宗奭《本草衍义》。然考大德所刻《大观》本亦增入宗奭《衍义》，与泰和本同。"《大观本草》是32卷，不附《本草衍义》，但四库《证类》"提要"说元大德宗文书院本附有《本草衍义》。此与《大观本草》实际情况不符。

明万历丁丑年（1577）翻刻元大德壬寅宗文书院的《大观本草》，只有宣城王大献翻刻本。王大献所翻刻的《证类本草》，名为《大观本草》，实际上是《政和本草》。

杨守敬《日本访书志补》云："迨至万历丁丑（1577），宣城王大献始以成化《政和》本，改从宗文书院《大观》本之篇题，合二本为一书，卷末有王大献序，自记甚明，并去《政和》诸序跋，独留《大观》艾晟序及宗文书院本记。按其名则《大观》，考其书则《政和》。提要所称《大德》及钱竹汀所录，皆是此种，提要见此本亦增入《衍义》，遂谓元代重刊，又从金本录入，而不知大德原本并无《衍义》。"

从上述资料来看，《四库提要》编者所见到的刊本有成化戊子（1468）刊的《政和本草》及万历丁丑（1577）宣城王大献刊的《大全本草》（书中内容为《政和》）。

《大观》与《政和》，最突出的不同处为《大观》不附《本草衍义》，《政和》附有《本草衍义》；两者卷数亦不同；《政和》比《大观》多石蛇、白羊石、凫葵、红蜀葵、黄蜀葵、南烛、莱菔、金灯、天仙藤，比《大观》少"海带"条下图经文。所以四库全书编者所得到的《证类本草》，实际上是《政和本草》，而非《大观本草》。而且四库全书所抄录的《证类本草》，是成化戊子翻本，并非泰和本。

所谓"泰和本"，是指金·张存惠晦明轩在金泰和年间翻刻的《重修政和经史证类备用本草》最原始本，附有《本草衍义》。其实张存惠翻刻《政和本草》并非在泰和年间，而在金亡后，元初定宗年间，即书中各卷首行所题"己酉新增衍义"的己酉年（1249）。

这个"己酉年"是元初定宗四年。此时金已亡 16 年。由于元代初期没有年号，即用甲子纪年表示年代。甲子纪年以 60 年为一周期。60 年一周期的开头为甲子，从己酉年向上推，推到甲子年，正是金章宗完颜璟泰和第 4 年。

因此，张存惠题署刻书完成时间为"泰和甲子下己酉岁初日辛卯刊毕"。

清嘉庆年间，钱大昕《十驾斋养新录》卷 14 "证类本草"条下，论之颇详。钱氏云："题记云：泰和甲子下己酉冬，实元定宗后称制之年，距今金亡已十有六载矣，而存惠犹以泰和甲子下统之，隐寓不忘故国之思，或以为金泰和刻，则误矣。"清·钱谦益《有学集》卷 46、清·程瑶田《通艺录》之《古书求解·证类本草》后，对此问题均作同样的论述。

四库《证类》认为成化《政和》是据金泰和本翻刻，但成化《政和》本刊有"大德丙午岁仲冬望日平水许宅印"记，则成化《政和》的底本，当是据元大德丙午年刊本翻刻，而非据金泰和本刊刻。

元大德丙午年，即元大德十年（1306）。《皕宋楼藏书志》所收成化《政和》亦有"大德丙午岁仲冬望日平水许宅印"字样。《经籍访古志》卷 7 亦云："《重修政和经史证类备用本草》三十卷，目录一卷，首载成化四年（1468）商辂序……后又记大德丙午岁仲冬望日平水许宅印。"这些事实都说明成化《政和》是据元大德丙午年（1306）《政和》本翻刻的，并非据金泰和原刻本翻刻。

四库全书抄录的《证类本草》，所据成化戊子刻的版本，其中讹误、脱漏悉同成化本《政和》。

1957 年人民卫生出版社影印的《重修政和经史证类备用本草》（以下简称人卫本《政和》），可能是金·张存惠晦明轩于 1249 年原始刻的本子。该本与成化本有很多不同。

把成化本《政和》、四库《证类》、人卫本《政和》三者勘比，前二者讹误全同。

兹将前二者相同的讹误，举例如下。

人卫本《政和》卷3页98"流黄香"条共64字，前40字为"流黄香……三千里"；后24字为"南州异物……从西戎来"。这些字原为"流黄香"条的全条文字，然成化《政和》卷3页43、四库《证类》卷3页123，将前40字和后24字，分别立为两条。这后24字不能立为一条，四库馆臣抄录时，亦未能发现成化本之误。

人卫本《政和》卷30页539"石耆"与"紫加石"，是相邻的两条。成化《政和》、四库《证类》，均并为一条。误把石耆、紫加石当作一味药来看待。

人卫本《政和》卷7页183"决明子"条，引"图经曰"文中有"名，又萋蒿子亦谓之草决明，未知孰为入药者，然今医家但用子，如"26字。成化《政和》、四库《证类》均脱漏此26字。

人卫本《政和》卷10页252"钩吻"条，药性云"温，有大毒"4字。成化《政和》（卷10页25）、四库《证类》（卷10页486）"钩吻"条同作"温，大有毒"。查《大观》《千金翼方》所引"钩吻"条药性之文同人卫本《政和》，不同成化《政和》、四库《证类》。

人卫本《政和》卷1页29"又进名医副品"。成化《政和》、四库《证类》俱作"又进名医别品"。它们相差是"副"与"别"不同，谁正确？查敦煌出土《本草经集注·序录》作"副"。故人卫本《政和》是对的，成化《政和》、四库《证类》均误。

人卫本《政和》卷6页177，有"蓼荞""釜菜""甘家白药"三条文，在成化《政和》、四库《证类》，均作同样的错简。

兹将三药条文摘录如下：

蓼荞……亦食其苗如葱韭。亦捣傅蛇咬疮。生高原。如小蒜而长。产后作羹食之，良。

釜菜……白花。花中甜，汁饮之如蜜。

甘家白药……岂天资之乎？

上述三条末尾一些文字，在成化《政和》、四库《证类》，均犯同样错简。将"蓼荞"条末"捣傅咬疮，生高原。如小蒜而长。产后作羹食之，良"19字，错简在"釜菜"条末（四库《证类》页286，上栏14行）。

又把"釜菜"条末"汁饮之如蜜"5字，错简在"甘家白药"条下（四库《证类》页286下栏7行）。

不仅成化《政和》、四库《证类》存在这样的错简。凡据成化《政和》翻刻的本子，也存在同样的错简。

人卫本《政和》全书中果仁的"仁"字，均作"人"。段玉裁《说文解字》注云："果人之字，自宋元以前，本草方书，诗歌记载，无不作'人'字；自明成化重刊本草，乃尽改为'仁'字。于理不通，学者所当知也。"

从此以后，凡据成化《政和》翻刻的本子，其书中果仁的"仁"字，均作"仁"，不作"人"。

成化《政和》、四库《证类》所存在的误字亦相同。

如人卫本《政和》卷7页219"水萍"条，有"一名水苏"。"苏"，成化《政和》卷9页7、四库《政类》卷9页404，同误为"薛"。

人卫本《政和》卷3页89"石胆"条，有"畏芫花"。"芫"，成化《政和》卷3页26、四库《证类》卷3页105，同误作"羌"。

人卫本《政和》"白马茎"条，有"蛊疰不祥"。"祥"，成化《政和》卷17页1、四库《证类》卷17页762，同误作"详"。

类似此例有百余条。

从上述事实来看，四库《证类》所存在的讹误，全同成化《政和》，所以四库《证类》是据成化《政和》抄录的。

（三）校点《证类本草》提要

《证类本草》，一指唐慎微原著；另一指唐氏书的多种修订书，如《大观本草》《绍兴本草》《政和本草》《大全本草》。这里取前者。

《证类本草》囊括宋以前各朝主流本草书，从汉代《神农本草经》到宋代《嘉祐本草》，统统囊括在内，像包心菜式的层层包裹。

原书31卷，载药1746种，新增药628种，附古方3000余首。集唐宋以前各家医药名著以及经史传记、山经地志、诗赋、杂记、佛书道藏等有关本草学的知识，详述其功用、采集、炮制、鉴别及名医心得，广涉宋以前秘本300余种，保存许多至今已失传的医药典籍。李时珍对此给予高度评价："使诸家本草及各药单方，垂之千古，不致沦没者，皆其功也。"

（四）校点前言

《证类本草》是宋·唐慎微所著，原名《经史证类备急本草》。大观二年

（1108），艾晟将陈承《重广补注神农本草并图经》的"别说"加入书中，上之于朝，改名为《大观经史证类备急本草》，简称《大观本草》。到政和六年（1116），曹孝忠重加校定，改名为《政和新修经史证类备用本草》。1249年，张存惠将《本草衍义》随文散入书中，改名《重修政和经史证类备用本草》，简称《政和本草》。在明·李时珍《本草纲目》刊行前，上下500年间，本书一直被作为研究中国本草的范本。

本书对收录的前代本草文献资料，皆原文转录，按时代次序排列，层层包裹，成为本草史上一颗灿烂的明珠。这比《本草纲目》窃切前代本草原始面貌，要更高一等。因此，本书成为我们考察古本草发展、单味药历史和辑佚古方书、古本草书的重要文献来源，也成为发掘祖国医药遗产、丰富和发展中国医药学宝库的重要参考资料。

本书是对宋代本草发展最高峰的总结，对众多药物形态记述和药图的收录也最齐全。这对研究中国历代药物品种考证，提供了重要参考依据。

李约瑟（J. Needham）博士在《中国科学技术史》中赞扬本书说："要比15和16世纪早期欧洲的植物学著作高明得多。"本书在学术上、实用上都有极高的价值，一直与《本草纲目》齐名。

本书经历代翻刻，刊本极多，各种不同刊本间存在很大差异，其间衍脱、讹误、颠倒、错简等，各本皆有。这使得本书在科研、教学、临床、生产等应用上，存在一些缺点。同时，原书是繁体字，无标点，也给一些年轻读者带来一定的困难。为此，我们以存真复原为准则，从各种刊本中，选择最好的版本为底本，用各种善本详加校勘，改正底本中一些讹误，并加标点和释疑。将底本繁体竖排改为简体横排，以悦目美观的版式影绘原书附图，使其易读、实用，以便更多的人从中发掘到中国中医药学的最精粹部分。

凡中医药工作者、西药从业人员，包括教学、临床、科研、生产（包括药工、药农、采药、制药、鉴别等）工作者均可参考应用。

本书点校，始于1958年，笔者于卫生部举办的北京中医学院中药研究班进修时。笔者以1957年人卫影印《政和本草》为底本，用各种善本如《大观本草》《政和本草》校勘，并作出校记。1960年8月回芜湖后，利用寒暑假，到南京古籍图书馆，继续校勘。1982年中医研究院郑金生来芜湖商讨《食疗本草》辑复时，我约他同校，他欣然允诺，遂将全部校勘资料带往北京复核，并抄出《政和》底本，又继续用其他书校勘。他后因准备出国，遂将校勘资料连同抄本，于1988年3

月 12 日寄回芜湖，我将抄本加标点，并用底本核对一遍。后因目力不济，由院领导于 1989 年 3 月派本院中医科尚元藕医师，用经书及古方书《千金》《外台》《本草衍义》等书复校、整理，于 1992 年 12 月脱稿。

在这 30 多年中，我根据校勘资料，撰写了一些有关《证类本草》的论文，今以"《证类本草》文献源流丛考"为题汇编附于书末，以供读者参考。

（五）校点说明

（1）唐慎微《经史证类备急本草》简称《证类本草》。后因历代修订翻刻之人不同，其书名和书中内容细节各不相同。今从中选用 1957 年人民卫生出版社据扬州季范董氏藏金泰和张存惠晦明轩本影印《重修政和经史证类备用本草》为底本。该底本人卫影印成两种本，一种是线装本，简称线装本《政和》；另一种为精装四页合一本，简称人卫本《政和》。

（2）本书除用不同版本《政和本草》互校外，亦用不同版本《大观本草》《新修本草》《本草经集注》等予以校勘。对其间所存在各种异文，予以出注。在出注时，对各种校本书名，均用简称。兹将简称书名版本介绍如下。

宋·嘉定四年（1211）刘甲校刊《经史证类备急大观本草》（简称《大观》）。

清光绪三十年甲辰（1904）武昌医馆柯逢时影宋并重刊《经史证类大观本草》（简称柯《大观》）。

明成化四年戊子（1468）山东巡抚原杰据晦明轩本翻刻（简称成化《政和》）。

1921—1929 年商务印书馆影印金泰和甲子下己酉晦明轩刊本（简称商务《政和》）。

清乾隆十年（1745）钦定四库全书子部医家类抄本《证类本草》（简称四库《证类》）。

1955 年群联出版社影印吉石庵丛书本开元写本《本草集注序录残卷》（简称敦煌《集注》）。

1952 年罗福颐《西陲古方技书残卷汇编》影抄吐鲁番出土《本草经集注》残片（简称吐鲁番《集注》）。

清光绪十五年己酉（1889）傅云龙影刻唐卷子本《新修本草》（简称傅《新修》）。

1985 年上海古籍出版社影印上虞罗振玉收藏日本传抄唐卷子本《新修本草》（简称罗《新修》）。

宋庆元元年（1195）东南西路转运司修刊寇宗奭《本草衍义》（简称庆元《衍义》）。

1957 年商务印书馆出版寇宗奭《本草衍义》（简称商务《衍义》）。

1977—1981 年人民卫生出版社出版刘衡如校点李时珍《本草纲目》（简称《纲目》）。

（3）在校勘时参考其他各种书，如《肘后方》《外台秘要》《千金方》《千金翼方》《医心方》《本草和名》《尔雅》《说文》《博物志》《十三经注疏》，史书、类书如《太平御览》等均用原书名出注，此处不再一一介绍。

（4）本书点校，以底本主，以诸校本为辅。其他书仅作参考应用。

（5）凡底本书名、书中细节均保持原貌。

凡底本引同一种书，所用书名有不一致，均依底本原貌，不加改加。底本所引的书，有 300 余家，对同一种书，所引书名很不一致，或用全书名，或用其异名，或用其简称，或用作者名，或用作者姓氏。例如援引陈藏器《本草拾遗》，或作"陈藏器"，或作"陈藏器解纷"，或作"陈氏拾遗"或作"陈氏"。又如引葛洪《肘后方》，或作"葛洪"，或作"葛稚川"，或作"葛稚川百一方"。

有时同一条下各注中，对同一种书所用的名称也不同。例如底本 93 页"紫石英"条，在掌禹锡注中引有"岭南录异"，在苏颂《本草图经》注中作"岭表录异"。按《四库全书总目》提要，"岭南录异""岭表录异"是同书异名。在点校时，对此等同书异名，均依底本原貌，不加改动，亦不出注。

对底本目录总目及各卷分目均予以保留。凡目录与正文不一致的，则以正文为是。例如卷 19 禽部目录"陈藏器余"标题下有"鹬猥""鹨蝉""鸟目无毒"等药名，各衍"猥""蝉""无毒"等字，即据底本正文删。又卷 22"蓝蛇头"的"头"字，亦属衍文，即据正文删。

凡底本引前代文献有省略处，本书出注指明，但不在底本上补。例如底本卷 16"龙骨"条引《衍义》曰："孔子曰：君子有所不知。"《十三经注疏·论语·子路》作"君子于其所不知"。前句中用"有"，后句中用"于其"。二者于文义均无碍。仅出注指明，但不改底本。（《衍义》是宋·寇宗奭所撰。寇氏引文仅取其义，不重视转录原文。）

（6）本书校勘方法，以对校、本校、他校为主，兼用理校。

（7）凡底本文有讹误或脱漏，则据诸校本改或补。如诸校本均讹误或脱漏，则参考其他有关文献改或补。例如本书卷 15"发髲"条有"疗小儿惊热"句。

《政和本草》《大观本草》诸校本同。但《纲目》作"疗小儿惊热百病"。傅《新修》、罗《新修》作"疗小儿惊热下"。其"下"字不可解。底本卷 19"丹雄鸡"条，其释文图经曰："发髲，本经云：'发髲合鸡子黄煎之，消为水，疗小儿惊热下痢'。"又，《小儿卫生总微论方》卷 10 胎中病论蓐疮引刘禹锡文和底本"图经曰"文全同。本书据此补"下痢"2 字。

（8）凡底本有误，则据校本改。如诸校本均误，则参考其他有关文献改。例如底本卷 1 陶隐居序中有"阮德如张茂先辈逸民皇甫士安"句。诸校本同。《纲目》断句为"阮德如。张茂先辈。逸民皇甫士安"。但句中"辈"，敦煌本《本草经集注》作"裴"。则此句应断为"阮德如、张茂先、裴逸民、皇甫士安"。本书据此改"辈"为"裴"。

（9）凡底本文献标记讹误或脱漏，按底本体例删改或补正。

底本白大字《本经》文标记有误，据诸校本改。例如底本卷 3"曾青"条，有"曾青，味酸，小寒。主目痛，止泪出、风痹，利关节，通九窍，破癥坚积聚。久服轻身不老，能化金铜"。此 35 字原属白大字《本经》文，而底本作墨字《别录》文。本书据成化《政和》、商务《政和》将曾青条《本经》文改为白字标记。

底本所注白小字标记有误，则据诸校本及底本体例改。例如底本卷 9"王孙"条的注文有"陶隐居""唐本注"等小标题，按底本体例此当作白小字标记，但底本并未作小字标记。本书据底本体例改。

底本大小字标记有误，即据底本体例改。底本体例所引文献名称，均作大字标记。凡未作大字标记的文献名称，则据底本体例改。例如卷 10"豚耳草"条引《百一方》，该方后半截是《颜氏家训》文，此《颜氏家训》与《百一方》均是文献名称，都应作大字标记。由于"颜氏家训"未作大字标记，遂误《颜氏家训》文为《百一方》中的文。本书则据底本体例改。

底本药物条文出典标记有误或脱漏，则据本书体例删改或补正。例如底本卷 11"葂蘼"条末误注"今附"2 字，则据底本体例删。（"今附"是《开宝本草》新增药的标记，而葂蘼是《名医别录》药，不应当注"今附"2 字。）又如卷 13"伏牛花""密蒙花""五倍子""金樱子"等药，都是《开宝本草》新增药，当注"今附"。但底本均脱漏"今附"2 字。本书则据底本体例补。底本卷 19"乌鸦""练鹊"等条均脱漏"新补"标记，本书据底本体例补。（"新补"是《嘉祐本草》新增药标记。乌鸦、练鹊都是《嘉祐本草》新增药，按底本体例，应加"新补"2 字为标记。）

底本墨盖子标记有误，即据底本体例删改或补正。按底本体例，凡属唐慎微所增诸家文献，在文献头上，皆冠以墨盖子"▬"为标记。但底本"朴硝""白石英""食盐""大盐""鸢尾""松脂""夫衣带""蜂子"等条，均有唐慎微增补文献，皆脱漏墨盖子标记。本书据底本体例补。

还有些引文，如"别说"资料，不是唐慎微所增，是艾晟修《大观本草》所增，即不能冠以墨盖子。例如底本卷4"铁"条及卷12"藿香"条下引的"别说"，其上冠有墨盖子，本书据底本体例删。

（10）底本引同一家资料，前后不一致时，择其善者而从之。例如底本卷14"赤爪木"条引陈藏器文有"球以小查而赤"，线装人卫《政和》、成化《政和》、商务《政和》"赤爪木"条俱作"球以小查面赤"。

从文理上讲"球以小查面赤""球以小查而赤"都不可解，但底本卷13"吴茱萸"条引陈藏器文作"球似小查而赤"。此文较前文为善。本书即择"吴茱萸"条引文为正。将"赤爪木"条引文改为"球似小查而赤"。

（11）凡底本所云事物与历史不符合者，则据诸校本改。如诸校本也不一致，则参考有关文献改。如一时查不出，则存疑待考。例如底本卷3"车渠"条引有《集韵》书名，底本卷5"青琅玕"条陈藏器引文同，但书名作"韵集"。按，车渠是唐代药，《集韵》是宋治平四年（1067）丁度所撰。二者时代不合。查《旧唐书·经籍志》《新唐书·艺文志》载有吕静撰《韵集》。则底本卷3"车渠"条所引《集韵》，当是《韵集》倒置之误。本书据此改。

（12）凡需校勘的词、字多次重出者，每见均校，予以出注。例如底本全书中，对"己""已""巳"，均作"巳"。如防己、及己，俱作防巳、及巳；又"已上"，俱作"巳上"。凡此重出"己""已"笔误，每见均校之。

（13）凡底本词、字，与诸校本不同，但与现存最古的本草或方书词、字相同，则从底本为正，不予改动。如底本卷23"杏人"条引有《外台秘要》方。其方有"日料一升取尽"。句中"日"，柯《大观》作"每"。查《外台秘要》仍作"日"。本书从底本为正，不加改正。

（14）底本出现的难字、僻字，进行训释。如属药名，仅注音，不释义。凡需训释之词，字多次重出者，于首见时出注，以后重出者，不再加注。

（15）底本中避讳字，一般不改动。如有影响文义的，即出注指明。例如《开宝重定序》有"梁正白陶景"。按文理应作"梁贞白陶弘景"。此因底本沿袭旧本避讳例所致。旧本避宋仁宗赵祯讳，改文中"贞"为"正"，又避宋太宗父赵弘讳，删去文中"弘"字。本书不予改动，仅出注说明。

（16）底本中同名异物的药，在校勘时出注说明。如"石蜜"在卷20是《本经》药名，在卷23是《唐本草》新增药名。"女萎"在卷6是《本经》药名，在卷8是《唐本草》新增药名。

（17）校勘、训释出注序码，除目录及卷第一因版式美观需要排于当页左栏下端外，均列于当页右栏下端，并统一排列。

（18）底本中所用的字体大小有四：即黑大字、黑小字、白大字、白小字。这次点校时，对黑大字、黑小字用不同型号宋体字表示之。对白大字、白小字用不同型号黑体字表示之。

（19）底本中的异体字或古体字均直接改为现代通行简体字，不再出注。

（20）原书是繁本竖排，无标点；为着广大读者方便，改用简体横排，并试加标点。

（21）书前总目录为此次校点所加，以便读者查阅。

（22）有关本书各方面问题，如本书作者、成书年代、收载药数、编排体例、后人对本书的修订、书名的更改，以及宋以后历代书坊对本书的重刊，使本书在内容上、文献出处标记上，收载药数上、分卷上等，产生了很多的差异。笔者数十年来，专门致力于此书的研究，写成专题性论文，在国内医药刊物上发表。兹从中选择部分论文，题为"《证类本草》文献源流丛考"，附于书末。使读者持此书一册，对《证类本草》的背景能有全面的了解，从而减轻读者查阅各种繁杂资料之劳。

六、《大观本草》

（一）《大观本草》考

唐慎微《证类本草》于大观二年（1108），由杭州仁和县尉艾晟校订，增加陈承《重广补注神农本草并图经》的"别说"及某些方子，冠以大观年号，更名为《经史证类备急大观本草》，简称《大观本草》。

《中国人名大辞典》页281云："艾晟，宋真州（今江苏仪征）人，字子先，崇宁（1102—1106）进士。政和（1111—1117）……中一等，擢秘书省校书郎，兼编修六典文字。寻判隰、沣、越三州，所至有声，终考功员外郎。"

一般认为艾晟是医官，并认为《大观本草》是上之朝廷，为官刊本。其实艾晟并非是医官，他是"通仕郎行杭州仁和县尉管句学事"。另外《大观本草》也非官定本。从艾晟的《大观本草·序》，可知其非官刊本。艾晟序云"集贤孙公得其本而善之，邦计之暇，命官校正"。此序所云，即由集贤院学士孙氏出资，通过其属官，将《证类本草》校正刊行。此与由政府任命修订者不同。如《政和本草》的修订，即题有"奉敕撰"等字样，即属官修。

艾晟校订《证类本草》时，增加了一些方子。

例如：艾晟在《大观本草》卷9（柯刻本《大观》卷9页61）"翦草"条下增加"治劳瘵方"。其方中全文和《普济本事方》页74（1959年上海科技版）所载相同。日本丹波元胤《中国医籍考》云："《本事方》载翦草治吐血痨瘵方曰：'乡人艾孚先尝说此事，渠后作《大观本草》，亦收入集中。'孚先当是晟字。"

嘉庆十九年（1814）叶刻《本事方释义》卷5，所载"衄血劳瘵吐血咯血"条下有"神传翦草膏"云："或云是陆农师夫人，乡人艾孚先尝亲说此事，渠后作《大观本草》，亦收入集中，但人未识，不若信尔。"

《大观本草》卷7页11"络石"条引"背痈方"云："《图经》云：'薜荔治背痈。'晟顷寓宜兴县张渚镇，有一老举人聚村学，年七十余，忽一日患发背，村中无他医药，急取薜荔……傅贴遂愈。乃知《图经》所载不妄。"

按此方中有"晟"，则此方当由艾晟所增，类似此例很多。疑墨盖下所出无名单方，或为艾晟增入。此外还有下列各方，疑为艾晟所增（药名前号码为《大观本草》卷，页次）：

5，8 铅丹治疟方	5，29 煅灶灰治疮方	5，56 车前子治泻方
9，67 翦草治劳瘵方	12，11 枸杞子治疽	7，11 络石治发背痈方
7，21 蒲黄催生方	11，17 豨莶有成讷、张泳方（与《本事方》页101同）	
21，10 蛴螬治疮方	27，15 莱菔治偏头痛方	29，5 蒜治疟方

艾晟校订《大观本草》时，还取陈承书中"别说"，加入《大观本草》中，此可从《大观本草》卷3"丹砂"条的注文证实之。其注云："晟近得武林陈承编次《本草图经》本参对，陈于《图经》外又以'别说'附著于后，其言皆可稽据不妄，因增入之。"

检柯刻本《大观本草》引"别说"的药物共有44条，兹列举如下（药名前号码为柯刻本《大观本草》卷，页次）：

3，1 丹砂	5，4 自然铜	8，36 贝母	12，19 琥珀
3，9 玉泉	5，28 车脂	9，15 天麻	12，21 榆皮
3，26 禹馀粮	5，32 花乳石	9，12 阿魏	12，43 沉香

3，30 青石脂	6，8 菖蒲	9，44 莽苷	12，46 藿香
3，32 白石脂	6，46 柴胡	9，50 胡黄连	13，5 竹叶
4，16 石膏	6，59 木香	10，8 天雄	13，24 茗苦茶
4，29 蜜陀僧	6，7 细辛	10，15 大黄	13，37 乌药
4，33 铁	6，80 赤箭	10，22 莨菪	15，5 天灵盖
5，5 砒霜	7，15 黄芪	12，5 箇桂	25，12 小麦
5，15 代赭	8，15 当归	12，11 枸杞	26，6 腐婢
5，19 腊月雪	8，22 芍药	12，14 柏实	5，20 热汤

关于陈承的事迹，林希《重广本草图经序》中有记载，兹将序中所载有关内容，摘录如下。

（1）序云："阆中陈氏子承，少好学，尤喜于医，该通诸家之说……承之学虽出于图书，而精识超绝。有奇疾，众医愕然不知所出，承察其脉曰：当投某剂某刻良愈，无不然。"此段介绍陈承原籍是阆中（今四川南充县北）人，少好医学，通晓诸家之说，其学出于读书，相当于今日的自学成才，医术很高明。后行医于江淮杭浙，又称他为余杭人。方勺《泊宅编》云："余杭人陈承亦以医显……陈好用凉药……俗语云：'藏用檐头三斗水，陈承箧里一盘冰'。"

（2）序云："承之先世为将相，欧阳子所谓四世六公者，承其曾孙。"此段介绍陈承祖先为将相。欧阳修所撰《太子太师致仕赠司空兼侍中文惠陈公神道碑并序》云："高幢巨毂，四世六公。惟世有封，秦楚及齐，尚书中书，仪同太师。"文惠即陈尧佐。文惠，家居阆中，为阆州阆中人。尧佐的兄和弟皆封为公，其兄尧叟，谥文忠；弟尧咨，谥康肃。尧佐是陈承的堂曾祖。陈承的曾祖名诩，封齐国公，祖昭汶封楚国公，父省华封秦国公，从陈承曾祖到陈承共四世，其封为公者共六人，故称四世六公。

据《宋史》所载，陈承曾祖陈尧叟"有《集验方》刻石桂林驿"。

（3）序云："承少孤，奉其母江淮间，闭门疏食以为养，君子称其孝。"此言陈承自幼丧父，奉养母亲于江淮间。

（4）序云："承尝患二书传者不博，而学者不兼有，乃合为一，又附以古今论说，与己所见闻，列为二十三卷，名曰《重广补注神农本草经并图经》。书著其说，图见其形……元祐七年（1092）四月朔……长乐林希序。"此段讲陈承合《嘉祐本草》及《本草图经》二书为一书，并附以己说。

南宋·陈衍《宝庆本草折中》云："陈承尝编《神农本草》，与《图经》二书并聚为一，发明余蕴，以古今论说与己所见闻立为议论一篇，篇首端冠以'谨案'二字，间列图经之后。"

艾晟修唐慎微《证类本草》，摘引该书陈承"谨案"资料，列于相应条之下，并冠以"别说云"字样。

宋代《太平惠民和剂局方》在大观年间（1107—1110）经当时名医陈承、裴宗元、陈师文等校正，书首有他们三个人共同写的《进表》。在此表的后面，题署三个人的职称，陈承排在首位，其职称为"将仕郎措置药局检阅方书"。裴宗元排列第二，其职称为"奉议郎守太医令兼措置药局检阅方书"。陈师文排列在末了，其职称为"朝奉郎守尚书库部郎中提辖措置药局"。

陈承从编成《重广本草图经》（1092）到校正《太平惠民和剂局方》（1107—1110），相隔 15～18 年。

总之，本书是宋·唐慎微所著，原名《经史证类备急本草》。大观二年（1108），艾晟将陈承《重广补注神农本草图经》的《别说》，加入书中，上之于朝，改名为《大观经史证类备急本草》，简称《大观本草》。

原书 31 卷，载药 1746 种，新增药 628 种，附古方 3000 余首。集唐宋以前各家医药名著以及经史传记、山经地志、诗赋、杂记、佛书道藏等有关本草学的知识，详述其功用、采集、炮制、鉴别及名医心得，广涉宋以前秘本 300 余种，保存许多今已失传的医药典籍。李时珍对此给予高度评价："使诸家本草及各药单方，垂之千古，不致沦没者，皆其功也。"

《经史证类大观本草》31 卷刊本如下。

（1）宋嘉定四年辛未（1211）刻本。

（2）元大德六年壬寅（1302）宗文书院刻本。

（3）明万历五年丁丑（1577）王大献尚义堂刻本。

（4）明万历二十八年庚子（1600）籍山书院刻本。

（5）明万历三十八年庚子（1610）籍山书院刻本。

（6）清顺治十四年丁酉（1657）杨必达补刻本。

（7）日本明和六年己丑（1769）江都医官望草玄刻本。

（8）清光绪三十年甲辰（1904）武昌柯逢时影宋校刻本（附《大观本草》札记）。

（9）见武昌学馆丛书。

（10）2002 年安徽科学技术出版社出版尚志钧校点宋嘉定四年刘甲刊《大观本草》。

（二）校点《大观本草》提要

本书蓝本是宋·唐慎微著的《经史证类备急本草》。大观二年（1108），艾晟将陈承《重广补注神农本草并图经》的"别说"，辑入书中，改名为《大观经史证类备急本草》，简称《大观本草》。

是书 31 卷，目录 1 卷，载药 1746 种，新增药 628 种，附古方 3000 余首。集唐宋以前各家医药名著，以及经史传记、山经地志、诗赋杂记、佛书道藏等有关本草学的知识，详述各药功用、采集、炮制、鉴别及名医心得，广涉宋以前秘本 300 余种，因此保存了许多至今已失传的医药典籍资料。

本书对收录前代有关本草资料，皆原文转录，按历代次序排列，这比《本草纲目》斟切前代本草原始原貌，更具特色。因此，本书为考察古本草发展、单味药历史，辑佚古方书、古本草的重要文献来源，同时也是今后发掘祖国医药遗产、丰富和发展中国医药学的重要参考资料。

（三）校点本前言

本书原名《经史证类备急本草》（宋·唐慎微著）。大观二年（1108），艾晟将陈承《重广补注神农本草并图经》的"别说"及林希序，辑入书中，改名为《大观经史证类备急本草》，简称《大观本草》。

本书是对宋代本草发展最高峰的总结，对众多药物形态记述和药图的收录也最齐全。这对研究中国历代药物品种考证，提供了重要的参考依据。

《大观本草》经过两次修订，成为《新修政和本草》《重修政和本草》。前者已佚，仅存后者，简称《政和本草》。

《证类本草》《大观本草》《政和本草》的关系如下。

《证类本草》是唐慎微最原始本，其全名为《经史证类备急本草》，原书已不存。

《大观本草》是艾晟用《证类本草》修订，增加"别说"44 条及林希序。

《政和本草》是张存惠修订，它比《大观本草》多《本草衍义》。

《证类本草》本是唐氏原本简称，后来泛指唐氏书各种修订本总称，含《大观本草》《绍兴本草》《大全本草》《政和本草》。但今日通行的《证类本草》专指《政和本草》而言。

1991 年上海古籍出版社出版的《证类本草》，是据清代四库全书所抄成化本

《政和本草》影印的。

1993年华夏出版社出版的《证类本草》，是据1957年人民卫生出版社影印金泰和本《政和本草》校点排印的。

以上两书，名为《证类本草》，实乃是《政和本草》。

在现代，《大观本草》《政和本草》是唐氏书多种修订本中最佳的本子。凡研究本草者，都以此二书为范本。

例如1981—1987年人民卫生出版社排印刘衡如校点《本草纲目》，刘氏首选此二书为参考书。刘氏在校点说明"参考书"项下，列举4类参考书，头一类即是《经史证类备急本草》，并加括弧说明"现存《大观》本及《政和》本"。

《政和》本有多种影印本和校点本，如1921—1929年商务影印本、1957年人民卫生出版社影印本、1991年上海古籍出版社影印本、1993年华夏出版社排印校点本。唯独《大观》本既无影印本，又无校点本。

《大观》本、《政和》本既是同等重要，则《大观》本也应当有影印本和校点本。笔者在1958—1960年曾校点过《大观本草》，只因人事匆匆，终未写定。为了弘扬民族文化，振兴中医药，特将40多年前校点的《大观本草》旧稿，重行整理出版，以冀广为流传。

由于本人年事已高，学术水平所限，加之体弱多病，精力、目力都不济，错误、缺点难免，请读者批评指出。

（四）校点说明

（1）书名。历代书志和本草书中所记本书名有8种，详见下。

题《证类本草》，有《八千卷楼书目》。

题《大观本草》，有《中国医籍考》等。

题《大观证类本草》，有《观海堂本目》等。

题《经史证类本草》，有《直斋书录解题》等。

题《经史证类备急本草》，有刘甲刊本。

题《大观经史证类备急本草》，有《宋史·艺文志》。

题《经史证类大观本草》，有《中医图书联合目录》等。

题《经史证类大全本草》，有《带经堂书目》等。

在上述8种名称中，以《经史证类大观本草》书名用得最多，有20多种书目用此书名。1904年柯逢时影刻本，其各卷首页首行及各卷末页末行，所题书名互不一致。或题"经史证类大观本草",或题"经史证类备急本草",或题"经史证类大全本草"。本书各卷一律用"大观经史证类备急本草"。

（2）本书校点以 1211 年刘甲本《经史证类备急本草》（以下简称刘《大观》）为底本，以 1904 年柯逢时影刻本《经史证类大观本草》（以下简称柯《大观》）为校本，以 1957 年人民卫生出版社影印《重修政和经史证类备用本草》（以下简称人卫《政和》）、敦煌出土《本草经集注》（以下简称敦煌《集注》）、日本卷子本《新修本草》及《本草和名》等为旁校本，以其他书如《本草纲目》《千金翼方》《千金方》《外台秘要》为参考本。

（3）本书校勘方法以对校、本校、他校为主，兼用理校。

（4）本书校勘，以底本为主，以诸校本为辅，对其他书仅作参考应用。对其间所存在各种异文，予以出注。在出注时，对各种校本书名，均用简称，对参考本书名用全称。

（5）对底本中所引的书名、书中细节，均保持原貌，不予改动。

凡底本引同一种书，所用书名有不一致，均依底本原貌，不加改动。按，底本所引的书，有 300 余家，对同一种书，所引书名很复杂，或用全书名，或用其异名，或用其简称，或用作者名，或用作者姓氏。例如援引陈藏器《本草拾遗》，或作"陈藏器"，或作"陈藏器解纷"，或作"陈氏拾遗"，或作"陈氏"。又如引葛洪《肘后方》，或作"葛洪"，或作"葛稚川"，或"葛稚川百一方"。

有时同一条下，各注对同一种书，所用的名称也不同。在点校时，对此等同书异名，均依底本原貌，不加改动，亦不出注。

底本中避讳字，一般不改动。如底本中"慎"，因避宋孝宗赵眘（音慎）名讳，或作"谨"，或作"避"，或作"忌"，或作"氏"，或作"避御名"。这些避名讳所用的字，均不改动。

（6）底本所引前代文献有省略处，本书出注指明，但不在底本上补。例如底本卷 20 "鲤鱼"条"图经曰"，引崔豹《古今注》释鱼有 3 种："兖州人谓赤鲤为玄驹，谓白鲤为白骥，黄鲤为黄雉。"但今本崔豹《古今注》作"兖州人谓赤鲤为赤骥，谓青鲤为青马，黑鲤为玄驹，谓白鲤为白骥，黄鲤为黄雉"。文中有横线者为底本所无。本书仅出注指明，不予补正。

（7）对底本中所作《本经》白字标记、《别录》墨字标记，均保持原貌，不加改动。对底本中文同校本勘比有异文时，其异文并不影响文义，只出校注指明，但不改动底本。

（8）凡底本有脱漏，即据校本补。例如卷21"白姜蚕"条附方，底本脱漏《外台秘要》等9方，即据校本补。

凡底本、校本均脱漏，即据旁校本补。底本、校本卷28"水苏"条下引"唐本注"文，有"今以鸡苏之一名"句。由于此句有脱漏，文义欠通。查《新修本草》卷18"水苏"条，其句为"今以鸡苏为水苏之一名"，是底本脱漏"为水苏"3字，本书即据《新修本草》补。底本、校本卷31俱脱漏"天仙藤"条，即据旁校本补。底本、校本卷9"凫葵"条俱脱药图，即据旁校本补。

（9）凡底本、校本有讹误，即据旁校本及其他参考本改。如底本、校本卷27"胡荽"条引《食疗》有"煮食腹破"句。旁校本同。此句不可解，查《食疗本草》"胡荽子"条为"煮使腹破"（其义将胡荽子煮胀开），本书即据《食疗本草》改。

（10）凡底本文献标记讹误或脱漏，按底本体例删改或补正。例如本书对唐慎微新添资料，所冠标记互不一致，或标"墨盖子"（◣）或标方框子（□），本书一律用"墨盖子"（◣）标记。

（11）凡底本所云事物与历史不符合者，则据诸校本改。如诸校本也不一致，则参考有关文献改。如一时查不出有，则存疑待考。例如底本卷5"不灰木"条引陈藏器文有"中和二年于李宗处见传"。按，陈藏器是唐开元年间（713—741）人。而"中和二年"是唐僖宗年号，即公元882年，晚于陈藏器150年左右。陈藏器《本草拾遗》书中不可能记载150年以后的事。由于文献未查出，暂存疑待考。

（12）凡需校勘的词、字多次重出者，每次见均校。予以出注。

（13）凡底本词、字，与诸校本不同，但与现存最古的本草或方书词、字相同，则从底本为正，不予改动。

（14）底本出现的难字、僻字，进行训释。如释药名，仅注音，不释义。

（15）底本中同名异物的药，在校勘时出注说明。

（16）校勘、训释出注序码，列于当页右栏下端，并统一排列。

（17）底本中所用的字体大小有四：即黑大字、黑小字、白大字、白小字。这次点校时，对黑大字、黑小字用不同型号宋体字表示之。对白大字、白小字用不同型号黑体字表示之。

（18）底本中的异体字或古体字均直接改为现代通行简体字，不再出注。如"虵""閇""臘""桒""敺"，逐改为"蛇""闭""腊""桑""驱"等，不予出注。

（19）原书总目录卷第一序例上和卷第二序例下，并无内容子目，为方便读者，增列序例内容子目。

（20）原书是繁体竖排，无标点；为方便读者，改用简体横排，并试加标点。由于书中文字古奥和点校者水平所限，对书中文义领会不够，所加的标点，仅仅是一种尝试，错误和缺点难免，请读者指正。

七、《绍兴本草》

（一）《绍兴本草》版本情况

《绍兴本草》是《绍兴校定经史证类备急本草》的简称。全书 22 卷。由医官王继先等奉诏撰。书首载"绍兴校定经史证类备急本草序"，题绍兴二十九年（1159）二月日上进。序末有："检阅校勘官翰林医候御医兼太翳局教授赐紫臣高绍功；检阅校勘官翰林医效诊御脉兼权太医局教授赐绯鱼袋臣柴源；检阅校勘官成和郎御医兼权太医局教授臣张孝直；详定校正官昭庆军承宣使太原郡开国侯食邑一千七百户食实封一百户致仕臣王继先。"

《宋史》卷 470 王继先传：王继先，开封人，建炎（1127—1130）初，以医得幸，其后益贵宠，世号王医师。官荣州防御使，主管翰林医官局，迁奉宁军承宣使，其权势与秦桧埒（音劣，同等）。又进昭庆军承宣使，又欲得节度使。其徒张孝直等校本草以献。继先富埒列王室子弟。后被勒停，籍其赀以千万计，鬻其田园及金银。淳熙八年（1181）卒。

《绍兴本草》是据《大观本草》校定的，书中所绘药图，亦是据《大观本草》复刻的。所以该书序称之为："形象本于旧绘。"

该书所存药图 801 幅，较《大观本草》少菜部中、菜部下及图经外类。其图谱精美胜过《大观本草》。这与传抄过程中加工描绘润饰有关。尽管如此，该书在参考上仍有较高的价值。

《四库全书总目》卷 103 "证类本草"条中引王应麟《玉海》云："绍兴二十七年（1157）八月十五日王继先进：校定《大观证类本草》三十二卷，释音一卷，诏秘书省修润，付胄监镂版行之。"

南宋·陈振孙《直斋书录解题》所记不同。陈氏云："《绍兴校定本草》二十二卷，医官王继先等奉诏撰，绍兴二十九年（1159）上之，刻版修内司。"

按现存该书原序，此书当成于 1159 年，原书卷数当是 31 卷，目录 1 卷。世传

22 卷皆为节略本。明·陈第《世善堂藏书目录》和毛晋《汲古阁毛氏藏书目录》皆著录该书为 22 卷。

《绍兴本草》在国内未见有重刊，日本有影印本和钞本。

版本情况大致如下。

（1）1961 年《中医图书联合目录》页 77，记载南宋嘉定间刻本，31 卷，北京图书馆藏。

（2）日本天保七年（1836）神谷克桢抄本，残存 19 卷，北京大学图书馆藏。该本是抄本中不可多得的佳本。由于它属于珍贵的善本，一般难以借阅。

（3）日本刊本：日本东京春阳堂 1933 年影印旧抄本。

《续中国医学书目》著录《绍兴校定经史证类备急本草画卷》5 卷 5 册，解题 1 册，行字数不定，每页 1 图，无框，高 26.5 厘米，宽 19.2 厘米。日本昭和八年（1933）七月春阳堂影印大森文库 5 册本。比神谷克桢本少小麦、丹黍米、粱米、赤小豆、扁豆等 5 图，收藏有药图的药品 861 种。其药图较之《大观》《政和》互有粗恶与精美的不同，线图明晰程度胜过《大观》与《政和》。

《解题》，是 1933 年日本昭和八年中尾万三对本书所作，名《绍兴校定本草解题》，四万三千二百余言，附于本书之末，考证详博，对唐慎微著书时及与《大观》《绍兴本草》的关系，皆有详细的论述。

（4）1971 年日本春阳堂又影印龙谷大学藏 6 本（19 卷），附刊冈西为人《绍兴本草解题》。

（5）《绍兴校定经史证类本草图卷》（识语），日本白井光太郎大正十四年（1925）。按，此本据大森文库所藏本影印。原本 5 册，题云《备急本草》，有王继先序及目录，记事少，绘图不佳，有白井光太郎博士题于大正十四年（1925）。1933 年中尾万三作解题 1 册，于 1933 年合刊为 6 册。

（6）日本抄本有很多种。据中尾万三《绍校定本草解题》云：日本现存此书抄本有 14 种，诸本各有同异，大致分为 3 类（《宋医考》页 1338～1339）：记文少的抄本；彩色本；记文多的抄本。

（7）我国台湾学者那琦在《本草学》中提到，台湾"故宫博物院图书馆"藏杨守敬从日本持归的该书日本残抄本。

据报道，中国、日本残存该书抄本有 20 余种。最常用的是下列几种。

1836 年神谷克桢抄本，简称神谷本。

1933 年日本东京春阳堂影印大森文库藏残抄本，简称大森本。

1977 年日本东京春阳堂影印龙谷大学藏残抄本，简称龙谷本。

大森本全书记文约 3400 字，属记文少的抄本。大森本虽略于文，但详于药图的描绘，所以又称为"画卷"。共 5 册。卷 1 为玉石部，载药 80 种，起自辰州丹砂，终于蛇黄。卷 2、卷 3 皆为草部，载药 497 种，起自滁州黄精，终于萱草。卷 4 为木部，载药 130 种，起自桂花及桂，终于芫花。卷 5 为兽禽虫鱼部，载有 98 种，起自龙骨，终于甲香。果米谷菜部 56 种，起自宜州豆蔻，终于龙葵。总计 861 种。

神谷本全书记文多，6 万余字，属记文多的抄本。神谷本因记文多，可以作为研究《绍兴本草》重要参考书。1981 年郑金生氏曾对该书作过初步研究。[中医杂志，1981（2）：59.]

（二）《绍兴本草》抄本所记文字的内容

各抄本所记的文字，有下列一些内容。

（1）记在图名之下的文字，含采收时节、药用部位、性味功效等。

（2）引用《大观本草》大字正文，不分朱墨标记。

（3）引用《大观本草》小字注文，含各家注文。如陶隐居、唐本注、陈藏器、臣禹锡等谨按、图经、今注、新补、别说等，多数是节录引用其中一两条。

（4）由校定人出的按语，冠有"绍兴校定"标记。

（5）由校定人增的新药条文，冠有"绍兴新添"标记。

但各种抄本均未抄录《大观本草》的序例。对《大观本草》药物的人部、菜部中、菜部下、本草外类、有名无用类等各卷的药物图文，也未见抄录。如果将各残抄本所存药图与正文和《大观本草》勘比，其内容基本是一样的。所不同的是各抄本药物后面多"绍兴校定"文。

各抄本所录"绍兴校定"文条目各不相同。神谷本抄录 351 条，龙谷本抄录 287 条，大森本抄录 13 条。

在龙谷本所录 287 条中，石脂、青石脂、郁李仁、白杨、木杨等 5 条，均不见于其他各抄本中。

此外在残本《永乐大典》中，亦收录《绍兴本草》校定文 11 条，计：3 肉苁蓉（药名前号码为 1986 年人卫版《永乐大典医药集》页次，下同）、429 苦瓠、435 醍醐、439 何首乌、449 石龙刍、450 溲疏、612 天名精、634 薇衔、743 海藻、1223 瞿麦、1225 雀麦。该 11 条亦未见各残抄本抄录过。

总计上述各书所存"绍兴校定"文条目，剔除重复，约有 369 条。这个数字，都是残缺的条目数字。它不能代表《绍兴本草》中原始"绍兴校定"文条目的总数。

各抄本所录《绍兴本草》资料，不仅在"绍兴校定"文数量不同，即在药物编排次序和分卷次序也各不相同。

神谷本所录的药物，按矿物、植物、动物类别来分。矿物药按水、土、金石、石次序编排。植物药按草、米谷、果、菜、木次序编排。动物药按鱼、虫、禽、兽次序编排。分类也是如此，卷 1 到卷 3 为矿物药，卷 4 到卷 16 为植物药，卷 17 到卷 19 为动物药。这种分类与药物编排顺序，乃抄录人重新组合所致，并非《绍兴本草》旧貌。

例如神谷本卷 3 "石蚕"条，"绍兴校定"云："谨详虫鱼部复有石蚕一种。"查《大观本草》卷 5 玉石下品有"石蚕"条，是《开宝本草》新增药，其正文与神谷本卷 3 "石蚕"条文字全同。又，《大观本草》卷 22 虫鱼下品有"石蚕"条，是《本草经》药，其正文与神谷本卷 17 "常州石蚕"条文字全同。但神谷本对《开宝》的石蚕，和《本经》的石蚕，分列卷次不同。两个石蚕在各卷中所排列位置也不同，不仅"石蚕"条如此，其他很多药，在分类上和药物排列次上均不相同。

又如神谷本卷 1 "生铁"条"绍兴校定"云："注说生铁锈亦有主治，与上卷陈藏器余铁锈主治颇同。"查《大观本草》中"生铁"列在卷 4，"陈藏器余"中"铁锈"列在卷 3，从卷次排序来讲，第 3 卷是第 4 卷的上卷。而"绍兴校定"文说"铁锈主治与上卷（指第 3 卷）陈藏器余铁锈主治颇同"。说明《绍兴本草》药物排列目次与《大观本草》是一致的，但神谷本将"生铁"列在卷 1，与"绍兴校定"文所云"生铁"条位置不一致。由此可见，神谷本药物目次，是经过后人重排的。

又如卷 3 "硝石"条，"绍兴校定"云："硝石，一名芒硝者，谓其初煎炼时上有细芒，故亦有芒硝之名。即非后条内朴硝中芒硝也。"从文中"后条" 2 字看，"绍兴校定"文撰者，是将"硝石"列在"朴硝"之前。此与《大观本草》卷 3 "消石""朴硝"排列次序正相同，但神谷本将"硝石"列在"朴硝"之后，说明神谷本目次是经过抄录人重排的。

《绍兴本草》在药物分类上，是保持上、中、下三品分类。这可从《绍兴本草》新增药"豌豆"条注文了解之。神谷本卷 12 "豌豆"条，其条末有"绍兴新添"注文。注云:"今附米谷部中品之末。"从该注文可知《绍兴本草》对各类药物保持三品分类的。

关于神谷本卷次和药物目次的更改,当是抄录人所为。神谷本抄录,共有两次。其书末记有两人抄写时间,今摘录如下:"右绍兴校定经史证类备急本草十九卷,文化八年(1811)辛未(相当清嘉庆十六年)十一月十三日誊写始业同九年壬申(1812)九月十一日全业伊藤弘美。""右天保七年(1836)丙申八月廿八日誊写始业同年十月廿九日全业神谷克桢。"根据以上两条记文,可知神谷本是转录伊藤弘美抄本。如果从抄录时间长短来看,似是伊藤弘美所更改。伊藤弘美抄录费时11个月,而神谷克桢抄录费时仅两个月。两个月时间抄录,可能没有时间更改卷次目次,伊藤弘美花11个月时间,有足够时间更改卷次目次。又,神谷本药物虽按矿物、植物、动物排列,但细目同《本草纲目》药物排列次序极相似,说明神谷本目次是据《本草纲目》药物目次重排的。查1714年日本正德四年就刊过《本草纲目》52卷,到伊藤弘美抄录时已近百年了,这时《本草纲目》药物目次在日本药学界是很普及的,伊藤弘美有条件有时间依据《本草纲目》更改《绍兴本草》卷次和目次。

由于神谷本卷次目次不是《绍兴本草》原始目次,所以神谷本卷次及各卷内药物目录,不能代表《绍兴本草》药物卷次和目次。

尽管神谷本在分类和药物排列次序不符合《绍兴本草》实际情况,但神谷本抄录"绍兴校定"文条目比其他残抄本多,对研究《绍兴本草》仍有很高价值。

(三)《绍兴本草》校订文的讨论

《绍兴本草》所出注"绍兴校定"文,主要校定药物性味良毒、主治功效、药用部位、药物炮制、药物鉴别、药物产地,以及前代本草书对药物的评论。在校定时,都据实际述,不迷信旧本,不拘泥古人。正如《绍兴本草》序云:"谨详古今注说,诸家议论,纷纭淆乱,异同颇多……执而用之,所误至大;天下后世,何所折中?"

为了研究方便,今摘录残抄本药物所注"绍兴校定"文为例,说明如下。药名前所列卷数为神谷本卷次。

1. 校定药物性味良毒

卷2"绿青"条,《本经》云"无毒"。"绍兴校定"云:"既能取吐者,宜当有小毒矣。"

又"白青"条，《本经》云："无毒"。"绍兴校定"云："又以取吐为用，当以小毒为定。"

卷17"河豚"条，《本经》云"无毒"。"绍兴校定"云："有误食肠胃物，则可以杀人，当做有毒者是矣。"

卷19"五灵脂"条，《本经》云"无毒"。"绍兴校定"云："破血之性猛利，因非无毒之物。当云有毒是矣。"

从上述例子来看，《绍兴本草》校定药物有毒无毒，是根据临床实际药物作用定的。不迷信古人，不拘泥书本，确实是一大进步。

2. 校定药物寒温

卷13"荔枝子"条，《本经》云"平"。"绍兴校定"云："过多食作热疾，当云'温'是矣。"

卷13"葡萄"条，《本经》云"平"，"绍兴校定"云："多食生疮疹，当云温。"

卷12"罂子粟"条，"绍兴校定"云："其壳炒而断泄利，诸方颇用之，盖有收涩之性。"

3. 校定药物主治功用

神谷本卷10"黄药"条，"绍兴校定"云："根，世呼为黄药子是也。性味主疗虽具本经，但治瘰疬及瘿气，外用颇验。"

查《大观本草》卷14"黄药根"条，正文大字，不言治瘰疬及瘿气，而《绍兴本草》校定者根据当时用药经验，提出自己的看法，把黄药治疗瘰疬经验，写入"绍兴校定"文中。

4. 校定药用部位

神谷本卷6"天名精"条，"绍兴校定"云："本经不云采何为用。今考注文，捣汁服饵，止说苗叶及花，而不言根形，是知采茎、叶为用。"

神谷本卷10"钓藤"条，"绍兴校定"云："本经虽不载采何为用，但用枝茎及皮以疗小儿惊风，诸方用之颇验。"此条言明钓藤药用部位为枝、茎及皮。（钓藤即钩藤，今用钩藤的钩，不用枝、茎、皮，殊为可惜。为开发药源，应恢复《绍兴本草》所言，增用枝、茎、皮。）

5. 校定药物性状

卷2"空青"条，"绍兴校定"云："形如杨梅，色青翠可爱。"

卷2"代赭"条，"绍兴校定"云："取色如铁色朱砂，形坚实而有浮沤下者佳，故俗谓之丁头代赭。"

卷3"礜石"条，"绍兴校定"云："其形坚而白，小大块不一，四面如粘碎方粒者佳。"

6. 校定药物产地

卷12"矿麦"条，"绍兴校定"云："西北地多产，南地罕有之。"

卷13"椰子皮"条，"绍兴校定"云："岭南多产之。"

卷13"甘蔗"条，"绍兴校定"云："江南闽、蜀皆产。"

卷17"鲮鲤甲"条，"绍兴校定"云："湖岭及金房山谷多产之。"

卷19"犀角"条，"绍兴校定"云："西蜀大而气足者佳。"

7. 校定道地药材

卷13"安石榴"条，"绍兴校定"云："唯面北地者佳。"

卷17"蝎"条，"绍兴校定"云："北地多产之，青州者尤佳。"

卷17"白花蛇"条，"绍兴校定"云："唯产蕲州者方用之，取效的矣。"

8. 校定药物佳品特点

卷1"白石脂"条，"绍兴校定"云："鲜腻而缀唇者佳。"

卷3"戎盐"条，"绍兴校定"云："西番所出者，其形成块，色明净者佳。"

卷3"硼砂"条，"绍兴校定"云："其状光莹者佳。"

卷3"礞石"条，"绍兴校定"云："色青而腻者佳。"

卷13"橘柚"条，"绍兴校定"云："唯橘皮以陈久者佳。"

卷17"水蛭"条，"绍兴校定"云："入药取小而坚者佳。"

卷17"蜈蚣"条："绍兴校定"云："大而赤足者佳。"

卷17"龙骨"条："绍兴校定"云："但上舌紧涩，产河东佳。"

9. 校定药物鉴别

卷2"无名异"条，"绍兴校定"云："云无名异有草、石二种，以其形可验，明非草者矣。"

卷12"绿豆"条，"绍兴校定"云："又植豆苗子，然云相似绿豆，自别是一种。"

卷19"麝香"条，"绍兴校定"云："产文州者佳，其中作伪者甚多，但别之皮毛圆备，取之色紫黄明，嚼而聚于手指，摊于肌肉之上，随指而起者，即无伪物矣。"

10. 批判假药

卷 12 "苜蓿" 条，"绍兴校定" 云："徂以杂伪作黄芪，世之不能辨者，多误用，宜审识之。"

卷 19 "麝香" 条，"绍兴校定" 云："其中作伪者甚多，但别之。"

11. 校定入药的选择

卷 2 "阳起石" 条，"绍兴校定" 云："阳起石，以齐州色莹白有撮纹者，又一种出青州，无撮纹者不堪入药。"

卷 15 "雷丸" 条，"绍兴校定" 云："实而不蛀者佳，若色赤者，但不堪入药。"

《永乐大典·医药集》第 3 页 "肉苁蓉" 条，"绍兴校定" 云："其状有鳞甲，如肉腊厚者佳。又有草苁蓉一种，然形颇相似，止是枯燥，全无肉性，即不堪入药矣。"

12. 校定药物炮制

卷 1 "赤铜屑" 条，"绍兴校定" 云："凡火煅以酒淬服之，则无毒；若不煅淬服之，则有毒。"

卷 2 "禹馀粮" 条，"绍兴校定" 云："以烧煅醋淬，然后入药。"

卷 2 "阳起石" 条，"绍兴校定" 云："当须火煅用之。"

卷 3 "石胆" 条，"绍兴校定" 云："未经制炼者，乃名石胆；已经炼制而成者，即名胆矾。"

卷 17 "桑螵蛸" 条，"绍兴校定" 云："入药当须熟用。"

13. 校定药物制备

卷 12 "曲" 条，"绍兴校定" 云："六月上寅日，清水和白面为神曲可用矣。"

卷 13 "梅实" 条，"绍兴校定" 云："唯一种黄大梅，以火熏之令干；今乌梅是也。温州等处多造之。治虫、断痢诸方多用。又入盐，干之为白梅。"

卷 19 "白胶" 条，"绍兴校定" 云："白胶乃熬鹿角而成，角大者熬用，尤为有力矣。"

卷 19 "牡鼠" 条，"绍兴校定" 云："唯世之以腊月煎鼠油作膏，以治疮疡。"

14. 指出药物宜忌

卷 13 "梨" 条，"绍兴校定" 云："其乳妇未满百日，切不可食，若食之生疾，而必使不起，当宜谨畏之也。"

卷17"蟹"条，"绍兴校定"云："其肉与壳中黄，但食之发风，动痼疾，显有验据，即非起疾之物。"

15. 对前代本草用药的评论

（1）纠谬经典医书中存在问题。

卷17"鲍鱼"条，"绍兴校定"云："《素问》有治血枯，但今未闻用验之据。"

卷1"自然铜"条，"绍兴校定"云："雷公说若误饵之，吐杀人。窃详本草不见有吐人之说，雷公之论，似无考据。"

卷17"鮧鱼"条，"绍兴校定"云："食之过多，发痼痫即有之。《本经》云，主百病，颇无据矣。"

卷17"樗鸡"条，"绍兴校定"云："此物性毒，破血颇验。《本经》云，补中益精，实非所宜。"

（2）指出前代本草中错误。

卷1"白垩"条，"绍兴校定"云："《唐本草》云近代以白瓷为之者，诚为误也。"

卷1"理石"条，"绍兴校定"云："详主疗内云益精一说，亦未见其验。"

卷2"扁青"条，"绍兴校定"云："若唐注直指为绿青者，未见的据。"

卷12"胡荽"条，"绍兴校定"云："其《外台》治齿痛一方，用胡菜子五升。窃详胡菜子乃菜耳子也，不应附此。"

（3）评论旧本无效验无根据的用药。

卷6"豆蔻"条，"绍兴校定"云："虽云消酒毒，亦未闻的验之据。"

卷8"冬葵子"条，"绍兴校定"云："其根与苗叶虽功用不远，但用未闻验据。"

卷12"丹黍米"条，"绍兴校定"云："《本经》虽具主治，亦未闻诸方用验。"

卷12"黍米"条，"绍兴校定"云："《本经》及诸方虽各具主治，皆未闻验据。"

卷13"栗子"条，"绍兴校定"云："若恃此起疾者，即未闻验据。"

（4）批判旧注谬说。

卷17"葛上亭长"条，"绍兴校定"云："注云，此一虫五变，若以一岁能周游四州者，即无据矣。"

卷3"石燕"条，"绍兴校定"云："若称治（龙谷本作"活"）物所化，即无考据。"

卷 19 "鸱鹕"条，"绍兴校定"云："头疗哽及噎，烧服，盖借意为用，亦无验矣。"

卷 19 "鹧鸪"条，《大观》云："久病欲死者，生捣取汁服最良。""绍兴校定"云："及云生捣汁服最良，尤不可为据矣。"

（5）批判神仙不老之说。

卷 18 "蜜"条，"绍兴校定"云："云久服不饥不老，延年神仙，未见的验。"

（四）《绍兴本草》新添药

关于《绍兴本草》新添药，神谷本新添 6 条：

卷 1 新添有"炉甘石""锡蔺脂"2 条；

卷 12 新添有"豌豆""胡萝卜""香菜"3 条；

卷 13 新添有"银杏"1 条。

另外附的药也有 3 条：

卷 13 "砂糖"条附"糖霜"1 条；

卷 13 "藕实茎"条附"金缨草""荷叶"2 条。

《绍兴本草》所新添的药物，都在条文末注有"绍兴新添"标记。另外 3 条是附的，注有"附之"字样。由于神谷本是残缺本，所注 6 条"绍兴新添"，并不能代表《绍兴本草》新增药的总数。

为了研究方便，今将《绍兴本草》新添药的条文，摘录如下。

炉甘石　味辛，微寒，有毒。主眼睑眦赤烂、痒痛、多泪，消瘀肉，退翳晕。能制铜为鍮石，采无时。用之烧赤，以黄连水淬七遍，净地上去火毒一宿，次细研如粉，点目眦良。本草并不载此一种，今宜添入。生河东山谷，然江淮亦产，唯太原者佳。绍兴新添。

锡蔺脂　味甘，微咸，有小毒。镇坠风痰邪实，通利经络，消散癥结，诸方中颇用之。其形块大小不定，重紫黑色，表亦有如涂金，破之者有墙壁，产铅锡处皆有之，乃锡之矿也。入药当煅淬为用，本草不载，今宜添入。绍兴新添。

豌豆　味甘，平，无毒。调顺营卫，益中平气。其豆如梧桐子，小而圆。其花青红色，引蔓而生。四月五月熟，世之有以为酱者。南人呼为蚕豆，又呼为寒豆，处处种产之。亦可代粮，固非专起疾之物矣。经注皆不载，今附米谷部中品之末。绍兴新添。

胡萝卜　味甘，平，无毒。主下气，调利肠胃，乃世之常食菜品矣。然与芜菁相类，固非一种。处处产之。以本经不载，今当收附菜部。绍兴新添。

香菜　味辛，平，无毒。乃世之菜品矣。然合诸菜食之气香，辟胆。多食即使人口爽。又呼为茵陈蒿，处处种产之。以本经不载，今当收附菜部。绍兴新添。

银杏　世之果实。味苦、甘，平，无毒。唯炒或煮食之，生食戟人。诸处皆产，唯宜州形大者佳。七月八月采实暴干。以其色如银，形似小杏，故以名之。乃叶如鸭脚而又谓之鸭脚子。生采取皮上肉涂野黡，世用颇验。详本草不载，今附果部。绍兴新添。

以上6条，是《绍兴本草》新增的药。此外还有附录药3条文字，亦转录如下。

"砂糖"条附的"糖霜"。"绍兴校定"云："又糖霜一种，乃煎糖之精英也，然其性一矣。今经注不载，理当附之。"

"藕实茎"条附的"金缨草""荷叶"。"绍兴校定"云："花药一名金缨草，补益心神，及荷叶敛汗，诚有验。以《本经》不载，宜当附之。"

总之，《绍兴本草》是王继先等用《大观本草》进行校定的。他们不仅校勘《大观本草》文字上异同，而且对书中各方面内容亦进行校定。正如《绍兴本草序》所云："考名方五百余首，证舛错八千余字""物性寒热补泻，有毒无毒，或理之倒置，义之相反者，辨其指，务从至当。"

他们根据临床实际，辨别旧本中药物在当时是常用还是不常用，用于什么病，疗效如何。并据药物功效考订药物性味良毒，陈述药物各方面问题，含药物释名、性味、主治功用、药物性状、品质优劣、品种鉴别、药用部位、产地，附前代本草书对药物的评论等，并写成按语，冠以"绍兴校定"标记，置于各药物条文之末。

由于校定者有丰富的临床实践经验，所撰写的"绍兴校定"文，都切合临床实际应用。他们不迷信古人，不拘泥书本。对前人和书本中错误，均予以指出，并写在"绍兴校定"文中。所以《绍兴本草》所出注"绍兴校定"文，不仅有临床实用价值，而且有很好的文献价值，可以反映宋代用药实际情况。

但由于王继先是个佞臣，经过王继先挂名领衔后，《绍兴本草》校定也受到世人的歧视。南宋·陈振孙《直斋书录解题》即说："每药为数语，辨说浅俚，无高论。"这种提法，可能是因为王继先等人名声不好，从而他们所校的书也被贬低。其实在该书"绍兴校定"文中，所讲的都是药物中存在的实际问题，其内容不比寇宗奭《本草衍义》差。不论在药物生产供应方面，或在药物临床应用方面，《绍兴本草》所撰的"绍兴校定"文，都有它独特的价值。

八、《政和本草》

（一）《政和本草》考

文献上所讲的《政和本草》有二：一是宋政和六年（1116）曹孝忠据《大观本草》校刊的《政和新修经史证类备用本草》；二是元初张存惠据《政和新修经史证类备用本草》增附宋·寇宗奭《本草衍义》，校刊为《重修政和经史证类备用本草》。前者久佚，后者即今日流行的《政和本草》。

曹孝忠校刊的《政和本草》虽佚，但从文献上，仍可了解大致如下。

1. 校刊情况

政和六年（1116）曹孝忠校刊《政和本草》作序云："蜀人唐慎微，近以医术称，因本草旧经衍以《证类》，医方之外，旁摭经史至仙经道书，下逮百家之说，兼收并录……乃诏书使臣杨戬总工刊写，继又命臣校正……凡六十余万言，请目以《政和新修经史证类备用本草》云。政和六年九月日中卫大夫康州（今广东德庆）防御使句当龙德官总刊修建明堂所医药提举人内附有编类圣济经提举太医学臣曹孝忠谨序。"

曹孝忠校刊《政和本草》序中又说："谨奉明诏师官联朝夕讲究，删繁缉紊，务底厥理。诸有援引误谬，则断以经传；字画鄙俚，则正以字说；余或讹戾淆互，缮录之不当者，又复随笔刊正，无虑数千，遂完然为成书。"

2. 校刊内容

曹孝忠校刊《政和本草》，是以《大观本草》为底本。校刊的《政和本草》与《大观本草》有下列不同。

（1）在卷数上，《大观本草》原是32卷，其卷30为有名无用药，卷31为本经外草木类药。《政和本草》移卷31于卷30之前，合2卷为1卷。所以《政和本草》总卷数为30卷。

（2）在药物上，《大观本草》卷4无石蛇、黑羊石、白羊石；卷31无天仙藤。《政和本草》卷4有石蛇、黑羊石、白羊石；卷30有天仙藤。

（3）在附属文排列位置上，例如"补注所引书传"是《嘉祐本草》援引的书目提要，介绍十六家本草书义例。《大观本草》将此书目提要列在卷30"补注本草奏敕"之后。《政和本草》列在卷1序例上"臣禹锡等谨按徐之才《药对》孙思邈

《千金方》陈藏器《本草拾遗》"之后。

又如《大观本草》《政和本草》两书末均有"补注本草奏敕"和"图经本草奏敕"两个奏敕文。

在"补注本草奏敕"文末，《大观本草》有"重广补注图经神农本草卷第三十"14 字，而《政和本草》无此 14 字。

在"图经本草奏敕"全文开头，《政和本草》冠有"图经本草奏敕"6 字的标题，在全文末，附有"证类本草校勘官叙"，列举龚璧等 8 位校书人官衔名。而《大观本草》卷 31 末仅有《图经本草》奏敕的全文，但无"图经本草奏敕"6 字的标题，文末亦无"证类本草校勘官叙"。

《大观本草》《政和本草》两书类似这样的差异很多，此处从略。

3. 刊本情况

曹氏校刊《政和本草》刊本，久已亡佚。从文献上可以了解到其有以下几种刊本。

（1）最早是政和六年（1116）原刊本。北宋以后，北方为金人所占。金皇统三年（1143）该书刊过一次，可由金翰林学士宇文虚中为《政和本草》作的跋文得知。

（2）清·莫友芝《邵亭知见传本书目》卷 8 载有金泰和六年（1206）刊小字本。

（3）现存《政和本草》麻革信之序中提到"行于中州者，旧有解人庞底本，兵烟荡折之余，所存无几"。

在此序中提到解人庞本。

（4）年代不详的宋刊本。清《逊古堂藏书目》卷 4 载《政和本草》30 卷：系将《大观本草》第 31 卷移在第 30 卷之前，合并为 1 卷。清·王士钟《艺芸精舍宋元本书目》载《政和本草》30 卷，注云抄补。清·徐乾学《传是楼宋元本书目》载宋·唐慎微《证类本草》30 卷。这些刊本均佚。

《重修政和经史证类备用本草》，也即今日流行的《政和本草》，是元初张存惠据曹孝忠修订的《政和本草》，增加宋·寇宗奭《本草衍义》重修而成。由于张存惠刻书铺名"晦明轩"，所以张氏重修的《政和本草》，又称"晦明轩本"。

（二）影印《政和本草》版本考

商务印书馆影印的底本是据明成化本或其系列本，削去诸序跋翻刻而成的，非金泰和原刻本。《政和本草》存在两个系列本：以 1957 年人民卫生出版社影印的《政和本草》为代表的系列本和以成化本《政和本草》为代表的系列本。

1921—1929 年商务印书馆影印的《政和本草》号称"金泰和刊本"。在缩印本书首有个告白云："此为金刻善本，间有原版残损，墨印模糊之字，因医书重要，未敢取校他本，率加修补；其中残存字画，足以辨正明复本之伪者，能处皆是，读者勿以版印摩灭而少之。商务印书馆谨白。"从这个告白来看，商务印书馆影印的《政和本草》底本是金泰和刊本，但从该本所存在的具体问题来看，却不像金泰和刊本。

把现存各种版本《政和本草》进行比较，我们发现商务印书馆影印的《政和本草》（简称商务本）和明成化四年（1468）刊本（简称成化本）相比，除序跋缺少外，其余部分完全相同，而与 1957 年人民卫生出版社影印的《政和本草》（简称人卫本）不相同。兹将三书比较如下。

1. 版本每行字数的比较

在版本每行字数上，成化本和商务本每行大小字皆 23 字，人卫本每行大字 20字、小字 26 字。

成化本和商务本中流黄香的分条，石耆与紫加石的并条，白矾石与龙石膏的并条，山慈石与石濡的并条，都是改版时，在从 20 字转变成 23 字的过程中，由于抄旧本之人不识药物条文内容，误将某些药物分条或并条。其分条、并条都发生在相邻的两个药物之间。其前一个药物条文字数刚好是 20 或 40 字，正好是版本每行大字 20 字的倍数，故容易同相邻的后一药物搅在一起，从而出现分条或并条的现象。

在成化本中，分条或并条的例子是很多的。奇怪的是，凡成化本中出现的，在商务本中也同样存在，没有一个例外；而人卫本却不相同。

如成化本卷 7 页 26 "决明子"条引"图经曰"，其文末为："又有一种马蹄决明，叶如红豆，子形似马蹄故得此菉豆者，其石决明是蚌蛤类，当在虫兽部中。"商务本情况全同成化本。查人卫本在该文"此"与"菉"之间，尚有"名。又姜蒿子亦谓之草决明，未知孰为入药者，然今医家但用子如"26 字，刚好是人卫本的一行。成化本之所以脱漏此 26 字，是因为当其改版成每行 23 字时，抄底本之人漏了一行，也就是 26 个字。

2. 黑底白字标记的比较

人卫本对《本经》药及文献出处均刻成黑底白字；商务本及成化本脱漏黑底

白字标记很多，商务本脱漏的情况又与成化本完全相同。

如《政和本草》卷2序例下"诸病主治药"及"七情畏恶药"，在人卫本都有黑底白字标记，但商务本及成化本皆无此黑底白字标记。

成化本卷6页6"菖蒲"、卷6页50"龙胆"、卷6页55"白英"、卷16页4"麝香"、卷17页5"鹿茸"、卷30页44"姑获"等《本草经》药物，均无黑底白字标记，商务本此6味药亦无黑底白字标记，但人卫本此6味药有黑底白字标记。

3. 版面模糊痕迹的比较

成化本与商务本在某些版面上有裂缝，或夹杂大小不规则的污点，或有印字模糊不清等痕迹，这些痕迹所在版面位置及其形态大小以及字迹模糊不清程度，均相同。人卫本在相应的版面上均无此等现象。

如成化本卷6页29"茺蔚"条文中，"益"字等横断面中折开，形成裂纹状空白。商务本页152全部相同，人卫本页153无此裂纹状空白。

又如成化本卷6页52"细辛"条文中，在"动、除"等字横断面中折开，形成裂纹状空白。

4. 误字的比较

凡成化本出现的误字，在商务本亦同样出现，而人卫本无此等误字。

如成化本卷3页32"紫石英"条文中，有"长石为之便"之句，"便"为误字。商务本页87亦作"便"；而人卫本页98则为正字"使"。

又如成化本卷4页3"雄黄"条文中，有"疗自痛"之句，"自"为误字。商务本页95亦作"自"；人卫本页101则正为"目"字。

5. 某些字书写的比较

不同版本的《政和本草》，字的书写笔画也不相同。有的用简体字，有的用异体字，有的用近似的字，有的用不同的字；有的笔画增减，有的笔画变异。在这些变化中，成化本与商务本是一致的，而人卫本并不相同。

如"主五脏"的"脏"字，成化本和商务本全书中皆作"臓"，而人卫本作"藏"。

又如"补五脏"的"补"字，成化本和商务本皆作"補"（衣旁少一点），而人卫本兼作"補"。

6. 文字颠倒的比较

有些字的次序倒置，成化本与商务本是一致的，而人卫本不同。

如成化本卷 10 页 25 "钩吻" 条中的 "大有毒", 商务本页 261 同此, 人卫本页 252 作 "有大毒"。

7. "仁" 字的比较

人卫本 "果仁" 之 "仁" 皆作 "人", 而商务本的 "果仁" 之 "仁" 皆作 "仁"。按《说文解字注》段玉裁注, 本草中果仁之仁, 在成化以前皆作 "人", 自成化以后始改作 "仁"。商务本 "果仁" 之 "仁" 皆作 "仁", 说明商务本是成化以后的刊本, 而人卫本的底本则是成化以前的本子。

8. 结语

1921—1929 年商务印书馆影印的《政和本草》, 号称 "金泰和刊本"。通过对版本每半页行数、每行字数, 以及书中有关刻印等各方面问题的研究, 可以确定商务影印的底本是据明成化本或其系列本削去诸序跋翻刻而成的, 绝非金泰和原刻本。

通过对《政和本草》版本的讨论, 可以明确《政和本草》存在两类系列本: 一类是以 1957 年人民卫生出版社影印的《政和本草》为代表的系列本; 另一类是以成化本《政和本草》为代表的系列本。凡以成化本为底本复刻的本子, 均保留着成化本的特点, 如误字、标记脱漏、错简等。凡人卫本底本的翻刻本, 均保留该底本的特点。查《本草纲目》引用《政和本草》资料, 所存在的各种问题, 均与成化本一致, 这就揭示李时珍当年是以《证类本草》为底本, 所据的版本, 即属成化系列本。

九、《大全本草》

(一)《(重刊) 经史证类大全本草》

《(重刊) 经史证类大全本草》, 31 卷, 24 册, 明万历五年丁丑 (1577) 刻本。每半页 12 行, 行 23 字。高 25.1 厘米, 宽 16.4 厘米。目录题 "唐慎微纂"。卷内题 "春谷王秋捐货, 命男大献、大成同校录"。

有梅守德序、艾晟序、王大献后序。

梅守德序云: "王君秋者, 郡春谷人, 乃重命之锓局, 凡费金三百余而告成。万历丁丑 (1577) 岁春中月参知滇省在告前进士给事吏科督学东鲁宛陵梅守德撰。"

艾晟序于大观二年 (1108)。序后有 "大德壬寅孟春宗文书院刊行" 牌记。

王大献后序云："家君捐赀三百余，命之梓人，始于乙亥之冬（1575）至丁丑（1577）春告成。宛溪梅公叙其端。是编简帙浩繁，工费颇钜，前代皆以官帑充之，家君农圃余生，家无长物，乃能捐己利人。万历丁丑（1577）岁春中月春谷后学王大献序。"

此本题宣郡王大献尚医堂刊本，由王秋捐资刊刻。自称"万历丁丑（1577）春谷王秋翻刻元大德壬寅（1302）宗文书院刊本"，亦即竹坨云刊于宣城民家者所谓《大观本草》也。其实乃《政和本草》。

按 徐乃昌《南陵县志·懿行传》有王秋传，称之"性豪爽，有慧识，捐赀刻《大观本草》。"

杨守敬《日本访书志补》卷9跋《大观本草》云："明万历丁丑（1577），宣城王大献，始以成化重刻政和之本，依其家所藏宗文书院《大观本草》之篇题，合二本为一书。卷末有王大献后序，自记甚明。并去政和本诸序跋，独留大观艾晟序及宗文书院木记。按其名则大观，考其书则政和，无知妄作，莫此为甚。"丹波元胤《中国医籍考》页323云："明代俗刊，取大德题识，以冠魏卿之本，其妄亦甚。"《中医联合图书目录》页75著录此书。美国国会图书馆收藏有此书。

（二）明万历二十六年（1598）刊本

《持静斋藏书征要》卷5载《证类大全本草》30卷。宋·唐慎微撰，万历戊戌刻。从卷数上，似属《政和本草》。

（三）明万历二十八年（1600）刊本

31卷，24册，每半页12行，行23字，高24.8厘米，宽16.4厘米。目录题："唐慎微纂"。卷1首页第2行署"知南陵县事楚武昌后学朱朝望重梓"。第3行为"春谷义民王秋原刊"。第4行有"庠生王大献、引礼程文绣同校"。卷31末有木记有"万历庚子岁秋月重锲于籍山书院"。

有梅守德、朱朝望、艾晟、程文绣等人的序及王大献后序。

梅守德序于万历五年（1577）。

朱朝望序于万历二十八年（1600）。

艾晟序于大观二年（1108）。

程文绣序于万历二十八年（1600）。

王大献后序于万历五年（1577）。

此本是修补万历五年原板，改刻题衔重印。朱朝望序中说："陵民王秋，好义乐施予，竟输三百金，复梓行于世，余每于署暇，取梓本谛观，则见磨者十四，朽者十三，爰捐俸鸠工补葺，黜蠹纳新，属博雅引礼程生文绣董其役，阅月始告成。"

由此可见，此本是用 23 年前原板修补重印，并非重刊，所以书中行款全同王秋原刻。

《中医图书联合目录》页 75 著录，美国国会图书馆收藏。

（四）朝鲜活字本（内有艾晟序及大德壬寅孟春宗文书院刊行记）

《朝鲜医籍考》页 116 著录《重修政和经史证类备用本草》31 卷，25 册。疑是万历五年（1577）前后，据成化四年刊本而活字印行。框廓高 25.5 厘米，宽17.5 厘米，每半页 10 行，行 19 字。

页数：卷首序文 9；所出经史方书 5；目录 48；序例 108；正文 1374；卷末跋文 8；第 23 册首有"太医院印"。

第 1 册载商辂序、晦明轩记、麻革序、曹孝忠序、所出经史方书，艾晟序、大德壬寅孟春宗文书院刊行记（按艾晟序刊行记非晦明本所有）、目录。

第 2、3 册收载序例。

第 4~25 册为正文。

卷 30 末附载补注本草奏敕、图经本草奏敕、证类本草校勘官衔名、宇文虚中书后，又有大德丙午岁仲冬望日平水许宅印、成化四年岁次戊子冬十一月既望重刊、杨升督工、梅诩重校、刘肃重录、朱广同等木记。

又《东京帝室博物馆汉书目录》作《证类本草》明万历庚子重刊，10 册，朝鲜本。按，此本多"艾晟序、大德壬寅孟春宗文书院刊行记"，少刘祁跋。

《经籍访古志》卷 7、《聿修堂藏书目录》《跻寿馆医籍备考》《观海堂书目》青字号、《内阁文库图书第二部汉书目录》《元治增补御书籍目录》《静嘉堂文库图书分类目录》《岩濑文库图书目录》《杏雨书屋藏书目录》均有著录。

（五）明万历三十八年（1610）刊本

本书据万历二十八年（1600）本重刊，增加彭端吾、金励序，余同万历二十八年刊本。

全书 31 卷，前两卷为序例上下、衍义序例，第 3 卷以下列各药。

有大观二年艾晟序，又政和六年劄付寇宗奭，又嘉祐二年补注本草奏敕，又嘉祐三年图经本草奏敕，其艾序后有："大德壬寅孟春宗文书院刊行木记"；有"知南陵县事楚武昌朱朝望据元本重梓"；又有"春谷王秋损赀，命男大献、大成同校录"。卷末有木记云："万历庚子秋七月重锓于籍山书院"；又有彭端吾、金励、梅守德三序，王大献后序。

彭端吾序末署："时万历庚戌三十八年（1610）仲冬至日巡按真灿督理两淮盐课山西道监察御史彭端吾。"

金励序末署："万历庚戌（1610）岁一之日钦差整饬徽宁等处兵备副使箕城金励谨撰。"

《善本书室藏书志》卷16、《八千卷楼书目》卷10、《杏雨书屋藏书目录》均有著录。

又，《抱金楼藏书志》卷37著录《经史证类大观本草》31卷，注明复元大德本。但书中有彭端吾序、万历庚戌三十八年（1610）梅守德序，万历五年丁丑（1577）王大献序。每半页10行，行20字，小黑口，按《抱金楼藏书志》所云之《经史证类大观本草》，名为复元大德本，实据万历庚戌三十八年（1610）本重刊，易其名为《经史证类大观本草》。

（六）清顺治十三年（1656）刊本

31卷，10册，每半页12行，行23字，高23.9厘米，宽15.7厘米。顺治丙申（1656）重刊。

书名题："大全本草"。目录题"唐慎微纂"。卷1题"知南陵县事关东杨必达重梓""春谷义民王秋原刊""邑举人秦凤仪、许允成、何天俊，贡生刘笃生、刘弘基同校"。卷末木牌记为"顺治丁酉岁夏月重锓于籍山书院"，并有诸家序。

杨必达序于顺治十四年丁酉（1657）。

秦凤仪序于顺治十三年丙申（1656）。

彭端吾序于万历三十八年庚戌（1610）。

梅守德序于万历五年丁丑（1577）。

金励序于万历三十八年庚戌（1610）。

王大献后序于万历五年丁丑（1577）。

其中杨必达序云："陵邑旧有是刻。岁丙申（1656），修志之役竣事，因诸君子之余力与梓人之便，为蒐补其阙略而成之。"由此可知该本是据旧版修补而成，其卷内补版多为修志之役所刻。由于此刻本进行在修志之后，故徐乃昌《南陵县志》未及时载此本。

周中浮《郑堂读书记》卷 42 著录此本，题顺治丙申（1656）重刊。并云："至国朝顺治丙申重刊，竟改为大全本草，殊为杜撰。"《中医图书联合目录》页 75、《郑堂读书记》著录此本。美国国会图书馆亦收藏有此书。

十、《本草衍义》

（一）《本草衍义》考

1. 作者

《本草衍义》（下称《衍义》）为寇宗奭所著，寇氏为北宋末人，里贯不详。日本河田罴《静嘉堂秘籍志》卷 7 "本草衍义"条云："宗奭，莱公曾孙，著有《莱公勋烈》一卷，见《郡斋读书后志》。"莱公即寇准（961—1023），字平仲，华州下邽（今陕西渭南）人。则寇宗奭原籍应是陕西下邽。但《十万卷楼丛书》本所载陆心源《重刻本草衍义序》又云："宗奭里贯无考。"

另外本书曾 4 次提及西洛："堂自岷州（今甘肃西和）出塞，得生青木香，持归西洛（今山西寿阳西南）。"（"木香"条）"今入药绝少，西洛亦有之。"（"无患子"条）"西洛有万安山，山腹间有寺，尝两登是山。"（"玉泉"条）"如西洛潜溪绯是也。"（"牡丹"条）从这几处对西洛的记载，说明寇氏对西洛很熟悉，也许寇氏曾在西洛住过。

按 寇宗奭多旅居外地，从本书条文中，可知寇氏在下列地方任过职。"尝官陕西。"（"柏"条）"尝官永、耀（今陕西耀县）间。"（"白杨"条）"尝官于永、耀间。"（"菊花水"条）"向承乏吴山（今山西安邑）。"（"桑寄生"条）"尝于顺安军（今河北高阳县）"（"矾石"条）"尝于顺安军。"（"乌蛇"条）"嘉祐年过丰沛（今江苏徐州）。"（"榆皮"条）"尝官于澧县。"（"鸱丝"条）在《付寇宗奭札》中，说寇氏任过澧州（今湖南澧县）司户曹事之职，后来充当收买药材所辨验药材的职务。

2. 著作经过

作者鉴于当时掌禹锡等所撰《嘉祐本草》和苏颂《本草图经》两书的排列与释义还有疏误，故考诸家之说，并亲自搜求访缉，历十余年撰成《衍义》。其编纂方法悉依二经类例，分门条析，乃衍序例 3 卷，内有名未用及意义已尽者，更不编入。其《神农本草经》《名医别录》、唐本先附、开宝今附、嘉祐新补、新定之目，

355

缘《本经》（指《嘉祐本草》）已著目录内，更不再说，依旧作 20 卷及目录 1 卷，订名为《本草衍义》。

关于《衍义》排列，是按《嘉祐本草》目次编排的，本书卷 1 序例上云："今则编次成书，谨依二经类例，分门条析。"所谓二经，即指《嘉祐本草》和《本草图经》（本书卷 5 "花乳石"条所提《本经》《图经》，即指此二书而言）。从本书的序例，可了解到本书目次是根据《嘉祐本草》目次编排的。

但杨守敬《日本访书志》卷 9 "本草衍义"条云："此书通编药名次第，全与唐苏敬《新修本草》相符……寇氏盖以《证类本草》分门增药为非是，因就《新修本草》而作《衍义》也。" 1956 年商务印书馆重刊本书的"出版说明"云："本书的分部排列，都按唐《新修本草》。"这种说法，显与本书序例不合。

3. 成书时间

本书卷 1 序例上题有政和六年丙申（1116）岁记。又，本书的"劄付"亦记有政和六年十二月二十八日。故本书著成时间，当在 1116 年。

在"劄付"文中，有下列一段话："太医学状：承尚书省批送下提举荆湖北路常平等事刘亚夫状，承直郎澧州司户曹事寇宗奭撰成《本草衍义》二十卷，申尚书省投纳后，批送太医学看详。申尚书省，本学寻牒送众学官看详去后，今据博士李康等状：上件寇宗奭所献《本草衍义》，委是用心研究，意义可采。"

从这一段话中，可看出本书曾申请送审过。寇氏在澧州（今湖南澧县），申送尚书省（是中央机构，在京都开封），经过"太医学看详""送众学官看详"，这同今日大家审阅情况相同。这种审阅，亦是在政和六年（1116）进行的。

清·杨守敬《日本访书志》卷 9 "本草衍义"条云："政和六年，曹孝忠又奉命校刊慎微之书，何以寇氏一不议及。"要知《本草衍义》在政和六年才完成，曹孝忠奉命校刊慎微书时，寇氏书已送太医学审阅了，又如何议及呢？

4. 内容

本书分序例和药物两大部分。序例 3 卷，相当于总论部分；药物 17 卷，相当于各论部分。

序例分上中下 3 卷。序例上为卷 1，序例中为卷 2，序例下为卷 3。序例上论药物发展史及寇氏编写本书原因和经过，并阐述寇氏本人的医学思想。序例中是纠正前代本草书的错误，并揭示医家用药应注意的事项。序例下是介绍寇氏治病的经验。

兹将寇氏医学思想介绍如下。

（1）提倡防病为主。在本书序例中强调："不治已病，治未病"，主张"善服药，不若养保养"。

（2）治病先明八要。八要即虚、实、冷、热、邪、正、内、外。继乃望、闻、问、切。这与今日所言重视四诊八纲相同。

（3）提倡医德。序例指出为医者"宜博施救拨之意，不必戚戚沽名，龊龊求利"。

药物部分共17卷，载药470种，按玉石、草、木、兽禽、虫鱼、果、菜、米谷等分类。

其中有些药物，是并条论述。卷11白蔹、白及作1条叙述，谓二物多相须而行。又乌头、乌喙、天雄、附子、侧子并为1条论述。卷5铁矿、生铁、铁落、铁精、针砂、铁华粉、钢铁等亦并为1条。卷14枳壳、枳实并为1条。卷7苍术、白术并为1条。卷16发髲、乱发并为1条。卷8防风、黄芪并为1条。卷17蛞蝓、蜗牛并为1条。

有些药物，前后重复。例如水红子已见卷12，但卷19"蓼实"条下又附"水红"。前后文繁简虽异，但主要内容全同。

本书对各个药物论述，有点像笔记形式。主要是补充过去本草未备之言，因而涉及范围较广。对于药物产地、形态、采收、鉴别、炮制、制剂、性味、功效、主治、禁忌等各个方面，在不同药物中，作一二点论述之。并非对每一个药各个方面都有介绍，这是本书与过去正统本草论述不同之处。

兹将本书药物有关各个方面论述举例如下。

产地：甘草，"今出河东西界"。人参，"今之用者，皆河北……尽是高丽所出，率虚软味薄，不若潞州上党者味厚体实。"

形态：王瓜，"体如栝楼，其壳径寸。一种长二寸许，上微圆，下尖长，七八月间熟，红赤色，壳中子如螳螂头者，今人又谓之赤雹子。"

采收：赤箭，"八月采根晒干"。朴消，"是初采扫得，一煎而成。"

鉴别：牛黄，"亦有骆驼黄……为其形相乱也。黄牛黄轻松，自然微香，以此为异"。菊花，"近世有二十余种，唯单叶，花小而黄，绿叶色深小而薄，应候而开者，是也。"

炮制：苍术，"须米泔浸洗；再换泔，浸二日，去上粗皮"。地黄，"地黄……以细碎者洗出研取汁，将粗地黄蒸出曝干，投汁中，浸三二时，又曝，再蒸，如此再过为胜。"

制剂：巴戟天，"巴戟半两，糯米同炒，米微转色，不用米。大黄一两，剉、炒，同为末，熟蜜为丸。"犬胆，"黄狗脊骨一条，肉苁蓉、菟丝子、杜仲、肉桂、附子、鹿茸、干姜各一两，蛇床子、阳起石各半两。将前八味同杵，罗为末，次入阳起石，并狗脊末。用熟枣肉五两，酥一两，同和，再捣千余下，看硬软，丸如小豆大。"

性味：白术，"气味亦微辛，苦而不烈。"苍术，"气味辛列。"

功效：乌药，"和来气少，走泄多。"猪苓，"行水之功多。"没药，"通滞血。"厚朴，"平胃，散中。"

主治：桔梗，"治肺热气奔促，嗽逆，肺痈，排脓。"棕榈，"治妇人血露及吐血。"夏枯草，"治瘰疬、鼠漏。"

禁忌：椿木叶，"忌油腻、湿面、青菜、果子、甜物、鸡、猪、鱼腥等。"蠡鱼，"发故疾，亦须忌尔。"

其他：黄药，"治马心肺热有功。"榆皮，"将中间嫩处，剉、干、硙为粉，当歉岁，农将以代食。嘉祐年过丰、沛，人阙食，乡民多食此。"无石子，"今人合他药染髭。"柘木，"亦可旋为器，叶饲蚕曰柘蚕。"木槿，"湖南北人家多种植为篱障。"橡实，"木善为炭。"桦树皮，"湖南北甚多，然亦下材也，不堪为器用。嫩皮，取以缘栲栳与箕唇。"类似此例很多，仅言日用，无医药论述。

5. 流传

本书由寇宗奭侄子寇约在宣和元年（1119）刊刻，当时与《证类本草》分别流行。至金·张存惠将本书逐条附于《证类本草》之中，而单行本遂微。清初亦无刊本，所以《四库全书》亦未著录。到清末光绪三年（1877）归安（今浙江吴兴）陆心源，以所藏南宋麻沙本重梓，本书又得流传。宣统二年（1910）武昌柯逢时，用杨守敬从日本所获南宋本加以影印。书末附有庆元修板校勘衔名，称"江南西路转运官"，题"庆元乙卯（1195）秋八月癸丑识"。该本当为宋南渡后江西漕司所刻。

宋代有关书志，对本书的名称有两种记载。《通志·艺文略》《直斋书录解题》记为《本草衍义》。《郡斋读书后志》《文献通考》记为《本草广义》。柯逢时影刻《本草衍义》跋云："疑宣和所刊，当名广义，迨庆元时，避宁宗讳，乃改义为衍。"

6. 价值

（1）补充《嘉祐本草》药物内容之不足。

本书收罗药物，虽见录于《嘉祐本草》，但所记内容，都是《嘉祐本草》药物所无。如《嘉祐本草》新增药菩萨石、水银粉、玛瑙、石蛇、铅霜、古文钱、菊花水、浆水、蓬砂等药，本书均加以补充。

例如葫芦巴条，"《本经》云：'得蘹香子、桃仁，治膀胱气甚效。'尝合，唯桃仁麸炒各等分。"文中《本经》，是指《嘉祐本草》，因为葫芦巴是《嘉祐本草》新增的药。此条是寇氏把"本经云：'得蘹香子、桃仁'"加以说明，并详述具体配制操作。这对临床应用价值极大。因此金元时名医李东垣、朱丹溪等都很推崇本书。而且朱丹溪还有《衍义补遗》之作。

（2）纠正前人之误。

过去本草书"合药分剂"中，有"用桂一尺者，削去皮毕，重半两为正"。寇氏批评说："既言广而不言狭，如何使以半两为正？"

又如过去讲药性，只言四气五味，寇氏认为："凡称气者，即是香臭之气，其寒、热、温、凉，则是药之性。其序例中气字，恐后世误书，当改为性字，则于义方允。"

又如过去本草书序例，笼统只讲"一物一毒，服一丸如细麻子之例。"寇氏批评说："缘人气有虚实，年有老少，病有新久，药有多毒少毒，更有逐事斟事，不可举此为例。"

寇氏对封建礼教亦有批判，寇氏说："今豪足之家妇人，居奥室之中，处帏幔之内，复以帛蒙首臂，即不能望神色，又不能殚切脉。此医家之公患，世不能革。医者不免尽理质问，病家见所问繁，以为业医不精，往往得药不肯服。"

对于本草各条考订，寇氏不仅以书证书，还根据实际观察进行考订。像水味不因菊花而香，鼹鼠不能遗溺生子，玉泉为玉浆之伪，寇氏都以亲身体验，推翻前人传闻误说。

卷3"玉泉"条，寇氏怀疑玉泉能否治病，曾两次登西洛万安山，询问寺僧，确定玉泉并不能治病。卷16"鸤鸠"条，因陶弘景说："此鸟不卵生，口吐其雏。"寇氏云："尝官于澧州（今湖南澧县），公宇后有大树一株，其上有三四十巢，日夕观之，既能交合，兼有卵壳布地，岂得雏吐口中，是全未考寻，可见当日听之误言也。"卷6"石燕"条，苏颂《本草图经》说："或云生山洞中，因雷雨则飞出。"寇氏批评说："既无羽翼，焉能自石穴中飞出。"卷5"水银"条，寇氏对水银毒性申述极详，古代方士谓用水银能制成不死之药，其实服"不死之药"而受其毒致死者，不可胜计，寇氏力劝世人不可误服，并列举前世之人受其毒而致死者若干例。

（3）本书指出用药应注意的事项。

1）病有新、久、虚、实的不同，不能以一药而治众人之病。

2）用药必须择州土所宜者，则药力具，用之有据。如上党人参，川蜀当归，齐州半夏，华州细辛。

3）用药剂量宜足，不足则不效。例如理中丸，服鸡子黄大，则效；服杨梅许，则不效。

4）用药宜识病知脉，药宜对证，用量相当，如此才可应手而效。为医不审证求脉，孟浪乱投，便致危困，如此药杀人也。

7. 刊本

本书最早由寇宗奭侄寇约刊于宣和元年（1119）。此后本书多有与《证类本草》合刊行世者，其最早的刊本是南宋淳熙十二年（1185）江西转运司刻，附在《证类本草》书末。

此外在南宋嘉定中（1208—1224）刘信甫节编的《新编类要图注本草》42卷，以及元初平阳张存惠于1249年重刊《政和经史证类本草》时（改名为《重修政和经史证类备用本草》），均将《本草衍义》的内容分条附入其相应的药物项内。

十一、《新编类要图注本草》

本书为宋、元之际医家将《证类本草》的主要内容节要录出，与《本草衍义》合编而成。如宋代刊有《新编类要图经（注）本草》。元代刊有《类编图经集注衍义本草》42卷等，均题"许洪校正"。

由于书商多次翻刻和更改，使《新编类要图注本草》的书名很复杂。各种图书目录所记载的书名互不一致。但它们基本内容都是《证类本草》节录文加上《本草衍义》而成。在删节内容多寡和编排体例上互有出入，兹讨论如下。

本书有序例5卷，各论42卷。分部顺序与《大观本草》相同，唯卷数分析更细。药物品种及条文内容均未超出《大观本草》及《本草衍义》范围，但药物及药图数目有删减，条文也大加删节。故此书实为《大观本草》与《本草衍义》的合编删节本。被删去的药多数是所谓"余"药，其中又以"陈藏器余"的药物删除最多。

各药条文已打乱了《大观本草》原来的顺序，几乎重新编排。各药一般是按以下顺序记述：药图→大字药条正文（畏恶内容也多改用大字）→《图经》及诸家注说（每有删节，大部分单方被删除）→《本草衍义》条文。全书文字大大减少，但类例亦不清晰，并没有很好地达到"类要"的目的。

该书主要在南宋半壁江山流行，其特殊之处在于将《大观本草》与《本草衍义》合编。然由于"编纂无例，标注不明"，颇遭后世诟病。清·彭元瑞等认为该书编纂方式的失误，"盖当时局医所撰，未经秘省儒臣厘定也"。其实是否经局医之手，尚有疑问。

本书卷首原题"通直郎添差充收买药材所辨验药材官寇宗奭编撰，敕授太医助教差充行在和剂辨验药材官许洪校正"。目次之首又刻"桃溪儒医刘信甫校正"。

寇宗奭所著的《本草衍义》，是以《嘉祐本草》《图经本草》为主体加以订补而成。寇氏根本未参考过《大观本草》，因而说寇氏编撰了《新编类要图注本草》是没有根据的，该书题记语气，乃是书商做广告所用。

日本冈西为人认为："此书是以营利为目的的书贾削减《大观本草》、增入《本草衍义》而成的俗本。由于没有许洪、刘信甫的序跋，所以他们是否真正参与了此书的编撰还有疑问。"这一怀疑是有理由的。

该书与金·张存惠所刊《政和本草》的共同之处是将《本草衍义》条文散入《证类》。"然存惠之书，于《政和》原文，无所节略；信甫之书，则颇加芟汰，二书体裁自异"（日本丹波元胤《中国医籍考》卷11）。由于它编述不得法，故刊行次数不多。今所知刊本可分以下4种。

（1）《新编类要图注（注，一作经）本草》：南宋建安余彦国励贤堂刊。日本涩江全善、森立之《经籍访古志·补遗》著录有聿修堂藏本。日本冈西为人《本草概说》认为此本即金泽文库旧藏。

（2）《新编证类图注本草》：清·彭元瑞等《天禄琳琅书目·后编》著录"元刘信甫校正"字样。彭氏认为"此本衔内有行在字样，亦南渡后刻"。北京图书馆存元刻本残卷39卷；故宫博物院存元建阳坊刻本残卷（卷7~10，卷12~14）。

（3）《类编图经集注衍义本草》：《经籍访古志·补遗》著录，为聿修堂藏元刊本，并谓此即"《类要图注本草》而妄改书题目者"。日本丹波元胤云："又有元山医普明真济大师赐紫僧慧昌校正《类编图经集注衍义本草》，其卷数板式，一与信甫之书（即第一种刊本——尚注）相同"。经查中国中医科学院藏此刊本残帙2册（目录1卷，序例5卷），除题寇宗奭编、许洪校之外，增题"山医普明真济大师赐紫僧慧昌校正"。

（4）《图经衍义本草》：改入明正统《道藏·洞真部·灵图类》，乃明人所刻。今以上海涵芬楼及台湾艺文印书馆影印本流传较广，藏馆甚多。

以上4类刊本，从分卷及节取内容来看，实出同一祖本。《道藏》本《图经衍义本草》较宋元诸本节略尤多（艾晟序及嘉祐本草奏敕等亦删去），药名不分朱墨。此本舛错窜漏、混淆图名、改变图形之处甚众。因其流传较广，又改动得几失原貌，故近人或为之迷惑。如日本中尾万三将此认作"有图的《本草衍义》"（《绍兴校定本草解题》），张山雷其至说："然则《道藏》此本，即是寇氏《衍义》之真本"（《道藏》本寇宗奭《本草衍义》校勘记）。也有人认为其药图与《大观》《政和》并不相同。"当必另有来历"，怀疑和陈承的《重广本草图经》颇有些瓜葛。但从此书版本源流及明人刻书的俗弊来看，《图经衍义本草》并无可称道之处。如果说它的祖本《新编类要图注本草》只不过是书贾所为的俗本，那么明代的《图经衍义本草》则只能说是俗本中的劣本而已。

十二、《本草正经》

《本草正经》，宋·王炎（晦叔）辑。

王炎又名王晦叔，是宋代文人，著有《双溪文集》。

王氏所辑的《神农本草经》，名《本草正经》，全书3卷，明代陈氏《续书目》仍有著录，现仅有1序，存于《双溪文集》中。

其自序云："世莫古于上古，人莫圣于三皇，伏羲有《易》，神农有《本草》，黄帝有《素问》等书。医卜在后世为方技，是圣人济天下之仁术也。古书竹简火于秦，易以卜筮在，本草以方技存，其天乎？西汉去古未远，班固《艺文志》序医八百有一卷三十六家，独弃本草不录。淮南王安曰：'神农尝百草之滋味，一日遇七十毒，医道始兴。'楼护少诵医经本草方术数十万言。平帝元始五年举天下通医术本草者……时重本草如此，固何不录也？梁《七录》始载《神农本草》三卷……本草旧经三卷，药三百六十五种，梁陶弘景附《名医别录》亦三百六十五种，分为七卷。唐显庆中，苏恭增百十有四种。国朝（指宋朝）开宝中卢多逊重定，增百三十有三种。嘉祐中掌禹锡补注，附以新补八十有二种，新定十有七种，合一千八十有二种，分二十有一卷。新旧混并，经之本文遂晦，今撝旧辑为三卷……存古者，不忘其初也。"

十三、《履巉岩本草》

该书为地方本草图谱，由南宋画家王介所绘。王介，字圣与（一作圣予），号默庵。祖籍琅琊（今山东胶南）。工画，善作人物山水，风格略似马远、夏珪；亦能梅、兰。庆元（1195—1200）年间官太尉（见元·夏文彦《图绘宝鉴》）。宋·周密《志雅堂钞》云王介尝辑《对苑》（小幅花卉圆册）一书。并有多幅山水、梅兰录于画史（见《式古堂书画汇考》）。晚年于兹云（今杭州凤凰山）之西，取住地周围药草200余件，写生绘图，并收录单方，汇成一册，以山中有履巉岩堂，遂为书名，书首有序，题"嘉定庚辰孟夏望日琅琊默庵书"。嘉定庚辰为1220年，即该书成于1220年，比《本草品汇精要》彩图（1505年）要早285年。

全书分上中下3卷，每卷开头有药名目录，共收药206种，其中有曼陀罗、虎耳草、醉鱼儿草、山黄杨等22种是新增品。今本所存仅202种。以山地植物药为多。

每药有一彩图，共202幅图，先图后文。文字主要记载药物性味、功能、单方、别名等，无植物形态描述。全书约2万字，其内容或摘自《证类本草》，或采自民间经验。书中所载单方，曾为明·胡濙《卫生易简方》转录106条，所录药名、主治、用量、用法均与本书同，胡氏引述单方连贯而书，先后次序悉同本书，说明该书在明初尚有流传。

全书药图都是写生图。王介写生绘图的地点，在今浙江杭州。因该书中所收植物药俗名如千年润（万年青）、地蒜蓄、杜天麻（益母草）、笑靥儿草等俗名，均见于《咸淳临安志》。书中所绘人参苗，实即《本草从新》所说的"土人参，出江浙，俗名粉沙参（明堂参）。"书中所收药名及植物均产于浙江杭州地区。据此可知，王介绘图地方及活动地点，是在今日杭州地区。

根据该书序中有"慈云"地名，及书中收载的很多杭州地区土俗植物名，经查对《咸淳临安志》《乾道临安志》《全芳备祖》，确定王介所绘植物的地点即在今杭州凤凰山慈云岭一带。凤凰山和玉后山交界处有慈云洞，此与该书序中所云"老夫有山梯慈云"等语吻合。

杭州在南宋时称临安，是南宋的都城，而凤凰山为皇城郊外之地，也是皇帝大内禁苑所在，一般平民不可能辟亩百数，而王介任内官太尉，有机会在此居住，并辟亩百数，也有条件选可用的药草200余件，绘画成册，又收单方数条，编成此书。

王介和当时马远、夏珪都是名画家。马、夏绘画，爱截取局部以示全体。后人称之为"马一角""夏半边"，在描绘景致时，多作"一角""半边"之景。而王介所绘植物，也截取植株的一个部分，或一枝（如盐麸子、红花草），或一叶（如五叶藤、人参苗）以示植物全貌，对有突出特征的植株部分，亦按其比例大小绘之。

王介所绘的药图，从植物各个部分来看，截取叶子部分作画的最多，对叶缘、叶脉、叶背都有描绘。对花的描述与叶同，大精小略，描绘很精细（如牵牛花、山姜花），色彩层次分明。对果实描绘较少。对根一般都不画出。

王介所绘药图，数量虽少（仅200余种），但学术价值大。王介本人善画，所绘药图，全是写生彩图，不像苏颂《本草图经》所收药图虽多（933幅），但都是墨线图，有些药图是凭着想象绘的，而且"图与说异"者亦有。王介所绘的彩图，色彩绚丽夺目，线条流畅，气韵生动。赵燏黄曾赞美说："本图朱砂矿绿，历久如真；铁画银勾，古朴有力。宋以后之本草墨迹，以余所见，唯有明画家赵文淑所绘者可以并驾。"王介所写生的彩图，对原植物花、茎、叶的举例，十分考究，能正确反映出原植物特征，有利于原植物风貌的表现。因此该书药图，对原植物品种考证，有很高的学术价值。

由于王介是画家，不是医家，书中所用药名及撰定条文和所绘的药图，不一致的也有。如书中人参苗、辣母藤、杜天麻、瞿麦等条文和药名与药图不符，佛手根注出别名为高良姜，其药图是射干。决明子的条文是抄《证类本草》的草决明的主治，而药图又不是豆科植物。葛的条文注为野葛（有毒的钩吻别名），而绘的图乃是葛根植物图。这些名实不符的情况，可能是因为当时就存在药用植物名实不符的混乱情况。

《宋史·艺文志》未著录本书。今有明代摹绘的抄本（简称明本），存北京图书馆。书前有"嘉定庚辰琅琊默庵序"。全书3卷，一药一图，存202图，为明抄彩绘本。

新中国成立初期，赵燏黄请画家陶北溟据明本转绘（简称赵本），并附赵燏黄跋，及书商王文进注药，王文进有两个题识，赵燏黄有结论。赵本存于中国医史文献研究所，已有复制本流传。赵本各药图右上角未注图名，缺王婆奶图，并把枸杞子图与天茄儿图互相倒置，在细节上同明本相比，有40多幅药图存在差异，而且赵本有少数药图忽视鉴别特征，并有改绘原图的现象。

十四、《宝庆本草折衷》

该书为宋·陈衍所撰，初成于宝庆丁亥（1227），作者"笃志诠评"诸家本草，取其精华，故名《宝庆本草精华》。后来继续修订，到 1248 年成书，改名为《宝庆本草折衷》。

陈衍，字万卿，自号丹丘隐者，人称隐君、水翁，筼城先生。丹丘是地名，常用来泛指台州所辖诸县（黄岩、临海、宁海等）。南宋名士戴复古赠陈衍诗中小引有"（陈万卿）复古同里而未尝识面"之语。戴为黄岩人，陈氏与戴又同里，则陈氏当为浙江黄岩人。《台州经籍志》所载亦同。

从该书的跋题于淳祐八年（1248）及其书刊行于宝祐五年（1257）来看，陈氏生活时间，当在南宋光宗至理宗时期（1190—1264）。

陈氏习儒，"饱经史而能文，尤善乎神圣工巧之道"（邵国琏跋）；然人称其"于医通贯如许，及应人急，有酬之金币不愿也"（吴子良序）。当时名士如谢密斋、吴子良等均为之作序。

在本书"发题"中，陈衍简介本草发展后，认为"陈承、唐慎微、寇宗奭聚文申义，则其书赅博矣。然犹异同杂糅，泛切混淆。披检之际，遽难适从。是故缙云、张松、艾原甫之徒，芟削烦冗，纂集机要，则其书始简便焉。固尽美矣，而未尽善也。衍辄不揆分，笃志诠评。自宝庆以来，经唐慎微所述，参酌诸书所记，注于玉石、草、木、禽、兽、虫、鱼。凡古今所用，风土所宜，其味之甘味，其性之寒温，其补利之异能，其精确之殊等，皆折衷以列条品矣。若夫书不尽言，言不尽意者，必旁引遐索，增入新条及续说易异之也"。

陈氏经过遴选要药，权是订非。编成此书。初稿成于宝庆三年，原名《本草精华》，但因"家运蹇否"，无力刊行。在稿成未刊的 20 余年间，又广泛采访反复订正，直到淳祐八年（1248）才定稿，并改名为《本草折衷》，又冠以宝庆年号，以示"不忘其初"。复经数年节俭筹资，约在宝祐五年（1257）才将此书付梓。

本书原为 20 卷，现存元刻本计 8 册，仅残存 14 卷（卷 1~3，卷 10~20），缺 6 卷。卷 1~3，相当于总论。本书一反北宋以前本草堆积诸家序例的方法，而是"掇其序论之文，兼集诸家之善，各从其类，章别其旨，辑为序例萃英。仍摭余意，别为逢源纪略"。即按本草学的特点，专题荟萃诸家之精要，使序例更具有学术性，这已经十分接近现代药物学的总论编写形式，这在当时本草书的编写形式上，是一个很大的进步。

在"序例萃英"（卷1、2）下分11个专题，凡本草之道、业医之道、保养之道、辨药之论、制剂之法、服食禀受之法、解药食忌之法（以上卷1）、名异实同之说、名同实异之分（以上卷2）等，均有论及，内容多而不杂。此后又列"逢源纪略"1篇，分24项论用药大法。如治病当究其原，用药当审虚实，用药当通变。对其他各科诸病的辨证用药规律等，一一分条叙述，井然有秩。

其卷3为"名医传赞"和"释例外论"。前者记载医家11人，其中8人为宋代人；后者记述该书凡例的理由和资料来源。

卷4~20为各论，载药物789种（实存523种），大部分都是临床实用的药品。

全书药物分类及药排列顺序，是按《证类本草》药物目录排列的。按自然属性分玉、石、草、木、禽、兽、虫鱼、果、米谷、菜及外草、木蔓类。

每药于名称下编有白字序号（少数药还标出君、臣、佐、使）；然后是小字注，阐述别名、产地、采收、药用部分等内容。正文为性味主治功效。所录资料，多加权衡考核，避免莫衷一是的矛盾。所谓"味则参缙云之所集，而其性乃验隐居之所评，更权衡以仲景之方法，然后求其与主治之相合者，订为定论焉"（卷3）。正文所录《本经》文《别录》文未加朱、墨标记。对《本经》《别录》以后诸家精要之说，也录为大字正文。兼论炮制、形态、鉴别及应用。资料多取自前人，且标明出处，内容简捷，并附以"续说"，即陈氏自己见解和增补资料。由于本书卷4~9（玉石、草部上与中）残缺，仅存卷10~20，所以"续说"亦仅存209条，实际当不止此数。

对《本草图经》附论的药，单独拨出，另立为条，附于当药之后，冠以"新分"2字；增加《证类本草》未收之药，冠以"新增"。在该书现存923味药中，新分53种，新增13种。由于残缺玉石、草部上品及中品，难知新增总数。

新增药有：草乌头、佛耳草、沥青、柏枝、丁香皮、紫梢花、鹿角霜、鹿茸、蛤粉、草果、隔年莲蓬、青皮、罂粟壳等。

新分药有：地骨皮、枸杞子、柏叶、赤茯苓、茯神、桑叶、桑耳、五木耳、漆竹叶、诸竹笋、麒麟竭等。

卷20之末，附有《诸家著述年辰》，为书目解题性质，共载本草书名21种。计有《开宝新详定本草》《开宝重定本草》《嘉祐补注神农本草》《本草图经》《重广补注神农本草并图经》《大观经史证类备急本草》《本草衍义》《缙云纂类本草》《本草注节文》《本草节要》《本草备要》《本草集议》《药性辨疑》，此外《增注和剂局方》中《本草笺要》《和剂局方》二编，其前皆附本草之节，《大衍方》首附

《本草要略》，《十便良方》首附《本草要略》，《易简方论》首附《本草要略》，《活人事证方》首附《本草要略》，《医学指南》中分证附《本草要略》，《眼科龙木论》尾附《本草要略》等。

以上 21 种，有 7 种是南宋的节要本草，均亡佚。此等亡佚的本草，均赖陈衍书得以知其大概，为研究南宋本草的发展提供了丰富的资料。因广收诸药，又注明出处，故从陈氏书中，可看到被引征的南宋人名有艾原甫、张松、陈日行、许洪、王梦龙、刘信甫、吴珽、陈晔、徐兆、李知先、姚者寅、杨邦光、许叔微、陈言等。陈氏把他们用药的经验收入书中，故本书能反映宋代，尤其南宋药物学的成就和本草学发展的趋势。

该书吸取了本草书发展的历史经验教训，所以编写取材颇为得体，具有很多的优点，可称为南宋本草著作之佳本。

书中各药所附"续说云"（共 209 条）的文字，都是陈氏个人见解的发挥。对药物论述颇详，是其特色。如"此薄荷并前之假苏、小苏、香薷及草部中之石香薷，凡五物也，味皆辛而性皆凉。历观古今医方，以此五物为理风解热毒之用，则性之凉必矣"。此等药，旧本皆云温，极少言凉。陈氏从疗效上论其性凉，可信。本书对药品鉴别，也有论述。书前列举了数十条名实异同之例。陈衍本人也具有丰富的辨药经验。他首次将"紫钟"和"麒麟竭"分作 2 条，又指出"以紫草茸以胶物，贯以木枝，伪此为钟"的现象。书中多次揭示了药品作伪情况（如花梨木充降真香、海柏伪作沉香、鸭跖草假冒淡竹叶等）。

我国医药化学的重大成就——从人尿中制取秋石（纯净的性激素结晶），在北宋已有明确记载。但作为一味药正式载入本草，则首见于该书。陈衍还最早在本草书中记载了樟脑的产地、来源、性味、功用等，并引述了《纂类本草》中以猪胆合为牛黄的文字等。

该书对用药方面也很重视。除了卷 2 "逢源纪略"中类集用药原则外，各论在药物性能及其理论解释方面，均较前人大大前进了一步。薄荷性凉，是由陈衍最早提出来的。有关药物的归经入脏的记载也零散可见。陈衍个人用药经验也有所反映，如谓："欲以疗寸白诸虫，唯新摘生榷则可，经火则无力，止堪供果筵耳。"

《宝庆本草折衷》是南宋最有代表性的节要性本草。内容丰富，体例严谨，切合实用。当然，该书也有它美中不足之处。在"撒图像例"中，陈衍仅据有些药图失于泛滥，就不录药图，未免因噎废食。

该书约在宋末刊行。元代曾在浙江一带流传（见《九灵山房集》）。明代《永乐大典》转引了该书条文，《文渊阁书目》著录《宝庆本草》，云"一部一册完全"。《箓竹堂书目》记作 6 册。今均未见。《内阁藏书目录》著录《宝庆本草折衷》，云"五册不全"。国内未见此残本。今北京图书馆藏该书元刻本（亦可能是宋本），计 8 册，残留 14 卷。

十五、《纂类本草》

原书佚，著者佚名，撰年不详。南宋·陈衍《宝庆本草折衷·诸贤著述年辰》有解题："《（缙云）纂类本草》：乾道（1165—1173）中有'缙云先生'，不著姓氏，取《本草》药物削冗举要，混合经注，各条以'名、体、性、用'四字而类之。依嘉祐之本，编排部品，中间以一种药析为二条、为三条者多矣。外各立条例，以记名字之节重，德味之单复，及炮炙反恶、升合分两，诸说冠之卷首。此书约而易守，炳而易见，真得论述之法。鹤溪道人为序。序谓'鹤溪俾犹子编括'。按《三因方》鹤溪乃陈言无择之道号，即其所居地名也，属缙云郡（今浙江缙云），故题此书曰'缙云'焉。"

陈衍称编者为缙云先生，不知姓名。但南宋著名医家陈言为此书作序，并称编者是"鹤溪俾犹子"，那么不管如何理解"俾犹子"三字的含义如何，至少陈言熟知此书此人是可以肯定的。

据陈言著《三因方》的时代（约 1131—1174）和陈言的籍贯，可知陈氏与《纂类本草》的作者为同里。陈氏作序而不言此书编者姓氏，有可能他本人就是作者。"鹤溪俾犹子"也可能是他的道号。

陈言在《三因方》中表述的学术见解与《纂类本草》是一致的。这体现在经"名体性用"四字为目，分项提要解说药物方面。如《三因方·五科凡例》说："凡古书所诠，不出脉、病、证、治四科，而撰述家有不知此，多致显晦，文义重复。要当以四字类明之。四字者，即名、体、性、用也……如治：药'桂'则为名，出处形色为体，德味备缺为性，汗下补吐为用。以此推之，读脉经、看病源、推方证、节本草，皆用此法，无余蕴矣。"可见，以"名体性用"来"节本草"，是陈言的创见。《纂类本草》卷首的"德味""炮炙反恶""升合分两"等内容，亦可见于《三因方》。结合陈言序中"鹤溪（陈言居地）俾犹子"一说，似乎表明他很可能是该书的实际编纂者。

《纂类本草》一反北宋主流本草层层加注的传统著书方式，将前人本草"削冗举要，混合经注"，抓住药名、产地形态、性味、用法四项，提纲挈领，是本草编撰方式的重大进步。此后明代《本草品汇精要》《本草纲目》等都采用了分项解说的形式。《纂类本草》实为其首创。

在总论撰述方面，该书废去罗列序例的形式，"各立条例"，在卷首集中介绍药名、性味、炮制、剂量。该书在本草书编纂方式上的重大改革，被陈衍推崇备至，陈衍赞其"约而易守，炳而易见，真得论述之法"。

此外，该书在北宋初虞世《养生必用方》基础上，立"名义条例"1篇，罗列名异实同、名同实异的药物，后陈衍又在此基础上予以扩充，由于《纂类本草》"凡经注所记性味……皆集而不遗"，故陈衍以此作为考订药性的重要参考书。

该书依据的底本是《嘉祐本草》，而非《证类本草》，因而今存于《宝庆本草折衷》的众多佚文亦可供校勘北宋以前的本草书之用。

第十五章　金元本草要籍考

一、《洁古珍珠囊》

张元素，字洁古。金代易州（今河北易县）人。人称易水先生。生活于 12 世纪。倡言"运气不齐，古今异轨，古方新病不相能也"，自成一家，对药性理论的贡献甚大。名医李东垣即其弟子。《洁古珍珠囊》，简称《珍珠囊》，成书年代不明，暂附系于公元 1200 年。该书明代《医要集览》本内容依次如下。

药象阴阳：将时、卦、季节、用药集于一图。

诸品药性阴阳论：多本于《素问·阴阳应象大论》，略加发挥，如"清阳发腠理，浊阴走五脏。清中清者荣养于神，浊中浊者坚强骨髓"等。

药性升降浮沉补泻法：依次列诸经性味补泻。如"足厥阴肝、足少阳胆：味辛补酸泻，气温补凉泻"等。

其下列：诸脏五欲、诸脏五苦、五臭凑五脏例、五行五色五味五走五脏主禁例、手足三阴三阳表里引经主治例、诸药泻诸经之火邪、诸药相反例、五脏补泻主治例（出《素问·脏气法时论》），用药凡例。

此后是"诸品药性主治指掌"，共载药 90 味。每药简述性味、良毒、升降、阴阳、功效等。如："羌活：味苦甘平，微温，无毒。升也，阴中之阳也。其用有五：散肌表八风之邪，利周身百节之痛，排巨阳肉腐之疽，除新旧风湿之证。乃手足太阳、表里引经药也。"

最末"用药法象"则简列天地阴阳与人身相应的关系。

张元素将《内经》中的有关气味阴阳厚薄的理论原则和具体药物结合起来，进而将药物的性、味、臭、色等与脏腑相联系；按十二经络归类诸药性，将归经学说首次系统化、具体化。除凭据药物性味以外，又将升降、浮沉（药物作用趋势）、补泻（性能）、阴阳（药性总括并分层次）等概念用于各药，作为药物的基本性能。使中医药性理论比过去的性味臭色更为丰富，更有利于细致地辨析药性。

李时珍对张元素《洁古珍珠囊》推崇备至，认为张氏"辨药性之气味阴阳厚薄、升降浮沉补泻，六气十二经，及随证用药之法，立为主治秘诀，心法要旨，谓之《珍珠囊》。大扬医理，《灵》《素》之下，一人而已。后人翻为韵语，以便记诵，谓之《东垣珍珠囊》，谬矣。惜异乎止论百品，未及遍评。"李时珍在《本草纲目》序例中，大量引录张元素之说，并受其启示，进一步将《素问》中的药学理论原则引入本草书中。明、清许多本草书的总论中，都要引述该书的内容，可见该书影响甚大。元·王好古《汤液本草》中亦摘引了该书的部分条文，以"珍曰"为标记。

张元素的药学论说还可见于《医学启源》等书中。《珍珠囊》只是其中之一。今存以《珍珠囊》单独书名的刊本可见于元·杜思敬《济生拔粹》，名《洁古珍珠囊》。经查与本条所述迥然不同，非李时珍所见者。明刊《医要集览》所载，系与《药性赋》合刊，各用本名。明代出现多种合编类纂的同类本草书，如《珍珠囊药性赋》《珍珠囊指掌补遗药性赋》等，常节编此书的内容，甚至总题全书为金·张元素撰，实误。

总之，张元素以《素问·脏气法时论》等内容，阐发药物与脏腑经络之间关系，完善药物归经、引经体系，确立药物阴阳升降浮沉补泻理论。将人体法象与药物法象相结合。在"诸品药性主治"所述 90 味药物中，应用其理论简释各药物作用机制，总结归类药性理论。

本书有以下两种本子。

《珍珠囊》，存于元·杜思敬《济生拔粹》中，与《医要集览》所载《珍珠囊》截然不同。该本载药 113 味，各药首出药名，次列君臣佐使、归经、用药、疮毒用药法、制药、煎药、服药等，不立名目，杂乱无序，内容极简。书中各药体例及内容也与《集览》本不同，例如："黄芪"，《拔粹》本为："黄芪甘纯阳，益胃气，去肌热，止自汗，诸痈用之。与鳖甲相反。"《集览》本记作："黄芪味甘，气温、无毒。阳也。其用有四：温分肉而实腠理，益元气而补三焦，内托阴证之疮痄，外固表虚之盗汗。"余皆类此。此书后罗列君、臣、佐、使诸药名，又述十二经引经药及诸证宜用之药，对炮制、煎药、服药法亦予简述。卷首题书名为《洁古老人珍珠囊》，书口简作《珍珠囊》。《济生拔粹》今有 1938 年涵芬楼影印元延祐二年（1315）本，各地多藏。

珍珠囊刊本，可见于明嘉靖万卷楼抄本。

二、《药类法象》

李杲（1180—1251），字明之。世居真定（今河北正定），真定汉初为东垣国，故晚号东垣老人，后世多称李东垣。早年习儒，以母病为医误而死，遂挟重金从张元素学医，数年后尽传其学。倡脾胃学说，为补土派创始人，金元四大家之一，著述甚丰。

李时珍云："《用药法象》，书凡一卷……祖《洁古珍珠囊》，增以用药凡例、诸经向导、纲要活法，著为此书。"《中国医籍考》引砚坚《试效方·序》，作《药象论》。

《汤液本草》引用了李东垣《药类法象》和《用药心法》两篇，而李时珍将此二文作为一书（《药类法象》）著录，这是不太合适的。为了更好地集中介绍李杲药学思想，今将此二书分列介绍。

《药类法象》原书成书年代不明，今附于 1251 年。

《药类法象》主要内容如下。①用药法象：介绍天地阴阳、气味厚薄清油等内容；②药性要旨：药味与升降关系，附"气味厚薄寒热阴阳升降图"；③升降者天地之气交：气味厚薄阴阳与升降之关系；④用药升降浮沉补泻法：分脏腑归类气味补泻关系；⑤药类法象：按风升生、热浮长、湿化成、燥降收、寒沉藏五类，列药百味，各注性味；⑥标本阴阳论：论用药分标本；⑦五方之正气味。

《汤液本草》中、下卷也引用此书的内容，文中"象云"即代表《药类法象》，例如："防风，象云：治风通用，泻肺实，散头目中滞气，除上焦风邪之仙药也。误服，泻人上焦元气。去芦并钗股用。"

李时珍《本草纲目》序例亦转引此书。其他明代本草书也多有引录。

此书的内容比张元素《珍珠囊》更广泛系统，分各专题提出纲领性观点，简洁明了，通俗易懂，给后世用药产生了很深远的影响。

三、《用药心法》

《用药心法》的主要内容如下。①随证治病药品：按症选常用药，"如顶巅痛，须用藁本，去川芎……"等；②用药凡例：据证立法，组合君佐之药，如："凡水泻，以茯苓、白术为君，芍药甘草为佐"等；③引经报使：列各经引经报药，附歌诀（七言）七联，列各经向导 12 幅；④制方之法：本《素问》，议组成方剂之大法；⑤用药各定分两：君多、臣少、佐次之；⑥用药酒洗暴干：叙炮制对药性影响；⑦用药根梢身例：用述类象形的方法区分药物不同药用部位的功效；⑧用丸散药例：不同剂型的用法及理论；⑨升合分两：考正度量衡；⑩君臣佐使法：提出"主病者为君"的药例；⑪治法纲要：阐述《素问》治法大要；⑫药味专精：举病例说明新陈用药之意义；⑬汤药煎造：煎药法；⑭古人服药活法；⑮古人服药有法；⑯察病轻重。

具体药物论述，其中部分内容存《汤液本草》，引作"心云"，如"麻黄，心云：阳明经药。去表上之寒邪，甘热。去节，解少阴寒，散表寒，发浮热也"。

四、《至元增修本草》

许国祯，字进之，山西曲沃人。博通经史，尤精医学。后归附元世祖，尤得宠幸。明·王圻《续文献通考》载："世祖至元二十一年（1284），命翰林承旨撒里蛮，翰林集贤大学士许国祯，集诸路医学教授增修。"至元二十五年（1288）"太医院新编《本草》成"（《元史·世祖本纪》），此《本草》，即指《至元增修本草》。此为元代唯一的药典性本草，今佚。据文献记载，此次编修也组织了地方上的医学教授参加。兹举例如下。

姚燧《牧庵文集》卷 29 云："南京路医学教授李君墓志铭"，载："君姓李，讳纲……中统元年（1260），制授南京路医学教授，至元二十一年（1284）改襄阳医学教授，寻诏尚医。'今以《本草》中土物苴遗缺多，又略无四方之药，宜遍征天下医师夙学多闻者，议版增人'。"苏天爵《滋溪文稿》卷 20 云："资善大夫太医院使韩公行状"，载："初，世祖（忽必烈）以《本草》未完成书，命证天下良医为书补之。公承命住，以罗天益等二十人应诏。"

五、《本草歌括》

胡仕可，元代医家，字可丹，宜丰（今属江西）人，执教于瑞阳（今江西高安）。胡氏谓医家应读本草书，而原有本草书过繁，不便检阅，遂择常用药按韵编类歌括。

《本草纲目》中简介该书："元瑞州路医学教授胡仕可，取本草药性、图形作歌，以利童蒙者。"《中国医籍考》存该书自序，署名为"宜丰可丹仕可"。

日本冈西为人《本草概说》云："自序于元贞元年（1295）成书，可见是后世续出的药性歌之端绪。"今上海市图书馆存《新刊校论大字本草歌括》，又名《图经节要补增本草歌括》，系经明·熊宗立补增之本，今可见草部原编 153 种，熊氏补增 26 种；木部原编 64 种，熊氏补增 14 种。每药附一图，系取自《证类本草》。小字注以性味、产地、形态、别名等。大字书写七言歌括一首，叙药物功能主治。此本虽经补增，然依旧可见原貌。另上海市图书馆还藏有 1 种《图经节要补增本草歌括》，内容相似，而分卷更细（8 卷）。《医藏书目》作 2 卷，《国史经籍志》作 8 卷，可见各本底本卷数不同。

六、《汤液本草》

本书为王好古所撰。王好古，字进之，号海藏，赵州（今河北赵县）人。作者以汤液（经方）、本草为医家之正宗，其书乃以药物为正条，兼论汤方配合用药方法，故名书为《汤液本草》。

关于《汤液本草》成书年代，有争论。因该书有自序 3 篇，末署戊戌、丙午、戊申三种干支纪年，在考证其相当于公元年代方面存在两种意见：一种据王好古之师李东垣卒于蒙哥宪宗一年（1251）及王好古的《阴证略例》有麻革信之序等，推定戊戌、丙午、戊申为公元 1238、1246、1248 年；另一种意见据王好古的《此事难知》有至大改元序（1308）及《汤液本草·药味专精》提到有至元庚辰（1280）病案等理由，认为《汤液本草》三序当为公元 1298、1306、1308 年。两种意见相差一甲子（60 年），一般以前者意见为正。

该书上卷首列"五脏苦欲补泻药味""脏腑泻火药"两节。此后分成三部分内容。

（1）东垣先生《药类法象》（见前条）。

（2）东垣先生《用药心法》（见前条）。

（3）海藏老人《汤液本草》，分五宜、五伤、五走、服药宜慎、论药所生、天地生物有厚薄堪用不堪用、气味生成流布、七方、十剂。

卷中分为草、木、果、菜、米谷、玉石、禽、兽八部。计药 228 味。

王好古曰："本草云：一物主十病，取其偏长为本。又当取《洁古珍珠囊》类例为准则。其中药之所主，不必多言，只一两句，多则不过三四句。非务简也，亦取其所主之偏长，故不为多也。"本此精神，该书论药亦比较简单。

在药学理论上，王好古个人发明很少，只是汇集了金元诸大家的理论，这些理论又分别从《内经》中寻求依据。书中对五运主岁、六化分治五味、五色所生、五脏所宜等，列表以明其相互关系，并进而推演司岁备物、药味专精、气味生成流布等。

各论的体例为：药名，气、味、良毒、归经，引述诸家药论。注明"象云"者，出自《药类法象》；"心云者"，出自《用药心法》；"珍云"来自《珍珠囊》；"液云""海藏云"则为作者自述。此外还引有《证类本草》有关用药的内容。《四库全书提要》认为："好古受业于洁古，而讲肄于东垣，故于二家用药，尤多征引焉。"条文内容主要是介绍功效、主治、用药法、畏恶、炮制等，与临床用药密切相关。

王好古个人的解说主要是谈药理生成及用药要点。如丁香条："液云：与五味子、广茂同用，亦治奔豚之气。能润肺，能补胃，大能疗肾。"有时也讨论药物炮制。

该书虽节引《证类本草》若干条文，但在整体上并没有受《证类本草》束缚。《四库全书提要》评曰："《本经》所云主治，抑或古今性异，不尽可从。如黄连，今唯用清火解毒，而《经》云'厚肠胃'，医家有敢遵之者哉。好古此书所列，皆以名医经验而来，虽为数无多，而条例分明，简而有要，亦可适于实用之书矣。"

《联目》载浙江图书馆藏元至元元年（1335）刊本。北京图书馆等处藏明嘉靖间梅南书屋刊本（《东垣十书》之一），另该书在明末被收入《古今医统正脉全书》，清《四库全书》收有该书（抄本），此外，还有清乾隆四十七年（1782）江阴朱文震校刊本、光绪七年（1881）广州云林阁刻本、肇经堂刻本（1908）、日本抄本及刻本等多种版本，近代以来又有多种石印本及铅印本，流传甚广。

七、《本草元命苞》

尚从善为元代医家。因苦于本草书冗繁，乃从唐慎微《证类本草》删节常用药 468 种，简述各药性味、主治功用、配伍、产地、采收、形态等内容，并掺杂其本人见解。于元至顺二年（1331）成书，分为 9 卷。原书佚，清·黄丕烈曾抄录过。黄氏旧抄本亦残，仅存序及卷 5～9。

本书刊本有：清光绪十四年戊子（1888）据清嘉庆二年丁巳（1797）黄丕烈抄本影抄等。

八、《本草衍义补遗》

朱震亨（1281—1358），字彦修，义乌（今属浙江）人，居于丹溪之畔，学者称其为丹溪先生。早岁从许谦习理学，因母病去而学医。先后四处访师，后受业于罗知悌之门，得传刘完素、张元素、李东垣之学。深研医学经典，创滋阴降火之说，谓"阳常有余，阴常不足"，为金元四大家中滋阴派创始人。

《丹溪心法附余》凡例云："《丹溪本草衍义补遗》虽另成一书，然陕板、蜀板、闽板《丹溪心法》咸载之。程用光重订《丹溪心法》，而徽板乃削去之，反不美。今仍取载书首，使人得见丹溪用药之旨也。"今此本卷首题"休宁东山古菴方广约之类集"，是书经方广编次，余无说明。姑将其成书年附于朱丹溪卒年（1358）之后。

该书不分卷。载药153种。各药叙说无定式，针对《本草衍义》而言的地方较多，似为研习《本草衍义》写下的一种笔记形式的药书。诸药内容或详或简，或仅数字言其主治，或详论药理及药材鉴别。如"石膏"条，先归纳药品命名，多以色、气、质、味、能为依据，由此引出鉴别石膏与方解石的证据。

丹溪论药，除仍借助寻常性味外，尤其重视各药的阴阳及五行属性，并以此推演药理。如"鲫鱼：诸鱼皆属火，唯鲫鱼属土，故能入阳明而有调胃实肠之功"等。归经、升降浮沉虽偶或提及，但不占显要位置。因此，判断药物阴阳、五行属性，是朱丹溪论药的特点。

书中指出了《本草衍义》的少数欠缺之处（见犬肉、鸡、大黄、饴等条），介绍了若干药物的使用要点与宜忌，尤其反对服食金石之品。然该书药仅百余，字不上一万，虽然在元代可算得上是一种有特点的本草，但毕竟内容单薄。有些药物的品种记载也有错误。朱氏精于理学，释药也常寓以理学之法，不无穿凿曲解之处。故李时珍评曰："此书盖因寇氏《衍义》之义而推衍之，近二百种，多所发明。但兰草之为兰花，胡粉之为锡粉，未免泥于旧说。而以诸药分属五行，失之牵强耳。"

另各药正文中或以"〇"号隔开，分成两部分，后一部分多引用前人资料，或对丹溪药论予以评述。如菊花条有"丹溪所言苦者勿用语……"；薏苡条有"丹溪先生详矣"等言，据此，〇号以后的内容非朱丹溪所出，乃后人增附。是不是方广，抑或是丹溪弟子所补，尚无可考。

该书原有单行本，今或附于《丹溪心法》《丹溪心法附余》之中。北京大学藏万历二十九年闽书林刘氏乔山堂本《丹溪心法》、中国中医科学院藏1751年大文堂本《丹溪心法附余》（前有嘉靖十五年贾咏序）。浙江图书馆藏明嘉靖十五年（1536）刻本。

九、《本草发挥》

《本草发挥》4 卷，元·徐彦纯辑，约成于 1368 年。

徐彦纯（？—1384），字用诚。元末明初会稽（今浙江绍兴）人，客居苏州。本书载药 270 种。分部同《证类本草》，按自然属性分为玉石、草、木、人、兽、禽、虫鱼、果、菜等。其卷 4 为总论，列述药性理论、有关药物气味厚薄等内容。各药下简介性味功用，引录金元诸家论说。该书卷 1 各药多先引药物性味功用，再引述前代文献。卷 2、卷 3 各药多单纯引述前代文献。所引文献多从临床实用出发。对常用药如人参、甘草、生姜、桂、柴胡、大黄、牵牛子、附子、石膏等药，援引前代文献较多。对一些服食有害药物警告论述，亦加以引述。如朱丹溪对"石钟乳"久服有害论，即予以转录："石钟乳为慓悍之剂，自唐时太平日久，膏粱之家，惑于方士长生之说，以药故石体重气厚，可以延年，习以成俗，迨宋及今，犹未已也，斯民何辜受此气悍之祸，哀哉！本草赞其久服有延年之功，而柳子厚从而述其美，予不得不深言之。"

在前 3 卷中，几乎全是转录前人资料，徐氏本人见解极少，书名虽称"发挥"，但在药物方面并无发挥。所以，李时珍评曰："取张洁古、李东垣、王海藏、朱丹溪、成无己数家之说，合成一书尔，别无增益。"

第 4 卷是集前代名医用药总论，主要论述药性。徐氏根据《内经》理论，在药性方面作了一些发挥。其中有关药物气味厚薄、归经、制方用药等发挥较多。

在"随证治病药品"中，介绍常见症状的一般用药。如"头痛须川芎，如不愈，加引经药：太阳川芎，阳明白芷，少阳柴胡，太阴苍术，少阴细辛，厥阴吴茱萸；头顶痛用藁本去川芎；肢节痛用羌活"。

在"咬咀"中，指出：当归拈痛，重用羌活以治遍身痛；重用天麻、半夏以治风痰头痛。

该书刊本，今存有明天启间聚锦堂刻本，藏浙江图书馆。又有明太医薛铠（良武）订，其子薛辛甫所校刻（见顾梦圭序），今存《薛氏医案》（丛书），各地多藏。

此外和本书同名异书有元·滑寿《本草发挥》，已佚。

十、《（增广）和剂局方·药性总论》

《（增广）和剂局方》书末，附刊两种本草：一是"用药总论"，二是"药性总论"。著者佚名。两书内容不同。前者相当于药物总论兼论 185 味药的炮制法及诸证病因症候与处方。后者专论单味药性味主治功用。

全书载药 450 余种，主要节录《证类本草》图与文，按玉石、草、木、人、兽、禽、虫、鱼、米谷、果、菜分类。

摘录每味药性味，君、臣、佐、使，功用主治，七情畏恶宜忌及产地等。

对七情内容，分别冠以"恶、畏、忌、反得、解"等。对产地冠以"生（出）"。

本书除摘录《证类本草》外，亦参考其他书进行节录。所以本书药物内容及条文，与《证类本草》不完全相同。

例如"石燕"条，《证类本草》引《日华子》云："凉，无毒。出南土穴中，凝强似石，煮佳。"而本书所录为"日华子云：平，助水脏，益精气，除五脏癥结，心腹结聚痛"。

本书刊本见《和剂局方》日本亨保十五年（1730）橘京显校刻本。

十一、《饮膳正要》

著者忽思慧，一名和思辉，为元延祐间饮膳太医。任职期间，从所制的奇珍异馔，汤膏煎饮之中，选择富有营养的珍品，并参考诸家本草和方书中有关补益药物和方子，以及日常必用的果、肉、谷、菜等，加以选取，汇编成册，定名为《饮膳正要》。

全书从营养角度出发，介绍饮食营养的价值、烹饪技术、患病期间饮食制度、饮食卫生的要求。主张治病应先讲究饮食，即以饮食治疗为先。书中对营养疗法、食物卫生、食物中毒等均有论述。

从该书的论述，可以看出忽思慧对元代保健医学是有贡献的。今将该书特点分述如下。

（一）总结了元代以前的营养学

忽思慧在任太医时，积累了丰富的烹饪技术、营养卫生及饮食保健等方面的经验，加以他兼通汉医，继承古代医学理论并广泛搜集各民族饮食方法，进而写出了很完备的一部营养学著作。本书是我国较早的饮食营养学专著，也是集元代以前营养学大成之作。

全书所载诸般食品，都是富有保健营养作用的食品。如宫廷日用鹿肉、熊羹、烹鲤、烧雁等山珍海馐，以及用药物配制的荔枝膏、荆芥粥、桂沉浆等佳肴，都有营养保健作用。有些营养食物药品是外来的。如书中卷1"搠罗脱因"，即是畏兀儿（新疆维吾尔）的茶饭名，八几不汤即是西天（古印度天竺）茶饭名，新罗参即是朝鲜人参。这些有补养作用的药物和食品，都是外来的。

书中有些食疗方法，至今仍在沿用。如山药粥、牛奶烧饼、芙蓉鸡、羊肚羹、春盘面至今有一些地区仍在沿用。这些食品，都富有营养作用。

全书对有营养作用的新品种，亦进行增加。忽思慧进书表中说："本草有未收者，今即采摭附写。"本书所收的新品种，在其他医药书中都是少见的。如回回豆子、马思答吉，都是本书首次收载。

回回豆子，味甘，无毒。主消渴，勿与盐煮食之。出回回地面，苗似豆，今日田野中处处有之。

马思答吉，味苦香，无毒。去邪恶气，温中利膈，顺气止痛，生津解渴，令人口香。

又如卷1"炒狼汤"条云："古本不载狼肉，今云性热治虚弱，然食之未闻有毒。"卷3所载狼肉、狼喉嗉皮、狼皮、狼尾、狼牙等主治功用，皆不见于前代本草。卷2载"治小便不通，鸡子黄一枚生用。"这种主治功用，前代本草亦未见载，而本书均予以收录。所以本书总结了元以前营养学之大成。

（二）重视预防医学

过去与营养学有关的著作，唐代的有孙思邈《千金食治》、孟诜《食疗本草》，元代的有《日用本草》。这些书，都偏重于病人的饮食疗法。而《饮膳正要》，开始从健康人饮食、营养等方面着手来预防疾病。书中认为病了再服药，不如在未病前注意营养，使身体强健，不至于生病。所以本书旨在防患于未然，强调"治未病，不治已病，故重食轻药"，为了达到防病的目的，应从以下三个方面去做。

1. 在平常生活中要注意宜忌

为了达到防病的目的，平日生活中，要注意宜忌。为此，在全书首卷设有"养生避忌""妊娠食忌""乳母食忌""饮酒避忌""四时所宜""五味偏走""食物利害""食物相反""食物中毒"等一系列避忌的原则与方法。在选用食疗品味时，提出要注意何者为宜，何者为忌，如何趋利避害，使人有所遵循，以期达到防病的目的。

2. 为了防病, 在食物和方子中, 不用毒药和矿物药

为了达到预防目的, 就应防止一切有害的东西损伤人体, 因此在食疗方中, 忌用毒性药和矿物药, 这样可以减少有毒物损伤人体。在全书所录 246 方中, 所有内服方皆不用毒药和矿物药。正如进书表所云: "于本草内选无毒、无相反、可久食、补益药味。"只有外用方, 才用毒药。如"神枕方"中用有乌头、附子、藜芦、皂角、莽草、矾石、半夏、细辛等毒物。此等毒物, 外用以除风。所谓"八物毒者, 以应八风"。

3. 在食物方面, 重视有营养的食物和方子

全书所选食物和药物, 都富有营养和保健作用, 有病能治病, 无病能补身。对养生和医疗起到双重作用。兹举例如下。

(1) 食补例。

牛髓膏: 用黄精膏、地黄膏、天门冬膏、牛骨油等调制而成, 可补精髓, 壮筋骨, 和血气, 延年益寿。

生地黄粥: 用生地汁二合, 冲入粥内食之。

马思答吉汤: 用羊肉、回回豆子、草果、官桂制成, 可补益, 温中顺气。

地黄鸡: 治腰背疼痛, 骨髓虚损, 不能久立, 身重气乏, 盗汗少食, 时复吐利。

黑牛髓煎: 用黑牛髓半斤, 生地黄汁半斤, 白沙蜜半斤, 和匀, 熬成膏, 治肾弱, 骨败伤, 瘦弱无力。

(2) 食疗例。

苦豆汤: 能补下元, 理腰膝, 温中顺气。

鹿蹄汤: 用鹿蹄四只, 陈皮、草果各二钱, 同煮烂, 治风虚腰脚痛。

葵叶羹: 用葵叶不拘多少, 治小便癃闭。

鸡头羹: 用鸡头粉一合, 羊骨髓一副, 生姜汁一合, 调和作羹, 治湿痹腰痛。

鲫鱼羹: 能治脾胃虚弱。泻痢久不瘥者, 食之立效。

椒羹面: 用川椒三钱, 白面四两, 作面条煮食, 治胃弱呕吐不能食。

良姜粥: 高良姜半两, 研粉煮粥, 治心腹冷痛。

桃仁粥: 用桃仁十三两和煮粥, 治咳嗽胸满喘促。

（三）提倡饮食卫生

卷 1"养生避忌"云："夫安乐之道，在乎保养……故善养性者，先饥而食，食勿过饱；先渴而饮，饮勿令过；食欲数而少，不欲顿而多，善饱中饥，饱则伤胃，饥则伤气；若食饱便卧，即生百病。""夜不可多食。""莫吃空心茶，少食申（时）后粥。""烂煮面，软煮肉。""少饮酒，独自宿。""饮酒过度，丧生之源。""食饱不要洗头，进食与睡眠不要说话，以免伤气。""食毕宜以温水漱口，使人没有齿疾、口臭。""凡清早刷牙，不如夜刷牙，齿疾不生。"

防止病从口入。如"食物利害"云"猪羊死者不可食""诸果落地者不可食""浆老而饭馊者不可食""生料色臭不可用"。

（四）重视妇幼保健卫生

在妇幼保健方面，本书讲述了做母亲的，该如何带好孩子。例如书中说："若子有病无病，亦在乳母之慎口，如饮食不知避忌，倘不慎行，贪爽口而忘身适性致疾，使子受患，是母令子生病矣。"此外，对妊娠胎教优生育等，亦有论述。

本书刊本有：

（1）明经厂刻大字本（残存卷 2）；

（2）1930、1934 年涵芬楼据明景泰刻本影印四部丛刊本；

（3）1934 年上海商务印书馆铅印万有文库本；

（4）1935、1936、1939 年商务印书馆铅印国学基本丛书本；

（5）1937 年上海学生书局铅印本；

（6）四部丛刊本；

（7）万有文库本。

第十六章　明代本草要籍考

第一节　综合类

一、《本草品汇精要》

该书是明孝宗敕命太医院院判刘文泰等人编修的，是明代唯一的官修本草著作。刘文泰任该书总裁，领衔修撰。参加编纂的有10余人，参加誊录的有14人。从弘治十六年八月议纂，至十八年三月初三编成，由刘文泰署名进表。

书稿完成后，或因孝宗帝崩，或因刘氏发生医疗事故，稿存内府未获刊行。至清康熙三十九年（1700）于秘库发现弘治原本，即诏武英殿监造赫世亨等人，对原本进行誊录一部，次年（1701）复命太医院吏目王道纯等人，仿原书格式，从《本草纲目》摘录490余条，编为《续集》10卷，列于书末。当时只存秘府，未能传世。1923年，故宫中正殿起火，弘治本及康熙重绘本流于市廛，故宫仅存校正本及《续集》。1936年上海商务印书馆据校正本铅印刊行，此书遂显于世。

全书42卷，另目录1卷。共收载药物1815种，分10部（玉石、草、木、人、兽、禽、虫鱼、果、米谷、菜），基本上因袭了《证类本草》分部方式及编排方式。卷首亦同《证类本草》，注明药物来源及数目、体例。此外，该书又将各药按《皇极经世》分类，草木谷菜果又细分为草、木、飞、走4类（如草部分为草之草、草之木、草之飞、草之走），兽禽虫鱼各部又分羽、毛、鳞、甲、裸5类，每类又分胎、卵、湿、化4生。但这种分类没有体现在卷次上，仅注于各药名下。

各具体药物的体例，则打破了《证类本草》层层加注的旧例，且割裂其蓝本《证类本草》的原文，分别归入24个项目之中。这24项名目是：名、苗、地、时、收、用、质、色、味、性、气、臭、主、行、助、反、制、治、合治、禁、代、忌、解、赝。涉及药物的鉴定、炮制、配伍使用、药理等各个方面。这种药物分项解说的方法是一大进步，方便查阅，且使各有关内容集中在一起。这一体例可以说是本书一大特色。

当然，该书分项时也还存在不少问题，如子目过繁，界限不明。把玉石兽禽的形态、制造统归于"地"，在"用"一栏中只言一般的入药部分，余部皆废，疏漏颇多，故亦遭到后世的诟评。

该书新增的药品号称48种，但其中沥青、大枫子、秋石、一枝箭、隔山消、九仙子、石瓜、苦只刺把都儿、孩儿茶、锦地罗10药，只列其名于目录，并无专条。而重复的异名同物药也有10余种。该书增补的药统共不过22种，而且其中有16种出自忽思慧《饮膳正要》。因此，就增补的药物而言，该书实在是贫乏得可怜。

《本草品汇精要》是我国古代最大的一部彩色本草图谱，共收图1358幅。据记载其中有366幅药图系新增图。《证类本草》中有名称、效用而没有形态者，刘文泰等经过一些考证，另行绘图。也有的药物虽不见于《证类本草》，他书有记载，该书也为之补绘。

检视该书现存于国内的残卷药图，可以了解到该书大多数药图是以《证类本草》中的墨线图敷色重绘，但有不少鱼类、介类等日常习见之品的彩图，显然已经是重新写生绘制过的（如鲨、文蛤、蚱蝉等），工笔重彩，极为精美。与《履巉岩本草》彩图相比，该书神韵逊之，精细则过之。虽然整体看来，此书药图不免带有一些匠气，但仍不失为彩绘本草之珍品。

该书新增药图中，有少量制药图（如修治玄明粉等）。在部分药图中，绘制了一些表现药物的生长环境和与采收加工相关的内容（如"鹿茸"条有载浸鹿角图等）。该书的药图出自画工之手，其精美自不待言，但药形和文字却未能处处吻合。如薏苡下有两幅图，其中"薏苡草"实际上是玉米图（见清抄绘图）。从药图中也可以看出，画工们的医药水平是有限的，表现在极少数药图乃据前人描述想象绘制。如猕猴桃绘成红桃，及己绘成田字草等。除药物基原图外，书中还有几种药材图（如龟上甲、下甲图等）。鉴于国内尚无此书的全部药图，具体的有待深入研究。

目前国内残存的该书药图仅有原书一半。笔者亲自检视的有明抄残本（存图 246 幅）、清抄残本（存图 520 幅），除去重复，共有 728 幅药图。另据报道，国内还有两种抄本，其一有图 292 幅，另一种有图 192 种。这些药图都不是近现代转绘的，互相之间也有程度不同的差异，因而各残抄本不像是有直接转录关系。原书因流落海外，不得见其原貌。但从国内多种残抄有关情况，可以推知明、清时民间曾流传着多种《本草品汇精要》附有药图的抄本。今存世的传抄本主要有以下 10 种。

1）弘治原本：该本 1923 年流出故宫，先归香港大学，1961 年前后转为杏雨书屋收藏。

2）安乐堂本：清康熙间摹绘，现藏罗马中央图书馆。

3）清抄本：藏柏林国家图书馆。据文树德报道，此书乃清乾隆后摹写弘治本而成。

4）清抄本：原藏伦敦图书馆，1972 年由日本大塚恭男购得。

5）明抄残本：藏北京图书馆（存图 246 幅）。

6）明抄残本：藏中国中医研究院中药研究所，据云乃明抄本，存图 192 幅。另该所还有清抄残本（缩微胶片，存图 292 幅）。

7）清抄残本：藏北京图书馆（存图 520 幅）。

8）乌丝栏朱墨精写本（无图），藏故宫博物院。

9）中国科学院藏近代传抄本（仅 26 卷），不分朱墨，亦无图。

10）1936 年商务印书馆据故宫旧抄本铅印，附校勘记。

二、《本草纲目》

（一）概要

李时珍的《本草纲目》是一部系统地总结我国 16 世纪以前药学的巨著。该书是李时珍在唐慎微所著《证类本草》的基础上，参考经、史、子、集、山经、地志等 800 多家文献，经过 27 年时间，三易其稿，才编纂而成。全书 190 多万字，载药 1892 种，其中新增 374 种，附方 1.1 万多首，附药图 1109 幅，内容十分丰富。它不但是一部药物巨著，而且对矿物学、化学、动物学、植物学等方面都有所贡献；它不仅促进了我国传统医药学的发展，而且对世界药物的进步也起到了一定的影响。明·王世贞的序中说："实性理之精微，格物之通典，帝王之秘录，臣民之重宝也。"鲁迅对

《本草纲目》曾高度评价，认为其"含有丰富的宝藏"，"实在是极为可贵的"。

全书分为三大部分，一是总论部分，二是各论部分，三是药图部分。总论有序例、百病主治药等内容。各论是讨论具体药物。

（二）总论部分

在全书 52 卷中，总论部分占 4 卷。

在总论的序例中，李时珍全面地总结药性理论，并把《内经》与《本经》中有关的药性理论作了系统性归纳，同时又联系后世医家有关药性的论述结合脏腑用药法式，验之于临床，使药性得到了进一步发展。

药性本来是药物的固有特性。过去本草书籍都说："酸咸无升，甘辛无降，寒无浮，热无沉，其性然也。"李时珍认为通过临床实践，对药物处理亦可改其药性。如："或者是引之以咸寒，则沉而直达下焦；沉而引之以酒，则浮而上至巅顶。"又云："药有七情……有用者识悟尔。"药性相须可起协同作用；药性相反，则为拮抗作用。有的病需要拮抗而发生疗效，即相反适足以相成也。根据病情需要严格配伍用药。所以，序例中有关药性论述，既全面又系统化，内容充实，条理清晰，古今医药书籍，没有一本能在药性著述方面超过它。

在诸病主治药中，李时珍增加内容最多，总结亦十分完善。从诸病主治药发展来看，在敦煌出土的《本草经集注序录》列举病名只有 84 个，每个病名下列举主治药并不多。到徐之才《药对》又增加出汗、止汗等 9 个病名。到《嘉祐本草》，掌禹锡在某些病名下，又据《唐本草》《蜀本草》增加一些主治药。到《证类本草》，唐慎微在某些病名下，又增加一些主治药。到《本草纲目》，李时珍则成倍地增加，病名与主治药同时增加，形成"百病主治药"专篇，其卷次亦增为 2 卷。对病证排列，改按六淫、脏腑及诸病证等来编排。

（三）各论部分

《本草纲目》各论部分，以论述具体药物为主，是本书主要部分。在全书 52 卷中，论药的有 48 卷。

1. 药的分类

各论中收录药物，不分三品，唯逐各部。按自然属性分为 16 部。部下又分类，计有 62 类，各类所收药物又有若干种。按部类统计有以下种数。

水部 43 种，火部 11 种，土部 61 种，金石部 161 种，草部 610 种，谷部 73 种，菜部 105 种，果部 127 种，木部 179 种，服器部 79 种，虫部 106 种，鳞部 94 种，介部 46 种，禽部 76 种，兽部 86 种，人部 35 种。总计 1892 种。其中动物 443 种、植物 1094 种、矿物 355 种（包括水、火、服器在内）。这种分类，自成体系，它不仅纲目分明，便于查阅，而且为以后的博物分类打下了基础，成为当时世界上最先进的自然分类方法。

各部的排列，大致以由低级到高级为序（即李时珍所谓"从微至巨""从贱至贵"），由矿物到植物，最后是动物。

在各部下，又分为若干类。例如草部分为山草、隰草、毒草、水草、蔓草、石草、薹草、杂草等 9 类，木部分为香木、乔木、灌木、寓木、苞木、杂木 6 类。

其中植物药的分类，都是按自然属性及其生长环境来分的。寓有植物地理学（植被）的含义。这和前苏联曾进行的"植物区系""植物带"研究是一致的。所以《本草纲目》一书中植物分类，既符合植物区系的特点，又符合自然演化的规律。

在各类之下，又包含有很多药物，各种药物排列，都有一定的次序。例如植物类中，其排列次序，同现代植物分类学相比较，有很多地方都是相暗合的。从草部各类植物排列次序来看，有很多相邻排列在一起的药物，都是同科属的植物。例如在芳草中，将伞形科植物的当归、芎䓖、蘼芜、蛇床、藁本连排在一起，姜科植物的高良姜、豆蔻（即草豆蔻）、白豆蔻、缩砂蜜、益智子连排在一起。在毒草类中，将大戟科的蕳茹、大戟、泽漆、甘遂、续随子排在一起。在"蕳茹""泽漆"等条下所记的形态描述，和现代大戟属植物的特征完全相符。例如，"泽漆"条云："春生苗，一科分枝成丛。茎头凡五叶中分，中抽小茎五枝，每枝开细花青绿色，复有小叶承之，齐整如一。掐茎有白汁黏人。""蕳茹"条云："茎叶如大戟，而叶长微阔，不甚尖，折之有白汁。抱茎有短叶相对，团而出尖。叶中出茎，茎中分二三小枝。二三月开细紫花，结实如豆大，一颗三粒相合，生青熟黑，中有白仁如续随子之状。"这种描述，和大戟属植物有乳汁，花为杯状花序，花序常承托以总苞，蒴果三室，每室有一粒子等特征正相吻合。

此外在《本草纲目》卷 19 水草类中，有浮萍、睡莲、天南星、蓼、泽泻等科植物排在一起。卷 20 石草类中，有水龙骨、兰、景天、虎耳草、毛茛、大戟、仙人掌等科植物排在一起。卷 21 苔草类中，有蕨、石松等科植物排在一起。其析族区类，和现代科属分类都有暗合之处。国外在 18 世纪才有英国人雷约翰创植物单子叶与双子叶分类，其后瑞典林奈（1707—1778）根据花蕊将植物分为 24 种，创植物科属分类，成为现代科属分类首创者。而李时珍《本草纲目》的析族区类，早在 18 世纪以前已孕育着现代科属分类的萌芽，论其时代，实早于林奈氏 170 多年。

2. 单味药内容的编排

《本草纲目》对每个药物中各项内容的编排，是标正名为纲，分目列于纲下。例如"葛根"条，标"葛"为纲，其下列葛根、葛谷、葛花、葛叶、葛蔓为目。并将其同类药"铁葛"作为附录，列于条末。提纲挈领，极为清晰。

3. 每味药的项目叙述

《本草纲目》对每味药的叙述程序是按正名、释名、集解、正误（辨疑）、修治、气味、主治、发明、附方、附录等项目叙述。兹分别介绍如下。

（1）正名。即药物主名，或者说是统领该药的总名，也是该药的纲，"标正名为纲"。

1）在正名下，以小字注明该药出处。例如，"葵"名下注"《本经》上品"，"蜀葵"下注"宋《嘉祐》"，"菟葵"下注"《唐本草》"，"鼠曲草"下注"《日华》"，"水英"下注"宋《图经》"，"木别子"下注"宋《开宝》"，"鹿蹄草"下注"《纲目》"，"毛蓼"下注"《拾遗》"。

2）有些正名下还附注"［校正］云"。例如，"黄蜀葵"下注"宋《嘉祐》"，又有"［校正］云：'自菜部移此'"。"荳草"下注"另录中品"，又有"［校正］云：'并入《开宝本草》红豆蔻'"。

（2）释名。即药物的别名，它是附属正名的。所以称为"标正名为纲，附释名为目"。

1）释名下，分别列举各个异名，每个异名下用小字标注文献出处。

2）各个异名排列顺序，多数是按文献年代先后排列的。

3）对某些异名进行训诂注释。例如，卷 15"青蒿"的释名云："草蒿本经，方溃本经，菣音牵去声，狚蒿蜀本，香蒿衍义。［保昇曰］：草蒿，江东人呼为狚蒿，为其气臭似狚也。北人呼为青蒿。《尔雅》云：'蒿，菣也。'孙炎注云：'荆楚之间，谓蒿为菣。'郭璞注云：'今人呼青蒿香中炙啖者为蒿'，是也。"

4）对名称来源不确者，集诸说以正其误。例如，宋·寇宗奭《本草衍义》误以"兰花为兰草"，误以"卷丹为百合"。

（3）集解。介绍历代文献（包括李时珍自己的见解）对该药有关历史、产地、生境、性状、形态、鉴别、采收等的有关解说。这些集解资料，对药物品种确定与药物分类，提供了重要依据。这对本草考证、药物品种鉴定和植物分类，都是重要的参考资料。

（4）正误。或称辨疑，即对前代本草著作有错误处，予以指出。或摘取前代的书中有可疑处或争论点，加以辨析。例如，苏颂《本草图经》将天花粉、栝楼图形分立为两处，其实二者本是一种植物的块根和果实两部分。《本草纲目》则集诸说以正其误。

对药性功能主治不确者，据医理药性以辨其非。

例如，《本草纲目》卷35"巴豆"条的正误，李时珍曰："汉时方士言巴豆炼饵，令人色好神仙，《名医别录》采入本草。张华《博物志》言鼠食巴豆重三十斤。一谬一讹，陶氏信为实语，误矣。又言人吞一枚即死，亦近过情，今并正之。"这是李时珍据医理药性对前人的谬误进行纠正。如《本草纲目》卷14"假苏"条下，立正误一项，其下引藏器曰："张鼎《食疗本草》，荆芥一名菥蓂，误矣。"时珍曰："汪机《本草会编》，言假苏是白苏，亦误矣。白苏乃荏也。"这是李时珍对前人有关药物命名谬误进行纠正。

又如，《本草纲目》卷34"苏合香"条的正误，是介绍他人的纠正文字。在此正误下，引用三家的纠正文。一引陶弘景，"苏合香俗传是狮子屎，外国说不尔。今皆从西域来，亦不复入药，唯供合好香尔。"二引苏恭，"此是胡人诳言，陶不悟也。"三引陈藏器，"苏合香色黄白，狮子屎色赤黑，二物相似而不同。狮子屎极臭。或云：狮子屎是西国草木皮汁所为，胡人将来，欲贵重之，故饰其名尔。"

（5）修治。解说药物炮制之法。即记述历代本草著作记载的某药炮制方法，也包括李时珍本人对该药炮制的经验。

例如，《本草纲目》卷12"术"条，有修治云："苍术，大明曰：用术以米泔浸一宿，入药。宗奭曰：苍术辛烈，须米泔浸洗，再换泔浸二日，去上粗皮用。时珍曰：苍术性燥，故以糯米泔浸去其油，切片焙干用。亦有用脂麻同炒，以制其燥者。"

又如，《本草纲目》卷17"芫花"条的修治，李时珍曰："芫花留数年陈久者良。用时以好醋煮十数沸，去醋，以水浸一宿，晒干用，则毒灭也。或以醋炒者次之。"

和炮制有关系的是煎药。李时珍对于中药煎制，累积了很多经验，李时珍认为：如果剂多水少则药味不出，剂少水多，又煎耗药力也。凡煎药并忌铜铁器，宜用瓦罐，洗净封固，小心看守，须识火候，不可太过、不及……若发汗药，必有紧火，热服。攻下药，亦用紧火，煎熟下硝、黄再煎，温服。补中药，宜慢火，温服。阴寒急病，亦宜紧火急煎服之。又有阴寒烦躁及暑月伏阴在内者，宜水中沉冷服。

（6）气味。以记录药物性味为主，即记述历代本草著作对本品四气五味及有毒无毒，以及七情畏恶等资料的记载。也包括李时珍本人对该药气味的认识。

例如，《本草纲目》卷44"黄颡鱼"条下云："［气味］甘，平，微毒。［诜曰］无鳞之鱼不益人，发疮疥。［时珍曰］反荆芥，害人。"其中"［气味］甘，平，微毒"以单行大字书写，余下文字作双行小字书写。

（7）主治。以详论药物效用为主，即记述历代本草著作中有关本品的功能主治，也包括李时珍本人用药经验，按本草著作年代顺次排列。

例如，《本草纲目》卷13"秦艽"条主治云：寒热邪气，寒湿风痹，肢节痛，下水，利小便（文末注出处"《本经》"）。疗风无问久新，通身挛急（文末注出"《别录》"）。传尸骨蒸，治疳及时气（文末注出处"大明"）牛乳点服，利大小便，疗酒黄、黄疸，解酒毒，去头风（文末注出处"甄权"）。除阴阳风湿，及手足不遂，口噤牙痛口疮，肠风泻血，养血荣筋（文末注出处"元素"）。泄热益胆气（文末注出处"好古"）。治胃热虚劳发热（文末注出处"时珍"）。全书各药的主治内容，均按这个形式编排。

（8）发明。以阐述李时珍本人观察或研究心得为主。并用历代名家有关医论、医案、验方（也包括李氏本人多年积累下来的用药经验），来验证药物的作用，或阐述医理、药理新见解。

例如，《本草纲目》卷13"延胡索"发明项载时珍曰："荆穆王妃胡氏，因食荞麦面着怒，遂胃脘当心痛，不可忍。医用吐下行气化滞诸药，皆入口即吐，不能奏功。因思雷公炮炙论云：心痛欲死，速觅延胡。乃以延胡索三钱，温酒调下，即纳入，少顷大便行而痛遂止。又华老年五十余，病下痢腹痛垂死，已备棺木，予用此药三钱而安。"

又如，在《本草纲目》卷13"黄连"发明项，李时珍首先用1670余字，阐述前代十数家对黄连性味功能主治的见解，继而又将自己应用黄连的心得总结为："黄连治目及痢为要药。古方治痢有香连丸，用黄连、木香；姜连散，用干姜、黄连；变通丸，用黄连、吴茱萸……皆是一冷一热，一阴一阳，寒因热用，热因寒用，君臣相佐，阴阳相济，最得制方之妙，所以有成功而无偏胜之害也。"

（9）附方。以记录有关该药的主要处方。李时珍为了验证药物功用主治，博采众方，以为佐证。《证类本草》附方不足 3000，而《本草纲目》搜集大小方子多达 1.1 万余首，其网罗之富，为本草著作之冠。每个方详列方名、适应病证、药物配伍分量、制作方法、使用方法、方源及其功效等。

各药后附方子的来源有二：一是转录《证类本草》的附方，称为旧方；二是转录其他医药书的方子，称为新方。例如，"黄连"条的附方下注云："旧二十二，新五十三。"一共列举 75 方。所选用的方子以单方为主，复方很少，尤以大方极少选用。一般用一两味药组成的方子较多。药味少的方子和单方能够说明单味药的作用。药味太多的方子，很难说明味药的主治功效。李时珍是"方以病附"，选择简易的效方，以印证药物的作用。由于《本草纲目》附方都是为说明药物的效用而设，对于以病求方，很难查录，颇不便于临床学家的应用。所以在清代顺治六至九年（1649—1652）便有蔡烈先曾将《本草纲目》全书附方，用 3 年时间进行归类，分列于 105 门病证中，称为《本草万方针线》，对临床应用很有参考价值。其后又有曹绳彦，在蔡书的基础上进行补充整理，分病证 107 门，更名为《本草纲目万方类编》。1981 年，陕西中医研究院对《本草纲目》附方，按内、外、妇、儿、五官 5 部分重新编排，名为《本草纲目附方分类选编》，该书对临床按病检索十分方便。

（10）附录。某些药的同类药，其形态相似，便附于条末。例如，《本草纲目》卷 16 "决明"条有两种决明：一是马蹄决明，入眼目药用，另一种是茳芒决明，其苗茎似马蹄决明，但叶本小末尖，似槐叶，夜不合（马蹄决明昼开夜合），结角如小指，长二寸许（马蹄决明结角如初生细豇豆，长五六寸），子形如黄葵子而扁、褐色（马蹄决明子，状如马蹄，青绿色），药用以马蹄决明为正品，不用茳芒决明。《本草纲目》将茳芒决明作为附录，列在"马蹄决明"条末。

又如，"青黛"条末，附录"雀翘"。青黛是以蓝浸水一宿，入石灰搅起浮沫，掠出阴干，名青黛。而雀翘是《别录》有名未用药，其条文有"生蓝中"一语。两药来源相同，《本草纲目》即将雀翘列在"青黛"条下附录中。

（四）《本草纲目》的特点

1. 全书编排，以纲系目，条理清晰

《本草纲目》全书编排，采用"以纲系目"，"纲举目张"，统驭全书，使全书内容系统化、条理化。故书名亦以"纲目"名之。

从全书各个方面，都可以体现"纲""目"的精神。

例如，从卷次上看，全书 52 卷，卷 1～4 属总论部分，可以视为"纲"。卷 5～52 为各论部分，可以视为"目"。

从药物类别来看，全书分 16 部，各部下再分为各类，总计有 62 类。其中，"部"可视为"纲"，类可视为"目"。

从自然属性归类与三品归类关系来看，自然属性可以视为"纲"，三品分类可以视为"目"。

从条文书写格式来看，大字书写文可以视为"纲"，小字注文可以视为"目"。

从单味药来看，同一植物，其根、枝、叶、花、种子等都可入药。例如桃树，其花、叶、茎、皮、仁等，均作药用，《本草纲目》则将桃树列为"纲"，而将桃树各个药用部分，如桃仁、桃叶、桃花、桃茎、桃树白皮、桃枭、桃毛、桃胶、桃符、桃橛等列为"目"。

从一个药物内容来看，每个药名下，分为若干项目叙述。在每个项目下，又有若干个内容。例如，释名项目下，又有很多异名和训诂文。则释名可以视为"纲"，释名下所列若干异名，即为释名下的"目"。

又如，主治下，又收载各家主治资料。这个主治可视为"纲"，所收载的各家主治资料，可视为主治下的"目"。

这种目随纲举、部类分明、条理清晰的编纂方式，与宋以前本草著作代代增补、层层囊括，形成包心菜似的编纂方式大不相同。但《本草纲目》也保留前代本草著作对文献出处标示的方法，这对文献保存具有重要意义。

2. 全书取材广泛

在本书取材方面，李时珍采取陈藏器《本草拾遗》的做法，即对资料的搜集，不厌其详，搜罗百氏，博采四方。正如李建元进疏云："上自坟典，下及传奇，凡有相关，靡不备采。"王凤洲原序云："博而不繁，详而有要，综核究竟，直窥渊海。"所收药物达 1892 种（李时珍自己说的数字。据校点统计为 1897 种，原书脱荏子，校点本补荏子）。

从全书援引文献来看，本书通集历代本草文献。上自《本经》《别录》，下至《蒙筌》《会编》，搜罗无遗，并对药物各方面内容，皆作系统全面的总结，举凡药名、药性、出产、采制、修治、主治功用，以及炼丹、食治、禁忌、七情畏恶、中毒等皆作了系统性总结。又通采历代医经、医方，诸如《内》《难》《伤寒》《金匮》《病源》《肘后》《千金》《外台》《圣惠》《普济》等书 276 家。以历代经验之方，证实药物主治功能之效，引用诸家之说，阐述药性之机制。所以本书援引文献有 800 余家。但是，李时珍所引用的文献，都不是原文照抄，而是或摘其大义，或加化裁，或将两三家近似内容杂糅为一体，往往出现引文大义与原文略有出入，这也是当时一般的习惯。

3. 对文献考据，力求精详

李时珍运用校勘与训诂学进行考证，主张"读书不可执一"，又云"善观书者，先求其理，毋徒泥其文"。从音韵、训诂、文献比较等方面纠正前人的谬误，并阐发前人所未发。

对于前人的长处，并能加以发展，但不拘泥于古人旧说，勇于创新，当并者并，当分者分，当移者移，当增者增。对归类不恰当者，则予以校正之。

例如，《本草纲目》卷 16 "酸浆"条的校正，李时珍注云："菜部苦耽，草部酸浆，灯笼草，俱并为一。"

酸浆是《本草经》里的药，灯笼草是《唐本草》里的药，苦耽是《嘉祐本草》里的药，过去都认为它们是不同的药，经李时珍研究，三者是同一种药，故归并在一起。

《本草纲目》卷 15 "天名精"条下校正，李时珍曰："据苏、沈二说，并入唐本鹤虱，开宝地菘，别录有名未用坴。"

李时珍认为地松即天名精，其叶似菘，鹤虱即其实。又《别录》有名未用坴松即地菘，故并为一条叙述。

4. 对资料选用，力求精确，力求见解创新

全书所选用的资料，做到精核物类，订绳谬误，精审辨物。

在说理上，做到格物穷理，破惑立言，力求有所发现，有所创新，例如对药性机制，则汇集明以前各家药性学说，运用《内经》《本经》药性理论，阐述药效作用的机制。

5. 对新的药物效能及时总结

按药物发展规律，不良反应较大者逐渐被淘汰，而高效无毒或不良反应较小者逐渐更新。李时珍根据这个规律，凡是有新的药出现，李时珍均予以收录，全书收录新的药有 374 种，并对它们的药性、功用主治等都进行了总结。

不论是老药有新的用途发现，还是民间已普遍用的新药，李时珍均加以收录，并注出处为"时珍"。

例如，有些旧药有新的功用发现，《本草纲目》均予以增补，在主治下，并标

注"时珍"二字。

　　凡文献不载的药，当时已流行应用，《本草纲目》即收为新药，在正名下注出处"《纲目》"二字。

　　例如，《本草纲目》卷12"三七"条是新药。在三七正名下标"《纲目》"二字。

　　在释名下，时珍曰："彼人言其叶左三右四，故名三七。或云本名山漆，谓其能合金疮，如漆粘物也。金不换，贵重之称也。"

　　在集解下，时珍曰："生广西南丹诸州，番峒深山中，采根暴下黄黑色。团结者，状略似白及；长者如老干地黄，有节。试法，以末糁猪血，血化为水者乃真。"

　　在主治下，时珍曰："止血散血定痛，金刃箭伤跌仆杖痛血不止者，嚼烂涂，或为末掺之，其血即止。亦主吐血衄血，下血血痢，崩中经水不止，产后恶血不下，血运血痛，赤目痈肿，虎咬蛇伤诸病。"

　　在发明下，时珍曰："此药近时始出，南人军中用为金疮要药。凡杖仆伤损，瘀血淋漓者，随即嚼烂；罨之即止，青肿者即消散。产后服亦良。与麒麟、紫矿相同。"

（五）《本草纲目》的贡献

1. 系统全面地总结了我国16世纪以前的药学成就

　　在《本草纲目》未刊行前，上下500年间，一直是以唐慎微《经史证类备急本草》作为研究本草学的范本。由于时代的发展，很多新药都在不断增加，唐慎微的书已概括不了，必须要有人把上下500年间药物知识进行总结，而李时珍以毕生的精力，完成了总结的任务，编成史无前例的《本草纲目》巨著。

2. 综合了大量的科学资料，提出科学的药物分类方法

　　全书"以纲系目"，"纲举目张"。尤其在植物分类方面有创新，已孕育了现代植物科属分类的萌芽，论其时代，实早于林奈氏170多年。

　　在动物分类上，按动物由低向高进化的顺序，加以排列成虫、鳞、介、禽、兽、人等部。鳞相当于脊椎动物中的鱼类、爬虫类，禽相当于鸟类。李时珍把猿猴等列入寓怪类，指出它们和人类有相似的特点，将它们看作是一种复杂的高级动物。这基本上符合现代科学关于动物进化的观点，与19世纪达尔文的进化论分类方法大体上是一致的。

3. 推动了中国古代关于动物、植物科学的发展

《本草纲目》内容丰富广泛，它不仅是药物学的著作，也包含了我国古代植物学和动物学的重要文献。李建元在《进本草纲目疏》中说："上自坟典，下及传奇，凡有相关，靡不备采，虽命医书，实赅物理。"其中搜罗植物药、动物药最多。在 1892 种药物中，植物药有 1094 种，动物药 443 种，矿物药 222 种，其他水、火、服器药 133 种。其中植物药、动物药按自然属性析区分类，自成体系，把我国古代植物、动物科学的发展向前推进了一大步。

4. 改正了过去本草著作中的错误

李建元在《进本草纲目疏》中，指出《本草纲目》改正过去本草著作中的错误的例子非常之多，兹摘录如下。

对《证类本草》中的错误，指出说："有当析而混者，如葳蕤、女萎，二物而并入一条；有当并而析者，如南星、虎掌，一物而分二种。生姜、薯蓣，菜也，而列草品；槟榔、龙眼，而列木部。八谷，生民之天也，不能是辨其种类；三菘，日用之蔬也，罔克别其名称。黑豆、赤菽，大小同条；消石、芒硝，水火混注。"

对《本草衍义》的错误，指出说："以兰花为兰草，卷丹为百合，此寇氏《衍义》之舛谬。"

对陶弘景的错误，指出说："谓黄精即钩吻，旋花即山姜，乃陶氏《别录》之差讹。"

对《本草图经》的错误，指出说："天花、栝楼，两处图形，苏氏之欠明。"

对《开宝本草》的错误，指出说："五倍子，构虫窠也，而认为木实；大苹草，田字草也，而指为浮萍。"

以上仅举主要的例子而已，其实《本草纲目》对前代本草著作改正的错误是很多的。

5. 重视实物观察，反对纸上猜测

有很多的中药，其外部形态相似，但实际并不是同一种东西，往往会引起大家争论不休。

例如，《本草纲目》卷 19 "苹" 条，历代对 "苹" 争论很大。时珍曰："《韩诗外传》谓浮者为藻，沉者为苹。瞿仙谓白花者为苹，黄花者为菩。苏恭谓大者为苹，小者为菩。杨慎《卮言》谓四叶菜为菩。陶弘景谓楚王所得者为苹。皆无一定之言。盖未深加体审，唯据纸上猜度而已。时珍一一采视，颇得其真云。"

李时珍亲自去采视，把它们的不同点，作如下的区别。

"其叶径一二寸，有一缺而形圆如马蹄者，莼也。似莼而稍尖长者，荇也。"

"四叶合成一叶，如田字形者，苹也。"

《本草纲目》卷26"芸薹"条，时珍曰："芸薹方药多用，诸家注亦不明，今人不识为何菜？珍访考之，乃今油菜也。"

《本草纲目》卷39"五倍子"条，时珍曰："五倍子，宋《开宝本草》收入草部，《嘉祐本草》移入木部，虽知生于肤木之上，而不知其乃虫所造也……五倍子乃虫食其津液结成者。皮工造为百药煎，以染皂色，大为时用。"

《本草纲目》卷43"鲮鲤"条，陶弘景说："鲮鲤，日中出岸，张鳞甲如死状，诱蚁入甲，即闭而入水，开甲蚁皆浮出，因接而食之。"李时珍亲自观察，说："鲮鲤胃独大，常吐舌诱蚁食之。曾剖其胃，约蚁升许也。"

以上的例子说明李时珍重视实践，或亲自采摘辨认，或亲自种植观察，或向村夫野老学习，能够取得第一手资料，通过排比、分析、推理等一系列的整理，由此而得出比较可靠的结论。

李时珍重视实践，不迷信古人，相信人的力量能够控制自然，使它服从人的需要。例如在药性升降浮沉中，李时珍指出："升者引之以咸寒，则沉而直达下焦；沉者引之以酒，则浮而上至巅顶。"从而得出"是升降在物，亦在人也"。

6. 反对神仙怪异的邪说，发展了唯物主义的精神

李时珍除总结了16世纪以前我国劳动人民的用药经验和理论知识外，还以实事求是的科学精神，对前人某些不正确的说法予以驳斥。尤其是对于那些邪说，极力予以批判。如某些本草书曾记载服食"金丹"可以长生不老。李时珍极力加以否定，并指出其危害性。当时社会上服食之风依然延续着，明代的帝王也梦想长生不老，迷信仙丹。明代宣德中宁献王即迷信炼丹，收集这方面的资料，编成《庚辛玉册》。明代嘉靖皇帝世宗朱厚熜曾在宫中设坛醮专门从事炼丹。但是李时珍不相信炼丹能够使人长生。他从历代文献中看到许多人服食丹药而丧生，因此在书中多次提出批判，并指出水银、雄黄等药都是毒药，历代人因久服而受害者不计其数。

兹将《本草纲目》记载这些有毒的药的危害性，举例如下。

《本草纲目》卷9"雄黄"条发明下有时珍曰："夫雄黄乃治疮杀毒要药也。而方士乃炼治服饵，神异其说，被其毒多矣。《太平广记》载成都刘无名服雄黄长生之说，方士言尔，不可信。"

《本草纲目》卷13"黄连"条发明下有时珍曰："黄连，陶弘景言道方久服长

生，窃谓黄连大苦大寒之药，用之降水燥湿，中病即当止，岂可久服？我明荆端王素多火，医令服金花丸，乃芩、连、栀、柏四味，饵至数年，其火愈炽，遂至内障丧明。观此苦寒之药，不但使人不能长生，久则气增偏胜，速夭之由矣。"

《本草纲目》卷34"菌桂"条下正误云："〔慎微曰〕抱朴子云：桂可以龟脑和服之，七年能步行水上，长生不死。〔时珍曰〕方士谬言，类多如此，唐氏（慎微）收入本草，恐误后人，故详记之。"

《本草纲目》卷34"月桂"条集解下云："〔时珍曰〕吴刚伐月桂之说，起于隋唐。月中有树，窃谓月乃阴魄，其中婆娑者，山河之影尔。"

《本草纲目》卷12"锁阳"条集解云："〔时珍曰〕锁阳出肃州。按，陶九成《辍耕录》云：锁阳生鞑靼旧地，野马或与蛟龙遗精入地。""时珍疑此自有种类，如肉苁蓉、列当，亦未必尽是遗精所生也。"对于这种"马精入地变为锁阳"的传说，时珍给予有力的批判。

《本草纲目》卷27"百合"条，陶弘景说："百合乃云是蚯蚓相缠结变作之。"李时珍批判说："百合，其瓣种之，如种蒜法。山中者，宿根年年自生。未必尽是蚯蚓化成也。蚯蚓多处，不闻尽有百合，其说恐亦浪传耳。"

《本草纲目》卷29"桃花"条，陶弘景引《肘后方》言服三树桃花尽，则面色红润悦泽如桃花。苏颂引《太清草木方》，谓酒渍桃花饮之，益颜色。李时珍批判说："陶、苏二氏乃引服桃花法，则因本草之言而谬用者也。"

李时珍在批判服食成仙邪说的同时，又有分析地对丹药在医疗上运用恰当所起的疗效，给以适当的肯定。

例如，《本草纲目》卷9"水银"条发明下，李明珍说："水银钻筋，绝阳蚀脑。阴毒之物无似之者，《本经》言其久服神仙，《抱朴子》以为长生之药。六朝以下，贪生者服食，致成废笃耐丧厥躯，不知若干人矣。方士固不足道，本草岂可妄言哉？"

李时珍对水银用于服食所产生的危害作了长篇的批判。但是李时珍又有分析地认为水银用得恰当，对医疗还是有一定疗效的。所以李时珍在批判最后说道："水银但不可服食，而其治病之功，不可掩也。"

7. 重视药物毒性，警告人们用毒药要慎重

李时珍对药物毒性很重视，凡是有毒的药物，都详加论述，并提请人们注意。例如，《本草纲目》卷9"水银粉"条发明下，"〔时珍曰〕若服之过剂，或不得法，则毒气被蒸，窜入经络筋骨，变成筋骨痛，发为痈肿疳漏，或手中皲裂，虫癣

顽痹，经年累月，遂成废痼，其害无穷。"

李时珍对有毒的植物特立毒草类。

（六）《本草纲目》金陵初刻本校注说明

李时珍（1518—1593）为明代杰出的医药学家，字东璧，晚年号濒湖，蕲州（今湖北蕲春县）人。祖父是"铃医"（走方郎中）。父亲李言闻，号月池，是当地名医。母亲张氏。时珍少年多病，由于当时医生社会地位低，其父要时珍应科举试。时珍 14 岁（1531）补诸生（考中秀才），以后在 17、20、23 岁，三次赴武昌乡试孝廉（考举人）均不中，转而业医。时珍随父业医，屡奏奇效，名重一时。楚王闻之，聘为奉祠（管理医务），掌良医所事。世子暴厥，立活之。荐于朝，授太医院判，一年告归。

时珍告归后，决心重编一部本草书籍，仿朱熹的《通鉴纲目》，"以纲系目，纲举目张"，进行编撰，并"渔猎群书，搜罗百氏"，除广泛参阅历代医药典籍及其他文献，吸收前人经验外，还向药农、樵夫、猎户、渔民和铃医请教。他亲自上山采药，还对某些药物进行栽培、试服。他通过对药物实地观察研究，引正了古本草书中的很多错误的记载。他从嘉靖壬子（1552）直到花甲之年（万历戊寅，1578），才完成此《本草纲目》。全书约 190 万字，载药 1892 种，其中 374 种是李时珍新增的，附方 1.1 万余首，插图 1109 幅。

全书 52 卷，卷 1、2 辑录前代各家本草序例，卷 3、4 评述并补充《证类本草》诸病通用药。卷 5 以后，将收录药物按自然属性分为 62 类。对每种药物按正名、释名、集解、正误、修治、气味、主治、发明、附方等项论述之。全书涉及内容不止限于本草学，对动物学、植物学、矿物学、天文学、地理学、地质学、化学、医学、历史学等都有涉及，是一部内容广泛、资料丰富的博物学。它继承和总结明代以前本草书籍之大成，对明以后的本草书籍产生了深远的影响。《本草纲目》的主治项，是总结明以前千余年用药的经验，这些经验都是从药物对人体应用直接反应中总结出来的，它比现代动物实验结果更为难得。所以清代大部分本草著作，如《本草备要》《本草从新》等，都是从《本草纲目》主治项目中摘要编成，它们对于广大临床医家是必不可少的读物。

在当时，本书编成后，如何能出版，是个难题。时珍在蕲州、黄州、武昌无法出版。1579 年，时珍到金陵寻求出版亦未成。又经过 10 年的努力，才被金陵书商兼藏书家胡承龙接受刻印。书刚刻成，时珍溘然长逝，终年 76 岁。在逝世这一年，时珍曾作遗表，授其子建元。其表略曰："臣幼苦羸疾，长成钝稚，唯耽嗜典籍，纂述诸家。伏念本草一书，关系颇重，谬误实多，窃加订正，历岁三十，功始成就。"三年后（1596），《本草纲目》在金陵（南京）正式刊出，称为"金陵版"。其后，明朝万历皇帝朱翊钧下诏令征集图书，由时珍子李建元将《本草纲目》献上，朱翊钧仅批"书留览，礼部知道"7字。

《本草纲目》不仅是一部药物学巨著，而且对矿物学、化学、动植物学都有贡献，它不仅促进我国医药学的发展，而且对世界药物学的进展，也起到了一定的影响。从1596年《本草纲目》问世以来，不仅国内反复地翻刻，世界各国也先后译成拉丁、法、日、德、朝、英等文字，在国外发行，为国际药物学者、植物学者所重视。

关于《本草纲目》刊本有70多种，大体分为"一祖三系"，初刻金陵本为祖本，下分江西本、钱本、张本3种系列本。

祖本最早为胡承龙首刻金陵本。载图1109幅（藤黄有名无图）。1640年程嘉祥加以翻刻，程氏改金陵本"辑书姓氏"为"校书姓氏"，并添上程氏姓名及摄元堂字样。

江西本，1603年由夏良心、张思鼎刻于江西南昌，增李建元进疏及夏、张二序。该本基本保持祖本原貌，转载金陵本药图1109幅（藤黄有名无图），为明末清初《本草纲目》各种版本的底本。其后据此翻刻有10余家。1977—1981年刘衡如亦据江西本校点，由人卫出版。

钱本，1604年钱蔚起刻于杭州，又称武林钱衙本。并改绘江西本药图，增加藤黄图一幅，共收药图1110幅。其后据钱本翻刻近40家。

张本（亦称味古斋本），1885年张绍棠刻于南京，文字参校江西本、钱本二系列本，药图依钱本改绘，并参考《救荒本草》和《植物名实图考》，改绘图很多，共收药图1122幅，比钱本增绘12幅（计药17种，滇钩吻、土三七等）。张本改绘药图虽精美，但使原著失真，因此被现代本草品种考证学者指为伪本。但全书文字不伪，翻刻很多，流传极广。1957年人卫据味古斋本加以影印，书末附校勘表、药物索引、释名索引。

上述三种系列本易见，唯独祖本难得。国内中国中医研究院、上海图书馆各藏一部，国外日本内阁文库、狩野文库、伊藤笃太郎，美国国会图书馆亦有收藏。旧载德国柏林国立图书馆藏有一部，后毁于战火。国内所藏，视为极珍贵的善本，一般人难以借阅。

1993 年上海科学技术出版社据金陵版影印成 16 开本，特精线装成 10 册。

为了照顾一般读者和青年人阅读的习惯，我们用最早的祖本（金陵本）进行校点，并把金陵本繁体竖排改为简体横排，用多种善本医药典籍加以校勘，对书中难字难词加以解释，连同校勘歧异文出注于相关章节或每药物文末之后，以利读者参阅。

《本草纲目》原是在《证类本草》基础上编纂的，从校勘实践中发觉《本草纲目》是采用明代成化《政和》系列本为蓝本编纂的。《本草纲目》所引《证类本草》文字，其异同讹误悉同成化本《政和》。这就使我们在校点《本草纲目》时，很多地方可以利用过去校点《证类本草》资料了。校点《证类本草》所参考的书，在校点《本草纲目》时，同样也可用。

1957 年人卫影印张本《本草纲目》（以下简称张本）和 1977—1981 年铅印刘衡如校点《本草纲目》（以下简称刘本），也是很重要的参考资料。刘本和张本在校勘内容方面基本相近，凡刘本校出的，在张本均已改正，唯张本未出书证，而刘本出了详细的书证，这是刘本胜过张本之处。又张本仅有断句，且有误断，而刘本加了标点，并改正了张本中误断，例如，《本草纲目》卷 43 鳞部"龙"条，张本（1574 页）误断，而刘本（2375 页）断句正确。不过对古书的断名标点，本来很难。例如，《本草纲目》卷 1 序例上，对同一节文张本、刘本也有误断。张本（357 页）作"其贵胜阮德如张茂先辈，逸民皇甫士安"。刘本（51、52 页）作"其贵胜阮德如、张茂先辈。逸民皇甫士安"。两本皆断为 3 个人名，其实是 4 人，文中"辈"字，按《本草经集注序录》实为"裴"之误，所以当断为"其贵胜阮德如、张茂先、裴逸民、皇甫士安"。

李时珍生活在 16 世纪，由于历史条件和当时科学水平的限制，加以后世对《本草纲目》翻刻校刊不精，书中不可避免地存在一些讹误或不够确切之处，这也是正常的。从清初直到现代，各家翻刻《本草纲目》，对书中讹误都做了很多补正。这次校注，卷 1～18 由尚志钧承担，卷 19～52 由任何承担。金陵版《本草纲目校注》是在继承前人的工作基础上进行的，但是难免存在不足，敬请读者指正。

第二节　本草经类

一、卢复辑《神农本草经》

明·卢复，浙江钱塘人，字不远。他著有《医种子》四集。即《医经种子》

《医论种子》《医方种子》《医案种子》。其中《医经种子》首编为《难经》，次编即是《神农本草经》（清·曹禾《医学读书志》卷下"卢之颐"条）。

卢复所辑《神农本草经》，其自序谓始于万历三十年壬寅（1602），终于万历四十四年丙辰（1616）。前后花了10余年。

他的著作，是在李时珍《本草纲目》成书之后。

日本丹波元坚为森立之所辑《神农本草经》作序说："明卢不远有见于斯，摘录为编，以收入于医种子中。然不远本无学识，徒采之李氏《纲目》，纰缪百出，何有益于古本乎？"

按 卢复辑本所用目录，是取于《本草纲目》卷2所载的"本经目录"，但药物条文，仍用《证类本草》白字的文字，因卢氏辑本的文字，与《本草纲目》所引《本经》文不完全相同，而与《证类本草》白字《本经》文相同，所以丹波元坚的说法，不一定正确。

卢复辑本，载药365种，分上、中、下3卷。卢复自序云："本经草木性也……余壬寅于本草有省，今十四年矣。本经、别录颇能分别……万历丙辰冬，钱塘卢复记。"

卢复辑本的版本有以下5种：一是明刊医种子本；二是精抄本；三是日本元禄书籍目录所载的刊本；四是日本宽保三年（1743）泉屋卯兵卫再版；五是日本宽政十一年（1799），江户铃本良知翻刻本，书首有日本医官杉本良仲温序云："玉池铃本良知……近者获本经椠本一卷，乃医种子中所收也，爰翻雕广刷……而请序于余……时岁在己未宽政十一年秋九月。"

又有江户铃木（文）良知序云："宽政丁巳……访兼葭堂主人，谈及予购华本一事，主人素藏四种子残本一卷，出以示之，遂使斋以赠予……遂命剞劂……宽政十一年，岁次己未秋九月。"

二、《神农本草经疏》

该书"据经（《神农本草经》）以疏义"，故名。简称《本草经疏》。作者缪希雍。

缪希雍（1546—1627），字仲淳（或作"醇"），号慕台，东吴海虞（今江苏常熟）人，侨居长兴，终老金坛，少多病，长嗜方技，不事王侯，唯精研医药，尤长于本草。他生平好游，常与樵叟村竖交往，搜罗秘方甚富，著述甚多，有《先醒斋笔记》《先醒斋广笔记》《本草经疏》《本草单方》等存世。门人李杨（季虬），传其学。"梓行本草经疏题辞"云："检讨《图经》，求其本意。积累既久，恍焉有会心处，辄札记之，历三十余年，遂成此书。"书成后由门人李季虬参录，付新安吴康虞氏刻之金陵，但书未刻成，稿反而遗散流传。西吴朱氏曾集刻此书，内容却不及原书的一半，且次序错乱，药品残缺。刻本今亦存世，名《续神农本草经疏》（12 卷），缪仲淳遂命顾澄先检其存稿若干卷，按部选类，重汇复校，以成定本。初刊于天启五年（1625）。

全书 30 卷。目录次序，悉从《证类本草》。未袭用原《证类》的序例，另撰"续序例"两卷。上卷为药学理论文章 33 篇，下卷为"诸病应忌药"7 门（阴阳表里虚实、五脏六腑虚实、六淫、杂证、妇人、小儿、外科）。从第 3 至 29 卷，则择取《证类》若干药物（不限于《本经》药）疏其要。第 30 卷收《证类》未载（或未详）之药。总计论药 490 种。

各药主治，多择取《本经》《别录》所载，如有未尽者，则参以诸家主治。正文分 3 项。一为"疏"，阐发药性、主治之所以然；二为"主治参互"，列述配伍及其所治病证，引录诸家单验方；三为"简误"，备注药物品种、适应证之容易混误者，"有证同而药不宜同者，每条后详书其害"。

该书重点阐发药学理论，且介绍用药经验，辨析药物的名实种类。

序例上卷为药论，各示标题。如"药性差别论""论治吐血三要""论痰饮药宜分治""论五运六气之谬"等。这些专题多依据《内经》《本经》及前人精论，但时出新见。如"气之毒者必热，味之毒者必辛"；吐血三要："宜降气不宜降火，宜行血不宜止血，宜补肝不宜伐肝"；指五运六气为"杂学混滥"，并称："予见今之医师，学无原本，不明所自。侈口而谈，莫不动云五运六气。将以施之治病，譬之指算法之精微，谓事物之实有，岂不误哉！"

具体药物的理论阐发，则多据该药的生成、性味、阴阳、五行、归经、疗效等予以推衍。

缪氏从性味入手，结合脏腑理论等阐释药物主治之所以然，有其独到之处。因其尊经的思想比较严重，故也有曲为附会之论。缪氏在"主治参互"及"简误"项下，每结合其丰富的经验，予以详述细辨，对临床用药不无小补。

《本草经疏》以它雄辩的论说、丰富的经验，赢得了众多后世医家的崇信。缪氏打出尊经的旗帜，对《本经》等古代经典本草著作进行理论阐释，客观上是对当时医家"学无本原"的一次冲击。他和李时珍两位本草大家从不同角度对古典本草著作进行整理，都取得了巨大成功。缪氏本草的成就与《本草纲目》相比显然逊色，但在临床药学方面，缪氏之说的影响相对来说要广于李时珍之说。

近人谢观在《中国医学源流论》中说缪氏等"以复古为主，唾弃宋后诸家之论，在当时可称新派"。并称赞《本草经疏》"最为精博"，可谓明论。明末至清代众多以阐解《本经》为主旨的本草著作，大多受缪氏影响。但缪氏尊经复古的另一面，不免有牵强附会、师心自用之处。

今存有明天启五年（1625）绿君亭原刊本，藏馆甚多。另有《四库全书》写本、《周氏医学丛书》初集本（1891）等清刻本。1980 年江苏广陵古籍刻印社影印周氏刊本，各地多藏。

三、《神农本草经会通》

此书由明·滕弘（可斋）撰于 1495 年。滕弘六世孙滕万里刊于万历四十五年（1617）。滕氏谓："著书立言者，无若神农氏《本经》一书。"他是穷毕生之力以校之。

全书 10 卷。其书虽名《本经》，书中收录非《本经》药很多。盖古人所谓《本草经》，有些是泛指综合性本草著作而言，并非含药 365 种的《神农本草经》。

本书刊本为明万历四十五年丁巳（1617）刻本。

第三节　临床应用类

一、《本草集要》

该书集取《证类本草》要旨，故名"集要"。王纶（约 1460—1537），字汝言，号节斋，慈溪（今浙江宁波）人，成化二十年（1484）进士。"迁礼部郎中，历广参政湖广广西布政使。正德中，以副都御史巡抚湖广。"（《明史·吴杰传》）精于医，所在为人治病，无不立效。弘治壬子（1492），公余取《证类本草》及李东垣、朱丹溪诸书，参互考订，删繁节要，历时 5 年，三易其稿，而成《本草集要》（1496）。

该书 3 部 8 卷。上部卷 1 为总论，辑录《本经》序例，陶弘景等论汤药丸散分两修制，药性气味法象、天地、阴阳、配合人身脏腑等（多出《内经》及李东垣书），制方用药之法（多出《内经》及《本经》），随证、随经、随时用药法（出《本草》及李东垣书，附以己意）。

中部计5卷10部，以"本草各药莫多于草"，故改变玉石列于首的旧例，以草为首。又以"人为万物之灵"，故最后列人部。总计收药545种。

下部"药性分类"2卷，列12门（气、寒、血、热、痰、湿、风、燥、疮、毒、妇人、小儿）。各门又细分类，如治气门分补气清气温凉药、行气散气降气药、温气快气辛热药、破气消积药4类。各类列相应药物，以数字至二三十字简述药性（这部分内容尝被《本草真诠》袭取）。

各论每药之下，简述君臣、性味、阴阳、良毒、归经、畏恶相反等，后列功效主治。低一格录单方（只收单方），以病名为标题。末为王纶按语，讨论药理、配伍运用等。按语之前的内容，多节取前人书。按语则常扼要地归纳用药要点。

由于具体药物的内容补充得很少，所以李时珍评价说："别无增益，斤斤泥古者也。"（《本草纲目·序例》）然而该书的编写方式，实际上对李时珍《本草纲目》产生了影响。如总论集录金元医家论说，并分专题进行讨论；把"无知之物"（草木金石）排在前，"有知之物"（兽禽虫鱼）列于后，终以人部；诸方以病名为标题，而不是旧式的以人名书名为标题，各药不分三品，"以类相从"等。这些改进都被《本草纲目》汲取并进一步完善。

今存多种明刊本：正德五年（1510）本，藏沈阳医学院、辽宁中医学院；明刊黑口本（无序言），藏中国中医研究院及上海中医学院（即今上海中医药大学，下同）；嘉靖八年（1529）朱廷立刻本，藏北京图书馆；万历三十年（1602）刘龙田刊本，藏中华医学会上海分会图书馆等。

二、《本草约言》

该书取其简约，故名。

薛己（1487—1559），字新甫，号立斋，古吴（今江苏苏州）人，殚精方书，于医术无所不能。正德时（1506—1521）选为御医，擢南京院判。嘉靖（1522—1566）年间进院使。著有《家居医录》16种，《本草约言》即其中之一。作者"就本草中，辑其日用不可缺者，分为二种，且别以类志约也。韦编几绝，丹黄斑驳不复识"。因序后未署年号，不知成书年。《联目》记为1550年，但据本书考证，其实际成书年较此为早。今附于1520年。

该书卷1、2为《药性本草》，卷3、4为《食物本草》。

《药性本草》2卷。分草、木、果、菜、米谷、金石、人、禽兽、虫鱼9部。共收药287种。

各药不分项目，先列味、气、阴阳、升降、归经、功效主治，次引前贤药论，或加按语，叙说不繁。书中常引"发明云""《（本草）集要》""丹溪""汤液云""江云""《（药性）赋》云"等，皆为元代及明初著名医家和本草著作。薛氏自家注说很少。全书主要讨论药性及用药法，对药物炮制也有较多的记载，但多辑录前人言，少有发挥。

中国中医研究院藏《本草约言》明刊本，无扉页，不署刊年及刻家名号。《联目》载日本万治三年（1660）田原二左卫门刊本，今存中国医科院、北京大学及南京图书馆。

三、《本草蒙筌》

《本草蒙筌》是明·陈嘉谟所撰。陈嘉谟，字廷采，新安祁门（今安徽祁门）人，生于明成化丙午（1486），逝年不详。陈嘉谟为其书作序于嘉靖乙丑（1565），其逝年当在 1565 年以后。

陈氏日间悬壶于市肆中，每于清夜宴坐，对月朗吟，因自号月朋子，世人称之为陈月朋。

陈在少年时从事举子业，因体弱多病，遂留心医学。他认为医有《素问》《难经》，犹儒家有六经。而医中的《本草》，犹儒家之有《尔雅》。不读《尔雅》，不能通六经；不读《本草》，即难以发挥《素问》《难经》治病的机制。所以《本草》是方药之根基，医学之指南。

由于当时流行的《本草集要》《本草会编》《大观本草》各有短长，陈氏遂取诸家本草著作会通而折中之，并本《会编》之体例，广《集要》之遗漏，约《大观》之烦琐，间附己意，编成《本草蒙筌》。筌是捕鱼用的竹器，蒙是童蒙。即是书为医家启蒙读物。陈氏说："余辑是书也，徒以觉悟童蒙，今从事于训诂，明君臣佐使之理，因而以探《素问》之奥，譬渔者之筌云尔。"其意，即本书为启蒙所需的工具。

是书创自嘉靖己未（1559），至乙丑（1565）二月成书，五易其稿，历时 7 年。

全书分为 12 卷，另有卷首 1 卷，载药 742 种，分草、木、谷、菜、果、石、兽、禽、虫鱼、人 10 部。所谓附名，即是主药的名下，附以同类的药物。

例如，"蓝实"条附以同类有青靛、青黛、青布。"天麻"条下附以赤箭，"附子"条下附以乌头、射罔、乌喙、天雄、侧子、木鳖子。在所附的同类药中，有些药不见于前代本草著作的记载。如"龟甲"条下所附的绿毛龟，"人溺"条下附的秋石，都不被前代本草著作所收录。李时珍作《本草纲目》时，将绿毛龟、秋石作为正品收入《本草纲目》中，前者列入卷45介部，后者列入卷52人部。

本书首卷为"历代名医图姓氏"，取自熊宗立《医学源流》〔成化丙申（1476）〕。共绘14幅图像，每幅图像后，附以简传及图赞。其14幅图像为：伏羲皇帝、神农炎帝、轩辕黄帝、天师岐伯、太乙雷公、神应王扁鹊、仓公淳于意、医圣张仲景、良医华佗、太医王叔和、皇甫士安、抱朴子葛洪、真人孙思邈、药王韦慈藏。

首卷后为"总论"，在"总论"中，设立17个小标题，即"出产择土地""收采按时月""药剂别君臣""四气""五味""七情""七方""十剂""五用""修合条例""服饵先后""各经主治引使""用药法象"等。

在上述17个标题中，讨论野生家种、道地药材、采收最好季节和最佳药用部位、贮藏保管方法、真伪优劣鉴别、炮制方法、配伍宜忌、组方的应用等问题。其中对真伪鉴别较为重视，例如在"贸易辨真假"一节中，引谚云："卖药者两只眼，用药一只眼，服药全无眼。"并在书中列举很多作伪的药品。如"细辛"条下云："卖者多以杜衡假代，殊不知气虽小异，入口吐人，不可不细择耳。"

在"总论"之后，即是"药性歌"，将240味常用药的性味主治功用，用韵语编成四字一句的歌诀，编成240首歌。有些歌诀下附以小字注义。例如人参的歌诀为："人参味甘，大补元气，止渴生津，调荣养卫。"其下注以小字注云："肺中实热并阴虚火动，劳嗽吐血勿用，肺虚气短，少气虚喘，烦热去芦用之。反藜芦。"

在首卷之后，为本书主要部分，共分12卷，每卷讨论各药物的具体内容。在叙述程序上，对每味药，分文字与药图两部分。在文字的内容中，又分为两段。前半段为正文，后半段为按语。

在正文中，按气味、药性、升降、阴阳、归经、有毒、无毒、产地、形态、采收、炮制、主治功用、用药配伍宜忌等次序叙述。文字很精炼，有些句子用对语写的，适合朗读口诵。

在正文中，对某些名词或句子，用双行小字夹注释之。其目的是帮助初学者更好地理解正文。

按语都是陈嘉谟所加的，并标以"谟按"二字。重点是讨论辨证用药。对前人某些观点能结合实际予以讨论，对一些错误的论据，用中医理论加以驳正。例如在"生地黄"条，陈嘉谟的按语，主要讨论朱丹溪所言"地黄气病补血"，缺乏辨证条件，生地黄凉性大，易伤胃气，多服反致胸膈痞闷，饮食少进，又地黄滋腻，易伤胃气，气虚不可过量补其血，庶几不失于偏误；在“黄芪”条中，详释气药、血药的关系；在“人参”条中，详论虚火的病机。在这些按语中，都发挥了陈氏个人的新见解，从而丰富了中药药理的内容。所以本书，不仅专为初学者中医启蒙读物，而且也是一本富含理论和实用价值的著作。在明代本草书中，李时珍对它倍加推崇。李时珍说：“《本草蒙筌》依王氏《集要》部次集成。每品具气味、产采、治疗、方法，创成对语，以便诵记。间附己意在后，颇有发明。便于初学，名曰《蒙筌》，诚称其实。”（1981—1987 年人卫版，校点本《本草纲目》卷 1 页 11。）

其药图部分，都列在每味药物条文之末。一般一药一图，有时增附药材图，共计有药图 559 幅，其中药材图 30 余幅。大多数图是从《政和本草》转录的。药图上产地题名，亦是转录于《政和本草》。例如，“人参”条有二图，一题“潞州人参”，一题“威胜军人参”。这两个产地题名和两个药图，和《政和本草》卷 6“人参”条附图全同（1957 年人卫影印《政和本草》145 页）。又如，“黄芪”条所绘黄芪药图及其产地题名“宪州黄芪”，与《政和本草》卷 7“黄芪”条附图全同（人卫影印《政和本草》178 页）。

本书对药物形态的记载，详于前代本草著作，对品种论述亦详于前代本草著作。

例如，本书对五味子的形态记载很详细，谓：“五味江北最多，江南亦有。春生苗，茎赤色，渐蔓高木引长，叶发似杏叶，尖圆，花开若莲花黄白，秋初结实，从缀茎端，粒圆紫，不异樱珠，核扁红，俨若猪肾。采收日曝，膏润难干。”前代本草著作对五味子的形态记载，皆不及本书详细，而且前代本草著作只单言五味子一种，不分品种。而本书将五味子分为南北二种，并言：“南北各有所长，藏留（贮藏）切勿相混。风寒咳嗽，南五味为奇；虚损劳损，北五味最妙。”又如“蒺藜子”条，分黑白二种，“黑成颗粒，较马藻子略殊，此种多出沙菀；白多刺芒，比铁蒺藜无异，此种亦生近道。黑仅合九散，生取研成，白堪用煎汤。”

本书最早刊本为明嘉靖乙丑四十四年（1565）。因此，书首序题“嘉靖乙丑（1565）春二月吉旦新安八十翁月朋陈嘉谟廷采序”。次序为许国《撮要本草蒙筌序》。序题“嘉靖乙丑（1565）季秋菊旦”。

上海图书馆、甘肃图书馆藏有明嘉靖四十四年乙丑（1565）醉畊堂刻本。

北京图书馆藏明崇祯元年戊辰（1628）金陵万卷刊本，各卷首页题款有 3 种形式。

卷 1 题：新安陈嘉谟廷采纂辑；门生歙邑叶棑（鲍倚），婿胡一贯，侄晨仝订，潭阳刘肇庆（刚堂）校刊。

卷 2～11 题：新安陈嘉谟廷采纂辑；门生歙邑叶排（鲍倚），婿胡一贯，侄晨校刊；潭阳后学刘孔敦（若朴）增补。

卷 12 题：新安祁门月朋陈嘉谟廷采纂辑；歙邑叶排（鲍倚）校刊；建武盱江沛泉吴文炳光甫正讹。

安徽省图书馆藏有明歙邑刊本，范行准藏有明万历刊本及崇祯印万历原刊本两种。据《中医图书联合目录》记载，还有上海中华医学会藏有明嘉靖书林刘氏刊本，中国中医研究院有明刊清补本，广州中医药研究委员会有叶排校刊本，广州中山医学院图书馆有明抄本。此外，1962 年，成都中医学院据明崇祯万卷楼刊本翻刻成油印本。

四、《本草真诠》

杨崇魁，字调鼎，号搜真子，清漳人，以儒闻世，然留意医药。他采集诸家本草著作（自《本经》而至王节斋、方古庵），编成《本草真诠》2 卷 6 集（1602）。上卷第 1 集讨论运气；第 2 集分别经络；第 3 集仿王纶《本草集要·药性分类》，列 12 门，归类药品，各药名下寥寥数语，简介功效，共述药 1050 种（包括重复者）。下卷第 1 集首列诸品药性阴阳论，继分温、热、平、凉、寒类药；第 2 集为"食治门"，分米谷、菜蔬、果品、走兽、飞禽、虫鱼 6 类；第 3 集相当于总论，杂取前人本草著作序例中的内容，如"十二经水火分治歌""五脏苦欲补泻药味""贸易辨真假""咀片分根梢"等。

该书对人体经络走向及药物归经的记载不厌其烦。卷上第 2 集附经络图，每药都要列补、泻、温、凉 4 类药名，及引经报使药（分上升、下行 2 类）。卷上第 3 集各门之后，又要列主治各经病证药名。

作者对药物的解释，一味追求以运气、阴阳、经络统贯之，多引金元医家的论说。各论诸药先简列味、气、阴阳、功效、主治、炮制、用法，随后即阐释药理。据核查，该书大部分资料都是取自《证类本草》《本草集要》《本草蒙荃》等书，作者在编排上煞费苦心，而内容却并无增益更新。

今仅存北京大学图书馆藏明万历三十年（1602）怡庆堂余苍泉刊本，序言中旁注日本假名。

五、《本草原始》

该书旨在推原药物之本始，故以名书。作者李中立，字正宇，雍邱（今河南杞县）人。少习儒，"博极秦汉诸书"，聪明多才。因见当时有些医家"谬热臆见，误投药饵，本始之不原而懵懵"，遂"核其名实，考其性味，辨其形容，定其施治"，且"手自书而手自图之"，著成《本草原始》（1612）。

全书 12 卷。无总论。分草、木、谷、菜、果、石、兽、禽、虫鱼、人 10 部。收药 452 种，有药图 379 幅。该书各药简述产地、基原形态、性味、主治；中间插入药图及解说；附以"修治"及附方，叙述简明扼要。有关临床用药的内容绝大多数取自《本草纲目》，但药图及注说主要与药材学内容有关，是为特色。

药图所绘基本上全是当时市售的药材，在刘寄奴、石龙子、蛤蚧、狗脊等图注中直接说明系市卖干品。药图之旁有针对性地用文字指示鉴别特点，是该书的一个创造。只有极少数药图系转绘（如谷精草）或画法欠严谨（如墓头回）。本书药图在历代本草著作中独树一帜，不仅绘全了药材，而且有的绘出了断面，展示了维管束的样式。有时一药数图，列举了不同品种、产地的药材形状。

图中注文十分简洁，汲取了许多药工的辨药经验及术语，形象地点出了药材真伪优劣、道地药材的鉴别特征。如云肉豆蔻："外有皱纹，内有斑缬，纹如槟榔，纹肉油色者佳。"图名也很有特色，如蚕头当归、马尾当归、凤眼降香、云头术等。书中还揭露了当时许多药品作伪的情况，述及许多道地药材鉴别特点，反映了当时一些地区用药习惯，并介绍了一些药材的规格（如生地分头条、中条等）。作者尤其注意区分不同品种、不同产地药材的效用，认为贝母伪品土贝母"堪医马而已"、天麻伪品羊角天麻"不堪用"，当归的一个品种蚕头当归"止宜入发散药"等。作者还注意搜集药材的炮制方法，并有若干理论总结。

该书最主要的成就在于它为中药鉴定、炮制等增添了新的内容，一般认为这是我国一部出色的药材学（或生药学）专著。

浙江省图书馆存万历四十年（1612）雍邱李氏原刊本，以有罗文英、马应龙二序为特征。崇祯十一年（1638）鹿城葛鼐（端调）校订，与《纪效新书》合刊，今存中国中医研究院，仅有马应龙一人之序。此后清代 10 余种刊（抄）本都是以葛氏本为底本。其中或内题书名为《本草原始合雷公炮制》，系一种合刻本。1923 锦章书局有石印本，各地多藏，较易查阅。

六、《药性解》

《药性解》李中梓序称："余于读书之暇，发本经、仙经暨十四家本草、四子等书，靡不悉究。然后辨阴阳之所属，五行之所宜，著《药性解》二卷。"然未见

2 卷本行世。今所存天启二年（1622）刻本系经钱允治补注编订者。前有钱氏"药性赋注解炮炙合序"（1622），该序中提到李东垣《药性赋》（320 味）和李士材《药性解》两书，谓前者无注释，后者无炮制，遂取《雷公炮炙论》条文附于《药性解》各药之下，更名为《（镌补）雷公炮制药性解》，厘为 6 卷。据钱氏云："本朝万历末，云间李中梓士材，玄禅之暇，研精此道，出其所蕴为注二卷。"可知《药性解》原书确仅 2 卷，约成书于 1618 年（万历最后一年）。

《四库全书》发现了《雷公炮制药性解》一书存在着名实不符的问题，但却连李中梓著《药性解》也同时否定了："考刘宋《雷敦炮炙论》三卷，自元以来，久无专行之本，唯李时珍《本草纲目》，载之差详。是编所采，犹未全备，不得冒雷公之名。又《江南通志》载中梓所著书，有《伤寒括要》《内经知要》《本草通原》《医宗必读》《颐生微论》凡五种，独无是书。卷首有太医院订正姑苏文喜堂镌补字，亦坊刻炫俗之陋习。殆庸妄书贾，随意裒集，因中梓有医名，故托之耳。"

《四库全书》编者未见天启二年原刊，仅据书志，推断此书为托名，实误。（《本草通玄》有李氏门生戴子来序，提到在《本草通玄》之前，李中梓已有两种本草著作（即《本草征要》《药性解》），所以该书确系李氏原撰。）

《药性解》增补本分金石、果、谷、草、木、菜、人、禽兽、虫鱼 9 部，共收药 323 味。各药简述性味、归经、功治等，低一格加"按"，注解药性及用药要点。简洁明了，常出新见。书中未见引用《本草纲目》，多取金元本草著作予以辨正。在若干药条之后，有小字双行"雷公云""扁鹊云"注，乃钱允治所补。因该书更名增补本风行海内，翻印本常略去钱允治序，使后世多误以为李氏原书也包括有辑补的炮制内容，甚至误以此书为《雷公炮炙论》的辑佚本之一。天启二年（1622）翁氏原刊本，中国中医研究院藏。另该书有近 50 种翻刻本，各地多藏。

七、《本草正》

张景岳（1563—1640），名介宾，字会卿，景岳其号，别号通一子。原籍四川绵竹，后迁至会稽（今浙江绍兴）。著有《类经》《景岳全书》等名著。创"阳非有余，真阴不足"诸论。临证好用熟地及温补方药，为明代著名医家。《本草正》即《景岳全书》卷 48、49，因这部分药学内容学术价值甚高，故多将其视为一本独立的著作。成书于 1624 年。

书分 2 卷。收山草、隰草、芳香、蔓草、毒草、水石草、竹木、谷、果、菜、金石、禽兽、虫鱼、人 14 种。计药 300 种，药名均编有顺序号。所选皆为临床常用药。无总论。各药名下，单书反畏及常用别名，其余药论另提行，不分项目，统而述之，一气呵成。一般先介绍性味厚薄、阴阳，次述主要功效及其产生该效的机制、临床运用范围、注意事项，又针对该药用法的有关争议提出自己的观点。其论药条理清晰、要言不烦、立论持平，体现了辨证用药的思想。

张景岳善用熟地，人称"张熟地"。该书用了近千字论熟地，可见其偏受之深。对畏熟地滞腻者，释其疑虑；对滥用姜、酒、砂仁制熟地者，力数其非。张氏议论纵横，主要着力于辨析临证用药之宜忌，反映了作者丰富的临证经验和深厚的理论根基。对于相似药物功用的比较、药物的配伍等也多有议论。

该书对个别药物存在的特殊问题，单独立论，如附子另立有"辨制法""辨毒"专题，在许多药物之下，附述了药物的炮制方法及与用药的关系，这也是该书的特色之一。

自朱丹溪滋阴说盛行，明代医者多遵从之，出现了喜凉忌温的偏向。张景岳倡"阳非有余，真阴不足"之论以救时弊，在处方用药上，也与其理论相对应。他认为人参、熟地、附子、大黄乃药中之"四维"，实为救偏补弊而设。从书中药论的整体来看，作者对各药的认识绝大多数是客观准确的，加之表述得法，故此书向为后世医者所重视。

《景岳全书》在明清翻印 30 余次，1958 年上海卫生出版社据岳峙楼本影印。

另中国中医研究院藏《本草类考》一书精抄本，不著撰人，《联目》将其作为独立的一本书著录，附于 1908 年。今将此书与《本草正》相对校，始知两书实为一种。

八、《本草汇言》

该书汇集与作者同时代的众多学者的药学言论，故名《本草汇言》。撰述者倪朱谟，字纯宇，钱塘（今浙江杭州）人。精于医，对药物十分注意，为此"周游省直，于都邑市廛、幽岩隐谷之间，遍访耆宿，登堂请益。采其昔所未详，今所屡验者，一一核载"（《本草汇言·凡例》）。又汇集历代本草著作 40 余种，纂成该书。书前有倪元璐天启甲子（1624）序，故其书当成于此前。倪朱谟的儿子倪洙龙（字冲之）将藏稿刊行。

全书 20 卷。收药 581 种，分草、木、服器、金、石、谷、果、菜、虫、禽、兽、鳞、介、人等部。

倪朱谟在卷首将受采访人士的姓名字号、籍贯一一开列。其中"师资姓氏"

12 人，均为当时的名医；"同社姓氏"有 136 人。这种把采访对象姓氏开列出来的做法是该书独创，不仅表明了资料来源的广泛，同时也是当时医学人物的一份重要的史料。

各卷前集中附图，计有 530 余幅（以图名为准计算）。其中药材图（包括矿物）约 180 余幅，果木则多截取枝条绘制。有时一药数图，如条黄芩、片黄芩、枯黄芩等。这些药材图或有与《本草原始》相似者。但本书卷 18 图页记有"万历庚申（1620）萧山庠士汤国华太素甫绘图；钱塘处士翁立贤恒玉甫勒象"，绘图年代与《本草原始》撰成年代（1612）比较近，书中未提及李中立的《本草原始》，因此很难说两书绘图有直接联系。汤国华所绘图以果菜、谷等部诸图较好，但整体质量并不高。

各药解说方式为：药名下记性味阴阳归经等；小字注产地、形态；集录诸论药之言；末附方剂，在各方旁边用小字注明出处。

第 20 卷为总论，列气味阴阳、升降浮沉等题 23 项，内容多采自《本草纲目·序例》。

该书除载有 148 位学者的药论外，还在附方中摘引了大量的明代医方资料，其中有一些医方书从未刊行（或已刊今佚）。因此，他在保留这些资料上有一定功绩。

该书诸家药论丰富了临床用药和药性理论的内容，这是最有价值的一部分内容。书中大量记载了用药经验。如方龙潭论黄檗，从该药"抑阴中之火""清湿之热"两个主要功效出发，分析其主治、制法、禁忌等，淋漓尽致。倪朱谟记录的许多治法，为江浙一带医家习用。如"王明源抄""松花"条："土人及时拂取，和白米、茨实、白糖调匀，印为糕饼，作茶馔食之。大能养胃清郁热。越东风俗，以此款宾。（万）历、（天）启间所时尚也。"

倪朱谟个人的意见不多，但从其注文来看，可反映作者对医药确有一定的研究。倪氏极力反对服食丹药，认为丹砂"非良善之物"，历数砒石的种种危害，引用有关论说谴责红铅（童女初行月经）治病之愚等。倪氏也比较注意药材品种的考证，他对银柴胡、北柴胡、软柴胡三物的辨析，比较明晰。他还记载了浙江温州、处州山农人工种植茯苓的情况，以及他到晋（山西）、蜀（四川）山谷中访问龙骨产区的所见。

该书增添了大量的明末诸家药论和方剂，尤以药理和临床用药内容居多，是明代新内容较多的本草著作之一。倪元璐曰："与李濒湖之《纲目》，陈月朋之《蒙笺》，缪仲淳之《经疏》，角立并峙。于以羽翼前人，启迪来者，厥功懋焉。"《浙江通志》认为："世谓李（时珍）之《本草纲目》得其详，此得其要，可并埒云。"据著录今存明刊本约有 4 部，但据查均很难确认为明版，很可能是明末清初（1624—1645）时所刻。中国中医研究院藏大成斋本，北京图书馆藏清顺治二年（1645）重摹本。另有康熙三十三年（1694）本及其他清刊本多部存世。

九、《本草徵要》

本书为李士材《医宗必读》卷 3、4，题卷首为《本草徵要》。卷前有小引曰："本草太多，令人有望洋之苦；药性太少，有遗珠之忧。兹以《纲目》为主，删繁去复，独存精要。采集名论，窃附管窥，详加注释，比之《珍珠囊》，极其详备。且句字整严，便于诵读，使学者但熟此帙，已无遗用，不必复事他求矣。"表明该书是一部以讲述药性要义的入门之书。成书于崇祯十年（1637）。

是书 2 卷。分为草、木、果、谷、菜、金石、土、人、兽、禽、虫鱼 11 部。收药 361 种。

各药不分项目，先述性味功治，后低一格记载用法要点或药理要义，或叙述炮制方法、采收、品种等，并无一定之规，但拣该药精要之处点拨数句。如云："按甘遂去水极神，损真极速。大实大水可暂用之，否则禁之。"指出主要适应证，并介绍个人用药心得。

该书叙说简明，且有心得，甚受医家欢迎。它与李氏《药性解》《本草通玄》有相似之处，但繁简各异，内容也不尽相同。

《医宗必读》有明清刊本 30 余种，各地多藏。1957 年上海卫生出版社有铅印本。

十、《药品化义》

明·贾所学原撰，李延罡补订。贾所学，字九如，鸳洲（今浙江嘉兴）人。李延罡于甲申（1644）"游苏中，偶得贾君九如所著《药品化义》……问其里人，有不闻其姓氏者"。又《药品化义》中提到方古庵、盛后湖（皆明末医家），可见贾氏约为明末人，生平不详。今将其书附系于 1644 年。

李延罡（1628—1697），字辰山，又字期叔，号寒邨；原名彦贞，南汇（今属上海市）人。为著名医家李中梓之侄，得中梓所传，精于医理。因参与反清活动，事败后遁迹平湖佑圣宫为道士，以医自给。撰《脉诀汇辨》（1662）等书。又补订贾九如《药品化义》（1680），后世易名《辨药指南》。

全书 13 卷。或有将李延罡所拟 4 篇药论另作 1 卷而称该书为 14 卷者。全书分气、血、肝、心、脾、肺、肾、痰、火、燥、风、湿、寒 13 类，共论药 162 品。

卷首是李延罡增补的药论。其一"本草谕"，简要叙述历代本草著作的发展情况；其二"君臣佐使论"，综述了历代对君臣佐使含义的各种解释；其三"药有真伪论"，其观点及材料与陈嘉谟《本草蒙筌》多同；其四"药论"，议药物性能与炮制、产地、品种的关系。

贾所学《药品化义》13 卷中，卷 1"药母订例"相当于总论。其中提出了一个新的理论概念——"药母"。所谓"药母"，取法于"书有字母，诗有等韵，乐有音律"，目的在于归纳中医药理的要素，"订为规范"，从而防止"议药者皆悬断遥拟"的弊病。作者把"药母"看成是"辨药指南，药品化生之义"的发源。

药母具体内容可分为以下 8 法。

体——燥、润、轻、重、滑、腻、干。

色——青、红、黄、白、黑、紫、苍。

气——膻、臊、香、腥、臭、雄、和。

味——酸、苦、甘、辛、咸、淡、涩。

（以上为"天地产物生成之法象"。）

形——阴、阳、木、火、土、金、水。

性——寒、热、温、凉、清、浊、平。

能——升、降、浮、沉、定、走、破。

力——宣、涌、补、泻、渗、敛、散。

（以上乃"医人格物推测之义理"。）

根据这 8 个字，作者把其他药理原则沟通起来。把中药药理由法象（表面现象）到义理，用 8 个字贯穿，形成中药理论完整的体系。

该书论药的方法仍然是金元诸家旧套路，然层次清晰，围绕常用的功效主治进行说理，较少虚玄处。药论之后，多以小字注出用药品种特征，简要炮制方法等，以切实用。书中各类药之后，有一个小结式的用药比较，便于掌握该类药各自的特点。

综观全书，以药母 8 法统诸法，门类简要，有分论有总括，结构谨严，是不可多得的一部中药理论专著。朱家宝"药品化义序"中云："贾九如《药品化义》一书，以八法辨五药，而分隶十三门。明辨以晰，而于俶诡峻烈之品，抉剔尤严。使夫读是编者，通其条贯。"对该书推崇备至。

上海中医学院藏涤俗草堂抄本；又光绪三十年（1904）北京郁文书让社印本，各地多藏。《辨药指南》14 卷，即本书重印本，有上海中华新教育社石印本。又尤乘所订《药品辨义》，亦即《药品化义》。

十一、《本草乘雅半偈》

本书初名《本草乘雅》。四数为乘。因各药分覆、参、衍、断四项予以解说，故取"乘"字，"雅"则表示该书解说的正规、合于经旨。该书逢明末兵乱而散失，经追忆重修，仅将覆、参二项补其残缺，衍、断两部分则无法复原，只得其半，故又缀以"半偈"二字。

卢之颐（约1598—1664），字子繇，一字繇生，号晋公、芦中人，钱塘（今浙江杭州）人。父卢复，名医。之颐得家传，精于方药，毕生勤于著述，晚年双目失明，仍然殚精竭虑，探讨医学。

卢之颐年轻时，就对药物很有研究。其父著《纲目博议》遇到疑难问题，常请之颐为之评决。卢复见他深明药理，就令他完成自己因病未竟的本草研究工作。之颐在父亲病故后，费时18年，完成《本草乘雅》（1647）。在原稿散于兵乱的情况下，又尽量追忆而成《本草乘雅半偈》。书中经常引用"先人云"，即是其父卢复《纲目博议》一书的内容。

据杭世骏"名医卢之颐传略"所载，《本草乘雅半偈》为12卷。《四库全书》编者所见仅10卷本。《联目》著录为11卷。其实原书并未明确分卷，仅分《本经》上、中、下三品，其余诸家本草著作，按时代先后类列，分为第1帙、第2帙等。各家计算方法不一，故卷次略异。

各药原有义例、图说，本经参，别录衍，附方断，以"参"为重。

该书药数为365种，以应周天之数。"但古有今无者，居三之一。因于《本经》取二百二十二种，又于历代名医所纂，自陶弘景《别录》，至李时珍《纲目》诸书内，采取一百四十三种，以合三百六十五之数，未免拘牵附会"（《四库全书提要》）。选药精审，有时一部本草书只选出一味常用药。

各药之前，注出"本经×品"。次行列药名、气味、良毒、功效、主治。《本经》药不分朱、黑，将《本经》《别录》内容统而述之，是为正文。

注文低一格，首列"核曰"，下述别名、释名、产地、形态、采收、贮存、炮制、畏恶等内容。次列"参曰"，下为之颐对该药功效、形态等有关内容的理论推演，核、参二项都是之颐个人撰述。在这两项之间，常夹引"先人云"（卢复语）及缪仲淳、王绍隆、李时珍诸家之论。之颐个人的发挥，主要集中在"参"这一项。

卢之颐受他父亲的影响，常以儒理、佛理来推演医理。他对药物进行理论阐发时，经常从药物名称、法象、生态等入手敷衍，尤其注重药物的生成。如他注菖蒲云："从茎中抽叶处，看破开心孔，又从茎枝盘结处，配合心主包络。即种种识证法，亦咸从生成中体会来，不唯说破至理，并说破看法。"常使得药性的解释亦得玄虚。但在讨论药物的适应证时，能经常结合《内经》《伤寒论》《金匮要略》等书，细加分辨，每多经验之谈。《四库全书提要》指责该书拼凑 365 种药，实为"拘牵附会"，但高度评价其议论和选药，谓其"考据赅洽，辩论亦颇明晰。于诸家药品，甄录颇严。虽辞稍枝蔓，而于本草，究为有功"。

本书刊本今存世者有清初卢氏月枢阁刊本、《四库全书》本以及据该本转抄本多种，藏于北京图书馆、中国中医研究院等 10 余个图书馆中。近有铅印校点本。

十二、《本草通玄》

以"通玄"名书，意即通解玄妙。后避康熙讳，改称"通元"。

李中梓（1588—1655），字士材，号念莪，又号尽凡居士。为明末清初名医，究心医学 50 余年，治疗常获奇效。其学以平正不偏见长。著述甚富，有《诊家正眼》《病机沙篆》等书。弟子甚众，如郭佩兰、尤乘等。据其门人戴子来序称，在撰该书之前，李氏已经刊行了两种本草书，但"未遑整阐其幽，悉简其误，用是复奋编摩，重严考订，扼要删繁，洞筋擢髓，成本草二卷，命曰《通玄》。"据推测，此书可能是李氏晚年之作，约成书于 1655 年。

书共 2 卷。分草、谷、木、菜、果、寓木、苞木、虫、鳞、介、禽、兽、人、金石 14 部，共计药 316 味。末附用药机要、引经报使。

无总论。书末附用药机要等，多辑自前人本草著作，无可称道。

各药叙说简明，不尚浮词，药名之下，简介性味、归经用药要点，然后有针对性地摘引前贤药论精义，并阐发己见。其后常附炮制方法。所选多属常用药，因而该书作为一部临床实用本草书颇负盛名。

该书价值之所在，主要是李中梓根据自己长期的临床实践，为药学增添了新的内容。李氏治学，注重实际。他在年轻时也相信豨莶有补益之功，并诚心修制，但"久用无功，始知方书未可尽凭也"，于是指出将豨莶作为风家至宝是世俗的误解。

这些用药经验对指导后学是很有好处的。

李氏对世俗用药偏见和前人书中一些错误记载一一指明。他认为王节斋说"参能助火，虚劳禁服"，产生了"印定医家眼目，遂使畏参如螫"的不良影响，并详细地分析了人参的正确用法。他还指出俗见以知母为"滋阴上剂、劳瘵神母"的危害；说明紫草有凉血而毒出之功，并不是宣发之剂；认为世俗滥用紫苏为食品，"甚无益也"，等等。书中列举治验案，以论证用药要义。

诸药之下常有炮制法。李氏认为"古法制药如雷敩，失之太过；而四大家已抵和平，然更多可商者"（《本草通玄·凡例》），所以本书详载制法，有十分之三四已然变动古法。如："古人制黄芪多用蜜炙，愚易以酒炙，既助其达表，又行其泥滞也。若补肾及崩带淋浊药中，须盐水炒之。"说明李中梓对药物炮制颇有研究。

流传最广的是经尤乘校定的《士材三书》本，自康熙六年（1667）初刊以来，已翻印 20 余次。各地多藏。比较少见的是康熙十七年（1678）吴三桂建周于云南时所刻的单行本。本书第一序（"琴川"氏作）后的年号题款均挖去；"重刻本草通玄序"无作序人姓氏，序中有一段叙家世之文也被挖去。序中提到"予方且优游昆海……金碧近称首善，天府图书征求宜广，而中原方事戎马，书坊旧版，安知不即付之荒烟蔓草中也"，可知此书刻于云南昆明。书中不避康熙讳（玄），有新安门人戴子来序，由昆明黄中立（子厚）书于戊午（1678）。卷首题款中有"三韩吴世琭玄石甫订"，吴世琭即吴三桂之孙，此本藏中国中医研究院。

第四节　地方类

《滇南本草》

《滇南本草》为云南地方本草著作，故名。一般认为是明人兰茂所撰。兰茂字廷秀，号止庵，晚号玄壶子、和光道人，祖籍河南武陟（一作洛阳），后迁云南，为嵩明县杨林千户所石羊山人。以授书、行医为生，自幼酷爱本草，因母病而"留心此技三十余年"，常在云南各地采药治病，采访当地各民族的用药经验，为民众所爱戴。兰氏约生于明洪武三十年（1397），卒于成化十二年（1476）。后人在其故里杨林镇建有兰公祠及兰公墓。兰氏著作有《滇南本草》《医门揽要》诸书。

关于本书的作者，历代有一些不同意见，归纳起来有以下 3 种。

（1）非兰茂所著。经利彬等持此说，谓《正德云南志》及李澄中《兰先生祠堂记》中均未提及兰茂著有《滇南本草》；又《昆明县志》载："《滇南本草》旧传兰茂作。考兰茂为明初人……而此书自序题为崇祯甲戌，其为依托可知矣。"书中收有玉麦须（玉米）、野烟等系明正统以后从国外引进品，而相传兰氏此书最早的刊本为正统本。

（2）兰茂撰。于乃义等以吴其濬《植物名实图考》曾参引《滇南本草》的多种本子，其中确有明正统年间的刊本，证明该书确是这一时期的作品，故属兰茂所撰。

（3）兰茂原著，后人增补。该书版本较多，各本之间的排列、药数、内容、文字等均有参差。故本书虽系兰茂原著，但经过后人增补。有名可稽之增补者有明朝的范洪，清朝的管瑄、王级三、杨慎等人。

以上诸说，以最后一种为多数人接受。

兰茂原著《滇南本草》，据记载有明正统刊本，则大约成书于明正统（1436—1449）年间。或有将其时系于天顺三年（1459）者，未出示依据。于怀清家藏清康熙年间抄本跋："世传止庵遗书《滇南本草》，传抄刊刻，家喻户晓，尚早于濒湖《纲目》。"据推算，大约比李时珍《本草纲目》早100多年。

本书收载药数因版本不同而异，从收药26至458种不等。其中务本堂本收药最多。该本卷上分"卷上"及"卷上之下"两部分。卷上载药68种，均附图；卷上之下系分类记载，均无图，包括果品类36种、园蔬类27种、鳞介类11种、离兽类9种，共83种。卷中载药134种，卷下载药174种，均无图，也没有分类排列。

各药之下次第叙述药名、性味、功效、主治、附方。个别药物还论及有关生态、形态的内容。介绍本地区的具体实践经验较多，有不少是少数民族经验方。

《滇南本草》最突出的特点，在于它是我国现存内容最丰富的古代地方本草著作，乡土气息非常浓郁。云南少数民族众多，该书收有较多的民族药物和用药经验，是研究民族药的珍贵材料。书中糅合汉药的理论叙述和民族药的用药经验，对于整理民族药学来说，是一种值得借鉴的尝试。

除每味药后面的附方外，全书之末还附有良方5首、单方125首。此外，还有通治门的药物、方剂16个。这些方、药既有地方性，又有民族性，从而使该书以地方性和民族性这两大特点著称于世。

据务本堂本《滇南本草》序称："考滇南杨林兰先生者，于滇中所产之灵药百草，无不备极精研，区类辨性，绘为图形。"可知传本中有绘图的《滇南本草》。

今务本堂本卷上所载 68 种药物，均附有药图。

《滇南本草》在当地民间辗转抄传，流传不广。又经明、清两代医药家及抄传者增补和摘录，故今存诸本的内容互有出入。近代以来，该书传播范围不断扩大。

第五节　食物类

一、《食物本草》

同一个《食物本草》的书名，其作者、卷数、收载药数、书中内容，均各不相同。在作者上，有薛己、卢和、汪颖、李杲、钱允治、姚可成等诸家《食物本草》；在卷次上，有 2 卷、3 卷、4 卷、10 卷、22 卷不等，在收载药数上有 385、389、907、1767 等多种。同一书名的《食物本草》，有这么多的不同情况，它们都是从明·薛己《食物本草》抄袭改编而来。兹将其间经过情况介绍如下。

（1）明·薛己《食物本草》有 2 卷本及 4 卷本，成于 1520 年。刊本在《本草约言》卷 3、4 中。

（2）明·卢和（廉夫）撰的《食物本草》，其内容全同薛己《食物本草》。关于卢和，见校点本《本草纲目》11 页《食物本草》：“正德时（1506—1521）九江知府江陵汪颖撰。东阳卢和字廉夫，尝取本草之系于食品者编次此书。颖得其稿，厘为二卷，分为水、谷、菜、果、禽兽、鱼虫、味八类云。”题卢和著。

关于《食物本草》刊本，有以下几种。

《丛书综录》855 页，载有《食物本草》2 卷，明·卢和撰（《格致丛书》本）。

《联目》99 页载明隆庆四年庚午（1570）重刻卢和《食物本草》本。

龙伯坚《现存本草书录》106、107 页：《食物本草》4 卷，明·卢和撰，王贵校，于明隆庆五年辛未（1571）一乐堂后泉书屋重刊本。龙伯坚云：“此书是按照吴瑞《日用本草》的分类法，将米、谷并为一类，另加水类。在每类之后，都有总结性跋语。书前有郭春震序。郭与校书人王贵同时人，他任朝州府知府时，檄示县令黄子进刊行。”

（3）不题作者名称，但书中内容，同卢和《食物本草》。

1）《联目》99 页载，明万历间钱塘胡文焕校刊本。《上海中医学院中医图书目录》143 页题明文焕辑 2 卷，成于 1603 年，注云见《格致丛书》本。应是胡文焕于 1603 年校刊。

2) 龙伯坚《现存本草书录》107 页云：《食物本草》2 卷，不著撰人，明万历钱塘胡文焕刊。此书内容与明隆庆五年一乐堂所刻 4 卷本的卢和《食物本草》，完全相同，一字不差。

3)《善本书录》257 页云："此乃《格致丛书》本，不著撰人姓氏，二卷。原题'钱塘全庵胡文焕校'，书中多记苏、杭间事物。在水类中'千里水'条，有'昔年余在浔州'之言，则著者当为苏、杭人，盖曾官于浔州。"

4) 1916 年上海萃英书庄石印本，不著撰人，成书于 1521 年。

（4）题元·李杲编辑《食物本草》，钱允治校刊。《上海中医学院中医图书目录》144 页载《食物本草》10 卷，明万历四十八年（1620）钱允治校刊。此书卷 1～7 为《食物本草》，题"元·东垣李杲编辑，明吴郡钱允治校订"。书分水、谷、菜、果、禽、鱼虫、味等 8 类，内容与明隆庆五年一乐堂刻本卢和《食物本草》4 卷本相同，唯排列次序先后略有变成，文字略有修改。在书末多附录 1 卷，内容是食物宜禁、解毒及孙真人逐月调养事宜等。

该书前有钱允治序云："太末翁氏好刻奇编，获此书，讹谬特甚，乃请校，不佞虽不习医，而颇识亥豕鲁鱼，窃闵怜焉，因肆力穷探，僭加评注，每类各种，每条前后，细书驳正。补其缺失。虽得罪先正，弗顾也。"

该书又载谷中虚序，称"梓之浙藩，以广其传"。谷序中未提到李杲撰此书。据此可知，托李杲撰，盖始于钱允治刻本。

日本人丹波元简《医滕》卷上妄改书名条云："此书是汪颖所撰，改为李杲名。"

谷中虚在明隆庆四年（1570）刻过《重修政和本草》，距离钱允治序题万历四十八年（1602），相隔已 50 年矣。所以此本书中谷中虚序当非万历四十八年（1620）时写的。应早在钱允治若干年前刻此书时写的。而钱允治用谷中虚写序的刻本为底本，重加校订，改题李杲撰。

此书中常引东垣说。疑非杲撰。

书中的水类有"千里水"条云："昔浔州城中，忽一日马死数百"。校以《格致丛书》本《食物本草》2 卷本中水类的"千里水"条，作"昔年余在浔州，忽一日马死数百"。

此乃钱允治校订时，把"昔年余在浔州"改为"昔浔州城中"。浔州即今广西桂平，李杲未曾去过，所以钱氏删改为"昔浔州城中"。

卷 8～10 为《日用本草》，题"元海宁吴瑞编辑，明吴郡钱允治校注"。

内容共分水、谷、菜、果、禽、兽、鱼虫、味 8 门。其目的是想从日常食物中讲究防治疾病的方法，附入药方很多。

后面有钱允治跋云："吴瑞编辑《日用本草》，六世孙景素欲刊行未果，没而其子镇始克遂其志。嘉靖（1522—1566）初镜山居士李公始再刊之。其书行世多讹舛，不佞参用《食物本草》，订其溢浸，正其差谬，付之善书者。"此书在明天启辛酉（1621）重刊。

以上各种刊本，都是从明·薛己《食物本草》抄袭改编而成。

全书药物分为 8 部（水、谷、菜、果、禽、兽、鱼、味），共载药品 385 种。

每一物品注出性味功效，引用前人部分资料，并偶尔记载物品的形态和产地。如白豆："浙东一种味甚胜，用以作腐作酱极佳。比之水白豆相侣而不及也。青、黄、班等豆，本草不著，大率相类，亦不及也。"该书首载丝瓜、落花生等，所记落花生形态为："藤蔓茎叶似扁豆，开花落地，一花就地结一果，大如桃。深秋取食之，味甘美异常，人所称羡。"书中引述丹溪之言尤多，且文字简练，所收多为日常食品。故书成后，托名重刊者甚多，流传甚广。该书有一种彩绘本，文字内容几乎全同。

《食物本草》到明末，又为姚可成所改编。

明崇祯十一年戊寅（1638）姚可成根据钱允治校刊本重加修订，增加《救荒野谱》于书首，附以《急救蛊毒良方》，由吴门书林刊刻。此书附图，前有明崇祯十一年戊寅云间陈继儒序。序中曾说："予曾睹娄江云谷穆君著《食物纂要》，最为简明，有补人世。兹复得濒湖李君参补东垣《食物本草》，益加精切。"

明崇祯十六年癸未（1643），又重刊此书。

姚可成修订《食物本草》，主要是从《本草纲目》及其他书中增入大量内容。在药物数量上，钱校本为 389 种，而姚氏增加数倍之多。钱校本分水、谷、菜、果、禽、兽、鱼、味 8 类。而姚氏本除此 8 类外，又增蚧、蚌、蛇、虫、金石、土、草、木、火等类。尤其对水部增的最多，钱校本水部 26 种附 3 种，共 29 种；而姚氏本水部增为 740 种。

在书名上，姚氏改作《备考食物本草纲目》。

在序文上，除保留钱允治天启元年序及谷中虚序外，又增加李时珍"食物本草序"，序末题"蕲州李时珍东壁撰"。此序未署年月，但序中提到"备以救荒野谱"。

按 《救荒野谱》是姚可成用明·王磐《野菜谱》增录，改名为《救荒野谱》。据此可知，书中所载李时珍"食物本草序"是姚可成托名之作。

在作者题名上，题元·李杲东垣编，明·李时珍参订。

由于书中所增修内容，如卷 21 记有崇祯丙子（1636）食观音粉事，是出于李时珍死后（1593）的事情。

《中国医籍考》卷 15 著录李时珍《食物本草》22 卷，存。注引松平士龙（秀）《本草正伪》曰："李时珍《食物本草》，所载与《纲目》不同。书中记崇祯丙子（1636）11 月食观音粉。考时珍子建元进《本草纲目》在万历二十四年（1596），则崇祯中事，非时珍所知。是盖明代姚可成者编辑，托名于时珍耳。"

全书 22 卷。卷首录诸家论说及《救荒野谱》。分成水、谷、菜、果、鳞、介、蛇虫、禽、兽、味、草、木、火、金、玉石、土等部。各部又细分类目。末卷为总论性质。全书共载食品 1679 种，为中国食物本草著作之最。

该书内容极为丰富，为我国《食物本草》之冠。其凡例云："凡载籍之所传，见闻之所及，以至庖司客座之所手经口授者，罔不兼收该采，得其目者二千余条。"可见其采辑之广。《本草纲目》为主要资料来源。

该书首重水部，用了 4 卷篇幅，尤其是名水和名泉，其内容之广博，令人叹为观止。名泉类记载全国各省有名的泉水 654 处。各泉记其地名方位，水质特点及功效。这对考察我国名泉分布，为制酒、制矿泉水提供了宝贵的资料。

在谷类也记载了许多日常米面食品：如馒头、饦馎、馄饨等。对馄饨制法和功用，均有记载。制馄饨，以水和面作皮，包菜、肉、糖蜜等馅，汤炊煮熟。今俗祀先者多用之。馄饨：味甘，五月五日吞五枚，压鬼邪。六月六日以茄作馅，食之疗百疾。这类资料对考察我国食品发展历史及研究民俗学都是很有用的。

该书藏于北京图书馆、南京中医学院（仅数卷）、中国中医研究院、故宫博物院（仅 10 卷）等处，均为明刊。扉页未载刊本，似应刊于 1642—1644 年（因书中尚有"国朝"字样，故尚未入清）。

二、《救荒本草》

该书"疏其花实根干皮叶之可食者"，可供荒年充饥，故名《救荒本草》。

该书为朱橚（1362？—1425），明太祖朱元璋第五子。洪武三年（1370）封吴王，十一年改封周王，十四年就藩开封。建文中废徙云南，永乐中复爵。洪熙元年（1425）卒，谥定，故又称周定王。由于陆柬序（1555）误以作者为周宪王（朱橚长子朱有炖），使李时珍《本草纲目》、徐光启《农政全书》均袭其误。清《四库全书》已据李濂序为之驳正。

李濂序（1525）称："永乐（1403—1424）间周藩集录而刻之。"朱橚尝"购田夫野老得甲坼勾萌者 400 余种，植于一圃，躬自阅视，俟其滋长成熟，乃召画工绘之为图，仍疏其花实根干皮叶之可食者，汇次为书一帙，名曰《救荒本草》。"可知该书的植物图均来自实物写生。

该书分为 2 卷。在翻刻时，也有分为 4 卷、14 卷、8 卷者。初刊本收植物 414 种，其中录自旧本草著作者 138 种，新增 276 种。计分草、木、米谷、菜、果 5 部。由于版本不同，卷、药的数目也或有不同。明末徐光启《农政全书》收录该书，改为 14 卷。

该书介绍各种可食植物。每物一图，文图对照。作者将采得的野生植物种于园圃，令画师描绘，配以简短解说。释文简述产地、形态，又介绍性味、有毒无毒的部位、食用的方法等。其药图精细、可靠，是明代墨线图谱中佼佼者。所以李濂序称："是书有图有说。图以有其形，说以著其用。首言产生之址，同异之名；次言寒热之性，甘苦之味；终言淘浸烹煮蒸晒调和之法。"文字精练，内容充实切用。

该书图谱系写生绘制，书中很多图谱，如兔儿伞、婆婆丁（蒲公英）、刺蓟菜（小蓟）、大蓟、土茜草（茜草）等，绘制得十分逼真从而使该书具有很高的学术价值，为我国 15 世纪一部著名的植物图谱。该书不仅药图画得逼真，对植物形态的描述也详细。例如"茴香"条云："一名蘹香子，北人呼为土茴香，今处处有之。人家园圃多种。苗高三四尺，茎粗如笔管，旁有淡黄裤叶（托叶）播茎而生；裤叶上发生青色细叶，叶间分生杈枝；梢头开花，花头如伞盖（伞形科植物花序特征），黄色；结子如莳萝子，微大，亦有线瓣（棱）。"

书中所收植物，展示了我国某些经济植物的分布概况。书中多取地方植物名称，讲究实物考察，对农学、植物学以及医药学的发展产生了重要的影响。

该书也含有一些药用植物。临床药书一般很少引用本书，但在侧重药物基原考订的本草书中，则将此书视为重要参考资料。例如该书"刀尖儿苗"，经考其图文，即萝藦科徐长卿。徐长卿在《唐本草》中仅有文字叙述，但无相应的图形。本书刀尖儿苗，实为它现存最早的图像。因此，该书为现代本草考证提供了重要历史文献。

书中记载的若干有毒植物采食法，含有一定的科学道理。其中白屈菜的加工方法实际上是创用了现时植物化学中的吸附分离法。正如李濂序中所说："苟如法采食，可以活命。是书也有功于生民大矣。"

该书是记载可食用的野生植物，对野生食用植物的研究起了开创性的作用。后来的周履靖《茹草编》、鲍山《野菜博录》、王磐《野菜谱》、姚可成《救荒野谱》、清初顾景星《野菜赞》都是受该书的影响而作。

该书传入日本，1716 年有松冈恕庵出第 1 版，1799 年小野兰山出第 2 版，1842 年小野蕙亩出第 3 版，以后日本人相继研究该书的著作有 15 种之多。这对日本农学、植物学产生深远的影响。该书不仅受日本学术界重视，西方科学家和科学史家对该书也加以推崇，美国科学史家萨顿在其《科学史导论》一书中说："本书是中世纪最卓越的本草学著作中一种。"各国植物学家均对该书予以高度评价。

该书于永乐四年（1406）初刻于开封周王府，今不存。现存最早且影响甚大的版本是山西太原刻本，由毕昭、蔡天佑重刻于嘉靖四年（1525），前有李濂序。此本摹刻较精，1959 年中华书局从郑振铎处得其所藏太原二版本影印刊行。

嘉靖三十四年（1555）晋人陆柬刊本，分书为 4 卷，另附《野菜谱》1 卷。误周定王为周宪王者，即始自此本。

嘉靖四十一年（1562）四川胡乘刻本，删去他认为四川不产者 200 余种，仅取易得多见者 112 种。

万历十四年（1586）刻本，2 卷 4 册，收植物 411 种。

万历二十一年（1593）钱塘胡文焕刊《重刻救荒本草》2 卷（收入《格致丛书》），载物 112 品，以米谷、菜、果、木、草为序排。草部品数最多，故置于后 1 卷，而将日常供食者放在书前 1 卷。同时，胡氏还将明·王西楼《野菜谱》纳入本文，而非另附。

崇祯十二年（1639），徐光启将该书收作《农政全书》的荒政部分（卷 46～59），间或附入徐氏的语言，故与原本稍异。植物排列以野生姜为首，而不是以刺蓟菜为首。随着《农政全书》的广泛流传，《救荒本草》的影响也越来越大。

此外，清咸丰六年（1856）有来鹿堂刻本。1929 年有上海商务印书馆万有文库本。1959 年有中华书局影印本。1980 年农业出版社再次予以影印刊行。

三、《野菜博录》

《野菜博录》是明·鲍山所编。鲍山原是安徽歙县人，隐居在黄山，筑室白龙潭上 7 年，备尝野菜诸味，积多年的经验，编为《野菜博录》。书成于明天启二年（1622）。他在自序中说："庚戌岁（1610）肄业黄山七载……得四百数十种，皆予亲尝试之，分作草部二卷，木部一卷，次其品汇，别其性味，详其调制，并图其形而胪列之。题之曰《野菜博录》。"

全书分上、中、下3卷。上卷是草部，收载可食野菜140种。所食植物部分，全是叶子。中卷亦是草部，收载可食植物176种，其中吃叶的部分76种，吃茎的3种，吃茎、叶的2种，吃根的28种，吃果实的24种，吃花、叶的4种，吃花同果实的20种，吃花同根的2种，吃叶同根的14种，吃根、果实的3种。下卷是木部，收载可食植物119种，其中吃叶的59种，吃花的5种，吃果实的25种，吃花、叶的3种，吃花同果实的19种，吃花、叶、果实的5种，吃花同果实及树皮的3种。3卷共收可食植物435种。每种植物绘有精致的图，并叙述其别名和俗名，对于每种植物的形态及其生长习性和中药性味、有毒、无毒，亦作了重点的介绍。特别对野菜食用方法记述最多，兹将这些方法介绍如下。

《野菜博录》所记载的各种野菜食用方法，都是很科学的。这些方法虽然都是三百多年前的老法子，但是留在今日，仍有实践的意义。绝大部分野生植物，虽然是可吃的，但是某些植物含有不同程度的恶臭恶味，须经过处理，以矫正口味，防止毒性，而这是很重要的。

《野菜博录》对于野菜处理的方法，都载在各个野菜条下，并未做系统的归纳，笔者对全书435种野菜食用方法，作了全面统计和分析，得出以下几种类型处理方法。

1. 不经过处理，直接可供食用的

（1）一般的果实类，长成熟时，采下即可食。如野樱桃、酸枣、拐枣、野葡萄、杏子、石榴、无花果、锦荔枝、女贞子、浚盘、鸡冠果、马荚儿、荣子、青舍子条、蕤核、白棠子、水茶臼、栌子（多食损齿）、木瓜、实枣儿、孩儿拳头、山梨儿、落霜红、木桃儿、土荆、鼠李、沙果子、青檀、婆婆枕头、金樱子、赛若茗子、卖子木、南烛子、吉利子、文冠花子、旁其子等共37种。

（2）某些嫩草叶，采来可生食的。有酸浆草、凤仙花嫩茎、野胡萝卜3种。

2. 经过开水烫后，供作食用的

一般的方法是先用开水烫，再经淘洗或用水反复浸，去其臭味或苦味等，然后供食用。

（1）炸熟后，油盐调食。所谓炸熟就是把野菜浸没在开水锅中煮沸即捞出，称为炸熟。

炸熟后即可食的野菜，有歪头菜、红花菜、拖白练苗、耐惊菜、地棠菜、山芥菜、水苏子、鹅儿肠、鸦葱、防风、苜蓿、婆婆指甲菜、君达菜、山宜菜、荞麦苗、黄豆苗、竹节菜、香椿菜、水芹、山葱、香菜、孛孛赞丁菜、秧菜梗、背韭、野韭、紫豇豆苗、地踏菰、金樱子、赛苦茗、卖子木叶、南烛叶、石榴叶、乌英、水春合、雀舌菜、水慈菰茎、荇丝菜茎、黑三棱茎、地瓜儿苗根、地稍瓜嫩角（嫩豆荚称为角）、荏子、荠菜、紫苏、御米花、丁香茄儿苗、舜芒谷、菊花、菹草、水萝卜根、泽蒜、槲苦树叶、蜜蒙树叶、杜兰树叶、白棘叶、落雁木叶、南藤叶、干漆叶、木天蓼叶、五倍子树叶、伏牛花树叶、接骨木叶、藩离支叶、楸树花同叶、把齿树花同叶、叶华木花同叶、沙果子树叶、桑椹叶、老儿树叶 68 种。

（2）炸熟后，再经淘洗一次，用油盐调食。这些野菜，不仅要经过沸水烫一次，烫后还要淘洗干净才可吃。用这种方法处理的野菜有：粘鱼须、野园荽、水蔓青、眉儿豆苗、垂柳叶、椆芽树叶、金盏菜等 7 种。

（3）炸熟后，先用水浸泡，泡后再淘洗干净，用油盐调食。经过这样处理的菜有：地锦苗、星宿菜、萱草花、石竹子、绵丝菜、茴蒿、佛指甲、尖刀儿苗、燕儿菜、千屈菜、嫩叶青、扯根菜、火焰菜、兔儿尾苗、牛奶菜、牛尾菜、山梗菜、蒿本、邪蒿、葵菜、独帚苗、豇豆苗、苏子苗、玉带春苗、丝瓜苗、芝麻叶、猪尾巴草、老鸦蒜、羊蹄叶、米布袋、白薇、蓬子菜、野蔓青、杏叶沙参、滕长苗、水葱苗根、兔儿丝、蛇葡萄、欧菜、鹿蕨菜、山芹菜、水葫芦苗、蛇床子、山葡菜、蚵坡菜、野粉团儿菜、楼斗菜、泥胡菜、泻、漆（其图不像《本草纲目》毒草图的漆，乃是同名异物）、回回蒜、蔷蘼（刺蘼）、水䓤苣、赤小豆树、油子苗、刀豆苗、小蓟、婆婆纳、粉条儿菜、匙头菜、凉蒿、八角菜、节节菜、堇堇菜、地槐苗、金刚刺、野蜀葵、爵臭苗、雨点儿菜、小虫儿卧单、独行菜、野同蒿、前胡、鸡肠菜、水棘针苗、沙蓬（鸡瓜菜）、变豆菜、委陵菜、麦兰菜、白蒿、萹蓄、后庭花、芸薹菜、鲫鱼鳞、苦荬菜（老鹳菜）、山白菜、毛女儿菜、地黄菜、木槿叶、龙柏芽、木葛、月牙树叶、木栾树叶、椿树芽叶、山茶科、杭树叶、臭竹树叶、女儿茶、臭槐、椒树叶、刺楸树叶、黄丝藤、马鱼儿条、省沽油树叶、花楸树叶、椋子树叶、夜合树叶、海桐皮叶、钓藤叶、腊梅花、马棘花、皂荚树叶、枸杞树叶、楮桃树叶、木羊角科、榆钱树叶等 166 种。

（4）炸熟后，换水浸去酸味，淘干净用油盐调食。用此法处理的野菜有：牛膝（山苋菜）、金盏儿菜、费菜、兔儿酸、遏兰菜、狗掉尾苗、水马齿、回回醋叶、青檀树叶 9 种。

（5）炸熟后，换水浸去苦味，再淘洗净用油盐调食。经过这样处理的野菜最多。计有：大兰叶（松兰叶）、舌头菜、紫云菜、漏芦、猪牙菜（角蒿）、款冬花、马兜铃、青荚儿菜、牦牛儿苗、山小菜、黄芪、威灵仙、蜀羊泉、豨莶、旋覆花、风花菜、兔儿伞、大蓬蒿、石芥、香茶菜、牛耳朵菜、山苔荚、大蓟、野艾蒿、水蓑衣、胡苍耳、米蒿、风轮菜、葛公菜、狗筋蔓、紫香蒿、水落藜、野茴香、透骨草、野生姜、龙胆草、驴驼布袋、苦麻、春踏菜、山黑豆、山甜菜、剪刀菜、夏枯草、鼠尾草、杓儿菜、地榆、葎草、铁扫帚、羊角苗、女娄、山莴苣、鸡冠菜、柴胡、蝎子花菜、铁桿蒿、滑藤菜、毛连菜、银条菜、苦苣菜、山萝卜、姑娘菜、王不留行、苍耳、苦马豆、望江南、何首乌根、牛皮消叶、地黄叶、黄精苗、远志苗、冻青树叶、乌棱树叶、坚荚树叶、椴树叶、云桑叶、兜栌树叶、黄檗叶、庵摩勒、没药树叶、柏树叶、山菜叶、独摇树叶、杉木叶、荆子叶、槐树叶 85 种。

（6）炸熟后，水浸去邪味（邪味是指致病的物质），再淘净，用油盐调食。具有邪味的野菜有：酸桶笋、和尚菜、螺丝儿、老鹳筋、野西瓜、绞股蓝、六月菊、仙灵脾、桔梗、连翘、白屈菜。浸一日夜换水的有荆芥、天门冬、麦门冬、菖蒲、天茄儿苗、山丝苗、灰菜、金银花、牛蒡子、房木叶、柘树叶、嫩翠蒿等 23 种。

（7）炸熟后，水浸去杂味，再淘洗干净，用油盐调食。

1）水浸去腥味，有蕴草茎 1 种。

2）水浸去辛味，有马兰头、川芎、布娘蒿 3 种。

3）水浸去咸味，有咸蓬、白水荭苗 2 种。

4）水浸去辣味，有山蓼、水辣蓼、薄荷、鸡儿肠、水芥菜、辣辣菜、蓼芽菜、大蓼 8 种。

5）水浸去涎沫，有车前子、报马树叶 2 种。

6）水浸作成黄色去杂质，有杜当归、青杨树、山格刺、龙柏芽、老婆婆布占、槭树叶、杏叶、桃叶、黄鹤菜、枣树叶、青冈树、小桃红、土茴香、草零陵香（多次换水）、白杨树叶 15 种。

3. 经过煮熟后，再供食用

（1）煮熟后或蒸熟后，即可食，如：萍蓬草子、茅嫂根、鸡儿头苗、山蔓菁根、百合、地栗子、打碗花、鸡腿儿、地参根、细叶沙参、甘露儿根、獐牙菜根、野山药根、茅根、山黎豆荚、山扁豆荚、胡豆、野豌豆、劳豆、回回米、地角儿苗荚、葛根、水豆儿、回回豆、山绿豆、子苗、野木瓜、秋水角苗 28 种。

（2）煮熟后，换水再煮去恶味，煮极熟食。有：苎根、绵枣儿根、金瓜子根、葳蕤根、芭蕉根、牛皮消根、草三柰、橡子树、石冈橡、沙参根、苍术、章柳根

（白根可食，红根不可食）、茶树柯 13 种。

（3）对某些种子炒食或磨粉煮食。如：龙芽草子、鸡眼草子（烫三五次后再磨）、燕麦、野黍、川谷（烫三五次后再磨）、稗子、穇子、莠草子、胡枝子（烫三五次后再磨）、蒺藜子、山丝苗、皂荚树子（炒去皮，浸软，多泡换水，煮食）、苏子 13 种。

（4）对某些树皮或树根制粉后，用粉煮食。如：卖子木皮、桑树皮、棠梨树花、葛根、瓜蒌根 5 种。

上述各种制法，都是很科学的，一般野菜经过开水烫后，所含蛋白即凝固，然后用水浸泡淘洗，可以把不利于健康的成分去掉，有营养的物质保留下来。植物中大多数有毒物多属生物碱及其他各种成分，经过水反复浸泡，都能随水去掉。例如草零香含有抗凝血物质双香豆素，如不用水泡掉，久吃会有出血的危险；还有些成分，能引起血管渗透性改变，吃了会引起水肿，如用水浸洗除尽，即无此反应。所以《野菜博录》对于野菜处理的方法，是有实践意义的。

第六节　炮制类

一、《太乙仙制本草药性大全》

该书书口作《仙制药性》。卷首题为"先师太乙仙人雷公炮制，手学江人冰鉴王文洁"。无序跋。王文洁，字冰鉴，号无为子，抚东人。据王氏其他著作的成书年代推测，该书约于万历初年（1573）成书。8 卷。依次为草、果、米、谷、菜、人、金玉、石、水、兽、禽、虫、鱼等部。共载药 768 种，附药图 774 幅。

该书分上下两栏。上栏为《本草精义》，一般先附一药图，继而介绍别名、形态、产地、品种、采集加工、反畏等内容；下栏为《仙制药性》，各药大致与上栏相对应。药名下注君臣、性味、阴阳、归经等；后接"赋云"，为药性提要及功效；"主治"为药所治病；"补注"则收集一些单方，补充作者个人意见；"太乙曰"为炮制法。

药图小而粗劣，且错误甚多，不胜枚举，但系作者自绘。其中谷精草图是明以前诸本草著作中描绘最准确的。

检视其内容，其资料多取自金元以前诸家论说。有时略加按语，阐发对药物品种、配伍用法的意见，常有自家见解。"补注"一项中较多地比较了近似药物的功效，但此类按语数量很少，新意不多。

该书一个重要的项目是炮制，几乎每一常用药之下均有"太乙曰"（即《证类本草》中《雷公炮炙论》条文的节选），简述制法，如该药无"太乙"内容，则有时以《宝藏论》等书炮制法补入。这恐怕就是本书下一栏"仙制药性"一名所指。书中药品绝大多数为《证类本草》原有品种，只增加了鸦片（哑芙蓉）等个别药物。

该书以《证类本草》为主体，混合经注，突出药物来源形态、功用主治及炮制内容。由于作者并未参考《本草纲目》，且有限的按语中仍有一定见解，因此还有它一定的参考价值。

《中国医籍考》卷13著录，注明"存"，但无介绍。今藏于中国中医研究院的，为明"书林积善堂少湖陈孙安"梓行，无刊年（馆藏者实为万历年间刊本），刻工甚劣。

二、《雷公炮制药性赋解》

本书为明·钱允治增订。

钱允治，明末校刊医书者。初名府，字功甫，姑苏（今江苏苏州）人。贫而好学，年80余，隆冬病疡，映日抄书，薄暮不止。曾校订《雷公炮制药性解》《珍珠囊药性赋》。

钱氏取《东垣药性赋》240味，增药80味加注，厘为4卷，定名为《珍珠囊指掌补遗药性赋》，并与李中梓撰《雷公炮制药性解》合刊于明天启二年（1622）。

后世书商对此合刊本进行翻刻时，对书名题法有3种：《珍珠囊指掌补遗药性赋》4卷，《雷公炮制药性解》6卷；《雷公药性赋解》；《雷公炮制药性赋解》。

书商翻刻时，也有署名仅题两人，未题钱允治。如：原题金·李杲（明之、东垣）编（《指珍珠囊》）；明·李中梓（士材、念莪、尽凡居士）编（指《雷公炮制药性解》）。

本书刊本较多，有以下20种：①清初杏园刻本；②清康熙刻本；③清嘉庆九年甲子（1804）苏州吉讲堂刻本；④清道光元年辛巳（1821）刻本；⑤清道光三年癸未（1823）武林五德堂刻本；⑥清道光三年癸未（1823）金昌绿荫堂刻本；⑦清道光十八年戊戌（1839）金阊会文堂刻本；⑧清光绪五年己卯（1879）上洋紫文阁刻本；⑨清光绪六年庚辰（1880），光绪三十二年丙午（1906）苏州扫叶山房刻本；⑩清光绪六年庚辰（1880）姑苏绿润堂刻本；⑪清光绪十二年丙戌

（1886）江左书林刻本；⑫清光绪十三年丁亥（1887）善成堂刻本；⑬清光绪十五年已丑（1889）镇江文成堂殷氏刻本；⑭1911年江东书局石印本；⑮1934年上海中医书局铅印本；⑯民国上海共和书局石印本；⑰1950年商务印书馆铅印本；⑱1959年上海科学技术出版社铅印本；⑲见《明医指掌雷公药性赋解》合刻本；⑳见《中国医学大成》等。

三、《炮炙大法》

缪希雍在《先醒斋医学广笔记》90余种炮制品基础上扩充而成此书。缪氏口授，其弟子庄继光录校，成书于明朝天启二年（1622）。全书不分卷。载药439味，分水、火、土、金、石、草、木、果、米谷、菜、人、兽、禽、虫鱼等部。后附"用药凡例"，叙制剂、煎、服药及宜忌等。

卷前列"雷公炮制十七法"，似取录罗周彦《医宗粹言》炮制十七法。各药条文简要，主要介绍性状鉴别、炮制方法、佐使畏恶等。该书编写法深受《雷公炮炙论》的影响，继承了前人制药须辨药材真伪优劣的优良传统，也沿袭了雷公制药附载畏恶等做法。

全书有172味药引用了《雷公炮炙论》的内容，将原书不切实用的一些方法删去，补充了一些采用后世制法的药物。但在一部分药物条文中，却仅述药材性状、畏恶，而漏去制法（如芎䓖、葛根等），可谓粗疏；诸药炮制法内容亦比较单薄，与《本草纲目》"修治"项下的内容相比，逊色得多。我国炮制专书并不多见，明代炮制专著唯此书影响较大。

书末"用药凡例"相当于总论，其中常有缪氏独家见解，对煎药方法，辨析尤详，实用价值较大。

该书有明末庄继光刊本，另有崇祯十五年（1642）刊本附于《先醒斋广笔记》之后。1956年人卫影印庄继光本，各地有藏。

第十七章　清代本草要籍考

第一节　本草经类辑复本

一、过孟起辑《神农本草经》

过孟起，字绎之，长洲（今江苏苏州）人。其所辑出自《证类本草》白字"本草经"文，大体按《证类本草》白字"本草经"文目次编排。原为3卷。清康熙二十六年丁卯（1687）刊刻。上海中医学院图书馆藏本不全，仅残存卷上序录及上品药104种，缺上品药16种及中品、下品药。

二、孙星衍等辑《神农本草经》

孙星衍，字渊如，阳湖人，清乾隆年间进士，通晓经史文字训诂之学，是清代有名的考据学家。他和孙冯翼合辑《神农本草经》，从1783年开始到1799年成书，刊入《问经堂丛书》中。全书共3卷。载药357种，分上、中、下三品。上品为卷1，中品为卷2，下品为卷3。卷3后附有《本草经》序例、《本草经》佚文、《吴普本草》12条以及诸药制使（即药物七情畏恶资料汇辑）。

二孙合辑本所用《本草经》资料，悉取《证类本草》白字文字。其药物条文书写体例亦同《证类本草》白字，并根据《太平御览》引《本草经》："上云生山谷，生川泽；下云生某郡县"，又据薛综注《张衡赋》引《本草经》云："太一禹馀粮，一名石脑，生山谷。"乃订"生山谷""生川泽"等生境为《本经》文。所以二孙合辑本，对每个药物条文增加《证类本草》墨字生境内容，为《本经》文。此外在每个药物条文之后，又增加3种资料：一是《吴普本草》资料；二是《名医别录》资料；三是药物文献考证资料。这3种资料是其他辑本所无。

全书目录，大体依《证类本草》白字目录编排，少数药物位置略有移动。如橘柚、伏翼，《证类》原分别在果部、禽部，而孙氏分别移到木部、虫部。又将木部芫华、菜部假苏、米部青蘘，皆移入草部。

另外《证类本草》有名未用，有7个《本草经》药物，孙氏取了6个，脱漏"石下长卿"条。

孙氏又根据《吴普本草》药性凡引有《本经》性味者，亦作《本草经》药物来处理。因此把黍米、粟米亦视为《本经》药收入书中。又据《太平御览》引《本经》有升麻，所以升麻亦收入书中。《证类本草》对黍米、粟米、升麻等均作墨字《别录》文。

清代乾隆、嘉庆年间，考据学风很盛，孙氏又是当时有名的考据学家。所以孙氏辑本亦受考据学的影响，如书中增加的药物文献考证资料，并以字书解释药物名义，都是很好的例证。

正因为孙氏辑本受考据学影响，所以孙氏在辑校时很严谨。书成后被读书界重视，翻刻者亦多，现今已知版本有7种，连抄本共有8种本子。

三、顾观光辑《神农本草经》

顾观光，字尚之，又字漱泉，别号武陵山人，金山人，是清道光（1821—1850）年间考据学家。他从道光九年（1829）到道光二十四年（1844），辑成《神农本草经》，后刻入《武陵山人遗书》中。

全书共4卷。卷1为序录，卷2为上品药，卷3为中品药，卷4为下品药。

全书载药365种，药物排列次序，是按《本草纲目》卷2所载《神农本草经》目录编排的。顾氏深信这个目录是最古而且最完整的《本草经》目录，他并批评孙星衍等辑本说："惜其不考本经目录，故三品种数，显与名例相违。"其实那个目录，并不如顾氏所信的那样，是最古的目录，而是宋以后的人，从《证类本草》白字药物目次中拼凑而成的。因为那个目录编排次序，和《证类》白字药物目次，极为相近，而与《本草和名》所载《唐本草》目录，相差甚远，与《本草经集注》卷1序录所载七情条例药物排列目次，相差就更远了。

顾氏辑本所用《本草经》资料，皆取于《证类本草》白字文字，其编写体例，亦同《证类》白字。由于顾氏擅长考据，对辑文亦多加考证，同二孙合辑本，互有优劣。二孙本合辑本，用字书说明药物名义较详。顾本对某些药物条文作了一些校勘。从文献角度来讲，顾本不及二孙合辑本精美完善，所以顾本亦不及二孙合辑本流行广。顾本的刊刻，有 3 种版本，连抄本共有 4 种本子。

四、王闿运辑《神农本草经》

王闿运，字任秋，湖南湘潭人，为清末文学家（卒于清亡之后）。著有《湘绮楼文集》，集外有《神农本草经》3 卷（《清史稿·卷 482·王闿运传》）。

王氏辑本成于光绪十一年乙酉（1885）。书首有王氏序云："……今世所传，唯嘉祐刊本，尚有圈别，如陶朱黑之异，而湘蜀均无其书，求之六年，严生始从长安得明翻刻本……时岁在阏逢涒鸿秋七月。甲寅王闿运题记。"

王氏序中号称得明翻刻嘉祐刊本，是存疑的。范行准说："我未看到有明翻刻嘉祐官本《神农本草》的记载。"

王氏辑本，载药 360 种。分上、中、下 3 卷。并对某些药物做了归并，如并"青襄"入"胡麻"条，"蘼芜"入"芎䓖"条，"大盐"入"戎盐"条，"锡铜镜鼻"入"粉锡"条，"殷孽"入"孔公孽"条。并脱漏"水蛭""蠮螉"两条。另外"本说"1 卷，实即三品序例。

王氏辑本有清光绪十一年乙酉（1885）成都尊经书院刻本。

五、王仁俊辑《神农本草经》

王仁俊（1866—1914），清末学者，字捍郑，号感辨，江苏吴县人。光绪十八年（1892）进士，官至学部图书局副局长，兼京师大学堂教习。并从事古佚书辑复。王氏于清光绪二十年（1894）自《意林》辑《神农本草经》1 卷，题魏·吴普等述，收入《玉函山房佚书续编》3 种。其佚文仅 1 条。见《玉函山房佚书续编》。

王氏辑《神农本草》刊本，见《玉函山房佚书续编》。

六、姜国伊辑《神农本草经》

姜国伊，字尹人，岷阳（今四川郫县）人，清朝末年从事医学著述，著有《姜氏医学丛书》5 种，其中第 3 种是《神农本草经》。

姜氏辑本共 3 卷，首有序，题著时间光绪十八年壬辰（1892）。并有凡例、名例、名例补正四则、神农本经目录、本经旧目补正、本经考正、本经药品补正。书末有跋，姜国伊自题光绪十八年。

姜氏序云：“光绪壬辰，春闱下第……归万里，居成都……兹据本经旧目，考次李本（指《本草纲目》），详附吴本（即序称粤东蜀局所刊吴普本），所多六药补正附记。（国伊）经注，另外卷幅……大清光绪十有八年秋七月戊子。岷阳姜国伊谨序。”

姜氏又识云：“咸丰庚申（1860），久病不愈，究心医学，岁辛酉日（1861）注《神农本经》，同治壬戌季冬（1862）得一百八十药……迄岁辛未（1871），复得药百种……壬辰夏（1892），乃全注之，撰用《内经》，详加诠释。姜国伊又识。”

按姜氏所识，姜氏辑本，始于咸丰十一年辛酉（1861），终于光绪十八年壬辰（1892）。

姜氏辑本是用《本草纲目》卷2所载《本经》目录，采摘《本草纲目》中所引的《本经》文而成书。

姜氏辑本有清光绪十八年壬辰（1892）成都黄氏茹古书局刊《姜氏医学丛书》本。

七、黄奭辑《神农本草经》

黄奭字右原，江苏甘泉人，世为富商，曾辑佚书280种，同治四年（1865）辑《神农本草经》3卷，收入《黄氏逸书考》中。黄氏辑本全同二孙合辑本，仅多补遗22条，所补多半摘自《太平御览》和《证类本草》之文。

杨守敬《日本访书志》卷9云：“案此本与孙氏《问经堂丛书》本全同，唯卷末多补遗二十二条。考孙氏自序，于此书源流甚晰，不应是窃人之书。而卷末二十二条，非平日用力此学，亦不能得也……然不应没孙氏名而直署己作。”

范行准亦云：“二孙辑本，即被当时富商黄奭所窃，删去叙录，辑入《黄氏逸书考》中。”龙伯坚云：“黄奭年代在孙星衍之后，是黄氏抄袭孙氏无疑。”

由于黄奭抄袭二孙合辑本，其内容全同孙本，书分3卷，末附《本草经》佚文，《吴普本草》12条，诸药制使，补遗22条。

黄奭辑本有清光绪成都尊经书院刊本，1893年《汉学堂丛书》子史钩沉本，以及清刻本。

[附一] 狩谷望之志辑《神农本草经》

日本仁孝天皇文政七年（1824）狩谷望之志辑《神农本草经》3 卷。自序中说，是从《证类本草》《本草和名》《千金翼方》《唐本草》等书中辑成。

涩江籀斋为之作《本草经》序文云："日本文政年间，学者汤岛狩谷望之志由《证类本草》《本草和名》《千金翼方》考据。谓'上品一百四十二种，中品一百一十四种，下品一百零五种，《唐本草》退药六种，总计三百六十一种，不与所谓上品一百二十种、中品一百二十种、下品一百二十五种，共三百六十五种相合。'"

南京图书馆藏有日本钞本一册。书后有"原本友人涩江籀斋所手订"字样。因此，该馆书目遂署涩江籀斋所辑。

[附二] 森立之辑《神农本草经》

森立之是日本人，他研究本草有 30 年左右，又能利用佚存于日本的中国古本医书。所以，森氏辑本，有他独特的优点。

全书载药 357 种，分上、中、上三品。上品为卷上，中品为卷中，下品为卷下。在上卷之前有《本草经》序录；在下卷附有考异卷。书的开头有丹波元坚序和森立之序，题署嘉永七年（1854）。则森氏辑本成于 1854 年。

森氏辑本资料，悉取于《证类本草》白字文字，并在药物条文中增加"生山谷""生川泽"等生境内容。这一点和二孙合辑本相同。

森本所用的目录，是以《千金方》《医心方》所载七情条例，参以《新修本草》及《本草和名》等目次拟定的。

森本每个药条文书写体例，是采用《太平御览》所引"《本草经》曰"文字体例书写的。森氏并认为《太平御览》的体例即是陶弘景时用的体例，到唐代苏敬作《新修本草》时，才变更为今日《证类本草》白字的体例。森氏的看法是有问题的。因为吐鲁番出土的《本草经集注》残简所存"燕屎""天鼠屎"药物条文朱字的体例，全同《证类本草》白字体例。由此可知《证类本草》白字体例，并非由苏敬所改而来的。

森本对药物条文都作了校勘，并把校勘结果写成校记，名之曰"考异"，附在书末。对校勘所用的核校书籍，有很多皆不见于国内医书目录中。无论从校勘数量或质量上均胜过孙、顾二家辑本。

不过有些校勘也不完全正确。例如，森本序录第 15 页，有"又可一君三臣九佐"一句，森氏在《考异》（110 页）中云："九佐下，二本（指《大全》《政和》）并有'使也'二字，今据《真本千金》及《释性全顿医抄》正。"（敦煌出土《本草经集注·序录》即有"使也"二字，森氏把"使也"二字删掉，反而使对的变为错误了。）

森氏书的版本有二：一是日本嘉永七年（1854）温知药室重刊本；二是 1955 年上海群联出版社据以影印本。1957—1958 年上海卫生出版社又用前版重印。

第二节　本草经类注解本

一、《本经逢原》

《本经逢原》为明末清初张璐所著，张氏生于万历丁巳四十五年（1617），卒于清康熙三十八年（1699）。江南长州人，字路玉，号石顽老人。少颖悟，博通儒业，精医学，自轩岐至清初，历代医书，无不搜览。

明亡时（1644），隐居于太湖洞庭山 10 余年，专攻医学，并以著书自娱。清顺治十六年（1659），从洞庭山回归故里。1662 年以后，医名大显，并留心医方本草书籍，著述颇多。除本草著作外，尚有《张氏医通》《伤寒诸论》《伤寒缵论》《伤寒大成》《诊宗三味》《千金方衍义》等书。

张氏所撰《本经逢原》，书名虽用"本经"二字，但并不是《神农本草经》专著，而是一部综合性本草著作。书中所列《本经》药物并不多，大部分都是临床常用药。本书是从《本草纲目》选择常用药物，根据作者自己的心得和经验，参照前代文献，加以引申说明。凡药物性味、主治功效、诸家治法，以及药物真伪优劣、鉴别、制法等，都明确而又扼要地叙述。这和《本草纲目》偏重考订有所不同。

本书成于 1695 年。自序云："康熙乙亥（1695）春王，石顽张璐书于隽永堂，时年七十有九。"

本书共 4 卷。载药 784 种，并按自然属性，分为 32 部。各部收录药数如下。

木部 1 种，火部 1 种，土部 1 种，金部 14 种，石部 39 种，卤石部 14 种，山草部 48 种，芳草部 41 种，隰草部 73 种，毒草部 36 种，蔓草部 38 种，水草部 9 种，石草部 6 种，苔草部 6 种，谷部 20 种，菜部 41 种，果部 42 种，水果部 18 种，味部 9 种，香木部 29 种，乔木部 32 种，灌木部 38 种，寓木部 7 种，苞木部 6 种，脏器部 12 种，虫部 49 种，龙蛇部 13 种，鱼部 36 种，介部 22 种，禽部 30 种，兽部 39 种，人部 14 种。

本书对每味药分两点介绍。第一点在药名下，直叙药物性味、产地、性状、鉴别，以及前代文献所记的主治功效、禁忌等。第二点是讲作者自己用药心得及经验，并用"发明"二字作为标题。兹举一例如下。

罂粟壳：涩温微毒，蜜炙止嗽，醋炙止痢。

"发明：粟壳性涩，却痰嗽，止下痢，肺虚大肠滑者宜之。若风寒咳嗽，泻痢初起有火邪者，误用杀人如剑，戒之。"

从这个例子可以看出，在药名下直言性味，并介绍前人对罂粟壳有止嗽、止痢等功用。但在"发明"项下，张氏就介绍他自己对罂粟壳的用药心得和经验，提出使用时，只能用于久嗽久痢，不能用于新感咳嗽，也不能用于有火（指有炎症）时，初起下痢，如果误用则杀人。这种用药经验的介绍，非常有价值。

由于张氏本人是个名医，临床经验很丰富。所以书中每个药物所附"发明"非常适用。"发明"项下叙述的文字，亦比药名下的文字多好几倍。例如"人参"条，在药名下仅写 60 个字，但在"发明"下，却书写 1800 多字。

还有些药名下无文字，仅有"发明"项目下的叙述文。

例如弓弩弦、败蒲扇、蒲席、漆器、灯盏油、炊单布、凿柄等药品，均无说明文，仅有"发明"项目下叙述文。

本书有以下特点。

（1）本书对于药效，强调配伍协同作用。

如"白芍"条文："白芍为血痢必用之药，然须兼桂用之，方得敛中寓散之义。白芍得炙甘草治腹中急痛，同白术补脾，同芎劳泻肝，从人参补血虚，从黄连止泻痢，同姜枣温经散温。"

"香附"条云："得参、术则益气，得归、地则调血，得木香则流滞和中，得沉香则升降诸气，得芎劳、苍术总解诸郁，得山栀、黄连则降火清热，得茯苓则交心肾，得茴香、补骨脂则引气归元，得厚朴、半夏则决壅消胀，得紫苏、葱白则解散邪气，得三棱、莪术则消磨积块，得艾叶则治血气，暖子宫。"

（2）本书对药物作用主治的说理，多用阴阳五行解释。

例如，"牵牛子"条云："牵牛有黑、白二种，白者属金利肺，治上焦痰饮，黑者属水泻肾，利大小便。"

"茜草"条云："茜根色赤而性温。色赤入营。性温行滞。"

"硇砂"条云："硇砂大热，兼阴毒之气，含阳毒之精。"

"甘草"条云："甘草气薄味厚，升降阴阳，大缓诸火。"

"青蒿"条云："菁蒿专泻丙丁之火。"（"丙丁"指心。）

"黄连"条云："苦入心，寒胜热。黄连、大黄之苦寒，以导心下之实热。"

但有些解释也不一定合理。

例如，"独活"条云："独活不摇风而治风，浮萍不沉水而治水，因其所胜而制也。"这种解释就有牵强附会。

"蝎"条云："蝎产于东方，色青属木，治厥阴诸风掉眩。"按五行理论，东方、青色属木，五行的木在中医书里代表肝，厥阴亦是肝经的别名。而蝎生在东方，色又青，属木，故能治肝病。这种解释，也有点牵强附会。

（3）本书对药物产地和药效关系，时有论述。

"干地黄"条云："产怀州者力优，产亳州者力薄，产江浙者无力，仅可清热，不入补剂。"

"当归"条云："蜀产者力刚可攻；秦产者力柔可补。"

（4）本书对药物质量较重视。

"甘草"条云："中心黑者，有毒勿用。"

"雷丸"条云："皮黑肉白良，入药炮用。赤黑者杀人。"

"桑寄生"条云："今世皆榕树枝膺充，慎勿误用。"

"藁本"条云："香而燥者良，臭而润者勿用。"

（5）书中对药物炮制和作用的关系比较重视。

"甘草"条云："补中散表炙用，泻火解毒生用。"

"木香"条云："生用理气，煨用止泻。"

"荜茇"条云："醋浸刮去皮子，免伤肺上气。"

"葛根"条云："入阳明表药生用，胃热烦渴煨熟用。"

"百部"条云："抽去心用，则不烦闷。"

"香附"条云："入血分补虚童便浸炒，调气盐水浸炒，行经络酒浸炒，消积聚醋浸炒。肥盛多痰，姜汁浸炒；止崩漏血，童便制炒黑；走表药中，则生用。"

（6）本书对药物适应证和禁忌证亦很重视。

"甘草"条云："唯阴疽不赤肿者禁用。"

"王不留行"条云："其性走不守，故妊妇禁服。"

"何首乌"条云："禁犯铁器，忌莱菔诸血，勿与天雄、乌附、姜、辛、仙茅等同用。"

"大黄"条云："老人血枯便秘，脾虚腹胀食少，妇人血枯经闭，阴疽色白不起等症，不可妄用，以取虚虚之祸。"

"夏枯草"条云："久服亦防伤胃，以善走厥阴（肝），助肝木之气耳。"

（7）本书对药物形态亦有介绍。

"姜黄"条云："姜黄有二种，蜀川生者，色黄质嫩有须，折之中空有眼，切之分为两片者，为片子姜黄。江广生者，质粗形扁如干姜，仅可染色，不入汤药。今药肆混市误人。徒有耗气之患，而无治疗之功。"

"兰香"条云："按，兰有三种，一种曰兰草，其气浓浊，即今之省头草也。一种曰兰香，植之庭砌，二十步内即闻香，俗名香草；以子能去目翳，故又名翳子草。一种名罗勒，茎叶较兰香稍粗大。形虽极类，而气味浊，以嫩时可食，仅入菜部，不堪入药。"

"雀瓮"条云："雀瓮，蛅蟖壳也，其虫夏生叶上，背有刺螫人，故名载毛。秋深叶尽欲老，口吐白沫，凝聚渐硬，在中成蛹如蚕，至夏羽化而出，其形有似蜻蜓，而翅黑稍阔，放子叶上，而生蛅蟖。谓雀瓮者，以雀好食其蛹也。"

（8）本书对药物制造也有介绍。

"人胞"条云："取厚小色鲜者，挑去血络，漂净血水，入椒一握，沸汤泡去腥水，以蜂蜜和长流水，于旧锡器内，隔水文火煮烂，如糜，绵绞去滓，代蜜糊丸药良。"在此制法中有隔水文火煮，即现代制药中水浴锅的操作。

"蛆"条云："用大虾蟆十数只，打死，置缸内，取粪蛆不拘多少，河水渍养三五日。以食尽虾蟆为度，用麻布扎缸口，倒悬活水中，令污秽净，取新瓦烧红，置蛆于上，焙干，治小儿疳积无不验。"

（9）本书对于药物贮藏有介绍。

"腽肭脐"条云："以汉椒、樟脑同收则不坏。"

（10）本书对药物鉴别真伪论述较详。

"抚芎"条云："抚芎产江左抚州，中心有孔者是。"

"秋石"条云："凡人力制造之药，每多伪充。而秋石之真者，尤不易得，有食盐滤水煮成者，有以朴消溶化制造者，有以焰消烊化倾成锭式者，其伪不一。试真伪法：入滚豆腐浆中，不结腐花者为真，若结者即盐之伪充也，入口令人作渴。入滚豆腐浆中，起水纹而微苦者，即玄明粉之伪充也，入腹令人作泻。其倾成锭式，入热水不易化者，即焰消之伪充也，下咽令人发热。又以秋石化水，入青菜叶，有顷色不萎者为真。又以少许入眼不涩痛，必真无疑。其淡秋石入滚水不化者，即熟石膏及滑石末混充也。"

"腽肭脐"条云："此物牝（雌）者最多，而牡（雄）者最少，海州人捕得牝者，以穴狗外肾（雄狗阴茎），用筋缝上，熨贴如生成无二。然牝户（阴门）与谷道（肛门）连合为一，虽用生筋缝熨，其孔较牡（雄）者大而且长，以此辨之，最为有据。"

"蚕退"条云："即老蚕眠起所蜕皮，入药微炒用。今以出过蚕之纸为马明退（即蚕退别名），非也。"

"肉桂"条云："其形狭长，半卷而松厚者良。若坚厚味淡者曰板桂，今名西桂，不入汤药。近世舶上人，每以丁皮混充，不可不辨。"

（11）本书有些资料，虽采集前人，但并不迷信前人，遇到前人有错误处，亦进行纠正。

"琥珀"条云："俗云，茯苓千年化琥珀，此误传也。"

"郁金"条云："辛苦，平，无毒，本草以为性寒，误矣。"又云："郁金、姜黄、莪茂，苏恭不能分别，乃为一物，谬矣。"

"朴消"条云："向错简在'消石'条内，今正之。"

"消石"条云："诸家本草，皆错简在'朴消'条内。"

"马"条云："辛温有毒，《纲目》作甘凉，非。"

本书是作者总结明末清初临床用药的经验之作。张璐看到当时流行的《本草经》，载药不多，其中有些在当时不用了，或早已失传，而当时流行常用的药，《本经》反而阙如。张璐看到这种情况，于是对《本经》作了适当的删节与补充，而著成此书。

本书实用价值很大，对药物的临床使用，指出其适应证和禁忌证，简明扼要。清代以来，很受临床医家欢迎。因此本书流传较广，翻刻亦多。

关于本书的刊书，据《中医图书联合目录》所载，有 14 种刊本。

二、《本草崇原》

本书著者张志聪，浙江钱塘人，字隐庵。清初于侣山堂讲授医学，自顺治至康熙初（1644—1662）数十年间，谈轩岐之学，咸归之。

张氏著述医书很多，《本草崇原》是其中之一。该书可能是张氏生前最后一部著作。1767 年王琦校刊该书跋云："昔张君创其始，张殁而高君集其成，缮写样本，方欲刻版，高君又亡，事遂中缀，厥后样本传归胡念庵家……兹从胡之门人高端士处，得其移写副本，梓以公于世。"

《中医图书联合目录》题是书 3 卷，成于 1663 年，张志聪撰，高士宗辑。

全书 3 卷，载药 289 种。卷上为上品，收药 125 种；卷中为中品，收药 103 种；卷下为下品，收药 61 种。

在卷上 125 种药名有 31 种是附录的。例如，莲蕊须、莲房、莲薏、荷叶、荷鼻 5 种附录在"莲实"条下。除去附录药，上品实数是 94 种。中品 103 种，除去附录药 14 种，实数只有 89 种。下品 61 种，剔除 3 种附录药，实数只有 58 种。

全书药物都是从《神农本草经》中选出来的。计选用上品 94 种，中品 89 种，下品 58 种。所选的药物，其条文都是摘自《证类本草》白字，并逐句加以注解。其注解文有两类：第一类是药物别名、产地、形态、采制等注释文，用双行小字刻之；第二类是药物性味、主治、功效注释文，用单行大字刻之。在这两类注文中，有些条文都有高世栻（士宗）补充的按语。例如，卷上"白术"条，在双行小字注文末，有高氏按语云："……隐庵于本经原文定苦字为甘字。爰以白术为调和脾土之品，甘是正味，苦乃兼味。"除高氏补充文外，还有王琦的补充注文。例如"土瓜根"条，高氏补充说："愚按，土瓜……本经虽有名，今人未之识也。"王琦补充说："按，月令所谓王瓜者……遍处有之，民间往往认作栝楼，高氏以为今人未识进，盖以此故耳。"

本书有以下 5 种特点。

（1）本书所选药物虽出自《本经》，但有些所附的药并非出处《本经》。例如，"莲实"条所附"莲花"和"莲薏"条，出自《日华子本草》，所附的"莲蕊须"条出自《本草纲目》，所附的"莲房"条、"荷叶"条、"荷鼻"条出自《本草拾遗》。

（2）本书药物条文录自《证类本草》白字，但有修改，有节略。修改的，即每条性味的"味"字，改为"气味"二字，并加"无毒"或"有毒"二字。节略的，即把"一名某某"省掉。

（3）对某些《本经》药进行分条。例如，"术"，《本经》不分的，本书分为"苍术""白术"两条。除白术作味甘，苍术作味苦外，余下两条文字全同。

（4）对于文有字误者，亦提出怀疑。例如，卷中"紫葳"条《本经》有"养胎"，张氏注云："近时用此为通经下胎之药，仲景鳖甲煎丸，亦用紫葳以消癥瘕，必非安胎之品。《本经》养胎二字，当是堕胎之伪耳。"

（5）本书所注，对临床很有实用价值。又本书名为《本草崇原》，实际上是对

《神农本草经》中部分药物进行解释。这对初学中医者，也是一部良好的读物。

本书亦存在以下缺点。

（1）把当时流行的学说——阴阳五行、五运六气，贯穿到全书中。

（2）所注释的文字，在说理方面，全用五运六气作为说理工具来注释，这样难免就走上唯心的牵强附会。例如"水蛭"条，本经云"利水道"。该书注云："水蛭乃水中动物……感水中生动之气，故利水道。"又如"龙骨"条，本经有"治咳逆泄痢漏下"之语，本书注云："龙骨启泉下之水精，从地土而上腾于天，则阴阳交会，上下相和，故咳逆泻痢漏下皆可治也。"这种解释纯属唯心地牵强附会。

（3）删改前代引文。例如，卷下"白头翁"条注文引寇宗奭曰："尝见之山中人卖白头翁丸，言服之寿考，不失古人命名之义。"此文中"不"字，《本草衍义》原作"又"字。本书引时，改"又"为"不"，全失寇氏原意。

总之，全书3卷，载药289种，《本经》药233种，非《本经》药56种。每药分3点论述：正文大字论药性，小字注释。所释以经解经。从药物性味、阴阳五行属性、生成、形色入手，结合病机，论述《本经》药性味、主治、功用。

《本草崇原》刊本如下：一是清乾隆三十二年丁亥（1767）王琦校刊《医林指月》[①]单行本。本文即是根据这个刊本写的；二是光绪二十二年丙申（1896）上海图书集成印书局铅印《医林指月》单行本；三是清光绪二十四年戊戌（1898）香南书屋刊本。

三、《本草崇原集说》

该书以《本草崇原》为纲，集取众说，故以"集说"名书。

作者仲学辂，字昂庭，钱塘（今浙江杭州）人，约生活于19世纪下半叶。仲氏邃于理学，在医学上以《本经》、张仲景及张志聪、高士宗所著诸书为宗。"用药神秘变化，曾征辟入都，供奉慈圣（即慈禧），归主杭垣医局二十余年"（章炳森序）。

仲氏"虑近时本草无善本也，爰取《崇原》为纲，附载《经读》《经解》《百种录》，并张氏《侣山堂类辩》、高氏《医学真传》诸书，参酌己意，纂集成编"。

---

① 《医林指月》：是清·王琦收集12种医书，刊在一起，定名为《医林指月》。在这12种医书内，收张志聪著作《本草崇草》《侣山堂类辨》两种。

此书草稿初成，仲氏即殁。章炳森（椿柏）、王绍庸为之搜辑参订，尤其是注意收集仲氏遗墨（注说及眉批等），竭数年之力而成。据慈禧求医时间（1880）判断，仲氏约卒于1900年，故此书初成也当以此为是。

书3卷，附录1篇。正文收药分卷都不改《本草崇原》之旧，略删张氏旧注烦冗之处。各药条之后撷取《神农本草经读》《神农本草经经解》《神农本草经百种录》《侣山堂类辨》《医学真传》诸书论药精义，总以《崇原》为主，诸说为辅，间夹仲氏评论（附于注文中者，加"○"以别，或列为眉批）。书后将陈修园《本草经读·附录》部分的药物亦予以集说。

该书将学术见解近似的诸书药论集于一书。与《本草三家合注》不同的是，该书收有《侣山堂类辩》《医学真传》中的一些论说，因而更能反映张志聪等人的学术思想。在选材方面比较精审，并能阐发个人见解。

仲氏眉批中，对所集诸书有评价，可以反映他的某些学术见解。仲氏认为："《崇原》就《本经》释药性，《经读》从《本经》就药用。性实赅用，用不离性，《崇原》所以高出诸家。""隐庵著《崇原》，以经解经；修园著《经读》，以方解经。方亦从经来，故可贵。""《崇原》先述药之本来面目，《经读》又详病之本来面目。"这些比较评述，较好地突出了《本草崇原》《本草经读》各自的特色。仲学辂对诸家矫枉过正之论有他的看法："隐庵辩驳成氏（无己）伤寒，修园痛斥李（时珍）氏本草，尽从经论发泄出来，并非立异。"他虽然倾向于隐庵、修园之说，但不是很偏激。他说："多识于鸟兽草木之名，圣人所许。故李时珍《本草纲目》未可厚非也。独惜其杂参众说，扰乱经文，功不能掩罪耳。"

仲氏在各药下的注说，对前人学说评论性言论多，就药性功效阐发性叙述少。这对学习《本经》有一定向导作用。

今存宣统二年（1910）刊本，前有章炳森序，后有王绍庸跋，藏馆甚众。另上海锦文堂曾予石印。

四、《本草经解要》

据清·曹禾《医学读书志》记曰："《本草经解要》四卷，为梁溪（在今无锡）姚球，字颐真撰，自序学医始末、著书原委，门人王从龙跋，从龙叔海文序，又列参校人华元龙等一十八人名，为六安州守杨公子字远斋者所刻……坊贾因书不售，剜补桂名，遂致吴中纸贵。"可见《本草经解要》曾托名叶桂（天士）。

查今存该书最早刊本，确系经剜补托名叶天士撰者。该书去姚氏自序，保留了王云锦（海文）、杨缉祖（远斋）序，序中姚球之名均剜补上叶天士三字。但书后"附余"杨友敬序却未剜改，仍称"姚先生"，可证此书确为姚球撰。

姚球，字颐真，堂号学易草庐，精《易》通医，著医书多种，唯本书存世。雍正乙卯（1735）五月，与子柏南，泛舟蓉湖，舟覆而死。

书4卷。分草、木、竹、果、金石、谷菜、禽兽、虫鱼、人9部，共计收药174味。其中《本草经》116味，《别录》30味，《唐本草》5味，《本草拾遗》4味，《药性论》1味，《汤液本草》1味，《蜀本草》1味，《开宝本草》12味，《图经》1味，《日华子本草》1味，《补遗》1味，《本草纲目》1味。可见该书所释药品，系以《本经》药为主，兼及后世本草著作。

书后为《本草经解要附余·考证·音训》，为杨友敬所撰。"考证"部分述药32条，附考"药性本草""卷帙次第"。"音训"部分则分释药与释证二类，各有数十条。

各药文字大致可分为以下3个部分。①正文：系择各药原出诸书的条文，简介性味、良毒、功效主治，不录别名、产地；②注文：低一格，阐释药性、归经、药理；③制方：条列配伍用药法。

该书释药的特色是将药物气味与人体脏腑功能（生理或病理状况）紧密结合，使"药与疾相应"。每先叙述与之相关的脏腑功能及病因病机，然后指出药物取效的原委。针对正文所列功效主治，逐项解释，但很少有与《本经》文字不同的意见。

陈修园评价该书说："叶天士（陈氏误信坊贾托名）囿于时好，其立论多失于肤浅……间有超脱处。"故在《本草经读》中较多地采用该书之论。《本草三家合注》即将本书及张志聪《本草崇原》、陈修园《本草经读》三家注说合为一书，在清代影响很大。然清代诸家皆以叶天士作为本书著者，真正的作者姚球反湮没无闻。

杨友敬"考证"涉及药物的品种及产地，间或讨论药效、炮制，能表述自己的见解，惜条文不多。"音训"部分不仅注出读音、释义，还有药材辨伪等内容。

据杨友敬及曹禾所言，该书原有姚球学易草庐本，此本有姚氏自序等（见《医学读书志》）。今《联目》所载雍正二年（1724）稽古山房刊本系剜补作者名字之后刊本，其刊行年代当在1735年（姚氏卒年）之后。此外，尚有清金闾书业堂本、乾隆四十六年（1781）卫生堂刊本，清光绪十四年（1888）古吴潘霨重刊本、光绪十九年羊城大文堂刊本等数种。民国间上海书局据卫生堂板铅印（1919）

及石印（1926），1957—1958 年上海卫生出版社铅印，流传较广。

五、《神农本草经百种录》

徐大椿（1693—1771），字灵胎，又名大业，晚号洄溪老人，吴江（今属江苏）人。因家人多病，发愤学医。"五十年中批阅之书约千余卷，泛览之书约万余卷"（《难经经释》序）。其治学勤勉严谨，临证多效，医名大振。乾隆二十五年（1760）被召入京，朝廷欲授以职，徐氏坚辞，隐居吴山画眉泉。1771 年再次被征召入京，至京三日卒。其著述甚富，有《医学源流论》等 8 种，本草著作有《神农本草经百种录》（1736）。此外，《医学源流论》中也有不少药论，如"药性今古变迁""人参论"等，持论精凿。

书 1 卷。收《本经》药 100 种，分为上（63 种）、中（25 种）、下（12 种）三品排列。《本经》条文取自《大观本草》。徐氏就"市中所有（品种），审形辨味"。因产地、别名不可尽考其实，故不解，其余内容，则一一采用夹注形式予以阐释。各药后又另加按语。

徐氏编此书的宗旨在于"辨明药性，阐发义蕴"。因限于"耳目所及无多""若必尽全经，不免昧心诬圣"，故仅择百种。他认为前人多谈药物"其所当然"，但不谈"其所以然"，这样虽然"用古之方能不失古人之意"，但不利于自创新方。故此书重在解药之所以然。他还认为，张仲景医书中的用药之义，"与《本经》吻合无间"，而唐以后"变化已鲜"，宋元"师心自用，谬误相仍"。表现出强烈的崇古尊经倾向。

对药性理论的总体认识，可见于该书"丹砂"之注："凡药之用，或取其气，或取其味，或取其色，或取其形，或取其质，或取其性情，或取其所生之时，或取其所成之地。各以其所偏胜，而即资之疗疾，故能补偏救弊，调和脏腑。深求其理，可自得之。"徐氏正是从这几个方面入手，探求药理。但是，他又指出，有一类药，"（其理）深藏于性者，不可以常理求也。"所以有些单秘验方，无法用常理解释（如菟丝子去面皯等）。这种认识是合乎实际的。

书中所论，包含有丰富的用药经验，经常指责时医误用诸药之害。徐氏论药虽精要，但也有不少随文衍义、曲解附会之处。如尝谓"多子（子，嗣也）之药皆属肾"，又把龙骨、蓍草视为神物等。多用象形比类、五行生克来强解药理，每失于蹈虚谈玄。

《四库全书提要》对此书评价如下，"凡所笺释，多有精意，较李时珍《本草纲目》所载'发明'诸条，颇为简要……如所称'久服轻身延年'之类，率方士之说，不足尽信。大椿尊崇太过，亦一一究其所以然，殊为附会。又大椿所作'药性专长论'曰：药之治病，有可解者，有不可解者。其说最为圆通。则是书所论，犹属筌蹄之末。要于诸家本草中，为有启发之功者矣。"此论切中肯綮。

此书单行本今存清刻版 10 余种，内有乾隆元年（1736）初刊本，《四库全书》本，《徐氏医学丛书》本等，又陈修园医书的多种刊本也收有此书。另《本草三家合注》亦附刊之。1956 年人民卫生出版社影印，因此该书流传甚广，各地均可觅得。

六、《本草经读》

陈修园（1753—1823），名念祖，号慎修，福建长乐人。少于习儒之余，从祖父习医，后又从师泉州名医蔡茗庄（宗玉），乾隆五十七年（1792）中举，尝官直隶威县（今属河北）知县等职。其任职期间，仍经常看病，救治百姓。其学术渊源上探早期医学经典著作，近推张志聪、高世栻之辈，勤于著述（著书 16 种）。

《本草经读》（即《神农本草经读》）是陈氏卸任回籍（1801）后所撰。在此之前，尝撰《神农本草经注》6 卷，后从此 6 卷中遴选切用药百余种，分作 4 卷，"俱从所以然处发挥，与旧著颇异。名曰《本草经读》。盖欲读经者，读于无字处也。"书成于嘉庆八年（1803）。

书 4 卷。卷 1 收上品药 20 种，卷 2 收上品药 47 种，卷 3 收中品药 36 种，卷 4 除收中品药 5 种外，尚有下品药 10 种，附录 47 种。合计药 165 味（内《本经》药 118 种）。陈氏对后世增入之药，"多置而弗论"，故仅录何首乌等常见药 47 味。

各《本经》药正文基本上录自《证类本草》白大字，但并不十分严谨，常将《别录》的"有毒""无毒"列入正文。陈修园自家的注文"俱遵原文，逐字疏发。经中不遗一字，经外不溢一辞"（《本草经读·凡例》）。陈氏解释经义的依据，和他一贯的学术见解是一致的。

陈氏认为，本草"自陶宏（弘）景以后，药味日多，而本经日晦"。能够按《神农本草经》用药者，首推张仲景。因此，该书经常结合《伤寒》《金匮》用药法，与《本经》药性相印证。陈氏在解释《本经》文字时，能从与《本经》时代接近的古方书中寻求例证，是他的高明之处。他在该书中的许多议论不仅有益于理解《本经》，而且也有益于阐释仲景医方。

然而陈修园未能尊重后世对药物认识的发展，崇古蔑今，极尽诋毁后世医家之能事。尤其是对李时珍《本草纲目》深恶痛绝，说他"杂收众说，经旨反为其所掩，尚可云本草耶?!"又说："学者必于此等书焚去，方可与言医道。"至于张景岳、李士材等人，更是被贬得一钱不值。其言狂悖，已不近情理。

例外的是陈氏推崇张隐庵（志聪）《本草崇原》、叶天士（托名）《本草经解》。他认为"二书超出群书之上"。故《本草经读》"多附二家之注"。

陈修园打出尊经复古的旗帜批驳了当时一些用药的错误见解，但却抹杀了后世对药物的发展，又走向另一极端。

陈氏在该书中穿插介绍了不少个人用药经验，这也是其价值所在。如他以亲历经验，力斥当时滥行的各种建神曲的危害。

该书刊行之后，流传甚广。"几于家置一编"（恽思赞《本草便读》序）。今存清嘉庆八年（1803）橦籀书屋刻本，藏上海图书馆等 6 处，上海图书馆还藏有同年桂芸堂刻本。此外有儒兴堂（1868）、五福堂（1887）、上海江左书林（1889）、新化三味书局（1901）、渔古山房、汉文书局（1908）等刻本。1911 年以后又多次石印或铅印，达 20 余次。陈修园的各种医学丛书中亦收有该书，流传极为广泛，馆藏甚众。

七、《本草经疏辑要》

本书由清·吴世铠（怀祖）编于 1809 年。

清·许宗序为之作序："天启间吴人缪仲淳在东林中有神医之号，尝著《本草经疏》三十卷，近世名医叶桂多取其说，盖辨证以审药之宜忌而易守，医门之精筏也。吴君怀祖，以医声武林，乃录缪氏书尤要者，订为八卷，曰辑要。附朱氏痘疹秘要一卷、经验效方一卷。"

其刊本有：清嘉庆十四年己巳（1809）带草堂刻本；清光绪十一年乙酉（1885）体元堂刻本；清光绪十一年乙酉（1885）锦文堂刻本；清末抄本（10 卷）。

八、《本经疏证》

本书针对《本经》《别录》而撰，"疏其文而证其解"，故名《本经疏证》。邹澍（1790—1844），字润安，晚号闰庵，江苏武进人。家贫苦读，博览群书，善诗古文词，隐于医。道光元年（1821）乡里欲荐邹氏于朝，辞不受。著本草书、医书 9 种及文史书 5 种。

邹氏"取《本经》《别录》为经，《伤寒论》《金匮要略》《千金方》《外台秘要》为纬"，交互参证，疏明其所以然（《本经疏证·自序》）。先后历时 6 年（1832—1837），先将张仲景所用药 173 味予以疏证，编成《本经疏证》。此后应其侄邹豫春之请，又取常用药为之疏证，得药 142 味，编成《本经续疏》。为方便贫家野居遇急时检索方药，1840 年又撰《本经序疏要》。仿《证类本草·序例》"诸病通用药"体例，以病为纲，归类常用药，注其性味功效。此编"笔墨省减，病名既得原妥，药味遂可别择。循证求病，因病得药，从药检宜。"（《本经序疏要》卷 1），相当于临床用药手册。以上三书又常以《本经疏证》一名统指。原书由其学生抄录，未及订正而邹氏卒。其侄邹豫春"于是编讨论校录之力不少"。

《本经疏证》12 卷，卷 1~5 为上品，卷 6~9 为中品，卷 9~12 为下品，收药 173 种。《本经续疏》6 卷，亦分上、中、下三品，收药 142 味。二书合计载药 315 种。《本经序疏要》8 卷，共分 95 项，前 92 项为病名，其下各录药物性能；后 3 项为"解百药及金石等毒""服药食忌""凡药不入汤酒"。

《本经疏证》和《本经续疏》采用"例则笺疏之例，体则辩论之体"的写法。即每一药先录《本经》《别录》之条文为正文，低一格引述药物基原形状，再附列后世药论（以卢子繇、刘若金二氏之说为多）及邹氏自家论说，以辨析药性及其运用为主。

邹氏论药，并不主张牵强附会，以一理贯通诸性。他说："凡论药之用，有求之本处可通，他处不可通者；有求之伤寒可通，杂病不可通者。"（《本经疏证》卷 1 "人参"条。）这一认识是比较客观的。他对张仲景医书中用药规律研究很深，一味药出现于哪几个方，用法之差别，多能仔细推究。

邹氏对前人见解相矛盾处，一一为之解释（见"柴胡"等条）。除药性讨论之外，他还兼及药物品种等内容。该书把病、方、药联合起来，"以是篇中每缘论药，竟直论方，并成论病"（序后语）。因此，谢观认为"此书与缪氏书均最为精博"（《中国医学源流论》）。

曹禾的《医学读书志》载："癸卯（1843），禾录稿寄汤君用中，倡镌于维扬，归板于其嗣子梦龙。"可见该书中有 1843 年以后刻本。汤用中在《本经序疏要·跋》（1849）中介绍了他与邹澍的交往，且云："君殁后五年，戊申（1848），（赵于冈）始邮示此书"，与曹氏所言有些出入。该书由汤用中付梓，首刊于道光己酉（1849）。今有常郡韩文焕斋、常州长年医局、歙县洪氏（1858）、友经堂（1873）等多种清刊本。1911 年后又有多种石印及铅印本。中华人民共和国成立后上海卫生出版社（1957）及上海科学技术出版社（1959）两次铅印，流传广泛，各地均藏。

九、《本草分经》

姚澜，字涴云，山阴（今浙江绍兴）人，因多病，中年须发尽脱，故自号"维摩和尚"。平素尝为人治病，药止数味，疗效尚佳，自称"吾非知医，但知某药入某经耳"。编《本草分经》，初刊之年（1840）已逾花甲。

书不分卷。以经络为纲，药品为目。首列"内景经络图"（15 幅），次载"总药便览"，按草、木、虫、鱼等 14 类备载药名（下列所归经络），以便按经查药。主体内容以十二经及命门、奇经为纲，统领诸药（"不循经络药品"另立一节）。各经之下，又将药品分为补、和、攻、散、寒、热六类。各药仅述性味主治功效，寥寥数语。共收 804 种药，多为清末常用之品。书末载"同名附考"，记药名异同。

该书各药内容虽无新意，但分类独具一格，在同类著作中影响较大。清道光二十年（1840）初刊，后原版毁于战火。光绪十四年（1888），梅雨田稍正次序，予以重刊，增名为《本草分经审治》。今所存数种木刻及铅印本，均源于以上二刊本。

十、《注解神农本草经》

汪广奄原名汪宏，新安医家，歙县人，清末光绪年间其医术闻名乡里。先后著述有 5 种：即《入门要诀》1 卷，《望诊遵经》2 卷，《本经歌诀》，《本草附经歌括》3 卷，《注解神农本草经》10 卷。另外对宋·崔嘉彦所著《脉诀》加以参定。以上 6 种书在光绪十四年（1888）于歙东汪邨竹里汇刻成《汪氏医学六种》。

其中《注解神农本草经》9 卷，合序例 1 卷为 10 卷。汪广庵作注，程端参定。

书首有程珽作序。序云："汪君广庵，幼志于医，已按宋人目录编集成书，后于兵燹之时，得宋臣校正单行古本，喜若获璧，随取今文为之重校，又聚古书为之注解，有疑斯析，无意不搜，证候一一分明，采取条条节序录。以序例为卷首，而365 种悉依古次，一万数千余字尽属原文，卷帙既增，乃三而三之分为九卷，缮写成篇，赞助付梓。"

从程珽序中来看，汪广庵所注的《注解神农本草经》，先是按照宋人目录编辑而成，后又得宋臣校正单行古本重校。

这里有两个疑问：一是"宋人目录"是什么样的目录，何人所著？二是"宋臣校正单行古本"是谁著的本子？

第二个问题，汪广庵在《注解神农本草经·凡例》中云："宋嘉祐二年（1057），掌禹锡、林亿等校定《嘉祐补注本草》，复将内府所藏古本草三百六十五种校正，熙宁元年（1068）同奉圣旨镂版行世。余于咸丰六年（1856）得重刊宋本，其蠹蚀殊难披阅，因取《纲目》诸书校对，抄录成帙，故今注解，悉如其旧。"

程珽序中所言"得宋臣校正单行古本"，即宋代嘉祐年间宋臣掌禹锡见到内府所藏载药365种的古本草本子。

北宋仁宗于嘉祐二年（1057）设立校正医书局，命太常少卿集贤院掌禹锡、职方员外郎秘阁校理林亿、殿中丞秘阁校理张洞、殿中丞馆阁校勘苏颂同诸医官秦宗古、朱有章等，于嘉祐二年八月开始修订本草书，以《开宝本草》为蓝本，附以《蜀本草》《本草拾遗》《日华子本草》《药性论》等各家之作，并有选择性地收罗医方及经史百家有关药物内容，修订成《嘉祐补注神农本草》。在《嘉祐补注神农本草》所列16家书目，并未提到什么"内府所藏古本草三百六十五种"的本子书名。

现在《政和本草》书末（1957年人卫影印本547页）"补注本草奏敕"所云，《嘉祐补注神农本草》于嘉祐五年（1060）成书，至六年（1061）缮写成版样，至七年（1062）奉敕镂版施行。此与汪广庵书中凡例的"熙宁元年（1068）同奉圣旨镂版行世"时间不能吻合，而且在《嘉祐补注神农本草》镂版施行时，根本就未提到"内府所藏古本草三百六十五种……同奉圣旨镂版行世"的话。所以汪广庵书中凡例的一些话，令人难以相信。

又汪广庵在凡例中说："余于咸丰六年（1856）得重刊宋本。"此话也十分可疑。汪氏既能得重刊宋本，为何明清以来公私藏书家的图书目录均没有收载过此书的名字。这和范行准在森立之辑的《本草经》书末所写的跋文中，有一段话极为相似。范氏在跋中说："至光绪乙酉（1885），湘潭王闿运号称得见明翻刻嘉祐官本，从其中整理出神农本草经三卷，刻于成都尊经书院。"

从范行准跋文可以看出，王闿运所辑《神农本草》也是从明翻刻嘉祐官本的《本草经》中整理出来的。但是范行准并不相信王闿运的话是真有其事。范氏在跋文中加了按语，"按，我未看到有明翻刻嘉祐官本《神农本草》的记载。"范行准是现代著名的医史家兼藏书家，他所藏医方、本草最富。范氏既然说未见过什么翻刻嘉祐官本的《本草经》。则王闿运所称"明翻嘉祐官本"，实在是一种幌子，借此以抬高其所辑《神农本草》的身价而已。因为当时已有诸家辑了多种《本草经》。如明·卢复辑本，清嘉庆四年孙星衍、孙冯翼合辑本，清光绪九年顾观光辑本。王闿运为提高他的辑本身价，故托名从"明翻嘉祐官本"中辑出，借以取信于读者。而汪广庵与王闿运正是同时人，所用的伎俩，可能是如出一辙。

把汪广庵《注解神农本草经》（简称汪本）和王闿运辑的《本草经》（简称王本）进行比较，可以看出其间差异。

王本全书分上、中、下三品为 3 卷，收载药物 365 种。在《本经》的经文外，兼引《别录》；在 3 卷之后，另附三品序例称之为"本说"。所用的目录基本上是和孙星衍等所辑的《本草经》（简称孙本）目录相近。孙本目录是按《证类本草》目录中白字《本经》药物次序编排的。所以王本的目录，实际上也是按《证类本草》目录中白字《本经》药物目次编制而成的。王氏并将"大盐""戎盐"并为一条，"粉锡""锡铜镜鼻"并为一条，"殷孽"并入"孔公孽"，"糜芜"并入"芎䓖"，"青蘘"并入"胡麻"。

汪本全书 10 卷，三品序例为卷首 1 卷，其余 3 卷因加注解，内容增加，每卷又分 3 卷，共分为 9 卷，所用目录与顾观光所辑《本草经》（以下简称顾本）目录，极为相似。顾本目录是采用李时珍《本草纲目》卷 2 所载的《本草经》（以下简称李本）目录。

汪广庵注解的《本草经》和王闿运辑的《本草经》，既然都是得"嘉祐官本"编纂的，则汪本、王本所用的目录为什么不相同呢；不仅两书目录不同，而且两书药物三品位置也不相同。这就使人难以相信，他们是根据嘉祐年间载药 365 种的本子整理的。

为了弄清问题，现在再把汪广庵《注解本草经》的目录进一步研究如下。

把汪本目录和《本草纲目》（李本）卷 2 所载"本经目录"比较一下，汪本目录和李本目录极为相近，但也有小小的出入。即汪本目录比李本目录缺少王不留行、龙眼、姑活、石下长卿、肤青、樗鸡等药。汪本目录同时又比李本目录多由跋、赭魁、青蘘、赤小豆、大豆、原蚕蛾等药。

汪本为什么不用王不留行、龙眼等作为《本经》药呢？这与汪本所参考不同版本的《本草纲目》有关。

在旧的《纲目》版本中，王不留行、龙眼的正名下都标有"别录"出处，姑活列在"名医别录"药类中，石下长卿、肤青并在其他药名内，在《纲目》的目录中检不出的。

例如，王不留行，《纲目》（1957 年人卫影印本）列在卷 16 页 915，并注为

"别录上品"。

龙眼，《纲目》列在卷31页1300，并注为"别录中品"。

姑活，《纲目》列在卷21页1095，注为《名医别录》药。

石下长卿，《纲目》在卷13页789，并入"徐长卿"条内，并未独立为一条，在《纲目》的目录中，即无"石下长卿"的药名。

肤青，《纲目》列在卷10，页669，"白青"条附录项内，并注为《别录》药。

由于汪广庵看到《纲目》将"王不留行""龙眼""姑活"注为《别录》药，所以汪广庵书中不收此3药为《本经》药。又因"肤青""石下长卿"分别并在"白青""徐长卿"条内，《纲目》的目录中寻不出"肤青""石下长卿"药名。因此，汪广庵书中即无"肤青""石下长卿"。这些例子正可说明汪本目录中为什么会缺"王不留行""龙眼"等药了。

其次，《纲目》卷17页979，将"由跋"注为"本经下品"；《纲目》卷18页1034，将"赭魁"注为"本经下品"；《纲目》卷49页1072，将"鹰屎"注为《本经》药。这些药在《证类本草》中，都是墨字《别录》药。由于汪广庵得不到《证类本草》核对，仅凭《本草纲目》的标注，误把此等《别录》药当做《本经》药收入书中。

这些事实都证明汪广庵《注解本草经》目录是根据《本草纲目》卷2所载"本经目录"，参考《本草纲目》的注文改编而成的。

汪广庵为什么采用《本草纲目》卷2"本经目录"作为《注解本草经》的目录呢？因为李时珍对此目录曾倍加推崇，称其为最古的"本经目录"。李时珍说："神农古本草凡三卷，三品共365种……故存此目，以备考古云耳。"汪氏以为李时珍所云此目录为最古，故采用《纲目》卷2的"本经目录"作为《注解本草经》的目录，神能达到存古的目的。

现在要问《本草纲目》卷2所载"本经目录"是不是最古的目录呢？从唐、宋古本草书籍目录比较来看，《纲目》卷2的"本经目录"，是从《证类本草》中白字《本经》药拼凑而成的目录。何以见得呢？兹说明如下。

《唐本草》目录在《千金翼方》《医心方》《本草和名》中均可检出。《唐本草》通过《开宝本草》《嘉祐本草》而到《证类本草》。《唐本草》和《证类本草》中的《本经》药上、中、下三品的数字，与《神农本草经》所云上品120种、中品120种、下品125种数字不符。

《唐本草》和《证类本草》中《本经》药上品都是141种，比《神农本草经》

上品 120 种的数字多 21 种。

《唐本草》和《证类本草》中《本经》药中品是 113 种，比《神农本草经》中品 120 种少 7 种。

《唐本草》和《证类本草》中《本经》药下品是 105 种，比《神农本草经》下品 125 种少 20 种。

《纲目》卷 2 "本经目录"编造者为着凑合上品 120 种，中品 120 种，下品 125 种，不得不把《证类本草》中的《本经》药的三品数字进行调整。在调整时，必须把《证类本草》中《本经》药三品位置进行移动。如果把《纲目》卷 2 "本经目录"同汪本目录中三品位置，和《证类本草》三品位置比较一下，可以发现，汪本与《纲目》卷 2 "本经目录"是一致的。他们的目录中三品数字经过移动凑合成上品 120 种，中品 120 种，下品 125 种。

如果我们仔细研究一下，他们都是从《证类本草》目录中改编而成的，证据非常之多，现在举个例子来讲。

例如，拿药物排列次序来说，比较相邻排列在一起的一群药，《证类本草》与《唐本草》全不相同。但是《纲目》卷 2《本经》药中，有很多相邻排列的一群药，与《证类本草》相同，而与《唐本草》不同。假如《纲目》卷 2 的 "本经目录"是最古，则相邻排列药物群，应与《唐本草》相同，不应与《证类本草》相同。

因为《唐本草》比《证类本草》要早 600 年。《唐本草》经过《开宝本草》，到《嘉祐本草》，再到《证类本草》，这些本草著作每经过改编一次，其目录也在变动，变动的结果，使《本经》药相邻排列次序被打乱。编的次数越多，被打乱的程度就越高。

由于这个原因，在《唐本草》目录中，《本经》药相邻排列的药群，和《证类本草》目录中《本经》药相邻排列的药群，相同者极少。但是《纲目》卷 2《本经》药及汪本中《本经》药，其相邻排列的药群，与《证类》相同极多，而与《唐本草》几乎全不相同。这就使人难以相信《纲目》卷 2 "本经目录"是最古的目录了。

由于《本草纲目》卷 2 "本经目录"相邻排列药物群，与《证类本草》全同，而与《唐本草》全不相同。这就提示《纲目》卷 2 "本经目录"，是由《证类本草》目录改编而成的。

程斑在《注解神农本草经》序中说汪广庵 "已按宋人目录编集成书"。这个

"宋人目录",即是《本草纲目》卷2所载的"本经目录",该目录实际上是后人由《证类本草》目录改编的,伪托为最古的"本草经目录"。

至于汪广庵自称在咸丰六年(1856)"所得重刊宋本",有两种可能:一是无名氏伪本,伪托嘉祐年间校书局内府所藏本草载药365种的本子;另一种是汪广庵本人虚构一个幌子,借以提高汪氏所注的《汪解本草经》的身价,其伎俩与王闿运自称得明翻刻嘉祐官本同属一致。

十一、《神农本草经校注》

本书由莫文泉校注于1900年。

莫文泉,字枚士,号苕川迂叟,归安(今浙江吴兴)人。其长于小学(文字学)考证。莫氏于光绪二十六年(1900)辑注《神农本草经》。在书卷上"神农本经释例"及"神农本经序例"标题下,系统诠释药物命名意义、性味主治及病名含义等。

全书药物条文排列,按《本草纲目》卷2所载"神农本草经"药物目录次序编排。其药物正文并参考明·卢复、清·顾观光等辑本。

莫氏校注,在解释名称字义及考证疑难等问题上,多有创见。

《神农本草经校注》3卷刊本:清光绪二十六年庚子(1900)归安月河莫氏家刻本。

第三节 张仲景药解

一、《长沙药解》

"长沙"指张仲景(张长沙),本书"取仲景方药笺疏之"(《长沙药解·自序》),故名。

作者黄元御(1705—1758),字坤载,号研农,别号玉楸子,山东昌邑人。他早年习儒,29岁时被庸医误治而致左目失明,于是发愤学医。他把岐伯、黄帝、秦越人、张仲景奉为"四圣",主张"理必《内经》,法必仲景,药必本经",著述甚富,有《四圣悬枢》等书。

黄氏认为对于本草,"先圣之不作,后学之多悖",于是"恒有辨章百草之志"。癸酉(1753)年春,乃"远考农经,旁概百氏",将"人理"与"物性"相参，撰成《长沙药解》。

是书 4 卷。收载《伤寒论》《金匮要略》所用之药 161 种，不分部类。目录各药名之下，注出方数（如"甘草十二方"等），兼议汤方 242 首。

各药名下首列性味、归经、药性要点。次引方例，解释该方证候、病机及该药功用，药理则经常一语带过。这部分内容名为"药解"，实属方论。议论方例之后常有一段药理论述、用药宜忌，终以炮制方法。黄氏议药论证，时或侈谈五行运气，四象生成；有时五行干支满纸，使浅显之理，反致虚玄。

该书的特色在于把论病与用药议方结合起来，使药效落到实处。黄氏在分析张仲景诸方用药之后，提出了不少个人见解，纠正时俗谬见之处甚多。如指责"后世庸工"将黄檗作为"滋阴补水之剂"，以知母"通治内伤诸病"，等等。

《四库全书总目提要》评价说："以药名药性为纲，而以某方用此药为目。各推其因证主疗之意，颇为详悉。然药有药之性味，此不易者也。用药有用药之经纬，引无定者也。故有以相辅而用者，有以相制而用者，并有以相反相激而用者，此当论方，不当论药。但云某方有此药，为某证而用；某方有此药，又为某证而用，是犹求之于筌蹄也。"

今该书有咸丰十年（1860）燮和精舍刊本及清代几种刻本，另有《黄氏医书八种》等，各地多藏。

二、《玉楸药解》

作者黄元御号玉楸子，因以号名书。乾隆十九年（1754），黄氏作《玉楸药解》8 卷，该书收张仲景医书未载之药 293 味。分草部、木、金石、果附谷菜、禽兽、鳞介虫鱼、人、杂类 8 部。各药首列性味归经、功效主治；继述该药特点、针砭时弊；间附品种简介及炮制方法。叙述简捷，很少繁言冗词。他指出了许多旧本草著作中记述的错误，不遗余力地抨击当时滥用、误用某些药品的现象。如认为轻粉毒烈，"不可入汤丸也。《本草》谓其治痰诞积滞，气膨水胀，良药自多，何为用此？"讲究辨证用药，不为俗见所囿。他指出的许多药物误用的现象至今仍或存在。但黄氏在学术讨论中经常采用一些过激言词，"庸工""愚妄"之类的词语不绝于篇。他思想上尊经崇古，有不少偏颇之见，认为"后世本草数百，千载狂生下士，昧昧用之，以毒兆民。农黄已往，仲景云祖。后之作者，谁复知医解药？诸家本草，率皆孟浪之谈"，其至指责李时珍"博引庸工讹谬之论"，"荒唐无稽，背驰圣明作述之义几千里矣"（《玉楸药解·自序》）。当时虽有不少人滥用滋阴药，但黄氏却归罪于滋阴学派，说："庸工开补阴之门，龟地之杀人多矣"（"何首乌"条）。对此，《四库全书总目提要》评曰："是书谓诸家本草，其议论有可用者，有不可用者，乃别择为此书。大抵高自位置，欲驾千古而上之，故于旧说，多故立异同，以矜独解。"该书刊行后，风行一时，"几于家置一编矣"（恽思赞《本草便读·序》）。今有咸丰十年（1860）长沙燮和精舍校刊本，《黄氏医书八种》本，同治、光绪年间多次刊行，藏馆甚众。

三、《本草思辨录》

该书为周岩所撰，周岩（1832—1905），字伯度，号鹿起山人，山阴（今浙江绍兴）人。当时被称为"越中耆宿"。幼时以春温误服麻黄，咸丰丙辰（1856）患寒痢，医误投凉剂，于是有志于医学，光绪壬午（1882）以疾弃官，取医书研读。他认为"辨本草者，医学之始基"，必须博思明辨，遂费时六年，撰成《本草思辨录》。光绪三十年（1904）成书。

全书4卷，卷首"绪说"，评论中西医学及《医林改错》《中西医汇通》《全体通考》诸书之得失，力倡深入研究中医经典及中医基本理论。全书收药128味，大致按《本草纲目》次序排列。因是将平日研究仲景及后世诸家医方心得随手札记，故殊无体例。特点是以方、药互相印证，紧密结合药物在不同方剂中的作用来辨析药性，每多独到见解，在讨论药性一类书中独具一格。可是由于作者并非医家出身，故个人用药经验比较欠缺。

该书刊本有山阴周氏微尚堂初刊本（1904），1936年收入《珍本医书集成》，建国后有排印本。

第四节　综合类

一、《本草洞诠》

"语多纂辑，题曰《洞诠》。亦仿《文选》之例，匪敢僭也"（《本草洞诠·凡例》）。"洞诠"即透彻的阐释。

作者沈穆，字石匏，浙江吴兴人，精医药，尝游历于公卿之门，足迹几遍全国。晚年赋闲归里，"读蕲阳李氏纲目一书，精核赅博，叹其美备，从而采英撷粹，兼罗历代名贤所著，益以经史稗官、微义相关，并资采掇"（《本草洞诠·自序》）。

于顺治十八年（1661），编成本书 20 卷，分水、火、金石、土、谷、果、菜、草、木、服器、人、禽兽、鳞、介、虫 15 部，共计药 640 种。书中号称收药 800，其实不足此数。卷 19、20 为"用药纲领"，多采自《本草纲目》等书序例，别无增益。

沈氏介绍此书内容特点时说："但选择要药 800 余种，搜辑诸家之论，折中互异之词，旁采儒书，间附管见。药少而用详，词简而义无阙。只增烟草一种，以盛为时用也"（《本草洞诠·凡例》）。其中不无虚夸之词，如"烟草"在《本草汇言》中早已记载，沈氏不知，以为是自己新增。

各药不分项目。自药名、性味功用、用药机制等，一气呵成，统而述之。文字简练流畅。沈氏认为，"是集于谷、肉、果、菜诸部，凡入庖厨者，备著无遗。若善调于食饮者，虽不资药饵可也"（《本草洞诠·凡例》）。且收藏了很多非医药书中的内容，"以备博览，亦《尔雅》《诗疏》之一斑。"其他药物，多不过百余字，简介药性，其余内容（如形态、附方）皆极少涉及。到底是文人所辑，文字条理明晰。然新见及临床用药经验皆很缺乏。

今有顺治十八年（1661）刊本，书前载王益明、戴京曾、翁自涵、沈焯及作者自序 5 篇。中国中医研究院、中国医史文献研究所、中国医学科学院（且藏日本抄本）及上海图书馆等处均藏。

二、《本草述》

本书吴骐序谓："其曰'述'者，本经合论，曲鬯旁通，以明夫不居作者。""意即述而不作。"作者刘若金（1585—1665），字云密，号蠡园逸叟，潜江（今属湖北）人，天启乙丑（1625）进士，官大司寇，或称大司马、刘尚书。明末隐居著书。因多病常以医药自辅，对本草尤加留意。竭 30 年之力，十易其稿，纂成《本草述》80 余万言。甲辰（1664）书成，次年殁，原稿由其子刘湜收藏。曾有未完刻本，因潦草授梓，错误较多。康熙三十八年（1699）由浙西高佑釲（字念祖）、陈讦（字言扬）订正，刘湜校订刊行。

全书 32 卷。分部次序多同《本草纲目》，少数药品的位置有更动。共计收药 501 种。多为常用药。

无总论。各论不分项目，次第叙产地、形态、采收、药性（集录金元诸大家有关性味归经之说）、主治（包括适应证、用药要点、药理探讨、用药方法、配伍）、附方（多简便方）、愚按（即刘氏自家论说）、修治。

主要资料源于《本草纲目》，金元医家药论最受重视，又采录了不少明末本草学家的论说，以缪希雍的意见引用最多，其次为卢之颐、卢复、王绍隆、李中梓、张三锡、罗周彦等。

各药以讨论药性、药效及药理为主，作者常在略引前人论说之后，附以大篇的阐解。论药的方法多与金元医家相同。每药洋洋洒洒，详析药用，侈谈五行六气。对有些药物的功治可能辨析入微，甚有见地；对另一些药物的解说则又可能烦琐推衍，玄而又玄，令人不得要领。刘氏尤其推崇红铅（女性月经），是其大谬处。

该书药论吸引了一些后世学者。道光六年（1826）杨时泰获此书，"翻阅数过，爱不释手"，并加节略，编成《本草述钩元》一书。另有《本草述录》也是该书的一种节本。

邹澍认为刘若金"著《本草述》，其旨以药物生成之时，度五气五味五色，以明阴阳之升降。实欲贯串（金元）四家，联成一线。惜文辞蔓衍，读者几莫测其所归"。切中肯綮。

中国中医研究院藏康熙庚午（1690）初刊本，扉页作《刘尚书本草》。此即《本草述》未完刻本。又今存康熙十五年（1676）本，藏北京医学院及安徽省图书馆。另有嘉庆十五年（1810）武进薛氏还读山房重刊本，道光二十二年（1842）、光绪二年（1876）姑苏来青阁重印薛氏还读山房本，藏馆甚众。近代在上海万有书局石印本（1938）及黄冈萧兰陵堂刊本（1936）。

三、《本草述钩元》

杨时泰（？—1833），字穆如，一字贞颐，武进（今属江苏）人，清嘉庆己卯（1819）举人。精医善脉诊，得周慎斋秘旨。用药则遵从刘若金，疗效甚佳。删约刘若金《本草述》，从丁亥（1827）至壬辰（1832），始毕其功。癸巳（1833）撰《本草述钩元·自序》。然"薄书劳瘁，不禄以终，未及以所著付梓人。藏稿于家者几十余载"，后由门人伍恂刊行，邹澍为之序（1842）。

是书32卷。卷内药品皆同《本草述》。

邹澍序曰："杨君以博雅通儒，治素理。为之去繁就简，汰其冗者十之四。达其理者十之六，而其旨粲然益明，择精语详，了如指掌。"

各药主要内容及编排次序与《本草述》多同。删去了很多意义不大的浮言冗语，将刘氏"愚按"改成为"论"，篇幅大大压缩（原书约20万字）。该书比较简单，刊行以来，几乎取代了《本草述》。

今有道光二十二年（1842）毗陵涵雅堂刻本、同治十一年（1872）薛氏家刻本等数种清刻本，藏馆较多。1921 年上海进化书局石印本及 1958 年上海科学技术卫生出版社铅印本流传更广。

四、《本草汇》

"《夏书》：'东汇泽为鼓蠡，东迤北会为汇。'予于是编，亦此义尔"（《本草汇·自序》）。作者郭佩兰，字章宜，吴阊（今江苏苏州）上律里郊西人。自幼多病，留意医药。习儒之余，常和同学陈白笔共同探讨医经、汤液。郭氏"积书至连屋宇，手抄几等身"，又和当时名医刘默生、沈朗仲等交往，切磋医学。从学于李中梓，得其指授。顺治十二年（1655）编纂《本草汇》初成，至康熙五年（1666）始定稿。

全书 18 卷。前 8 卷为医药理论，列经络图、药图（梅花屿本列于书末）、经脉诸论、用药式、宜忌药、杂证及各科病机、百病主治药等。总论占这样大的篇幅，在本草书中是少见的。郭氏有说明："是编专明药性，而首采杂论，继以用药式及病机与主治等八卷者，此亦略本《纲目》之例。唯病机则从楼全善《医学》增入焉。盖病机不辨，将药性安施？"

卷 9～18 分为草、谷、菜、果、木、虫、鳞、介、禽、兽、人、金石、服器、水、火、土 16 部，后附补遗。计 485 味。

每半页 4 图，有栏格，集中于书末，共有 208 图。图前小引曰："今兹所图，止取适用，无事繁杂。故凡用根则不及叶，用叶则不及根，并用则兼。暨果蔬鸟兽虫鱼之属皆然。或一物而殊产者，亦止图其品之最上，而余则附载本物下，可因此以识彼。其耳目习用，人人能名者，竟不概列焉，无非以简单为务。"今检视其图，其中多有类似《本草汇言》者，但书中未予注明，不敢遽定。其图不甚精细，药材图占大半，另附经络图多幅。各药之下，先集数句对语（或四五六七字），系仿胡仕可、陈嘉谟所为。

药性下，选取诸家名论，主要讨论药性机制，附述地产、炮制、须使、畏恶、制反等内容。这部分资料主要取自李时珍《本草纲目》，兼取缪希雍《本草经疏》、李中梓（士材）《本草通玄》二书的要旨，极少郭氏自家注说。

此书比较新的东西是附方，其中"有秘授丹、乌龙消癖、接气沐龙等，传自异人，历试而验"。为便于诵读，该书采用了一些符号来分句断句、注音训读等，使阅者"无临书按剑之苦"。

《联目》载某些图书馆有顺治十二年本，据书中序引所述，该书至康熙五年

（1666）始定稿，故并无顺治本。今中国科学院图书馆、北京大学、中国中医研究院等 10 余处均藏梅花屿本，当为原刊（1666）。另有书业堂本、日本元禄六年（1693）武江山田屋刊本等存世。

五、《本草纲目拾遗》

清·赵学敏所著《本草纲目拾遗》（又称《拾遗》），是继《本草纲目》之后的又一部重要的药学专著。它对《本草纲目》作了很多补充和修正，为中药学的发展做出了显著的贡献。

《拾遗》的成就有以下几条。

1. 对明以后的药学知识进行了总结

鉴于《本草纲目》刊行 180 年后本草学的新发展，有必要对此重新加以总结，赵氏《拾遗》顺利地完成了这一历史任务。《拾遗》原为捡拾《本草纲目》所遗而作，故凡《本草纲目》遗漏未载，或虽已收载而记录欠详，以及明以后新发现之药物，均予收录。全书共载药物 921 种，除去与《本草纲目》重复的 205 种外，净增 716 种，堪称是《本草纲目》的续编。如卷 6 "金鸡勒"条云："嘉庆五年（1800）予宗人晋斋，自粤不归，带得此物以相示，细枝中空，俨如去骨远志，味微辛……治疟，金鸡勒用二钱，一服即愈。"这"金鸡勒"（即金鸡纳树树皮）便是《本草纲目》未载之新药。此外，《拾遗》对《本草纲目》疏漏之处也加以厘正。可见此书对于学习《本草纲目》，研究明以后本草学的新成就，有很大的参考价值。

2. 搜集了很多民间单方、验方

赵氏对民间单方、验方极为重视，做了广泛搜集工作，故在《拾遗》中记载了很多简、便、廉的药方，大大丰富了中医治疗学的内容。如卷 9 "鸦胆子"条云："治痢，用鸦胆子，去壳，捶去油一钱……丸如绿豆大，蚕十二丸立止。"笔者曾援用此方治休息痢数例，均收到良好的效果。又如卷 3 "土连翘"（闹羊花子）条中所附七厘散，用于治疗金刃伤及用于止痛，确有可靠效果，至今仍为伤科要药。其他，如卷 3 "白毛夏枯草"，卷 4 "千年建""老鹳草"，卷 5 "落得打""浙贝"，卷 6 "臭梧桐""千张纸"，卷 7 "鸡血藤胶""胖大海"，卷 8 "鹧鸪菜"等，都因该书推荐而得以广泛运用。另外，还有很多市售药品，不见录于传统本草书者，也可在《拾遗》中寻出，所以此书颇有临床价值。

3. 保存了大量的中医药文献

《拾遗》引用资料极多，"其中，有得之史书方志者，有得之世医先达者，必审其确验，方载入，并附其名以传信"。统计全书，附记书名达 500 多种，诸如《行箧检秘》《黄败翁医钞》《本草补》《珍异药品》《救生苦海》以及王安卿的《采药志》、汪遵仕的《草药方》等，皆不见录于今日医书目录中。这些民间的医药著述，通过《拾遗》而得以保存其一鳞半爪，说明此书为寻找散失医籍提供了一些线索。

1957 年人卫影印《本草纲目拾遗》，开头有个"内容简介"说："原书（指《本草纲目拾遗》）于乾隆三十年（1765）刊行"，但是书中有很多条文记有 1765 年以后的时间。这个 1765 年是赵氏在初稿完成时作序的时间，并非刊行的时间。因为初稿完成后，赵氏逐年有所增补，增补条文中所记最迟时间是 1803 年（见103 页倒 4 行）。

现存最早的本子是赵学敏稿本，10 厚册，范行准所藏。其次是清同治三年甲子（1864）钱塘张应昌刊刻，清同治十年辛未（1871）钱塘张氏吉心堂刊本，清光绪十一年乙酉（1885）合肥张氏味古斋重校刊本。清光绪二十二年（1896）张氏刊本（范行准藏）。

现有民国上海锦章书局石印本，1955 年商务印书馆据清光绪张绍棠刻本铅印本，1957 年国光书局铅印本，1957 年人民卫生出版社据合肥张氏本影印，此外上海图书馆藏有本书抄本。

六、《法古录》

《法古录》为清·鲁永斌集纂，原书手稿本藏于上海中医学院图书馆。1984 年上海科学技术出版社影印出版。

鲁永赋，正史无传，《中医人物词典》未录，生卒年月不详。该书序云："余今年近古稀……乾隆四十五年九月九日，山阴鲁永斌宪德氏题于飞来峰之东武山房。"乾隆四十五年是公元 1780 年，可以推知成书时间为 1780 年。序云作者此时年近古稀，由此推知鲁氏大概生于 1710—1715 年。

全书分为 3 集，每集以天、地、人名之。其中天集包括序录、引书名录、凡例、用药总义及收载草类药物。地集收载木、果、菜 3 类药物。人集收载水、土、金、石、人、禽、兽、鳞、介、虫 10 类药物。

全书共录药物 547 种。按自然属性分类，计草部 197 种，木部 82 种，果部 33

种，谷部 30 种，菜部 21 种，水部 13 种，土部 14 种，金部 13 种，石部 45 种，人部 11 种，禽部 11 种，兽部 24 种，鳞部 17 种，介部 15 种，虫部 21 种。

全书所录药物排列次序，是抄袭汪昂《本草备要》（以下简称汪本）的目次。所不同的，把汪本某些药或进行移位、分条，或合并，或增加一些不常用药。兹举例如下。

（1）移动药物排列位置。将汪本菜部"甜瓜蒂"移在果部，将鳞介鱼虫部的"海狗肾"移到兽部，改名为"腽肭脐"。将介部"虾"移到鳞部。

（2）对药物分条。将汪本草部"地黄"分为"干地黄""熟地黄"两条。又将草部"附子"中的"乌头""天雄""侧子"分出，立为 3 条。将木部"川椒"中"花椒"分出，立为 1 条。将虫鱼部"螺"分为"田螺""螺蛳"两条。

（3）合并药物。将汪本草部"杜牛膝""鹤虱"并为 1 条，改名为"天名精"。将木部"柏子仁""侧柏叶"并为 1 条，"桂枝""肉桂""桂心"并为 1 条；"檀香""紫檀"并为 1 条。将果部"枳实""枳壳"并为 1 条，"青皮""陈皮"并为 1 条，"莲子""莲须"并为 1 条。

（4）新增药物。在草部增：玄参、莽草、小青、蜀漆。在木部增：皂角刺、荜澄茄。在果部增：慈姑、葡萄、椰子。在谷部增：面、黍、黄大豆、麻油、酱、烧酒、糟。在菜部增：苋菜、紫菜、笋、黄瓜。在水部增：阿井水。在土部增：黄土、东壁土、道中热土、鞋底下土、蚯蚓泥、粪坑底泥、井底泥、釜脐墨、梁上尘。在金部增：银、赤铜、古镜、胡粉、黄丹、铅霜。在石部增：玉屑、珊瑚、玛瑙、宝石、玻璃、水精、银朱、凝水石。在人部增：头垢、爪甲。在禽部增：鹤、鹳、凫、鸬鹚、鹁鸽、雀。在介部增：文蛤、蚬壳。所增的药物，绝大部分没有多少临床实用价值。

鲁氏序云："时取古人之本草而博览之，得其精义，即为采录，存众物之本性，集先哲之名言，汇为一编，名为法古，实即宜今。"

从这个序来看，《法古录》是鲁氏博览古本草著作，摘录精义而成的。

鲁氏在书的开头，列举 37 部古本草著作目录。联系序文来看，鲁氏所云"取古人之本草而博览之"，似乎是指 37 部古本草著作而言。但从实际考察，在此 37 部本草著作中，有 75% 的书，在清代即亡佚，有 50% 的书，连李时珍也未见过原貌，鲁氏何能阅读这些古本草著作呢？

实际上，鲁氏所开列的 37 部书名，除掉清·汪讱庵的《本草备要》外，其余 36 本，都是从《本草纲目·历代诸家本草》项下 42 种书名提要中摘录下来的，其中大部分古本草著作，鲁氏根本就未见过。如把校点本《本草纲目》卷1中的1～10页所列书名，同《法古录》所开列的书名核对一下，书名完全相同。由此可见，《法古录》所列37部古本草著作，多是抄来的书目，并非完全是鲁氏亲自博览的书籍。

《法古录》所录的"用药总义"，大部分是摘录《本草纲目》卷1序例的内容，小部分是摘录汪昂《本草备要》"药性总义"的内容。

《法古录》"用药总义"列在书首，共有11页，在"用药总义"中立了很多小标题，每个小标题下的内容所录的文字，均可在《本草纲目》卷1序例中，或《本草备要》"药性总义"中查出，而且字句完全相同。兹举数例如下。（例文标题前面页次为《法古录》页次，例文标题后面页次为1977年人卫校点本《本草纲目》第1册页次。）

1页"药有五味宜忌"的全文同《纲目》69页。1页"五欲""五宜""五禁""五走"全文同《纲目》70页。1页"五伤""五过"的全文同《纲目》71页。2页"药有补泻"的全文同《本草备要》"药性总义"3页。2页"药有升降浮沉"的全文同《纲目》73页。3页"药有君臣佐使""药有根茎花实苗皮骨肉"的全文同《纲目》60页。5页"通剂""补剂"的全文同《纲目》45页。3页"药有单行……"的全文同《纲目》46页。4页"药有土地所出真伪新陈"的全文同《纲目》48页。4页"宣剂"的全文同《纲目》60页。5页"通剂""补剂"的全文同《纲目》61页。6页"泄剂""轻剂"的全文同《纲目》62页。7页"重剂""滑剂"的全文同《纲目》62页。8页"涩剂""燥剂""润（湿）剂"的全文同《纲目》63页。9页"凡药色青……"的全文同《本草备要》3页。9页"药有以形名者"的全文同《本草备要》4页。10页"药性有宜丸者……"的全文同《纲目》49页。11页"若用毒药疗病……"的全文同《纲目》50页。

《法古录》中每一味药的全文，均可在《本草纲目》中查出，而且文句完全相同。

例如，草部"黄芪"条引"时珍曰"的全文，完全同《纲目》696页；引"甄权曰""元素曰""好古曰""丹溪曰"等全文，同《纲目》697页；引"嘉谟曰"的全文同《纲目》698页；引"杲曰"的全文同《纲目》689页。

又如，"甘草"条引"甄权曰"的全文，同《纲目》691页；引"日华子曰"的全文同《纲目》692页；引"李杲曰""好古曰""颂曰"等全文同《纲目》693页。

又如，"人参"条引"本经云"的全文，同《纲目》701页；引"甄权曰"

"大明云""杲曰""时珍曰""白飞霞云"等全文，同《纲目》702 页；引"王纶曰""机曰""言闻曰"等全文，同《纲目》703 页。

通检全书每药所录各家主治的文字，和《纲目》所载相应的药物文字完全相同。多数是转录《纲目》主治项下或发明项下有关治疗的完整句子。

《本草纲目》每味药物条文，分释名、集解、气味、主治、发明、正误、附方等若干项目论述。在不同项目中往往引有同一家多方面的议论。《纲目》即将多方面议论分别列入各项中叙述。

例如，王好古对"甘草"条有多方面论述。《纲目》分别在"主治"项下，引王好古的论述"吐肺痿之脓血，消五发之疮疽"，在"发明"项下，又引王好古的"甘者令人中满，中满者勿食甘"论述。

而《法古录》摘录《纲目》"甘草"条文字时，即把《纲目》"主治"下王好古的文字，和"发明"下王好古的文字，归并在一起，均冠以"王好古曰"。

统观《法古录》全书每味药物的文字，均是从《纲目》中摘录的。没有一味药的全文是出于他书。《法古录》卷首所列 37 部古本草书名，也不过是抄《本草纲目》上书名做样子而已。各药引文所冠"本经云""别录云""甄权曰""大明云"（或作日华子曰）、"元素曰""李杲曰""王好古曰""嘉谟曰""王纶曰"等，其冠词下的文句和《纲目》相应的药物文句完全相同，足见鲁氏《法古录》的全部文字，是摘录《本草纲目》的文字而成，根本没有见到过什么《本草经》《名医别录》《吴普本草》《李当之本草》《唐本草》《本草拾遗》《开宝本草》等。

按其序所云，"时取古人之本草而博览之"，实属可疑。鲁氏只是以汪昂《本草备要》药物目录为目次，把《本草纲目》各家主治之言，摘录其原句文字，列于每味药之下，纂集成书。而鲁氏本人并无新议，且有些引文断句还有误断。例如，其"用药总义"之"通剂"引"时珍曰"有"上助肺气。下降通其小便"，此句应断为"上助肺气下降。通其小便"。

七、《握灵本草》

本书自序中有以下文字，"是编初稿成，西昌喻嘉言先生适馆余舍，曾出以示先生。先生喟然曰：'雷、桐不作，斯道晦塞久矣！君其手握灵珠以烛照千古乎？'《握灵本草》者，喻先生之言也。"

本书作者王翃，字翰臣，嘉定人。因"家于嘐之东皋"（徐秉义序），又称东皋先生。王氏"少工贴括，即兼通灵、素之书"，后寄迹于医，所治多效。作者

"信删繁之义"，撰成此书。始于顺治丙申（1656），迄于康熙壬戌（1682），凡四易其稿。

卷首为序例，系节取《本草纲目》序例中的部分内容，别无增益。

各论 10 卷。依次为水、土、金石、草、谷、菜、果木、虫鱼、鸟兽、人。合计 419 种。另外遗 1 卷，亦分部类，共载药 190 种。连同正文合计 609 种。

各药叙说简要。体例大致为：药名，小字注产地、形态、制法；主治，性味功治；发明，介绍用药方法及药性机制；选方，录少数方剂，不注出处。该书因旨在节要，故删去《本草纲目》中的释名、集解等内容。在引用前人文献时，多糅合之，未注明资料来源。"发明"一项对药物功效的特点及区别有所分析，但新的见解很少。全书简明浅近，是一部较好的入门书。

今存清康熙二十二年（1683）刊本及乾隆五年（1740）朱钟勋补刻书。

八、《本草备要》

《本草备要》作者汪昂字讱庵，明末清初安徽休宁人，生于明万历四十三年（1615），卒年不详。于年 80 时撰《增补本草备要序》，题康熙甲戌（1694）。明亡时汪正年逢 30 周岁。由于当时朝代变更，汪即弃举子业，笃志方书，汪除著《本草备要》外，尚有《素灵类纂》《医方集解》《汤头歌括》《经络歌括》《日食药物》等书。汪氏并不业医，但对中医药的理论，却很精通，经他注释和他所著之书，深为广大读者所喜爱。

本书初成时间不详，增订复刻时间，是在清康熙甲戌（1694）。增订时，作者年事已高，精力目力都已不济。增订的具体事务，其实是由其家属亲友集体承担的。各卷首页所列修订人员的名单，有作者弟汪桓、儿子汪端、侄子汪惟宠、侄婿仇云天、同学郑赞寰等。

本书摘取《本草纲目》《本草经疏》两书之精义，并补两书之未备者，故名《本草备要》。载药数目，各人统计方法不同，互有出入。例如，"生姜""干姜"，有人作 1 条计，有人分作两条；"龙骨""龙齿"，有人看作 1 条，有人分为两条。类似此例很多。

药物分类，是按药物自然属性分的。

1914 年上海共和书局石印本，载药 478 种，分为 9 部。计草部 190 种，木部 84 种（另本作 81 种），果部 31 种，谷部 22 种，菜部 18 种，金石水土部 58 种，禽兽部 25 种，鳞介鱼虫部 41 种，人部 9 种。

书的开头是药性总义，论述中药基本理论，如四气五味、升降浮沉、药物归经、七情畏恶、药物炮制等，作全面性的介绍。

每味药分正文（单行大字）和注文（双行小字）两类。注文多夹在正文句子中间。正文是介绍药物条文主要内容，文字简明扼要。注文是引申解释正文，文字比较详细，其目的是帮助读者理解正文。

药物的正文大字按叙述程序有：药名、性味、归经、功效、主治、配伍、适应证、禁忌证、产地、形态、品质优劣鉴别、释名、七情畏恶等。多数药都是按这些项目来介绍的。兹将各项论述例证如下。

1. 在药物性味、归经、功效上是互相联系叙述的

"荆芥"条云："辛苦而散，芳香而散，入肝经气分，兼行血分，其性升浮，能发汗，散风湿，清头目，利咽喉。""连翘"条云："微寒升浮，形似心，苦入心，故入手少阴厥阴气分而泻火。""玄参"条云："苦咸微寒，色黑入肾，能壮水以制火。""天门冬"条云："甘苦大寒，入手太阴气分，清金降火。"

2. 主治是本书重点内容，所言主治非常适用

"甘蔗"条云："治呕哕反胃，大便燥结。""苍耳子"条云："治头痛目暗，齿痛鼻渊，肢挛痹痛，瘰疬瘙痒。""天麻"条云："治诸风眩掉，头旋眼黑，语言不遂，风湿顽痹，小儿惊痫。""灯草"条云："治五淋水肿，烧灰吹喉痹，涂乳止夜啼，搽癣最良。"

3. 药物配伍功用的介绍

"甘草"条云："入和剂则补益，入汗剂则解肌，入凉剂则泻邪热，入峻剂则缓正气，入润剂则养阴血。"

4. 药物禁忌证，分禁用、忌用、勿用、不良反应等

禁用。"桃仁"条云："血不足者禁用。""青皮"条云："有汗及气虚者禁用。""天南星"条云："阴虚燥痰禁用。""牛膝"条云："然性下行而滑窍，梦遗失精及脾虚下陷，因而腿膝肿痛者禁用。"

忌用。"大枣""甘草"条云："中满证忌之。""苍术"条云："燥结多汗者忌用。""五味子"条云："嗽初起，脉数，有实火者忌用。""天门冬"条云："性冷利，胃虚无热及泻者忌用。"

勿用。"莲子"条云："大便燥者勿服。"

不良反应。"木瓜"条云："多食损齿，病癃闭。""乌梅"条云："多食损齿伤筋。"

5. 有关药物产地的介绍

"苍术"条云："出茅山。""昆布"条云："出登莱，搓如绳索；出闽越者，大叶如菜。""独活"条云："出蜀汉，又云自西羌来者名羌活。""当归"条云："川产力刚，善攻；秦产力柔，善补。""苏合香""血竭"条云："出南番。""阿魏"条云："出西番。""芦荟"条云："出波斯国。"

6. 有关药物形态的叙述

"钓藤"条云："有刺类钓钩，细而多钩。""藁本"条云："根紫色，似芎穷而轻虚。""威灵仙"条云："根丛须数百条。长者二尺多，色深黑。""泽兰"条云："紫茎素枝赤节录叶，叶对节生，有细齿，但以茎圆节长，叶光有歧者为兰草。茎微方，节短，叶有毛者为泽兰。""大青"条云："似牛膝而短小柔软有须。""芫花"条云："叶似柳，二月开花，紫碧色，叶生花落，陈久者良。"

7. 有关药物品质优劣的鉴别

"石菖蒲"条云："根瘦节密，一寸九节者良。""苍术"条云："出茅山，坚小有朱砂点者良。""五味子"条云："南产色红而枯，北产紫黑者良。""款冬花"条云："十一二月开花，如黄菊微见花未舒者良。""贝母"条云："川产开瓣者良，独颗无瓣者不堪用。""升麻"条云："里白外黑，紧实者良，名鬼脸升麻。""枇杷叶"条云："叶湿重一两，干重三钱为气足。"

8. 有关药物名称的解释

"狗脊"条云："有黄毛如狗形，故曰金毛狗脊。""石斛"条云："光泽如金钗，股短而中实，生石上者良，名金钗石斛。""半夏"条云："冬至生，夏至枯，故名。""百部"条云："根多成百，故名。""天南星"条云："根似半夏，而大形如虎掌，故一名虎掌。"

9. 有关药物的制药方法

"何首乌"条云："凡使赤白各半，泔浸，竹刀刮皮，用黑豆与首乌拌匀，铺柳甑，入沙锅，九蒸九晒。""天南星"条云："造胆星法，腊月取黄牛胆汁，和南星末，纳入胆中，风干。年久者弥佳。""半夏"条云："韩飞霞造曲法，草盖七日，待生黄衣，晒干，悬挂风处，愈久愈良。""豨莶草"条云："捣汁熬膏，以甘草、生地煎膏，炼蜜三味收。""樟脑"条云："以樟木切片，浸水煎成，升打得法，能乱冰片。"

10. 有关药物的炮制

天麻:"湿纸包炙熟,切片,酒浸一宿,焙用。"苍术:"糯米泔浸焙干,同芝麻炒,以制其燥。"漆:"炒令烟尽入药,或烧存性。"狗脊:"去毛,切,酒拌蒸,熬膏良。"葳蕤:"竹刀切,刮去皮节,蜜水或酒浸蒸用。"半夏:"浸七日,逐日换水,沥去涎,切,姜汁拌。"

11. 有关药物炮制与药效的关系

"黄芪"条云:"入补中药,捶遍,蜜炙;达表生用。""甘草"条云:"补中炙用;泻火生用。""人参"条云:"补剂用熟,泻火用生。""五味子"条云:"滋补药蜜浸蒸;入劳嗽生用。""荆芥"条云:"发汗连穗用;治血炒黑用。"

12. 有关药物七情畏恶的记载

"甘草"条云:"白术、苦参、干漆为使,恶远志,反大戟、芫花、甘逐、海藻。""苍术"条云:"防风、地榆为使。""远志"条云:"畏珍珠、藜芦,得茯苓、龙骨良。""石菖蒲"条云:"秦艽为使,恶麻黄,忌饴糖、羊肉、铁器。""天南星"条云:"畏附子、干姜、防风。""威灵仙"条云:"忌茗、面汤。"

13. 有些药记有采收时月

豨莶草:"以五月五日、六月六日、七月七日、八月八日、九月九日采者尤佳。去粗茎,留枝叶花实。"

14. 有些药引用前代文献

"泽兰"条引时珍曰:"兰草、泽兰,一类二种,俱生下湿地。"又引《楚辞》云:"纫秋兰以为佩。"

15. 有些药记有理化性状

"枳俱子"条云:"其叶入酒,酒化为水。"

关于各药中的注文,大多数是引用前代文献,并按中医理论来解释正文的。

例如,"竹沥"条引有《产乳方》《本草经疏》《丹溪心法》。"荆沥"条引有《延年秘录》。"芜荑"条引有《直指方》。"樟脑"条引有《集要》。"泽兰"条引有朱文公《离骚辩证》、吴草卢《兰说》。"蚕砂"条引《医学纲目》。"头发"条引陈藏器、《子母秘录》。"童便"条转引晋·褚澄《劳极论》。"大蒜"条引有《楞严经》、李迅曰、史源曰、纲目曰、元好问曰等。类似引文很多,此处从略。

药物的注文亦记有汪昂本人的意见。如,"冰片"条云:"昂幼时曾问家叔建候，公云：姜性何如……此即本草所云冰片性寒之义，向未有发明之，附记于此。"
"黄明胶"条云："昂谓此方若验，胜于服蜡矾也。"

药物的注文亦引有汪昂同学的话。"白蜡"条云："郑赞寰曰汪御章年十六，常患尿血，屡医不效，予以白蜡加入凉血滋肾药中遂愈。"（郑赞寰之名见《增订本草备要》各卷之首校订名单中。）

本书的价值有以下几点。

（1）本书临床实用价值很大，所选的药物都是常用药，内容以临床实用为主。举凡性味、归经、产地、炮制、优劣鉴别等都围绕药效而论述。这对临床处方用药十分重要。

（2）本书作者擅长文字，每个药物条文的文字都十分精练雅致，读起来爽口流利，对初学中医者，是一本良好的读物。

（3）本书作者虽不业医，但对中医理论很精通。所以书中有关药物性味、归经、功效、主治等均用中医理论来解释。习中医者读本书对提高中医理论有一定的帮助。

此外，作者旧的伦理观念很重。如"紫河车"条注云："今人以之炮制入药，虽曰以人补人，然食其同类。独不犯崔氏之戒乎？故本集如天灵盖等概不收录。"天灵盖即死人头盖骨，宋代《开宝本草》收为正品药。

由于本书临床实用价值很大，文字精练，不论是对初学的人或临床医生都适用。因此本书自问世以来，翻刻次数最多，按《中医图书联合目录》所载，本书翻刻现存者有60种刊本，在本草学刊本数量中居首位，比《本草纲目》刊本还多。

九、《本草从新》

《本草从新》为清·吴仪洛所撰。吴仪洛，字遵程，浙江海盐人，生卒年不详。据本书序云："余自髫习制举业时……迄今四十年矣……乾隆丁丑。"（"髫"即童年时代。）青年科举制有童生。吴氏髫年习举子业，当在十六七岁，加上40年，到乾隆丁丑（1757）五十六七岁，据此推算，吴氏生于1701年前后，相当清代康熙四十年前后。作者在序中自云著述医书有10种。除本草著作外，尚有《成方切用》《伤寒分经》《女科宜经》《一源必洌》《四诊须详》等书。

本书作者认为汪切庵以"《本草纲目》《本草经疏》两书而成备要一书，卷帙不繁，采辑甚众，宜其为近今脍炙之书也"。但又指出该书作者不是临床医家，因而有"专信前人，杂糅诸说，无所折衷"等不足。吴氏有鉴于此，即在该书基础上重订，而成《本草从新》。"因仍者半，增改者半；旁掇旧文，参以涉历，以扩未尽之旨。"书成于乾隆丁丑（1757）。

全书6卷（亦有分刻为18卷者），载药720种。按药物自然属性，分为11部，每一部又分若干类，共有52类。兹将各部、类药物列举如下。

草部：山草类54种，芳草类34种，隰草类65种，毒草类30种，蔓草类28种，水草类7种，石草类6种，薹草类3种。

木部：香木类25种，乔木类24种，灌木类28种，苞木类4种，寓木类6种。

果部：五果类6部，山果类15种，夷果类（外来移植的果树）9种，味果类5种，瓜果类5种，水果类10种。

菜种：荤辛类23种，柔滑类20种，瓜菜类7种，水菜类5种，芝柄类4种。

谷部：麻麦稻类11种，稷粟类16种，菽豆类12中，造酿类16种。

金石部：金类8种，玉类3种，石类26种，卤石类12种。

水部：天水类16种，地水类17种。

火土部：火部10种，土类10种。

禽兽部：原禽类11种，水禽类7种，林禽类2种，畜类9种，兽类15种，鼠类2种。

虫鱼鳞介部：他生类5种，卵生类11种，湿生类4种，有鳞类18种，无鳞类15种，龙类4种，蛇类4种，鱼鳖类3种，蛤蚌类16种。

人部：9种。

书首载有"药性总义"。其内容和《本草备要》（以下简称"备要"）开头的"药性总义"基本相同。但吴氏亦有增补。如"用药有宜陈久者，有宜精新者。如南星、半夏、麻黄、大黄、木贼、棕榈、芫花、槐花、荆芥、枳实、枳壳、橘皮、香橼、佛手柑、山茱萸、吴茱萸、燕窝、蛤蚧、砂糖、壁土、秋石、金汁、石灰、米麦酒、醋、茶、姜、艾、诸曲、诸胶、墨等之类，皆以陈久者为佳，或取其火气脱也……"《备要》对药物宜陈久或宜精新，是注在各药条下，未能总结成正文，列入"药性总义"中。

由于本书是增补《备要》，所以本书编写体例基本上与《备要》相同。每味药的条文分正文大字和注文小字两种。正文刻成单行，注文刻成双行。注文多夹杂在正文各句之下。

本书每个药物所讨论的范围，亦和《备要》相同。如药名、性味、归经、功效、主治、配伍、适应证、禁忌证、产地、形态、品质、鉴别、七情畏恶等，皆有论述。多数内容是沿袭《备要》之旧。

本书比《备要》有所发展，并非单纯抄录《备要》内容，兹将本书不同于《备要》者，列举如下。

本书收罗药物比《备要》多275种。如太子参、珠儿参、土人参、野白术、甘松香、山柰等，都是新增的。有些新增的药，如燕窝、冬虫夏草等，《本草纲目》亦未见收载。

本书对同一药名收罗同类的药物品种比《备要》多。例如"贝母"条，《备要》只言川产贝母，而本书除言川贝母化燥痰外，又列举象山贝母体坚味苦，去时感风寒。土贝母形大，味苦，治痰毒。

"人参"条，《备要》只言人参、参芦，在注文中提到参条、参须。而本书除言人参、参芦、参须外，尚言参叶、太子参、东洋参、西洋参、土人参、党参、珠儿参。指出参叶大苦大寒，损气败血，其性与人参相反。太子参其力不下人参，西洋参出外国，补肺降火生津，珠儿参性味与西洋参、人参相同，但有清热之功。土人参即浙江所产粉沙参，性善降，治咳喘痰壅火升。党参补中气虚，和脾胃，除烦满。并指出当时药店所卖党参种类甚多，根有狮子盘头者真，硬纹者伪。

类似此例很多。如白术、沙参、黄连，《备要》只言1种，而本书"白术"条分为野白术、种白术，"沙参"条分南沙参、北沙参、空沙参（《备要》名荠苨）；"黄连"分雅州连、马湖连、云南连、古勇连、水连（鲁连）、新山连、土连、鸡屎连，前两种最佳，末3种服之害人。

由于本书作者是临床医生，对于辨证用药，详于《备要》。例如治痰药，《备要》仅以治痰概之，而本书分治湿痰、燥痰。"半夏"条，《备要》作"除湿化痰"，而本书云："半夏为治湿痰之主药。""贝母"条，《备要》作"清虚痰"，而本书云："贝母润心肺，化燥痰。"

在禁忌上，本书亦详于《备要》。

如"枳实""枳壳"条，《备要》云："孕妇及气虚人忌用"，本书则云："大损真元，胀满因于邪实者可用，若因土虚不能制水，肺虚不能行气，而误用之。则祸不旋踵。气弱脾虚以致停食痞满，法当补中益气，则食自化，痞自消；若再用此破气，是抱薪救火矣。孕妇虚者忌之。"

"砂仁"条，《备要》未言禁忌，而本书则云："辛窜性燥，血虚火炎者勿用。胎妇多服耗气，必致难产。"

"木香"条，《备要》云："过服损真气"，而本书则云："香燥而偏于阳，肺虚而热，血枯而燥者，慎勿与之。"

"半夏"条，《备要》只讲"孕妇忌之"，而本书则云："非脾湿之证，苟无湿者，均在禁例。古人半夏有三禁，谓血穴、渴穴、汗穴也。若非脾湿，且有肺燥，误服半夏，悔不可追。"

本书对药物优良真伪鉴别，详于《备要》。

例如"荠苨"条，《备要》只言："似人参而体虚，无心似桔梗，而味苦不甘"，并注云："奸贾多用以乱人参。"而本书在"空沙参"（《备要》名荠苨）条注云："荠苨体虚无心而味甘。沙参体虚无心而味淡。桔梗体坚有心而味苦。党参体实有心而味甘。土人参体实有心而味甘淡。人参体实有心而味甘微带苦，自有余味，东洋参皮糙体松似糙参，但气不香尔。"

"黄连"条，《备要》只言："出宜州者粗肥，出四川者瘦小，状类鹰爪，连珠者良。"而本书对黄连品种鉴别甚详。

所以本书作者认为，同是一种药，品质有差异，药力厚薄悬殊，主治功用优劣迥别，不可不辨。尤其那些以假乱真的药品，更须辨明。

本书还提出对药物纯度的要求，如凡例中云："本药若杂别种药在内，用之即不能取效。如肆中柴胡夹杂白头翁、小前胡、远志苗、丹参等于内，不细为拣去，不唯无益，而反有害矣，断不可不正之。"此点在《备要》中很少提及。

本书对养生与治病食物及可以救荒者，收罗详于《备要》。如野麦、玉蜀黍、豌豆、蚕豆、豇豆、茭白、木耳、香蕈、蘑菰等药，《备要》均未收载。而本书皆予以收录。本书作者认为治病与养生食物之宜否，关系不小，故收载不厌其烦。

本书在编纂时参考前人文献亦很多。如"紫草"条引曾世荣《活幼心书》；"附子"条引吴绶《伤寒蕴要》，"常山"引士材曰，"大戟"引时珍曰，"甘遂"引嘉谟曰，"续随子"引《斗门方》，"牵牛"引东垣曰等。

作者不迷信前人所说，凡遇有错误的，亦加以批判。

如"贝母"条注文，"汪机曰：'俗以半夏燥毒，代以贝母。'不知贝母寒润主肺家燥痰；半夏温燥主脾家湿痰，何可代也。故凡风寒湿热诸痰，贝母非所宜也，宜用半夏、南星。"

本书亦收载一些特异的东西。

如人气，即呼吸之气。现代的气功疗法与人工呼吸，都应用人的呼吸之气（人气）。

如"阴火"条记有："野外之鬼燐……似火而不能焚物。"并注云："其火青，其状如炬，或聚或散，望之则有，就之则无，俗称鬼火。"（此乃燐的燃烧。昔日荒郊野外，埋葬死人较多之处，在夜晚可见之。）

本书的价值，有下列几点。

（1）本书临床实用价值很大。所选的药物，多数是常用药，所介绍的内容，在临床上非常适用。

（2）作者原习科举，文学水平较高，所以药物条文的文字雅致，适合中医初学者。

（3）由于作者业医，临床经验丰富。书中对于药物主治和临床辨证用药，均详于《备要》。所以本书不仅是初学中医者良好的读物，亦可作为临床医家很好的参考资料。

由于历史条件限制，本书也存在一些缺点。有如下两种。

（1）有些药收入并无实用价值。例如水部，收天水 16 种，地水 17 种。天水有立春雨水、小满水、梅雨水、重午日午时水、神水等，地水有潦水、流水、井泉水、玉泉水、阿井水等。火部有芦火、竹火、灯火、燧火、阳火、阴火等 10 种。所收各种水、各种火，虽有名称，实际都无药用价值。这仅起到凑本书药物总数而已。本书虽说收载 720 种，但是适合临床处方选用或制药选用者，也不过 500 种左右。其余多系有名不用的东西。如铜壶滴漏水、阿井水等在广大地方都是得不到的。盖作者是浙江海盐人，家住海边，不了解内地广大农村医药情况。

（2）有些解释也不一定可靠。如"逆流水"，性逆而倒，上治中风卒厥，头风疟疾，咽喉诸病，宣吐痰饮。如"阳火""阴火"条云："南荒有献火之民，食火之兽，西戎有食火之鸟；火鸦蝙蝠能食火烟，火龟、火鼠共生于火地。"这些说法，未必是事实，与医疗亦无关系。

本书自问世后，深受当时医家欢迎，因此读者多，翻刻次数亦多。据《中医图书联合目录》所载，目前已知的刻本有 45 种。由于刻书分合不同，有 6 卷本和 18 卷本之别。

十、《本草求真》

本书作者黄宫绣，字锦芳，江西宜黄人。他于清代乾隆年间著《本草求真》。《中医图书联合目录》题此本成于 1769 年，此年是王光燮为此书作序题署乾隆已丑。《中国医籍考》1158 页《医学求真》录总论条引《四库全书提要》："是书成于乾隆庚午（1750）。"故本书似应成于 1750 年。本书自问世至 1949 年，共有 23

种刊书。本文据 1942 年上海锦章书局刊本简介如下。

全书 11 卷，收载药物 520 种，其中药物 440 种，食物 80 种，附图 244 幅。卷 1～8 是叙述药物，卷 9 叙述食物，卷 10、11 是叙述脏象和病因病证主治的药物。

440 种药物按照治疗作用，分为补剂、收涩剂、散剂、泻剂、血剂、杂剂 6 大类。每一类中又分若干子目。例如，补剂分为温中、平补、补火、滋火、温肾 5 项。收涩剂分为温涩、寒涩、收敛、镇虚 4 项。散剂分为散寒、祛风、散湿、散热、吐散、温散、平散 7 项。泻剂分为渗湿、泻湿、泻水、降痰、泻热、泻火、下气、平泻 8 项。血剂分为温血、凉血、下血 3 项。杂剂分为杀虫、发毒、解毒、毒物 4 项。这种分类法的优点，是便利读者对药物性能、主治、功用等进行分析和比较。每一小类的药物开头有个概述，叙述这一类药的共同性。例如，补剂药的子目第 1 项温中药，先把温中的概念、温中的理论、温中药应用时的注意点作了全面的叙述，然后再把 12 味温中药分别介绍。其余各类叙述皆同此。

全书每一味药的介绍方式，按名称、气味、形质、归经、功用、主治、禁忌、配伍和制法等先后次序分别介绍。叙述时把气味形质、归经、功用、主治等作有机的整体性联系，气味形质联系归经、归经联系功用、功用联系主治。全书书写格式，是把每味药的主要内容，以单行大字书写，在叙述过程中，遇有引证资料或需要解释名词时，即以双行小字夹注于单行大字中。例如收涩剂中的"补骨脂"，介绍其主治功用，用大字书写云："凡五劳七伤……用此最为得宜。"对于"五劳""七伤"的解释，即用双行小字夹注于"五劳"和"七伤"之下。

本书卷 10、11，是论脏腑及病因主治药，前者以五脏六腑为主，介绍心、肝、脾、肺、肾、大肠、小肠、胃、膀胱、胆、三焦等生理病理病证和药物之间的关系。后者论述六淫等证主治药，是以风、寒、暑、湿、燥、火、热、痰、气、血、积、痛、消渴等病因为中心。论述病因所致的病证，联系到药物的治疗。其论述方式，和脏腑病证主药论述方式相同。

第 11 卷末为药性总义。论述药有阴阳；药有气味升降浮沉；药有五伤、五走、五过、子母相生；药有形性气质；药有佐使畏恶相反；药物炮制贵在适中，等等。

本书特点有以下两点。

（1）根据药物作用性质相同，归类在一起叙述，便于读者认识药物的共性和特性。例如，人参、黄芪归入补剂，地黄、枸杞归入滋水类，附子、肉桂归入补火类，枳实、枳壳归入破气类等。

（2）当时流行的本草分类，并不是按作用性质相同来分类的，而是按照药物自然来源分为玉石、草、木、果、菜、米谷、兽禽、虫鱼等类。该书为着读者查阅方便，特地编写两套目录。

第 1 套目录是按药物作用性质相近而归类的，把 520 种药按照全书排列的次序，标以自然号码。例如，叙述的第 1 味药人参标 1 号，第 100 味药"磁石"标 100 号，第 300 味药"熊胆"标 300 号。最末一味药"鳖肉"标 520 号。

第 2 套目录，药物排列次序是按照自然来源编排的，为着寻查方便，在每味药物脚下注以号码和第 1 套目录药物号码相同。例如，"磁石"在第 2 套目录中列在石部，但是标注号码仍是 100 号，"熊胆"列在兽部仍标 300 号。

有这两套目录，对于寻找药物是很方便的，例如检索"五加皮"这味药，先在第 2 套目录木部中查出"五加皮"是 213 号，然后再到第 1 套目录中按自然号码寻索，即可查出"五加皮"在卷 4 平散类中。其余依此类推。

《本草求真》论述药物时，纯以中医理论来说明的。其主治功用所联系的病证，都是中医临床上应用的术语。所以学习本书需有一定的中医理论基础。

1959 年上海科学技术出版社根据清代嘉庆十一年丙寅（1806）绿圃斋重刊本，重校印行。并削去原书所附的图，对于卷次亦略加整理，分为上下两编。上编分为 7 卷。把药物 440 种和食物 80 种合共 520 种，分为补、涩、散、泻、血、杂、食物 7 类。每类又分为若干子目，分别叙述每种药物的形色、气味、功能、禁忌、配伍和制法。下编分为 3 卷。卷 8 是主治上，卷 9 是主治下，卷 10 是总义。

十一、《得配本草》

得配，即药物配伍。所谓"得一药而配数药，一药收数药之功；配数药而治数病。数病仍一药之效"。该书详于论配伍，故以名书。

本书为清代姚江（今浙江余姚）三位医家合著。此三人是：严洁，字西亭，又字青莲；施雯，字澹宁，又字文澍；洪炜，字缉庵，又字霞城。三人诊视疾病遇奇病险证，反复辩论后，始处方药，无不得心应手。同辑《盘珠集》，内有医药书数种，《得配本草》为其一。因念"药之不能独用，病之不可泛治"，遂纂此书，成于乾隆二十六年（1761）。嘉庆甲子（1804），施氏后人施爱亭、洪氏后人洪西郊，与同里医者张涣，同刊此书。1957 年上海卫生出版社铅印。

全书 10 卷（末附《奇经药考》）。分部析类，依《本草纲目》为准绳，收药 647 种。

各药名下，注出畏恶反使。另立主治为首条，次述药物配伍。其后辨析药性功效及炮制方法，或附怪证用药，重在阐述药物之间简单配伍所产生的作用。畏、恶、反、使系摘引前人本草著作所载；得、配、佐、和则萃取临床用药经验。如谓黄芩得厚朴、川连止腹痛，得白芍治下痢，得桑白皮泻肺火，得白术安胎，配白芷、细茶治眉框痛等。可使学者触类旁通，灵活用药。较之单纯罗列附方，似又进一层。

十二、《要药分剂》

本书为清·沈金鳌所撰。沈金鳌（1717—1776）字芊绿，号汲门，晚号尊生老人，江苏无锡人。少举孝廉，博通经史，中年转攻医学，对伤寒、杂病、脉法、妇科、儿科、药物等都有研究。沈氏悯人生命，思有以尊之，而作《沈氏尊生书》。此书包含有《脉象统类》1 卷、《诸病主脉诗》1 卷、《杂病源流犀烛》30 卷、《伤寒论纲目》18 卷、《妇科玉尺》6 卷、《幼科释谜》6 卷、《要药分剂》10 卷。书成于清乾隆三十八年（1773）。

《要药分剂》是按徐之才 10 剂分门类，阐明药性，便于临床应用，故名。

中国历代主要本草书，均按药物自然属性（玉、石、草、木、兽、禽、虫、鱼、果、菜、米谷）分类，不便临床检阅应用。沈氏从临床应用出发，收集常用药，按宣、通、补、泻、轻、重、滑、涩、燥、湿进行分类。在每一剂类中，仍按自然属性分。例如，宣剂共收药 96 种，其排列顺序仍按自然属性编排，自 1 号桔梗到 41 号马勃，注为草部；从 42 号辛夷到 58 号椒目，注为木部；从 59 号谷芽到 66 号豉，注为谷部；从 67 号葱白到 73 号胡荽，注为菜部；从 74 号橘核到 78 号甜瓜蒂，注为果部；自 79 号铜青到 82 号阴阳水，注为金部；从 83 号白鸽到 84 号五灵脂，注为鸟部；从 85 号虎骨到 86 号麝香，注为兽部；从 87 号穿山甲到 90 号乌贼鱼骨，注为鳞部；91 号淡菜注为介部；从 92 号露蜂房到 95 号蜈蚣，注为虫部。其余各剂中药物排列顺序同此。

全书载药 420 种，按 10 剂分为 10 卷。卷 1 宣剂上 41 种，卷 2 宣剂下 55 种，卷 3 通剂 33 种，卷 4 补剂上 37 种，卷 5 补剂下 46 种，卷 6 泻剂上 67 种，卷 7 泻剂下 34 种，卷 8 轻剂 13 种、重剂 19 种，卷 9 滑剂 14 种、涩剂 27 种，卷 10 燥剂 26 种、湿剂 8 种。

每味药叙述程序，先述药物性味及畏恶，然后按主治、归经、前论、禁忌、炮制等标题，分别详述之。

药物的性味及畏恶内容，主要摘自《本草纲目》气味下内容，兼录《本草备要》的内容。

药物主治内容，是转引《本草纲目》和《本草备要》书中主治内容。对所引内容文献出处，亦按《本草纲目》所注文献出处标记之。例如，卷1"桔梗"条的主治下文字，和《本草纲目》卷12"桔梗"条主治下文字全同。文中所标记文献出处："《本经》""《别录》""甄权""元素""东垣""时珍"等全相同。在主治下所增录《本草备要》的主治文字，或注"备要"，或注"讱庵"（即《本草备要》作者的号）。

药物归经内容，主要转录《本草备要》的内容。

药物前论内容，主要是摘录《本草纲目》发明项下的文字，和缪希雍《本草经疏》的内容。所引《本草经疏》的论述，即注出"仲淳曰"（仲淳是缪希雍的字），或注"《经疏》曰"。例如，卷1"白芷"条前论项目下，引《本草经疏》论云"走三经气分，亦入三经血分"，即冠以"仲淳曰"三字。例如，在"缩砂仁"条前论项下所引《本草经疏》文字，即冠以"《经疏》曰"三字。引《本草蒙筌》资料，即冠以"嘉谟曰"三字。

药物禁忌内容，是录自缪希雍《本草经疏》的内容，或摘自《本草备要》的内容。例如，"紫苏"条禁忌项下，引《本草经疏》禁忌资料，冠以"《经疏》曰"；引《本草备要》禁忌资料，冠以"《备要》曰"。

药物"炮制"内容，主要摘录《本草纲目》修治及《本草备要》中有关炮制内容。《本草纲目》修治资料是汇集历代药物炮制资料及李时珍本人对药物炮制的经验。李时珍在汇集时均注有文献出处。《要药分剂》转录时，亦将《本草纲目》所标的文献出处，同时注出。

全书各药所录资料，95%以上都是摘录前代本草著作。其中以《本草纲目》为最多，其次是《本草经疏》，再次是《本草备要》《本草蒙筌》。而沈金鳌本人见解很少，只有少数药物前论中，有沈氏的按语，在按语前冠有"鳌按"二字。全书420味药物，记有"鳌按"的按语有60味药，占总数14%。所加按语，大多是讲药物治疗功效的。例如，在"密蒙花"条按云："此为眼科要药"，"紫荆皮"条按云："为跌仆损伤家要药"，"菖蒲"条按云："治噤口痢，屡用屡效"，"甘遂"条按云："泄水圣药"，"乳香"条按云："赤白痢腹痛不止者，加乳香无不效"，"硼砂"条按云："伢儿雪口，单用有效"，"牛蒡子"条按云："斑疹必用之药。"各药所加按语内容，多是言药效的。少数药的按语，亦讲非治疗问题。例如，"五灵"条按云："寒号虫，过去列为虫类，以能飞，而列入鸟类。"其实，寒号虫是兽类，并非鸟类。

十三、《本草问答》

该书为唐容川以问答形式撰写，故名。

唐容川（1847—1897），名宗海，天彭（今四川彭县）人。唐氏治学主张："好古而不迷信古人，博学而能取长舍短。"早岁即勤于研习医学，采用西方医学来解释中医基本理论，成为近代著名中西医汇通派医学家。少业儒，光绪己丑（1889 年）进士。授礼部主事，旋因妻卒乞归。以医名世，著《血证论》（1884）、《中西汇通医经精义》（1892）等书。

唐氏于光绪十八年（1892）游广东，遇张伯龙。张氏寝馈方书，曾因治其父危证而名噪一时，后师事唐容川，建议唐氏论列中西药品，发明本草流弊。二人相与问答，于光绪十九年（1893）撰成此书。

该书分上、下两卷。各卷内容不像其他本草书固定收载多少药味，对每味药详加论述。该书很像一般本草书的总论部分，针对中医药理论中的某些共性问题，或某一类药物发问，重在理论探讨。全书共设问答 60 条。唐氏采用传统的阴阳五行、形色气味、取类比象等学说来阐释中药药理。

例如，唐氏解释人参生津作用原理为："人身之元气，由肾水之中，以上达于肺，生于阴而出于阳。人参由阴生阳，于甘苦阴味之中，饶有一番生阳之气。大能化气，气化而上，出于口鼻，即是津液，人参生津之理如此。"他对药物治病的机制解释为："人身之气偏胜偏衰则生疾病，又借药物之偏，以调人身之盛衰。"他认为中西医互有优劣，神农尝药"即实验也"，比西医药理的试验要早。唐氏有时也将中、西药进行比较，但由于他对西医了解得不够深，故而这种比较缺乏说服力。

该书上卷讨论的内容有：药物治病的原理、药性的发挥、药物的命名、药物的升降浮沉表里等在人身的作用等。

该书下卷讨论《雷公炮炙》，指出方药作用与炮制关系。例如对甘草生用、炙用，其效各异。唐氏说，在炙甘草汤中，取其益胃作用，甘草宜炙用；在芍药甘草汤中，取其平胃作用，甘草宜生用。

下卷还讨论十八反、十七忌、十九畏、引经药等；讨论风、寒、暑、湿、燥、火六气外感病用药法则；讨论内伤病用药法则，强调内伤病要重视气血药的选用。例如，治郁证用"逍遥散"，以偏重气分；治女子不得隐曲用"归脾丸"，以偏重血分。

作者精于医药，有丰富的临床经验和很深的医学理论修养。因此本书也有若干处涉及人体解剖生理等方面的论说。唐氏还据其实践所得，较好地说明了某些与药材相关的问题。张伯龙问："四川皆用生药，广东皆用制过之药，孰得孰失？"唐答："广东药肆，炫其精洁，故炮制太过，药力太薄；四川药贱，虽极力炮制，亦不能得重价，故卖药者，无意求精。然皆偏也。"唐氏还讨论了某些药物的品种，认为"四川梓潼产柴胡，价极贱，天下不能用，只缘药书有软柴胡、红柴胡、银柴胡诸说，以伪乱真"。皆经验之谈。

张伯龙虽是一名提问者，但从中可反映他对中药有关问题研究有素，观察入微。他能针对某些共性的问题发问，并指出中医药性理论的不完善处。从某种意义来说，该书是一部近代中药药理专著。唐容川的辨药、用药经验和对药性理论的某些见解，至今仍有参考价值。

该书收入唐容川个人丛书《中西汇通医书五种》之中，近代千顷堂（1892）、江顺成书局（1894）、善成堂（1906）等处先后石印或铅印了10余次，流传甚广，各地多有收藏。

第五节　药性类

一、《药性纂要》

此书系纂集《本草纲目》之要言，故以《药性纂要》名书。

王逊（1636—？），字子律，号东圃，武林（今浙江杭州）人。儒而兼医，治病多效验。清康熙丙寅（1686），集成本书，收入王氏所辑《医林四书》。康熙三十三年（1694）始由友人捐金刊行。参校者有其同学、门人等多人。

书4卷。分部与《本草纲目》同，收药600余种，其中近600种系从《本草纲目》中所选切要者。据凡例所记，该书仅增补9种药，共计609种。但在书中正文却漏去"烟草""朱米"，多出"香结""狮子油"未列为正条。其他增补药为金部的"神木""水中金"（均为铅制剂），谷部的"人皇豆"，鳞部的"海参"，兽部的"猴结"，人部的"马子硇"。稿本凡例记增入12味药，较刊本多"芥菜""薹菜""鲨鱼翅""燕窝菜""海粉"数药，但定稿付梓时均删去。

本书主体内容系节选自《本草纲目》，各药正文不分项目，"前后浑合，贯串成章"。对药物出产、生成、形状、正误等内容，略而不备。重在辑录诸家有关药性义理之说。王逊自家的评议，或附于药条正文之后，冠以"东圃曰"，或于版框上方加眉批，多围绕临证用药机制加以阐发。据按语可知，王氏不仅介绍了个人用药经验，还出示了家传经效验方，这一部分内容较有价值。

在凡例中，王氏对毒药的论说比较全面深入。重视辨证用药。书中记有秋石不同于阳炼、阴炼的另一制法。对杭州地区的风物、药品时有评说。版框上方眉中偶有字词注释。全书均有断句，且以圆点标示精要处。

此书对药性叙述有可参之处。但选药不甚精，未能尽符实用。

中国中医研究院存残稿本2卷。稿中朱笔眉批，当是王氏手迹，另医学科学院存康熙甲戌（1694）刊本，卷4第77页以下脱。北京大学存康熙刻本全帙。

二、《药性通考》

此书扉页题"太医院手著"。有乾隆三年（1738）郭纯序，序中称刊刻此书的是医生黄清源。黄氏系"重庆巴县黄月辉之孙，名医刘公庠生之外侄"。该书即"康熙末年太医所编，秘授刘公汉基者也"。若此说属实，则本书撰于1772年以前。

检原书引文，有"李士材""昂按"（或指汪昂）等出处，则可进一步认为该书上限约在1694年（汪昂《本草备要》增订年）。书中多处以第一人称叙述，且载"尝游楚寓汉口""余客闽"等方言，似乎不像是康熙间太医院集体编撰，而是某一人之作。

书8卷。其中1~6卷为《药性考》，卷7、8为《集录神效单方》、24种杂病论治及附方。不分部类，大致按自然属性归并药物，但亦有错乱夹杂处。共论药415种。无总论。各药不分项目，统为直叙。前一部分简介药品性味、阴阳、良毒、制法、功效、主治、药理辨析等，每结合临床实际论药。在有些药物的后半部分，以"○"作分隔标记，设问答若干，解释临床用药的许多实际问题，多数是解答药性功效及配伍运用的机制，涉及面广，有一定深度，为该书新颖、实用之处。

此外，还有涉及用药部位及炮制等方面的问题。指出"丁香有雌雄之分，其治病实无分彼此也……公者易得而母者难求，此世所以重母丁香也"，又谓炮制"得宜，止可去其太过，而不能移其性"。

该书对于辨证用药、配方原理、药理探讨都有不少新的见解，还介绍了一些用药经验（如万年青叶及子的用法等），对临床用药很有价值。

据载有乾隆间刊本，今未见。现存道光二十九年（1849）刊本，藏于中国科学院、中国中医研究院及四川省图书馆。

三、《药性考》

本书全称《脉药联珠药性考》。取因脉施药之义，以脉为纲类药，"上言脉证，下联方药"（《药性考·自序》），故名。

作者龙柏，字佩芳，号青霏子，长洲（今江苏苏州）人。生活于乾隆、嘉庆年间。精于岐黄，行医达 30 年，治疾多效。其谓："联珠一法，先言脉理，因脉言证，因证治药，方药虽定，亦一阵图而已"，本此撰《脉药联珠》，内含《古方考》《药性考》《食物考》三书。

全书中 4 卷（《脉药联珠》全书中的卷 4～7），以浮、沉、迟、数四主脉为纲，下隶诸药，又再按草、木、金、石等分类。首设"藤部"。总计收药 3148 味，补遗 193 味（含重复之药）。

该书连同《食物考》所收药，号称收药 4254 味，新增 291 味，实际上是因计算药味的方法不同于其他本而得出的数字。同一植物药的花、叶、根、茎、仁实、枝、皮可以散见不同门类，各计作一药。除少量新增品外，其余都是取材于《本草纲目》。

本书无总论。各药采用"四言诀"。如"上党参甘，微苦性寒。与辽参别，地气使然。熬膏补正，五脏能安。生津除热，益气煎丸"。

药诀后又附简注，以明用法、形态、品种等，一般限于 16 个字（小字双行）。其余内容（如药用部位、炮制、基原形态、产地等）则于眉批中介绍。别名皆附见于目录中各药名下。像这样一部药品众多的本草书，完全采用歌诀形式，是本草史上绝无仅有的。

该书资料主体是《本草纲目》，但也补充了不少新的内容，新补的药物有一些是外来药（丁香油、檀香油等），大多数是民间草药。对某些药品的形态产地也有些新的记载。赵学敏从该书中摘引了数十条资料，以充实《本草纲目拾遗》。

《药性考》的流传并不广，没有达到因脉见药、以便读记的预期目的。原因在于内容和形式的不相协调。脉诊只是四诊之一，浮、沉、迟、数只是脉之大端，凭此类取药是无法产生实际作用的，将 4000 多味药不分良莠，一概编为歌括，反而不便取舍习诵。

今有嘉庆十三年（1808）刻本《脉药联珠》，含《古方考》《药性考》《食物考》三书，统一编卷次，按金石丝竹匏土革木名卷。今藏中国中医研究院。另有《翠琅玕馆丛书》本，民国江左书局石印本，馆藏甚多。《食物考》另有嘉庆元年（1796）写刻本，嘉庆二十一年（1816）醒愚阁刊本等，藏于中国科学院等几个图书馆。

四、《分类草药性》

该书是民间师徒口授有关药物采集和应用经验的记载。到清末，才被人整理成书，由四川地方坊间刊刻。

该书作者佚名，成书时间约在清末（1906）。

全书分上、下两卷，载药 433 种。其中有很多品种都是四川本地所产，并不见于一般本草书。如山羌活、水八角、三颗针、杉木根、白杨皮等均不见一般本草书。而且书中所用药名，都是四川地方的俗名。

例如，"虎杖"条中记录："酸溜根，一名土地榆，治风湿筋骨疼痛，发表，散寒，散血。"此条中"酸溜根"即地方土俗名，因虎杖幼嫩茎叶味酸，经开水浸烫做菜，其味酸溜溜，故名。

又如，"紫金牛"在该书称为"矮茶风"，"一名地青杠，性温、平、无毒，治一切吐血咳嗽、气痛"。此条中"矮茶风""地青杠"均是地方俗名。

该书对药物分类，很不规则。或按植物药用部位分，如根、茎、藤、皮、花、子、叶等；或按药物作用分，如发散药、祛风药、理气活血药；或按药物生长环境分；有些药无法归类的，即列为杂类。每类药以药名首字或末字为类别名称，如草、藤、风、根、头、皮、叶、花、子、香、莲、椒、麻、龙、箭、石、菜、蒿、角、衣、杂，共分 21 类。

其中草类指全草入药；藤类指藤蔓；风类指有祛风湿作用的药；根类指根或根茎；皮类指树皮、根皮、果皮；叶类指树叶；花类指花；香类指有辛香发散作用的药；莲类指有黄连样清热解毒作用的药；椒类指有花椒麻辣样理气作用的药；石类指生长于石间或石上的药；至于龙类、角类、菜类等，只因其药中含龙、角、菜等一字相同而归类，其入药部位、药性、功用等并无共同之处。

从各类所收药数来看，根类最多，其次为草类，再次是子类，其他各类为数较少。

从各类所收植物用药部位来看，有很多类中的植物入药部位，比一般本草书有所增多。

一般本草用花的药，该书增用根，如月季花根、菊花根、蒲黄根（当地土名水蜡烛根）。

一般本草用子的药，该书增用其他部分，如槐子增用树皮，名槐子皮；使君子，亦增用根名使君子根；木瓜，亦增用根名木瓜根。

一般本草用茎叶的，该书亦增用根，如藿香亦用其根名藿香根，黄荆亦用其根名黄荆根。

该书各药所记内容比较庞杂，并无统一的格式，着重以介绍民间认药、采药、用药的经验为主。在师承口授时，使学徒了解某药产于何处、生长在什么样环境、何时采、采后怎样制、怎样使用、主治哪些病。兹举例如下。

产地：观音莲"出在南川金佛山"，水黄连"出在涪州蔺市生"。

生境：刁连根"青巴石上生"，过江龙"生河边"，地蜈蚣"遍地生"。

生长习性：斩头草"清明后发，十月即枯"。

药物形态：朱砂莲"味大苦，内黄赤色"，海棠花"叶青色，梗有红筋，无子"，龙头草"凡生必有双根，五叶、七叶"，蹼地蜈蚣"味酸，梗六方，红色，叶青色"。

药物采收时月：马兰花"三月间收用"。

采收后加工炮制：慈竹叶"其笋烧灰搽小儿疮"，大刀豆根"煅存性用"，嚼连根"酒炒合叶用"，肥猪苗"九蒸九露能明目"。

药物品种质量要求：斩头草"扁者白根须可用，圆者无用"，鸡冠花"红的治崩症，白的治白带"，棋盘花"红、白、淡三种，白者治带症"，龙头草"五叶、七叶者治吐血"，接骨丹"治一切跌打损伤，根皮更佳"。

该书对药物应用方法介绍得较多。

内服药多煎服，或泡水服，或捣汁服。例如，山豆根治咽喉肿毒，泡水饮；铺地雷公治血痢，叶生用，泡水服；蓝靛根散火去毒，捣汁服，亦可外涂。

外用有洗、涂、敷贴，或噙含，或鼻塞，或滴耳，或吹喉。例如，苦参根煎水洗一切恶疮；荔枝草煎水洗痔疮；老鼠刺泡水搽火眼；八角莲用酒醋泡，搽一切疮毒；野油菜嚼涂烂疮，亦治刀斧砍伤；肥皂角同白矾捣敷恶疮毒；野地瓜叶包疮毒；酸浆草塞鼻截疟；水灯芯煅灰吹喉痹；八角莲磨酒噙含治口喉痹痛；虎耳草汁滴耳治耳肿痛。

该书最早刊本有清光绪三十二年丙午（1906）重庆文华堂刻本，当时书名为《草药性》。重庆图书馆收藏。该刻本末页注云："此书草药各种性，农帝尝下百草根，古往今来治世病，莫大之功而到今，今将字迹来改正，重纂新刻实费心，士农工商存一本，家吉人祥万事兴。"此注中讲到"今将字迹来改正，重纂新刻实费心"。可见在此刻本之前必有旧本。此旧本成书年代当在 1906 年以前。刻本扉页有神农像，次页有 4 幅药图：即铁钱草、乌鸦根、清风藤、黄英树。书末有："此书神农黄帝采炼，制下百草药性一部，以上尽是一切应验之药，认清病证，依药性加用，百不失一，传下一十三代名医，济世救民。恐士庶不知官药草药，在铺采办，问明便知，是百发百中。"

《分类草药性》，又名《草药性》，刊本有以下 7 种：清光绪三十二年丙午（1906）重庆文华堂刻本；清宣统元年己酉（1909）重庆熙南书社刻本；清宣统元年己酉（1909）隆邑清和堂刻要；清宣统三年辛亥（1911）成德堂刻本；1918 年成都博文堂刻本（附《天宝本草》）；1939 年刻本；成都林文堂刻本。

第六节　食物类

一、《食物考》

作者龙柏，为清乾嘉间医家，字佩芳，号青霏子，长洲（今江苏苏州）人。著有《药性考》《食物考》《古方考》。其谓："联珠一法，先言脉理，因脉言证，因证治药，方药虽定，亦一阵图而已。"将诊断、治疗、方药结合为一体。书中多载其治疗经验及某些独到见解。

《食物考》原书 1 卷，附刊在《脉药联珠》卷 8，故又称《脉药联珠食物考》（1795）。录"生民常食之品"1106 味，外补遗 96 味。分诸水、诸火、五谷、造食、油、造酿、蔬菜、百果、茶、禽、畜、兽、鳞、介、盐 15 部。仍用四言诀。或数物合撰一块，或一物单撰一长篇四言诀。通过眉批脚注，补充了许多服用方法和个人经验。如"菜油"条眉批："吴人以菜油为正食，故妇女少血闭之症，而人不知也。"这是古人注意到地区日常食品与某些疾病关系的例证。说理浅显易明。该书内容较《药性考》更切实用。

《食物考》版本：清嘉庆元年丙辰（1796）刻本；清嘉庆二十一年丙子（1816）醒愚阁刻本；清刻本（8 卷）；见《脉药联珠古方考》合刻本。

二、《调疾饮食辨》

本书集调理疾病常用饮食物，辩说其理，故以名书。

作者章穆（约1743—1813），字杏云，晚号杏云老人，江西鄱阳人，家藏书甚富，勤于诵读，至老不倦，尤喜钻研医学及历算等实用之学。其行医50余年，治病多效，据载当时乡里人"望之如望佛"。他在行医时，"见误于药饵者十五，误于饮食亦十五"，认为"药饵之误辜在医，饮食之误辜在病人。而律以食医调食之旨，医者亦不得辞其责也"。晚年经"寒暑三更，稿凡五六易"，撰成《调疾饮食辨》。此书在章氏生前仅刻至一半，道光三年（1823）经国堂续刻。

书6卷，集论饮食物653种，分为6类。计总类（水、火、油、盐等）、谷类、菜类、果类、鸟兽类、鱼虫类。卷首为"述臆"（前言）、"发凡""内经饮食宜忌"3项，相当于总论。各论诸饮食物以《本草纲目》所载为主。辩理则综合历代诸家之说，附以己见。卷末载"诸方针线"，为病名用药索引（24则）。

该书不同于一般食疗书，除列述诸品用途之外，重在理论上评述，对当时在饮食调疾方面的一些俗弊（如禁病人食粥、炒为成炭等）加以抨击，辨析历代医药书中有关药理论述，对金元医家某些说理方法持否定态度。说理详明，颇多独特见解，但言辞不免偏激。对此，作者自我申述说："题涉傲诋，未免嫌于狂憨。盖非立异鸣高，亦力挽颓败，不得不然之势……救弊之言，易于抗激，古今血性人往往如斯，唯读者谅某愚直而已。"其论说对探讨中药理论有一定参考价值。

此外，本书地方色彩较浓，多记述鄱阳地区用药品种、物产等知识。因作者对天文历算等方面有广泛兴趣，故每于有关食药之下大量附述清代藏冰之制、岁差、茶课、水利、盐政等无关调疾的内容。

今有道光三年（1823）经国堂刻本，扉页作《饮食辨录》，中国中医研究院等处有藏。

第七节　炮制类

一、《修事指南》

《本草纲目》载药1892种，其中有330味药记有"修治"专目。在"修治"专目中，综述了前代炮制经验。上自《名医别录》，下至李时珍，总计有50多家炮制资料，皆由李时珍收录在"修治"专目中。所以，《本草纲目》的"修治"专目，是汇集中国药物炮制之大成。清康熙四十三年（1704）张睿（仲岩）从《本草纲目》"修治"专目中，选择常用药物124种，汇编成册，题名为《修事指南》。

1928 年世界书局石印该书时，改名为《制药指南》；1931 年上海万有书局铅印时改名为《国医制药学》。该书各药炮制资料，全文抄录《本草纲目》"修治"专目的内容，但在序中对李时珍一字未提，径署紫琅张仲岩著，这是不够好的，敬希读者明察。

张仲岩汇集《本草纲目》"修治"专目资料，订名为《修事指南》，又名《制药指南》《国医制药学》，其刊本有：清康熙四十三年甲申（1704）刻本；清嘉庆道光年间来树轩刻本；清代官刻本；1926、1927、1942 年杭州抱经堂影印本；1927、1934 年上海中华新教育社石印本；1928 年世界书局石印本；1931 年上海万有书局铅印本；见《医学阶梯修事指南》合刻本。

二、《濒湖炮炙法》

《濒湖炮炙法》是汇集李时珍《本草纲目》药物"修治"项下内容而成。为学习和研究方便计，兹将《本草纲目》药物"修治"专目汇集成册，名为《濒湖炮炙法》。

像这样的汇集，前代已有人做了。如上文提到的《修事指南》。

张仲岩汇集《本草纲目》"修治"专目资料，仅属部分内容。笔者把《本草纲目》"修治"专目资料全部录出，定名为《濒湖炮炙法》，冀以表彰伟大医药学家李时珍对中药炮制的贡献。

在汇集本书时笔者以 1977—1981 年人民卫生出版社出版的校点本《本草纲目》为底本，并主要参考了明·李时珍《本草纲目》（1957 年人民卫生出版社据 1885 年合肥张绍棠味古斋重校刊本影印，简称张绍堂本）、宋·唐慎微《经史证类大观本草》（清光绪三十年甲辰武昌柯逢时影宋并重刊，简称《大观》）、宋·唐慎微《重修政和经史证类备要用本草》（1957 年人民卫生出版社影印本，简称《政和》）、宋·寇宗奭《本草衍义》（1957 年商务印书馆出版，简称宗奭）。

本册收录炮制药物 330 种，分为 5 卷。卷 1 是玉石类，收药 46 种；卷 2 是草类，收药 124 种；卷 3 是木类，收药 47 种；卷 4 是虫兽类（包括禽、鱼），收药 73 种；卷 5 是果菜米谷类，收药 40 种。对每味药条文，均予校勘。凡与校本有出入处，均作校记，附于当药条文之下。

每个药物所讲的炮制内容，均是汇集各家炮制资料而成。多则有数家之言，少则是一家之言。如"附子"条，则由苏颂、陶弘景、雷敩、朱震亨等 5 家之言组合而成。"僵蚕"条由陶弘景、苏恭、苏颂、寇宗奭、雷敩 5 家之言组合而成。"白胶"条由《别录》、陶弘景、苏恭、孟诜、雷敩、李时珍、《卫生方》《医通》8家之言组合而成。有些药物仅有一家炮制之言，如败酱、款冬花、紫菀、瞿麦等，仅录"雷敩"一家的文字。

书中所论药物炮制方法，虽是综述前人的资料，但李时珍本人对炮制的经验，也有记载。在330味药物中，载有李时珍本人炮制经验或见解的，就有144条，其中有很多药，如木香、高良姜、茺蔚子、枫香脂、樟脑等的炮制方法，都是李时珍一个人的经验记载，并非他人经验的综述。

对药物炮制，李时珍在方法上有所发展。例如，"独活"条，雷敩曰："采得细锉，以淫羊藿拌，腌二日，暴干去藿用，免烦人心。"李时珍认为此法不切实用，接着又说："此乃服食家治法。寻常去皮或焙用尔。"

又如，"牵牛子"条，雷敩曰："凡采得子……临用舂去黑皮。"时珍曰："今多只碾取头末，去皮麸不用。"

对前代有问题的炮制方法，李时珍都加以指正。例如，"砒石"条，雷敩曰："凡使用……入瓶再煅。"时珍曰："医家皆言生砒经见火则毒甚。而雷氏治法用火煅，今所用多是飞炼者，盖皆欲求速效，不惜其毒也。"

又如，"大戟"条，雷敩曰："采得后，于槐砧上细锉，与海芋叶拌蒸，从巳至申，去芋叶，晒干用。"时珍曰："海芋叶麻而有毒，恐不可用也。"

对药物炮制与药效关系，李时珍阐述较详。例如，"甘草"条，时珍曰："大抵补中宜炙用，泻火宜生用。"

"知母"条，时珍曰："引经上行，则用酒浸焙干，下行则用盐水润焙。"

"牛膝"条，时珍曰："今唯以酒浸入药，欲下行则生用，滋补则焙用，或酒拌蒸过用。"

李时珍对药物炮制与药物保管亦有研究。例如，"腽肭脐"条，时珍曰："以汉椒、樟脑同收，则不坏。"

又如，"当归"条，时珍曰："凡晒干乘热纸封瓮收之，不蛀。"（有补养性的药物，极易虫蛀。虫蛀的原因多为虫卵落在药物上繁殖而生。晒得干热，可消灭虫卵，再用纸封，藏在瓮内可堵塞虫卵侵犯，即不蛀。这个方法很合乎科学道理。）

李时珍对前人药物炮制，重视实践，不轻言传闻。例如，"麋角"条，时珍曰："麋鹿、茸角，今人罕能分别。陈自明以小者为鹿茸，大者为麋茸，亦臆见也。不若亲视其采取时为有准也。"

李时珍对药物炮制作用的解释，系采用取类比象的方法。例如，"当归"条，雷敩曰："若要破血，即使头一节硬实处。若要止痛止血，即用尾，若一并用，服食无效"，张元素曰："头止血，尾破血，身和血，全用即一破一止也"，时珍曰："雷、张二氏所说，头尾功效各异。凡物之根，身半已上，气脉下行，法乎地。人身法象天地，则治上当用头，治中当用身，治下当用尾，通治则全用。"

本书记载了50多家有关药物炮制的论述，从炮制方法上讲，约有数十种，有水制、火制、水火共制、加料制、制霜、制曲等法。其中大多数制法，至今仍为炮制生产所沿用。例如，半夏、天南星、胆南星等的炮制。

本书对于保存古代炮制文献亦有重要意义。例如，"大黄"条，承曰："大黄采时，皆以火石焙干货卖。""甲香"条，《经验方》曰："甲香，以蜜、酒煮一日，浴过焙干用。"

"大黄"条、"甲香"条都提到"焙"法。《集韵》云："焙，同爆，火干也。"明·缪希雍《炮炙大法》卷首即记载，"按雷公炮制法有十七：曰炮、曰𤏶、曰焙……"查《证类本草》唐慎微所引"雷公曰"的文字，皆无"焙"法，但《本草纲目》引"承曰""《经验方》曰"有"焙"法。则"焙"法似出于宋·陈承。

李时珍援引的前人炮制资料，多数可以查出。例如，援引"敩曰"之文，都可在《证类本草》中查出。但也有个别的条文，是查不出的。

例如，"象胆"条，敩曰："凡使勿用杂胆。其象胆干了，上有青竹文斑光腻，其味微带甘。入药勿便和众药，须先捣成粉，乃和众药。"查《证类本草》卷16"象胆"条并无"雷公曰"，亦无此文。不知此条出何处。

此外，李时珍援引前代炮制资料，标出出处不统一。例如，援引《日华子本草》炮制资料，在鹿茸、蛤蚧、雄雀屎等，注为"日华子曰"；在"苍术""辛夷""厚朴"等条，注为"大明曰"。又如在"马陆""络石"条，注为"雷曰"，在牵牛、海藻、大戟、甘遂注为"敩曰"。（"雷曰""敩曰"皆代表《雷公炮炙论》的资料。现一仍其旧，不加改动。）

在药物名称上，李时珍有时用两个名字，如香蒲、蒲黄，薰陆香、乳香，虎掌、天南星，莎草、香附子。在汇集成本书时，仅选一个通用的名字。如上述4个例子中，就分别选用蒲黄、乳香、天南星、香附子通用名。

总之，李时珍《本草纲目》"修治"专目，是汇集中国药物炮制之大成。其内容丰富，切合实用。只因这些"修治"专目分散在《本草纲目》全书中，检阅时很不方便，笔者从实用出发，为着中药炮制工作者查阅方便计，特将《本草纲目》"修治"专目汇集成册。

第八节　药图类

《植物名实图考》

吴其濬，字瀹斋，别号雩娄农，河南固始人，生于清乾隆五十四年（1789），卒于道光二十六年（1846）。他在嘉庆二十二年（1817）中了状元，曾做过翰林编修，江西、湖北学政，兵部侍郎，两湖、云、贵、闽、晋等省巡抚或总督等官。他在任职期间，留心草木，从 1841 年直到他死前，收集大量植物资料，联系实物考察绘制成图，编成《植物名实图考》（以下简称《图考》）。当他逝世时，书尚未刊行，从此可知吴氏自以为其书尚未达到成熟境地。作者在其书卷 19 "癞虾蟆"条云："记载缺如，服食无方……故记其形，以俟将来。"说明作者在死前，还希望将来再弄清此问题。

吴氏《图考》直到他死后两年，才由山西巡抚陆应谷代为序刻。

全书 38 卷，分为 12 大类。各类所属卷次为：谷类 2 卷；蔬菜类 4 卷；山草类 4 卷；隰草类 5 卷；石草类 2 卷；水草类 1 卷；蔓草类 5 卷；芳草类 2 卷；毒草类 2 卷；群芳类 5 卷；果类 2 卷；木类 6 卷。

按上述总目录所载植物数是 1710 种。也有人统计是 1714 种。其中有 18 种虽有图和说明文，但无植物名称。例如，卷 11 有两种植物皆有图及文，但无名称，该书即以"无名二种"名之。又如，卷 13 有 6 种植物皆有图及文，但无名称，该书即以"无名六种"名之。

每种植物分图和说明两部分。

（一）图

图：每个植物绘制一图，图前有说明文。

个别植物只有图而无文。如卷 8 杏叶沙参、细叶沙参，卷 12 野西瓜苗皆有图无文。

一般是每种植物 1 幅图，少数植物有两幅或 3 幅图。如菊、蓝、艾、葛、苏、半夏、石斛、万年青等 32 种植物有两幅图；洋桃、黄药子、犁头草等有 3 幅图；天南星有 4 幅图。

（二）文

文：每个植物都有说明文。文的长短不一，长的有几千字，短的仅几句。例如卷1"蜀黍"条，说明文长达3400多字，卷29"野栀子"只有12个字。

说明文内容，一般是介绍植物文献出处、产地、植物形态、颜色、性味、用途等。有些说明文后附有吴氏按语。按语的开头，冠以"雩娄农曰"。兹将说明文分述如下。

1. 文献出处

所记文献出处，以本草书为最多，如《本经》《别录》等。兹举例如下。

薏苡仁《本经》上品，粟《别录》中品，雀麦《唐本草》始著录，东廧《本草拾遗》始著录，绿豆《开宝本草》始著录，荞麦《嘉祐本草》始著录，威胜军亚麻子宋《图经》始著录，蚕豆《食物本草》始著录，山扁豆《救荒本草》始著录，豇豆《本草纲目》始收入谷部，锁阳《本草补遗》始著录。

有些植物名称不见录于本草著作，而见其他书时，多注其他书。例如，仙人掌见《岭南杂记》，万年青见《花镜》，茉莉见《南方草木状》，含笑见《扪虱新话》，秋风子见《桂海虞衡志》，胡桐泪见《汉书·西域传》。

2. 产地

所记产地，遍于全国各地，有的是记较大的区域，有的是记省份，有的是记市镇，也有记生长环境，也有不记产地的。记地区的，例如飘拂草，南方墙阴下多有之。记省份的，如海金沙，江西、湖南多有之；粟米草，江西田野中多有之；公草母草，产湖南田野间；鱼蘘草生湖北陂泽；雪柳生云南山阜；海菜生云南水中；白蔷薇，滇南有之；夜合花产广东。记市镇的，如石龙参生昆明山石间；琼田草生福州；鬼见愁生五台山；辟虺雷，峨嵋诸山有之；费菜生辉县太行山；透骨草生中牟荒野中；地参生郑州沙岗间；凤凰花生于澳门凤凰山。记生长环境的，如水绵草。

3. 植物形态

对于植物形态的记述是比较详细的。如根、茎、枝、叶、花、果等形态、颜色，以及生长过程、开花结果时间都有记载。例如白芷，是一味重要的药，但本草书对白芷形态记载很少，不过《图考》却记载得很详细。《图考》云："白芷，滇南生者，肥茎绿缕，颇似茴香，抱茎生枝，长尺有咫，对叶密挤，锯齿槎枒，龃龉翘起，涩纹深刻，梢开五瓣白花，黄蕊外涌，千百为簇，间以绿苞，根肥白如大拇指，香味尤甯。"又如，"千张纸"条云："大树，对叶，如枇杷叶，亦有毛，面绿背微紫。结角长二尺许，挺直，有脊如剑，色紫黑，老则迸裂，子薄如榆荚而大，色白，形如猪腰，层叠甚厚，与风飘荡，无虑万千。"过去所有本草书对千张纸的植物形态，均无如此详细的记载。

4. 类似植物的鉴别

对于类似植物的鉴别亦颇多说明。例如，"骨碎补"条云："骨碎补与猴姜一类，唯猴姜扁阔，骨碎补圆长，滇之采药者别之。"又如，"光叶苦荬"条云："光叶苦荬与苣荬绝相类，而根不白，亦无赤脉，开花极繁，与家种者无异，味极苦。卖苣荬者，断其根掺之，多不能辨。"在"天南星"条云："昔人皆以南星、箭头为天南星，往往误采，不可不辨。"

5. 同名异物者

对于同名异物者，多是并列在同名之下，标以自然数为别或放在相邻处。例如，卷3"野苜蓿"条有两种，本书即放在相邻处。卷38有两个"三角枫"，本书即将这两个植物同置"三角枫"名下，以"①、②"标之。又如卷10，有4个"土常山"，本书即将这4个同置于"土常山"名下，以"①、②、③、④"标之。类似此例有30多个。

6. 应用

对于植物的应用，记述的面很广，举凡饮食、医药、生活日用等各方面，都有涉及。

（1）饮食方面。谷类、蔬类、果类所列植物，大多是可供饮食用的。例如，卷6"阳芋"条云："疗饥救荒，贫民之储，秋时根肥连缀，味似芋而甘，似薯而淡，羹臛煨灼，无不宜之。"又如，"金瓜儿"条云："掘取根，换水煮，浸去苦味，再以水煮极熟食之。"

（2）医药方面。记载最多，或引用前代著作，或记述当时应用情况。例如，"芝麻菜"条引《滇本草》云："性微寒，治中风、暑热之证。""海金沙"条云："俚医习用，如《本草纲目》主治。""肉豆蔻"条云："今为治泄泻要药。"

（3）日用方面。例如，"柘"条云："叶可饲蚕，木染黄。""檗木"条云："俗以染黄。""庚草"条云："其叶织履颇韧。""何树"条云："材中栋梁。""水杨"条云："茎柔可编筐筥。""桦木"条云："今五台人车其木以为碗盘。"

在本书后附有《植物名实图考长编》（以下简称《长编》）。《长编》收载植物

788 种，分为 22 卷。以品种数目来讲，比《图考》少了一半以上。但《长编》大量辑集了前人有关的资料，按条罗列，均注明原文出处，对研究本草者有很大帮助。凡读《图考》时，用《长编》对照读，更能推究根源，深入了解。

（三）特点

本书有下列一些特点。

1. 本书收罗植物广泛而全面

在地区上，全国各地植物都有收载。特别是西南云贵高原所产植物，过去书中记载很少，而本书大多予以收录。在数量上，收罗亦最多。全书所载植物按总目计是 1714 种，比《本草纲目》收罗植物多 519 种。

2. 重视实际观察

吴氏在编写此书时，并不单凭文献材料作烦琐的文字考证，也不囿于前人的说法，是古非今；而主要是以实物观察为依据，或采访于民间，或下问于老农，然后参以文献相印证。

例如，"党参"条云："余饬人于深山掘得，莳之盆盎，亦易繁衍，细察其状，颇似初生苜蓿，而气味则近黄芪。"

"零陵香"条云："宋《图经》：'零陵、湖、岭诸州皆有之。'余至湖南遍访，无知有零陵香者。"

"大青"条云："湘人有《三指禅》一书，以淡婆婆根治偏头风有奇效。余询而采之，则大青也，系乡音转讹耳。"

"蛇莓"条云："江西南安人，以蛇莓茎叶捣敷疗效。隐其名曰疗疮药，试之神效。"

"鬼臼"条云："此草生深山中，北人见者甚少……余于途中，适遇山民担以入市，花叶高大，遂亟图之。"

3. 对前人只靠传闻，不亲眼目睹的做法，加以批评

如"穬麦"条云："《天工开物》谓穬麦独产陕西，一名青稞，即大麦，随土而变，皮面青黑色，此则糅杂臆断，不由目睹也。"

"南烛"条云："南烛，开花如米粒。""四月八日俚俗寺庙染饭馈问……《梦溪笔谈》误以为南天竹，且谓人少识者，殊欠访询。"

4. 对前代文献等，凡有错误之处均加以批判或纠正

如"黄连"条云："《神仙传》黑穴公服黄连得仙，此非怪诞欺人语耶？""葳

蕤"条云："后世贵极富溢，乃思神仙。秦皇汉武，姑不具论，李赞皇，高骈皆惑于方士。宋之朝臣，多服丹石，又希黄白，脏腑熏灼，毒发至危。"

又如"翻白草"，《救荒本草》作鸡腿儿，极白可食，《本草纲目》列入菜部。吴氏经过考证："考此草，仅可充饥，不任烹腌，宜入隰草。"

"千张纸"条云："此木，实似扁豆而大，中实如积纸，薄似蝉翼，片片满中，故有兜铃、千张纸之名。""人呼为三百两银药者，盖其治蛊得效也。按，此木实与蔓生之土青木香，同有马兜铃之名，医家以三百银药属之土青木香下，皆缘未见此品而误并也。"

"零陵香"条云："李时珍以醒头香属兰草，不知南方凡可以置发中辟秽气，皆呼为醒头，无专属也。"

"冬葵"条云："冬葵为百菜之王，江西、湖南皆种之……李时珍谓今人不复食，殊误。"

《本草纲目》将通脱木和木通同列在蔓草类。吴其濬将通脱木从蔓草类拨出移到山草类，并说："通脱木，《本草纲目》云蔓生，殊误，今入山草类。"

5. 文字精练，绘图精美

由于作者文字功底好，本书文字精练而流畅。植物图绘精美而真实。现在许多植物工作者，根据本书植物图，能辨别其植物的科属。

6. 在书中表达个人观点

作者在书中往往借植物为题而抒发个人的议论。所论范围很广，有古今朝政、人事变迁、哲理、养生、保健等。

例如在"甘遂"条，以"甘遂""甘草"并用去痰，大论古、今朝政用人之利弊得失。

有些议论是属于哲学的，例如在"忍冬"条云："谁知至贱之中，乃有殊常之效。"借此论述"物当其时则无贱，非其时则无贵"。

有些议论亦符合科学观点。例如在"大麻"条中论述事物的发展，一代胜过一代。吴氏说："古人觕（粗），不如今之细；古之拙，不如今之巧，而天地之生物，亦日出不穷。"

在医药方面议论最多，指出习医者要知药，养生者勿乱服药。例如，在"柴胡"条云："医者不知药而用方，其不偾事者几希。"在"白薇"条云："按细辛、及己诸药皆用根，而根长多须，大率相类。诸家皆以根黄、白、柔、脆、粗、细为别，然其苗绝不相类，而诸家或略之。故俚医多无所从，唯因俗名采用，反不至误乱也。"在"黄芩"条中论述那些不精通医理者，遇到讳疾忌医者，胡乱投药，不但无益，反而成患。同时批评那些惜生太过之人，本来无病，反而乱服药而致病。

7. 对疑似植物，一时不能肯定者，不下结论

卷11"蛇含"条云："李时珍以为即紫背龙牙。又女青，《别录》以为即蛇含根，《唐本草》非之。宋《图经》蛇含，一茎或五叶或七叶，有两种。似即《救荒本草》之龙牙草，未能决定。"

卷12"金盏草"条云："按，宋《图经》：'杏叶草一名金盏草。'李时珍以为即金盏花。但此草，叶如莴苣，不应有杏叶之名，未敢并。"

卷15"八字草"条云："按，《本草拾遗》：'漆姑草如鼠迹大，按敷漆疮。'主治既同，形亦相类，而本草不图其形，未敢遽定。"

卷18"鹿角菜"条云："《通志》以为即纶，李时珍所述即今鹿角菜，与原图不甚符，存疑俟考。"

（四）价值

《植物名实图考》是我国19世纪的一部科学价值很高的植物学专著，同时本书也是植物史料中一份很重要的遗产。其价值，举要如下。

1. 本书在当时来讲多有创见

吴氏在写书时，搜罗资料丰富，参考的书亦很多，举凡经、史、子、集，从古代文献直到当时人的著述，达800多种。吴氏综合了过去学者的研究成果，进一步有所发展和提高，有些地方补充了前人的说法，有些地方还纠正了古书中的错误，提出不少创见。

2. 本书学术价值很高

作者实地认真观察，图绘精美，参考资料丰富。德国人 Emil Bre Tschneider，在他所著的《中国植物文献评论》一书（1870年出版）中，曾对此书作了很高的评价，认为书中附图，刻绘极为精审，其中最精确的，往往可赖以鉴定科或属。

至今有许多植物工作者，依然把《图考》当做一部很重要的参考书。有很多的植物就是根据该书的植物图，分辨其科、属。有很多植物，在分类上用的中文植物学名，都是采用该书的植物名称。现在植物分类学以《图考》中植物名称作为科名的，有大血藤科、八角枫科等10种，作为属名的，有一支黄花属、十大功劳

属等 55 种。

3. 提供宝贵史料

由于本书收罗资料多，要研究某一植物的历史文献，必须参考本书。日本松村任三的《植物名汇》及日本牧野富太郎的《日本植物图鉴》以及中国裴鉴、周太炎的《中国药用植物志》都是参考本书编写而成的。

4. 本书是一部较大的区域性的植物志

由于吴氏到的地方多，收罗植物遍及全国大部分省，特别对西南、西北地区植物记载较多。

5. 本书对农、林、园艺、医药、植物经济等都有实用价值

本书将农作物放在首位，列为谷类。其次是园艺，如蔬菜、花卉。再次是草类、果类、木类，其中很多都是植物药材。这些谷类、蔬菜、花卉、草类、果类、木类等，对国民生计都有很实用的经济价值。

（五）存在问题

吴氏编完此书时，尚未刊行，便因疾病复发而逝世。直到吴氏死后两年，本书才由山西巡抚陆应谷代为刻印。其实，吴氏在当时是有条件刻印的。吴氏之所以未刊，可能他自己认为还不够成熟，所以未印。今重谈此书，确实也有些不完备之处。略举如下。

1. 名称重复

例如"檗木""蕤核""栾华"等既见于卷 33，又见于卷 37。"雪柳"见于卷 36 两处，"金丝杜仲"亦见于卷 36 两处，类似此例近 20 种。如把这些分置两处的植物，归并在同一植物名称下，则全书植物总数并不是 1714 种了。

2. 引用文献出典有误

例如，卷 8 "辟虺雷"条云："辟虺雷，《唐本草》始著录。"《唐本草》久佚，吴氏不可能见到此书。吴氏是根据《本草纲目》卷 13 "辟虺雷《唐本草》"所注而来的。但《千金翼方》《医心方》《本草和名》所载《唐本草》目录均无"辟虺雷"。

3. 由于所据资料来源不同把某些植物名称弄错

例如，以"黄药子"为"虎杖"，前者为毛茛科，后者为蓼科。以"雷公藤"为"莽草"，前者是卫矛科，后者是木兰科。以"羊耳菊"为"密蒙花"，前者是

菊科，后者是马钱科。以"打碗花"为"通草"，前者为旋花科，后者为五加科。类似此例有 10 多种。

4. 有些植物文末所附"雩娄农曰"，其内容离题

作者喜欢借题发挥，大发议论，所论往往与本植物毫无关系。如在"使君子""王不留行""何首乌""土茯苓""紫参"等条下所发议论多离了本题。

5. 漏载植物

如本草中"雷丸""竹叶""屈草""姑活""石下长卿""淮木""翘根""苹果"等都没有收入书中。

6. 书中所列的图并非全是出自吴氏手笔

如"宣州半边山""秦州苦荠子"等是抄《证类本草》图。又如"山苦荬""星宿菜"等是抄《救荒本草》图。"朱砂根""乌木"等是抄《本草纲目》图。其说明文也有很多是从前人著作中抄的。如卷 5、12 有很多条抄录《救荒本草》，缺乏作者见解。卷 13 "小蓼""小无心菜"等，卷 14 "马鞭草""谷精草"等，卷 16 "垣衣""酢浆草"等，卷 18 "海带""昆布"等，说明文都很简略。

7. 很多植物无名称

书中有很多植物图与文俱备，但无植物名称，即用"无名"二字为其名称。全书无名植物 18 个，卷 10 有 3 个，卷 13 有 6 个，卷 15 有 4 个，卷 19 有 3 个，卷 20 有两个。

（六）现存版本

清道光二十八年（1848）陆应谷刻本，称为陆应谷太原府署序刻本，亦即是初刻本。

清光绪六年（1880）山西浚文书局，利用初刻本原版重印。在重印时，由于少数原版散失，当时就补充了一小部分新版。书首多一篇曾国荃序，其余同初刻本。

1868—1911 年日本明治间印本。

1915 年云南图书馆据日本明治初刊本石印。书首有由云龙先生《重刻植物名实图考序》，以及伊藤圭介《重修植物名实图考序》。

1919 年山西官书局重印本，即据 1880 年重印版再次重印。此次重印比第 1 次重印又补充一些新版。

1919 年商务印书馆，据陆应谷校刊本铅印（图是影印的）。

下篇 历代本草著作名录

第十八章　汉魏六朝本草著作名录

《神农黄帝食禁》　7 卷

按　《汉书·艺文志》著录。成书当早于《神农本草经》，约在秦汉之际或再早一些。唐·贾公彦《周礼注疏》引作《神农黄帝食药》。为记叙食物药的专书，早佚。《千金要方》卷 26 引"黄帝云"条文 48 条，主要讨论饮食禁忌，略述其宜。同书卷 24 载"神农黄帝解毒方法"。另《金匮要略》第 24、25 篇的许多食物禁忌和中毒解救内容与其相近。以上二书所载或认为即《神农黄帝食禁》佚文，但还有待进一步考证。

《神农食经》

《本草食禁》

按　《医心方》引《神农食经》两条，《本草食禁》9 条，另引《本草食禁杂方》《本草杂禁》等名称，疑皆《本草食禁》异称。所引《本草食禁杂方》不光为食禁，也有行止宜忌等内容。《神农食经》还可见于《太平御览》卷 867 引录。以上二书是否即《神农黄帝食禁》，尚难臆断，今附见于此。

《神农食忌》　1 卷

按　《宋史·艺文志》著录，今佚。著者及成书年代不明，附见于此。

《药论》　西汉·公乘阳庆　传　公元前 180 年

按　《史记·扁鹊仓公列传》载淳于意师事公乘阳庆。庆有"古先道遗传"的医书多种，《药论》为其中之一，然未见史志著录。

《神农本草》　5 卷

按　梁·阮孝绪《七录》（520—527）著录。

《神农本草》　8 卷

《神农本草》　4 卷　雷公　集注

《神农本草经》　3 卷

按　以上见《隋书·经籍志》著录。现存的《神农本草经》是经过梁·陶弘景整理过的。其原著非成于一人之手，亦非成于一时。该书主体内容约成于西汉，一般认为即《隋书·经籍志》中著录的 4 卷本《神农本草》（题为"雷公集注"）。

《伊尹汤液本草》　商·伊尹　撰

按　伊尹乃传说中的方剂创始人。皇甫谧《甲乙经·序》："伊尹亚圣之才，撰用神农本草以为汤液。"又《通鉴》载伊尹著《伊尹汤液本草》："明寒热温凉之性，酸苦辛甘咸淡之味，轻清重浊，阴阳升降，走十二经络表里之宜。今医言药性，皆祖伊尹。"然商代尚无产生本草专著的条件，此说不可凭。

《子仪本草经》　子仪　撰　汉

按　该书是我国最早见于著录的本草书，见于《周礼》贾公彦疏，云此书为晋·荀勖（？—289）《中经簿》著录。子仪（或作子义、阳义、阳厉）相传为扁鹊弟子，很难认定历史上是否实有其人。清·孙星衍疑此书即《神农黄帝食药》。日·铃木素行《神农本草经解》认为"子仪辑录神农所尝定者，以为《本草经》"。又谓李当之所修本草即《子仪本草经》。今此书无任何佚文存世，亦别无旁证史料。以上诸家疑为后人托名之作。

《桐君采药录》　3 卷　题桐君　撰　约一二世纪

《雷公药对》　4 卷　题雷公　撰　约一二世纪

《蔡邕本草》 7卷 汉·蔡邕 撰 192年附

按 《隋书·经籍志》著录（或作《本草》），早佚。蔡邕（132—192），字伯喈，陈留圉（今河南杞县南）人，为东汉著名文学家、书法家。《后汉书》有传。

《蔡英本草经》 4卷 蔡英 撰

按 《隋书·经籍志》著录，今佚。疑蔡英为蔡邕之误，姑附于此。

《胎胪药录》

按 汉·张仲景《伤寒杂病论·序》中提及。顾名思义，该书当为儿科用药专著，今佚。

《药辨诀》 1卷 题汉·张仲景 撰 219年附

按 《医心方》卷2："合服药忌日"引佚文一条。同书卷1引该书数十处，内容为药物畏恶反忌。或写作《药弁诀》。我国书志无著录。《日本国见在书目录》引载其目。《本草和名》中引《药诀》，疑亦此书。

《神农本草例图》 1卷 撰人未详 汉？

按 唐·张彦远《历代名画记》"述古之秘画珍图"一节著录，今佚。张氏将此书名排在众多汉代名画之间。由于他未指明各名画是否按年代先后编排，故还不能断定《神农本草例图》是否为汉代之作，但至少可以说明此书在唐代已属珍秘，是我国早期的辅翼《神农本草》的"例图"。

《辨灵药经》 题汉·张道龄 撰

按 著录甚晚（1947年《江西通志稿》），不足信。

《神农》

《黄帝》

《岐伯》

《雷公》

《桐君》

《扁鹊》

《季氏》

《医和》

《一经》

按 以上系《吴普本草》所引 9 家药论的代称。一般认为《季氏》即《李当之本草》。其余皆系托名。《岐伯》一称还可见于《名医别录》（见《证类本草》卷 3 "矾石"条）。《扁鹊》一名亦见《名医别录》（如《证类本草》卷 6 "泽泻"条）。此外，《千金方》卷 26 引《扁鹊》食治条文 8 条。这些题作"扁鹊"的佚文是否出自一书，待考。

《李当之本草》 3 卷 魏·李当之 撰 220 年附

《李当之药录》 3 卷 魏·李当之 撰 220 年附

《李当之本草经》 魏·李当之 撰 220 年附

《吴普本草》 6 卷 魏·吴普 撰 239 年附

按 《隋书·经籍志》记作"华佗弟子《吴普本草》六卷"。《嘉祐本草·补注所引书传》题书名作《吴氏本草》，《太平御览》引其文题《吴氏本草经》。

《名医别录》 3 卷 魏晋名医集撰（旧题陶氏撰） 约 3 世纪 梁·陶弘景整理 500 年附

《吕氏本草》

《华佗食经》

《神药经》

按 上三书宋《太平御览》各录佚文一条。

《食疏》 晋·何曾 撰 278 年附

按 见《南齐书·虞悰传》。何曾（199—278），字颖考。陈国阳夏（今河南太康）人。《晋书》有传。

《灵芝瑞草像》 题东晋·陆修静 撰 323 年附

按 《浙江通志》著录。《湖州府志》作《神仙芝草图记》2 卷。陆修静，字元寂。吴兴（今属浙江）人。

《灵芝瑞草经》 不著撰人

按 唐慎微《证类本草》卷 6 引该书佚文一条，仅"黄芝即黄精也"数字。姑附于此。

《南方草物状》 晋·徐衷 撰 四五世纪

按 石声汉辑校《徐衷南方草物状》序介绍，"徐衷，东晋及刘宋初年人。尝居岭表，笔所见风土、产物入笺奏，达之江表，后来集中成卷，名《徐衷南方奏》，亦称《徐衷南方记》。或更撷取其中草物名实，别为专篇，曰《南方草物状》"。一名《南方草木状》。北魏农书《齐民要术》、唐《艺文类聚》、宋《太平御览》等书均有摘引。据石声汉所辑，共得草木 50 种，鸟兽鱼蛙贝 17 种、物产 2 种（共 69 种），多为我国南方所产，或经由南方引进的外域物品，对研究我国生物学史有参考价值（参马宗申《〈徐衷南方草物状〉与〈嵇含南方草木状〉》"一文）。

《南方草木状》 题晋·嵇含 撰

按 该书被作为我国也是世界上最早的一部区系植物志受到后人重视。1983 年在我国召开了《南方草木状》国际学术讨论会，可见此书的影响之大。嵇含（263—306）是否为本书作者，至今众说纷纭，而以否定的意见居多。据胡道静《如何看待今本〈南方草木状〉》一文介绍，该书始著录于南宋尤袤《遂初堂书目》、陈振孙《直斋书录解题》。最早版本见左圭《百川学海》，另元·陶宗仪《说郛》（100 卷原本）卷 87 所载该书并非源于《百川学海》本。《嘉祐本草》引用该书，说明它最迟出现于北宋中期。该书非 4 世纪初写成，当形成于 11 世纪中期，也仍然是我国并且是世界上最早的一部区系植物志。它有一个母本，即 6 世纪以前徐衷《南方草物状》（新加坡许云樵有辑注本，1970 年出版；西北农学院石声汉亦有辑本）。该书描述了我国南岭以南到东部中南半岛的边缘热带和中热带的许多种特产植物及其景观，作出了相当正确和比较系统的描述。

《食经》 9卷 北魏·崔浩 撰 450年附

按 《旧唐志》等书著录。《隋书·经籍志》作《崔氏食经》4卷。今佚。崔浩（？—450），字伯渊，清河东武城（今属山东）人。《北史》有传，载此书自序，叙撰书始末。

《芝草图》 1卷 南北朝以前

按 《隋书·经籍志》著录。陶弘景《本草经集注》"紫芝"条下注云："此六芝……形色瑰异，并在《芝草图》中。"此为该书绘成于陶弘景（456—536）之前的明证。今佚。

《神仙芝草经》

按 宋《证类本草》卷6"黄精"条引该书佚文一条，略述药性，而以道家言居多，书佚。《日本国见在书目录》载《神仙芝草图》1卷，《宋史·艺文志》载《神仙玉芝图》两卷，恐为同类书。均佚。

《神农本草属物》 2卷
《本草经轻行》 1卷
《本草经利用》 1卷

按 上三书均见梁·阮孝绪《七录》（520—527）著录。撰人及成书年代不明，皆佚。

《药法》 4卷
《药律》 3卷
《药性》 2卷
《药对》 2卷
《药目》 3卷
《神农采药经》 2卷
《药忌》 1卷

按 上七书亦见梁《七录》著录，《隋书·经籍志》转录于《桐君药录》条下，今均佚。

《赵赞本草经》　1卷　赵赞　撰

《王季璞本草经》　3卷　王季璞　撰

《隋费本草》　9卷　隋费　撰

按　上三书均见梁《七录》著录，今佚。

《新集药录》　4卷　梁·徐滔　撰

按　梁《七录》著录，今佚。徐滔为云麾将军。

《痈疽耳眼本草要钞》　9卷　甘濬之　撰

按　梁《七录》著录，今佚。两唐志记作《疗痈疽耳眼本草要钞》5卷。

《小儿用药本草要钞》　2卷　王末　钞

按　梁《七录》著录。今佚。

《谈道术本草经》　3卷　谈道术　撰

按　梁《七录》著录。《七录》另记有"徐叔嚮、谈道述、徐悦《体疗杂病疾源》三卷"，疑谈道述即谈道术，与徐叔嚮皆为刘宋（420—479）时人。

《述用本草药性》（《小品方》卷11）　刘宋·陈延之　撰　5世纪中

按　陈延之为刘宋时期著名医家。所撰《小品方》（一名《经方小品》）12卷），当时广为流传。近年日本发现该书序目及卷1残卷，已发表的卷首总目载此篇目。另序例残卷中与本草有关系者有《述增损旧方用药犯禁诀》和《述旧方合药法》二篇，前者述药物"相反、畏恶、相杀"，药物三品，君臣佐使，本草药物主治与加减等内容；后者述药物修治、制剂、药量确定换算等。此书早于《本草经集注》，但其内容与《集注》有某些共通之外，可为了解本草早期发展提供重要线索。据目录所示，卷1还有《述旧方用药相畏相反者》《述成合备急要药并合药法》，亦与本草有关。

《雷公炮炙论》　3卷　刘宋（?）雷敩　撰　479年附

《本草病源合药要钞》　5卷　刘宋·徐叔嚮　抄　479年附

505

《体疗杂病本草要钞》　　10卷　刘宋·徐叔嚮等4家　抄　479年附

　　按　上二书《隋书·经籍志》著录，今佚。徐叔嚮，祖籍东莞（今山东莒县），寄籍丹阳，生活于刘宋（420—479）。

《本草病源合药节度》　　5卷

　　按　两唐志均著录。书名与徐叔嚮《本草病源合药要钞》相似。然《通志·艺文略》同时载此二书名，似为两本不同的书。今佚。

《秦承祖本草》　　6卷　刘宋·秦承祖　479年附

　　按　《隋书·经籍志》著录。秦承祖，为南北朝名医。《宋书》载其事（见《太平御览》卷722）。

《江餐馔要》　　1卷　刘宋·黄克明　撰

　　按　《崇文总目辑释》及《通志·艺文略》均著录。后者在黄克明之前冠以“宋朝”二字，似当为南北朝刘宋（420—479）时人。

《刘休食方》　　1卷　南齐·刘休　撰　约482年

　　按　《隋书·经籍志》著录，注明为梁冠军将军刘休撰，亡佚。刘休字弘明，沛郡相（今安徽濉溪）人，建元四年（482）加冠军将军。《南齐书》有传。

《食珍录》　　1卷　南齐·虞悰　撰　499年附

　　按　虞悰（433—499），字景豫，会稽余姚（今属浙江）人。《南齐书》有传。其书今《说郛》第55册载部分条文，治疗内容较少。

《陶隐居本草》　　10卷　梁·陶弘景　撰

《本草经集注》　　7卷　梁·陶弘景　撰　500年附

《药象敦诀》（又名《药像口诀》）　　不著撰人名氏

《药总诀》　　2卷　梁·陶弘景　撰

《集药诀》　　1卷　梁·陶弘景　撰

《制药总诀》　　1卷

《开元写本本草经集注序录》　　残卷　1卷　梁·陶弘景　撰　500年附

《本草夹注音》 1 卷 梁·陶弘景 撰

按 《日本国见在书目录》著录，今佚。

《太清草木集要》 2 卷 梁·陶隐居 撰

按 《隋书·经籍志》著录。《旧唐书·经籍志》《唐书·艺文志》《通志·艺文略》，《玉海》及《日本国见在书目》均作《太清草木方集要》3 卷。今国内未见有存世本。

《石论》 1 卷

《本草序例》 残篇 500 年附

按 此残篇系敦煌残卷，英伦博物馆馆藏，编号为 S. 5968。本残卷有行格，字较工整。从残存内容看似为一"本草序例"，今存不过 100 余字。从中可知当时的本草理论已紧密与《内经》相结合。今中国科学院藏缩微件。

《食经》 2 卷

《食经》 19 卷

《黄帝杂饮食忌》 2 卷

《太官食经》 5 卷

《太官食法》 20 卷

《食法杂酒食要方白酒并作物法》 12 卷

《食图》 1 卷

《四时酒要方》 1 卷

《白酒方》 1 卷

《七日魪酒法》 1 卷

《杂酒食要法（方）》 1 卷

《杂藏酿法》 1 卷

《杂酒食要法》 1 卷

《酒并饮食方》 1 卷

《鲑及铛蟹方》 1 卷

《齑腤法》 1 卷

《鲴滕朐法》 1 卷

《北方生酱法》 1 卷

按 以上 18 种饮食类书，见于梁《七录》著录，不著撰人。均佚。

《灵秀本草图》 6 卷 源平仲撰 536 年附

按 此为正史记载的较早的本草图，已佚。《历代名画记》在此书名下注云："起赤箭，终蜻蛉。源平仲撰。""赤箭"首见于《本经》，"蜻蛉"首见于《别录》。陶弘景云：蜻蛉"一名蜻蜓"。且陶氏合《本经》《别录》为一体，加注为《本草经集注》7 卷，赤箭为卷 3 之前，蜻蜓居卷 6 之末。据此推测，《灵秀本草图》似乎是按陶氏本草著作编排顺序绘制，其年代可能在陶弘景之后到隋朝之间。

《药录》 2 卷 北齐·李密 550 年附

按 《隋书·经籍志》著录。今佚。李密（？—577 年），字希邕。平棘（今河北赵县）人。《北方书》卷 22《李元忠传》载其事。

《药对》 2 卷 北齐·徐之才 撰 570 年附

《老子禁食经》 1 卷

《食经》 14 卷

《食馔次第法》 1 卷

《四时御食经》 1 卷

《膳馐养疗》 20 卷

按 以上 5 种食经见《隋书·经籍志》著录。

《药目要用》 2 卷

《本草经略》 1 卷

《本草经类用》 3 卷

《本草集录》 2 卷

《本草钞》 4 卷

《本草杂要次》 1 卷

《依本草录药性》 3 卷（原注"录 1 卷"）

《入林采药法》 2 卷

《太常采药时月》　1卷

《太常采药及合目录》　4卷

《诸药要性》　2卷

《种植药法》　1卷

《种神芝》　1卷

《会稽郡造海味法》　1卷

按　以上14种书名由《隋书·经籍志》著录，均佚。

《本草音义》　3卷　隋·姚最

按　姚最（535—602），字士会，吴兴武康（今浙江德清）人，南北朝名医姚僧垣次子。医学活动时间在北周至隋代之间。其书今佚。

《淮南王食经》　120卷　隋·诸葛颖　撰

《淮南王食目》　10卷　隋·诸葛颖　撰

《淮南王食经音》　13卷　隋·诸葛颖　撰

按　以上据《旧唐书·经籍志》。《新唐志》除记《淮南王食经》130卷外，余皆同。《隋书·经籍志》作"《淮南王食经并目》一百六十五卷""大业中撰"。诸葛颖（535—612），字汉，丹阳建康（今江苏南京）人。《隋书》有传。

《新撰食经》　7卷

按　见《日本国见在书目》著录。冈西为人《宋以前医籍考》云："《医心方》所引，无《新撰食经》者，而有《七卷食经》五条，《七卷经》五十四条。《和名钞》所引，亦有《七卷食经》十七条，所谓《七卷食经》，疑即是书欤？"然复查《医心方》，在卷1之末"本草外药七十种"一节首列："以上八种出《新撰食经》。"据此很难判定这二书是否为一书。

《马琬食经》　（唐以前）马琬　撰

按　《医心方》引录，或引作"马琬"、"马琬方"，共有佚文19条。

《朱思简食经》　（唐以前）朱思简　撰

按　《医心方》引《朱思简食经》（或"朱思简"）佚文13条。

《诸药异名》　10卷　隋·行距　撰　619年附

按　《隋书·经籍志》作8卷，云"沙门行距撰，本十卷，今阙"。《旧唐书·经籍志》《唐书·艺文志》作释（僧）行智撰。《通志·艺文略》仍有著录，今佚。《畿辅通志》云："僧行距，姓李氏，赵郡（今河北）人"。

《本草》　3卷　隋·甄氏（佚名）

按　《隋书·经籍志》著录《甄氏本草》，书佚。

第十九章　唐代本草著作名录

《药性论》　4 卷　不著撰人（或题唐·甄权撰）　627 年

《本草药性》　3 卷　唐·甄立言　撰　627 年附

按　《旧唐书·艺文志》著录。明·李时珍将此称《药性本草》，认为系甄立言之兄甄权所撰。书佚无考。

《本草音义》　7 卷　唐·甄立言（一作甄权）　撰　627 年附

按　甄立言，隋唐间名医。《旧唐书》有传。撰《本草音义》《古今录验方》，均佚。

《药园》　3 卷　题唐·甄立言　撰　627 年附

按　《日本国见在书目录》中有载，书佚失考。

《本草要术》　3 卷　不著撰人　627 年附

按　《旧唐书·经籍志》著录，无撰人姓氏。然《扶沟县志》（1833）卷 11题其作者为甄立言。

《大蒐神芝图》　12 卷　撰人未详

按　唐·张彦远《历代名画记》著录。故此书当早于张氏。今佚。

《本草注音》　唐·杨玄（杨玄操）　撰

按　《日本国见在书目》记"《本草注音》杨玄撰"。《和名钞引用汉籍》记书名为《本草音义》，亦云"杨玄撰"，且注明引用 3 次。冈西为人《宋以前医籍考》认为："《本草和名》多引《杨玄操音》者，疑即是书矣。"杨玄操为初唐人，《难经本义》"引用诸家姓名"云："杨氏玄操，吴歙县尉，撰《难经注解》（参《宋以前医籍考》）。"

《本草训诫图》　唐·王定　绘　649 年附

按　唐·张彦远《历代名画记》著录，今佚。

《药图》　唐·徐仪　658 年附

按　《新修本草》"积雪草"条下注曰："荆楚人以叶如钱，谓为地钱草。徐仪《药图》名为连钱草。"书佚。

《新修本草》　20 卷　目录 1 卷　唐·苏敬等　撰　659 年

《药图》　25 卷　目录 1 卷　唐·苏敬等　撰　659 年

《本草图经》　7 卷　唐·苏敬等　撰　659 年

按　以上三书亦总称《新修本草》，合计 54 卷，又名《唐本草》《英公本草》。

《本草音义》　20 卷　唐·孔志约　撰　659 年附

按　《唐书·艺文志》著录，今佚。孔志约在显庆（656—660）年间为礼部郎中，参与编修《新修本草》。日·丹波元胤《中国医籍考》云"孔志约作《新修本草》序，不言自著《音义》，是又可疑"，对孔氏是否撰此书持怀疑态度。但孔氏为官定本草著作作序，自言所著《音义》是不合适的。有可能孔氏在《新修本草》成书后，为该书注音释义。

《杂注本草》　唐·蒋孝琬　加注　659 年附

按　《日本国见在书目》中著录，今佚。蒋孝琬，显庆（656—660）年间为朝清郎太常寺太医令，与苏敬等同修《唐本草》。

《千金要方》 唐·孙思邈 撰 652年

按 孙思邈（581—682），京兆华原（今陕西耀县）人，为唐代著名医药学家。著《千金要方》，卷26《食治》相当于一部完整的食疗著作（见下条）。卷1序例中的"用药第六，合和第七，服饵第八，药藏第九"4篇，均系药学内容。其中用药、合和两篇据考系保存了《本草经集注·序例》的部分内容（《真本千金方》中系直接转录）。又卷24中的"解食毒第一、解百药毒第二"等，也与本草相关。《千金要方》在建国后有影印日本江户医学影摹北宋刊本。

《千金食治》（《千金要方》卷26）1卷 唐·孙思邈 辑撰 652年

按 共分5节，即序论、果实、菜蔬、谷米、鸟兽（虫鱼附）。序论中孙氏曰："聊因笔墨之暇，撰《五味损益食治篇》，以启童稚。"引仲景、卫汛、黄帝饮食概论。共列食药条文154条，叙药名，味、性，良毒，功效主治，别名，采收时月等，或记有产地及形态。正文后附记"黄帝云"（讨论食忌）48条，"扁鹊云"8条，《五明经》1条，"胡居士云"2条，"名医云"1条，"华佗云"3条。正文绝大多数与《本经》《别录》相近，可见此卷乃孙思邈从所见《本草经》传本中辑出有关食物者，再补入其他本草著作中的条文（以"黄帝云"条文居多）而成。本卷虽非专书，但内容丰富，可谓今存最早最完整的食疗专篇。《证类本草》引作《孙真人食忌》。《本草纲目》引作《千金食治》。近代中原书局将此卷石印单行，名《千金方食治篇》，今藏中国中医研究院。

《药录纂要》（《千金翼方》卷2~4） 唐·孙思邈 辑撰 约682年

按 中原书局将《千金翼方》卷2~4本草内容抽出，石印成单行本，题书名为《药录纂要》。孙思邈在《新修本草》成书（659）后，将该书大字本全部内容抄入《千金翼方》，不分朱墨。这3卷成为后世辑录《新修本草》的重要资料。

此外，《千金翼方》卷1有《采药时节》及《药出州土》两篇，近林毅查考后指出，《采药时节》中236味药，有231味注文是从《新修本草》正经中抄录的，3味引自唐本《图经》，只有两味为孙思邈添附。可知《千金翼方》中的一些药学资料是由孙思邈辑录补撰而成的。

《孙思邈芝草图》　30卷　题唐·孙思邈　撰

《孙真人药性赋》　1卷　题唐·孙思邈　撰

按　上二书前者为《宋史·艺文志》著录，后者见载于《百川书志》，均系托名之书。

《食谱》　1卷　唐·韦巨源　撰

按　韦巨源，唐杜陵（今陕西西安东南）人，所撰《食谱》，今存于《说郛》《五朝小说》等丛书。

《药性要诀》　5卷　唐·王方庆　撰　702年附

《新本草》　41卷　唐·王方庆　撰　702年附

按　《唐书·艺文志》著录，今佚。王方庆（？—702），雍州咸阳（今属陕西）人。《旧唐书》有传。

《食疗本草》　3卷　唐·孟诜　撰　张鼎　增补　约713—741年

按　又称《补养方》。

《本草拾遗》　10卷　唐·陈藏器　撰　739年

按　又名《陈藏器本草》。

《崔禹锡食经》　4卷　唐·崔禹锡　撰　741年附

按　《日本国见在书目》著录。《医心方》引此书时作"崔禹锡食经""崔禹""崔禹食经""崔禹锡"等，共有条文146条。《中国医籍考》云："按是书，《源顺类聚钞》所引字训，较诸本草及小学之书，有不同者。盖以菌为荙，芥为辛菜……均是六朝间之称，今人视为国语也。医官田泽温叔（仲舒）录出禹锡之说散见于古书中者，裒为二卷。虽未为完帙，足以知鼎味矣。"崔禹锡，齐州全节（今山东济南）人，开元（713—741）年任中书舍人。

《本草音义》　2卷　唐·李含光　撰　769年附

按　李含光（683—769），江都（今江苏扬州）人。《颜鲁公文集》载其事。该书可见《嘉祐本草》《开宝本草》引录（见"稻米""蠮螉"等条），或作《李含光音义》。训释药名音义，借此辨正名实。今佚。

《本草音义》 2卷 唐·殷子严 撰

按 两唐志均著录。今佚。《日本国见在书目》记云"一卷"。

《删繁本草》 5卷 唐·杨损之 撰

按 《嘉祐本草·补注所引书传》中记载，"删繁本草：唐润州（今江苏镇江）医博士兼节度随军杨损之撰。以本草诸书所载药类颇繁，难于看检，删去其不急并有名未用之类为五卷。不著年代，疑开元后人。"据其中提到"有名未用之类"，则杨氏该书所删有可能是《唐本草》。《嘉祐本草》引佚文5条（见"云母""菊花"等），所论涉及药材品种、炮制、剂型及服药宜忌等。

《胡本草》 7卷 唐·郑虔 撰 755年附

按 《唐书·艺文志》著录，今佚。郑虔，郑州荣阳（今属河南）人。《唐书》有传。该书为我国最早反映外域及民族药专著。

《天宝单方药图》 题唐·李隆基 制 755年附

按 宋·苏颂《本草图经·序》称："明皇御制，又有《天宝单方药图》，皆所以叙物真滥，使人易知，原诊处方，有所依据。"此书失传甚早，北宋时仅存1卷。其类例直接影响到《本草图经》编纂。苏颂引其佚文3条（见"莎草根""白菊""积雪草"下）。或被称作《天宝单行方》《天宝方》《天宝单方图》等。

《石药尔雅》 唐·梅彪 撰 806年附

《凤池本草》 题唐·彭蟾 撰

按 彭蟾，字东瞻，宜春（今属江西）人。凤池或为"凤凰池"简称，常代指朝廷中书省机要部门。此书虽名本草，却未必是药书。

《何首乌传》 1卷 唐·李翱 撰

按 宋·苏颂《本草图经》引录，云该书成于元和七年（812）之后，李翱（722—841）撰。叙何首乌形态采制等。《证类本类》亦引载，然称"明州刺史李远传录经验"。李翱字习之，陇西成纪（今甘肃秦安）人。唐代文学家、哲学家。

《入药镜》　题唐·崔隐士　撰

按　道家书，后世不乏注释者。或误作本草著录。

《膳夫经手录》　4卷　唐·杨晔　撰　856年

按　清·莫友芝《持静斋藏书志记要》云："《膳夫经手录》一卷。唐·杨煜（煜当为晔，避康熙讳）撰。抄本。煜，官巢县令。是书成于大中十年（856）。唐宋志、通志略、崇文总目并著述。所述茶品，分产地别优劣，甚详备。"或题《膳夫经》《膳夫经手论》。杨晔，或误作杨日华。日本《和名钞引用汉籍》《医心方》均引录。述饮食卫生习惯及食物宜忌。

《食医心鉴》　3卷　唐·咎殷　撰　859年附

按　咎殷，成都人。一作咎商（《通志略》），据考系避宋太祖父亲名讳，为成都医学博士。大中（847—859）年间相国白敏中询访名医，咎殷得到举荐（《产宝》周颋序）。该书一名《食医心镜》，因避宋太祖祖父名讳（敬）改镜为鉴。原书佚，佚文存《证类本草》（100条）、《医方类聚》（论13条，方209首）。今本《食医心鉴》系日本人丹波元坚辑自《医方类聚》。其所载多为食疗方剂，不同于一般的食物本草著作。

《删繁药咏》　3卷　唐·江承宗　撰

按　见《唐书·艺文志》等书著录，今佚。《宋史·艺文志》误"江"为"王"。

《四声本草》　4卷　唐·萧炳　撰

按　《嘉祐本草·补注所引书传》记曰："唐兰陵（今山东苍县）处士萧炳撰。取本草药名每上一字，以四声相从，以便讨阅，凡五卷（《通志·艺文略》等作4卷）。"原书佚。《嘉祐本草》引录64条，述药物别名、品质、性味、功效、贮藏等。

《严龟食法》　10卷　唐·严龟　撰　904年附

按　《唐书·艺文志》等书著录。书佚。严龟祖籍盐亭（今属四川），为昭宗（889—904）时人。

第二十章　五代本草著作名录

《**南海药谱**》　　2 卷　唐末·佚名氏　　907 年附

《**海药本草**》　　6 卷　五代前蜀·李珣　撰　925 年附

《**本草稽疑**》

按　日本《本草和名》（918）、《医心方》（984）均引录。后者卷 1 引其药 32 种，注出别名、产地、形态、主治等，另卷 3、10、14，16，皆引《本草稽疑》医方。作者、成书未详。

《**草食论**》　　6 卷　唐·郭晏封　撰

按　《宋史·艺文志》医书类著录，今佚。范行准考"乾宁晏先生"即郭晏封，著《制伏草石论》（疑《宋志》误"草石"为"草食"）

《**丹草口诀**》（一作《丹秘口诀》）

《**五金粉药诀**》

《**本草疏**》

《**释药性**》

《**疗食经**》

《**本草杂要诀**》

《药诀》

按 以上诸书，见日本深江辅仁撰《本草和名》（918）引录，均不著撰人。引用较多者有《药诀》《释药性》《本草杂要诀》等，多为药物释名。

《食经》 3 卷 唐（？）·卢仁宗 撰

按 《旧唐书·经籍志》等书著录（《通志略》作 5 卷），今佚。《医心方》（984）引佚文一条，注出《卢仁宗食经》。

《本草性事类》 1 卷 唐（？）·杜善方 撰

按 书佚。《嘉祐本草·补注所引书传》云："京兆（今陕西西安）医工杜善方撰。不详何代人。以本草药名，随类解释。删去重复，又附以诸药制使、畏恶、解毒、相反、相宜者为一类，共一卷。"《通志略》等记书名为《本草性类》。

《药类》 2 卷

《本草用药要钞》 2 卷（《新唐志》《通志略》并作 9 卷）

《食经》 4 卷（《新唐志》注"又十卷"） 竺暄 撰

《四时食法》 1 卷 赵武 撰

《种芝经》 9 卷

《太清诸丹要录集》 4 卷

《神仙药食经》 1 卷

《神仙服食方》 10 卷

《神仙服食药方》 10 卷

《服玉法并禁忌》 1 卷

《太清诸草木方集要》 10 卷

《四时采取诸药及合和》 4 卷

《太清神丹中经》 3 卷

《太清璿玑文》 7 卷 冲和子 撰

《金匮仙药录》 3 卷 京里先生 撰

《神仙服食经》 12 卷 京里先生 撰

按 以上诸书均见《旧唐志》著录，内多神仙养生服食之书。然其时此类书亦列于"本草"之下，故照录。

《彭祖服食经》

按　《本草纲目》见引。

《本草音》　7卷　李君　撰

《采药图》　2卷

《杂药论》　1卷

《杂药图》　2卷

《杂药》　4卷

《芝草图》　2卷（上、下）

《仙草图》　5卷

《炼石方》　1卷

《药石》　1卷

《食禁》　1卷

《食注》　1卷　御注

按　以上诸药书，著者及年代不明，其中是否有日本学者所撰，亦难判定。冈西为人《宋以前医籍考》引自《日本国见在书目》，今姑附于此。

《药名谱》　五代后唐·侯宁极　编　929年附

按　一名《药谱》，存《说郛》等丛书，《古愚山房方书三种》附此书，云"天成中进士侯宁极《药谱》，并续补诸书药物异名。"该书列药异名若干，罕见于方书所载，多数异名拟人化，以反映药性特征。

《食性本草》　10卷　南唐·陈士良　纂辑

《编注本草骈文便读》

按　《善本提要》见引。

《本草括要诗》　3卷　后蜀·张文懿　撰

按　《通志·艺文略》等书志著录。《玉海》引《中兴书目》，注明张氏乃后蜀人。书佚。

《蜀本草》 20 卷 后蜀·韩保昇 编撰 938—964 年

《唐本余》（即《蜀本草》）

《日华子本草》 20 卷 五代十国吴越·日华子 集 923 年附

按 此书又名《大明本草》《日华子诸家本草》。

第二十一章　宋代本草著作名录

《开宝新详定本草》　20 卷　宋·刘翰、马志等　编修　973 年

《开宝重定本草》　20 卷　目录 1 卷　宋·刘翰、马志等　编修　974 年

《调膳摄生图》　宋·赵自化　撰　1000 年附

　　按　《玉海》著录。此书原名《四时养颐录》，宋真宗改其名。赵自化，德州平原（今属山东）人，为后周及北宋医官，《宋史》有传。

《天香传》　宋·丁谓　撰　约 1022 年

　　按　沉香专著，详述沉香品种、形态、产地、采收等，部分文字存《证类本草》卷 12。丁谓（965—1037），字公言，下邳（今江苏邳县）人，曾任宰相，乾兴元年（1022）贬崖州（今属海南省），得悉沉香生产情况。

《养身食法》　3 卷

　　按　《崇文总目辑释》《宋史·艺文志》著录。

《本草韵略》　5 卷

《采药论》　1卷

《制药法论》　1卷

《方书药类》　3卷

《新广药对》　3卷　宗令祺　撰

《医门指要用药立成诀》　1卷　叶传古　撰

《药林》　1卷

按　以上七书，均见《崇文总目辑释》与《通志·艺文略》等书著录。

《萧家法馔》　3卷

按　《崇文总目辑释》《宋史·艺文志》将该书列入医书类，《通志·艺文略》则归入食经。今佚。

《馔林》　5卷（《宋志》作4卷）

《侍膳图》　1卷

按　上二书，《崇文总目辑释》《宋志》列入医家类，《通志略》归食经类。均佚。

《陈雷炮炙论》　3卷

按　《崇文总目辑释》《通志略》著录，今佚。

《嘉祐补注神农本草》　20卷　目录1卷　宋·掌禹锡等　编修　1060年

《本草图经》　20卷　目录1卷　宋·苏颂　撰　1061年

按　又名《图经本草》，简称《图经》。

《节要本草图》　宋·文彦博　辑　约1063年

按　文彦博（1006—1097），字宽夫，汾州介休（今属山西）人。曾任宰相。有《潞公集》，载《节要本草图·序》，言其嘉祐初建言重定《本草图经》。书成"因录其常用切要者若干种，别为图策，以便披检"。今佚。

《药准》　1卷　宋·文彦博　集　1063年附

按 文彦博（见上条）《潞公集》载此书序，谓"依本草立方，则用之有准"。乃集方40首，将所用药之性味功效注于方内，以便处疗。是知此书乃方书。《直斋书录解题》著录。

《本草辨误》 2卷 宋·崔源 撰 1077年附

按 《通志略》等书著录，或作1卷。《玉海》云崔氏为熙宁（1068—1077）中人。书佚。

《重广补注神农本草并图经》 23卷 宋·陈承 纂 1092年

《本草别说》 宋·陈承 1092年

《证类本草》 31卷 宋·唐慎微 撰 约1093年

按 即《重修政和经史证类备用本草》。

《彰明附子记》 宋·杨天惠 著 约1100年

按 系统介绍彰明附子的产地、栽培、形态、鉴别等，为附子专论。文存南宋·赵与岩《宾退录》卷3。杨天惠（约1048—1118），四川郫县人，曾任彰明县知县。

《主对集》 1卷 宋·庞安时 撰 1100年附

《本草补遗》 宋·庞安时 撰 1100年附

按 《宋史·庞安时传》载，庞氏"观草木之性与五脏之宜，秩其职任，官其寒热，班其奇偶，以疗百疾，著《主对集》一卷"。又"药有后出，古所未知，今不能辨。尝试有功，不可遗也，作《本草补遗》"。书佚。清·陈揆《稽瑞楼书目》载《本草补》一册，无撰人，《宋以前医籍考》归入《本草补遗》条。

《食时五观》 宋·黄庭坚 撰 1105年附

按 今《说郛》载其文。黄庭坚（1045—1105），字鲁直，分宁（今江西修水）人，宋代著名诗人。

《大观本草》　31 卷　宋·唐慎微　原撰　约 1093 年　艾晟　校补　1108 年

按　即《经史证类大观本草》。

《政和本草》　30 卷　宋·唐慎微　原撰　曹孝忠等　奉敕校　1116 年

按　即《政和新修经史证类备用本草》。

《重修政和经史证类备用本草》　30 卷　宋·唐慎微　原著　张存惠　重修

《本草衍义》　20 卷　宋·寇宗奭　撰　1116 年

《天目真镜录》　宋·唐子霞　著　1117 年附

按　唐子霞，好读书，政和（1111—1117）间，从眉山陆惟忠游。著《天目真镜录》，谓"天目（山）有养生之药：蓍草、芜花，皆名著仙经"。《于潜县志》（1812）卷 14 有传。

《本草辨正》　3 卷　宋·李中　1120 年附

按　《奉化县志》（1773）有传，录其书名。李中（？—1120），字不倚，浙江奉化人。书佚。

《药名诗》　1 卷　宋·陈亚　撰

按　《宋史·艺文志》"别集类"著录。今佚。

《大宋本草目》　3 卷

按　清·叶德辉考辑《宋绍兴秘书省续编四库阙书目》"史类目录"中载此书名，是为现知最早的本草书籍书目，今佚。

《玉食批》　题宋·司膳内人　撰　1127 年附

按　该书今存于《说郛》中。

《本草节要》　3 卷　宋·庄绰　集　1128 年附

按　见南宋·陈振孙《直斋书录解题》著录，今佚。庄绰，字季裕，清源

（今山西清徐）人，一说筠州（今江西高安）人，官吏，尝著《膏肓腧穴灸法》（1128）、《鸡肋篇》等书。

《绍兴本草》 31卷 宋·王继先等 撰集 1159年

按 即《绍兴校定经史证类备急本草》。

《王易简食法》 10卷 宋·王易简 撰

按 《通志·艺文略》著录。《宋史·艺文志》作《王氏食法》5卷。今佚。

《药证》 1卷

按 《通志·艺文略》"本草用药"中著录。今佚。

《药证病源歌》 5卷 蒋淮 撰

按 《通志·艺文略》著录。日·藤原信西《通宪人道藏书目录》记《药证病源歌》4卷。未见传存。

《本草要诀》 1卷 梁嘉庆 撰

按 见《通志·艺文略》等书著录。今佚。

《珍庖馐录》 1卷

《诸家法馔》 1卷

《续法馔》 5卷 曹子休 撰

按 《通志·艺文略》"食经"类著录。今佚。

《古今食谱》 3卷

按 《通志·艺文略》"食经"类著录。今佚。

《通志·昆虫草木略》 2卷 南宋·郑樵 撰 1161年

按 郑樵（1103—1162），字渔仲，兴化军莆田（今属福建）人，南末著名史学家。著《通志》《动植物志》等书 80 余种。《通志》卷 75、76 为《昆虫草木略》，载草木禽兽 478 种。考订诸品名实，时出新见。

《本草成书》 24 卷 宋·郑樵 纂 约 1161 年

《草木外类》 5 卷 宋·郑樵 纂 约 1161 年

按 郑樵曾"以虫鱼草木之所得者，作《尔雅注》，作《诗名物志》，作《本草成书》，作《草木外类》"，其时约在绍兴（1131—1162）年间。郑氏认为，"景祐以来，诸家补注，纷然无纪"，遂将本草重新分类汇纂，其中《本草成书》收药 1095 种，《草木外类》收药 388 种，合计 1483 种。即《本草成书》在《本经》《别录》基础上又扩充 365 种药（取自诸家药品）。又从《证类本草》挑隐微之物 388 种，纂成《草木外类》。《本草成书》尝"集二十家本草及诸方书。所补治之功，及诸物名之所言，异名同状，同名异状之实，乃一一纂附。其经文为之注解。凡草经诸儒异录，备于一家书，故曰《成书》"。由此表明，郑樵对本草文献的整理，除辨析药物"异名同状，同名异状"之外，还对《本经》条文进行了注解疏证，是为明、清疏解《本经》之滥觞。

《食鉴》 4 卷 南宋·郑樵 撰 约 1161 年

按 原书佚。明·李诩《戒庵老人漫笔》卷 2 "郑樵食鉴"一节中尚存其"调养以救饮食三失"及"食养六要"内容。

《采治录》 南宋·郑樵 撰 约 1161 年

《畏恶录》 南宋·郑樵 撰 约 1161 年

按 上二书从书名推测，前者似为采收炮制专书，后者为药物畏恶宜忌专论。均佚。

《膳夫录》 宋·郑望之 撰 1161 年附

按 《说郛》存其文，为饮食类著作。郑望之（1078—1161），字顾道，彭城（今江苏徐州）人，《宋史》有传。

《食治通说》 1 卷 南宋·娄居中 撰

按 《直斋书录解题》著录。娄居中，东虢（今河南荥阳）人，后设药肆于临安（今杭州），精儿科，重食治。书佚，有佚文见于《食物辑要》等书中。

《纂类本草》　　20 卷（?）　　宋·陈言（?）　　编　约 1173 年

《药书》　　10 卷（或 2 卷）　　南宋·黄宣　　撰　1175 年附

按　《天台县志》（1683）著录。黄宣，字达之，浙江天台人，淳熙二年（1175）进士。其书今佚。

《本草释义》　　南宋·练谦　　著　1204 年附

按　《德兴县志》（1872）著录。练谦，字孟叔，由婺源迁德兴（今均属江西），嘉泰甲子（1204）举乡试魁。其书今佚。

《本草笺要》（《和剂局方》中）　　南宋·许洪　注　约 1208 年

按　许洪，字可大，武夷（今福建崇安）人，嘉定元年（1208）为敕授太医助教，前差充四川总领所检察惠民局官员，曾差充行在和剂辨验药材官。据南宋·陈衍《宝庆本草折衷》载，许氏"纂取本草药性治疗之要，注于《局方》诸药之中。其如粉霜、草乌头之类，皆本草所阙者，许洪则别引性用以注之。悉可取正，但不言药之味耳"。陈衍以"本草笺要"概括许氏补注的内容，实无成书。由此可知，今见的《和剂局方》药注，及增注的若干新的内容皆许氏之功。

《和剂指南总论》　　3 卷　南宋·许洪　　撰　1208 年

按　许洪"增注和剂方叙意"（1208）云，"又编次《和剂指南总论》，以冠帙首"。现存若干种版本《和剂局方》附此书。卷上论处方、合和、服饵、用药、畏恶反忌、服药食忌、炮制（185 味），卷中、下为诸证病因证候及处方。或名《太平惠民和剂局方指南总论》《用药总论指南》等。

《本草注节文》　　4 本　宋·陈日行　　撰　约 1208 年

按　据南宋·陈衍《宝庆本草折衷·诸贤著述年辰》记载，"《本草注节文》淳熙（1174—1189）中浙曹贡士陈日行，字用卿，暨阳（今浙江诸暨）人。后为太医学教授。取本草药物，删繁撷颖。凡性味主疗之说，经列于先，注继于次，混作大字。其部品依《证类》之本编排。又掇陶隐居、掌禹锡、寇宗奭三家之序，总为序例，扬之卷首。至嘉定（1208—1224）中会稽石孝溥及绍兴府帅守兼浙东宪汪纲为序。"明代《汲古阁珍藏秘本书目》所记："本草注节文，四本。陈日行影抄。"可知明末犹存。

《本草节要》　南宋·张松　纂　1213 年附

按　南宋·陈衍《宝庆本草折衷·群贤著述年辰》记载，"《本草节要》：嘉定（1208—1224）中监饶州商税张松，字茂之，择取本草常用药，抄节性味、主治之要，合经注之文，统以成段。虽立言简甚而亦颇加补辑。如自然铜之治风、香薷之治暑，乃经注所阙而张松乃补之之类。又如曾立"炉甘石""草果"等条，最为切当。并不著药物所出州土及收采时月，亦未依次排具部品。复为续集小编，尤有助于经注也。初婺州太守孟□为序。"张氏另著《究原方》（1213），倡"治病当究原""当审虚实"。现《宝庆本草折衷》存张氏本草佚文 60 余条，以介绍用药经验为主，略述药材来源形态。如谓"无食子有西、南二种……南者壳细，摇不响，其力胜"等。

《新编类要图注本草》　42 卷　序例 5 卷　原题南宋·许洪、刘信甫　校正　1216 年附

《本草之节》（原附《和剂局方》之前）　宋·刘明之　辑　1216 年附（？）

按　南宋·陈衍《宝庆本草折衷》记载，"桃溪居士刘明之，字倍甫所述。先纂本草常用药物，别为小佚（帙），冠于卷前。亦有泛者，仍集许洪诸家精语，分而取之，详且当矣。未睹序跋，不审刘明之于何年述此书，难以知也。"据此，似与下条《图经本草药性总论》相近，可互参之。

《图经本草药性总论》　3 卷　1216 年附

按　可见于照旷阁本《和剂局方》（存中国中医研究院）等刊本之后。书为 3 卷，分玉石、草木、人、兽、禽、虫鱼、果、米谷、菜各部。计药 422 种。系节取《证类本草》。每药仅百余字（无宋以后内容）。《宝庆本草折衷》尝记《和剂局方》有两种刊本附"节要本草"。"其一编系桃溪居士刘明之，字信甫所述。先纂本草常用药，别为小佚，冠于卷前"；"又一编系宝庆（1225—1227）中监建宁府合同场提督惠民局黄伯沈，永嘉（今浙江温州）人所述。亦先纂本草常用药物以

冠（《和剂局方》）卷前，一如刘明之□，更少数药耳。"《图经本草药性总论》即类此，然不明原节要者是谁。

《本草正经》　3卷　南宋·王炎　辑　约1217年

按　这是《神农本草经》最早的辑本。辑者王炎（1138—1218），字晦叔，婺源武口（今属江西）人，官"军器大监、金紫光禄大夫"，有文学著作《双溪文集》存世。集中录"本草正经序"，称其辑书的目的在于"存古""不忘其初"。该辑本是以《嘉祐本草》为辑佚底本的。序中还说："今考其书，论药性温凉、味甘苦多异"，可推知王氏曾对《神农本草经》的内容有过一些考订。此书在明末陈士龙藏书目录中还有著录。今已佚失。

《履巉岩本草》　3卷　南宋·王介　编绘　1220年

《疡医本草》　南末·颜直之　撰　1222年附

按　《苏州府志》（道光）著录。颜直之（1171—1222），字方叔，号乐闲居士，长洲人。著医方本草著作多种，均佚。

《本草集议》　南宋·艾原甫　撰　1224年

按　南宋·陈衍《宝庆本草折衷》中略记此书内容及特点，"（艾氏）遴选近要药物，会集唐谨（慎）微，寇宗奭诸书，复以己意发越，叙括条品，考订精详，议论明整。凡药有种类同而性用切似者，如磁石与玄石，如附子与天雄，此等多总为一条。然其条犹稍亏也。虽从《证类》之本，排具部品，而间亦颇相互。又立'药性杂辨'，以纪畏恶反忌之说，列于帙端。至于论药之异名，制药之方法，并注目录条下。唯禽部不书，乃著'常食论说'七篇，而鸡鸭飞禽皆并论之矣。此篇之文断于终卷之尾。"由此可知该书是一部颇有创见的实用本草著作，编写方式上也有所改进。据陈衍推考，此书约成书于嘉定、宝庆年间，在1224年前后。原书佚，《宝庆本草折衷》存其佚文数十条。

《本草备要》　宋·王梦龙　约1225年

按　南宋·陈衍《宝庆本草折衷》记载，"《本草备要》：宝庆（1225—1227）中婺州太守王梦龙，字庆翔。山阴（今浙江绍兴）人。谓张松《本草节要》，其间编叙无伦。乃增入药物异名、土产之宜、美恶之辨，注于目录之内。其分别部品，并循《证类》原式。凡逐条性味功用，即张松之旧文耳。于中又增药数品，虽欲备张松之阙，然亦不甚切也。王守自为序。"原书今佚，据陈衍所言，该书只是《本草节要》的增补本而已，无甚特色。

《本草之节》（原附《和剂局方》之前）　南宋·黄伯沈　辑　约 1226 年

按　南宋·陈衍《宝庆本草折衷》记载，"宝庆（1225—1227）中监建宁府合同场提督惠民局黄伯沈，永嘉（今浙江温州）人所述。亦先纂本草常用药物以冠（《和剂局方》）卷前，一如刘明之之□，更少数药耳。仍撮许洪总论，辅以杂方考。此编述笺注规度悉蹈刘明之之轨辙也。福建路提举天台王梦龙为序。按刘明之书传世已久，而黄伯沈书始行焉。"参《图经本草药性总论》条。

《本草辨疑》　约 1227 年

按　撰者佚名。南宋·陈衍《宝庆本草折衷》载，"此书亦是本草之节，特异其名尔。所编药品，并如张松。混括经、注，并为一段。又纪产药州土，兼略画图像。仍自创灯心草及马勃二图。虽依《证类》之本分排部品，乃以果、米、菜三部移于木部之后，唯人部阙之。亦掇陶隐居、掌禹锡、寇宗奭三家之序总为义例，与诸药异名，叙之于前。"可知此书配以药图，并有新增药图，这在南宋节要性本草著作中是个例外。原书早佚。

《本草简要歌》　1227 年附

按　书佚，《宝庆本草折衷》存"越瓜却乃是稍瓜"一条。

《皇宋五彩本草图释注义》　60 本　1227 年附

按　清·孙从添《上善堂书目》载，"皇宋五彩本草图释注义，60 本，缺 30 本，季沧苇藏本。"今未见其他书著录，恐佚。

《宝庆本草折衷》　20 卷　南宋·陈衍　撰　1248 年

《彩画本草》　南宋·尹氏　1252 年附

按　南宋·周密《志雅堂杂抄》记"先子向寓杭收异书，太庙前尹氏（书贾）

尝以彩画图一部求售……尹彩画本草一部，不知流落何所"。由此可知该书早佚。周密（1232—1308）之父曾购求此书，故将此书出现年代系于1252年。

《活国本草》 宋·胡铨 撰

按 《江西通志稿》著录。胡铨，庐陵（今江西吉安）人。从书名看，似乎并非药书。

《禅本草》 南宋·文雅 著

按 此书名曰"本草"，乃佛家书，恐与药无关。《九江府志》（1874）著录。

《全芳备祖》 58卷 南宋·陈景沂 辑 1253年

按 该书仿唐·欧阳询《艺文类聚》的形式，收集以植物为对象的诗词歌赋。每一种植物之下，分事实祖、赋咏祖、乐府祖。除事实祖简述名称考释、植物形态、用途等内容外，其他部分则汇集诗赋中与该植物有关的章句，对了解植物形态和用途有一定参考价值。书中也列有"药部"，收36种植物、矿物药，但内容单薄。明·王象晋《群芳谱》、清·刘灏《广群芳谱》都是在此书基础上扩充而成。或谓此书为我国第一部植物词典，实言过其实。中国农业出版社影印日本图书寮藏建安麻沙本。

《谷菜宜法》 宋诩 1265年附

按 该书今存于《百川学海》（1265—1274）丛书中。

《中朝食谱》 宋·陈达叟 编
《本心斋蔬食谱》 1卷 宋·陈达叟 撰 1265年附

按 陈达叟，清漳人。除撰《本心斋蔬食谱》之外，还编过《中朝食谱》。《本心斋蔬食谱》今存于多种丛书中，如《借月山房汇钞》《百川学海》（1265—1274）、《说郛》等。

《食禁经》 3卷 高伸 撰

按 《宋史·艺文志》农家类著录。今佚。

第二十二章　金元本草著作名录

《素问药注》　金·刘完素　撰　1185 年附

按　刘完素（约 1132—1200），字守真，号通玄处士，河间（今属河北）人，故又称"刘河间"。金元四大家之一，倡火热学说。明·熊均《医学源流》载其撰《素问药注》。今佚。

《本草论》　金·刘完素　撰　1185 年

按　此论见《素问病机气宜保命集》第九。引述《内经》气化、制方、君臣佐使、气味厚薄阴阳及治法论说，结合《伤寒论》用药法，以印证《内经》中的治法理论。此篇还就陈藏器十剂之说、《神农本草经》三品之说、毒药用法等以及《圣济经》中的药理说，予以阐发。尤其是对七方十剂，作出了较明确的解说，并列举药证。此论杂糅金以前有关药性治方的理论，为金代较早的本草专论。

《药略》　金·刘完素　撰　1185 年

按　该篇为《素问病机气宜保命集》卷下。列药 65 种，注出主要功效或归经。刘氏按形、色、性、味、体五种说理体系，阐释药理。

《珍珠囊》　金·张元素　撰　1200 年附

《洁古珍珠囊》 金·张元素 撰 1200 年附

按 前者为《医要集览》本，后者为《济生拔粹》本。

《洁古本草》 2 卷 金·张元素 撰

按 明·焦竑《国史经籍志》著录，今未见。

《脏腑标本药式》 1 卷 题金·张元素 撰 1234 年附

按 此书题为张元素撰，但晚至清·周学海《周氏医学丛书》始载。周学海认为，"此编无单行本，世亦绝少知之者。止见李东璧《本草纲目》前载之。而高邮赵双湖，收入《医学指挥》中。其小注校《纲目》本稍多，殆赵氏所增耶。"李时珍《本草纲目》卷 1 载《脏腑虚实标本用药式》，以五脏六腑为纲，述各脏本病、标病，以泻、补、寒、发等治法为目，类列有关药名。但李时珍未注明是张元素撰，后世题为张氏书，恐系托名。该书近代多次印行，张寿颐（山雷）又为之补正，扩为 3 卷，名《脏腑药式补正》，1958 年上海科学技术卫生出版社铅印。

《药类法象》 金·李杲 撰 1251 年附
《用药心法》 金·李杲 撰 1251 年附
《药象论》 金·李杲 撰
《用药珍珠囊》 金·李杲 撰

《李东垣药谱》 1 卷

按 明·朱睦㮮《万卷堂书目》著录《李东垣药谱》1 卷，清·钱曾《也是园藏书目》著录《李东垣药谱》1 卷，今均未见。

《东垣珍珠囊》 托名李东垣 撰

按 此书即张元素《珍珠囊》，李时珍指出："后人翻为韵语，以便记诵，谓之《东垣珍珠囊》则谬矣。"误题东垣所撰之书甚众，名称或异，如《东垣方指掌珍珠囊》《药性珍珠囊》等。

《诸药论》 元·李浩 撰 1279 年

按 《滕县志》(1716) 载此书名。李浩，祖籍曲阜，五世祖迁居滕县（均属山东)。精医，著书多种，均佚。

《药谱》 1卷

按 清·钱曾《也是园藏书目》著录。

《药象图》 元·罗天益 撰

《㕮咀药类》 1卷 元·罗天益 撰 1283年

按 罗天益，字谦父（一作谦甫），真定（今河北正定）人。名医李东垣弟子，后任太医。撰《药象图》，今佚。所著《卫生宝鉴》卷21为《㕮咀药类》，载药100种，论药物拣择炮制。经校比，多抄录李东垣《药类法象》。卷末列诸药论，亦多本李东垣。《卫生宝鉴》今多见，1938年上海涵芬楼影印本。

《至元增修本草》 元·许国祯等 撰修 1284年

按 许国祯，字进之，山西曲沃人，博通经史，尤精医学。后归附元世祖，尤得宠幸。明·王圻《续文献通考》载"世祖至元二十一年（1284），命翰林承旨撒里蛮，翰林集贤大学士许国祯，集诸路医学教授增修"，而成《至元增修本草》。此为元代唯一的药典性本草，今佚。据上述记述，此次编修也组织了地方上的医学教授参加。

《本草歌括》 2卷 元·胡仕可 编 1295年

按 据《本草纲目》简介："元瑞州路医学教授胡仕可，取本草药性、图形作歌，以便童蒙者。"《中国医籍考》存该书自序，署名为"宜丰可丹仕可"，是知胡氏字可丹，江西宜丰人。日·冈西为人《本草概说》云："自序于元贞元年（1295）成书，可见是后世续出的药性歌之端绪。"今上海市图书馆存《新刊校诂大字本草歌括》，又名《图经节要补增本草歌括》，系经明熊宗立补增之本，今可见草部原编153种，熊氏补增26种；木部原编64种，熊补增14种。每药附一图，系取自《证类本草》。小字注以性味、产地、形态、别名等。大字书写七言歌括一首，叙药物功能主治。此本虽经补增，然依旧可见原貌。另上海市图书馆还藏有一种《图经节要补增本草歌括》，内容相似，而分卷更细（8卷）。《医藏书目》作2卷，《国史经籍志》作8卷，可见是依据不同的版本。

《本草》 元·俞时中 纂 1295年附

按 《金华县志》（1894）载其书。今佚。俞时中，字器之，浙江金华人。元太医令。

《汤液本草》 3卷 元·王好古 撰 约1298年

《本草经》 元·王东野 注 1300年附

按 《吉安府志》《庐陵县志》载其事。王东野，名平，永新（今属江西）人。精方脉，尝注《本草经》，今佚。大德初（1297）为永新州医官提领，至大四年（1311）后荐为太医。《江西通志稿》误载其书名《本草经疏》。

《用药十八辨》 1篇 元·李云阳 撰 1300年附

按 此篇存于元末人黄石峰《秘传痘疹玉髓》卷2。李氏为纠正痘疹治疗中18种误用之药而撰此文。黄石峰在李氏辨药之后，附以评语，用七言诗形式表述。中国中医研究院存明代建邑书林余秀峰梓本影抄件《秘传痘疹玉髓》。

《诸方辩论药性》（《秘传眼科龙木论》卷9、10） 2卷 1300年附

按 《秘传眼科龙木论》成书年代至今有争议，一般认为成书于宋元之间，不著撰人。或有题作明·葆光道人编撰者。卷9、10为"诸方辩论药性"，分玉石、草、木、人、兽、禽、虫、鱼、果、米谷、菜诸部，叙药164种，皆可用治眼病。叙用药、制药法，内容单薄。1949年后有铅印本。

《饮膳正要》 3卷 元·忽思慧等 撰 1330年

《本草类要》 10卷 元·詹瑞方 撰

按 明·焦竑《国史经籍志》著录，今佚。《永乐大典》残卷存其佚文。

《本草元命苞》 9卷 元·尚从善 撰 1331年

按 中国中医研究院所藏黄丕烈旧抄本，署作者为"御诊太医宜授成全郎上都惠民司提点尚从善撰"。有至顺二年（1331）序，序称："读书之暇，撷其切于日用者468品，取其义理精详，治法赅博，纂而成章。"该书分部大致仿《大观本草》，但药品排列次序较《大观本草》有所调整。各卷药物均编有序号，并次第简

述君臣佐使、性味、功效、主治、产地、采收、形态等。

《日用本草》 8 卷 元·吴瑞 撰 1331 年附

按 李时珍记载，"《日用本草》：书凡八卷。元海宁医士吴瑞，取本草之切于饮食者，分为八门，间增数品而已。瑞字瑞卿，元文宗时人。"又《经籍访古志》载，"《家传日用本草》嘉靖四年刊本，聿修堂藏。元新安医学吴瑞编辑。七世孙镇校补重刻，首有嘉靖四年李汛序，吉氏家藏及称意馆藏书记印。"该书收食物 540 余品，编为 8 卷。李时珍曾摘采该书内容。今北京大学图书馆藏明泰昌元年（1620）钱允治校刻本，书分 3 卷。

《饮食有度》 1 卷 元·李鹏飞 辑 1351 年

按 李鹏飞（1282—?），自号澄心老人。撰《三元参赞延寿书》，第 3 卷论"饮食有度"，专谈饮食宜忌，分五味、食物（又分果实、米谷、菜蔬、飞禽、走兽、鱼类、虫类）两部分，摘取前人有关资料。

"食物"一节只录损益参半者，有损无益、有益无损者皆不录。每条仅述宜忌，与一般本草著作不同，其内容丰富。今有胡文焕《寿养丛书》本（1592），中国中医研究院等处有藏。

《本草衍义补遗》 元·朱丹溪 撰 1358 年附

《丹溪本草》 1 卷 题元·朱丹溪 撰

按 明·叶盛《菉竹堂书目》著录，今未见。

《养生之要》 1 卷 元·汪汝懋 编辑 1360 年

按 汪汝懋，字以敬，号遯斋。原籍安徽歙县（一说浮梁，今江西景德镇），后徙居浙江淳安桐江，又号桐江野客。至正（1341—1368）间任国史馆编修。尝增广太史令杨元诚旧作而成《山居四要》，卷 2《养生之要》，分服药忌食、饮食杂忌、解饮食毒、饮食之宜、法制馊败 5 篇，汇辑前人所论，多涉及食疗，有胡文焕《寿养丛书》本（1592）、《格致丛书》本。

《补注本草歌括》 6 卷（一作 8 卷） 元·何士信 补注 1368 年附

按 何士信，福建建安人。《中国医籍考》载该书为 8 卷，注云"存"，但我国未见该书。

《丹溪药要或问》　元·赵良仁　撰　1368 年附

按　《续经济考》引《姑苏郡志》，赵良仁字以德，寄籍长洲（今苏州），为朱丹溪弟子。有《丹溪药要或问》等书，今佚。

《四时宜忌》　元·瞿祐　辑

按　瞿祐，字宗吉，元代钱塘（今浙江杭州）人。他的这本《四时宜忌》直到清末《学海类编》（106 册）才出现，不见他书著录。书中按月辑录本草书、方书中有关药物采收及服食宜忌，均抄自前人之书，别无心得。

《本草发挥》　1 卷　元·滑寿　撰　1368 年附

按　滑寿，字伯仁，号撄宁生，祖籍河南襄城，其祖迁居江苏仪征。滑氏为元末著名医学家。《浙江通志》著录该书。今佚。

《本草发挥》　4 卷　元·徐彦纯　辑　1368 年附

按　徐彦纯（？—1384），字用诚，会稽（今浙江绍兴）人，客居苏州。元末（一说明初）辑成本书。分部同《证类本草》，载药 270 种。卷 4 为总论，列述药性理论。各药下简介性味功治，引录金元诸家论说。李时珍评曰："取张洁古、李东垣、王海藏、朱丹溪、成无己数家之说，合成一书尔，别无增益。"今存明天启间聚锦堂刻本，藏浙江图书馆。又有明·薛铠校刻本，今存《薛氏医案》（丛书），各地多藏。

《本草韵会》

按　明·徐春甫《古今医统》著录。未见。

《饮食须知》　8 卷　题元·贾铭　撰

按　《学海类编》（1831）始收此书，未见明以前书志著录。《海昌外志》（明末抄）云贾氏字文鼎，为万户之长。此书选食物 250 余种，分水、谷、菜、果、味、鱼、禽、兽 8 类。简述诸品性味宜忌。书中载陶节庵等人之言，且有元代未见记载的落花生、南瓜等，故当系托名之书。

第二十三章　明代本草著作名录

《药性赋》　1卷

按　同名书多种。本书分寒、热、温、平四赋，分别述药60、60、54、66种，共240种。流畅易晓，药效简明。最早见《医要集览》丛书，与《珍珠囊》合刊，不著撰人。后人多合此二书为《珍珠囊药性赋》，题为张元素或李东垣撰，实为托名。

《本草药性赋》　1卷

按　明·焦竑《同史经籍志》著录。

《类编本草集注》　明·崇安　辑

按　著者佚其姓。叶子奇《本草节要》多本此。

《本草节要》　10卷　明·叶子奇　撰　约1378年

按　《浙江通志》著录。未见。叶子奇，一名锜，字世杰，号静斋，浙江龙泉人，元末明初浙西著名学者。洪武十一年（1378）著《草木子》。该书"观物篇"中记有一些对人体、动物、植物的认识，颇多新见，《本草纲目》数引其说。《龙泉县志》（1762）载《本草节要》的序文，出崇安《类编本草集注》。

首列《本经》药性，次叙形态，审药备方，多宗寇宗奭之说。书佚。《本草汇言》"阿胶"条引《叶氏本草》，疑即此书。

《本草歌括》 明·刘纯 编 1388 年附

按 刘纯，字宗厚，其先人为淮南吴陵人，后移居关中咸宁（今陕西长安县），其父刘橘泉，曾受业于丹溪之门。刘纯继家业，医道大行。李时珍注胡仕可《本草歌括》时谓刘氏亦有同类作品。今未见。

《汤液本草》 明·李暤 撰

按 康熙《松江府志》、乾隆《娄县志》著录。今佚。李暤（璋），字叔如，华亭（今上海市）人。

《类证用药》 明·戴思恭 辑 1405 年附

按 明·焦竑《国史经籍志》著录。今佚。戴思恭（1323—1405），字原礼，婺州浦江（今浙江金华）人，从朱丹溪学医，名盛于浙东西，后为太医院使，《明外史》有传。

《救荒本草》 2 卷 明·朱橚 撰 1406 年

《外丹本草》 崔昉 撰 《本草纲目》引

《庚辛玉册》 2 卷 明·朱权 撰 1426 年附

按 朱权，号臞仙，明太祖第十七子，封为宁献王。李时珍介绍，"宣德（1426—1435）中，宁献王取崔昉《外丹本草》、土宿真君《造化指南》、独孤滔《丹房镜源》、轩辕述《宝藏论》、青霞子《丹台录》诸书所载金石草木可备丹炉者，以成此书。分为金石部、灵苗部、灵植部、羽毛部、鳞甲部、饮馔部、鼎器部，通计 2 卷。凡 541 品。所说出产形状，分别阴阳，亦可考据焉。王号臞仙，赅通百家，所著医、卜、农、圃、琴、棋、仙学、诗家诸书，凡数百卷。《造化指南》33 篇，载灵草 53 种，云是土宿昆元真君所说，抱朴子注解，盖亦宋、元时方士假托者尔。古有《太清草木方》《太清服食经》《太清丹药录》《黄白秘法》《三十六水法》《伏制草石论》诸书，皆此类也。"今未见。李时珍引《造化指南》时称《土宿本草》。

《本草权度》　3 卷　明·黄济之　撰　1437 年附

按　该书为综合性医书，与药无关。存此免误。

《用药珍珠囊诗括》　明·杨澹庵　1440 年附

按　今佚。《续经济考》载杨士奇介绍杨澹庵之言，谓"尝坐累讼系，闲暇无所用意，则著此书"。此人当与杨士奇（1365—1444）为同时代人。

《本草集略》　明·解延年　撰　1442 年附

按　《登州府志》（1694）著录。今佚。解延年，字世纪，山东栖霞人，正统壬戌（1442）进士。官宦余暇，著医书多种。

《补增本草歌括》　8 卷　元·胡仕可　原编　明·熊宗立　增补　1446 年附

按　熊宗立，名均，字道轩，号勿听子，明初福建建阳人，校刻医书 20 余种，厥功甚伟。《补增本草歌括》（全名《图经节要补增本草歌括》）是熊氏在元·胡仕可《本草歌括》基础上补增而成。另《经籍访古志》载《图注节要补注本草歌括》6 卷，注称"元敕授抚州（当作瑞州）路医学教授胡仕可编次，前建安进士何士信增注"。熊氏此书是否以何士信本为蓝本尚待查考。此本字句讹误、刊脱处颇多。

《药性赋补遗》　明·熊宗立　补注　1446 年附

按　清初《续经济考》卷 3 著录此书。日人冈西为人推测《历代名医录》所著录的《药性赋补遗》大概就是《增补本草歌括》（《中国医书本草考》236 页），书佚，失考。

《滇南本草》　3 卷　明·兰茂　撰　1449 年附

《本草证治辨明》　10 卷　明·徐彪　撰　1451 年附

按　《明史》著录。今佚。徐彪，字文蔚，号希古，华亭（今上海市）人，世为医官。彪亦供职太医院，景泰二年（1451）升院判。

《本草集要》　8 卷　明·王纶　辑　1492 年

《用药·药戒》　1 卷　明·周恭　辑　1493 年

按　此卷为《医说会编》（1493）卷 3。作者周恭，字寅之，别号梅花主人，江苏昆山人。该书为笔记体医书，本卷用药一项载论 38 条，药戒 21 条，多辑自前人书。此外，《医说会编》卷 4 为养生调摄，卷 6 为食忌，共有 80 余条论说。中国中医研究院有藏。

《神农本草经会通》　10 卷　明·滕弘　辑　1495 年附

按　今存万历四十五年（1617）刻本，藏中国科学院。书前有滕万里序（1616），称滕弘别号可斋，西瓯（今贵州贵县）人，为其六世祖。据此滕弘约生活于 15 世纪，尝任邵阳县令。其书分草、木、果、谷、菜、玉石、人、兽、禽、虫鱼 10 部，载药 958 味（仅很少一部分为《本经》药）。多取《证类本草》及金元医家诸本草资料，列叙药物采取、性味功效等。引文仿《汤液本草》（如"珍云""心云"等），其中有"集云"，疑为《本草集要》，故将此书撰年附于 1495 年。书名会通，实无多少新意。

《新编注解药性赋》　明·刘全备　编注　1500 年附

按　刘全备，字克用，柯城（今河南内黄）人，熟谙医经，著书多种。该书或著录为《编注药性》《注解药性赋》。卷前论用药与四时治法关系。正文每句赋文用大字，小字注出典故、治验、性用、单方等。卷末列述各脏腑用药法及补真养性内容。中国中医研究院藏明刊本（1500 年刊）。

《本草品汇精要》　42 卷　明·刘文泰等　撰　1505 年

《药性赋》　4 篇　明·严萃　编　1510 年附

按　《嘉兴县志》（1685）记载，严萃，字蓄之，浙江嘉兴人，弘治戊午（1498）授广东阳江令。祖上业医，故暇则躬研医药，撰《药性赋》4 篇，分寒热温平之异，今佚。疑此即与《珍珠囊》合刊之《药性赋》。

《药性赋》　明·傅滋　撰　1516 年附

按 傅滋，字时泽，号浚川，浙江义乌人，博学精医，著《医学集成》（1516）12 卷。李时珍载其撰《药性赋》，今未见。

《**本草约言**》 4 卷 明·薛己 辑撰 约 1520 年

《**药性本草**》 2 卷

《**食物本草**》 2 卷

按 《本草约言》即《药性本草》《食物本草》两书组成。

《**食物本草**》 4 卷 不著编绘人 1520 年附

按 该书为彩绘本，郑金生首次报道了该书药图情况（《中药材科技》，1983 年 6 期）。其分类及文字内容悉同薛己《食物本草》，厘为 4 卷。书中不著编绘人，共有药图 467 幅，为工笔精绘。药图风格极似《本草品汇精要》之图，少数药图形状几乎像是同出一手摹绘而成。药味仅 385 种，故有时一药数图。如"李"有 21 幅不同品种的李树图，"梨"有 7 图，"酒"有 16 幅制酒图，概括了制酒的全过程。对栽培植物的描绘甚精细，为该图谱的特色。书中有些药图也存在着明显的错误，如将"银杏"叶片画成奇数羽状复叶，把"落花生"果实绘成大桃状等。这可能是画师们未见原物，凭文字想象绘成。

《**儒门本草**》 明·卢和 撰

按 《东阳县志》（1828）卷 27 著录，佚。

《**食物本草**》 2 卷 题明·卢和 撰稿 1521 年附

《**食物本草**》 2 卷 题明·汪颖 撰 1521 年附

《**本草会编**》 20 卷 明·汪机 编 约 1522 年

按 汪机（1463—1539），字省之，安徽祁门（今安徽省黄山市）人，居祁门石山，故号石山居士，人称汪石山。精通医术，名噪一时。著《本草会编》，今佚。陈嘉谟《本草蒙筌》序载："吾邑汪石山续集《会编》，喜其详略相因，工极精密矣。惜又杂采诸家，而迄无的取之论。"

《野菜谱》 1 卷 明·王磐 撰 1530 年附

按 王磐（1470—1530），字鸿渐，号西楼，南京高邮人。著名散曲家。因见当时江淮连年水旱，恐饥民误食野菜伤生，乃集野菜 60 种，各附一图、一诗，简述其形态、用法。图形粗拙，诗歌格调虽高，但从植物、药物学角度来看，并无多大科学价值。一名《王西楼野菜谱》。流传甚广，《农政全书》《山居杂志》《三续百川学海》等丛书均予收载。

《药性书》 明·方广 撰 1536 年附

《脉药证治》 明·方广 撰 1536 年附

按 方广，字约之，号古庵，新安休宁（今属安徽）人。推崇《丹溪心法》，以儒医名世。尝编订《丹溪心法附余》，集药性、脉理、病机、治法、经络、运气六者于一书。《续经籍考》载其撰《药性书》，《古今医统》载其撰《脉药证治》，均未见。

《古庵药鉴》 2 卷 明·方广 撰 1536 年附

按 该书分治风、热、湿、燥、寒、暑、实、虚 8 门，各门又分数类，各类开列药名，分述性味、功能等。每药寥寥数语，无甚新意。今存于《丹溪心法附余》、明·贺岳《医经大旨》、皇甫嵩《本草发明》诸书中。近代陶湘将其单独抄录。

《食品集》 2 卷 明·吴禄 编录 1537 年

按 有许应元、苏志皋序（1556）及沈察跋（1537）。吴禄，字子学，号宾竹，吴江县医学候缺训科。所辑该书分谷、果、菜、兽、禽、虫鱼、水 7 部，收食物 342 种。经核查，内容与薛己《食物本草》大致相同，次序略有变更，并将"味类"散入谷、菜部。卷末附五味宜忌等内容，多辑抄前人书。近有中国书店影印明刊本。北京图书馆藏手抄本。

《药性粗评》 4 卷 明·许希周 辑纂 1541 年

按 许希周，字以忠，春陵（一作"道州近濂"，均在今湖南宁远、道县一带）人。以药书浩瀚不便记忆，乃"杂举众意味相对者，属之以词"。分草木、玉石、禽虫、人 4 类，有骈语 506 条，涉及药品 1000 余种。各条首列骈语两句，述二药之功效，下注产地、品种、采收等，次列味、性、主治，末附单方。简明实用，创见甚少。今有嘉靖辛亥（1551）刻本，藏河北医学院及广东中山医学院。

《菖蒲传》

按 《本草纲目》见引。

《本草源流》 1卷 不著撰人

按 明·叶盛《箓竹堂书目》著录，今未见。

《药性要略大全》 11卷 明·郑宁 撰 1545年

按 《中国医籍考》著录，注云"存"，并载郑宁序（1545）。郑宁，字七潭，歙北丰阳人。谓古今方书众说纷纭，乃取诸书，参互订正，撰成该书。今国内未见传本。

《释药》 4卷 明·程伊 撰 1547年附

按 程伊，字宗衡，号月溪，新安岩镇人。明·殷仲春《医藏书目》著录其《程氏医书六种》（1547），《释药》为其中之一，又名《释药集韵》，今未见。

《饮食》 1卷 明·周臣 编辑 1549年

按 周臣，字在山，原籍江苏吴县，后入籍河北霸县。官吏。纂《厚生训纂》，汇编养生诸法。卷2为《饮食》，首列饮食宜忌一般原则，继以各饮食物宜忌，末附服药忌食之物品、救荒所备食品等。今有胡文焕文会堂木（1592），北京大学等数处有藏。

《本草拾珠》 明·万全 撰 1549年附

按 明·祁承㸁《澹生堂书目》著录。今《万密斋医学全书》（1549）中未见此书。万全，字密斋，罗田（今属湖北）人，为明代著名儿科学家。

《本草正讹》 明·袁仁 撰 1550年附

按 此书今未见。《中国医籍考》注云"见于王畿《袁参坡小传》"。袁仁，字良贵，号参坡。当与王畿（1498—1583）为同时代人，故附其书于1550年。

《药性准绳》 明·贺岳 撰 1556 年附

《本草要略》 明·贺岳 撰 1556 年

按 贺岳，字汝瞻，海盐（今属浙江）人。初撰《药性准绳》，今佚。又撰《医经大旨》（1556），卷1为《本草要略》（书口作《药性》）。凡例称该卷之药"出自东垣《珍珠囊》，丹溪秘传，随身备用计70种。后附《古庵药鉴》"。今有明嘉靖余氏敬贤堂本，藏中国中医研究院等处。

《药性赋》 1卷 明·冯鸾 撰 1560 年附

按 冯鸾，字子雍，通州（今江苏南通）人，嘉靖壬子（1552）以贡举，授郧西知县。《通州志》（1674）等载其医学著述名，今佚。

《人参传》 明·李言闻 撰 1564 年附

按 此书为本草史上现知第一部人参专著。原书已佚，佚文存于其子李时珍《本草纲目》中，对人参加工、性味、功效、配伍、禁忌等，均有论述。李言闻尝任职太医院，其子李时珍承医业，以医药闻名于世。

《艾叶传》 明·李言闻 1564 年附

《本草蒙筌》 12卷 明·陈嘉谟 撰 1565 年

《本草蒙筌撮要》 1卷 明·蔡承植 撰 1565 年附

按 明·殷仲春《医藏书目》著录，未见。

《食鉴本草》 2卷 明·宁原 编 1566 年附

按 宁原，号山臞，京口（今江苏镇江）人。取兽、禽、虫、果等可食之品百余种，简述性味功效，附前人论说及方剂。间有个人解说（注以"新增"）。约成书于嘉靖，今附于1566年。李时珍评曰，"《食鉴本草》：嘉靖时京口宁原所编。取可食之物，略载数语，无所发明。"今存胡文焕文会堂刻本（1592），北京图书馆等多处有藏。

《太医院增补青囊药性赋直解》 2卷

《太医院增补医方捷径》　2卷　明·罗必炜　辑　1566年附

按　此二书由闽书林刻印，为合刊本。题太医院罗必炜（或名罗石源）参定。前书又名《医方药性》，后者简称《医方捷径》，均分上下两栏。《医方药性》载3部分内容：①《药性赋》（四性）；②张元素《珍珠囊》及李东垣《用药法象》中的若干资料；③《药性赋》，分玉石、草、木、人、虫鱼、果品、米谷、蔬菜、禽兽等类。这些内容与后世《雷公炮制药性赋》（有元山道人识者）基本相同，但编排更为零散。此书由闽书林黄心轴（或黄灿宇）刊行时卷首名为《鼎刻京板太医院校正分类青囊药性赋》，由罗必炜参定。封面名《青囊药性赋》（3卷），扉页名《珍珠囊补药性全赋》。书后均附有《初学万金一统要诀》，介绍脏象与脉象，今中国中医研究院藏此残本。

《医方捷径》另有不同内容的《药性赋》《诸品药性赋》各1篇。卷下为《增补分门别类药性》，按功效列药，简述炮制法。上两书合刊时或以第一部书为总书名，或名《太医院增补药性赋医方捷径真本》（1874年闽书林刻）、《珍珠囊药性赋医方捷径》（清刻本）等。也有10卷本，或名《医方药性初学要诀》（1904年宝庆祥隆书舍刻）、《珍珠囊药性全书》（1888年知不足轩刻，两仪堂藏版）、《医门初学万金一统要诀》（多种清刻本）等。此书名称极乱，但均题罗必炜参定。各地多藏，今据其有明嘉靖本，而将其编年附于1566年。

《太乙仙制本草药性大全》　8卷　明·王文洁　编辑　约1573年

按　本书简称《仙制药性》。

《本草纲目》　52卷　明·李时珍　撰　1578年

《用药歌诀》　1册　不著撰人　1578年附

按　该书实为方剂歌诀，按风门、寒门等归类方歌。因书名容易理解为本草书，且《联目》误列入本草书类，故附述于此。其书刊于明代《医要集览》丛书中。

《本草发明》　6卷　明·皇甫嵩　编辑　1578年

按　皇甫嵩，号灵石山人，武林（今浙江杭州）人。参阅诸本草著作及金元药性说，撰成此书。卷1为总论，分专题列药性理论。择药600种，以常用药居每卷上部，稀用品在下部。专于发明药物主治、配伍要点。药分专治、兼治两大法，叙述简明。未注药物形态、产地、采收、炮制等。其子相，参与编写。今有明刊本，藏浙江图书馆等处。

《药性歌》　1卷　明·龚廷贤　编　1581年

按　龚廷贤，字子才，江西金溪云林山人，自号云林。著述甚富，所撰《万病回春》卷1即《药性歌》，朝鲜刊本曾予以单独刊行。共录四言药性歌括240首。明天启二年（1622）长洲（今江苏苏州）邵达（字行甫）将《药性歌》增入明·皇甫云洲《明医指掌》卷1，为《明医指掌·药性歌》，另于诸歌之下补充简单注文。此后清·张仁锡又在《药性歌》基础上扩充增注而成《药性蒙求》。

《茹草编》　4卷　明·周履靖　编绘　1582年

按　周履靖，字逸之，别号梅墟，又号梅颠道人，嘉禾（今浙江嘉兴）人。性淡泊而嗜古，得102种，绘图撰诗，集成本书。卷1载李日华《菇草解》、张之象《餍英歌》二文，次载草物50种。卷2录张服采《采芝歌》、皇甫汸《烹葵歌》，后外草物52种。每物一诗一图，兼注食法。卷3、4为《茹草纪言》，汇集前人书中有关茹草之说。诗文典雅悠闲，不似王磐《野菜谱》情调凄苦。图形较精，皆写生得来。中国中医研究院存明金陵荆山书林刻本（1644）。

《易牙遗意》　2卷　明·韩奕　编　1582年附

按　书分酝造、脯胙、蔬菜、笼造、炉造、糕饵、汤饼、斋食、果实、诸汤、诸茶、食药等类。述食品143种，重在制作方法，亦有与医药相关者，内容丰富。作者韩奕，字公望。周履靖为之校。

《本草切要》　卷数不明　明·方毅著　1584年附
《本草集要》　12卷　明·方毅著　1584年附
《本草纂要》　9卷　明·方毅著　1584年附

按　方毅（1508—?），字龙潭，安徽徽州人，任钱塘医官。《明史》载其《本草集要》12卷，今未见。《本草汇言》引方龙潭药论及方剂140余条，出方氏《本草切要》者10余方。今存方氏著《本草纂要至宝》（或简称《本草纂要》）9卷，为万历十五年（1587）杨鹤泉抄本（藏上海中医学院）。此本无序、跋、凡例，书前有"明经法制论""用药权宜论"2篇，书末附"药性赋"1篇。倘将此3篇各作1卷计，则适符《明史》所记《本草集要》卷数。疑前述方氏本草三书实出一源。正文9卷，载药178种。简述药性功效，间附药论及单方。

《南产志》　2卷　明·何乔远　编次　1586年

按　此书为《闽书》第150、151卷，有日本单行本。何乔远，字樨孝，号匪莪，福建晋江人，明末大臣，博览诸书。《南产志》共载南产物品334种，内容多取自前人书，间附己之见闻，资料甚富，多有与药学相关者。中国中医研究院藏日本刻本。

《本草补》　明·曾砺　撰　1586年附

按　曾砺，字石甫。山东阳信人。万历丙戌（1586）进士。《阳信县志》（1759）载此书。今佚。

《本草抄》　明·方有执　撰　1589年

按　方有执（1523—?），字中行，安徽歙县人。《本草抄》未单行，附于方氏《伤寒论条辨》之后。录药91种（皆张仲景所用药），简介性味功治，引录前人本草著作，附以己见，论及用药及药物品种等，以备检对。

《饮馔服食笺》　3卷　明·高濂　编次　1591年

按　高濂，字深甫，号瑞南道人、湖上桃花渔人，钱塘（今浙江杭州）人。明戏曲家，曾任鸿胪寺官。撰《遵生八笺》，卷11～13为《饮馔服食笺》，集茶、汤、粥、果实粉麸、蔬、麯、酿造等食品配制方法，间有与食疗相关者。有明清以来刊本10余种，建国后有铅印单行本。明·钟惺（伯敬）、陈智锡（成卿）分别有校阅本，故或有误作钟惺所撰者。

《珍异药品》　明·高濂　撰　1591年附

按　赵学敏《利济十二种》总序云："昔高濂有《珍异药品》，而搜其未全。"佚文见《本草纲目拾遗》"透骨草""勾金皮""不死草"等药条下，记植物生境、形态、功治、用法等。

《药性全备食物本草》 4卷 明·吴文炳 汇编 1593年附

按 全称《新刻吴氏家传养生必要仙制药性全备食物本草》。该书收食品459种，分水、五谷、菜、果、兽、禽、虫、鱼、品味数类，附汤、酒、粥百余种。内容多杂取诸家本草著作，叙诸品产地、形态、性味功用宜忌等，良莠毕集。书中未引李时珍之言，然多有《本草纲目》新增之品（如马槟榔等）。中国中医研究院藏刘钦恩刻本。

《雷公炮制便览》 5卷 明·吴武 撰

按 《中国医籍考》著录，注云"存"。今未见。

《新刊雷公炮制便览》 5卷 明·俞汝溪 辑 1593年附

按 俞氏生平不详。该书非炮制专书。收药968种，均辑自《证类本草》（未收玉石部）。各药以述性味、功效主治为主，略载炮制法。所引若干《雷公炮炙论》条文，均列于各药文末，别无新见。北京图书馆存明刊本。

《证治本草》 明·陆之祝 撰 1571年附

《药纂》 明·吴崑 撰 1594年附

按 吴崑（1552—约1620），字山甫，别号鹤皋山人，安徽歙县澄塘人。有《医方考》等医书多种。《中国医籍考》引无名氏鹤皋山人传云："吴氏有《药纂》诸书，将次第行于世。"今未见。

《药性会元》 3卷 明·梅得元 撰 1594年附

按 梅得元，字元实，钱塘（今杭州）人。万历年间人，精于医。所撰《药性会元》，系一节要本草著作，词简理约，兼述己之经验。其书国内未见。《中国医籍考》注"存"，并录该书陈性学序，可知其人其书之梗概。

《本草纲目注释》 明·沈长庚 注 1596年附

按 《南昌府志》（1873）著录，今佚。

《本草病因》 1卷 明·冯淑沙 撰

《药性类明》（一作《药证类明》）　2卷　明·张梓　撰

按　均见明·殷仲春《医藏书目》著录。《中国医籍考》注《药性类明》"存"，今均未见。

《药性赋大全》　12卷　明·吴惟贞　编　1596年附

按　明·殷仲春《医藏书目》著录，"惟贞"作"维贞"。《中国医籍考》注云"存"，今国内未见。《宋以前医籍考》记日本藏吴惟贞参校、周绍濂补注的《药性赋》3卷，未解是否同书。吴惟贞，字凤山，生活于万历年间，有医书多种。

《本草定衡》　13卷　题明·龚信　增补　1596年附

按　《医藏书目》载该书为龚廷贤撰。今存明刻本题为龚信增补。龚信，字瑞芝，江西金溪人，太医院官，廷贤为其子。该书全称《重刊图像本草炮制药性赋定衡》。据范行准考证（《栖芬架书目录》），此书乃杂取《本草纲目》序、《大观本草》图文等拼凑而成，托名龚信（生活年代早于李时珍）。

《本草便》　2卷　明·张懋辰　辑

按　张懋辰，字远文，海阳（今广东潮安）人，生活于16世纪。撰《脉便》2卷、《本草便》2卷，合刊于《医便》一书之后。

《本草真诠》　2卷　明·杨崇魁　编辑　1602年

《本草图形》　4卷　不著撰人

按　明·祁承㸁《澹生堂书目》著录。未见。

《药性论》　1卷　明·罗周彦　编　1612年

按　罗周彦，字德甫，一字慕庵（一作慕斋），号赤诚，歙县（今属安徽）人。撰《医宗粹言》（1612）10卷，卷4为《药性论》。该卷分上、下两部分。上部为《本草总论》及《药性纂》，下部为《制法备录》。《本草总论》将药理原则编为七言歌括，兼注义理。《药性纂》录250余味药，编为药赋。《制法备录》为炮制内容，总结了炮制17法，后人误将此作为雷公炮制17法。所论制法简明实用，颇多新见。今中国中医研究院等处藏明·何敬塘刻本（1612）。

《用药准绳》 2卷 明·罗周彦 编 1612年

按 此即《医宗粹言》卷5、6。设风、寒、暑、湿等病证69目，下列应用诸药，别其功用。诸证之末，常缀以"丹溪"之名，以便临床。

《本草原始》 12卷 明·李中立 撰 1612年

《药性歌括》 1篇 明·龚廷贤 编 1615年

按 此篇载龚氏《寿世保元》甲集卷1本草门。该门有文3篇：《药论》，阐发药性及剂型宜忌；《药有五法》，述汤、膏、散、丸、酒5法的作用；《药性歌括》，取药400味，编为四言歌括，下注炮制法。光绪二十年（1894）退省氏摘录单行，名《寿世保元四言药歌》。1958年上海卫生出版社铅印，更名《药性歌括四百味》。

《本草总括》 2卷 明·聂尚恒 撰 1616年

按 此即《医学汇函》卷12、13，名《本草总括分类》。今存中国中医研究院。

《神农本经》 3卷 明·卢复 辑 1616年

按 卢复，字不远，号芝园，钱塘（今杭州）人。明末浙中名医。卢氏谓某些古代经典医著"有种子功能也"，并把《神农本经》作为医经种子之一。费时15年（1602—1616）辑成本书，为现存最早的《本经》辑本。该书取《本草纲目》所载《本经》目录，佚文则辑自《证类本草》，载药365种。今有《医种子》丛书本（1624）等数种刻本。

《芝园臆草·题药》 不分卷 明·卢复 撰 1619年

按 该书为《芝园臆草》之一种，前有万历己未（1619）自序，叙撰书始末；壬寅（1602）春，集《本草约言》。对药性义理反复参究，历17年还未成书。"遂温习《纲目》，后题数言以自记。义出偶中，若泣若歌。"经其子之颐整理订刻而成《芝园臆草·题药》。该书系一笔记体读书心得，故无门类项目。共论药43种。以阐发药性机制为主。卢氏受理学、佛教影响很深。他在推求药理时，常徇名求义，比类象形。今上海中医学院存上海中华新教育社石印本。另该书存于《医种子》中，今有天启四年（1624）刻本，藏四川省图书馆；又有日本抄本（有日人显美序文及眉注并望三英跋），今存中国中医研究院。

《药性解》 2卷 明·李中梓 撰 1619年

《李氏食经》

按 《本草纲目》见引。

《食物辑要》 8卷 明·穆世锡 撰 1619年附

按 该书今仅存明万历年间刊本，藏于北京图书馆。明末陈继儒在《食物本草》序中提到："予曾睹娄江云谷穆君著《食物纂要》，最为简明，有补人世"，疑《食物纂要》即《食物辑要》。该书内容简明，且存有宋代《食治通说》佚文。

《金石昆虫草木状》 27卷 明·文淑 绘 1620年

按 该书为彩色药物图谱。书前有张凤翼序（1631），杨廷枢序（1632），徐沔、赵均序（1620）。赵均为绘者文淑之夫，其序略曰："余内子文淑，自其家待诏公累传以评鉴翰墨，研精缃素，世其家学，因为图此，始于丁巳，纫于庚申，阅千又余日，乃得成帙。"又曰："此金石昆虫草木状，乃即今内府本草图汇秘籍为之。"共载药材1070种，药图1315幅。文淑（1594—1634），长洲（今苏州）人，明代名士文征明之后。书画得家法，更工花鸟。据台湾学者考证，文淑画卷蓝本，唯一可能性是来自文征明。文征明有可能接触《本草品汇精要》，他应有一临摹写本传至文淑，以作蓝本。但文淑此画卷并非完全照摹，亦有增删。原有附卷，绘其家有花草，今不存。据云此书台湾影印［容镕.中药通报，1984（4）：10.］。另周祐、周禧之《本草图绘》，又摹自文氏画卷。

《药径》 2卷 明·许兆祯 撰

按 一名《药准》。许兆祯，字培元，乌程（今浙江吴兴）人。万历年间医家，著述近十种，《药径》为其中之一。《中国医籍考》注云"存"，国内未见。

《上医本草》 4卷 明·赵南星 辑 1620年

按 赵南星（1550—1627），字梦白，号侪鹤居士，高邑人。为万历间大臣、文学家，兼知医。尝以食物调治己之疾患获愈，乃辑《本草纲目》中养生要品230

余种，简述品种、性味、主治、宜忌等，附以单方。今有明·赵悦学重刻本（1620）存世，藏中国中医研究院等数处。

《本草摘要》 明·邵讷 撰

按 《余姚县志》（1899）著录。《天一阁书目》载：晋陵龚道立撰序。龚氏为万历十四年（1586）进士，则邵氏书亦约成于万历年间。

《本草诠要》 明·顾文熊 撰

按 顾文熊，字乘虬，江苏江阴人。《江阴县志》（1840）著录其书。

《本草发明》 明·陈廷赞 撰

按 陈廷赞，字襟宇，常熟（今属江苏）人。《常昭台志》（1949）著录其书。今佚。

《本草正讹补遗》 明 徐昇泰 撰

《本草辨疑》 数百卷 明·徐昇泰 撰

按 徐昇泰，字世平，会稽（今浙江绍兴）人。上二书见《绍兴府志》（1672）等书著录，今佚。

《本草补遗》 明·姚宏 撰

按 姚宏，山东巨野人，为医学训科。《巨野县志》（1840）载其撰医书多种，均佚。

《续神农本草经疏》 12卷 明·缪希雍 1622年

按 前3卷题为《续神农本草经序例》或《续神农本经》。经与缪氏《神农本草经疏》对照，可知该书乃节纂残本，疏药仅126种，书名卷次杂乱残缺。据《神农本草经疏》顾澄先题词，可知该书是一残刻本，由西吴朱汝贤刻印。《医藏书目》著录。今存北京图书馆等处。

《炮制大法》 明·缪希雍 口述 庄继光 录校 1622年

《雷公炮制药性解》　6 卷　明·李中梓　撰、钱允治　订补　1622 年

按　李中梓撰《药性解》2 卷，钱氏为之订补。钱序（1622）称："余览雷公所论，僭为条附于各药之下，熬煮修事，种种俱悉。"刊刻时改名《（新镌）雷公炮制药性解》，厘为 6 卷，实为《药性解》增补本。钱氏共辑入"雷公云"135 条，"扁鹊云"1 条，自注 1 条。钱允治（1541—?），初名府，后以字行，更字功甫，姑苏（今江苏苏州）人，贫而好学，年 80 余，隆冬病疡，映日抄书，薄暮不止。订补此书时已 81 岁。钱氏校订的医书还有《药性赋》等，但都托名为李东垣编。

《神农本草经疏》　30 卷　明·缪希雍　撰　约 1623 年

《野菜博录》　3 卷　明·鲍山　撰　1622 年

按　鲍山，字元则，号在斋，自署香林主人，婺源（今属江西）人。尝种可食植物于家圃，又向僧道访求蔬食，亲尝滋味，乃撰《野菜博录》（1622）3 卷（草 2 卷，木 1 卷）。收野菜 435 种，绘图记用，各别性味，载其调制法。多参《野菜谱》及《救荒本草》。1935 年江苏国学图书馆陶风楼影印；次年商务印书馆四部丛刊亦予收入，藏馆甚多。

《药性诗诀》　1 卷　明·沈应旸　编　1623 年

按　沈应旸（约 1552—?），字绎斋，京口（今江苏镇江）人。医官。编《明医选要》10 卷（1623），《药性诗诀》为卷 9。摘常用药 360 味，以符周天度数。又补遗 30 余种草类药，悉编七言歌括，别无新意。中国中医研究院等藏明刻本（1623）。

《蕴斋本草》　明·朱蕴斋　撰　1623 年附

按　《本草汇言》卷 7 "石蕊"条注"见《蕴斋本草》"。同条附方中又注"五方出朱蕴斋《医集》"。书佚，失考。

《本草正义》　卷数不明　明人撰　1623 年附

按　明·倪朱谟《本草汇言》卷 13 "消石"条引本书，余皆不详。

《药能》　明·沈惠　撰

按 沈惠（或误作沈愚），字民济，华亭（今属上海市）人。小儿医。著书 9 种，《药能》为其一，今佚。《松江府志》（1663）著录。

《本草正》 2 卷 明·张景岳 撰 1624 年

《本草汇言》 20 卷 明·倪朱谟 撰 1624 年

《本草大成药性赋》 5 卷 明·徐凤石 撰
按 《中国医籍考》著录，注云"存"。然今国内未见。

《纲目博议》 明·卢复 撰 约 1626 年
按 卢复尝撰此书，未完稿，部分内容被引入其子卢之颐《本草乘雅半偈》，注云"先人云"或"先人《博议》云"等。

《本草考汇》 2 卷 明·卢复 撰 1626 年附
按 明·祁承㸁《澹生堂书目》著录。今未见。

《本草辨疑》 12 卷 明·郑之郊 撰 1627 年附
按 郑之郊，字宋孟，昆山（今属江苏）人。天启（1621—1627）年间为太医院吏目。《昆新两县志》（1826）著录其所撰本草书。今佚。

《养生要括》 明·孟笨 辑 1634 年刊
按 孟笨，字伯山，号会稽山人。浙中名医。该书辑《本草纲目》饮食物 250 种，简介性味主治。偶加自注，少有发明。中国中医研究院存明刻本（1634），有朱兆柏等二人序。

《本草辨真总释》 明·岳甫嘉 撰 约 1635 年
《食物辨真总释》 明·岳甫嘉 撰 约 1635 年
按 岳甫嘉，字仲仁。兰陵（今江苏武进）人。通医术，著《医学正印种子编》（1635）。附编载其所著各种医药书名，上二书亦见载。今未见存世。

《本草徵要》 2卷 明·李中梓 撰 1637年

《食物本草》 22卷 托名元·李杲 编 明·李时珍 校（1638）。

《药性辨疑》 明·姚能 撰

按 姚能，字懋良，号静山，浙江海盐人。著《药性辨疑》等3书，今佚。《海盐县图经》（1624）有传，《浙江通志》转录之。

《本草会编》 明·靳起蛟 辑 1640年附

按 靳起蛟，字霖六。自宋以来，世代业医。所辑《本草会编》，今佚。陈邦贤《中国医学史》误将靳起蛟作宋人。冈西为人《宋以前医籍考》袭其误。今正之。

《本草考证》 2卷 明·黄渊 撰

按 《绍兴府志》等书著录，《余姚县志》记作《本草证》。今佚。

《药镜》 4卷 明·蒋仪 撰 1641年

按 蒋仪，字仪用，嘉善（一作嘉兴，今均属浙江）人。尝游学于王肯堂弟子张玄暎门下。《四库全书提要》记："仪，嘉兴人。正德甲戌（1514）进士，其历官未详。"但据蒋仪在《药镜》凡例中介绍，他是在崇祯辛巳（1641）校定刊行王肯堂（1549—1613）所传《医镜》之后，又编《药镜》。因此，蒋仪绝不可能是正德甲戌进士。查《明清进士题名碑录索引》，同名进士蒋仪乃直隶天津右卫（原籍直隶崑山）人，今正误。该书旨在简约易诵，故每药仅为骈语数句。有关归经、炮制、选辨、反畏等内容，概归入凡例。各卷依次为温、热、平、寒药，共344味（药名下注以序号）。附载《拾遗赋》（收药120种），赵学敏引作《药镜拾遗赋》；《滋生赋》（录25种水类药品）；《补遗》（载36种食品之性用）；《疏原赋》（经络、用药法），《四库全书提要》评介说："其载药性，分温热平寒为四部，各以俪语，括其主治。后附拾遗、疏原、滋生三赋，以补所未备。词句鄙浅，徒便记诵而已。"该书今有崇祯十四年（1641）撰者自刊本及清刻本（1664），中国中医研究院等处有藏。

《救荒野谱补遗》　　明·姚可成　撰

按　姚可成，明末人，号蒿莱野人。他将明·王磐（西楼）《野菜谱》更名《救荒野谱》，又补充草类 45 种，木类 15 种，名《救荒野谱补遗》。各品为救荒而辑，仍仿《野菜谱》，每品一图、一歌，或注出产地。附刊于《食物本草》卷首。另有《借月山房汇钞本》。日本平安书肆长松堂本，藏中国中医研究院。

《种药疏》　　1 卷　明·俞宗本　辑　1643 年附

按　俞宗本，字立庵，明末吴郡（今苏州）人。该书收入《居家必备》丛书。据王毓瑚考订，谓其内容全抄自《农桑辑要》而略有删节（《中国农学书录》）。北京图书馆藏水边林下本。

《分部本草妙用》　　10 卷　明·顾逢伯　编　1630 年

按　顾逢伯，字君升，号友七散人，古吴（今苏州）人。移兵书之理于医药，将前 5 卷按五脏分部，以仿兵阵之 5 部。其他兼经杂药，取法于兵之各有专长，按效归类。各类之下，又分温补、寒补、温泻、寒泻、性平 5 种，叙药 560 余味。分部方式别具一格，述药简明，然发明无多。今中国中医研究院等多处藏明崇祯间刻本。

《本草拔萃》　　明·陆仲德　撰　约 1643 年

按　钱谦益《有学集》云："仲淳殁后二十余年，家子陆仲德氏读缪氏之书，而学其学。为《本草拔萃》，以发明其宗要。"陆氏为江苏常熟人，其书今佚。

《医方本草》　　明·施永图　撰

按　施永图，字明台，号山公，浙江秀水（今嘉兴）人。官吏。《嘉兴府志》（1721）著录其《医方本草》，今佚。

《山公医旨·食物类》　　5 卷　明·施永图　辑

按　上海中医学院藏明刻残卷（卷 4、5），录鳞部 60 种，介部 24 种，为食疗著作，难窥全貌。据史常永先生考证，清·沈李龙《食物本草会纂》多袭取此书内容。《中国医籍考》著录为《本草医旨·食物类》。

《药性微蕴》 1卷 明·萧京 撰 约1644年

按 萧京（？—约1644），字万舆，号通隐子，福建晋江人。官吏。曾得李时珍甥胡慎庵传授，沉酣医学20年。撰《轩岐救正论》6卷，《药性微蕴》为卷3。该卷类似药论，议用药、制药，折中诸家，证以己验。计撰文43条，涉及100余味药物。中国中医研究院藏清可亭刻本，南京图书馆藏日本刻本。

《理虚用药宜忌》 1卷 明·汪绮石 著 1644年附

按 汪绮石为明末医家，撰《理虚元鉴》2卷（陆懋修厘为5卷），《理虚用药宜忌》为5卷本卷4，为治虚劳药专论，议药21种。药名下注出忌用、宜用、酌用、不必用、审用、偶用、不可用等，继而阐发其理。就病论药，简捷实用。有刊本10余种，建国后有排印本。

《药性便览》 2册 明·戚日昊 撰 1644年附

按 戚日昊，字肇升，括苍（今浙江丽水）人。明末隐士。所撰《药性便览》分杂证、妇人、小儿3科。各科之下，又以功效类药。各药分述性味、归经、主治、宜忌诸项，无所发明。今中国科学院图书馆存其抄本。

《药品化义》 13卷 明·贾所学 撰 李延罡 补订 1644年附

《太医院补遗本草歌诀雷公炮制》 8卷 明·余应奎 补遗 1644年附

按 今存明书林陈乔刻本（藏中国中医研究院）。扉页题"李东垣先生辑《增补雷公炮制药性赋解》"，书口作"全补药性雷公炮制"。卷首署"上饶沪东余应奎补遗"。该书分上下两栏。上栏为《药性诗歌便览》，编药歌750余首。下栏即本书，分金石、草、木、人、兽、禽6部，叙药639味。摘取《证类本草》诸药性味功治，末附"雷公云"，计232条。

《药性指南》 2卷 明·汤性鲁 撰 1644年附

按 《南皮县志》著录。另1932年《南皮县志》又出汤宾（汤性鲁之父）《药性指南》1卷。《中国分省医籍考》谓："殆宾所著书，性鲁复为之增补，故卷数较宾原著增一卷，而《县志》皆著录也。"今佚。

《本草类方》 明·潘凯 辑 1644 年附

按 潘凯，字岂凡，号仲和，吴江（今属江苏）平望镇人。《吴江县志》（1747）等地方志载其事。所著书今佚。

《药谱明疗》 30 卷 明·黄云师 辑 1634 年附

按 黄云师，字非云，一字雷岸，德化（今江西九江）人。崇祯三年（1630）进士。退居后著书 15 种。《药谱明疗》为其中之一，乃撷取《本草纲目》精华，考证论辩较广博。书佚，序文存《德化县志》（1780）。

《金华药物镜》 3 卷 明·商大辂 撰

按 商大辂，号茹松，浙江金华人。此书见《金华县志》（1823）著录，似为一地方本草著作，今佚。

《药品征要》 明·姚濬 撰

按 姚濬，字哲人，和州（今安徽和县一带）人。世医。撰医书多种，见《医部全录》著录。今均佚。

《药性主治品部证类歌总要》 不著撰人 1644 年附

按 全书不分卷，北京图书馆存明抄本。

《本草发挥精华》 明·沈宗学 撰

按 沈宗学，字起宗，江苏吴县人。善书法，号墨翁。所著本草书见《吴县志》《江南通志》（载为《本草发挥》）著录。今佚。

《药性书》 明，彭缙 撰

按 彭缙，字北田，安徽萧县人。《徐州志》（1722）著录其所撰《药性书》。今佚。

《本草图绘》 5 册 明·周祜、周禧 合绘 周荣起 撰文 1644 年附

按 该书为蝴蝶装，明绢本彩绘。中国中医研究院藏两册，北京图书馆藏 3 册。每册绘药 13～15 种不等。周祜（一作淑祜、祐），周禧（一作淑禧）为姊妹，

江苏江阴人，号江上女子，与其父周仲荣（字荣起）皆为画家。该书为未完之彩绘本。据《池北偶谈》，此书乃临仿文淑之《金石昆虫草木状》，故实为《本草品汇精要》之转绘本。核其图无误。

《本草辑要》 明·邢增捷 撰

按 《新昌县志》载邢氏书名多种。均佚。

《药性标本》 10卷 明·吴文献 撰

按 吴文献，字三石，婺源（今属江西）人。《婺源县志》（1757）著其医药书名。今佚。

《本草发微》 明·金时望 撰

按 金时望，浙江汤溪人。《汤溪县志》（1783）载其所撰书名。今佚。

《炮制诸药性解》 1卷 明·苏万民、苏绍德 合撰 1644年附

按 苏万民，字明吾，山东滋阳人。明末清初为当地名医。苏绍德，继其传，纂其书多种，见《兖州府志》（1736）。今佚。

《本草辨名疏义》 明·王育 撰 1644年附

按 王育，字子春，号石隐，镇洋（今江苏太仓）人。《镇洋县志》（1745）载其所撰本草著作。今佚。

《本草乘雅半偈》 11卷 明·卢之颐 撰 1647年

《本草辨误》 明·唐达 撰 1650年附

按 唐达，字灏如，浙江德清人。明亡后隐于医。《湖州府志》（1758）载此本草著作。今佚。

《本草通玄》 2卷 明·李中梓 撰 约1655年

《本草注疏》 明·乔三馀 撰 约1660年

按 张璐《本经逢原》序（1695）云："昔三馀乔子，有《本经注疏》一册，三十五年前，于念莪先生斋头曾一寓目。惜乎未经刊布，不可复观。"乔三馀（约1585—1660），名在修。世医，善用古方。

第二十四章　清代本草著作名录

《本草发明纂要》　明末清初·刘默　撰　1645 年附

按　刘默，字默生，钱塘（今杭州）人，寓居苏州专诸里。《本草汇》中将其与沈朗仲并称为苏州名医。《苏州府志》（1691）载其撰本书，今佚。

《尝药分笺》　清初·万学贤　辑　1650 年附

按　该书为《贮香小品》卷 4，内载日常贵重中药鉴别法。上海中医学院存此清初刻本残卷。

《本草摘要》　清初·俞汝言　撰

按　俞汝言，字右吉，浙江嘉兴人。《嘉兴县志》（1685）载其事。其所撰本草书今佚。《中国分省医籍考》云嘉庆六年《嘉兴县志》"有清俞汝言《本草摘要》一书，未知与此是否误复"。

《本草经注》　清初·李无垢　1656 年附

按　李无垢，名元素，浙江钱塘人。明末为南京太医院医士。清初注《本草经》，多发新义，如论吉贝子（棉花子）不宜久服，娓娓数百言。朱彝尊为其作传。其书无存。

《本草药性对答》 清·翟良 纂辑 1659 年附

按 翟良（1588—1671），字玉华，山东益都人。有医名，勤著述。该书为其授徒之教材，今未见。《中国分省医籍考》据某些方志所载，改书名为《药性对搭》。然对答（配伍）与对答（问答）意义不同，今以翟良《医学启蒙汇编》序所引此书名为据。

《本草古今讲意》 清·翟良 纂 1659 年附

按 《益都县志》（1753）著录，今佚。《中国分省医籍考》查若干方志均作《本草古方讲意》，乃据《博山县志》（1937）改作《本草古今讲意》。且云"据孙廷诠《泏亭文集》翟先生医书序，则《古方讲意》当别为一书"。今录其说以备考。

《本草汇笺》 10 卷 清·顾元交 纂 1660 年

按 顾元交，字焉文。明末清初毗陵（今江苏常州）人。其医得同里名医僧胡慎柔之传。因虑《本草纲目》之浩繁、《本草经疏》之附会，乃取众书之长，编纂而成《本草汇笺》10 卷（1660）。该书首列药图，集运气及诸药学总论，继以草、木、果、谷、菜、人、禽、兽、虫鱼、鳞、介、玉、石、水、火、土等分部类药。载药近 400 种。以临床用药内容为主，介绍药性功治，并附录验方。有清顺治间刊本及振秀堂刻本（名《增补图象本草备要汇笺》）、龙耕堂刻本，藏中国中医研究院等处。

《药性钞》 清初·陈辐 撰

按 《石城县志》（1660）等书著录，或作《药性赋》，今佚。

《金匮本草》 6 卷 清·费密 撰 1660 年附

按 费密，字此度，号燕峰，四川新繁（今新都）人。著述甚富，《金匮本草》为其一，今佚。

《本草注》 清·黄百谷 撰

按 黄百谷，字农师，清初浙江余姚人。《余姚县志》（1899）著录其医药书多种，今佚。

《寿世秘典》 4 种 清·丁其誉 辑 1661 年

按 丁其誉，字䇕公。江苏如皋人。顺治十二年（1655）进士，授石楼令。兼精岐黄。所撰《寿世秘典》（18 卷）为 4 种书合成。①《月览》：按月备载岁时、物候、农事、起居饮食宜忌。②《调摄》：录《养生要论》《保生月录》《颐真秘韫》《食治选要》4 篇，每多饮食宜忌内容。③《类物》（见下条）。④《集方》：以病类方。中国中医研究院存明末颐吉堂刻本。

《类物》 2 卷 清·丁其誉 辑 1661 年

按 为《寿世秘典》卷 3、4。序云："凡物类之有关于日用饮食者，悉为考订。无验不书，非典弗录。"收食品 349 种，述其形态、性味、良毒、功效主治。次附"发明"，引诸家论说，多取材于《本草纲目》及缪希雍、卢复、王象晋诸家之言。各药繁简得宜，内容充实，多切实用，且不乏己见（见"鱼鳔""燕窝"诸条）。堪称清代优秀的食物本草著作。

《本草洞诠》 20 卷 清·沈穆 编辑 1661 年

《本草丹台录》 2 卷 清·陆圻 撰 1661 年附

按 陆圻（1614—?），字丽京，一字景宣，号讲山，浙江钱塘（今杭州）人，早负诗名，为"西泠十子"之一。撰医书多种，今佚。

《药性炮制歌》 清·蒋示吉 撰 1662 年

按 蒋示吉，字仲芳，号自了汉，江苏苏州人。明亡后弃儒业医，撰《医宗说约》6 卷（1622）。《药性炮制歌》为卷 1 后半部。收药 316 味，按自然属性分类。每药四言诗一首，下注炮制法。其歌辑自前人书，别无新意。有清刊本 20 余种。王文选《活人心法》（1838）曾转载此歌。

《药能》 清·金铭 撰 1662 年附

按 金铭，字子弁，金山（今属上海市）人。尝从秦景明（昌遇）习医。《金山县志》（1751）载其事及医著，今佚。

《分经本草》 清·岳含珍 撰 1662 年附

按 岳含珍，字玉也，山东博山人。清初授昭勇将军。著医书 9 种，今佚。《博山县志》（1753）有传。

《药性歌括》 1 卷 清·翟良 纂 1663 年

按 翟良辑《医学启蒙汇编》（1663），卷 6 为本草，转录《珍珠囊赋》（即《药性赋》）及《本草纲目》总论部分内容。其后为《药性歌括》，分治风、热、湿、燥、寒、暑、食治 7 门，收药 372 味，各撰歌 1 首。有清刊本 3 种，北京图书馆等处有藏。

《本草述》 32 卷 清·刘若金 撰 1664 年

《本草汇》 18 卷 清·郭佩兰 撰集 1655—1666 年

《食鉴本草》 清·尤乘 编 1667 年

《病后调理服食法》 清·尤乘 编 1667 年

按 此二书均见尤乘《寿世青编》。前为食疗物品集，后则以病邪性质分类，集录各类调理食品。康熙间石成金略加修订，将《病后调理服食法》改名《食愈方》，收入《石成金医书》6 类。《寿世青编》可见于《士材三书》及《珍本医书集成》，藏馆甚众。

《本草纲目必读》 清·林起龙 辑 1667 年

按 林起龙，字北海，渔阳（今北京密云）人。所撰该书为《本草纲目》节本，计有药 600 余味。每药撷取气味、主治、发明、附方 4 款，剪繁去复，重在临床用药。中国中医研究院存康熙间朱杨武三奇斋补修原刻本。

《侣山堂类辩》 卷下 清·张志聪 撰 1670 年

按 张志聪《侣山堂类辩》（2 卷）之卷下论药 42 则，论方 6 则。有本草纲领论、药性形名论、草木不凋论、炮制辨别等文，论药 43 味，颇多一己之见，较寻常普及本草高出一筹。有清刻本多种及近代铅印本，流传较广。

《本草择要纲目》 2卷 清·蒋居祉 辑 1679年刊

按 蒋居祉，字介繁，号觉今子，新安（今属安徽）人。业儒，兼究医学。《本草择要纲目》收药356种，分寒、热、温、平4类。各药立气味、主治两项，兼注畏恶、出产、形态、炮制等。既殁，其子漪（字雪洲）刻其书（1679）。《珍本医书集成》亦收入此书。

《山农药性解》 4卷 清·钱捷 撰 1670年附

按 钱捷，字月三，号陶云，浙江象山人。康熙九年（1670）进士。《象山县志》（1759年）载其撰《山农药性解》，今佚。

《本草类证》 清·沈好问 撰

按 沈好问，字裕生，明末清初浙江钱塘（今杭州）人。世为小儿医。《钱塘县志》著录此书，今佚。

《本草挈要》 1卷 清·史树骏 纂辑 1671年

按 史树骏，字庸庵，晋陵（今江苏武进）人。顺治四年（1647）进士。因伤亡妻，取平日所录方剂，请同里医生俞蕃（字卷庵）参订，于1671年编成《经方衍义》。《本草挈要》为其卷5中的一篇，分药为草、木、果、菜等8部，载药280种。每药编数句骈语，以便记诵。中国中医研究院存康熙刻本（1671）。

《本草纲目类纂必读》 清·何镇 编纂 1672年刊

按 何镇，字培元，京口（今江苏镇江）人。世业医。该书有多种卷次的刊本。综言之，有卷首2卷，《图说》11卷，《各证主治药品》4卷，《本草药性发明》12卷，或后附《何氏类纂必读》18卷。故有12、29、36卷本。其中《本草药性发明》载药610种，节取《本草纲目》各药主治功效、药论附方等。中国医学科学院、北京图书馆等多处有藏。

《药性注》 清·陆守弦 撰

按 陆守弦（一作弘），字子怡，江苏常熟人。《常熟县志》（1761）载此书（或作《药性》），今佚。

《药性赋》 1 卷 清·系屯子 撰

按 系屯子,湖南岳阳人。撰《纂修医学入门》,经卢士卓、卢拱辰手录,百余年后始刊(1775)。该书卷 3 为《药性赋》,述药 500 余味,为五言诗。末附《心药赋》,为治心病而拟,套用药名,乃游戏笔墨;又有《汤论》,讨论君臣配合。引用人名多不见于医药书所载。中国中医研究院有藏。

《饮食须知》 清·朱本中 纂 1676 年

按 朱本中,号凝阳子,道名泰来,古歙(今安徽歙县)人。辑《贻善堂四种须知》,《饮食须知》为其中之一。录饮食物 367 种。细考其分类及条文,与薛己《食物本草》多同。今有清刻本数种,分别藏中国中医研究院等处。

《何氏本草纂要》 8 卷 清·何金瑅 撰 1676 年附

按 何金瑅,江苏丹徒人。曾参订何镇《新镌何氏附方济生论必读》(1676),今存。《丹徒县志》(1879)载其撰《木草纂要》,今佚。

《药物性能独解》(译名) 达磨曼仁巴·洛桑曲札(清) 撰 1678 年附

按 达磨曼仁巴·洛桑曲札为清初著名藏医学家。著本书及《医宗补遗密药指南》等医书。

《本草纲目摘要》 4 卷 清·莫熺 辑 1681 年

按 莫熺(1607—?),字丹子,武林(今浙江杭州)人。明末(1637)悬壶,清初(1657 年)入都,医名颇盛。辑《莫氏锦囊十二种》,《本草纲目摘要》为其中之一。摘《纲目》药 457 种,各药分集解、气味、主治、发明四项,不录附方。繁简较为适度,别无增益。中国科学院等处存康、乾间刻本,1741 年汇印时题扉页作《新镌增补详注本草摘要》,署名为切庵手订,莫丹子著。

《本草详节》 12 卷 清·闵钺 1681 年

按 闵钺,字晋公,江西奉新人,顺治间举人,晚年著述颇富。《本草详节》今有康熙二十年(1681)默堂主人刻本,藏上海中医学院。

《握灵本草》 10 卷 补遗 1 卷 清·王翃 辑 1682 年

《药性纂要》 4卷 清·王逊 撰 1686年

《神农本草经》 3卷 清·过孟起 辑 1687年

按 过孟起，字绎之，长洲（今江苏苏州）人。康熙丙辰（1676）行医于当地，人称良医。尝辑《吴中医案》，录苏州医家治验精华。辑《本草经》3卷，卷首列12条总论。今存上品（120种），中下品残缺。正文取之《证类本草》白大字，不录产地、生境。上海中医学院有藏。

《本草新编》 5卷 清·陈士铎 编 1687年附

按 陈士铎，字敬之，号远公，别号朱华公，浙江山阴（今绍兴）人。《本草新编》"考《纲目》《辨疑》诸善本"，以探讨药性理论为要旨，引经据典，辨析疑问。今有康熙刊本及日本刻本（1789）等，藏中国医学科学院、军事医学科学院等处。

《本草删书》 清·唐玉书 撰 1687年附

按 唐玉书，字翰文，上海人，为名医李用粹门人。所撰《本草删书》，今佚。

《药品辨义》 3卷 明·贾所学 原撰 清·尤乘 增辑 1691年

按 尤乘，字生洲，号无求学者、空山学道者，吴门（今江苏苏州）人，为名医李中梓高徒，亦有医名。其著述甚富。康熙间得贾所学《药品化义》，视为珍宝，为之增广。卷上增"用药机要"，杂取李时珍、缪希雍等人之言。卷中、下分14类，述药144味，内容与李延罡订补之《药品化义》相同。今有康熙三十年（1691）林屋绣梓本，中国中医研究院有藏。

《食物本草会纂》 8卷 清·沈李龙 纂辑 1691年

按 沈李龙，字云将，檇李（今浙江嘉兴，一说西湖）人。所编《食物本草会纂》，有8卷及12卷本，分水、火、谷、菜、果、鳞、介、禽、兽等部。书前有图367幅，除新绘水部6图，火部4图外，皆转录自《本草纲目》（钱本）。12卷本后附《日用家钞》《脉学秘传》两卷。书中绝大多数材料均摘自《本草纲目》，少数为采访所得。史常永先生考此书多袭取明·施永图《山公医旨·食物类》。今有清刻本数种，藏北京图书馆、中国中医研究院等处。

《本草必用》 2 卷 清·顾靖远 撰 1692 年附

按 顾靖远，字松园，号花洲。长洲（今江苏苏州）人。业医 30 余年，被称为"苏州医派之先河"。著《顾氏医镜》丛书，《本草必用》为其中之一。录常用药 283 种，各归部类，明其功治，释其性理，示其禁忌。要言不烦，甚切实用。今有康熙间年抄本（藏医学科学院）及近代石印、铅印本。

《杂症痘疹药性主治合参》 12 卷 清·冯兆张 编撰 1694 年

按 冯兆张，字楚瞻，浙江海盐人，以医名世。纂《冯氏锦囊秘录》丛书（1694），《杂症痘疹药性主治合参》为其中一种。卷首为总论，辑药论 18 则，载痘疹三治、五法、四因、六淫、八要等。各论依草、木、石、谷等分 10 部，载药 540 种。部分药物分别介绍用治杂症及治疗痘疹的主要功效。凡例中对药性理论也有一定的归纳。有清刻本及石印本 10 余种，藏馆甚众。

《痘疹药性五赋》 清·冯兆张 编撰 1694 年

按 此为《冯氏锦囊秘录·痘疹全集》卷 2 所载 5 篇痘疹药性赋。依次为："节制赋"，介绍用药宜忌；"权宜赋"，述药味加减；"指南赋"，述常用药主要功治；"金镜赋"，议痘疹不同阶段用药法；"玉髓药性赋"，录 60 余种药之辨证施用要点。

《本草备要》 清·汪昂 撰 1694 年增订

《本草易读》 8 卷 题清·汪昂 编撰 1694 年附

按 此书题作"汪讱庵先生秘本徐灵胎、叶天士二先生藏本清御医吴谦先生审定"。书前有序，评述历代本草著作，不署姓氏年月。卷 1、2 列证 107 部，注出应用药物。卷 3～8 载药 462 味，简述性味、功治、产地、形状等。汪昂似无此作，恐系托名。上海大成书局石印（1926），藏上海中医学院。

《本经逢原》 4 卷 清·张璐 撰 1695 年

《药性赋幼科摘要》 1 卷 清·夏鼎 撰 1695 年

按 夏鼎，字禹铸，安徽贵池人，康熙八年（1669）武举，兼善小儿医。其著《幼科铁镜》，卷 6 为《药性赋幼科摘要》。该卷述药百余味，分寒、热、温、平四性类药。每类后附夏氏药论（论大黄、附子、黄芪、人参），颇有见地。有各种刊本 30 余种，藏馆甚众。

《山居本草》 6 卷 清·程履新 撰 1696 年刊

按 程履新，字德基，安徽休宁人，曾师事名医李士材。今上海图书馆存《山居本草》6 卷，刻于康熙三十五年（1696）。

《饮食》 清·石成金 撰 1697 年

按 石成金（1660—?），字天基，号醒庵愚人，江苏扬州人。其撰《长生秘诀饮食》，其中列《饮食》部，分"食宜早些，食宜缓些，食宜淡些，食宜暖些，食宜软些"等 6 节。

《食鉴本草》《食愈方》（以上均见《石成金医书》） 清·石成金 修订 1697 年附

按 据盛红考证，此二书是在尤乘《食鉴本草》和《病后调理服食法》两书基础上修订而成，分类及内容一脉相承。此二书收入《石成金医书》，为六种之二，卷前题为"扬州石成金天基订集"。年代不明，今附于他的《长生秘诀》成书年（1697）之后。《食鉴本草》分谷、菜、瓜、果、味、鸟、兽、鳞、甲、虫 10 卷，录食品 97 种，各简述其功用。《食愈方》所录为经调制的饮食物，如水芝丸、豆麦粉等，分成风、寒、暑、湿、燥、气、血、痰、虚、实 10 类，载方 74 首，多切实用。《石成金医书》有康熙间本，藏上海中医学院。费伯雄《食鉴本草》亦系托名，不过是以上二书合刊本而已。

《药理近考》 2 卷 清·陈治 编 约 1697 年

按 陈治，字三农（一字山农），号柳庄，云间（今上海松江）人，五世业医。陈治将先世医著择要编为《证治大还》40 卷（1697），《药理近考》为其中之一。是书前半部述补、泻、汗、吐、下诸法之辨证用药，辑录若干前人药论，多述家传用药经验，理论阐发很少。后半部抄集前人用药方法。北京图书馆等几处存其康熙贞白堂刻本。

《用药大略》 1篇 清·高士宗 撰 1699年

按 高士宗撰《医学真传》（1699），《用药大略》即其中一篇。该篇仅1600余字，但提出许多独家见解，并列数十味药的运用以为例证，较好地体现了辨证用药特色。今有《医林指月》本，1939年上海千顷堂铅印。

《辨药大略》 1篇 清·高士宗 撰 1699年

按 此亦为《医学真传》之一篇，约3500字，力主对药物应辨伪、辨证，针砭时弊，纠用药之误。内容充实，观点鲜明。

《秘授精选药性》 3卷 清·张为铎 编 1699年

按 书前有一段药性简括，为常用药药性提要，内容贫乏。此后则为医方、祝由，与本草无关。乃张氏为积阴骘而刻的劣书。

《本草》 清·吴楚 辑 约1700年

按 吴楚，字天士，号畹庵，安徽歙县澄塘人。清初诸生。撰《宝命真诠》，卷3为《本草》，收药266种。分草、木、果、谷菜、金石、生物、人身7部。其中"生物部"为首见之名。各药注以性味、良毒、归经、制法及功用主治、发挥。其说多类似李中梓《本草通玄》。中国科学院等处藏康熙六十年（1795）刻本。

《本草性能纲目》 40卷 清·王宏翰 撰 1700年附

按 王宏翰（？—1700），字惠源，号浩然子，先世本河汾人，后迁居姑苏（今江苏苏州）。既通理学，又信天主教。因母病而习医，著作很多，常采西学，糅入性理。有《本草性能纲目》40卷，今未见传世。

《本草谱》 清·张园真 撰

按 张园真，初字岩征，改号岩贞，浙江桐乡人。有文名。《桐乡县志》（1887）载其撰《本草谱》等书，今佚。

《本草正论》 清·尹乐渠 撰

按 尹乐渠，江西清江人。该书为其《医学捷要》之一，述药400余味，编为歌括，多取材于李中梓、汪昂诸家医药书。

《药性便蒙》 2卷 清·陈古 撰 1700年附

按 陈古，字石云，华亭（今属上海市）七宝里人。精医，生活于十七八世纪间。今存《药性便蒙》2卷抄本，为寻常药性入门读物。今藏中国中医研究院。

《本草纂要》 1卷 清·陈元功 纂

按 《中国医籍考》注云"存"，国内未见。陈元功，字晏如，吴郡（今江苏苏州）人，初为武将，后改习医。择常用药180种，"备言其性之所以可独用、可兼用，与所以不可用"（王心一序），纂成《本草纂要》。

《本草析治》 清·吕熊 撰

按 吕熊，字文兆，清初人。《昆山新阳合志》（1751）载其所撰书名，今佚。

《本草品汇精要续集》 10卷 清·王道纯等 撰 1701年

按 明·刘文泰《本草品汇精要》撰成后，深藏内府，与世隔绝。清康熙三十九年（1700），武英殿监造赫世亨、张常住奉清圣祖诏，将弘治本《本草品汇精要》摹造一部，太医院吏目王道纯、医士汪兆元奉诏校正文字。经检视清代校正本与明本文字已有较大差距，说明王氏不是一般地校勘，他还进行了许多删补工作。与此同时，王氏等还仿照原书体例，编撰了《本草品汇精要续集》10卷，康熙四十年（1701）进表续成。王氏续集主要是参照《本草纲目》，共载药498种（正条319种，附条179种）。附以《脉诀四言举要》等。1936年商务印书馆刊行经王道纯校正的《本草品汇精要》及其《续集》的文字部分，1964年人民卫生出版社再次重印，各地多藏。

《本草提要》 4卷 清·葛天民 撰

按 葛天民，字圣逸，一字春台，江苏江都人。《江都县志》（1743）载此书名，今佚。

《修事指南》 1卷 清·张叡 撰 1704年刊

按 张叡，字仲岩，南通州（今江苏南通）人，一说紫琅人，康熙间太医院使。其谓后世冠"雷公炮制"之书，多有名无实，乃纂《修事指南》，集药222种，抄录《本草纲目》"修治"项下条文，别无心得。自康熙四十三年（1704）以来，屡经翻刻。近代有石印及铅印本，改名《制药指南》《国医制药学》。

《本草纂要》 10卷 闵佩 撰 1706年附

按 闵佩，字玉苍，号雪岩，浙江乌程人。康熙丙戌（1706）进士。所撰本草见《乌程县志》（1881）著录，今佚。

《训蒙本草》 清·魏丕承 编 1708年附

按 魏丕承，字宪武，号藿村，山东德县人。康熙戊子（1708）举人。《德县志》（1935）载其所撰本草书籍，今佚。

《食宪鸿秘》 3卷 清·朱彝尊 撰 1709年附

按 朱彝尊（1629—1709），字锡鬯，号竹垞。浙江秀水（今嘉兴）人。文学家。该书为其才藻之绪余，列各种饮食烹调法，并介绍饮食宜忌，或注诸品功用。中国中医研究院存清刊本（有年希尧1731年序）。

《本草万方针线》 清·蔡烈先 编辑 1711年

按 蔡烈先，号茧斋，山阴（今浙江绍兴）人。康熙间费时3年（1709—1711）将《本草纲目》辑出附方，按病归类，乃医书较早的一种索引（"针线"乃古索引代名词之一）。附刊于《本草纲目》之后，名《本草万方针线》。

《药性》 清·王大斌 撰 1711年

按 王大斌，字伯玉，安徽旌德人。撰《医经提纲》11集，《药性》为第1集，载药若干，编以歌诀。末附注文，解说简要。今安徽省图书馆藏宁寿轩刻本（1712）。

《生草药性备要》 2卷 清·何谏 撰 1711年附

按 何谏，号青萝道人。该书又作《生草药性》。序后署为"岁在康熙年奶"，后二字疑为辛卯之误。为草药专书，录植物药 301 味，据称"多属罗东土产"，可能为"多属广东土产"。每药数语，列性味功治，偶及形态别名。内容新颖，多为今民间常用草药。从文中用字（如煲、薀等）及提及地名（如佛山南泉等），似为广东地方本草著作。今有清代广州五桂堂等刻本，藏广东中山图书馆。

《花圃药草疏》 清·葛云薜 撰

按 葛云薜，字履坦。《昆山新阳合志》（1751）载其事。其所撰本草书今佚。

《本草偶拈》 1 卷 清·周垣综 撰 约 1715 年

按 周垣综，字公鲁，江苏东海人。知医。撰《颐生秘旨》8 卷，《本草偶拈》居其末。录常用药 158 种，简述功能主治，颇似信口拈来。中国中医研究院藏雍正己酉（1729）姑苏沈元瑞（怀玉）裕麟堂重刻本。

《伤寒药性赋》 1 篇 清·蒲松龄 撰集 1715 年附

按 蒲松龄（1640—1715），字留仙，别号柳泉居士，世称聊斋先生，山东淄川（今属淄博市）人。文学家。该赋即《聊斋文集》卷 1 中的一篇，集《伤寒论》药物 89 种，编为歌诀。今载于中华书局铅印《蒲松龄集》（1962）。

《草木传》 10 回 题清·蒲松龄 撰 1715 年附

按 见于《蒲松龄集》附录。据路大荒考，很难断定系蒲松龄撰，"例如《草木传》剧本，就和据说是乾隆时期的抄本《本草记》剧本以及道光年间的抄本《药会图》剧本的形式完全相同"。该书将药物拟人化，编造情节，以普及药性。全剧分栀子斗嘴、陀僧戏姑、妖蛇出现、石斛降妖、灵仙平寇、甘府投亲、红娘卖药、金钗遗祸、番鳖造反、甘草和国 10 回。剧情平庸，计介绍药物 350 余种，内容丰富。山东淄博蒲松龄纪念馆存抄本，名《志异外书草木传全集》《草木春秋》（与云间子同名书不同内容）。

《本草类编》 清·刘兆晰 撰

按 刘兆晰，字孟旭，山东阳信人。《阳信县志》（1759）载其所撰书名，今佚。

《药性通考》 8 卷　清·太医　编　刘汉基　传　1722 年附

《本草经解要》 4 卷　清·姚球　撰（托名叶天士撰）　1724 年

《得宜本草》 1 卷　清·王子接　集　1732 年

按 王子接，字晋三，长洲（今江苏苏州）人。暮年撰《得宜本草》（又称《绛雪园得宜本草》）。按品分类，载药 458 种（上品 151，中品 139，下品 168）。各品又分"遵经""补时用"两类，但并未全按《本经》取药。条文内容更与《本经》无关。简述药味归经，配伍方法。一般不录药性，注重配伍。中国中医研究院等多处藏其抄本。

《得宜本草分类》 1 卷　清·王子接　原撰　陆宝陈　录　1732 年附

按 此书即王子接《得宜本草》，陆宝陈抄录（抄年不明）。今存南京图书馆。

《食物本草备考》 2 卷　清·何克谏　编撰　1732 年

按 何克谏，字其言。撰《食物本草备考》（又名《养生食鉴》），为普及性食物本草。大连市图书馆存雍正十年（1732）金陵抱清阁本。另有清刊本 5 种，分藏各地。

《本草类方》 10 卷　清·年希尧　编　1735 年

按 年希尧，字允恭，号偶斋主人，广宁（今辽宁北镇）人。大臣。案牍余暇，取《本草纲目》等书附方，集成此书（1735）。

《神农本草经百种录》 1 卷　清·徐大椿　撰　1736 年

《本草诗笺》 10 卷　清·朱铨　编　1737 年

按 朱铨，字东樵，长洲（今江苏苏州）人。任惠民局司事，故该书一名《惠民局本草诗笺》。选常用药 848 种，仿《本草纲目》分类。各药择要注出别名、产地、形态、性味、炮制、用法等，继编 8 句七言诗，专论药性功效。药诗流畅，旨赅词简，甚便初学。今有清刻本数种，上海市图书馆等处有藏。

《食鉴本草》 4卷 清·柴裔 辑 1740年

按 柴裔，字竹蹊。深究养生之理，分14部集日用之饮食物468种，订正药性，区分宜忌。末附《食物全镜》一篇。上海中医学院藏刻本。

《药性歌括》 1篇 清·沈懋官 编 1743年

按 沈懋官，字紫亮，号怀愚子，归安（今浙江吴兴）人。在他的《医学要则》（4卷）一书中，于"不按本草、不明性味浮沉"一则规范之下，附有"药性歌括"。今有乾隆五十九年（1794）刻本，藏山东省图书馆；另中国中医研究院藏葵锦堂梓本。

《药性洞源》 清·徐观宾 撰

按 徐观宾，江苏昆山人。《昆新两县志》（1816）著录其书名，今佚。

《用药时宜》 清·盛熙 撰

按 盛熙，字新周，号敬斋，浙江嘉善人。著医药书多种，今佚。《嘉善县志》（1894）著录。

《醒园录》 2卷 清·李化楠 撰 1752年

按 李化楠（1713—1768），字廷节，号石亭，四川罗江（今德阳）人。官吏。所撰《醒园录》收集多种饮食调配及膳方配制等，涉及食疗。中国中医研究院藏手抄本。

《长沙药解》 4卷 清·黄元御 撰 1753年

《玉楸药解》 8卷 清·黄元御 撰 1754年

《药性别》 清·郭治 撰 1753年附

按 郭治，字元峰，广东南海人。尝与名医何梦瑶相过从。所撰《药性别》，今未见。

《本草类集》 清·朱雕模 辑 1754年附

按 朱雕模，字皋亭，号三农，又号南庐，浙江海昌（今海宁）人，寄籍杭州。《海昌备志》（1847）载其医书名，今佚。

《本草从新》 6卷（18卷） 清·吴仪洛 撰 1757年

《医学源流论·方药》 清·徐大椿 撰 1757年

按 《医学源流论》卷上"方药"论24则，集中反映了徐大椿用药思想。如有"用药如用兵论""药石性同用异论"等，见解超群。此书流传甚广，各地多藏。

《药性切用》 6卷 题清·徐大椿 撰 1757年附

按 此为《徐灵胎医略六书》之一。据考该书并非为徐氏之作，其学术思想、风格均与《神农本草经百种录》相差甚远。分类与《本草纲目》相仿，兼收《本草从新》中新载药。每药数语，简述性味归经、功效宜忌，并无发明。1903年赵翰香居铅印。

《药性》 2卷 清·汪绂 撰 1758年

按 汪绂（1692—1759），一名烜，字灿人，号双池，又号重生，婺源（今属江西）人。曾至福建谋生，沿途考核草、木、虫、鱼。著《医林纂要探源》，其中卷3、4作《药性》。载药680种，方613首。分谷、草、木、火等13部。各药大字记性味、功效、宜忌，小字注形态、主治用法、药理阐释等，多不附炮制。对药物形态描述细致，记有番椒（辣椒）形态及闽产果木。对归经、药性，常出新见。有清刊本二种，各地多藏。

《药性赋》 1卷 清·沈步青 撰
《本草辑略》 清·沈步青 撰

按 沈步青，字天申，嘉定（今属上海市）人。《嘉定县志》（1881）著录上二书，今佚。

《药性考》 清·柴允煌 撰

按 柴允煌，字令武，仁和（今浙江杭州）人。《杭州府志》（1779）载此书名，今佚。

《得配本草》 10卷 清·严洁等 撰 1761年

《药镜》 清·卜祖学 撰
按 《嘉兴府志》（1801）著录，今佚。

《本草补遗》 清·徐视三 撰
按 徐视三，字元岳，浙江海盐人。针灸医生。《嘉兴府志》（1801）载其书名，今佚。

《本草分经分治》 6卷 清·唐千顷 撰 1726年附
按 唐千顷，字桐园。好经术，兼精医学。撰《大生要旨》（1762）、《本草分经分治》（佚）。后者据《嘉定县志》载，乃取本草删繁之意，摘要药400余种，分经者5门，分治者6门（即按经络、病证类药）。

《药性歌诀》 2卷 清·何之蛟 编 1764年附
按 或称《本草韵语》。何之蛟，广东南海名医何梦瑶（西池）之子。撰《药性歌诀》，附刊于其父《四诊韵语》之后。集各种药性理论（如引经报使、妊娠忌服等）及316味药品歌诀，或五言，或七言，以利初学。

《草药方》 清·汪连仕 撰
《采药书》 清·汪连仕 撰
按 汪氏生平里贯不详。上二书均见赵学敏《本草纲目拾遗》引录。《草药方》亦兼载植物形态（见四方如意草、鹿角藤等药）。《采药书》重在记录草药形态、异名、生境，亦载功能、用法。原书均佚。

《草药纲目》 卷数不明 清·汪君怀 著
按 钱塘张应吕（仲甫）"《本草纲目》拾遗跋"中云："余又闻雍、乾间杭人汪君怀著有《草药纲目》一书，哀然大部，与濒湖《纲目》等。其稿未传抄，访诸其族人，皆未见，想已湮没失传，恨未得其书，与李氏、赵氏鼎峙，为本草之大全也，惜哉！"清代以"草药"名书有数种，此独"裒然大部"，然书佚无考。赵学敏与汪氏同里同时，未引用此书，唯引汪连仕《草药方》《采药书》各数十条，其中有无关系，待考。

《草宝》　不著撰人

按　赵学敏《本草纲目拾遗》引此书数条（见"土连翘""肿消""金线钓虾蟆""虎头蕉"等药条下）。多记药物功效，兼述形态，今佚。

《本草补》　墨西哥·石铎琭（石振铎）　撰

按　赵学敏《本草纲目拾遗》数引此书，"吸毒石"条下记作"泰西石振铎《本草补》"。据范行准《明季西洋医学传入史》考证，该书为墨西哥传教士石铎琭（汉名石振铎）所撰，为最早有记载的传入我国的西药专著。范氏早年曾在仁和赵魏（晋斋）《竹崦庵传钞书目》中，发现其中载有《本草补》1卷，计26页，今佚。从赵学敏所引，可知该书记载产于外洋的天然药物及精制品（如日精油），并介绍其功效和用法。

《采药志》　清·王安卿　撰

按　赵学敏《本草纲目拾遗》中引此书（见"红珠大锯草""野苎麻""金钱草""无骨苎麻""小将军""鱼鳖金星"等条下）。所记为草药别名及功用治法，与王安《采药方》近似。但"鱼鳖金星"条同时引有《采药志》与《采药方》，据此二书似乎并非同书异名。今佚。

《采药方》　清·王安　撰
《采药录》　清·王安　撰

按　赵学敏《本草纲目拾遗》引《采药方》10余条。该书虽以"方"名书，实际上是一本草著作，记载草药异名及功治等（见"金钗草""金钟荷叶"条）。另赵学敏又引王安《采药录》数条（见"老君须""鬼扇草"等药）。对植物形态描述甚详。原书佚。

《土宿本草》　佚名氏　撰

按　赵学敏《本草纲目拾遗》在"万年青"条下引此书，记"雁来红，万年青，皆可治汞"，可知为道家烧炼丹药之书。李时珍《本草纲目》载有土宿真君《造化指南》一书，不知与此书有无关系。

《山海草函》 不著撰人

按 赵学敏《本草纲目拾遗》在"桑叶滋""金莲花""玉簪花""梧桐花"等药条下引此书，主述草药功用。今未见。

《丹房本草》 不著撰人

按 赵学敏《本草纲目拾遗》金线钓虾蟆、金刚纂等药下引此书。记植物形态，及在烧炼丹药中的用途。今未见。

《本草辨误》 清·翁有良 撰

按 赵学敏《本草纲目拾遗》"防风党参"条下引"翁有良《辨误》"。讨论党参的品种和鉴别特征。根据赵学敏引书体例，凡前有"本草"二字的书名，多省此二字，故此书似当为《本草辨误》。又"银柴胡"条下亦引"翁有良"之论，辨银柴胡、前胡、古城柴胡之异同。原书已佚。

《用药识微》 佚名氏 撰

按 赵学敏《本草纲目拾遗》"土贝母"等条下引。例如，"《用药识微》云：川贝中一种出巴东者独大，番人名紫草贝母，大不道地。出陕西者名西贝，又号大贝。"可知此书鉴别药材产地品种精细入微。

《李氏草秘》 清·李氏（？） 撰

按 赵学敏《本草纲目拾遗》引该书30余条（见"望江青""接骨草""独脚马兰"等）。一般记草药生境、形态、别名、主治、用法等。今佚。

《识药辨微》 佚名氏 撰

按 赵学敏《本草纲目拾遗》引该书。"昭参"条下记载，"《识药辨微》云：人参三七，外皮青黄，内肉青黑色，名铜皮铁骨。此种坚重，味甘中带苦。出右江土司，最为上品。大如拳者治打伤，有起死回生之功。价与黄金等"。这是关于三七药材辨别的经验之谈，"铜皮铁骨"至今仍是药工鉴别三七之真诀。又赵氏又在

"银柴胡"条引《药辨》，疑与此同书。今佚。

《食物宜忌》

按 赵学敏《本草纲目拾遗》引此书（见"南天竹""黄练芽""梅花""茶菊""糖橘红""落花生"等药条下）。言饮食、性味、功治，原书佚。

《食物便览》 清·雨蓑翁 撰

按 赵学敏《本草纲目拾遗》引此书，见"落花生"条下，述食物宜忌。原书佚。

《海药秘录》

按 赵学敏《本草纲目拾遗》"通血香"条下引此书。从佚文可知，该书所记为民间草药单验方。

《蔡氏药帖》 清·蔡氏 撰

按 赵学敏《本草纲目拾遗》"建神曲"下引此书一条，述神曲功效主治。原书今佚。

《华夷花木考》

按 赵学敏《本草纲目拾遗》引此书（见"阿勃参""椰油"等药条下）。所载多为海外植物。述其形态功用。原书未见。

《升降秘要》 2卷 清·赵学敏 撰 1760年
《药性元解》 4卷 （同上）
《奇药备考》 6卷 （同上）
《本草话》 32卷 （同上）
《花药小名录》 4卷 （同上）

按 以上5书均收入赵学敏《利济十二种》中。赵氏在总序中叙撰书始末。赵氏从何竹里处得闻制伏鼎火诸说，因集古来升降诸方，参以制法，编为《升降秘要》。另《药性元解》述药性之奇制。《奇药备考》乃高濂《珍异药品》、李时珍《本草纲目》的拾遗补阙之作。《本草话》似谈药物的产地形性。《花药小名录》似为药物别名录。今均佚。

《百草镜》　8 卷　清·赵学楷　撰　1760 年附

按　赵学楷是赵学敏的弟弟，两兄弟自幼热爱医学。赵学敏"《利济十二种》总序"中记云："弟锐意岐黄，用承先志，虽未敢自信出以应世，然亲串间有请诊者，服其药无不应手愈。居恒喜著书，所纂有《百草镜》八卷。"此书已佚，赵学敏《本草纲目拾遗》中转引百余条。从《百草镜》佚文可知，该书记草药甚众，详载诸药发苗时节、生境、形态、采收时月及单方验方，内容相当丰富。

《本草纲目拾遗》　10 卷　清·赵学敏　撰　1765—1803 年

《用药分类》　1 卷　清·顾锦　编　1765 年附

按　顾锦，字少竺，号术民，元和（今江苏苏州）甫里人。当时名医。《吴县志》载其所撰书名。书佚。

《人参谱》　4 卷　清·陆烜　撰　1766 年

按　该书在清代人参专著中内容最丰富。作者陆烜，字子章，浙江平湖人。他搜寻有关资料数百种，对人参的释名、产地、性味、方疗、故事、诗文均予采摘。书中记有东北人参的价格及当时有关人参的法律。介绍了西洋参来源及与国产人参的异同。这是研究我国人参史的宝贵资料。今有清乾隆间陆氏刻梅谷十种本及昭氏丛书本，北京图书馆等多处有藏。

《本草求真》　11 卷　清·黄宫绣　撰　1769 年

《药性歌》　清·朱鸣春　撰

按　朱鸣春，字晞雕。江苏泰兴人。《泰兴县志》载其撰《药性歌》（一作《药性篇》），今佚。

《本草集要》　8 卷　清·罗咏　撰

按　罗咏，字二酉，江苏高邮人。《高邮县志》（1813 年）载其撰《本草集要》，今佚。

《人参考》 清·唐秉钧 撰 1778 年刊

按 唐秉钧，字衡铨，上海（今属上海市）人。该书介绍人参辨伪、产地、规格、收藏等内容，为了解清代人参行市的重要史料。内容翔实精当，亦为海外学者所重。日人石坂圭宗珪评曰："其书特能辨地道，出山之早暮，货市行色之高下等，历历可指摘。至其辨行户店家多立名称以眩惑人者，又可谓颇精且实也。虽零星册子，不亦足以传乎。"今浙江图书馆藏嘉定唐氏竹瑛山庄刻本（1778）。另有清刻及近代刊本各一种。

《草木备要》 6 册 清·汪昂 原著

按 此书前有汪讱庵序，后署"乾隆四十三年岁在戊戌（1778）小春月绣谷吴世芳书"。察其内容，乃《本草备要》与《医方集解》合刊，每页上半为本草、下半为医方。吴世芳距汪昂年代已久，此或为吴氏重刊易名者。藏湖南衡阳市图书馆。

《法古录》 3 集 清·鲁永斌 辑 1780 年

按 鲁永斌（约1712—?），字宪德，山阴（今浙江绍兴）人。该书分天、地、人 3 集，录药 536 种，分草、木、果、谷等 14 部。卷首"用药总义"，集录《本草纲目》《本草备要》药理资料。正文节取诸家议药文字，注明出处，并无增补发明。唯凡例略述其对归经、主治、反畏的看法，较有新义。原存稿本，上海科学技术出版社有影印本。

《本草选志》 清·闾邱铭 撰

按 闾邱铭，号尹节，一作升节，上海南汇人。《松江府志》（1818）等载此书名。今佚。

《本草纂要》 清·曹枢旸 纂

按 曹枢旸，字翰臣，江苏江都人，精医理。《扬州府志》（1874）谓《本草纂要》可与汪昂《本草备要》相埒。今佚。

《质问本草》 8 卷 琉球·吴继志 编绘 1785 年

按 吴继志，字子善，琉球中山人。业医，乾隆中采集琉球及土噶剌掖玫诸岛所产药用植物，"摹写其形，并附注记。每岁托其使人往清者，广质之于燕京、福省诸处，往复辨证。犹有未晰者，至盆种而往"。经 12 年成书 8 卷（上篇 3 卷，下篇 4 卷，附录 1 卷）。前后质询于京都、江南、浙江、江西、福建、广东、山西等地的 45 人。共收药用植物 160 种。每物一图，皆系写生，描画精细准确。正文记产地、形态、花果期。后列所质询诸家撰写的答复文字，一般是描述形态、简单功用、别名等。该书以本草为名，但并不是真正的药书，而是一种地方植物调查记录。日本萨藩南山藏原稿，未得梓行而卒，其曾孙麟洲始付梓，流传不广。中国中医研究院藏日本天保八年（1837）精刻本。1984 年中医古籍出版社再次影印，始广其传。

《治痘药性说要》 2 卷 清·孙丰年 著 1785 年

按 孙丰年，字际康，号小田子，白下（今江苏南京）人。著《幼儿科说要》，内有书 3 种，《治痘药性说要》为其一。分谷、菜、虫、鳞介等 8 部，述药 160 种，为颇有特色之专科用药著作。书中多发治痘用药经验，见解新颖，解说明晰，间附验案。今存中国中医研究院。

《本草督经》 清·王燧周 撰

按 王燧周，字亦人，婺源（今属江西）人。《婺源县志》（1826）载其书名。今佚。

《用药准绳》 清·钱培德 撰

按 钱培德，字德培，江苏昆山安亭镇人。《昆新两县志》（1826）载其书名。今佚。

《入药彀》 清·程如鲲 撰

按 程如鲲，字斗垣，婺源（今属江西）人。《婺源县志》（1826）记其书名。今佚。

《药义明辨》 18 卷 清·苏廷琬 撰 1788 年

按 苏廷琬，字韫辉，号灵泉，浙江海昌人。《海昌备志》（1847）载《药义明辨·自序》（1788），云其见刘云密《本草述》"曲畅旁通，义无弗彻"，"但文繁理富，一时未易卒读，谨摘录大要，诠次成文。其别本有可采者，仍附各条中"。重在药性药理，不载种类修治。今佚。

《药考》 清·李士周 撰 1788 年附

按 李士周，江苏如皋人。乾隆丙午、戊申（1786—1788）间，曾设局施药。著《药考》，今佚。

《本草分经》 清·吴应玑 撰

按 吴应玑（原作机），浙江东阳南岭人。《东阳县志》（1828）记其书名。今佚。

《本草》 3 卷 清·罗国纲 撰 1789 年

按 罗国纲，字振召，楚南上湘（今湖南湘乡）人。行医 50 余年，晚年撰《罗氏会约医镜》，卷 16～18 为《本草》。发凡起例，可独立成书。计分草、竹木、谷等 10 部，收药 483 味。无总论。各药述其重点主治，明其治病之理。版框上方各药名之上，用 2～4 字标出功能，又记各药顺序号。多数药条后附一按语，每多经验之谈。今存大成堂（1789）刻本，藏馆较多。

《本草辑要》 6 卷 清·林玉友 辑 1790 年

按 林玉友，字渠清，号寸耕居士，福建侯官人。辑诸书之要药要义而成此书（1786—1790）。药品分部多与《本草纲目》同。载药 616 种，各述性味、功效、制法，释义、附方等。资料多引自李时珍、缪希雍、汪昂诸家之书，新意不多。中国中医研究院等处存道光十一年（1831）寸耕堂刻本。

《随园食单》 清·袁枚 撰 1790 年附

按 袁枚（1716—1798），字子才，号简斋、随园老人，浙江钱塘（今杭州）人。著名诗人。该书集 40 年所知烹饪须知及各种食单，详述其取料烹制方法，但不涉及医疗作用。

《解毒编》 1 卷 清·汪汲 辑 1791 年

按 汪汲，号古愚，又号海阳竹林人。该书为解毒专著。凡饮食、药饵、草、木、菜、果之属，有毒者均述其食后的毒性反应及解毒法，内容极为丰富（包括解野菰、盐卤、水银、砒霜等毒性），很有特色。中国中医研究院存光绪丁未（1907）江陵邓氏重刻本。

《吴氏本草》 1 卷 清·焦循 辑 1793 年

按 焦循（1763—1820），字理堂，甘泉（今江苏江都）人，博学多才艺。辑《吴氏本草》（1793），多取材于《太平御览》等书，辑药 168 种。上海图书馆存其手校稿本。

《考正古方权量说》 清·王丙 撰 1792 年附

按 王丙，字朴庄，号绳林。乾隆间名医。该文仅是《吴医汇讲》中的一篇文章，然或有将其作一书著录者。

《三皇药性考》 清·康时行 撰 1792 年附

按 康时行，字作霖，松江娄县（今属上海市）人，迁居苏州。善医术，为薛生白所重。《松江府志》（1818）载其书名。今佚。

《药性考》 4 卷 清·龙柏 撰 1795 年

《食物考》 1 卷 清·龙柏 撰 1795 年

《脉药联珠》（由上二书加古方考三书合刊而成） 清·龙柏 撰 1795 年

《药确联珠》 4 卷 清·黄堂 撰 1795 年附

按 黄堂，字云台，锡山（今江苏无锡）人。曾师事缪松心（1710—1793），临证多效。撰《药确联珠》，稿本藏南京中医学院。

《灵豆录》 清·王式舟 撰 1795 年

按 王式舟，字楼村，江苏宝应（一说兴化）人。中年撰《灵豆录》，洪亮吉（1746—1809）作序。该书集《本草经》之品，又增陶弘景、唐慎微之注，作补遗若干条，今佚。

《用作盐梅》 2卷 清·慎修 撰 1795年附

按 抄本，笺记有"慎修鄙见"。该书记烹调名目及各种菜肴烹调法，似以北京名菜为主。医药内容极少。藏中国中医研究院。

《药性》 清·邓复旦 编 1798年刊

按 邓复旦，江左人。所编《医宗宝镜》，首编为《药性》，录《药性赋》1篇，次撰药论，其中"反畏并用论""用药活变论"等颇有见地。嘉庆三年（1798），邹璞园刊刻。近代有石印本。

《神农本草经》（辑本） 3卷 清·孙星衍、孙冯翼 合辑 1799年

按 孙星衍（1753—1818），字渊如，又字伯渊、季仇，江苏阳湖（今武进）人。经学家、校勘学家、金石学家。嘉庆四年（1799），与其弟孙冯翼（凤卿）依《证类本草》白大字，辑成《神农本草经》，刊入《问经堂丛书》。分三品载药365种（上120，中120，下125）。书末附《本经》序录（白字8条），佚文12条，《吴氏本草》12条，诸药制使1篇、药对5条。辑本条文体例同《证类本草》，但增加了生境（原墨字内容）。依据是《太平御览》、薛综注《张衡注》均引有《本经》生境内容。编排大体参《证类本草》目录而定。凡《吴普本草》引《本经》性味者，亦作《本经》药（增黍米、粟米）。又增升麻（《太平御览》引）。漏收石下长卿一味。具有资料翔实，考据精确等优点。但"以序例退置编末，附以药对、诸药佐使，如此之类，均不免杜撰"（丹波元坚）。今有多种清刊本及近代铅印本。

《本草要义与性味配伍》（译名） 贡曼·官却德勒（清） 撰

《药名正字》（译名） 同上

按 贡曼·官却德勒是清代藏族医药学家，生于西藏贡卡地区，属藏医北方派。著述甚众，药学专著有以上两种。

《本草搜根》 清·姜礼 撰 1800年附

按 姜礼，字天叙，江苏江阴人。《江阴县志》载其精医术。治病日记得失，建立功过格。著《仁寿镜》《本草搜根》。今《本草搜根》有清抄本，藏北京图书馆，题为"天叔公"撰，天叔即天叙之误。

《尝药本草》 8卷 清·高梅 撰

按 高梅，字云白，江苏无锡人。《无锡金匮续志》（1840）记其书名。今佚。

《人参图说》 清·郑昂 撰 1802年刊

按 郑昂，字轩哉，古鄞（今浙江宁波）人。数十年间留心于人参药材的考察，撰《人参图说》，述其地道、形体、皮纹、神色、芦蒂、粳糯、空实、坚松、糖卤、镶接、铅沙、真伪等，颇多实践经验。

今内蒙古自治区图书馆藏清嘉庆七年（1802）荻蒲书屋刻本，上海中医学院存手抄本。

《神农本草经注》 6卷 清·陈修园 辑注 1802年附

按 蒋庆龄《神农本草经读·序》云："陈修园老友……著有《神农本草经注》六卷，其言简，其旨赅……壬戌冬回籍读礼，闭门谢客，复取旧著六卷中，遴其切用者一百余种，附以别录，分为四卷。"可见《本草经读》即从《神农本草经注》中节录增补而成。另据《本草经读》佚名氏后叙，谓陈修园"前著有《本草经注》六卷，字栉句解，不遗剩义，缮本出，纸贵一时"。该佚名氏尝撰《本草经三注》，其中就引有《神农本草经注》之说。陈氏此书未见刊行，录此备考。

《本草经读》 4卷 清·陈修园 撰 1803年

《本草经三注》 佚名氏 辑 约1803年

按 《本草经读》佚名氏后叙提到，他曾"集张隐庵、叶天士、陈修园三家之说而附以管见，名为《本草经三注》。而集中唯修园之说最多"。此与《本草三家合注》不同。

《药性汇集》

按 此名系中医研究院馆藏时自拟。该函中共有抄本药书数种，经检视情况如下。①《药性歌》：据内容即明·龚廷贤《药性歌》。②《补录本草备要药性》：不著撰人。补药72种，起自松节，终至枳椇子，每药数语，介绍性味功治。③《治痘药性说要》：仅摘录果部22种，参见《治痘药性说要》条。④《神农本草经读》，原为陈修园辑注，此抄本仅录其《本经》原文，删去注释。⑤《药性气味类裁》：不著抄者，每药四言诗一首，与龚廷贤《药性歌》大同小异，唯编排有序，共分补、散、杂3剂，各剂又细分功效类药，此后杂抄"药性补遗"及引经、炮制、药性、十八反、十九畏歌括等。

《本草翼》　清·王子接　撰　叶桂　参补

《本草翼续集》　清·许嗣灿　增辑　1804年

按　王子接撰《本草翼》，门人叶桂参补。今有军事医学科学院藏嘉庆刻本。另许嗣灿又在《本草翼》基础上予以增辑，成《本草翼续集》，收入钱塘许嗣灿汇集医书4种中。

《桐雷歌诀》　2卷　清·张德奎　编　1806年附

按　张德奎，字聚东，号默斋，浙江南浔镇人。《南浔志》（1922）记其书名。今佚。

《参谱》　1卷　清·黄叔灿　撰　1808年刊

按　黄叔灿，字牧村。该书系其采访许多人参商之经验编成。其中涉及人参的鉴别、收购和销售等许多环节。其书初刊于1808年，后有数种刊本，近代有影印本。

《药字分韵》　2卷　清·陈瑮卿　撰　1808年附

《本草集说》　2卷　同上

按　陈瑮卿，字卜三，号石眉、天目山人，浙江海昌人，生活于清嘉庆（1796—1820）前后。精音韵。《海昌县志》（1847）记陈氏《本草集说》，《杭州府志》（1922）记《药字分韵》，均佚。

《本草经疏辑要》　10卷　清·吴世铠　纂　1809年

按　吴世铠，字怀祖，海虞（今江苏常熟）人。该书取缪仲淳《本草经疏》，删取其半，共录药450种。虽较缪氏书简明，而发明殊少。版框上眉批注出用药、制药法。采用符号标示人名、书名（□），方名（一），精要处（○），要害处（△）。末2卷乃非本草内容。今有清刻本3种，藏馆较多。

《壶中医相论》 1 卷 清·朱颜驻 撰 1809 年

按 朱颜驻，字耀庭，熙安（今广东番禺）人。生活于清嘉庆（1796—1820）前后。所撰《壶中医相论》（1809），谈及药物修治，认为药材必须地道，炮制必须如法。今中国医学科学院存道光九年（1829）刊本。

《医阶辨药》 清·汪必昌 撰 1810 年

按 汪必昌，字燕亭，新安（今安徽歙县）人。撰《聊复集》5 卷，《医阶辨药》为其中 1 卷，然独立成书。藏军事医学科学院。

《药性》 清·秦大任 撰 1811 年

按 秦大任（1752—?），字显扬。朝歌（今河南淇县）人。辑古今医学之要成《医贯辑要》一书，内有《药性》专篇。今藏中华医学会上海分会图书馆。

《药笼小品》 1 卷 清·黄凯钧 辑 1812 年

按 黄凯钧（约 1752—?），字退庵，号退庵居士，浙江嘉善人。撰《友渔斋医话》6 种，《药笼小品》为其末。不分部类，大致按植、矿、动物为序，列常用中药 309 味。简要介绍临证用药要点，或附个人经验，间出新意，切于实用。今存嘉庆十七年（1812）原刻本及《中国医学大成》本，藏馆甚众。

《药性医方辨》 3 卷 清·罗浩 撰 1812 年附

按 罗浩，字养斋。《海州文献录》（1936）等书记其医药书名。《药性医方辨》序中记有"罗君云：药性之失，失在唐宋"。然原书未见。

《调疾饮食辩》 6 卷 清·章穆 撰 1813 年

《本草纂要稿》 清·王龙 撰 1815 年附

按 抄本。题"京口王龙九峰氏撰"，是否与同里王之政（亦号九峰，1753—1815）为同一人，尚待考。全书收药 315 种，分隶金石、卤石等 10 部。各药简记性味功效、配伍反恶等，甚乏新意。北京大学有藏。

《药性》 1卷 清·陈璞、陈玠 撰 1817年

按 陈璞（琢之）、陈玠（健庵），燕山人。陈氏兄弟推崇叶天士之学，撰成《医法青篇》。该书卷8为《药性》，载药389味。多取材于《本草备要》（且云《备要》乃择取《药性大全》之要而成）。按经络类药，各药介绍性味功治、炮制反畏及鉴别等，叙说简明，重点突出。书稿存中国中医研究院。

《养小录》 3卷 清·顾仲 撰 1818年

按 顾仲，字中村，号浙西饕士，浙江嘉兴人。讲究遵生颐养。有《饮食中庸论》《臆定饮食》等文，今佚。又取海宁杨子建先世所辑《食宪》，录有关饮食内容，增以己验，易名《养小录》。详述汤、酱、饵、肴所用水、果、谷、肉、菜等物制备。

《四言药赋》 芝荪氏 抄辑 1819年

按 精抄本，无栏格。无序跋，封面题"己卯（1819）夏月芝荪氏"。书中抄辑《药性总义》，后为《四言药赋》，分治风、热、湿、燥等9门，收药460种。每药撰四言诀一首。今藏中国中医研究院。

《药性正误》 清·程观澜 撰 1820年附

按 程观澜，号泽轩，安徽怀宁人。精本草、脉诊。嘉庆（1796—1820）间救治疫病病人千百人。著《药性正误》等书，均佚。

《本草杂著》 清·李之和 撰 1825年

按 李之和，字节之，号漱芳，河北平乡人。《平乡县志》（1868）载其所撰书名。今佚。

《草药图经》 1卷 清·莫树蕃 撰 1827年

按 该书原为德丰氏《集验简易良方》卷3。德丰氏命莫树蕃（字琴闪，福建闽侯人）为之校订。莫氏深入乡间，叩询耆老，博采有关草药的知识，得药60种，各附其图。注明气味、形色及功效。自道光七年（1827）来，刊行多次。中国中医研究院存单行本。

《类经证治本草》 清·吴钢 编辑 1827 年

按 吴钢，字诚斋，屏山人。该书分 4 册，卷首凡例列述药性理论若干条，撷取诸家药论，载所谓东垣先生《炮制药歌》，并将《药性粗评》正文歌赋抄为《许希周药性赋》。各论按经类药，各经又分补、泻、温、凉、平、散 6 子目。以 556 品作《类经》（即本书类药之经络名）正品，463 种为附品。又列"经外药总类"，大体按《本草纲目》分类法，收药 572 味，附入 286 味。全书总计 1867 味，皆为《纲目》药，编类不同而已。各药不分项目，统而述之，介绍性味、功治、诸家药论、附方、产地、形态、炮制等，很少个人见解。序中称其书绘图（《政和本草》）一册，今中医研究院藏抄本并无绘图。

《本草正义》 2 卷 清·张德裕 辑 1828 年

按 张德裕，字距标，号目达子、术仙，浙江鄞县人。该书按性味、功效类药（如甘温、发散……）分成 12 类，收药 361 种。每药数语，述其性味功治，简要平淡。中国中医研究院藏清道光八年（1828）刻本。

《本草述录》 6 卷 清·张琦 节录 1829 年附

按 张琦（1763—1832），字翰风，一字宛邻，阳湖（今江苏武进）人。常州派词人，又精医理。尝节录刘若金《本草述》而成《本草述录》。其后蒋溶（字文舟）又在张琦节本基础上再加辑补（多"补集"一卷），仍其旧书名。二书均藏中国中医研究院。

《本草》 2 卷 清·翁藻 编辑 1830 年

按 翁藻，字稼江，江西武宁人。撰《医钞类编》，其卷 23、24 为《本草》（或称《医钞类编·本草》）。依《本草纲目》分 16 部。收药 789 味。各药以讨论药性功效理论为主，多述配伍用药法及同类药性比较。内容充实，便于临床用药。今有奉新许氏刊本（1830），江西省图书馆等多处有藏。

《本草汇编》 清·龚国琦 撰

按 龚国琦，字景仁，江西南昌人。《江西通志稿》（1947）载其书名。今佚。

《本草类编》 清·江宗淇 撰

《丹丸善本》　清·江宗淇　撰

《丹膏善本》　清·江宗淇　撰

按　江宗淇，字筠友，江西信丰人。《信丰县志》（1870）著录上三书。今佚。

《博爱轩药论》　清·王定恒　撰

按　王定恒，字久占，江西万载南田人。《万载县志》（1871）载其医药书名。今佚。

《本草记物》　清·罗克藻　撰

按　罗克藻，字掞庭，江西星子人。《星子县志》（1871）载其书名。今佚。

《本草述钩元》　32卷　清·杨时泰　撰　1832年

《药性歌》　清·蔡恭　撰

按　见《上海县志》（1872）著录。今佚。

《药性便用》　清·赵国栋　撰

按　赵国栋，号大木，四川彰明（今江油）人。任医举训科。同治《彰明县志》载其书名。今佚。

《药性切指》　清·陈心泰　撰

按　同治《万县志》载此书名。今佚。

《药性论》　1卷　清·黄元吉　编　1833年

按　黄元吉（1782—？），字济川，彭门（今四川彭县）人。著《医理求真》8卷，卷6为《药性论》，论药百余种，不分门类，每药寥寥数语。中国中医研究院等处藏清春林堂刻本。

《药性分经》　清·盛壮　撰

按　盛壮，号研家，江西武宁人。《南昌府志》（1873）载其书名。今佚。

《本草经验质性篇》　清·程兆麟　撰

按　程兆麟，一名石麟，广西桂平人。《桂平县志》载其书名。今佚。

《本草类方续选》　清·朱煜　撰　1833 年附

按　朱煜，字潆溪，甘泉（今江苏江都）人。《甘泉县志》（1881）载其书名。今佚。

《本草随录征实》　清·武溱　辑　1834 年

按　未成之书稿，草序署"清溪武溱霁苍氏"。所辑此书，乃录诸家本草，"稍减于《纲目》之繁，稍增于《征要》之简"。今中国中医研究院存其残本（有药 300 余种）。各药简述性味主治。亦大量引录典故、传说及耳闻之事，"聊作诗词歌赋之一助"。

《本草发明》　清·沈以义　撰

按　沈以义，字仕行，上海宝山人。光绪《宝山县志》著其医药书名。今佚。

《新增本草方证联珠》　5 卷　清·萧缵绪　补订　1835 年

按　萧缵绪，字作周，一字丰亭，伪宁（今湖南宁乡）人。该书乃汪昂《本草备要》的订补本。取材于《本草纲目》，补充药物真伪、宜忌畏恶等内容。仅增少数药物，附于书末，然增方 2000 首，分门列证，将药、方、证结合。今佚。

《人参谱》　8 卷　清·殷增　撰

按　殷增，字乐庭，号东溪，江苏吴江县人。《苏州府志》（1824）记其书名。今佚。

《本经疏证》　12 卷　清·邹澍　撰　1837 年
《本经续疏》　6 卷　清·邹澍　撰　约 1839 年
《本经序疏要》　8 卷　清·邹澍　撰　1840 年

《何氏药性赋》　清·何其伟　编　1837 年附

按　何其伟，字韦人，号书田，青浦（今属上海）人。世医。该书分寒、热、平、温四性，收药 350 种。见何时希《何书田年谱》著录，原书未见，疑即今存何岩《药性赋》。

《寿世医窍》 2 卷 清·陈仲卿 撰 1838 年刊

按 锡羡堂本（1838）无作者姓氏。此书按经分类，各经附经络图，列主病、药名及主要功效。各药简述功效、主治、宜忌等。今中国中医研究院等处有藏。

《药品揭要》 清·邹岳 撰 1838 年

按 邹岳，字五峰，号东山，盱江（今江西南城）人。著《外科真诠》，末附《药品揭要》，简介外科常用药品。有多种清刊本，有 1955 年上海中医书局铅印本。

《药达》 2 卷 清·顾墨耕 撰

按 顾墨耕，奉贤（今属上海市）青村港人。撰《药达》，原见载《奉贤县志》（1878），今上海图书馆存此书下卷，题作顾以琰撰，疑即同一人之作。

《本草名汇》 清·祝文澜 撰

按 祝文澜，字晋川，号秋田，南汇（今属上海市）人。此书名见《南汇县志》（1879）。今佚。

《本草经纬》 清·张用均 撰
《本草指隐》 清·张用均 撰
《本草缀遗》 清·张用均 撰

按 张用均，字辅霖。浙江镇海人。上三书载《镇海县志》（1879）。今佚。

《十剂表》 清·包诚 编 1840 年

按 包诚，字兴言，安吴（今安徽泾县）人。受学于阳湖张琦。该书用表格形式归纳药物。以十二经为纵，十剂（宣、通、补、泻、轻、重、滑、涩、燥、湿）为横，嵌入诸药。各药记性味、入脏、功效等。卷前列《十剂解》，阐释十剂义理及适应证；继列 73 种药名，出其官名（正名）及俗名。有清刊本（1866）及影印本（1983）存世。

《本草分经》　　不分卷　　清·姚澜　纂辑　　1840 年

《神农本草存真》　　3 卷　　清·张鉴　撰　　1840 年附

按　张鉴，字春治，一字荀鹤，号秋水，晚号负疾居士，浙江吴兴南浔镇人。《南浔志》（1859）记其书名。今佚。

《本草汇编》　　不著辑者　　1840 年附

按　中国中医研究院存此抄本，书名系馆藏时自拟。为一平庸的《本草纲目》节抄本。此本天头间附转绘来的小药图，敷以彩色，无甚价值。

《本草三家合注》　　6 卷　　清·郭汝聪　辑　　1840 年附

按　一名《本草三注》，后附《徐灵胎百种录》。郭汝聪（小陶），山西临汾人。得《本草经三注》，又附刻入《神农本草经百种录》。该书目录悉依《本草崇原》，收药 289 种。为张志聪《本草崇原》、叶天士《本草经解要》（即姚球之作）、陈修园《本草经读》摘要合纂本。自成书以来，刊行 30 余次，各地多藏。

《晶珠本草》　　清·旦增彭措　撰　　1840 年

按　一名《无瑕晶球晶珠本草》，为藏医著名药学专著。"晶球"系指原作，采用韵文体（木刻版共 22 页）；"晶珠"则指注疏部分，共分 55 节（木刻版共 206 页）。全书收录藏医所用药物 1400 余种，对草药的分类和药物性能记载较详，集藏药之大成，备受后世藏医界的重视。作者旦增彭措，全名德玛尔·旦增彭措，为藏族著名医学家。"德玛尔"即今四川甘孜藏族自治州德格印经院附近一寺院名。该书旧有木刻本。1911 年 6 月青海省塔尔寺再版的木刻本附有药物图鉴、诊病示意图、医疗器具图以及人体穴位图等，成为今藏医采药行医手册。四川甘孜州卫生局亦予铅印。后有上海科学技术出版社校订本行世。

《本草观止》　　3 卷　　不著辑者　　1840 年附

按　清抄本，无序跋、题款。分部同《本草纲目》（略变次序）。收药 558 种。每药简介性味、药性机制、主治功能，或用小字简注品种炮制。今藏河南中医学院（即今河南中医药大学）。另上海中医学院藏同名书两卷，为清人张对扬撰；苏州医学院图书馆亦藏同名书两卷，不著撰人。未比较以上是否系同一书。

《药性歌括》 不著抄人 1840 年附

按 抄本。卷前杂抄小儿病证方论，此后每页记药 8 味，共录药 417 种。各药下注性味功治及歌括。今藏中国科学院图书馆。

《本草药性歌括便读》 清·卢清河 撰

按 卢清河，字道生，四川中江人。撰《本草药性歌括便读》，今未见。

《尊经本草歌括》 2 卷 清·许宗正 编

按 许宗正，字星东，四川射洪人。今存其医书 4 种，《尊经本草歌括》为其一，均为潼川刻本，藏四川省图书馆，未得亲检。

《本草分队发明》 2 卷 清·吴古年 编

按 吴古年，名芹，本姓姚，归安（今浙江吴兴）人。为当地名医。中国中医研究院藏《本草分队发明》抄本，以脏腑经络归类药品，分成十一对。又列《药品补遗》《新增药品》《新增补遗》3 类。各类又分猛将、次将，论药 642 种，多为当地所产。解说简明，便于记诵。后其弟子凌奂，以本书为基础，撰《本草害利》。

《药队补遗》 不著撰人

按 上海中医学院藏该书抄本，书口作《药队补遗》，谓"凡一切应用之品而为十一队所未收者，备采于后"，有 55 页之多。疑此即《本草分队发明》之附录。

《四言本草》 5 卷 不著撰人 1840 年附

按 上海图书馆藏清刊本。按性味功效分成五类（如甘温平补、苦寒沉降等）。收药 447 种。其分类思想是"并十剂于六味五性之内"，比较独特。各药撰一首四言诗。

《本草约编》 不著撰人 1840 年附

按 上海市图书馆藏清抄本，无作者、抄者姓名。分部类悉同《本草纲目》，但却以草木果菜等植物药放前，金石类等无机物居中，禽兽虫鱼等动物类药在后。

节取各药简要功效，无甚特色。

《植物名实图考》　清·吴其濬　撰　1841—1856 年

《药性考》　清·刘恒龙　撰

按　刘恒龙，字兰亭，浙江桐乡人。《浙北医史人名志》载其书名。今佚。

《本草核真》　清·夏朝坐　撰

按　夏朝坐，字理堂，江苏江浦人。《江浦埤乘》（1891）载其书名。今佚。

《本草释名》　2 卷　清·俞启华　撰

按　俞启华，字旭光，婺源（今属江西）人。《婺源县志》（1882）载其书名。今佚。

《本草分经类纂》　2 卷　清·施镐　纂

按　施镐，字缵丰，上海崇明人。《崇明县志》（1881）载其医药书名。今佚。

《本草分韵便览》　5 卷　清·戴传震　撰

按　戴传震，原名葆钧，号省斋，江苏昆山人。《昆新两县续修合志》（1880）云，戴氏见时医处方喜写药物别名，易于误人，乃撰《本草分韵便览》。今佚。

《本草备览》　清·冯钧年　撰

按　《江宁府志》（1880）著录，今佚。

《本草正误》　清·俞塞　撰

按　俞塞，字吾体，号无害，婺源（今属江西）人。《皖志列传稿》（1936）载其所撰书名。今佚。

《本草经注》　清·姜璜　撰

按　姜璜，字怀滨，江西南丰人。此书见《南丰县志》著录，今佚。

《草木春秋》 清·云间子 演义

按 书前驰溪云间子序称："集众药之名，演成一义……虽半属游戏，然其中金石草木水土禽兽鱼虫之类，靡不森列。"该书杜撰一汉代故事，以药名为人名，设君臣狼主，强盗仙家，佳人猛将。情节平庸，书中人物性别、性情、善恶等多参照药性及药名拟定，但实际药学内容则很少介绍，远逊于《草木传》。中国中医研究院存大文堂刻本。

《附子辨》 清·罗健亨 撰

按 罗健亨，字沄谷，湖南湘潭人。《湘潭县志》载其有医书四五种，今均佚。

《药性总集》 撰人不详

按 抄本。分草、木、菜、人、禽兽、虫鱼、金石、果、谷菜9部，录药415种。另附"药性补遗"，收药130味。每药为四言诗一首，四句、六句不等。间附反恶等内容。藏湖南衡阳市图书馆。

《补读轩药引杂考》 2卷 清·王德爵 撰

按 王德爵，字雨时，江苏吴江人。其书无序跋，卷上载药200味，卷下则仅录52味，共252味。每药寥寥数语。今有抄稿本存上海中医学院。

《本草再新》 12卷 清·叶桂 节录 1841年附

按 叶桂，字小峰，江苏苏州人。道光间当地名医。所辑该书收药609味。书前有"炮制论""药性总义"。经与《本草从新》对照，分部编排基本相同，内容亦多抄袭，连凡例亦同。唯《本草再新》多"杂部"，略增药物。实乃沽名之作。有清刻本及近代石印、铅印本。

《引经便览》 清·夏翼增 撰 1842年

按 夏翼增（约1772—?），字益能，蓉江人。先儒后医，精于临证。此书一名《引经药诀》。首绘十四经图，次述分际、循行及用药诀，皆括以七言诗，不详述各药性味功治等内容。中国科学院图书馆存仁心斋本（1842）。

《素仙简要》 4 卷 清·奎英 撰 1842 年

按 奎英，号素仙，满族人。道光庚寅（1830）治愈清宣宗疾，升太医院左院判。此书由药性、证候两部分合成。药性部分取常用药 560 种，通以四性分类，以利初学。中国科学院等处藏明道堂本（1844）。近代有石印本。

《药性捷诀》 1 卷 清·何第松 撰

按 何第松，字任迁，婺源（今属江西）人。《婺源县志》（1882）载其医药书名。今佚。

《药性集要便读》 3 卷 清·岳昶 辑 1843 年

按 岳昶（1773—1860），字晋昌，江苏武进人。此书取材于《本草纲目》《本草经疏》《本草述》《本经逢原》等书。载药 360 种，各撰歌括（或五言、或七言，不拘长短），述气味、形色、经络。又另附主治、功用、发明。虽名"便读"，实洋洋洒洒。有清刻本两种，藏中国中医研究院等处。或著录为《药性集要便览》（简称《药性集要》）。

《本草》 2 卷 清·王世钟 辑 1844 年刊

按 王世钟，字小溪，四川岳池人。撰《家藏蒙筌》18 卷，其卷 15、16 为《本草》。共载药 359 种，不分部类。每药百十字，述其性味归经、功效主治及宜忌。偶加按语，亦有佳处。中国中医研究院藏文盛堂刻本（1844）。

《本草求真》 2 卷 清·赖宗益 撰

按 《赣县志》著录此书，今佚。

《本草别钞》 10 卷 清·倪端 撰

按 《江都县续志》（1883）载此书，今佚。

《本草药性主治订要》 5 卷 清·陈翰 撰

按 陈翰，字莼汀，别字未堂，崇乡远溪（今江西修水）人。《义宁州志》（1873）载此书名。或有将其作《本草药性》《主治订要》二书著录者。今佚。

《本草补述》 12 卷 清·林衍源 撰

按 《苏州府志》（1883）载此书名。今佚。

《药性简要》 1 卷 清·廖云溪 编 1844 年

按 廖氏号云溪，中邑（今四川中江）人。从汪百川习医，辑《医学五则》。其中第 2 集为《药性简要》，又名《药性简要三百首》，录七言歌括 300 首。取材于《本草备要》，分草、木、果、谷等 8 部。中国中医研究院等处藏清刻本。

《医门初步》 1 卷 清·廖云溪 辑 1844 年

按 廖氏取胡公淡遗作《医方捷径珍珠囊》摘要而成《医门初步》。汇辑药性赋及引经报使、十八反、十九畏等众多药性歌括（计 22 种）。余参上条。

《神农本草经》 4 卷 清·顾观光 辑 1844 年

按 顾观光（1799—1862），字尚之，又字漱泉，别号武陵山人，金山人。考据学家。所辑《本经》，卷 1 为序录，余则为上、中、下三品。收药 365 种。取材于《证类本草》白大字，并进行了一些考证和校勘。采用李时珍所列《本经》目录编类药品。较孙星衍辑本稍逊，流传有限。有清刻本（1883）。建国后有影印本。

《务中药性》 20 卷 清·何本立 编 1844 年

按 何本立（1779—1853?），字务中，江西清江人。取《本草纲目》常用药，分别撰八句七言诗，以便诵读。今中国中医研究院等处藏清刻本（1845—1849）。

《本草征要》 2 卷 清·张德馨 撰

按 张德馨，号雪香，上海南汇人。《南汇县志》（1884）载此书名。今佚。

《本草摘要》 清·贺宽 撰

按 见《丹阳县志》著录。今佚。

《药性弹词》 清·王文选 编 1847 年

按 王文选，字锡鑫，号亚拙山人，万邑（今四川万县）人。编《医学切要》6 卷，卷 1 有《药性弹词》1 篇，分寒、热、温、平 4 类。每药 1 词，计 211 种。

后列分类见病用药歌、十九畏、十八反歌等。有清刻本两种，多馆有藏。

《济荒必备》 3 卷 清·陈仪 编 1847 年

按 作者为县官，此书为其任上所撰。分成 3 书：《蓺薽集证》，述栽种红薯法；《辟谷补方》，搜集各种书中的辟谷方 45 则，实用价值很小；《代匮易知》，采集可食植物资料 73 则（多取自朱橚《救荒本草》，徐元扈《野菜谱》、顾黄公《野菜赞》等书）。上三部分各作 1 卷，总以《济荒必备》为名。虽属农书，多涉医药。中国中医研究院等处存道光己酉（1849）刻本。

《本草》 清·刘淑随 撰

按 刘淑随，字贞九，山东宁阳人。《宁阳县志》（1887）载此书名，今佚。

《本草求原》 27 卷 清·赵其光 辑 1848 年

按 赵其光，字寅谷，冈州（今广东新会）人。赵氏推崇刘若金、徐灵胎、叶天士（当为姚球）、陈修园四家之本草注，复“为之增其类，补其义”，撰成《本草求原》，又名《增补四家本草原义》。杂采众说，伸以己见，补充了一些名医方论及治验，于《本经》药外，兼采常用时药与食物，共得药 900 余种。附方数万。药物分类同《本草纲目》。中国科学院等处存其原刻本（1848）。

《药性摘录》 1 卷 清·文晟 辑 1850 年

按 文晟，字叔来，江西萍乡人。遗有《六种新编》丛书。《药性摘录》按功效（如温中、平补等）分 31 类，收药 433 味。各药摘抄性味功治，平泛无新意。此后列“常用药物”，分经封将（如手少阴心经，补心猛将龙眼肉……）。末为“食物”，录饮食物 330 余种，简介性味功治。江西省图书馆等处存清文庆堂本（1865）等刊本。

《神农本草经赞》 3 卷 清·叶志诜 撰 1850 年

按 叶志诜，字东卿，湖北汉阳人。大臣。取孙星衍辑《神农本草经》原文，再加赞、注而成此书。每药为四言四韵。赞语古奥，又自引诗赋本草释其出典。今有《汉阳叶氏丛刻医类》《珍本医书集成》等刊本。

《药性赋》 清·丁悦先 撰 1850 年附

按 丁悦先，道光间安徽怀宁人。所撰此书见《怀宁县志》著录。今佚。

《药性辩论》 清·钱维翰 撰 1850 年附

按 钱维翰，字亮卿，上海塘湾人。所撰药书见《上海县续志》，今未见。

《一隅本草》 清·孙兆惠 编绘 1850 年

按 孙兆惠，字笠江，江苏昆山（或误作安徽）人。道光（1821—1850）年间官云南自贡及蒙自知县。工画，知医。取兰茂《滇南本草》坊刻本及杨慎传抄著作中的滇药合编而成《一隅本草》，收药 410 种，间附己说，并自绘图。然未见传世（见《滇南本草》赵藩序）。

《本草从经》 清·颜宝 撰

按 颜宝，字善夫，江苏江都瓜州人。生活于 19 世纪，为"淮扬九仙"之一（九仙指九位名医）。《续修江都县续志》载其撰《本草从经》。今佚。

《本草择要》 3 卷 清·王荩臣 编 约 1851—1863 年

按 见《本草撮要类编》条。

《本草注释》 4 卷 清·张国治 辑

按 张国治，字子瑜，上海金山人。许光镛《枫泾小志》（1891）载其医药书名。今佚。

《本草省常》 1 卷 清·田绵淮 辑 1853 年

按 田绵淮，字伯泗，号寒劲子，中州商邑（今河南商丘）人。撰《援生四书》（丛书），《本草省常》为第 3 种。该书为养生而设，仅收饮食品 365 种（实存 350 种），故不录治病所需草木金石药。增收红芋等药物，对动物药则"详著其短、略著其长"，以免有伤生灵。中国中医研究院藏余庆堂本（1873）。

《本草明览》 11 卷 清·钮文鳌 抄 1854 年

按 钮文鳌抄于刘东孟家（1854）。该书收药 388 种，分草、木、谷、菜等 10

部。简介性味、功效。后附引经、报使等内容。上海市图书馆有藏。

《药性蒙求》 清·张仁锡 撰 1856年

按 张仁锡（？—1860），字希白，上海青浦人。纂《药性蒙求》（初名《药性诀》《四言药性》）。乃于邵达订补的皇甫中《明医指掌·药性歌》基础上予以增补，载药439味，分草、木、果、菜等13类。各药以大字出四言诗四句，次用小字注出用药要点、药材性状、炮制、产地等。多引《本草纲目》《本经逢源》《本草从新》等书，偶增己见，介绍诸药作用比较切中肯綮。上海中医学院存抄本，1979年上海古籍书店复印。

《本草别名》 清·朱春柳 编 1856年抄

按 此书今上海图书馆藏咸丰六年（1856）抄本。

《本草纲目补遗》 清·黄宗沂 撰 1856年附

按 黄宗沂（？—1856），字鲁泉，号同甫，江苏江都人。《江都县续志》（1883）著录书名。今佚。

《药解》 2卷 清·周廷燮 撰

按 周廷燮，字载阳，四川井研人。光绪《井研县志》著其书名。今佚。

《药性辨》 清·夏承天 撰

按 《余姚县志》（1899）著录，今佚。

《药性歌》 清·汝昌言 撰

按 汝昌言，江苏吴江人。所撰药书见《黎里续志》（1899），今佚。

《一隅本草》 清·黄上琮 撰

按 黄上琮，字文琦，上海宝山罗店镇人。《宝山县志》（1882）载其书名。今佚。

《药性歌括》 清·杨喜霖 撰

按 杨喜霖，字雨亭，海城（今属辽宁）人。《海城县志》载其书名。今佚。

《本草图经》 清·高锦龙 撰 1860 年附

《药性辨同》 清·刘源长 撰

按 见山东《宁津县志》（1900）。今佚。

《随息居饮食谱》 清·王士雄 撰 1861 年

按 王士雄（1808—1866?），字孟英。清末著名温病学家。咸丰十一年（1861）撰此书（简称《饮食谱》）。收饮食品327种，分水饮、谷食、调和、蔬食、果食、毛羽、鳞介7类。简介功效宜忌，附以用法，每出新见，为食疗佳作。有清刻本及石印本多种，多馆有藏。

《本草便读》 6卷 清·江敏书 编 1861 年附

按 江敏书，咸丰（1851—1861）年间人。该书正文6卷，另有"补遗""续遗"各1卷。末附《药性要义》1卷。北京图书馆等多处存1936年山东铅印本。

《病理药性集》 清·巴堂试 撰 1861 年附

按 巴堂试，字以功，安徽歙县人。咸丰（1851—1861）年间行医江西。《歙县志》载其书名。今佚。

《本草害利》 清·凌奂 撰 1862 年

按 凌奂，字晓五，浙江吴兴人。从吴古年习医，得传《本草分队》。后以此为基础，集各家本草著作精义，补入药之害于病者，逐一加注，更名《本草害利》。分类仿《本草分队》，按脏腑列11部，各队又分温、凉、补、泻之猛将、次将。诸药下设"害"（不良反应）、"利"（功用、配伍）、"修治"（炮制及用药品种鉴别）3项。内容丰富，甚切实用。1982年中医古籍出版社排印。

《注释本草纲目》 清·张杏林 注 1862 年附

按 张杏林（？—1862），字春卿，江苏高邮人。《扬州府志》（1874）载此书名。今佚。

《**本草汇纂**》 3卷（附1卷） 清·屠道和 撰 1863年

《**药性主治**》 1卷 同上

《**分类主治**》 1卷 同上

按 屠道和，字燮臣，湖北孝感人。所撰《本草汇纂》（1851—1863），收药500余味，按功效（如平补、温补等）分30余类目。各药简述归经、性味、功治、制法等。共采辑20余家本草著作精要。附录载饮食物130余种，述其性味功用宜忌。卷末列《脏腑主治药品》，以功效归类药名。另《药性主治》一书按病证罗列主治药名（设症111种）。《分类主治》列治法30则（名目多同《本草汇纂》）。每一治则论其应用机制，列举有关药物以为例证。卷末附《毒物》。今有育德堂《医学六种》刻本（1863）。

《**药性分经**》 清·钱嘉钟 撰 1864年附

按 钱嘉钟，号云庵，浙江嘉善人。《嘉兴府志》（1878）著其书名，今佚。

《**神农本草经**》（辑本） 3卷 清·黄奭 辑 1865年

按 黄奭（字右原），江苏甘泉人。世为富商，嘉庆、道光间任刑部员外郎，钦赐举人。治经史及小学，好辑刻古书，《神农本草经》（同治四年辑）即其中之一，收入《黄氏逸书考》。该辑本除增加补遗22条外，余皆同孙星衍辑本。杨守敬《日本访书志》卷9云："案此本与孙氏"问经堂丛书"本全同，唯卷末多补遗二十二条。考孙氏自序，于此书源流甚晰，不应是窃人之书。而卷末二十二条，非平日用力此学，亦不能得也……然不应没孙氏名而直署己作。"范行准则直云："二孙辑本，即被当时富商黄奭所窃，删去叙录，辑入《黄氏逸书考》中。"所补22条分别辑自《太平御览》《尔雅》《续博物志》，亦见功力。有清刻本及1982年影印本。

《**食鉴本草**》 题清·费伯雄 撰 1865年

按 费伯雄（1800—1879），字晋卿，江苏武进孟河人。世业医。有《费氏食养三种》。其中《食鉴本草》据盛红考订，即石成金订集的《食鉴本草》和《食愈方》的合刊本而已，非费氏原撰。另有《食养疗法》及《本草饮食法》二书。

《**本草补注**》 6卷 清·方耀 撰 1865年附

按 方耀，字含山，浙江海盐人。《海盐县志》（1876）载其撰医药书多种，均佚。

《本草二十四品》　24 卷　清·陆九芝　撰　1866 年附

按　陆九芝（名懋修），江苏元和（今苏州）人。以医名世。所撰该书按功效分为 24 卷（如消散风寒、辟除温暑等），述常用药 297 味。大字书其主要功效，次注性味归经、主治禁忌，画龙点睛，重点突出。目录中药名之下即简注用量、性味、煎法、制法等。北京图书馆藏林屋丹房抄本，冯汝玖重录。

《神农本草经摘读》　林屋洞仙　辑

按　北京图书馆藏抄本，题为林屋洞仙九芝辑。九芝为陆懋修之字，陆氏堂号林屋丹房，疑林屋洞仙为陆氏之别号。

《本经便读》　4 卷（附《名医别录》1 卷）　清·黄钰　编　1869 年

按　黄钰，字宝臣，四川璧山人。尝"取《本经》而编辑之，补短截长，押以韵语，名曰《本经便读》"。收药 232 种。附录虽题名《名医别录》，实非《别录》辑本，乃辑自《别录》至《本草纲目》所出药 143 味，合前 4 卷共有药 375 味。每药编歌一首，别无补注发明。今有清刻本数种，藏中国中医研究院等处。

《本草摘要》　清·程履丰　撰　1869 年附

按　程履丰，字宅西，号芑田，婺源（今属江西）人。同治间官吏。《婺源县志》（1925）有著录。今上海市图书馆、上海中医学院藏佚名氏同名书，不解是否为程氏所撰。

《草木便方一元集》　4 集　清·刘兴　撰　1870 年刊

按　一称《草木便方》。作者刘兴，字善述，四川合川县西里刘家岩人。尝竭力搜求川东土产药物，察形究性，附以方剂，编成该书，稿成即卒。其子刘士季为之辑定，刊于同治九年（1870）。书分元、亨、利、贞 4 集。前 2 集为草药性，载药 508 种；后 2 集为药方。附有药图。女字部分则采用七言歌诀形式，介绍性味功用。该书为一颇有特色的地方本草著作（四川合阳赤水一带），近来四川省中药研究所（该所存此书原刻本）等处正在对其作深入的研究整理。

《萃金裘本草述录》　9 卷　清·蒋溶　补辑1870 年

按　一名《萃金裘初集》《本草述录》。蒋溶，字文舟，江苏武进人。得张琦《本草述录》，乃增"补集"1卷，添野山参、东洋参等药。今中国中医研究院藏手抄本。

《用药》　1卷　清·雪樵　辑　1870年

按　雪樵，不明姓氏。著《兰台要旨》，卷下为《用药》。阐发药理，不述具体药物功治。每四句四言韵语之后，略加阐述。如谓"药性主治，不外五行，分阴分阳，归十二经"；"广色青气臊，其味则醉。属木之药，人胆与肝"等。上海中医学院藏益寿堂刻本（1870）。

《方药类编》　4卷　清·熊煜奎　辑　1872年

按　熊煜奎，字吉臣，号晓轩，湖北武昌人。所辑《方药类编》为《儒门医宗总略》后集。阐述药性补泻，辨析气味宜忌，采摘历代诸家论药精要。又按证列举治方，方药合论。湖北省图书馆藏清同治间崇训堂刻本。

《本草纲目释名》　清·耿世珍　辑　1874年附

按　耿世珍，字廷瑾，一字光奇，广陵（今江苏扬州）人。书名"释名"，实则仅按《本草纲目》原部类摘录诸药之别名，并无一处解释。1982年中医古籍出版社影印抄本。

《本草群集》　清·黄滋材　编　1874年附

按　中国科学院图书馆藏此书抄本。

《合药指南》　4卷　清·许大椿　撰　1874年附

按　许大椿，以字行，江苏吴县人。《吴县志》（1933）载其所撰药书，今未见。

《药性赋》　1卷　清·李朝珠　撰　1874年附

按　李朝珠，字佩玫，别号坦溪，河北曲阳人，生活于19世纪后半叶。《曲阳县志》（1904）有著录，未见存世。

《本草因病分类歌》 清·王铨 编 1876 年刊

按 王铨（1831—1877），字子衡，一字松舫，河北新城人。编《医学家柜》6 卷，《本草因病分类歌》为其一。将药物按病分类，各编歌括，以便学医入门。现有光绪二年（1876）文莫室刻本。

《本草征要》 清·胡杰人 撰

《本草别名》 清·胡杰人 撰

按 胡杰人，字芝麓，手有歧指，又号指六异人，浙江余姚人。《余姚六仓志》（1920）有著录。今佚。

《本草赘余》 1 卷 清·杨履恒 撰

按 杨履恒，字孚敬，江苏江阴人。《江阴县续志》（1920）载其书名。今佚。

《药要便蒙》 2 卷 清·谈鸿鋈 编 1881 年

按 谈鸿鋈，字问渠，居北京虎坊桥，任职于农部。编《药要便蒙新编》（简称《药要便蒙》）。收药 365 种（《本经》药 143 种，诸家本草著作药 222 种），择前贤精义，编为四言诗句，特重用韵。按药效分为 10 门。该书曾与《笔花医镜》合刊，或有将此书易名《药性新赋》者。多馆有藏。

《存存斋本草撷华》 3 卷 不著撰人 1881 年附

按 抄本 3 册。版心记"味根草堂"，封面题"味根草堂本草"。今仅残存草类药 97 味。杂集明清诸家药论，别无新义。查存存斋为清医家赵晴初（1823—1895）之堂号，赵氏名彦辉，号存存老人，有《存存斋医话稿》（1881）。浙江绍兴人。疑此本草著作即赵氏辑录。

《本草考证》 4 卷 清·翁机 撰

按 翁机，浙江钱塘（今杭州）人。《杭州府志》（1922）载此书。今佚。

《天宝本草》 不著撰人 1883 年

按 该书卷首题书为"天宝本草"，书口亦作"本草"。全书所载，尽是草药。首列寒、热、温、平四赋，虽系仿《药性赋》（四性）体例，但内容迥别。其次载

《药性歌》149 首（每药一歌），如："开喉剑名八爪龙，叶下藏珠状元红。咽喉红肿皆能治，牙疼肿热火症同。"今藏中国中医研究院者，为 1939 年重刊本。中国科学院图书馆藏清宣统三年（1911）本，题书名为《天宝本草药性》（2 卷），均不载作者。

《读本草纲目摘录》　清·徐用笙　摘　1883 年附

按　徐用笙，自号书呆子，山阴（今浙江绍兴）人。常依《本草纲目》所载治疗疾病，后取该书价廉易得之物 265 种，简录性味功治及附方，编成《读本草纲目摘录》。上海中医学院存 1883 年抄本。

《药赋新编》　1 卷　清·程曦、江诚、雷大震　纂　1884 年

按　该书由程曦、江诚、雷大震合纂。程曦字锦雯，新安人。江诚字抱一，雷大震字福亭，均浙江衢县人。书仿《药性赋》，以寒、热、温、平分类，载药 342 味。每一句药赋之下，简注种类、归经、功治。末附《药性大略》，述一般药性理论，为寻常入门书。该书收入《医家四要》，有近代刻本、石印及铅印本。建国后亦有排印本。

《本草纲目易知录》　8 卷　清·戴葆元　编　1885 年

按　戴葆元（约 1828—1888?），字心田，一字守愚，婺源（今属江西）人。取《本草纲目》《本草备要》两书，增删而成《本草纲目易知录》。分草、谷、菜、果等 16 部，载药 1208 种。以大字介绍性味功治，小字注附方。偶夹个人意见，注出"葆按"。书末附《万方针线易知录》，乃抄摘《万方针线》一书而成。江西省图书馆存木刻本（1887）。

《神农本草经》（辑本）　3 卷　清·王闿运　辑　1885 年

按　王闿运（1833—1916），字纫秋，号湘绮。湖南湘潭人。辞章家。自称得严生所获长安明代翻刻宋嘉祐年间《神农本草经》刊本，遂以之为本辑此书。收药 360 种（归并了数药）。有成都尊经书院刻本。1942 年，四川成都刘复以之为主体，取孙星衍、顾观光辑本参校补遗，以《神农本草》为名刊行。有上海古医学会铅印本（1942）。

《注解神农本草经》 10卷　清·汪宏　辑注　1885年

按　汪宏，字广庵，安徽歙县人。该书成于光绪乙酉（1885），1888年梓行。自称于咸丰六年（1856）得北宋熙宁元年（1068）《本经》重刊本，其蠹蚀殊难披阅。因取《本草纲目》诸书校对，抄成《神农本草经》。载药365种，分成9卷，且为之注解。汪氏所称宋本《本经》，据盛红考证，并不可信。今存上海中医学院。

《汤液本草经雅正》 10卷　清·钱艺等　编　1885年

按　钱艺，字兰陵，镇洋（今浙江吴兴）人。该书系以《本经》药物为主的注解本草，由钱氏儿辈集成。书名雅正，取其辞雅理正。今上海中医学院存稿本。

《本草衍句》 1卷　清·黄光霁　撰　1885年

按　书存《三三医书》，不著撰人，仅云"休宁金履陞社友昔年录寄之稿"。考《婺源县志》（1925）载，黄光霁，字步周，婺源人。金陵、姑苏皆知其医名，著《本草衍句》。黄氏与景濂（1824—1885）为同时代人。因此，据其所居地区、声望、年代、书名，可以认为黄氏即此书的作者。该书录药268种，分草、木、石、谷、菜、兽诸部。每药撰韵语数句，末附简注及单方。卷首列反忌、引经报使及高士宗《用药大略》等。内容平平。

《神农本草直指》 4卷　附录1卷　清·戈颂平　撰　1885年

按　戈颂平，字直哉，海陵（今江苏泰州）人。著《戈氏丛书四种》，内含《神农本草直指》（或作《本草指归》）。今上海中医学院、泰州市图书馆有传抄本。

《本草歌》 清·胡翔凤　撰

按　胡翔凤，字守先，号爱吾，婺源（今属江西）清华人。《婺源县志》（1925）载此书名。今佚。

《校补药性》 1卷　清·戴绪安　辑　1886年

按　戴绪安，字筱轩，一作小轩，安徽凤阳人。尝辑《医学举要》（1886）4卷，卷4为《校补药性》。仿《本草图经》分部类。各部用歌赋体，每联介绍数种药物主要功效，再注其产地、炮制、形态、反畏、性味、功治等。计有骈句190余联，涉及药物 400 余味。中国中医研究院等处存清刻本。

《本草撮要》 10 卷 清·陈其瑞 辑 1886 年

按 陈其瑞，字蕙亭，当湖（今浙江平湖）人。光绪七年（1881）任职于江苏官医局。该书选常用药 668 味，分草、木、果、蔬等 9 部，简述性味、归经及功治、配伍。主治宗《本经》，体裁仿《本草述钩元》，有清资生堂刻本（1902）及《珍本医书集成》铅印本。

《医门小学本草快读贯注》 4 卷 清·赵亮采 编 1887 年

按 赵亮采，字见田，湖北襄阳人。谓本草书乃医门之小学，遂编此书（简称《医门小学》）。首列阴阳运气、脏腑经络及药性总义，次以药性寒、热、温、平四赋为纲，杂采前人之说为之注释。书后附诊法、经络歌诀。湖北省图书馆等处藏清鹿门慎业斋本（1887）。

《本草便读》 2 卷 清·张秉成 辑 1887 年

按 张秉成，字兆嘉，江苏武进人。该书集药 580 味，每药编成数联韵语，述其性味主治。又注临床应用要点、炮制、形态、宜忌。分类仿《本草纲目》。卷首列《用药法程》，即药性总论。该书集诸多本草歌诀之长而成，繁简得当，故流传甚广。建国后有铅印本。1913 年上海章福记书局石印时易名《本草新读本》。

《本草简明图说》 4 卷 清·高砚五 编 1887 年

按 高砚五，字承炳，号念岵，江苏无锡人。先世高锦龙，以《本草纲目》绘图多次翻刻，已失其真，乃著《本草图经》，逐种考校。书成毁于战乱，仅余草部百十种药。砚五以此为基础，补绘而成《本草简明图说》。收药 1000 余种，附以药图。其图或据写生，或采西方植物图绘，或据传闻想象而绘，鱼龙混杂，然笔法细腻。图上注以药性。上海图书馆等多处藏石印本（1892）。

《桂考》 1 卷 清·张光裕 撰 1889 年

按 张光裕，字近人。该书述桂之真伪及用法，辨桂之形色气味及取、制、用、藏诸法。附《采桂图》两幅。1925 年黄任恒续辑 1 卷，一并刊行，名《桂考续》。北京图书馆等处有铅印本。

《汉药大观》 清·程义廉 撰

按 见山东《续禹城县志》（1939）。今佚。

《新订本草大略》 1卷 清·陈珍阁 撰 1890年

按 陈珍阁，名宝光，广东新会人。兼知西医。撰《医纲总枢》，卷2为《新订本草大略》。按功效分成26类，选常用效验药328味，释其功效主治。其解说各类功效，能融贯中西，自成一格。中国中医研究院等处藏清光绪间刻本。

《本草便记歌》 清·宋言扬 撰

按 宋言扬，字春农，山东胶州人。《山东通志》（1911）著录。今佚。

《本草摘要》 清·陈楚湘 撰

按 陈楚湘，一名诗怀，浙江鄞县人。《鄞县通志·文献志》（1951）著录其书。今佚。

《本草识小》 清·孙郁 撰

按 孙郁，字兰士，江苏丹徒人。《续丹徒县志》（1930）载此书名。今佚。

《本草便读》 清·郑作霖 撰
《药性赋》 清·郑作霖 撰

按 郑作霖，字解祥，山东庆云人。《庆元县志》（1931）著录。其书今未见。

《良药汇编》 14卷 清·苏飞卿 编 1892年

按 今有清光绪十八年（1892）台湾淡水刻本，藏上海图书馆。

《吴氏摘要本草》 清·吴承荣 辑 1892年

按 吴承荣，字显文。安徽歙县人。所辑该书一名《吴氏摘要本草实法》。依次为本草论、十八反、十九畏及各类功效药物。采用四言诗形式述药。上海中医学院藏该书手抄本。

《本草便读》　1 卷　清·蒋鸿模　撰　1892 年

按　蒋鸿模（1853—1918），字仲楷，合州（今四川合川）人。该书取《本经》及后世注释，编为歌诀。所收药皆常用品，又附录当地所产经试有效之草药。另有《证治药例》（1914），系将李时珍《本草纲目》"百病主治药例"删订而成。

《神农本草经》　1 卷　清·姜国伊　辑　1892 年

《神农本经经释》　1 卷　清·姜国伊　释　1892 年

按　姜国伊，字尹人，岷阳（今四川郫县）人。自同治元年至光绪十八年（1862—1892）辑成《神农本经》，共 365 种药。佚文及目录悉取自《本草纲目》。《神农本经经释》（简称《本经经释》），药数及条文悉同所辑《本经》，再加注释，以明功治。自称"唯遵《内经》，以圣解圣"，实则多臆测附会，徇名索义，无多少实际经验。中国中医研究院等多处藏《姜氏医学丛书》本（1892）。

《本草问答》　2 卷　清·唐宗海　撰　1893 年

《寿世保元四言药歌》　清·退省氏　录　1894 年刊

按　此即明·龚廷贤《药性歌》。退省氏摘录自刊（藏中国中医研究院）。考同时代的姚凯元（字子湘，号雪子，浙江吴兴人）有《退省斋说医私识》，疑"退省"即姚氏堂号。

《药性赋》　清·何岩　编　1894 年附

按　何岩（1824—1894），字鸿舫，一作鸿芳，青浦（今属上海市）人。世业医。于青鳞山开辟何氏药圃，种药颇多。检圃得药，据药辨性，作《药性赋》（4193 字），传诵一时。该赋分温、热、寒、平四性，共收药 334 味。各药以骈语述其功效，简洁流畅。上海中医学院藏青浦何氏家藏未刊本及《重古何氏药赋》（抄本）。上海市图书馆藏《何氏药性赋》（王丕显 1927 年重抄，附四言《药性歌》）。上海中医文献研究所藏《温性药赋》，乃误将此四赋中首赋名作书名，药味数略有出入，然均属何岩撰。

《药性诗解》　清·李桂庭　集　1895 年

按　一作《活人心法·药性诗解》。为李桂庭课徒时所集。李氏将某药功效拟成一题，由学生赋诗，李氏批改（加按语，明其主治及用法）。中国中医研究院存该书抄稿本。

《本草韵语》 2 卷 清·陈明曦 编 1895 年

按 陈明曦，字星海，星沙（今湖南长沙）人。选常用药 273 味，撰诗 304 首。按功效分类。各类药名又合集为诗一首，收入目录。正文药诗述功效主治，其余性味归经、产制反恶等则用夹注。偶附己见，新意不多。北京图书馆等处藏清刻本（1898）。

《土药类志》 清·许安澜 撰

按 见江西《昭萍志略》（1935）。今佚。

《每日食物却病考》 2 卷 清·吴汝纪 辑 1896 年

按 清光绪二十二年（1896）上海书局石印，今存镇江市图书馆。

《本草类要》 清·庆恕 编 1896 年

按 庆恕（1840—1916?），字云阁，满族，辽宁抚顺人。光绪二年（1876）进士。编《医学摘粹》（1896），《本草类要》为其中一种。收常用药 180 品，分补、攻、散、固、寒、热 6 门，各门又细分类，每药数十字，括其主效，平淡无奇，唯求简易。有清刊本及 1983 年点校本。

《医学辨证》 4 卷 清·张学醇 编 1896 年

按 张学醇，字筱溥，山阴（今浙江绍兴）人。撰《医学辨证》，内含方药。尝取常用药逐味尝之，选药 160 种，分阴阳五味，列于十二经脉之后，类似本草分经。有清抄本及近代铅印本。

《药性粗评全注》 清·黄彝尊 编 1896 年

按 黄彝尊，字虔僧，湖南长沙人。取《本草纲目》《本草纲目拾遗》诸书中常用药 663 味，将药性括为骈语，复加评注，以为习药入门书。中国中医研究院等处存清光绪二十三年（1897）铅印本。

《本草撮要类编》 清·王荩臣 原撰 韩鸿等 订补 1897 年

按 王荩臣撰《本草择要》（约 1851—1863），多遵《本草从新》，附入王氏平昔用药心得。因兵乱散失迨半。韩鸿（字印秋）之父师事王氏，乃拾掇残卷，删繁去复，略加校补，收入《韩氏医课》，命名《本草撮要类编》。其书分草、木、藤、谷、诸辛香及动物药 6 类，药性仍遵《本草从新》，间附效方及用药心得，编为骈句。韩鸿于其父殁后，补入王子接《得宜本草》等书内容，间附己见。中国中医研究院藏稿本。

《本草集要》 清·陈镇 编 1898 年

按 今光绪二十四年（1898）稿本，藏上海中医文献研究所图书馆。

《本草崇原集说》 3 卷 附录 1 篇 清·仲学辂 编集 约 1900 年

《神农本草经校注》 3 卷 清·莫文泉 撰 1900 年

按 莫文泉（1837—?），字枚士，号苕东迁叟，归安（今浙江吴兴）人。长于文字考据。该书卷前为《神农本经释例》及《本经》13 条总论。释例中统一解释药物命名意义、性味主治、病名含义等。余 3 卷按李时珍所出《本经》目录，参顾观光、卢复等辑本，辑列条文。重在注释名称字义。凡古来有争议者，多专立附条，辨析用药品种，附入个人见闻。浙江图书馆等多处藏光绪二十六年（1900）归安月河莫氏家刻本。

《药魂三百种》 6 卷 不著撰人

按 本书按功效及症名分 6 门 44 类。各药名之上注其草、木、金、石属性，依次列用量、味气及功效。其中功效限以四字成一句，每药以八字尽之。收药 300种，内容简略。今上海中医学院藏稿本。

《痘疹药性》 1 卷 清·牛凤诏 撰 1900 年附

按 朱凤诏（1840—1904），字恩宣。《霸县新志》（1934）载其书名。今佚。

《新著本草精义》 吴恂如 编 1900 年附

按 吴氏为浙江黄岩人。此书为稿本。收药 306 种，按功效分 36 类。各药简述性味、功效、主治，略释药理。附载配合禁忌。上海中医学院有藏。

《药性三字经》　2 卷　清·袁凤鸣　编

按　袁氏为河北临漳人。该书收药 499 种，汇诸家精论，参以已验，编为三字韵语。内又有《青囊药性赋》，述药 248 味。1949 年后其族裔献此书，河北中医学院重新编校。

《神农本草经正义》　清·陶思曾　撰

按　陶思曾，字在一，浙江绍兴人。《绍兴县志资料》（1939）载此书名。今佚。

《本草晰义》　清·徐汝嵩　撰

按　徐汝嵩，字雄五，浙江乌青镇人。《乌青镇志》（1936）载其书名。今佚。

《本草正味》　清·金铭之　撰

按　金铭之，一名权，字其箴，号鸥园，浙江临海人。《临海县志》（1934）载其书名。今佚。

《药义辨伪》　2 卷　清·陈定涛　撰
《药性补遗》　1 卷　清·陈定涛　撰

按　陈定涛，字德渊，号一瀍，侯官（今福建福州）人。上二书均佚。

《药性论》　清末·陈周　撰

按　陈周，字献之，简州（今四川简阳）人。该书 3 篇，对传统药理某些说法提出异议，谓心疾食猪心等，皆囿于"医者意也"所致之臆说。抨击制药自矜精细等做法。尤反对用药唯取平和，不求精当之陋习。

《本草歌括》　清末·陈启予　编

按　陈氏乃四川合川人。近代《合川县志》载其所撰本草书，今未见。

《伪药条辨》　4 卷　清末·郑肖岩　撰　1901 年

按 郑肖岩（1848—1920），名奋扬，福建福州人。撰《伪药条辨》，揭露当时药业市利之徒的以伪乱真、以贱抵贵的不良现象。书将成，其堂弟郑矞如又提供40余种药物的辨别资料，表弟郭叔雅也提供30余味药物的鉴别经验。全书载药110种。后经曹炳章补订的《增订伪药条辨》。近代有铅印本。

《药论》 沈文彬 撰 1901年

按 沈氏取高鼓峰《药论随笔》一编，又从吴澹园（名达，字东旸）处得《药能》一书，乃将二者熔为一炉，再加编校。收药221种，分补、散、泻、血、杂5剂，各剂又按功效分细目。各药简介功治及归经、配伍，为初学入门书。上海中医学院存抄本。沈文彬（1870—1956），号杏苑。上海浦东人。

《本草思辨录》 4卷 清·周岩 著 1904年

《脉诀本草录》 清·佚名氏 1905年抄

按 今中国科学院图书馆藏清光绪二十一年（1905）抄本。

《中馈录》 1卷 清·曾懿 撰 1906年

按 曾懿（1853—?），字伯渊，号华阳女士，华阳（今四川双流）人。该书为曾氏《古欢室医书三种》之一。将女子应习之食物制造各法分20节介绍，然与医药无关。或有将其作食疗书著录者。

《药性赋》 清·福寿堂主人 编 1908年

按 书分药性寒类赋、药性温散赋、药性温补赋，共述药350余味。今中国中医研究院藏粤东新宁福寿堂铅印本。

《九龙虫治病方》 不著撰人 1908年附

按 书前永宁外史序介绍该虫传入历史及形态，所列治证极广。中国中医研究院藏抄本。

《洋虫》 不著撰人 1908年附

按 洋虫即九龙虫。书中介绍该虫产地、传入历史、形态及功治。中国中医研究院存刊本。

《抄本药性赋》 不著抄人 1908 年抄

按 中国中医研究院馆藏时定名。内抄有《用药发明》《珍珠囊药性赋》《药性赋》《药性赋解摘句便读》《各种药露》《用药凡例》《主治指掌》《诸品药性诗》等。

《南阳药证汇解》 6 卷 清·吴槐绶 撰 1908 年

按 吴槐绶（约 1833—?），字子绂，浙江仁和人。该书列举张仲景用药 161 味，按其立方治症之意，分类排列，使药方证互相比较。书前另有《汉张仲景先师用药分量考》1 篇。今有《吴氏医学丛刊》，藏上海中医学院。

《本草歌括》 清·林毓璠 撰 1908 年附

按 林毓璠，字兰阶，四川大竹人。光绪间编《本草歌括》，今佚。见近代《续修大竹县志》。

《本草分经》 1 卷 清·张节 辑 1909 年

按 张节，字心在，安徽歙县人。所撰《张氏医参》7 种，内有《本草分经》1 卷。诸药分属十二经、三焦、命门、奇经八脉、营卫，共列药名 936 种（包括重复）。每药仅简注一性能（如补、益、泻等）或一功效。中国中医研究院藏张氏家刊本（1909）。

《药性选要》 4 卷 清·王鸿骥 编 1909 年

按 王鸿骥，字翔鹤，遂州（今四川遂宁）人。该书前 3 卷收《本经》药（上品 113，中品 89，下品 36）；卷 4 收《别录》以下诸家本草著作药品 147 种，合计 385 种。每药以四句歌括作正条，后附用药机制及相近药物功治比较等。注释多采自《神农本草经百种录》及《本草经三家合注》，少有自家见解。该书刊入《利溥集》，中国中医研究院藏宣统二年（1910）成都闲存斋刊本。

《药性要略》 清·钱国祥 录 1910 年

按 钱国祥，号吴下迁叟，金匮（今并入江苏无锡）人。该书载药 281 味，按草、谷、木、菜等分为 10 部。每药数语，略述性味功治，别无新意。今存中国中医研究院。

《中国药理篇》　清·李克蕙　撰

按　见《丰城县志》著录（1948）。

《药性提要歌诀》　清·郭学洪　录　1910 年附

按　郭学洪，字竹芗，江苏吴江人。该书择常用药编为七言歌括，简介归经、效用及禁忌，而以寒、凉等 10 种药性归类药物。上海图书馆存 1920 年吴江柳氏传抄本。

《诸病主药》　不著撰人

按　上海中医学院藏日本医学馆刻本。集 180 余证的主用药物，说明某病须用某药，为临床用药手册之类著作。

《增补药性赋》　1 卷　清·黄晖史　撰　1911 年刊

按　黄氏名炜元，广东大埔人。编《医学寻源》5 卷，《增补药性赋》为其中之一。

《药物学豆》　五州访道人　编　1911 年附

按　旧抄本，年代失考。列提纲、总义及细目。总义一节概述中医药理，亦有独到之处。今藏上海中医学院。

《杂症药谱》　不著撰人　1911 年附

按　书口作"此书治一切杂症药谱"，下有"忠义置""信成置"字样，收单方 200 余，无药学内容。然书名易误解为药书。

《方药集义阐微》　6 册　不著撰人　1911 年附

按　该书杂乱无章，乃清末抄本。书分上下栏，杂抄《神农本草经》《本草经疏》《神农本草经解》等书，拼凑而成。藏中国中医研究院。

《神农本草》　1 卷　清·王仁俊　辑　1911 年附

按　题作魏·吴普等述，清·王仁俊辑。王仁俊（1866—1914），字捍郑，江苏吴县人。专事古书辑佚。该书为《玉函山房辑佚书续编》医家类，辑佚时除参考《证类本草》外，还从《艺文类聚》《初学记》《太平御览》中搜求资料。

《本草释名类聚》　2 卷　不著辑人　1911 年附

按　稿本。辑录《本草纲目》诸药别名，依原书部类编排。中国中医研究院藏。

《东瓯本草》　8 卷　清·李苣　撰　1911 年附

按　李苣，字淑诚。原名式夔。浙江瑞安人。该书从书名揣测，似为一地方本草著作。今佚。

《本草》　清·程龄源　编　1911 年附

按　抄稿本。署名"歙邑龄源贯邦程氏编剂"。分补、收、涩、散、泻、血、杂诸剂，各剂又按功效分章，共录药 356 味。每药仅简录性味、归经、畏忌、炮制，平庸无可称道。今藏中国中医研究院。

《药性歌诀》　1 卷　清·沈志藩　编

按　沈志藩，字价人，号守封，上海人。编《药性歌诀》，1935 年铅印，藏上海中医文献研究馆。

《本草摘要》　1 卷　不著撰人　1911 年附

按　全书取《本草纲目》中常用药 467 种，分 26 部（与《本草纲目》同）。上海图书馆藏。

《新修本草》（辑本）　清·李梦莹　补辑　1911 年附

按　中国中医研究院藏未刊稿本。

《本草择要》　清末·锡昌　撰

按　锡昌，字选之，号退龄，蒙古奈曼氏正黄旗人。《续丹徒县志》（1930）

载其书。今佚。

《本草分类》 悔迟居士 撰

按 重庆市图书馆存抄本。

《药性赋音释》 1卷 清·范美中 原撰 余萍皋 首释

按 南京中医学院藏清代明辨斋刊本。

附篇　历代本草著作人物名录

　　关于本草著作人物介绍，向无专书，一般都附录在医方本草书籍、经史典籍、佛书道藏、方志簿录，以及中医词典、中药词典内。笔者在查历代本草著作时，顺便将本草著作的作者亦抄录之。经多年积累，汇成此篇，附于书后。

　　本书所录的本草著作的作者，大多数是清以前的医学药学家。所录人物，简略介绍作者籍贯、履历和本草著述。

　　名录以姓氏笔画为序，括弧内为页码。

　　本书所录本草著作的作者，可能有遗漏或错误，敬请读者批评，以便将来补正。

姓氏检索表

二画

丁阜 宋官吏。政和（1111—1117）年间为登仕郎，政和六年（1116）与曹孝忠等同为《政和新修经史证类备用本草》校勘官。

丁谓 字公言（965—1037）。下邳（今江苏邳县）人。曾任宰相，乾兴元年（1022）贬崖州（今属海南省），得悉沉香生产情况。撰有《天香传》，详述沉香品种、形态、产地、采收等。

丁其誉 字蜚公。江苏如皋人。顺治十二年（1655）进士，授石楼令。兼精岐黄。按月记饮食、起居、调摄等。又集本草诸书中可供饮食之品，分水、谷、菜、果、鳞、介、禽兽、味8部介绍，撰成《寿世秘典》（18卷）。包括月览、调摄、类物、集方。明末颐吉堂刻本存世。

丁悦先 清道光医家，安徽怀宁人。著有《药性赋》《痘科要言》。《怀宁县志》有著录，今佚。

丁福保 字仲祐（1874—1952），号畴隐居士，又号济阳破讷。江苏无锡人。毕业于江阴南菁书院，后入苏州东吴大学，与周云青合编《四部总录医药编》。

卜祖学 清代人，撰《药镜》。见《嘉兴府志》（1801）。今佚。

三画

于志宁 唐官吏，字仲谧（588—665）。京兆高陵（今属陕西）人。显庆初奉诏与李勣、苏敬等修订本草书，显庆四年（659）编成《新修本草》并图等共54卷，为我国第一部药典。

土宿真君 明代人，著有《土宿本草》。李明珍《本草纲目》载有土宿真君《造化指南》一书，不知与此书有无关系。赵学敏《本草纲目拾遗》在"万年青"条下引此书，记"雁来红，万年青，皆可制汞"。疑为道家之书。

寸耕居士 即林玉友。

大明 又名日华子，著有《日华子本草》。《嘉祐本草》云："《日华子诸家本草》，国初开宝中四明人撰，不著姓氏，但云日华子大明序。"该书集诸家本草著作及当时医家所用药，以叙述药性功效为主，兼述形态鉴别及炮制等，简明实用。

万全 明代医家，字密斋。1549年撰《本草拾珠》，明·祁承朴《澹生堂书目》有著录。今《万密斋医学全书》（1549）中未见此书。

万学贤 清初人，1650年辑有《尝药分笺》，见《贮香小品》卷4，内载日常贵重中药鉴别法。有清初刻本残卷存世。

万密斋　即万全。

马志　宋医家，道士。曾任御医。开宝五年（972）与刘翰治愈宋太宗病。次年奉诏与刘翰等同校《开宝新详定本草》20 卷。

四画

王介　南宋画家。字圣与（一作圣予），号默庵。祖籍琅琊（今山东胶南）。庆元（1195—1200）年间官太尉。尝辑《对苑》一书，甚精，并有多幅山水梅兰图著录于画史。晚年取其住地（据考为今杭州慈云岭）周围药草，绘图成册，收录单方，因住处山中有堂曰"履巉岩"，故名其书为《履巉岩本草》（1220），共 3 卷，为地方本草图谱。今存明抄彩绘本，图 202 幅（原缺 4 图），描绘精美。全书仅两万余字，由于作者医药水平所限，书中尚有若干图文不符、名实不符之处。

王玉　明代官史。弘治年间任中宪大夫，掌太医院事。被委为《本草品汇精要》一书的"提调"。

王末　有《小儿用药本草》2 卷。梁《七录》著录。今佚。

王丙　清医药家。字朴庄，号绳林。吴县（今属江苏）人。乾隆间名医。尝著《考正古方权量说》，旁征博引，辨析古方书之剂量甚详，其医论收于《吴医汇讲》。精伤寒，今存《校正王朴庄伤寒论注》12 卷（陆懋修校）、《伤寒论附余》《回澜说》《伤寒论新法》《续伤寒论心法》《时节气候决病法》等。又著《脉诀引方论证》，今存抄本。

王龙　清医药家。字九峰。京口（今江苏镇江）人。撰《本草纂要稿》，分金石、卤石、草、木、谷、菜、果、禽兽、虫鱼等部，收药 300 余种。每药记以性味功效、归经配伍等。

王平　字东野，元医官。永新（今属江西）人。世业医。自幼好学不懈，长好仓公之术，遂称良医。大德初（1297）为吉安路永新州官医提领，后被荐为太医。曾将家藏《集验方》5 卷刊行（辑入《医方类聚》）。尝著《本草经》，《江西通志稿》误载其书名为《本草经疏》。今佚。

王安　清医药家。字世平。开原（今属辽宁）人。少贫，然嗜书善记。塾师怜其才，不收学费，又供饮食以资其学。后从良师习医，业精针灸，善制成药。自制牛黄丸、太公丸、紫霞丹等，用治瘟疫；又治妇科黑龙丹、保元丹诸药，均有卓效。同治元年（1862）瘟疫流行，乃自开药肆，施舍济人。尝编《汤头会通》《采药方》《采药录》等，其中《采药方》虽以"方"名书，实际上是一本本草著作，记载了草药异名及功效主治等，对植物形态描述甚详。今均佚。

王纶 明医药家（1460—1537）。字汝言，号节斋。慈溪（今属浙江）人。成化二十年（1484）中进士，后历官礼部郎中、广东参政、湖广广西布政使、右副都御史等职。弘治五年（1492），公余取《证类本草》及李东垣、朱丹溪诸书，参互考订，删繁节要，历时5年，三易复稿，而成《本草集要》8卷（1496）。该书收药545种，分门别类（草、木、菜、果、谷、石、兽、禽、虫、鱼、人等），各药不分三品，唯以类相从。其书甚便临证使用，今北京图书馆存多种明刊本。

王育 字子春，号石隐。镇洋（今江苏太仓）人。1644年撰有《本草辨名疏义》一书。《镇洋县志》（1745）著录。今佚。

王炎 南宋文学家（1138—1218）。字晦叔。婺源武口（今属江西）人。乾道五年（1169）进士。官军器大监、金紫光禄大夫。著作甚富，总题《双溪类稿》，其中有所注《伤寒论》等，已佚。唯《双溪文集》存世，中有"运气论""本草正经序"等有关医药内容。所辑《本草正经》3卷，为《神农本草经》最早辑本；该辑本是以《嘉祐本草》为辑佚底本。目的在于"存古"，此书在明末陈士龙藏书目录中还有著录。今佚。

王定 唐画家。通医药，善画，649年绘有《本草训诫图》。见唐·张彦远《历代名画记》。今佚。

王珑 明代儒士。曾参与编写《本草品汇精要》一书。

王逊 清医药家（1636—?）。字子律，号墙东圃者，又号东圃。武林（今浙江杭州）人。儒而知医。康熙二十五年（1686）撰《药性纂要》4卷，载药品600余种，除新增（如猴结、海参等）9种外，皆摘自《本草纲目》。此书系纂集《本草纲目》之要言，故以《药性纂要》名书，着重论述药性，且附己验，为《医林四书》之一。康熙三十三年（1694）始由友人捐金刊行。参校者有其同学、门人等多人。

王翃 清医药家。字翰臣，号东皋。嘉定（今属上海市）人。撰有《东皋握灵本草》（简称《握灵本草》）10卷，补遗1卷（1656—1682），收药400余种（另补遗190味）。删繁取要，务求实用。自称此书初成，为名医喻嘉言所见，赞其"手握灵珠"，遂以"握灵"名之。全书简明浅近，是一部较好的本草入门书。今存康熙二十二年（1683）刊本，及乾隆五年（1740）朱钟勉补刻本。

王铨 清医药家（1831—1877）。字子衡，一字松舫。新城（今属河北）人。善诗，通训诂。咸丰五年（1855）举人。因劳致疾，遂改学医。著《医谣》6卷，已佚。今存其《医学家抦》6卷（1876），其中的《本草因病分类歌》将药物按病分类，各编歌括，以便学医入门。现有光绪二年（1876）文莫室刻本。

王琦 清儒生（1696—1774）。字载韩，号宰庵，又号琢崖，晚号胥山老人。钱江胥山（今浙江杭州）人。年未弱冠，补弟子员，后以教书为业。博通群籍，专心于医方药术数十年。平生不蓄资，有钱即供刻书用。尝穷搜博访医书，费时7年（1764—1770）刻成《医林指月》12种。其中《本草崇原》系辗转搜求，从高端士处移写副本，校刊于1787年。所刊诸书之后。多附跋文，考其学术源流，介绍作者生平。晚年从张东扶处得《慎斋遗书》，细加厘定，镂刻未竟而逝。

王槃 明弘治年间为太医院判。与刘文泰一起同任《本草品汇精要》一书的总裁。

王磐 明散曲家（1470—1530）。字鸿渐。高邮（今属江苏）人。少时薄科举，不应试，筑楼高邮城西，与文士谈咏其间，因自号"西楼"。所作散曲，题材广泛。因见当时江淮一带连年水旱，饥民采野菜充饥，恐误食伤生，乃多方查访，撰《野菜谱》（一作《王西楼野菜记》）1卷，收野卷60种，各绘简图并附歌诀，明其性用。其辞似谣似谚，古朴可诵。于医药、植物均有参考价值。徐光启将此谱收入《农政全书》，流传甚广。

王祐 宋医药家。曾任翰林医官副使，太平兴国七年（982）奉诏与王怀隐等共同编修《太平圣惠方》。

王一仁 原名晋第（1898—1971），从丁甘仁习医后曾改名依仁，以示得其薪传之意。浙江新安人。毕业于上海中医专门学校。后任职于广益中医院。1928年与秦伯未、严苍山、章次公、许半龙等创办中国医学院。后悬壶应世，参加永世善堂施诊。1935年撰有《饮片新参》一书。以饮片为研究对象，亲自尝验，以定形色性用。虽然内容仍嫌单薄，但毕竟是饮片专著。

王九峰 清医学家（1753—1815）。名之政，字献廷，九峰乃其号。丹徒（今属江苏）人。自少攻医，性敏博学，为乾隆、嘉庆间名医。乾隆帝召为御医，故又称"王征君"。尝授太医院院监，分省江西补用道。嘉庆十四年（1809）封登仕郎。子硕如，尝编次《王九峰医案》（亦名《王九峰临证医案》）。近人秦伯未亦选其医案编入《清代名医医案精华》。

王士雄 清著名医药学家（1808—1866?）。字孟英，幼字篯龙，晚字梦隐（一作梦影），自号半痴山人、随息居士、睡乡散人、华胥小隐，堂号潜斋、归砚。盐官（今浙江海宁）人，生于杭州。14岁，父（王升）殁，遂矢志学医。于金华佐理盐务之余，苦读医书。咸丰十一年（1861）撰《随息居饮食谱》（简称《饮食谱》）。收饮食品 327 种，分水饮、谷食、调和、蔬食、果食、毛羽、鳞介 7 类。简介功效宜忌，附以用法，每出新见，为食疗佳作。有清刻本及石印本多种，多馆有藏。

王大斌　清医药家。字伯玉。安徽旌德人。1711 年撰《医经提纲》11 集，《药性》为第 1 集，载药若干，编以歌诀。未附注文，解说简要。今安徽省图书馆藏宁寿轩刻本（1712）。

王子接　清医学家。字晋三。长洲（今江苏苏州）人。习儒之余，潜心于医经、本草，深得仲景医书之奥旨。撰有《本草翼》《得宜本草》（又称《绛雪园得宜本草》）。按品分类，载药 458 种（上品 151，中品 139，下品 168）。各品又分"遵经""补时用"两类，但并未全按《本经》取药。条文内容更与《本经》无关。简述药味归经，配伍方法。一般不录药性，注重配伍。中国中医研究院等多处藏其抄本。另钱塘许嗣灿《汇辑医书四种》中收有其所著《本草翼》。弟子甚众，名医叶桂，曾就学其门。

王仁俊　字捍郑（1866—1914）。江苏吴县人。专事古书辑佚。1911 年辑成《神农本草经》，该书为《玉函山房辑佚书续编》医家类。辑佚时除参考《证类本草》外，还从《艺文类聚》《初学记》《太平御览》中搜求资料。

王从蕴　宋医药家。开宝（968—975）年间为翰林医官。开宝六年（973）奉诏与刘翰、马志等同校《开宝新详定本草》20 卷。

王文选　清医药家。字锡鑫，号亚拙山人。万邑（今四川万县）人。1847 年编《编学切要》6 卷，卷 1 有《药性弹词》篇，分寒、热、温、平 4 类。每药 1 词，计 211 种。后列《分类见病用药歌》、十九畏、十八反歌等。有清刻本两种，多馆有藏。

王文洁　明医药家。字冰鉴，号无为子。抚东人。撰有《太乙仙制本草药性大全》8 卷，载药 768 种，附药图 774 幅，尤其对炮制法叙述较详。该书书口作"仙制药性"。卷首题为"先师太乙仙人雷公炮制；后学江人冰鉴王文洁"。无序、跋。

王方庆　唐官吏（？—702）。名琳。其先自丹阳（今江苏南京）迁雍州咸阳（今属陕西）。武则天时为广州都督、太子侍读等。博学多文，笃好经方，精于药性。著述甚富，医药著作有《新本草》41 卷、《药性要诀》5 卷、《袖中备急方》3 卷、《岭南急要方》2 卷、《针灸服药禁忌》5 卷、《随身左右百发百中备急方》10 卷，均佚。《旧唐书》有传。

王世昌　明代人，据日·冈西为人《本草概说》介绍，他曾参与《本草品汇精要》一书的绘图工作。

王世钟　清医药家。字小溪。四川岳池人。幼多羸疾，遂弃儒习医。广涉方书，精求要妙。经数年苦志穷搜，纂《家藏蒙筌》18 卷（1836），系综合性通俗医书，汇集脉学、诸科病证及本草药性等。其卷 15、16 为《本草》。共载药 359 种，不分部类。每药百十字，述其性味归经、功效主治及宜忌。偶加按语，亦有佳处。中国中医研究院藏文盛堂刻本（1844）。

王圣予　见王介。

王式舟　清医药家。字楼村。江苏宝应（一说兴化）人。精医药。中年集《神农本草经》遗文，又酌增陶弘景、唐慎微所记，著成《灵豆录》（1795），洪亮吉（1746—1809）为之序。

王光祐　宋医官。开宝（968—975）年间为翰林医官，太平兴国（976—983）年间为太医。平素裒集方书，究心医学。开宝六年奉诏与刘翰、马志等同校《开宝新详定本草》20 卷。

王安卿　清医药家。撰有《采药志》。赵学敏《本草纲目拾遗》中引此书（见"红珠大锯草""野苎麻""金钱草""无骨苎麻""小将军""鱼鳖金星"等条下）。所记为草药别名及功用治法，与王安《采药方》近似。

王好古　金元著名医药学家。字进之，号海藏。赵州（今河北赵县）人。尝任赵州教授，兼提举管内医学。通经史，精医术，汲取张元素、李东垣两家之长，并有所发挥。医学著述甚富，今存《医垒元戎》12 卷，以十二经为纲，首述伤寒，附以杂证。以仲景之学为宗，参元素、东垣之说，主张"随脉察病，逐脉定方"。《阴证略例》1 卷，重在辨识阴证伤寒，论、方详备。又以《神农本草经》《伊尹汤液本草》为医家之正学，撰《汤液本草》，议药 242 种，汇集金元药理学说主要成就，于用药宜忌及方剂配伍方面尤多心得。《此事难知》两卷，裒辑李东垣之说居多，于伤寒证治尤详。另有《斑疹论》1 卷、《伊尹汤液广为大法》4 卷存世。《活人节要歌括》《光明论》《标本论》《仲景详辨》《伤寒辨惑论》《医家大法》等，均佚。王好古《汤液本草》（约 1298），是易水学派诸家药理学说的集成之作。书分 3 卷，上卷相当于总论，集录东垣《药类法象》和《用药心法》及王氏自家论说，以药理专题为目。中下卷分部类议药 200 余，集录《证类本草》中偏于临床用药的言论及张元素、李东垣之说，资料比较丰富，但要言不烦。王好古在该书中"取《洁古珍珠囊》断例为准则。其中药之所主，不必多言，只一两句，多则不过三四句。非条简也，亦取其所主之偏长，故不为多也"。由此也反映了整个金元本草著作简要求实的风格。

王宏翰　清医药家（？—1700）。字惠源，号浩然子。先世本河汾人，后迁居姑苏（今江苏苏州）。既通理学，又信天主教。因母病而习医，著作很多，常采西学，糅入性理。1700 年撰有《本草性能纲目》40 卷、《方药统例》30 卷。未见传世。

王易简　宋代人。撰《王易简食法》10 卷（一作 5 卷），今佚。出《通志·艺文略》。

王季璞　撰《王季璞本草经》3 卷，今佚。出《隋书·经籍志》。

王定恒　清医药家。字久占。江西万载人。年 30 始潜心习医，业成有名于时。审脉察证用方独具心得，每岁出资制丸散，以济贫病。著有《博爱轩药论》及医案等，《万载县志》（1871）载其医药书名。今佚。卒年 70。

王荩臣　清医药家。撰《本草择要》（约 1851—1863），多遵《本草从新》，附入王氏平生用药心得。因兵乱散失迨半。韩鸿（字印秋）之父师事王氏，乃拾掇残卷，删繁去复，略加校补，收入《韩氏医课》，命名《本草撮要类编》。其书分草、木、藤、谷、诸辛香及动物药 6 类，药性仍遵《本草从新》，间附效方及用药心得，编为骈句。韩鸿于其父殁后，补入王子接《得宜本草》等书内容，间附己见。中国中医研究院藏稿本。

王闿运　清末文学家（1833—1916）。初名开运，字纫秋，一字壬秋，50 岁后改名王甫，号湘绮。湖南湘潭人。咸丰七年（1857）举人。以文学游食于名公巨卿之间。清末授翰林院检讨，加侍讲衔。辛亥革命后任清史馆馆长。著述甚富，有《湘绮楼文集》等。医著辑有《神农本草经》3 卷（1885），收药 360 种。

王继先　南宋医药学家（？—1181）。开封（今属河南）人。世业医。曾治愈显仁太后之疾。命主管翰林医官局，力辞。后官昭庆军承宣使。尝于绍兴二十九年（1159）任详定校正官，会同医官高绍功、柴源、张孝直等，校订《证类本草》，而成《绍兴校定经史证类备急本草》（简称《绍兴本草》）31 卷。对药性功能进行全面考订，并作文字校勘。考订内容冠以"绍兴校定"，附于各药之后。今仅存日本传抄残本，以药图为主。《永乐大典》亦存其佚文。

王梦龙　字庆翔，山阴（今浙江绍兴）人。南宋宝庆（1225—1227）中任婺州太守。1225 年撰有《本草备要》。今佚。

王象晋　明文学家、医药学家（1561—1653）。字康侯、荩臣、子进，号康宇、好生居士。桓台（今属山东）人。万历三十二年（1604）进士，曾官至浙江右布政使。于文学、医学、佛学均有研究，著述甚富。其中药物方面撰有《二如亭群芳谱》3 卷（约 1619），收主药 54 种，附 15 种。每种均载其别名、产地、功用，以及种植、修治、制用、辨化、服食、治疗和典故等项。内容虽简于《本草纲目》，然亦有所发挥。

王鸿骥 清末医药家。字翔鹤。遂州（今四川遂宁）人。遍读古今名医著述，将历年经验之药 300 余种（其中以《神农本草经》药品为主）韵以四言，编成《药性选要》4 卷。该书前 3 卷收《本经》药（上品 113，中品 89，下品 36）；卷 4 收《别录》以下诸家本草著作中的药品 147 种，合计 385 种。每药以四句歌括作正条，后附用药机制及相近药物功治比较等。注释多采自《神农本草经百种录》及《本草经三家合注》，该书刊入《利溥集》，中国中医研究院藏宣统二年（1910）成都闲存斋刊本。

王道纯 清医官。康熙间为太医院吏目。康熙三十九年（1700），武英殿监造赫世亨及张常住奉清圣祖诏令，重新绘录明·刘文泰等编《本草品汇精要》。王同时受命与太医院医士汪兆元共同校正该本，订其字句错落及诠释之误。又参照《本草纲目》，仿《本草品汇精要》体例，编成《本草品汇精要续集》10 卷（1701），补入原书所无而《本草纲目》已载之品 498 余种，附以《脉诀四言举要》。此书秘藏宫中，至 1937 年始有排印本行世。商务印书馆刊行经王道纯校正的《本草品汇精要》及其《续集》的文字部分，1964 年人民卫生出版社再次重印，各地多藏。

王德爵 清医药家。字雨时，江苏吴江人。撰有《补读轩药引杂考》2 卷。其书无序、跋，卷上载药 200 味，卷下则仅录 52 味，共 252 味。每药寥寥数语。今有抄稿本存上海中医学院。

王燧周 字亦人。清朝婺源（今属江西）人。撰《本草督经》。《婺源县志》（1826）载其书名。今佚。

无为子 见王文洁。

韦巨源 唐杜陵（今陕西西安东南）人。撰有《食谱》1 卷，今存于《说郛》《五朝小说》等丛书。

云间子 清代人。撰有《草木春秋》演义。该书杜撰一汉代故事，以药名为人名，设君臣狼主、强盗仙家、佳人猛将。情节平庸，书中人物性别、性情、善恶等多参照药性及药名拟定，但实际药学内容则很少介绍，远逊于《草木传》。中国中医研究院存大文堂刻本。

五州访道人 清末年间人。撰有《药物学豆》。该书为旧抄本，年代失考。列提纲、总义及细目。总义一节概述中医药理，颇有独到之处。今藏上海中医学院。

友七散人 见顾逢伯。

尤乘 清医药家。字生洲，号无求学者、空山学道者。吴门（今江苏苏州）人。著述医药书甚富。其中本草方面的书就有：《食鉴本草》《病后调理服食法》（1667），增辑考辨贾九如《药品化义》而成《药品辨义》（1691）。

戈颂平 字直哉。海陵（今江苏泰州）人。幼习举业，后精研医理。1885 年著《戈氏丛书四种》，内含《神农本草指归》（或作《本草指归》）。今上海中医学院、泰州市图书馆有传抄本。

日华子 见大明。

中尾万三 日本人。1930 年撰有《食疗本草之考察》。全书分两编，第一编"敦煌石室发现食疗本草残卷考"，第二编"食疗本草佚文"，载药 241 种，是近代最早的一种《食疗本草》辑本。1931 年，范凤源删去中尾辑本的校注及旁注假名，录取正文，以《敦煌石室古本草》为名，由大东书局铅印。在中尾辑本基础上，谢海洲等重新考求《食疗本草》的流传及佚文，辑复该书。收药 260 种，分 3 卷，归并同类条文，校注疑误，由人民卫生出版社刊于 1984 年。

冈西为人 日本人。撰有《重辑新修本草》。原稿朱墨分书，先后由台湾"中国医药研究所"（1964）及日本学术图书刊行会影印（1973）。后者系朱墨二色套印精装，力图还古本旧貌。

牛凤诏 字恩宣（1840—1904）。清代霸州（今河北霸县）人。国学生。攻书法。致力医学，尤精痘科，所治多验。其家多蓄药品，遇猝病不可待者，并药施之。辑有《痘疹要诀》4 卷、《痘疹药性》1 卷。《霸县新志》（1934）著录，今佚。

长孙无忌 唐代人，唐高宗舅父。《新修本草》最初领衔者。据孔志约序说，后来长孔无忌因谋反一事被夺官，改为李勣领衔。

公乘阳庆 秦汉间医药家（？—约前 176）。姓阳名庆，字中倩。亦名杨庆。"公乘"为官名，或谓"公乘"系以爵为氏，临甾（今山东临淄）人。淳于意之师。庆有"古先道遗传"的医书多种授予淳于意，《药论》为其中之一，然未见史志著录。

勿听子 见熊宗立。

丹丘隐者 见陈衍。

文晟 清医药家。字叔来。江西萍乡人。精岐黄之术，尤致力于医学普及与医书校刊。摘取各科证治及方药，编为通俗读本。有《六种新编》丛书，内含《药性摘录》1卷，收药433味，末为"食物"，录饮食物330余种，简介性味功治。江西省图书馆等处存清文庆堂本（1865）等刊本。

文淑 长洲（今苏州）人（1594—1634）。明代名士文征明之后。书画得家法，更工花鸟，1620年绘有《金石昆虫草木状》27卷。共载药1070种，药图1315幅，该书现藏台湾的图书馆。

文雅 南宋人，著有《禅本草》。此乃佛家书，与药无关。《九江府志》（1874）著录。

文彦博 字宽夫（1006—1097）。汾洲介休（今属山西）人。曾任宰相。撰有《潞公集》，载《节要本草图·序》，言其嘉祐初建言重定《本草图经》。书成"因录其常用切要者若干种，别为图策，以便披检"。今佚。

方广 明医药家。字约之，号古庵。休宁（今属安徽）人。少时常览医书。后行医于河南洛阳、陈留等地，推崇《丹溪心法》，以儒医名世。1536年编成《丹溪心法附余》，集药性、脉理、病机、治法、经络、运气六者于一书。内含《古庵药鉴》2卷。另著有《脉药证论》《药性书》等。

方毅 明药家（1508—?）。字龙潭，安徽徽州人。任钱塘医官。《明史》载其《本草集要》12卷，今未见。《本草汇言》引方龙潭药论及方剂140余条，出方氏《本草切要》者10余方。今存方氏著《本草纂要至宝》（或简称《本草纂要》）9卷，为万历十五年（1587）杨鹤泉抄本（藏上海中医学院）。

方耀 清医药家。字含山。浙江海盐人。邑庠生，工画，尤精医理。著《证治集腋》10卷、《医方歌诀》6卷、《本草补注》6卷，《海盐县志》（1876）著录。未见传世。

方有执 明医药学家（1523—?）。字中行。歙县（今属安徽）人。因家人多病亡，乃愤而学医，长于伤寒证治。以为《伤寒论》初编于王叔和，已有改移，及成无己所注，又多所窜乱，医者或以为不全之书而置之不习，或沿袭两家之误，弥失其真。故竭20余年之心力，推求张仲景原意，于万历二十年（1592）编成《伤寒论条辨》8卷，后附《本草抄》，录药91种（皆张仲景所用药），简介性味功治，引录前人本草，附以己见，论及用药及药物品种等，以备检对。

尹氏 南宋人。1252年撰《彩画本草》。南宋·南密《志雅堂杂抄》记："先子向寓杭收异书，太庙前尹氏（书贾）尝以彩画图一部求售……尹彩画本草一部，不知流落何所。"由此可知该书早佚。

尹乐渠 清医药家。江西清江人。因思医方贵于精择，遂于课徒习诵之暇，取《景岳全书》采选之，得古方、新方 400 余首，编为歌括；又从张景岳、李中梓、汪昂、李东垣诸医书中，遴选常用中药 400 余味，编为《本草正论》。复合方药于一书，分门别类，辑为《医学捷要》4 卷，书末兼论脉诊。

巴堂试 清医药家。字以功。安徽歙县人。咸丰（1851—1861）年间避江西，为医颇负盛名。著有《病理药性集》。《歙县志》载其书名。今佚。

孔志约 唐药学家。曾任礼部郎中兼太子洗马弘文馆大学士。显庆（656—660）年间与苏敬等共撰我国第一部药典《新修本草》，并为之序。该书以其较多的药物基原考证和较丰富的临床用药经验，赢得了中外医药学界的尊崇。

邓复旦 清医药家。江左（今安徽、江苏一带）人。生活于 18 世纪。自称与龙虎山张真人有旧，得传其家藏《医宗宝镜》4 卷（1798）。列述药性赋、医方歌诀、认症诗赋、脉诀等内容，其中尚有"反畏并用论""用药活变论"，颇有见地。嘉庆三年（1798），邹璞园刊刻。近代有石印本。

书呆子 见徐用笙。

五画

玉楸子 见黄元御。

正白先生 见陶弘景。

甘伯宗 唐医史学家。集伏羲至唐，历代医家 120 人之传记为《名医传》7 卷（《宋史》称《历代名医录》）。是我国最早的医史人物传记专书，已佚。《历代名医蒙求》等书有引录。

甘睿之 或作甘濬之。撰有《痈疽耳眼本草要钞》9 卷、《本草要方》3 卷，及其他医书等。出《隋书·经籍志》，均佚。

艾晟 宋代江苏仪征人。曾任杭州仁和县尉管句学事。任期内奉孙公之命校正《证类本草》，首刊于大观二年（1108），属地方官刊本。

艾原甫 南宋人，约 1224 年撰《本草集议》。据陈衍《宝庆本草折衷》：该书是一部颇有创见的实用本草著作，编写方式上也有所改进。原书佚。《宝庆本草折衷》存其佚文数十条。

石君 见万学贤。

石成金 字天基（1660—?），号醒庵愚人。江苏扬州人。1697 年撰《长生秘诀饮食》，其中列《饮食》部，分"食宜早些，食宜缓些，食宜淡些，食宜暖些，食宜软些"等 6 节。

石声汉 现代人。任职于西北农学院。辑有《南方草木状》。

石铎琭 墨西哥传教士（汉名石振铎），撰有《本草补》1 卷，该书是最早有记载的传入我国的西药专著，计 26 页，今佚。清·赵学敏《本草纲目拾遗》曾数引此书。

石山居士 见汪机。

石禅居士 见谢佩玉。

龙柏 清医药家。字佩芳，号青霏子。长洲（今江苏苏州）人。于痧胀证治有独到见解。著有《脉药联珠药性考》（一称《药性考》，1795）、《脉药联珠食物考》（一称《食物考》）、《古方考》各 4 卷（3 书亦曾合刊）。书中多载其治疗经验及某些独到见解。

龙伯坚 又名毓莹。湖南攸县人。1923 年毕业于湖南湘雅医学院。1933 年毕业于美国哈佛大学公共卫生学院，获医学博士学位。长期从事医史文献研究，著《现存本草书录》《黄帝内经概论》等。其中《现存本草书录》（1957）共载本草 275 种，为近现代第一部专门中药书目。

东皋先生 见王翃。

卢志 明医药家。字宗尹。昆山（今属上海）人。精《素问》《难经》等古医书。弘治（1488—1505）年间应诏至京师，累擢太医院判。被委为《本草品汇精要》一书的副总裁。另著《脉家要典》（一作《脉家奥学》）《增定医学纲目》《医学百问》等。《古今医统》多有引述。

卢和 明医药家。字廉夫。浙江东阳人。生活于成化（1465—1487）前后。尝编《食物本草》一书，经正德（1506—1521）间汪颖厘正，分两卷 8 类（水、谷、菜、果、禽、兽、鱼、味），内容与明·薛己《食物本草》多同。另撰《儒门本草》。《东阳县志》（1828）卷 27 有著录，今佚。

卢复 明医药家，字不远。晚年信佛，释名福一，字毕公。钱塘（今浙江杭州）人。为万历（1573—1619）年间名医。早岁习儒，20 岁时弃儒业医。著述甚多，代表作有丛书《医种子》（一名《藏园医种》），费时 15 载研究本草，纂成现存最早的《神农本草经》辑本。又著《纲目博议》，其子卢子颐《本草乘雅半偈》中多存其论。又有《本草考汇》两卷，未见传世。

卢之颐 明末清初医药学家（约 1598—1664）。字子繇，一字繇生，号晋公、卢中人。钱塘（今浙江杭州）人。卢复之子。自幼得家传，卢之颐年轻时，就对药物很有研究，其父著《纲目博议》遇到疑难问题，常请之颐为之评决。卢之颐20岁遵父遗命，阐发本草，本其父所著《纲目博议》，历时18载，著成《本草乘雅》（1647）。该书述药365种，各药分"核、参、衍、断"四项予以解说，重在阐析药理。此书后毁于兵火，虽凭记忆重修，已非全本，故更名为《本草乘雅半偈》（10卷）。今存者有清初卢氏月枢阁刊本、《四库全书》本以及据该本转抄本多种。

卢仁宗 著《食经》3卷，已佚。出《旧唐书·经籍志》。

卢多逊 宋官吏。河南人。后周显德（954—959）初学进士，官集贤校理。开宝（968—975）年间为翰林学士，曾奉诏与扈蒙刊定《开宝新详定本草》20卷（973）。宋太宗时拜中书侍郎平章事，加兵部尚书。博涉经史，文辞敏捷，有谋略。

卢清河 清医药家。字道生。四川中江人。精医学，尤长本草药性。常与同道研究医理，同乡陈大任有医著，尝坦诚析其纰漏，以求共进。自著《本草药性歌括便读》行世。

目达子 见张德裕。

旦增彭措 清著名藏医药学家。全名德玛尔·旦增彭措。"德玛尔"系今四川甘孜藏族自治州德格印经院附近一座寺院名，旦增彭措于该寺获"格西"学位（相当于今之博士学位），为藏族颇具影响的学者。1840年所著《无瑕晶球晶珠本草》（"晶球"指原作，为韵文；"晶珠"为其注疏），收录藏医药物1400余种，以草药分类，并述药物性能，为藏医药物学之代表作，受到后世藏医界的重视。此书版本有多种。1911年6月青海塔尔寺的木刻本附有药物图鉴、诊病示意图、医疗器具图以及人体穴位图等，建国后，当地卫生局曾予铅印。后另有正式出版。

叶桂 清药学家。字小峰。江苏苏州人。道光间当地名医。撰《本草再新》12卷，所辑该书收药609味，详载药性功能主治，议者谓其书"抉择精审、简而能赅"。

叶子奇 明医药家。字世杰，号静斋。龙泉（今属浙江）人。明初学者。曾任巴陵主簿。洪武十一年（1378）因事株连下狱，以瓦磨墨，著成《草木子》。本书内容广泛，亦有医药及动植物资料。该书"观物篇"中记有一些对人体、动物、植物的认识，颇多新见，《本草纲目》数引其说。

叶天士 清著名医药学家（1667—1746）。名桂，号香岩，别号南阳先生。吴县（今属江苏苏州）人。祖叶时、父叶朝采皆精医。年14父卒，从学于父之门人朱某。医理日精，见解常胜于其师。博览医书，虚怀若谷，据传尝于 10 年内先后拜师 17 人。临证经验甚富，治方不拘成见。长于内科杂病，于温病学说尤有贡献。其温病代表作《温热论》1 卷，相传系其门生顾景文在舟中记录其言论整理而成。本草方面著作有《本草经解要》4 卷（一名《本草经解》，系姚球撰，托名叶桂）。

叶传古　著《医门指要用药立成诀》（一名《医门指要诀》）1 卷，今佚。（出《通志·艺文略》）

叶志诜　字东卿。湖北汉阳人。大臣。1850 年取孙星衍辑《神农本草经》原文，再加赞、注而成《神农本草经赞》。每药为四言四韵。赞语古奥，又自引诗赋本草，释其出典。今有《汉阳叶氏丛刻医类》《珍本医书集成》等刊本。

田锦淮　字伯洫，号寒劲子。中州商邑（今河南商丘）人。1853 年撰《援生四书》（丛书），《本草省常》为第 3 种。该书为养生而设，仅收饮食品 365 种（实存 350 种），故不录治病所需草木金石药。增收扁豆、红芋之类，对动物药则"详著其短、略著其长"，以免有伤生灵。中国中医研究院藏余庆堂本（1873）。

史树骏　字庸庵。晋陵（今江苏武进）人。顺治四年（1647）进士。因伤亡妻，取平日所录方剂，请同里医生俞蓥（字卷庵）参订，于 1671 年编成《经方衍义》。《本草挈要》为其卷 5 中的一篇，分药为草、木、果、菜等 8 部，载药 280 种。每药编数句骈语，以便记诵。中国中医研究院存康熙刻本（1671）。

丘钰　明官吏。曾任奉议大夫通政使司右参议，弘治年间被委为《本草品汇精要》一书的"验药形质"官。

乐闲居士　见颜直之。

包诚　字兴言。安吴（今安徽泾县）人。受学于阳湖张琦。1840 年编有《十剂园》。该书用表格形式归纳药物。以十二经为纵，十剂（宣、通、补、泻、轻、重、滑、涩、燥、湿）为横，嵌入诸药。各药记性味、入脏、功效等。卷前列《十剂解》，阐释十剂义理及适应证；继列 73 种药名，出其官名（正名）及俗名。有清刊本（1866）及影印本（1983）存世。

冯鸾　字子雍。通州（今江苏南通）人。嘉靖壬子（1552）以贡举，授郧西知县。撰有《药性赋》1 卷。今佚。出《通州志》（1674）。

冯兆张　明清间医药学家。字楚瞻。浙江海盐人。以医名世。纂《冯氏锦囊秘录》丛书（1694），《杂症痘疹药性主治合参》为其中一种。卷首为总论，辑药论 18 则，载痘疹三治、五法、四因、六淫、八要等。各论依草、木、石、谷等分为 10 部，载药 540 种。部分药物分别介绍用于杂证及治疗痘疹的主要功效。凡例中对药性理论也有一定的归纳。有清刻本及石印本 10 余种，藏馆甚众。

冯钧年 清代人。撰《本草备览》。出《江宁府志》（1880）。今佚。

冯淑沙 明代人。撰《本草病因》1 卷。出明·殷仲春《医藏书目》。

兰茂 明医药学家（1397—1476）。字廷秀，号止庵，自称和光道人、洞天风月子、玄壶子。河南洛阳人，后徙云南嵩明。博通经史、术数之书。自幼酷好本草，后遍访滇南蔬菜草木可作药者，区类辨性，绘为图形，汇集成《滇南本草》3 卷（约 1436）。内有云南少数民族医药经验，殊为可贵。又撰《医门揽要》两卷，多载验方，间述医理，附刊于《滇南本草》之后。其书多在云南一带流传，被奉为至宝。李时珍未见此书，故多有《本草纲目》所无之药。

宁原 明医药家。一作宁源，号山臞。京口（今江苏镇江）人。嘉靖（1522—1566）年间编《食鉴本草》两卷，收列可食之物，略载数语。李时珍著《本草纲目》时曾加引用。今存胡文焕文会堂刻本（1592）。

司膳内人 宋代人。1127 年撰《玉食批》。该书今存于《说郛》中。

六画

邢增捷 明医药家。新昌（今江西宜丰）人。精研《素问》，推崇李东垣、朱丹溪诸家医书，治病多效。尝著《医案心法》等医药书籍。尤善导引法，并以之养生健体。见《新昌县志》。

亚拙山人 见王文选。

芝荪氏 清代人。1819 年曾抄有《药性总义》，后为《四言药赋》，分治风、热、湿、燥等 9 门，收药 460 种。每药撰四言诀一首。今藏中国中医研究院。

过孟起 字绎之。清长洲（今江苏苏州）人。康熙丙辰（1676）行医于光福田，人称良医。辑《本草经》3 卷（1687），今仅存残本。此书次第罗列《神农本草经》条文，不注出处，亦无校记，为今存较早之清代《神农本草经》辑本。

达磨曼仁巴·洛桑曲扎 清初著名藏医学家。为五世达赖喇嘛侍医，在西藏颇负盛名。平生著述甚多，主要本草著作有《药物性能独解》《医宗补遗》《密药指南》等，对后世影响较大。

成无己 金著名医药学家（约 1066—约 1156）。聊摄（今山东聊城）人。世为儒医。广识明敏，学问赅博。是金元药理体系化的先行者。著有《注解伤寒论》10 卷，前有王戎（1142）、严器之序。为现存最早全面注解《伤寒论》之作，另著《伤寒明理论》4 卷（包括《明理论方》1 卷），亦有严器之（1144）序。

《注解伤寒论》较好地将经典医著与个人心得结合起来，成为注解和阐发伤寒学之先启，对后世伤寒学以及辨证论治理论体系之发展影响很大。成无己是北宋与金元药学发展的重要搭桥人之一。

贞白先生 见陶弘景。

吕才 唐初哲学家（600—665）。博州清平（今山东临清）人。少好学，精阴阳、方技、舆地、历史，尤善乐律，对药物颇有研究。曾任尚药奉御、太常博士、太常丞。尝奉命删定《阴阳书》，已佚。显庆（656—660）年间参与修撰《新修本草》。

吕熊 字文兆。清初人。撰有《本草析治》，今佚。见《昆山新阳合志》（1751）。

年希尧 清广宁（今辽宁北镇）人。字允恭，号偶斋主人。属汉军镶黄旗。曾任工部右侍郎等。通医药学，尝搜览古医籍，仿陆贽《古今集验方》之举，撰《年希尧集验良方》6 卷（1724）。又集历代本草书中经验古方及传自宫禁之秘方，条分部列，汇成《本草类方》10 卷（1735）。

朱权 明戏曲理论家、古琴家、剧作家（1378—1448）。太祖朱元璋第十七子，封宁王，自号臞仙、涵虚子、丹丘先生、大明奇士，别号玄洲道人；谥献，故又称宁献王。好学博古，喜搜采群书秘本刊布于世。医著有《庚辛玉册》2 卷、《乾坤生意》4 卷、《乾坤生意秘蕴》1 卷、《寿域神方》（又作《延寿神方》）1 卷、《臞山活人心法》（又作《新刊京本活人心法》）3 卷。其方论多见于《本草纲目》。

朱煜 清医家。字漤溪。甘泉（今江苏江都）人。道光某年时疫盛行，世医沿用陶华治法，效不显。煜独用吴又可治法，投剂辄应，医名大噪。平生临证不分富贵贫贱，悉尽心力。卒年 62。著《五经分类》《本草类方续选》，未见传世。见《甘泉县志》（1881）。

朱颜 又名云高（1918—1972）。浙江金华人。1931 年从师学中医，1950 年第四军医大学毕业，同年入协和医院进修药理学。历任北京中医进修学校副教育主任、中医研究院中药研究所药理研究室副主任、西苑医院血液病研究室主任、中华人民共和国药典委员会委员，九三学社社员。早年致力于以现代科学方法研究中药药理，晚年从事中医药治疗血液病临床研究。著有《中药的药理与应用》。

朱橚 明藩王（1362？—1425）。太祖朱元璋第五子。先封吴王，洪武十一年（1378）封为周王，殁后谥作"定"，故后世称周定王。能辞赋。洪武十四年就藩邸开封，撰有《救荒本草》（1406）4 卷（后世或厘为 8 卷、14 卷）。该书收植物414 种，图形真实，内容多为调查观察所得，颇受重视。嘉靖三十四年（1555）重刻时，误题为其子朱有敦（周宪王）所作。使李时珍《本草纲目》、徐光启《农政全书》均袭其误。清《四库全书》依据李濂序为之驳正。另著《普济方》168 卷、《保生余录》2 卷。

朱铨 清医学家。字南越，一字东樵。长洲（今江苏苏州）人。精医理。任惠民局司事，读书甚多，著书数种，今存世者有《本草诗笺》（一作《惠民局本草诗笺》）10 卷（1737）。收药 848 味，仿《本草纲目》分类，每药简注性味、产地、形态、炮制、用法等，后附七言诗，叙其药性功治，颇为简练流畅。甚便初学。

朱本中 清医药家。道名泰来，号凝阳子。古歙（今安徽歙县）人。曾官于河南洛阳，后归林下，遨游四方。康熙二十二年（1683）至广州，治病多良效。所著《饮食须知》乃将前人《食物本草》改题，录饮食物 367 种。细考其分类及条文，薛己《食物本草》多同。此外还著有《急救须知》《修养须知》《格物须知》等。

朱永弼 北宋医家。政和（1111—1117）年间为翰林医侯，政和六年与曹孝忠等同为《证类本草》校勘官，校订而成《政和新修经史证类备用本草》30 卷。

朱有章 为宋嘉祐年间医官。参与编修《嘉祐本草》。

朱华公 见陈士铎。

朱鸣春 字晞雕。江苏泰兴人。撰《药性歌》（一作《药性篇》）。今佚。见《泰兴县志》。

朱春柳 清代人，1856 年编《本草别名》。此书抄本今存上海图书馆。

朱思简 唐医药家。撰有《朱思简食经》。见《医心方》引《朱思简食经》（或"朱思简"）佚文 13 条。

朱蕴斋 明代人。1623 年撰《蕴斋本草》。今佚。见《本草汇言》卷 7 "石蕊"条注。

朱震亨 元著名医学家（1281—1358）。字彦修。义乌（今属浙江）人。世居丹溪，人称丹溪先生。早年从许谦习理学，以母病去而学医，曾四处访师，后受业于罗知悌之门，得传刘完素、张元素、李东垣之学。谓"阳常有余，阴常不足"，为金元四大家中滋阴派创始人。其本草著作有《丹溪本草》1 卷。《本草衍义补遗》，书不分卷，载药 153 种。原有单行本，今附于《丹溪心法》及《丹溪心法附余》之中。

朱颜驻 清医药家。字耀庭。熙安（今广东番禺）人。重视药物修治，以为药必地道，治必如法，遂撰《壶中医相论》（1809），以明炮制法。又常搜寻良方，并家藏备用方 54 种，集成《壶中药方便》两卷。

朱彝尊 清文学家（1629—1709）。字锡鬯，号竹垞。秀水（今浙江嘉兴）人。少肆力古学，博览群书。康熙（1662—1722）年间举鸿博，授检讨，参与撰修《明史》，后引疾罢归。有食疗书《食宪鸿秘》3 卷。该书为其才藻之绪余，列各种饮食烹调法，并介绍饮食宜忌，或注诸品功用。中国中医研究院存清刊本（有年希尧 1731 年序）。

朱雕模 清医药家。字皋亭，号三农，又号南庐。海昌（今浙江海宁）人。寄籍杭州。工山水画，精医学。著有《类经集注》《伤寒集注》《证治辑要》《脉学曙初》《三方类集》《本草类集》《脏象经络原委图考》等，合称《医学七书》。另有文史著作多种。见《海昌县志》（1847）。

乔三馀 名在修（约 1585—1660）。出明代世医之家，善用古方。约 1660 年撰《本草注疏》。

伍恂 为杨时泰（？—1833）的门人。杨时泰曾撰《本草述钩元》，然因"薄书劳瘁，不录以终，未及以所著付梓人。藏稿于家者几十余载"。后由门人伍恂刊行，邹澍为之序。

仲学辂 清末本草学家。字昂庭。钱塘（今浙江杭州）人。推重《本草崇原》，谓此书"阐发药性，皆从运气着笔，为诸家之冠"。遂仿此书辑《本草崇原集说》。以《本草崇原》为主体，旁采诸家精义以注之，并参以己见，加以评论。其书未及印行即殁，章炳森就其原稿补正，厘为 3 卷（1900），后附《本草经读》注，刊以传世。

华佗 东汉杰出外科学家（？—约 203）。名旉，字元化。沛国谯（今安徽亳县）人。据史书记载，华佗在全身麻醉、外科手术，及体育疗法上有相当的成就，发明了"麻沸散"和"五禽戏"。曹操苦头眩，闻佗医技精良，召其常在左右。佗针操疾，随手而瘥。然佗不愿独为曹医，因托妻疾，归乡里至期不返。累召不应，为曹操所杀。临死，出一卷书与狱吏，吏畏法，不敢受，乃索火烧之，其著作未能传世。华佗以其外科手术麻醉等方面的卓越贡献，被后世尊为"外科鼻祖"。

华阳女士 见曾懿。

华阳隐居 见陶弘景。

自了汉 见蒋示吉。

行距 隋僧人，医家。俗姓李。赵郡（今河北隆尧）人。善医识药。撰有《诸药异名》8 卷，已佚。见《隋书·经籍志》。

会稽山人 见孟诜。

负疾居士 见张鉴。

冲和子 撰《太清璿玑文》7 卷。见《旧唐书》。

冰翁 见陈衍。

庄绰 宋文学家、医药家。字季裕。清源（今山西清徐）人。尝摄襄阳尉，知筠州，并官于顺昌、澧州等地，为朝奉郎前南道都总管。著《本草节要》3 卷、《脉法要略》《庄氏家传》等，均佚。文学著作有《鸡肋篇》，多记旧闻轶事。

庄兆祥 广东南海人（1902—1982）。早年于日本习农，后改修医科。1930 年毕业于日本九州帝国大学医科。1932 年后，任江苏省南通大学医科教授。1932 年任广州中山医学院教授。1938 年赴香港，任教 20 余年，弟子逾千人。熟悉日、德、英、拉丁等文，博通古今中外医药书籍。运用近代植物分类学方法研究中草药，发表论著近百篇，代表作为《增订岭南采药录》《香港中草药》等。

庄继光 明医药家。系缪希雍弟子。1622 年曾为缪希雍录校了《炮炙大法》。该书不分卷。载药 439 味。我国炮制专书并不多见，明代炮制专著唯此书影响较大。书末"用药凡例"相当于总论，其中常有缪氏独家见解。对煎药方法，辨析尤详，实用价值较大。有 1956 年人卫影印本存世。

庆恕 清代人（1840—1916?）。字云阁。满族，辽宁抚顺人。光绪二年（1876）进士。编《医学摘粹》（1896），《本草类要》为其中一种。收常用药 180 品。有清刊本及 1983 年点校本存世。

刘休 南北朝宋齐官吏。字弘明。沛郡相（今安徽濉溪）人。宋时为驸马都尉，袭祖封南乡侯。多才艺，知医，尤善食疗之术。建元初（479）为御史中丞。卒年 54。《南齐书》有传。撰有《刘休食方》1 卷，今佚。

刘纯 明医药家。字宗厚。祖籍淮南吴陵，洪武（1368—1398）年间迁居关中咸宁。父刘橘泉为朱丹溪弟子，有医名。撰有《医经小学》6 卷（1388），分论本草、脉诀、经络、病机、治法、运气等。李时珍注胡仕可《本草歌括》时谓刘纯亦有同类作品。今未见。

刘珍 明·医药家。弘治年间御医。曾任《本草品汇精要》一书"验药形质"编撰官。

刘复 四川成都人。1942 年以王闿运的《神农本草经》辑本为主体，取孙星衍、顾观光辑本参校补遗，以《神农本草》为名刊行。

刘植 北宋医官。政和（1111—1117）年间为奉议郎太医学博士，编类《圣济经》为检阅官。政和六年与曹孝忠等同为《证类本草》校勘官，校订而成《政和新修经史证类备用本草》30 卷。

刘湜 明药学家。刘若金（1585—1665）之子。刘若金竭 30 年之力，十易其稿，纂成《本草述》80 余万言。甲辰（1664）书成，次年殁，原稿由其子刘湜收藏。康熙三十八年（1699）由浙西高佑釲、陈汗订正，刘湜校订刊行。

刘翚 明医药家。弘治年间与刘文泰一起共同编撰《本草品汇精要》42 卷。

刘翰 宋医药家（919—990）。沧州临津（今属河北）人。世业医。后周显德二年（955）献《经用方书》30 卷、《论候》10 卷、《今体治世集》20 卷。周世宗柴荣命为翰林医官，其书交付史馆。宋太祖北征，奉命随军从行。建隆初（约960）加升朝散大夫，鸿胪寺丞。乾德初（963），太常寺考校翰林医官，以刘为优。开宝五年（972），宋太宗在藩邸有疾，命其与马志诊治。及愈，转尚药奉御。开宝六年，奉诏校定《新修本草》。同校者有马志、翟煦、张素、吴复珪、王光祐、陈昭遇、安自良等 9 人。由扈蒙、卢多逊刊定，书名《开宝新详定本草》，计 20 卷。后又与马志等校定本草书，由李昉、王祐、扈蒙等审校，成《开宝重定本草》20 卷。新增药品 135 种，总计药品 983 味。后加升检校工部员外郎。太平兴国四年（979），命为翰林医官使，再加检校户部郎中。雍熙二年（985）因判断滑州刘遇疾病预后失误，受责降为和州团练副使。端拱初（988）起为尚药奉御。淳化元年（990）复为翰林医官使。

刘默 明末清初医药家。字默生。钱塘（今浙江杭州）人。受业于名医缪仲醇，寓居苏州专诸里。有医名，遇危证能取奇效，活人甚众。晚年闭门静养。撰有《本草发明纂要》。今佚。出《苏州府志》（1691）。

刘灏 清代人。撰有《广群芳谱》。该书是在南宋·陈景沂辑的《全芳备祖》的基础上扩充而成。

刘文泰 明医官。宪宗时任右通政、太医院院使。据载因"投剂乖方，致损宪宗"遭大臣参劾，降为承德郎太医院院判。弘治六年（1493），参与弹劾尚书王恕，又降为御医。弘治十六年，孝宗朱祐樘因本草书讹误，命官修订，以文泰为总裁，太监张瑜为总督，于弘治十八年三月修成《本草品汇精要》42 卷（序目 1卷）。此书将《政和本草》重加分类，载药 1815 种，分 24 项，予以提要解说，并附以彩图 1358 幅。文泰医业不精，于本草亦懵然。弘治十八年夏，孝宗患热疾，因文泰误投大热之剂烦躁不堪而殁。武宗朱厚照即位后，法司会奏文泰药不对证，请斩之，后虽免死遣戍，然《本草品汇精要》则存于内府，至 1937 年始排印行世。

刘汉基 清药学家。四川巴县人。康熙末（约1722）供职于太医院。编《药性通考》8卷（1772），叙415种药物之药性及主治等，间附"或问"于条末，以答疑难。

刘全备　明药学家。字克用。柯城（今河南内黄）人。尝编《新编注解药性赋》1卷（首附《新编论四时六气用药权正活法》）。药性赋下，注以方剂、典故、治验等。又按五脏六腑类列药性，先论各脏生理病理，次述方药所宜。又纂《新编注解病机赋》，类例同前。两书均收入《明刊医书四种》。

刘兆晞　字孟旭。清药学家。山东阳信人。撰有《本草类编》。今佚。出《阳信县志》（1759）。

刘寿山　近代人（？—1961）。主编了《中药研究文献摘要》一书。该书是我国第一部大型中药文摘，精选了142年间国内外390余种期刊上的中药文献4000余篇，涉及中药500余味。内容极为广泛，检索性强。深受读者欢迎。

刘完素　金著名医学家（约1132—1200）。金元四大家之一。字守真，自号通玄处士。河间（今属河北）人，人称刘河间。嗜好医书。25岁时深研《内经》，经30余年钻研理论与临床实践，至晚年终于触类旁通，有所领悟。学术见解颇多独创，治病多以降心火、益肾水为主。因其治疗热病善用寒凉药，被后世称为寒凉派之代表人物。代表作有《素问玄机原病式》1卷（1182）、《黄帝素问宣明论方》（简称《宣明论方》）3卷（后人扩为15卷），以及《素问病机气宜保命集》（1186），其中含《本草论》《药略》等本草专论。

刘若金　明末清初本草学家（1585—1665）。字云密，号蠡园逸叟。潜江（今属湖北）人。天启五年（1625）进士，官司寇等职。明亡后隐居著书30年。以多病而喜阅方书。著成《本草述》32卷，节取李时珍《本草纲目》，采编诸家方论，以药理探讨为主。道光十三年（1833）杨时泰复以《本草述》为基础，节删成《本草述钩玄》。

刘明之　南宋医药家。字信甫（一作信父）。居桃溪（今福建永春），人称桃溪居士。尝编《活人事正方》20卷（1216）（又《活人事证方后集》30卷亦题刘信甫撰，其中述取痔用砒、矾、草乌、蝎梢等外治方，及历史上较早之枯痔疗法）。又著《医学指南》，以病证分门类，今佚。又重编《和剂局方》，纂集本草常用药物成篇，冠于书首，亦佚。另《新编类要图注本草》目次之前，原题"桃溪儒医刘信甫校正"。

刘恒龙　字兰亭。浙江桐乡人。撰有《药性考》。今佚。出《浙北医史人名志》。

刘淑随　清医药家。字贞九，山东宁阳人。撰有《本草》，今佚。出《宁阳县志》（1887）。

刘善述　清医药家。名兴。四川合州（今合川）人。少习儒，后改习医。平素重药学，谓医之大端，无非脉经、方剂、药物三者。审脉虽详，处方虽妙，若药物不良，亦难奏效。遂于临证之余，搜求川东土产草木金石可作药者，察其来源，究其性质，附以方剂，于晚年撰成《草木便方一元集》（或简称《草木便方》）两卷（1870），分类清晰，并附以图形，因系实地考察所得，备受后世重视。卒年60余。

刘瑞恒　近代人。1930年5月，由当时的国民政府卫生部出版颁布了近代我国的第一部药典——《中华药典》。刘瑞恒是该药典的总编。

刘源长　清医药家。宁津（今属山东）人。廪贡生。兼通医学。著《药性辨同》《脉诀要论》，今佚。出山东《宁津县志》（1900）。

江城　清末医药家。字抱一。三衢（今浙江衢州）人。名医雷少逸门人，行医于光绪（1875—1908）年间。尝与雷大震、程曦合编《医家四要》4卷（1884），以"脉、病、方、药"为纲，辑录历代医书，分门整理，有近代刻本、石印本及铅印本存世。

江宗淇　字筠友。清医药家。江西信丰人。邑武庠，精岐黄。著《丹丸善本》《丹膏善本》《痘科善本》《本草类编》等书。今俱佚。出《信丰县志》（1870）。

江承宗　唐医药家。曾任凤翔节度使。著有《删繁药咏》3卷。已佚。出《唐史·艺文志》。

江敏书　清医药学家。咸丰（1851—1861）年间著《本草便读》6卷，补遗、续遗各1卷，附《药性要义》1卷。主述药性功效，为本草简易入门读本。今有山东铅印本（1936）存世。

江上女子　见周祐。

汝言良　江苏吴江人。撰《药性歌》。今佚。见《黎里续志》（1899）。

汤宾　明代人。撰《药性指南》1卷。今佚。见《南皮县志》。

汤国华　明·萧山庠士。字太素。曾于万历庚申（1620）为《本草汇言》绘图。

汤性鲁　明医药家。汤宾之子。1644年将其父《药性指南》一书由1卷增补为2卷。今佚。见《中国分省医籍考》。

安自良　宋医药学家。曾任翰林医官。开宝六年（973）奉诏与刘翰、马志等校定《开宝新详定本草》20 卷。

许弘 唐药学家。显庆二年（657）与苏敬等共同编撰《新修本草》。

许洪 南宋药物学家。字可大。武夷（今福建崇安）人。袭父祖之业，三世为医。古今方书，无不历览。任太医助教，差充四川总领所检察惠民局。嘉定元年（1208）取蓝本《太平惠民和剂局方》精加校定，择取本草所载药性功效注于各药之下，又将吴斑《得效名方》及诸局经验秘方各随门类附于本方之后，编次《和剂指南总论》冠于篇首。《和剂指南总论》（即《指南总论》，一名《药石炮制总论》）为制药专著，今附于《太平惠民和剂局方》书末。另《新编类要图注本草》及其同类刊本，旧题许洪校正。

许璨 宋官吏。政和（1111—1117）年间为登仕郎。政和六年与曹孝忠等共同校勘《证类本草》，成《政和新修经史证类备用本草》30 卷。

许大椿 清医药家。生活于 19 世纪下半叶。业疡医，兼精伤科。其行医 40 余年，常救治危病。辨证用方，独有薪传，医名播于江浙。传有人自高楼下跌，头骨裂为数块，诸医束手，大椿谓脑盖未碎，犹可活，经敷药调治后康复。著有《外科辨疑》8 卷、《合药指南》4 卷。出《吴县志》（1933）。

许弘直 唐药学家。公元 657 年与苏敬共同编撰《新修本草》。

许兆桢 明医药家。字培元。乌程（今浙江吴兴）人。生活于万历（1573—1619）年间。初习举子业，后改习医药。潜心医理，勤于著述。主要著作有《诊翼》《医辩》《药经》《素问评林》等，均佚。唯《方纪》一书仍存。

许安澜 清医药家。撰《土药类志》。今佚。出江西《昭萍志略》（1935）。

许孝崇 唐药学家。一作许孝宗。显庆（656—660）年间任尚药奉御。与苏敬等共撰《新修本草》（659）。另撰有《箧中方》3 卷，今佚。

许希周 明春陵（一作"道州近濂"，均在今湖南宁远、道县一带）人。字以忠。嘉靖十七年（1538）科考不中，归途中研读诸家本草著作，深以浩瀚不可记忆为病，于是杂举众意味相对者，编成骈语 506 联，略述千余药品之功治，集成《药性粗评》。嘉靖二十年复补注产地、形态、采收等，并附以单方，定为 4 卷，于嘉靖三十年为定远县县令时刊行。此书内容简明实用。

许国桢 元医官。字进之。绛州曲沃（今属山西）人。祖济，为金代绛州节度使，父日严，为荣州节度判官，皆通医。国桢博通经史，尤精医术。世祖即位前即召之掌管医药，曾治愈世祖及庆圣太后病，又忠直敢谏，深得信任。世祖即位，授荣禄大夫、提点太医院事。至元三年（1266），迁礼部尚书。后又拜集贤大学士、光禄大夫。每进见，帝呼"许光禄"而不称其名。至元二十一年奉诏与翰林承旨撒里蛮集诸路医学教授增修本草，名《至元增修本草》，是元代唯一官修本草著作。又撰有《御药院方》11卷。卒年76，谥忠宪，追封蓟国公。

许宗正 清医药家。字星东。四川射洪人。以学术精湛，经验丰富，著称于时。著述甚富，今存《尊经本草歌括》《伤寒论方合解》《金匮论方合解》《脉学启蒙》等。

许俊杰 现代药物学家。字锦仁。广东普宁人。幼随父习医，精研历代医籍。行医乡邑，重视民间用草药治病经验，遇有效草药验方，即收集并制作草药标本，记载其性味功能主治，并结合临床应用整理成编。一生收集草药400余种，编有《普宁草药一百种》。

许鸿源 撰有《台湾地区出产中药材图鉴》（1972）、《常用中药之研究》《台湾地区中药研究文献摘要》等书。

许敬宗 唐药学家。显庆二年（657）与苏敬等共同撰《新修本草》。

许嗣灿 清代人。1840年在清·王子接《本草翼》基础上予以增辑，撰成《本草翼续集》。收入钱塘许嗣灿汇集医书4种中。

尽凡居士 见李中梓。

孙郁 清本草家。字兰士。江苏丹徒人。撰《本草识小》。今佚。出《续丹徒县志》（1930）。

孙觌 宋大观时期人。曾命"通仕郎行杭州仁和县尉管句学事"艾晟校正《证类本草》，首刊大观二年（1108）属地方官刊本。

孙子云 汉中人（？—1930）。撰《神农本草经注论》（1929），该书不拘于随文衍义，而是结合用药进行阐释。它删去了《本经》中的夸张言词，仅收药300余味。

孙丰年 字际康，号小田子。白下（今江苏南京）人。1785年著《治痘药性说要》2卷。该书分谷、菜、虫、鳞、介等8部，述药160种，为颇有特色之专科用药著作。

孙冯翼 清本草家。字凤卿，阳湖（今江苏武进）人。与其兄孙星衍依《证类本草》白大字，辑成《神农本草经》，刊入《问经堂丛书》。

孙兆惠 清画家。字笠江。江苏昆山（或误作安徽）人。道光（1821—1850）年间官云南自贡及蒙自知县。习医工画。尝取兰茂《滇南本草》之坊刻本及杨慎传抄本，合校汇编成《一隅本草》，收药410种，附以己说，并自制图，然未见传世。

孙星衍 清本草家、经学家（1753—1818）。字伯渊，又字渊如、季仇。阳湖（今江苏武进）人。乾隆五十二年（1787）进士。历任编修、刑部主事、员外郎、郎中、山东兖沂曹济兼管黄河兵备道、督粮道等职。以辑佚、校刻中医文献为医界所重。乾隆四十八年至嘉庆四年（1783—1799），与孙冯翼合辑《神农本草经》（刊入《问经堂丛书》3卷）。

孙思邈 唐杰出医药学家（约581—682）。世称孙真人或孙处士。京兆华原（今陕西耀县）人。少时善谈老庄，通百家说，兼好佛教经典。因幼遭风疾，刻意学医。凡切脉诊候，采药合和，有一事长于己者，不远千里求教。医德高尚，对病家不论贵贱贫富，一心救治，故乡邻之间多有济益，自身疾患也经调理而愈。唐太宗、高宗曾多次征召，均固辞不就。鉴于古代诸家医方浩繁散乱，难以检阅，乃博采群经，勤求古今，删裁繁复，并附己验之方，约于公元652年撰成《备急千金要方》（又称《千金方》）30卷，30年后又撰成《千金翼方》30卷。埋头医药学研究凡80年，躬身医疗实践，对我国医学发展有承先启后的重大贡献。因其在医药方面成就巨大，被后人尊为"药王"。

七画

贡曼·官却德勒 清藏族医药学家。出生于西藏贡卡地区。人称"贡曼"。藏医北方派医家，主要医药著作有《本论医典释鉴》《后续医典释难要点明灯》《本草要义与性味配伍》《续解黄本》《医诀红本黑本花本》《医学传承记》《医学全源》《药名正字》等。

严龟 唐官吏。梓州盐亭（今属四川）人。镇南军节度使严谦之子。昭宗时（889—904）曾宣慰边寨。通晓医学。著有《食法》10卷，是我国较早食疗专著之一。已佚。

严洁 清医药学家。字西亭，又字青莲。姚江（今浙江余姚）人。与施雯、洪炜两医家友善。凡诊险难之证，常反复共研，始施方药，每获速效。乾隆间，三人同辑《盘珠集》（丛书），收书4种。其中《得配本草》10卷（1761），论药647种，在药物配伍特点和作用方面，总结前人经验，加以阐发，颇切实用；《胎产证治》3卷，录三人平生治妇科疾患之经验；《脉法大成》，于切脉处方亦多发明；《虚损启微》为洪炜所撰。此四书辑成后未刊，至嘉庆九年（1804），施爱亭出《盘珠集》，由同里医生张涣、洪西郊等共同刊行。今存者唯《得配本草》与《胎产证治》两书。

严萃 字蓄之。浙江嘉兴人。弘治戊午（1498）授广东阳江令。祖上业医，故暇则躬研医药，撰《药性赋》4篇，分寒、热、温、平之异，今佚。《嘉兴县志》（1685）记载。

苏颂 宋天文学家、药学家（1020—1101）。字子容。原籍泉州南安（今属福建），后徙居丹阳（今江苏南京）。学识渊博，尤详于历史典故。官至右仆射兼中书门下侍郎。元祐三年（1088）组织韩公廉等人制造水运仪象台。著《新仪象法要》，于天文学方面颇有建树。医药造诣亦深，嘉祐二年（1057）任太常博士集贤校理时，参与校正医书局校注《嘉祐补注神农本草》。又主编《本草图经》20卷（1058），征集全国各地所上药图及解说（包括海外输入药物），汇入单方。考证详明，颇有发挥，是我国现存最早之绘图本草。后世《本草纲目》《植物名实图考》等之药图，皆曾参考此书。

苏敬 唐著名药学家（599—674）。曾任朝议郎行右监门府长史骑都尉。宋大观避讳，书作苏恭或苏鉴。以陶弘景所撰本草书多有舛谬，且当时医家用药纰缪紊乱，乃于显庆二年（657）表请删补，唐高宗乃敕其与当时著名医家、方技名流及勋臣李勣、长孙无忌、辛茂将、许敬宗、孔志约、许孝崇、胡子象、蒋季璋、蔺复珪、许弘直、巢孝俭、蒋季瑜、吴嗣宗、蒋义方、蒋季琬、许弘、蒋茂昌、吕才、贾文通、李淳风、吴师哲、颜仁楚等20余人，对药物详加整理，并征集天下郡县所出药物，按实物描绘编绘"药图"和"图经"，无论羽毛鳞介、根茎花实，皆考其同异，择其去取，并详探秘要，于显庆四年（659）撰成《新修本草》20卷、目录1卷，《新修本草图经》7卷，《新修本草图》25卷、目录1卷，共54卷。订正药物纰缪400余处，增后世所用药百余物，为我国第一部药典，比欧洲最早的纽伦堡药典（1542）早800多年。现有残本传世，其部分内容收录于《千金翼方》《重修政和经史证类备用本草》等，有日本及国内学者之辑本。苏氏尝以善治脚气名于时，撰有《脚气方卷论》1卷，已佚，《外台秘要》有引录。

苏万明 清初医药家。字明吾。山东滋阳（今兖州）人。少游江西，遇王克明传以太素之学，归而医名震远近。子绍德继其传，纂其医论为《脉诀》4卷、《按症方药》2卷及《秘方》《脉案》《炮制诸药性解》各1卷，未见传世。见《兖州府志》（1736）。

苏飞卿 撰《良药汇编》14卷。今有清光绪十八年（1892）台湾淡水刻本。藏上海图书馆。

苏廷琬 清医药家。字韫辉，号灵泉。海昌（今浙江海宁）人。因见刘若金

《本草述》文繁理富，不易卒读，因摘录大要，诠次成文，并以他书可取者附于各条，编成《药义明辨》18 卷（1788），未见传世。

杜润夫 北宋官吏。政和（1111—1117）年间为登仕郎，编类《圣济经》所点对方书官。政和六年与曹孝忠等共同校勘《证类本草》，成《政和新修经史证类备用本草》30 卷。

杜善方 唐药学家。京兆（今陕西西安）医工。以本草药名随类解释，删去重复，又附以诸药制使、畏恶、解毒、相反、相宜者为一类，撰成《本草性事类》1 卷，已佚。

杏元老人 见章穆。

李中 宋药学家（？—1120）。字不倚。浙江奉化人。撰《本草辨正》3 卷，书佚。《奉化县志》（1773）有传。

李氏 清药学家。撰有《李氏草秘》，今佚。赵学敏《本草纲目拾遗》曾引该书 30 余条（见"望江青""接骨草""独脚马兰"等）。

李苣 清本草家。字淑诚。原名式夔。浙江瑞安人。撰有《东瓯本草》，今佚。

李杨 字季虬。明代本草家。是《神农本草经疏》的作者缪希雍（1546—1627）的门人。

李君 年代不明。撰《本草音》7 卷。见冈西为人《宋以前医籍考》，引自《日本国见在书目》。

李杲 金元著名医药学家（1180—1251）。字明之，晚号东垣（老人）。真定（今河北正定）人。金元四大家之一，"补土派"代表人物。幼好医药，以母病为医误而死，遂携重金从师张元素，不数年尽传其业。尤精于治伤寒、痈疽、眼目病，经验丰富。元壬辰（1232）避兵东平（今属山东），甲辰（1244）归里，授徒元好问。时值战乱，为饮食劳倦及忧思所伤者甚多，乃撰《内外伤辨惑论》3 卷（1231）、《脾胃论》3 卷（1249）。得张元素传，亦精辨药制方，明药物之补泻升降、归经法象，所制方多至一二十味药，而君臣佐使、相制相用，条理井然。晚年以所学及著述，传于弟子李明之、罗天益，且云："此书付汝，非为李明之、罗天益，盖为天下后世，慎勿湮没。"另撰有《兰室秘藏》3 卷、《用药法象》1 卷、《东垣试效方》9 卷。

李昉 五代北宋间官吏，文学家（925—996）。字明远。深州饶阳（今属河北）人。五代后汉乾祐进士，官秘书郎、集贤殿修撰，至后周为翰林学士，归宋亦为翰林学士，累官右仆射，加中书侍郎平章事等职。人谓"三人翰林"。奉敕撰《太平御览》《文苑英华》《太平广记》等。兼通本草之学，于开宝七年（974）与王祐、扈蒙等审定《开宝重定本草》20卷、目录1卷。

李玹 唐末五代人。系《海药本草》作者李珣的弟弟，素以鬻香药为业，且好摄养、炼丹。

李浩 金元医药学家。祖籍曲阜（今属山东），五世祖始迁滕（今山东滕县）。世以儒学显名。喜好医学，敬慕仓公为人。精通医术，元初为人治病有显效。1279年撰有《诸药论》《素问钩玄》等。后被荐于元世祖，以老不能就征，诏其子李元至京师，掌御药局。

李密 南北朝北齐官吏（？—577）。字希邕。平棘（今河北赵县）人。因母病积年，名医疗之不愈，乃勤习医方，洞晓针药，遂精医术，母疾亦经疗得除，由是以医知名。撰有《药录》两卷，今佚。

李璋 字叔如。明本草家。华亭（上海市）人。撰有《汤液本草》。康熙《松江府志》、乾隆《娄县志》有著录。今佚。

李翱 唐文学家、哲学家（722—841）。字习之。陇西成纪（今甘肃秦安）人，一说赵郡（今河北邯郸、赵县一带）人。贞元十四年（798）进士，官至山南东道节度使。勤于学，博雅好古，并从韩愈学古文。曾据民间传说撰成《何首乌传》（813）1卷，为我国最早记载何首乌药名、形态、功能之文献。现有《说郛》辑佚本。

李勣 唐官吏（594—669）。本姓徐，名世勣，字懋功。太宗赐姓李，避讳，改名勣。曹州离狐（今山东东明东南）人。通医药，高宗时任司空，奉诏与苏敬、于志宁等编撰《新修本草》。另撰有《本草药疏》及《脉经》1卷，均佚。

李珣 唐末五代间药学家、文学家（约855—约930）。字德润。祖籍波斯，传为波斯商人李苏沙后裔。随唐僖宗入蜀定居于梓州（今四川三台）。有诗名，以秀才预宾贡，事蜀主王衍，国亡后不仕。因家业香药，故深谙药理。曾遨游岭南，归后撰成《海药本草》6卷，已佚。据《证类本草》及《本草纲目》中现存佚文统计，尚存124种，如海桐皮、天竺桂、没药等，均为该书首载，是为我国古代研究和介绍外来药物的重要著作。与阿拉伯医药之交流，其功甚伟。另著《琼瑶集》，已佚。《全唐诗》存其诗作54首。

李士周 清医药家。江苏如皋人，国学生。精医术，乾隆五十一年（1786）歉岁，疫气流行，乃设局施药，活人甚众。著《医录》《药考》诸书，未见传世。

李之和 清平乡（今属河北）人。字节之，号漱芳。道光五年（1825）选贡。以儒者所重不在辞章，于潜心经学之余，旁及医卜、星算、音乐。著述甚多，医书有《漱芳六述》《六述补遗》《外科六述补遗》《本草杂著》等。另著有《舆图集略》《勾股集说》《算法辑略》等。

李无垢 明末清初医药家。名元素。钱塘（今浙江杭州人）。南京太医院医士。顺治十三年（1656）寓居嘉兴。著名文学家朱彝尊间访之。李氏注《本草经》，多发新义，如论吉贝子（棉花籽）不宜久服，娓娓至数百言。朱妻病热逾20日，势转剧，诸医皆云伤寒，不可治。延李氏，诊为触暑，投甘瓜井水而愈。李氏殁，所著书无存。

李云阳 元医药家。撰《用药十八辨》一篇。此篇存于元末人黄石峰《秘传痘疹玉髓》卷2。李氏为纠正痘疹治疗中18种误用之药而撰此文。

李中立 明末本草学家。字正宇。雍丘（今河南杞县）人。约生活于16至17世纪。善医，尤精于本草。尝核药物名实，考性味，辨形态，定施治，著《本草原始》12卷。所附药图多据药材写生，旁注药物优劣标准、采收季节、药材特征等，为本草史上论生药之早期著作。因当时有同名人李中立（字士强，上海人），故《四部总录》等书误作一人。

李中梓 明末清初著名医药学家（1588—1655）。字士材，号念莪，又号尽凡居士。南汇（今属上海市）人。其先人有与倭战而亡者，立有武功，代为士族。初习儒，为诸生，有文名。后因多病，自学医术。著作甚多，颇有益于初学。著有《内经知要》2卷（1642）、《医宗必读》（卷3、4为《本草征要》）10卷（1637）、《药性解》2卷（1622）、《伤寒括要》3卷（1649）、《颐生微论》4卷（1642）。另有《诊家正眼》《病机沙篆》《本草通玄》各两卷，合为《士材三书》。

李化楠 字廷节（1713—1768），号石亭。清四川罗江（今德阳）人。擅食疗之学，宦游所至，集食物制作之法，随访抄录。历数十年辑成《醒园录》两卷（1752）。子调元为之刊行。

李宁汉 香港学者。与庄兆祥共编《香港中草药》，该书分集出版，从1978年开始陆续印行。每册载药100种，文字简练、植物彩色照片别具一格。全书采用中英文对照，为宣传中草药出力不少。

李当之 汉魏间医药学家。一作李谙之。华佗弟子。少通医经，得师传，尤精本草。《隋书·经籍志》载有《李当之本草经》1卷，已佚。

李延罡 清初医药学家（1628—1697）。原名彦贞，字我生、期叔，号漫庵；

后改字辰山，号寒邨。祖居南汇（今属上海市），后迁居华亭（今上海市松江）。为著名医家李中梓之侄，因参与复明抗清斗争失败，避居浙江嘉兴，后入平湖祐圣宫为道士，以医自给。顺治元年（1644）曾游苏州，得贾所学《药品化义》13 卷，谓"其为区别发明，诚一世之指南"，遂与其子汉徵校正重刊。又撰《本草谕》，论本草发展历史；《君臣佐使论》，明用药配伍之法；《药有真伪论》《药论》，则阐述药物鉴别、炮制、制剂、采收之理。此四论列于《药品化义》之首。康熙二年（1663）撰《脉诀汇辨》10 卷，附《五运六气医案》1 卷。《李中梓医案》亦收录于此书中。尚著有《痘疹全书》《医学口诀》两书，未见流传。文学著作有《南吴旧话录》《放鹇亭集》等。

李克蕙 清本草家。撰有《中国药理篇》。见《丰城县志》（1948）。

李时珍 明杰出医药学家（约 1518—1593）。字东壁，晚号濒湖山人。蕲州（今湖北蕲春）人。世业医，父言闻，有医名。幼习儒，3 次应乡试不中。师事顾日岩，读书 10 年。受家庭熏陶，兼好医书，遂精医药。千里就医于门，立活不取值。楚王闻之，聘为奉祠，掌良医所事。世子暴厥，治之即甦。经推荐，赴京师太医院供职 1 年，尝授太医院院判之职。晚年因子建中为官，遂进封文林郎、四川省蓬溪知县。念历代注解本草者谬误多，遂考古证今，辨疑订误，广采博收群书，奋发编修。自嘉靖三十一年（1552）至万历六年（1578），历时 27 载，三易其稿著成《本草纲目》52 卷，初刊于金陵。子建中、建元、建木及诸孙皆参与绘制药图，孙树宗、树声为之校对。甫及刻成，时珍即逝。《本草纲目》为明代本草集大成之巨著，共载药 1892 种，内新增药 374 种。分 16 部 62 类，按从微至巨、从贱至贵原则排列，并仿陈藏器《本草拾遗》编纂法，取材不厌详悉。全书采用"纲目"体例；分部为纲，分类为目；正名为纲，释名为目；物以类从，目随纲举。各药列释名、集解、辨疑、正误、修治、气味、主治、发明、附方诸项，医药结合。所引书名、人名，皆注于引文之下。考释药理甚精，指出药品"升降在物亦在人"，明确人力可以改变药性。又谓人之脏腑禀赋各有所偏，故认识药性亦不可以常理概论。鉴别药物，极为精审，纠正药物混淆、误合、重出、错谬者不可胜数。平素注重实践，深入民间访采，今常用中药"三七"即其考访所得。全书引用参考书籍多至800 余部，凡经史子集有关药物者，尽皆收录。内容丰富，留存大量动物、植物、矿物资料，近人视该书为博物学巨著。亦精医理。仅《本草纲目》中，载其验医案即有 30 余则。论三焦、命门之形质，独具卓见。所描述诸疾，多合现代科学之认识（如中煤气毒、蠕虫所致嗜异癖等）。时珍对脉学亦深有研究，所撰《濒湖脉学》（1564）能融合先贤脉学之精华，删繁去芜，讲求实用，论述较为通俗简要，以韵体文写成，便于记诵。已佚医著有《三焦客难》《命门考》（或以为实系一书）、《五脏图论》《濒湖医案》《濒湖集简方》等。

李含光 唐道家（683—769）。本姓弘，避孝敬帝庙讳改姓李。江都（今江苏扬州）人。年18志求道妙，师事同邑某先生，游艺数年。神农初度为道士。代宗大历四年（769）遁化于茅山紫阳之别室。博览群书，长于著述，有《老子庄子周易学记》《义略》等。又尝以本草之书精明药物，事关性命，难用因循，故撰《本草音义》两卷阐明之。均佚。

李言闻 明医药学家（？—约1572）。字子郁，号月池。蕲州（今湖北蕲春）人。李时珍之父。世业医。任太医院吏目。博洽经史，精究医理。著《四诊发明》8卷，已佚，时珍撷取此书精华，撰成《濒湖脉学》（1564）。言闻于药学研究造诣尤深，撰《蕲艾传》1卷，有艾叶赞云："产于山阳，采以端午。治病灸疾，功非小补。"可谓言简意赅。又撰《人参传》上下两卷，详论人参生长环境、炮制方法、配伍、药性功治等，颇有创见。另有《痘疹证治》《医学八脉注》，今佚。

李宗周 明弘治年间为太医院院使。与刘文泰一起参与《本草品汇精要》一书的编纂工作。并任该书的"验药形质"官员。

李桂庭 清本草家。1895年集有《药性诗解》。此为李桂庭课徒时所集。李氏将某药功效拟成一题，由学生赋诗，李氏批改（加按语，明其主治及用法）。

李梦莹 清末长沙人，曾做过补辑《新修本草》的工作，稿存于中国中医研究院。

李淳风 唐本草家。显庆（656—660）年间与苏敬一起参与撰写《新修本草》。

李隆基 唐玄宗（685—762）。陇西成纪（今甘肃秦安）人。知音律、戏剧，善分八书，善医识病。开元十一年（723）主持撰《开元广济方》5卷颁行。755年又制《天宝单方药图》。

李朝珠 清医药家。字佩玫，别号坦溪。曲阳（今属河北）人。咸丰、同治（1851—1874）年间诸生。鄙弃宋明诸儒空谈心性、不讲求实用，以医学有益于世，故究心岐黄术。撰《卜医辟误》《医学心得》《药性赋》各1卷。另著《知心录》及《坦溪诗文集》等。

李鹏飞 元医药家（1282—？）。自号澄心老人。池州（今安徽贵池）人。撰有《三元参赞延寿书》，第3卷论"饮食有度"，专谈饮食宜忌，分五味、食物

（又分果实、米谷、菜蔬、飞禽、走兽、鱼类、虫类）两部分。内容丰富。

杨恒 明弘治年间任太医院惠民药局副使。与刘文泰共撰《本草品汇精要》，是该书"验药形质"官员之一。

杨晔 或误作杨日华，又称杨煜（煜当作晔，避康熙讳）。唐代人。著《膳夫经手录》4 卷，《医心方》录有 18 条。述饮食卫生习惯及食物宜忌。已佚。见《唐书·艺文志》。

杨天惠 宋官吏、药学家（约 1048—1118）。字佑父，号西州文伯。郫县（今属四川）人，或考郫县为其晚年寄居之地。元丰（1078—1085）年间进士。尝为邛州学官、双流县丞、彭山县丞。元符二年（1099）任彰明（今四川江油）县令。以文章气节知名，苏轼甚称许之。著作甚富，惜多散失。著《彰明附子记》，详解彰明附子栽培面积、产量、种植法、植物形态、药材鉴别特征等。明·李时珍评谓"读之可不辨而明"。

杨友敬 撰《本草经解要附余·考证·音训》。杨友敬"考证"涉及药物的品种及产地，间或讨论药效、炮制。能表述自己的见解，惜条文不多。"音训"部分不仅注出读音、释义，还有药材辨伪等内容。

杨玄操 唐医药家。约生活于 7 世纪。曾任歙州（今安徽歙县）县尉。明方脉，对吕广所注《难经》之未解者及注释不详者再予注释，并别为音义，以彰厥旨。经 10 年苦研，撰成《黄帝八十一难经注》5 卷，已佚，内容大部保留于《难经集注》中。另撰《黄帝明堂经》（619），现存残本。尚有《素问释音》《明堂音义》《本草注音》等，均佚。

杨华亭 撰有《药物图考》（1935）。该书既从传统本草中大量摘引资料，又附有近代动植物基原图形。

杨时泰 清本草家（？—1833）。字穆如，一字贞颐。武进（今属江苏）人。嘉庆二十四年（1819）举人，曾任莘县知县。工医。深得名医周慎斋医书之奥旨，长于辨证，通晓金元四家补泻开合精义。其用药多取法刘若金。因刘氏《本草述》繁冗，读者难得要领，故削其冗杂，提其要领，于 1832 年编成《本草述钩元（玄）》32 卷，1842 年刊行。

杨叔澄 名育曾（约 1896—？）。原籍山东乐陵，居大兴（今属北京市）。父杨熙龄为北方名医。幼受庭训，诵读《伤寒论》，又承家传秘方，医术精湛，驰誉京城。与施今墨、萧龙友、孔伯华等，先后成立北平国医学院与华北国医学院，讲授《伤寒论》《金匮要略》等课程。1936 年后任职于北平药业公会，倡设药学讲习所，并讲授中医制药学、医史等。1937 年任华北国医学院教务主任。认为中西医学术分歧，与其牵强附会，不若存其本真。著有《伤寒折衷》《金匮折衷》《中国制药学》《中国医学史》等。

杨损之 唐本草学家。生活于开元（713—741）前后。曾任润州（今江苏镇江）医博士兼节度随军。以唐前诸本草书载药繁杂，检阅不便，乃删其不急用及有名未用之类，撰成《删繁本草》5 卷，已佚。《证类本草》中有引录。

杨崇魁 明本草家。字调鼎，号搜真子。清漳人。以儒闻世，兼涉医书。谓习医不可粗知药物温、凉、寒、热，亦不可妄投奇方怪药，当熟谙制方之宜及阴阳、运气、经络、脉因证治之理。因取诸家本草著作，搜其要妙，纂成《本草真诠》两卷（1602）。先明运气，次别经络，又分治风、热、湿、燥、寒、气、血、痰、疮、毒、妇人、小儿 12 门，列其所用诸药。继论药性阴阳、食治，兼集古人用药总论，以备医者查阅。

杨喜霖 清医药家。字雨亭。海城（今属辽宁）人。读书能文，中年改习医术，于温病、伤寒颇有心得。著《药性歌括》《温病论》。稿已散佚。

杨熙龄 清末医药家（？—1919）。字铸园，一作著园。原籍山东乐陵，后居大兴（今属北京）。行医数十年，学识、经验俱富，医名重京师。撰有《著园医话》5 卷（1919）、《著园药物学》3 卷（合为《著园医药学合刊》）。《著园药物学》分炮制失宜药、流传失真药、杂说 3 大类，议药 80 余种，附述若干成药。所制成药如鼠疮膏、祛风药酒等，风行遐迩。弟子颇多。子杨叔澄（育曾），亦精医。

杨履恒 清药家。字孚敬，江苏江阴人。撰《本草赘余》1 卷。今佚。《江阴县续志》（1920）载其书名。

杨澹庵 明药学家。曾撰《用药珍珠囊诗括》。今佚。

医和 春秋秦医药学家。据《左传》记载，晋侯有疾，求医于秦。秦伯使医和至晋，诊而后曰："疾不可为也。是谓近女色，惑以丧志，疾如蛊而非鬼非食，乃惑蛊之疾。"又倡"六气"说："天有六气，淫生六疾。六气曰阴、阳、风、雨、晦、明。阴淫寒疾，阳淫热疾，风淫末疾，雨淫腹疾，晦淫惑疾，明淫心疾。"此为我国最早的病因学论述。与同时代名医医缓常合称为"和缓"。

医缓 春秋秦医药学家。《左传》记载，晋侯病，求医于秦。受秦伯使，至晋，谓其"疾不可治，在肓之上，膏之下，攻之不可，达之不及，药不能及"。晋侯称道其为良医。后世以"病入膏肓"喻不可救药，即源于此。与同时代名医医和常合称"和缓"。

吴达 清医药家。字东旸。暨阳（今江苏江阴）人。同治、光绪（1862—1908）年间以医名于时。撰有《医学求是》两集（1879），辑录内、儿科病证论治30篇，于伏暑、血证、咳嗽等杂病和时证论述较详；反对滥用滋阴药，并指出拘泥于运气之说以推论病证、用药之弊。

吴芹 清本草家。字古年，本姓姚。浙江归安（今吴兴）人。生活于19世纪上半叶。精于医，治病不分贫富，一视同仁。著《本草分队发明》两卷，今存《本草分队》抄本，系其弟子凌晓五等校订。首以脏腑归经法将药品分11队；又列药品补遗、新增药品、新增补遗3类。各部类药品又有猛将、次将之分。收药642种，多为当地所产。解说简明，便于记诵。

吴武 明本草家。撰有《雷公炮制便览》5卷。《中国医籍考》曾有著录。今未见。

吴钢 清本草家。字诚斋，屏山人。于1827年编辑了《类经证治本草》。该书分4册，共收药1867味。皆为《纲目》药，编类不同而已。

吴普 汉魏间药学家。广陵（今江苏扬州）人。华佗弟子。疗病依准其师，多所全济。华佗尝语普曰："人体欲得劳动，但不当使极耳，动摇则谷气得消，血脉流通，病不生，譬如户枢，终不朽。乃传以五禽之戏。普行之，年九十余犹耳目聪明，齿牙完固。"撰有《吴普本草》6卷，已佚，内容散见于后世各家本草书中。

吴禄 明本草家。字子学，号宾竹。著《食品集》（1537），内容多与薛己《食物本草》同。

吴瑞 元药学家。字瑞卿。海宁（今属浙江）人。天历（1328—1329）年间为海宁医学教授。至正末年编撰《日用本草》8卷，集日用切于饮食者凡540余种。后原版残缺，其六世孙吴景有志于重刻，未几而亡。七世孙吴镇（字世显）于嘉靖四年（1525）重加翻刻。

吴楚 清医药家。字天士，号畹庵。歙县（今属安徽）人。康熙二十年（1681）因其祖母病笃，遍延名医而不效，遂自检高祖吴正伦遗书，得启示，投剂获效，乃继承家学，深究医理。撰有《吴氏医验录》两集（1684）。其书载医案110例，另辑有《宝命真诠》（1795），所述为医理、脉法、本草、证治、医案等。

吴崑 明医药学家（1552—约1620）。字山甫，别号鹤皋山人，又号参黄子。歙县（今属安徽）人。著《医方考》6卷（1584），《脉语》（又名《脉学精华》）两卷（1584）、《吴注黄帝内经素问》24卷（1594）、《针方六集》（1618）等传世，对后世有较大影响。另有《药纂》《十三科证治》《参黄论》《砭焫考》等，均佚。

吴钺 明太医院冠带医士。参与编撰《本草品汇精要》。

吴文炳 明医药学家。字绍轩，号光甫、沛泉。盱江（今江西南城）人。生活于16世纪。曾参阅《素问》《灵枢》《脉经》《伤寒论》等诸家医书，辑成《医家赤帜益辨全书》12卷。又将家传有关养生之药物编成《药性全备食物本草》4卷，述其性味功用。另著《神医秘诀遵经奥旨针灸大成》4卷，已佚。

吴文献 明医药家。字三石。婺源（今属江西）人。生活于16世纪下半叶。幼好岐黄术，虽补邑诸生，犹不废方书。后专攻医药。精《素问》及各家之学。撰有《三石医教》40卷、《药性标本》10卷，均佚。

吴世铠 清医药家。字怀祖。海虞（今江苏常熟）人。著《本草经疏辑要》8卷（1809），撷取明·缪希雍《本草经疏》之精要，续加订补。首列序例，次分10余部解说诸药。现存刊本附有其《集效方》1卷及朱紫垣《痘疹》1卷。

吴仪洛 清医药家。字遵程。浙江海盐人。行医40年，名噪乡里。著《本草从新》18卷（1757），以为汪昂《本草备要》有承误之失，遂加以增改，补入药品近300种。冬虫夏草、太子参等药，均系本书首载。注解药性，颇多新见。另著有《一源必彻》《四证须详》《杂证条律》《女科宜今》及《周易识》《春秋传义》《成方切用》《伤寒分经》等，皆多散佚。

吴师哲 唐本草家。于唐显庆二年（657）参与编撰《新修本草》。

吴汝纪 清本草家。光绪二十二年（1896）辑有《每日食物却病考》2卷。上海书局曾石印，今存镇江市图书馆。

吴应玑 清本草家。一作吴应机。浙江东阳南岭人。撰有《本草分经》一书。《东阳县志》（1828）记其书名。今佚。

吴其濬 清植物学家（1789—1846）。字瀹斋，一字季深、吉兰，别号雩娄农。河南固始人。嘉庆二十二年（1817）状元。历任翰林院修撰，江西、湖北学政，兵部侍郎。并官湖南、湖北、云南、贵州、福建、山西等省巡抚或总督。素好植物，读书时凡涉及草木者，莫不辑录，著成《植物名实图考长编》22卷。又乘宦游诸省之机，深入考察植物名实，辨其形色，别其性味，甚至移野生植物于盆盎，细察其状，或途遇山民携担未见之植物，则急为之绘图。历时7年（1841—1847），撰成《植物名实图考》38卷，收载植物1714种，附图1800余幅（约1500幅为写生所得），每多纠前人之误。此书为沟通古代本草学与近代植物分类学之桥梁，备受中外学者重视。对中药的产地、形态、品种多所考证，同时对中草药的功能、主治亦有论述。其书后由陆应谷刊行（1848）。

吴承荣 清本草家。字显文。安徽歙县人。于1892年辑有《吴氏摘要本草》。一名《吴氏摘要本草实法》。依次为本草论、十八反、十九畏及各类功效药物。采用四言诗形式述药。上海中医学院藏该书手抄本。

吴复圭 宋开宝年间翰林医官。参与编撰《开宝本草》。

吴保神 清本草家。江苏海门人，于1932年撰《本经集义》一书。此书汇辑了明清药家精论，是一种内容较为丰富的《本经》集注本。

吴恂如 清本草家。浙江黄岩人。编有《新著本草精义》一书，该书为稿本。收药306种，按功效分36类。上海中医学院有藏。

吴继志 字子善。琉球中山人。业医，乾隆中采集琉球及土噶剌掖玖诸岛所产药用植物，"摹写其形，并附注记。每岁托其使人往清者，广质之于燕京、福省诸处，往复辨证。犹有未晰者，至盆种而往"。经12年编绘成《质问本草》8卷（上篇3卷，下篇4卷，附录1卷）。前后质询于京都、江南、浙江、江西、福建、广东、山西等地的45人。共收药用植物160种。每物一图，皆系写生，描画精细准确。正文记产地、形态、花果期。后列所质询诸家撰写的答复文字，一般是描述形态、简单功用、别名等。该书以本草为名，但并不是真正的药书，而是一种地方植物调查记录。日本萨藩南山藏原稿，未得梓行而卒，其曾孙麟洲始付梓，流传不广。中国中医研究院藏日本天保八年（1837）精刻本。1984中医古籍出版社再次影印，始广其传。

吴惟贞 亦作维贞，字凤山，长水人。生活于明万历年间，撰有《药性赋大全》12卷。

吴槐绶 清医药家（约1833—?）。字子绶。浙江仁和（今杭州）人。少业儒，50岁时父及二弟均为庸医误治，母悲忧而亡。三弟以腰病延西医治疗，亦殁。自患湿证，为医投凉剂，几至不救，后延友人仲学辂诊治始愈。经此变故，发愤攻医。3年后，以阐释医经为念，集晋唐以来旧注，并折衷于后世医家论述，于1906年撰成《素灵精义》1卷，《金匮方证详解》4卷。次年撰《伤寒理解》12卷，又撰《南阳药证汇解》6卷（1908），文前尚有《汉张仲景先师用药分量考》1篇。上四书合刊为《吴氏医学丛刊》。

吴嗣宗 唐显庆年间人。曾参与编撰《新修本草》。

吴下迂叟 见钱国祥。

岐伯 传说中上古医药学家。传为黄帝臣。黄帝使其尝味草木，典主医病，经方本草、素问之书咸出。《黄帝内经》乃托名黄帝与岐伯等论医学，以君臣问答形式而成。故中医学亦称"岐黄"或"岐黄之术"。

何岩 字鸿舫（1824—1894），一作鸿芳。青浦（今属上海市）人。世业医。于青竿山开辟何氏药图，种药颇多。检圃得药，据药辨性，作《药性赋》（4193字），传诵一时。

何谏 清医药家。号清萝道人。康熙（1662—1722）年间从师延友，得授本草药性及效方。收罗《本草纲目》未载之药315种，多产我国东南数省，撰《生草药性备要》两卷（末附《草药应验方》）。书中或从草药形态推断药性，如草药茎梗成四方形、叶对生者多属温性，梗圆者多属寒性等。

何舒 字竞心（1884—1954），号舍予。湖南新邵人。尝创办邵阳中医灵兰医学会，聚徒讲授医学，积极培育中医人才。又富著述，编撰有《灵兰医书六种》9卷（1947），所述为天人要义表、特效药选便读、维摩医室问答、方药实在易、舌诊问答、问诊实在易等。又有《寿康之路》14卷，结合个人经验，论述有病因证治问答、脉学纲要、本草法语、病理方药汇参、研方必读、伤寒金匮以为易解、时病精要便读、医门法律续编等。

何曾 魏晋间官吏（199—278）。字颖考。陈国阳夏（今河南太康）人。少袭爵位，后进爵为公，食邑千八百户。性奢豪，厨膳滋味，难过之者。每日饮食花漫万钱，犹谓无下箸处。撰有《食疏》一书。已佚。

何镇 清医学家。字培元。京口（今江苏镇江）人。世业医。继承家学，著述甚富。因虑历代本草品类繁多，难以精悉，故取《本草纲目》删繁别类，编成《本草纲目类纂必读》12卷（1672），亦有29卷刊本（1676）。收药600余种。以草、木、谷、菜部列于前，金、玉、石、水、火、土部置于后，人、兽、禽、虫、鳞、介部居其中。与《本草纲目》不同。门人、子弟等参与校订。书中提及何氏另有《素问钞》《脉讲》《伤寒或问》《济生邃论》《疮疡济生论》诸书，均佚。今存者有《何氏家传集效方》3卷、《何氏济生论》8卷。

何士信 福建建安人。于1368年撰有《补注本草歌括》6卷（一作8卷）。据《中国医籍考》载该书为8卷，注云"存"，但我国未见该书。

何之蛟 广东南海名医何梦瑶（西池）之子。1764年撰《药性歌诀》，附刊于其父《四诊韵语》之后。集各种药性理论（如引经报使、妊娠忌服等）及316味药品歌诀，或五言、或七言，以利初学。

何本立 清医药家。字务中（1779—1853?）。江西清江人。因虑《本草纲目》

卷篇浩繁，不易领会。遂取日常最要之药，编成《务中药性》20 卷（1844）。书中附有经络脏腑图及有关歌诀，以利初学者习诵。

何乔远 字樨孝，号匪莪。福建晋江人。明末大臣，博览好著书。于 1586 年撰有《南产志》2 卷。共载南产物品 334 种，内容多取自前人书，间附己之见闻，资料甚富，多有与药学相关者。

何克谏 字其言。于 1732 年撰《食物本草备考》2 卷（又名《养生食鉴》），为普及性食物本草著作。

何其伟 字韦人，号书田。青浦（今属上海）人。世医。于 1837 年撰有《何氏药性赋》。该书分寒、热、平、温四性，收药 350 种。见何时希《何书田年谱》著录。原书未见，疑即今存何岩《药性赋》。

何金瑄 江苏丹徒人。曾参订何镇《新镌何氏附方济生论必读》（1676），今存。并于 1676 年撰有《何氏本草纂要》8 卷，今佚。

何第松 清医药家。字任迁。婺源（今属江西）人。少业儒，因两弟相继病逝，父母悲伤成疾，母患风痛，诸医束手，遂弃儒学医。遍求方书，精读 4 年，临证每获良效。遇贫病者不计酬，常资以药。撰《经穴分寸歌》《针灸诀歌》《药性捷诀》各 1 卷，未见传世。

余应奎 上饶泸东人。于 1644 年撰有《全补药性雷公炮制》。该书分上下两栏。上栏为《药性诗歌便览》，编药歌 750 余首。下栏为《太医院补遗本草歌诀雷公炮制》分金石、草、木、人、兽、禽 6 部，载药 639 味。

余萍皋 撰有《药性赋音释》1 卷。

邹岳 清医学家。字五峰，号东山。盱江（今江西南城）人。父景波以医名世，然早殁。初习儒，为邑诸生，继父志业医。先师事胡俊心，继得吴锦堂传授，刻苦钻研，精内外科。学宗张仲景，辨虚实证甚明。尝游苏门，著《医医说》，为时人推服，今佚。见外科之书卷帙浩繁，真诠隐晦，遂博采群书，删繁就简，分门别类，将师授之心法，既效之秘方，辑成《外科真诠》两卷（1838）。首列疮疡总论及身体各部之疮疡，次述发无定处之疮疡，小儿诸疮及奇怪毒，末附经络内景图说、脉学提要、杂证、药品揭要及吴锦堂、胡俊心两氏之外科医案。其治外科，主张"外科必本于内，知乎内以求乎外"，故重视内治方法用于外科疾患。在《药品揭要》中，简介外科常用药品。有多种清刊本，1955 年上海中医书局铅印。

邹澍 清医学家（1790—1844）。字润安，晚号闰庵。江苏武进人。家贫，苦读隐于医。通晓天文、地理、诗文。道光元年（1821）乡人欲荐其于朝廷，固辞。

潜心医学，谓"用属辞比事法，于不合处求其义之所在，沿隙寻窾，往往于古人见解外，别有会心"。撰《本经疏证》12 卷（1832—1837），取《神农本草经》《名医别录》为经，《伤寒论》《金匮要略》《千金要方》《外台秘要》为纬，相互参证，逐味疏解。以经方解释《本经》药物主治，以《本经》分析古方配伍运用，疏证药品 173 味。又撰《本经续疏》6 卷，疏药 142 种（共 315 味）；《本经序疏要》8 卷，按证候分述诸证用药及服药宜忌等。三书引证渊博，补刘潜江《本草述》之未备。后由门人整理传世。又著《伤寒通解》4 卷、《伤寒金匮方解》6 卷、《医理摘抄》1 卷、《契桅录》4 卷、《医经书目》8 卷、《医书叙录》1 卷、《医经杂说》1 卷，均未刊行。

邹豫春　邹澍的侄子。亦有医名。

系屯子　湖南岳阳人。撰有《纂修医学入门》一书。该书卷 3 为《药性赋》，系五言诗，共载药 500 余味。

辛茂将　与李勣一起参与编修《新修本草》一书。

闵钺　字晋公。清代江西奉新人。顺治间举人。晚年著述颇富。撰有《本草详节》12 卷。今存康熙二十年（1681）默堂主人刻本，藏上海中医学院。

闵珮　字玉苍，号雪岩。清代浙江乌程人。康熙丙戌（1706）进士。撰有《本草纂要》10 卷。今佚。

汪汲　号古愚，又号海阳竹林人。1791 年撰有《解毒编》一书。该书为解毒专著。凡饮食、药饵、草、木、菜、果之属，有毒者均述其食后的毒性反应及解毒法，内容极为丰富（包括解野菰、盐卤、水银、砒霜等毒性），很有特色。

汪宏　清医家。字广庵。安徽歙县人。习医精研望诊。撰有《望诊遵经》两卷（1875）。倡望诊乃四诊之首一说，以为大至身体各部、坐卧居养、四时五方、气质老少，小至手足、毫毛、爪甲、尺肤、筋骨、脐、阴茎，以至汗、痰、大小便、月经等，均在望诊之列，论述甚详。又撰《注解神农本草经》10 卷、《伤寒论集解》《金匮要略集解》等，均佚。

汪昂　明清间医学家（1615—约 1695）。字讱庵。休宁（今属安徽）人。邑诸生。三十多岁后潜心医学及医学书籍整理。虽不以医为业，然所纂医书风行海内。尝着意整理《素问》《灵枢》两书，将内容分为藏象、经络等 9 类，附以旧注，兼参己见，历时 30 年，编成《素问灵枢类纂约注》3 卷（1689 年刊）。认为《素问》治兼诸法，说理之文多；《灵枢》专重针灸，说数之文多。又谓医者知有方，亦当知方之解，于是仿宋·陈言《三因方》及明·吴崑《医方考》遗意，另撰《医方集解》3 卷。此书采方近 800 首，博采诸家方论、其书后并附《急救良方》及养生著作《勿药元诠》。晚年又撰《本草备要》4 卷（一作 8 卷），选药 460 味，引录各家之说，简明实用。后两书曾由李文来撮合编为《李氏医鉴》。另著《汤头歌诀》（1649），录方歌 200 余首，以效分门，并附经其润色之《经络歌诀》。平生力主遵经，且能深入浅出，由博返约，整理、普及医药知识，以利初学。其著作在清代以后影响甚大，对普及中医学知识亦有较大作用。

汪绂　清文学家、医学家（1692—1759）。一名烜，字灿人。别号双池、重生。婺源（今属江西）人。少以家贫不能从师，其母博通经史，授以四书诸经，数年皆成诵。年 30 卓然有成，益着力学问，通星历、地志、乐律、兵制、阴阳、医卜等。年逾 50 始就试补邑庠生，声誉日起。撰有《四书诠义》《易经诠义》等书 200余卷。又有《医林纂要探源》10 卷（又作《医林辑略探源》，1758），分论五行生克及脏腑经络部位、脉象、药性、方剂等。其中《药性》2 卷载药 680 种，方 613首，分谷、草、木、火等 13 部。

汪颖　明官吏。江陵（今属湖北）人。正德（1506—1521）年间任九江知府。得卢和《食物本草》稿，厘为两卷，分水、谷、菜、果、禽、兽、鱼、味 8 类。李时珍编《本草纲目》时曾加引用。内容多与薛己《本草约言》卷 3、4 同。

汪必昌　清医学家。字燕亭。新安（今安徽徽州地区）人。御前太医。著《医阶辨证》1 卷（1810），辨内外证候之有病状相同而病因或异者，计 139 则，简明扼要。另撰有《聊复集》5 卷，《医阶辨药》为其中 1 卷，然独立成书，藏军事医学科学院、黄山市新安医学研究所等处。安徽科学技术出版社曾出排印本。

汪兆元　清康熙三十九年（1700）太医院医士。与太医院史目王道纯一起撰写《本草品汇精要续集》10 卷。

汪汝懋　字以敬，号遯斋，原籍安徽歙县（一说浮梁，今江西景德镇），后徙居浙江淳安桐江，又号桐江野客。至正（1341—1368）间任国史馆编修。尝增广太史令杨元诚旧作而成《山居四要》。卷 2《卷生之要》，分服药忌食、饮食杂忌、解饮食毒、饮食之宜、法制馁败等篇，汇辑前人所论，多涉及食疗。

汪连仕　生平里贯不详。撰有《草药方》《采药书》二书。上二书均见赵学敏《本草纲目拾遗》引录。原书均佚。

汪君怀　生活于雍正、乾隆年间，著有《草药纲目》一书，今佚。

汪绮石　明末医家。人称"绮石先生"。医道高玄，尤长于虚劳一门。悯世人之病虚劳者难愈，乃校前贤之书几千百家，得其要领，参以己验，集成《理虚元鉴》2卷（陆懋修厘为5卷）。《理虚用药宜忌》为5卷本之卷4，为治虚劳药专论，议药21种。药名下注出忌用、宜用、酌用、不必用、审用、偶用、不可用等。继而阐发其理。就病论药，简捷实用。书中提出治虚劳有"三本"，即本于肺、脾、肾三脏，"二统"，即分为阳虚和阴虚。其治阴虚主清金，取"肺为五脏之天"义；治阳虚主健中，乃"脾为百骸之母"意。对虚劳之辨证、审脉、立法处方均有独到之处，用方甚简，药味无多，精纯邃密，于后世深有启发。清雍正（1723—1735）年间柯怀祖（心斋）得其书，1771年校刊传世。汪氏子伯儒、东庵，侄济明及门人沈宾等均继其术。

沙门行距　姓李，赵郡（今河北）人，撰有《诸药异名》10卷。今佚。

沈惠　明儿科医家。字民济，晚自号虚明山人。华亭（今上海市淞江）人。生活于16世纪。幼得异传，长为小儿医，治病有卓效。贵贱贫富，皆尽心治之。以小儿医多秘其书不传，乃苦思博考，著《扁鹊游秦》《全婴撮要》《决证诗赋》《全口独步》《药能》《活幼心书》《方家法诊》《得效名方》《杂病秘术》等书，均佚。

沈穆　字石匏。清浙江吴兴人。少业儒，后旁究百家之学，虽不言医，然常留心于此。读李时珍《本草纲目》，叹其精义赅博，乃采英撷粹，补辑经史稗官所载，并附己见，按原著分部，纂成《本草洞诠》20卷（1661），载药800余种，详加诠释药性，凡谷、肉、果、菜中可资食疗者，亦备录无遗。另著《人身洞诠》《证治洞诠》，未见传世。

沈长庚　明药家。1596年撰有《本草纲目注释》一书。今佚。

沈文彬　号杏苑（1870—1956）。上海人。热心公益，知医，从徐建邺游。精内外科，治病精细不苟，全活甚众。曾捐资创办震修小学。建国后，任上海市中医文献馆馆员，向该馆捐赠中医书2000余册。沈杏苑于1901年撰有《药论》一书，收药221种。

沈以义　字仕行，上海宝山人。清药家。撰有《本草发明》一书。今佚。

沈好问　元儿科医家。字裕生，别号启明。钱塘（今浙江杭州）人。先世业小儿医，并以针灸供职北宋太医院，南渡后徙居于杭。取祖传秘籍，研读数年，施针处方皆效。杭州誉为"沈铁针"。尤善治痘证。《钱塘县志》载其治痘验案数则。曾应邀去福建、四川、山西诊治，皆获良效。后授太医院院判。著有《素问集解》《痘疹启微》《本草类证》等。子允振，亦为良医。

沈志藩　字价人，号守封。上海人。撰有《药性歌诀》1卷。

沈李龙　清檇李（今浙江嘉兴，一说西湖）人，字云将。晚年多病，深知病从口入，故于日常饮食倍加注意。因见《本草纲目》所载食疗品种过繁，坊刻食疗类书又嫌过简，故取明末施永图（字山公）所撰《山公医旨·食物类》（一名《本草医旨·食物类》），于康熙三十年（1691）编成《食物本草会纂》8 卷（或分作 12 卷），述药 621 种，附图 367 幅。另附有《日用家钞》及《脉学秘传》各 1 卷。前者收录救荒辟谷、饮食禁忌及病机药性、食物方等内容，后者简介脉学常识。

沈步青　字天申。嘉定（今属上海市）人。清药家。撰有《药性赋》《本草辑略》二书。今佚。

沈应旸　明医家（约 1552—？）。京口（今江苏镇江）人。世业医。祖父绎斋（字政润）为当地名医，著《济世奇方》。父鹏山及五兄弟亦有医名。少攻举子业，后承祖、父遗教习医。博览群书，并遍访名师，与同道切磋，医术益精。选摘王节斋、李东垣、朱丹溪等议论之精华，附以祖传经验方，成《明医选要济世奇方》10 卷（1622）。《药性诗诀》为该书之卷 9。摘常用药 360 味，以符周天度数。

沈宗学　明医学家。字起宗，号墨翁。吴县（今属江苏）人。生活于 14 世纪。博学善书，尤精于医。箸《十二经络治疗溯源》《本草发挥精华》《外科新录》等，均佚。

沈懋官　字紫亮，号怀愚子。清代归安（今浙江吴兴）人。在他的《医学要则》（4 卷）一书中，附有"药性歌括"一篇。

宋诩　宋代人，于 1265 年撰有《谷菜宜法》一书，该书今存于《百川学海》丛书中。

宋言扬　字春农。清代山东胶州人。撰有《本草便记歌》一书，今佚。

灵石山人　明医家。又名皇甫嵩。武林（今浙江杭州）人。祖、父皆业医。因见本草著作中治病之说多繁冗，用药者不知取裁，多舍《本经》而专诵《药性赋》等浅近之作，往往有违经旨，投剂无效。乃于习儒之暇，究心医学，搜辑医经方书及诸家本草著作，考订撷要，著为《本草发明》（1578）6 卷。分专治、监治两大法，常用药列于书上部，稀用品置于下部，各加发明，以便临证用药处方。

张节　清医学家。字心在，号梦晼。安徽歙县人。岁贡生。8 岁能诗，至老所学益富，兼通医学。著《张氏医参》（1909）7 种：《学医一得》，录学医所得，多为医理，辨证要点等；《持脉大法》，本《素问》中之脉法而加阐释；《本草分经》，按五脏六腑、奇经八脉列举药物性味或功治，《瘟疫论》，系摘抄吴又可著作之要点；《痘源论》，研究治痘之书，择要集而成书，便于实用；《伤燥论》，以伤寒法立治燥一门；《附经》4卷，读医经有得所撰，多述己见。

张松 南宋医药学家。字茂之。嘉定（1208—1224）年间官承节郎新监饶州商税。尝谓"医之为术，贵在拯人之急，非徒专己之利"。故诊疾不问贵贱，必精察体认，探病求本；用药不问精粗，必审酌寒温，图其愈病。嘉定六年（1213）博采古今效验方论，著《究原方》5卷。又择取本草常用药，抄摘性味主治之要，略加补辑，撰成《本草节要》，后又作续集小编，均佚。部分佚文可见于《宝庆本草折衷》。

张洞 宋时殿中丞秘阁校理。嘉祐二年（1057）8月和掌禹锡等人一起奉诏校修《嘉祐本草》。

张素 宋医家。曾任翰林医官。开宝六年（973）奉诏与刘翰、马志等校定《开宝新详定本草》20卷。

张铎 明太医院冠带医士。弘治年间与刘文泰等一起编纂《本草品汇精要》。

张梓 著《药性类明》2卷，已佚。出明·殷仲春《医藏书目》。

张琦 明医生。朔方（今宁夏灵武西南）人。以精太素脉著名。

张鼎 唐药学家。号悟玄子。生活于公元7世纪。补孟诜之《食疗本草》不足者89种，并旧为227条，皆具治病之效，凡3卷。《医心方》录"悟玄之张"之食疗品条文即其所增。另《新唐史·艺文志》载其《本草》20卷、目录1卷，名衔、卷帙并同《新修本草》，或疑张亦曾参加《新修本草》撰写。

张瑜 明司设监太监，弘治年间与刘文泰一起编纂《本草品汇精要》并任该书的总督。

张鉴 清医家。字春治，一字荀鹤，号秋水，晚号负疾居士。浙江吴兴南浔镇人。弱冠补诸生，博学能文，又精医学。辑《神农本草存真》3卷，已佚。又协助阮元编《经籍纂古》。卒年83。

张璐 清初医学家（1617—1699）。字路玉，晚号石顽老人。长洲（今江苏苏州）人。少颖悟，习儒而兼攻医。明亡后弃儒业医，隐居洞庭山10余年，著书自娱，至老不倦。康熙六年（1667），集30余年研究伤寒所得，撰《伤寒缵论》《伤寒绪论》各两卷，祖述仲景原文，条理诸家纷纭之说。《伤寒缵论》取《伤寒论》重新分类，首详六经证治，次列结痞、温热、痉湿暍等杂病，并采喻昌《尚论篇》及各家注说，以发明之。《伤寒绪论》共列140余证，分述诊脉、察色、却病、刺灸诸法，附载杂方149首，辑录先哲方论。其治伤寒，宗方有执、喻嘉言，本三纲鼎立说，分太阳病为8类。于温热诸证亦有研究。所著《诊宗三昧》1卷（1689），专明脉理，颇有见地。又仿《证治准绳》体例，汇集古人方论，时贤名言，参以己见，附录医案，纂成《张氏医通》（一名《医归》16 卷），前后历时 50 年（1644—1693），其中所佚痘疹、目科部分，分别由子登、倬、以柔补辑。此书专论杂证，多取法朱丹溪、薛立斋、张景岳、王肯堂诸家，以之贯通本人学术主张，理论、实践皆丰富。于血证诊治辨析尤详，多以温健脾阳、滋养肺肾之阴为调治之法。治痢尚倡"温理气化"一法。康熙四十四年（1705），清圣祖南巡至吴，子以柔进献此书，御医张叡谓此书可比《证治准绳》。所著《本经逢原》4 卷（1695），收药 831 种，分部次第，均依《本草纲目》。阐发药物理论，较为明晰，颇有心得。又谓孙思邈《千金方》可与仲景诸书相媲美，因取原书，逐一发明，撰成《千金方衍义》30 卷。对其书处方特点，钻研颇深。张氏著书，主张博通，条理清晰，持论平实，不标新异。子张登、张倬，继其学，亦有著述，常与其父著作合刊行世。《伤寒大成》即收录张璐《伤寒缵论》《伤寒绪论》《诊宗三昧》，及张登《伤寒舌鉴》、张倬《伤寒兼症析义》，共 5 种。《张氏医书七种》（一以《张氏医通》为丛书总名）除上述 5 种外，又增入《张氏医通》《本经逢原》两书。

张骥　字先识（？—1951）。四川双流人。清庠生。幼好医药，及长，锐志于古诗文辞之学。辛亥革命后，任米脂、旬邑等县知事。1924 年后专力肆志于医。慕韩康、傅山之为人，于成都市设义生堂药肆，悬壶售药。毕业勤于撰述，阐发古籍精微。主要著作有《雷公炮炙论》（1932），并注解《内经》所载 12 方，阐发该书有关药性气味理论；辑为《内经方集注》（1933）及《内经药论》。集古今 50 余家所撰之《难经》注疏，校补《黄帝八十一难经正本》（1937）、《难经丛考》及《难经缵义》。另补注《周礼·医师》及《日华子·医道篇》等，合刻为《医古微》（1936）6 卷。还有《唐本千金方第一序例注》及《春温三字诀方歌》等。卒年 70 余。

张叡　清医家。字仲岩。南通州（今江苏南通）人。康熙（1662—1722）年间儒医。师事同邑名医王檀（字子升）。精医术，官授太医院使。尝谓后人滥撰汤头药性书，妄名"雷公炮制"，多有名无实，遂纂《修事指南》1 卷（1704），集《本草纲目》中常用药物 222 种。近代重刊时更名《制药指南》（或《国医制药学》）。又撰《医学阶梯》（1704），为初学入门书。

张士骧　清医学家。字伯龙。登州（今山东蓬莱）人。博通文史，因父多病，遂研读医药书籍。光绪十二年（1886），其父病危，群医无策，乃极力救治获愈，于是名医大噪。曾至广东、江苏、上海等地，访交医林名士。生平服膺叶天士、王孟英两家。其在广东时遇名医唐宗海，以师事之，讲论医学，并与其相与问答，集成《本草问答》两卷（1893）。书中阐发中医用药之理，兼评中西医药之异同、短长。光绪二十九年（1903）积 10 年之医案 800 例，编成《雪雅堂医案》两卷。又撰"类中秘旨"一篇，附于医案之末。其中"类中"（中风）尤多研究。曾参西医之说，以锥伤兔脑，观察脑与运动之关系。谓类中由"水火内动，肝风上扬，血气并走于上"所致。据其临证历验，谓北方类中多阳虚证，南方类中多阴虚证，其治当以潜阳镇摄肝肾、益气开痰为主，忌用风药升散。

张山雷 清末医家（1873—1934）。字寿颐。嘉定（今属上海市）人。诸生。因母病弃举业习医，曾从当地中医俞德琈、侯春林及上海黄醴泉，学内科 3 年，后又至黄墙从疡科名医朱阆仙学，学识经验益臻精湛。尝协助朱氏举办黄墙中医学校。后该校中辍，即去沪行医，并在神州中医专门学校任教。1920 年应聘任浙江兰溪中医专门学校教务主任。日间诊病授课，夜则编纂著述，为发扬祖国医学，培养中医人才，颇多贡献。治学严谨，对历代医家学术均有研究，尤服膺张士骧之理法清晰、用药简练，黄醴泉之证治巧妙、选药纯粹，兼清灵之长。因受当时西学影响，主张中西合参，吸收现代医学知识，丰富中医学内容。于临床各科造诣颇深，多有创见，自成一家言，并与张锡纯、张国华有"三张三达"之誉。内科中风证，崇尚真阴亏而内热生风论，治疗初用清热顺气开痰，继用培本，有中风八法论。外科辨证提倡从整体出发，注重内在因素，重视局部与脏腑气血关系，外证内治。儿科辨证重视食指三关脉纹诊断，注意色泽与形相合参，对小儿疳疾、腹痛、腹胀、发搐诸证尤有详究。于妇科经、带、崩漏及脉学、针灸、药物炮制等亦有研究。所撰讲义及著述颇富，有《体仁堂医药丛刊》15 种，包括《中风斠诠》3 卷（1917）、《本草正义》前集 7 卷、《难经汇注笺正》4 卷（1919）、《（张氏）脏腑药式补正》3 卷、《疡科纲要》（1917）、《脉学正义》6 卷（1931）、《全体新论疏正》2 卷、《湿温病医案评议》1 卷、《病理学读本》2 卷，以及尚未刊行之《古今医案平议》《皇汉医学平议》和内科时病、杂病类著作。其著述能结合临床实际。弟子有汪仲清、蔡济川等。

张元素 金医学家。字洁古，又称"易水先生"。易州（今河北易县）人。生活于 12 世纪。27 岁试经义进士，犯庙讳下第，去而学医。勤学苦思，洞彻医术。相传曾治名医刘完素之伤寒，诊脉用药，完素佩服。尝谓"运气不齐，古今异轨，古方新病，不相能也"。善化裁古方，创制新方。辨药性味之厚薄阴阳、升降浮沉，倡归经及引经报使说，拟定"脏腑虚实标本用药式"等，于中药理论每多阐发。

李时珍称"大扬医理，灵素之下，一人而已"。著有《医学启源》2 卷、《洁古注叔和脉诀》10 卷、《洁古珍珠囊》1 卷、《脏腑标本药式》1 卷及有关针灸专篇。另有《医方》30 卷、《产育保生方》《洁古本草》《洁古家珍》《补阙钱氏方》《药注难经》（或疑托名）等，仅见书目著录。子壁，继其业。徒李杲等，皆为名医。私淑者众，世称"易水学派"。

张仁锡　清医家（？—1860）。字希白。原籍青浦（今属上海市），后居嘉善（今属浙江）魏塘。精于切诊。常以儒理阐发医理。咸丰六年（1856）在明·皇甫云洲《明医指掌·药性歌》基础上，增补而成《药性蒙求》（或名《药性诀》《四言药性》），载药 439 味，分草、木、果、菜等 13 类。又撰《奇锦新论》（一名《夺锦琐言》，后易名《癍疹新论》）。其治癍，取法《伤寒论》，谓"不知伤寒治法，焉知治癍之法"。论癍，以风、寒、温、热、暑、时行、内伤、阴虚等分类。另著《痢症汇参》《医说》及医案等。弟子吴云峰，存其稿，未见刊行。

张介宾　明著名医学家（1563—1640）。字会卿，号景岳，别号通一子。祖籍四川绵竹，明初以军功授绍兴卫指挥，遂迁居会稽（今浙江绍兴）。幼聪颖，年 14 随父游京师，与长者交往。后从名医金英（字梦石）学医，尽得其传。壮岁从军曾抵河北、山东，还出榆关，履碣石，经凤城，渡鸭绿。后以功名未就，乃回乡矢志攻读医学，医名日增。对《素问》《灵枢》研究甚深，历 30 年编成《类经》32 卷（1624）。研析《内经》，以类分门，探索《内经》精义，阐发颇多。又编《类经图翼》11 卷（1624），用图解形式阐述运气学说；《类经附翼》4 卷，阐发"医易同源"之思想以补《类经》之不足。晚年以其丰富之临证经验和深湛理论，撰成《景岳全书》64 卷，其立法及论治均有独到之处。其中卷 48、49 为《本草正》，收药 300 种。尚著有《质疑录》（或疑为托名之书），就金、元诸家论医偏执之处加以辨明，并对本人早年所言有未当者有所补正，后为清·王琦收入《医林指月》。其医论初宗丹溪"阳常有余，阴常不足"之说，中年以后则据《内经》"阴平阳秘，精神乃治"等理论，以为丹溪立论有偏而提出"阳非有余、真阴不足"及"人体虚多实少"等论，于命门、阴阳学说颇有阐发，如倡论阴阳原同一体和阴阳一分为二之名论。主张补真阴元阳，认为善补阴者必于阳中求阴，善补阳者必于阴中救阳，创立左归、右归等法。治疗慎用寒凉攻伐，临证喜用熟地及温补方药，故人称"张熟地"，为温补派主要人物之一，对后世有重大影响。《四库全书提要》曰："谓人之生气，以阳为主，难得而易失者唯阳，既失而难复者亦唯阳，因专以温补宗，颇足以纠鲁莽灭裂之弊。"对方剂学亦深有研究，在医学中参入军事学思想，创新方八陈，颇有临床价值。对象数、星纬、堪舆、律吕等也有研究。

张文懿　五代后蜀医家。著有《本草括要诗》3卷、《脏腑通元赋》1卷，均佚。

张为铎　清松源（今福建松溪）人。字天木。尝编《秘授精选药性》（1699）3卷，叙述药性总括及常见病证用方。兼附祝由、符咒等。

张用均　清药家。字辅霖。浙江镇海人。撰《本草经纬》《本草指隐》《本草缀遗》三书。出《镇海县志》（1879）。今佚。

张对扬　撰《本草观止》2卷，藏上海中医药大学。

张存惠　字魏卿，堂号晦明轩。平阳（今属山西）人。张存惠于蒙古太宗称制之年（1249），筹金将解人庞氏的《政和本草》予以重刊，即为《重修政和经史证类备用本草》。它为现存各种《政和本草》版本的祖本。

张光裕　字近人。于1889年撰有《桂考》一书。该书述桂之真伪及用法。辨桂之形色气味及取、制、用、藏诸法。附《采桂图》两幅。

张仲景　东汉末杰出医学家。名机。传曾任长沙太守，因又称"张长沙"。南阳郡（今河南南阳）人。据记载，少时于洛阳遇同郡何颙，颙谓之用思精而韵不高，后将为名医。学医于同郡张伯祖，尽得其传。后在荆州遇王粲（时年20余），仲景谓其有病，40当眉落，服五石汤可免。粲受汤勿服，后果如其言。建安（196—220）年间疫病流行，死者甚众。张氏宗族亦死三分有二，伤寒十居其七。张氏痛感之余，乃勤求古训，博采众方，精研《素问》《八十一难》《阴阳大论》《胎胪药录》及《平脉辨证》等古代医著，撰成《伤寒杂（卒）病论》16卷。此书熔医经与医方于一炉，庶可见病知源。仲景原著后曾散佚，赖王叔和搜集整理，得以流传。其中论伤寒部分经王编次为《伤寒论》10卷。另有《金匮玉函方》3卷本，其后两卷为治杂病部分，经宋人整理成《金匮要略》行世。皇甫谧谓"仲景垂妙于定方，述伊尹之法，广汤液论，为书十数卷（一作数十卷），后医咸遵用之"。《伤寒论》载方113首，《金匮要略》载方262首，法度严谨，后世崇为"众方之祖"。其辨伤寒，创六经传变，分经辨证，审因立法，依法定方，历代医家宗此而发展完善，从而建立了中医辨证施治理论体系。后世医学家注释发挥仲景书者逾五百家。仲景学说为中医临床医学奠定了基础。他又精通针灸，倡用灌肠法、坐药、熏法、水渍等治病。后世尊其为"医圣"。影响及于国内外千余年。弟子卫汛传其学。

张孝直　南宋医家。绍兴（1131—1162）年间为成和郎御医兼太医局教授。王继先门人。参与校《绍兴校定经史证类备急本草》（1159），充检阅校勘官。

张志聪 清著名医学家（约 1619—1674）。字隐庵。钱塘（今浙江杭州）人。世业医。少年丧父，遂弃儒习医。师事名医张卿子，博览群书，穷研医理。继卢子繇而起，建侣山堂于杭州胥山，招同道、弟子论医讲学。学宗《内经》，著书必遵经法，尤潜心于仲景《伤寒论》，持《伤寒论》本于运气学说，对旧时"风伤卫，寒伤营，风寒两伤营卫"之论持异议，维护旧论编次并反对方氏错简之说。历时 10 年（1654—1663）撰成《伤寒论宗印》8 卷，依旧本以经解经，间附己见。又撰《金匮要略注》4 卷（1664）、《素问集注》9 卷（1670）、《灵枢集注》9 卷（1672）。谓《灵枢》并非专论针灸，读《素问》可悉病之所以起，读《灵枢》可知病之所由瘳。又撰《侣山堂类辨》两卷（1670），论述医药理论。业医 40 余年，晚年益精医理，著《伤寒论纲目》9 卷（1673）。复集《伤寒论》各家注说，而为《伤寒论集注》，书未成而卒，由门人高士栻续纂为 6 卷（1683）。尝著《本草崇原》3 卷，以《本经》为宗，本五运六气之理，推衍药性。高士栻续成此书，后为郭汝聪收入《本草三家合注》。另有《针灸秘传》，已佚。门人王弘义、黄绍姚、朱景韩、莫昌善、徐永时、王廷贵、金绍文、倪昌大、朱轮等，皆有医名。子兆璜，承其业。

张克威 与盛立一起鼎力承担了编纂《中药大辞典》的任务。该书 1977—1982 年由上海科学技术出版社出版。

张杏林 清医家（？—1862）。字春卿。高邮（今属江苏）人。庠生，精医理。道光二十九年（1849）以赈捐授八品顶戴。著《注释本草纲目》，未见传世。出《扬州府志》（1874）。

张园真 清医家。字凤翼。初字岩征，改号岩贞。浙江桐乡人。著《医谱》《脉谱》《本草谱》等，未见传世。出《桐乡县志》（1887）。

张秀言 撰《草木诸药单方》1 卷，今佚。出《通志·艺文略》。《宋史·艺文志》作"章秀言"。

张秉成 清医学家。字兆嘉。江苏武进人。业医 40 余年，因虑本草著作有披检之繁或记诵之难，乃集数十家本草书，朝夕研究，自光绪十三年至二十四年（1887—1898），将 580 余药物之性味、主治编成歌诀，汇成《本草便读》两卷。于各类药之前附李时珍《本草纲目》数语，逢药有义未尽者则另增小注。又编《成方便读》4 卷（1904），分 21 门，汇古今成方 200 余首（附方 50 首），各撰歌诀，方下加注，使读者易知病之所来，方之所归。此两书深为初学者喜爱，流传甚广。

张治国 清医家。字子瑜。淞江（今属上海市）人。宫青浦（今属上海市）主簿。精医。著有《伤寒金匮合编歌注》8卷、《本草注释》4卷、《杭中诀》4卷，未见传世。

张学醇 清医家。字筱溥。山阴（今浙江绍兴）人。早岁从戎，同治五年（1866）南阳归，留心医道。研习《灵枢》《素问》，深明五行生克、阴阳消长之理。后又悟脉理可用"上下、内外、来去"六字贯通之，乃著"医论"28篇，阐发己见。复取常用药逐味尝之，订正前人本草著作之讹。撰《医学辨证》（1896），述医理、脉象、药性、方治等，多有新见。

张拯滋 近代医家。字若霞。浙江绍兴人。潜心于研究医书、本草著作。编有《通俗内科学》（1916），汇参中西，旨在"融会古今中外医学"，以"取彼之长，以补我之不足"。其书章节、病理多采西学，病名、处方均按中医。又详稽草药形态，采访民间用药经验，更参西医药理学，历10余年汇成《草药新纂》（1917）。又先后辑刊《草药新纂续编》《草药新纂再续编》（1935），共介绍草药200余种，合刊为《草药新纂》上下编。另编有《家庭治病新书》（1929）。

张道龄 撰《辨灵药经》，出《江西通志稿》（1947）。由于著录甚晚，不足信。

张德奎 清医家。字聚东，号默斋。监生。妙解原理，著有《雷桐歌诀》两卷，未见传世。

张德裕 清药家。字距标，号目达子、术仙。浙江鄞县人。撰《本草正义》2卷，收药361种。中国中医研究院藏清道光八年（1828）刻本。

张德馨 清药家。号雪香。上海南汇人。撰《本草征要》2卷。出《南汇县志》（1884）。

张懋辰 明医家。字远文。海阳（今广东潮安）人。生活于16世纪。著《脉便》《本草便》各两卷。后者与前人所撰《医便》合刻行世。

陆圻 清医药家（1614—?）。字丽京，一字景宣，号讲山。钱塘（今浙江杭州）人。顺治（1644—1661）年间贡生。早负诗名，为"西泠十子"之一。因自疗母病而知医。曾卖药于海宁长安镇，又避居吴中（今苏州），求诊者甚众。后因私撰《明史》受株连，遁迹黄山，游岭南，或云隐于武当为道士。著《本草丹台录》《伤寒捷书》《医林口谱》各2卷，《医案》1卷及《医林新论》等。另有《从同集》等多种文学著作。

陆烜　清医药家。字子章。浙江平湖人。遍搜有关资料，传曾检书数百种，供考究人参之用。于人参之释名、产地、性味、方疗、故事、诗文均予采摘，并述西洋参来源及与人参之不同。后将收得资料著成《人参谱》4 卷（1766）。该书在清代人参专著中内容最丰富，是研究我国人参史的宝贵资料。

陆仲德　清医药家。常熟（今属江苏）人。约生活于 17 世纪。好学深思。精医，尤长于本草，推崇缪希雍《本草经疏》等著述，并在探研缪氏本草学的基础上，撰成《本草拔萃》，以发明其要旨。

陆守弦（一作弘）　字子怡。江苏常熟人。清药家。撰有《药性注》（或作《药性》），今佚。《常熟县志》（1761）载此书。

陆观虎　江苏吴县人（1889—1963）。陆懋修后裔。曾师从李彤伯习医多年。又得族叔陆晋笙传授，医术渐精。诊病审慎细致，颇享时誉。建国后，曾举办传染病防治学习班，参与筹建天津中医进修学校，主持天津市第一所中医门诊部。曾任天津市中医公会会长。研习医籍，善治时令六淫之为病。用药以轻灵见长，多用药、叶、梗、皮。其脉案理法多遵经旨，治多化裁，据证立方而不泥于古，常汤丸互用，以求速效。遗有《陆观虎医案选》稿数十万言。撰有《食物本草学》一书（1935）。

陆泳媞　字珮汾，为江苏吴县名医陆晋笙之女。辑《要药选》（1919），分气血、阴阳、脏腑身形、病证等梦门，下述应用诸药。今南京图书馆存有陆宝陈抄录的《得宜本草》（抄年不明）。

陆修静　东晋药家。字元寂，吴兴（今属浙江）人。撰有《灵芝瑞草像》一书。

陆循一　字培良，江苏吴县名医陆晋笙之子。陆泳媞之兄。撰《用药禁忌书》2 卷。该书内容相当丰富，汇集了众多用药、保养、调理及饮食起居之禁忌，其切临床实用。

陆懋修　清医家（1818—1886）。字九芝、勉旃，号江左下工，又号林屋山人、林洞仙。元和（今江苏苏州）人。外曾祖王丙（朴庄）为名医，精伤寒。先世显，皆通医。懋修为诸生，世承家学，中年益致力于医，咸丰（1851—1861）年间徙居上海，有医名。精研《素问》，恪守仲景家法，博通汉以后伤寒学派诸家论述。尝谓柯琴、尤怡两家得仲景之意颇多，故每以两家之论，评述清代诸医之得失。穷研30 余年，撰述宏富。著有《文集》16 卷、《不谢方》1 卷、《伤寒论阳明病释》4 卷、《内经运气病释》9 卷（附《内经遗篇病释》1 卷）、《内经运气表》1 卷、《内经难字音义》1 卷。重订校正有《傅青主女科》《广温热论》《理虚元鉴》《校正王朴庄伤寒论注》，诸书合刊为《世补斋医书》正续集。又撰有《内经音义》初、再、三、四稿及《素问难字略》《二十四品再易稿》（一作《本草二十四品》）、《宏维新编》《仲景方汇录》《水饮活法》《医林琐语·世补斋杂缀》等，今存稿本。另有《明道藏本史崧灵枢音释》《金匮方论》《太阳寒水病方说》等抄本传世。子润庠，同治十三年（1874）状元，亦知医。

陈仅　清朝县官，在任期间撰有《济荒必备》3 卷。虽属农书，多涉医药。

陈古　字石云，清药学家。华亭（今属上海市）七宝里人。精医。约生活于 17 至 18 世纪。1700 年撰有《药性便蒙》2 卷。

陈亚　著《药名诗》1 卷，今佚。出《宋史·艺文志》。

陈言　南宋著名医学家。字无择，号鹤溪道人。青田（今属浙江）人。精于方脉，治病多效。绍兴三十一年（1161）集方编成《依源指治》6 卷，分 81 门，论病因病理，集注《脉经》，并附方若干，然未刊行传世。长于医理，善执简驭繁，认为“医事之要，无出三因；辨因之初，无逾脉息”。淳熙元年（1174）撰成《三因极一病证方论》（一名《三因极一病证论粹》，简称《三因方》，18 卷。将病因分为外因（六淫）、内因（七情）、不内外因 3 类，对《金匮要略》的三因论说大加发挥。此书文辞典雅，理简言赅，后世医家多受其影响，严用和《济生方》即参取其说。倡用“名、体、性、用”4 字“读脉经，看病源，推方证，节本草”。乾道（1165—1173）年间《纂类本草》即以此 4 字分项提要解说药物。该书未明题作者姓名，仅有鹤溪道人序，据残存条文内容等推考，可能亦系陈所撰。

陈玠　字健庵，燕山人（今属北京市），与其兄陈璞（琢之）推崇叶天士之学，撰成《医法青篇》。该书卷 8 为《药性》，载药 389 味。各药介绍性味功治，炮制反畏及鉴别等，叙述简明，重点突出。书稿存中国中医研究院。

陈周　清末医药家。字献之。原籍四川简州（今简阳），后迁居成都。博学善思，精医业。然日诊病人不逾 5 人，遇重难症仅诊 1 人，治病谨慎，务求手无不治之证。著《药性论》3 篇，于传统药理独阐己见，谓“世惑于‘医者意也’一语，创制种种臆说，实皆不中道理，故有心疾食猪心，鼠疮食猫头之说。更有甚者，处方时菊花去蒂，竹叶去筋，桑枝应取东向水逆流者，自矜精细以炫耀，实皆无稽之谈”。此言可供参考。尤反对用药不求精当，唯取平和之陋习。时有蜀医孙子千者，亦有医名，然视泻、散、寒、热之药为禁品，陈氏不苟同其见，乃著《医学卮言》4 卷，颇有影响。

陈治 字三农（一字山农），号柳庄，云间（今上海松江）人，五世业医。陈治将先世医著择要编为《证治大还》（1697），《药理近考》为其中之一。

陈承 宋医药学家。祖籍阆中（今属四川）。宋初名臣陈尧佐曾孙。幼丧父，奉母移居江淮间，少好学，尤喜医，精通诸家之说，治病多奇效，名噪一时。行医于杭州，故有人误为武林或余杭（今杭州）人。好用凉药，谚云："陈承箧里一盘冰。"曾合《嘉祐补注神农本草》《本草图经》二书为一，且附古今论说与己所见闻，编成《重广补注神农本草并图经》23 卷（1092）。治学严谨，注重实践，有关药物议论皆有稽考。大观二年（1108），艾晟摘引其说附入《大观本草》（计 44 条），冠以"别说云"。李时珍据此称陈著本草书为《本草别说》，此后沿用成习。大观（1107—1110）年间官将仁郎措置药局检阅方书，与陈师文、裴宗元等同校《和剂局方》。

陈检 宋嘉祐年间官员，曾于嘉祐四年（1059）九月校正《嘉祐本草》。

陈辑 清药家。撰《药性钞》一书。出《石城县志》（1660）。

陈镇 清药家。撰《本草集要按》。有光绪二十四年（1898）稿本，藏于上海中国文献研究所图书馆。

陈璞 清医药家。字琢之。燕山（今属北京市）人。与其弟（字健庵）同习岐黄术，共同撰有《医法青篇》8 卷，该书卷 8 为《药性》载药 389 味。书稿存中国中医研究院。

陈翰 清药家。字莼汀，别字未堂。崇乡远溪（今江西修水）人。撰有《本草药性主治订要》5 卷。出《义宁州志》（1873）。

陈士良 五代南唐医学家。一作陈仕良。汴州（今河南开封）人。以医名于时，曾任陪戎副尉、剑州（今四川剑阁）医学助教。以古有食医之官，以食养治百病，故取《神农本草经》《本草经集注》《新修本草》《食疗本草》《本草拾遗》等书中有关食疗之药物分类编写，附以己说，载以食医诸方及四时调养脏腑之术，撰成《食性本草》10 卷，由徐锴为之序，已佚，部分条文收入《证类本草》《本草纲目》等。子孙均事其业，如宋名医陈沂即其后裔。

陈士铎 清药家。字敬之，号远公，别号朱华公。浙江山阴（今绍兴）人。于 1687 年撰有《本草新编》5 卷。今有康熙刊本及日本刻本（1789）等，藏于中国医学科学院、军事医学科学院等处。

陈元功 清医药家。字晏如。吴郡（今江苏苏州）人。世为武将而兼习文学，博览群书，更精心于医理。因病处方，所治多效。尝谓学医不读本草书，犹将之不知用兵。因虑《本草纲目》诸书名目太繁，而撰《本草纂要》1卷，得药180种，皆为药囊所必需。每药言药性及配伍用法，甚便初学。

陈日行 南宋医官。字用卿。暨阳（今浙江诸暨）人。淳熙（1174—1189）年间为浙曹贡士，后为太医学教授。取本草药物，删繁撷颖。又节取陶弘景、掌禹锡、寇宗奭三家之序，总为序例，著《本草注节文》4卷，嘉定（1208—1224）年间刊行，今佚。

陈仁山 近代药学家。字河清。广东南海人。见中药发展至近代，其种类及产地已多与古代不同，因而收集有关药物产地等新资料，编《药物出产辨》（1930）。所收669种药中，有数十味西洋药。书中以广东所产药材记载尤详，为近代中药书中具有特色之作。

陈心泰 清医药家。四川万县人。著有《伤寒详注》《脉诀提要》《药性切指》《医方歌正》等。卒年82。出同治《万县志》。

陈存仁 撰《中国药学大辞典》（1935），该书收词目约4300条。

陈达叟 宋清漳人。撰《本心斋蔬食谱》（简称《蔬食谱》）1卷。另撰有《中朝食谱》，著录于《丛书举要》，今佚。

陈廷赞 明药家。字襟宇。常熟（今属江苏）人。撰有《本草发明》一书。出《常昭合志》（1949）。

陈延之 南北朝宋齐间医家。5世纪后期撰成《小品方》（又名《经方小品》）12卷。重视对伤寒、温病等热性疾病治疗。其治温病方药，已体现清热解毒、益阴生津等多种治则，治妇科病提出人工流产、断产等多种方法及适应证。组方用药，主张根据病人年龄、体质、病情、病程辨证施治。《小品方》对隋唐医学发展有较大影响，是唐代官颁医学教材之一。原书已佚，其佚文多保存于《千金方》《外台秘要》《医心方》等。近年在日本前田育德会遵经阁文库发现有此书卷1的卷子抄本。《小品方》卷11即为《述用本草药性》。卷1还有《述旧方用药相畏相反者》，《述用合备急要药并合药法》亦与本草有关。此书20世纪80年代有安徽科学技术出版社汤万春辑本。

陈仲卿 清医药家。撰《寿世医窍》2卷。此书按经分类，各经附经络图，列主病、药名及主要功效。各药简述功效、主治、宜忌等。中国中医研究院等处有藏。

陈启予 清末药家。四川合川人。撰有《本草歌括》一书。出《合川县志》。

陈其瑞 清医药家。字蕙亭。当湖（今浙江平湖）人。初习儒，后随军办理文书事务。因自幼喜读医书，中年后遂以医为业。光绪七年（1881）任职于江苏官医局。施诊之暇，手辑《本草撮要》10 卷（1886）。采常用药 668 味，以药为经，以方为纬，撷其性味、功效之要。

陈明曦 清医药家。字星海。星沙（今湖南长沙）人。早年业儒，及壮习医。临诊凡有心得，辑著为浅论若干条。光绪二十一年（1895）撰《医方歌略》，以为初学入门。又参诸家本草著作，集成《本草韵语》两卷（1898），简述性味功能，收药 273 味，诗 304 首，各诗后又加注释及附方。

陈念祖 清著名医学家（1753—1823）。字修园，一字良有，号慎修。福建长乐人，为儒医。少孤贫，治举子业，并承祖习医。曾师事泉州名医蔡茗庄。乾隆五十七年（1792）中举。旅居京都，因治愈一中风偏瘫证者，誉满京师。后于威县（今属河北）等地任内常，救治疫疾。嘉庆二十四年（1819）以病告归，讲学于长乐嵩山井山草堂。平生著述甚富。学宗《灵枢》《素问》，尤推崇张仲景。撰有《金匮要略浅注》10 卷、《金匮方歌括》6 卷、《伤寒论浅注》6 卷、《长沙方歌括》6 卷、《伤寒真方歌括》6 卷、《伤寒医诀串解》6 卷，以阐仲景之学。反对"《伤寒论》错简"说，认为三阴三阳六经辨证纲领自成系统。治学严谨，对己力求"深入浅出，返博为约"；对人要求"由浅入深，从简及繁"。著作通俗明晰，且多本临证经验。所著《医学实在易》8 卷、《医学三字经》4 卷、《医学从众录》8 卷（曾托名叶天士撰），为补偏救弊之作，深受推崇。医著尚有《灵素节要浅注》12 卷、《女科要旨》4 卷、《神农本草经读》4 卷、《时方妙用》4 卷、《时方歌括》2 卷、《十药神书注解》1 卷等，计 16 种，后世合刊为《南雅堂医书全集》（一作《陈修园医书十六种》，或题为《公余十六种》）。另有《陈修园医书》二十一种、六十种、七十种、七十二种等多种刊本，系其他医家著作，书肆合刊之丛书。生平尊经崇古，于金元医学成就及温病学说间有不同见解。如《景岳新方砭》4 卷，即对张景岳《新方八陈》所载方剂及理论持有异见。尝批评李时珍《本草纲目》，故每遭后世非议。子元豹（名蔚，字道彪，号古遇）、元犀（字道照，号灵石），孙心典、心兰，均继家业，参与整理修园医著。弟子有黄奕润、何鹤龄、程绍书、陈鉴川等。

陈宝光 清药家。字珍阁，广东新会人。兼知西医。撰《医纲总枢》，卷 2 为《新订本草大略》。按功效分成 26 类，选常用效验药 328 味，释其功效主治。其解说各类功效，能融贯中西，自成一格。中国中医研究院藏有清光绪间刻本。

陈定涛 清药家。字德渊，号一瀍。侯宜（今福建福州）人。撰有《药义辨伪》2 卷，《药性补遗》1 卷。上二书均佚。

陈昭遇 宋医药家。原籍南海（今属广东），世为名医。迁居开封（今属河南）。性谨慎，于医药无所不究，诊脉辨证多奇验，且著述精博。开宝初任翰林医官，领温水主簿。后加光禄寺丞，赐金紫。开宝六年（973）奉诏与刘翰、马志等九人详定本草，撰《开宝新详定本草》20 卷。太平兴国初（976）又与王怀隐等编类《太平圣惠方》100 卷。

陈继儒 陈氏（1558—1629）曾为《食物本草》一书作序。

陈景沂 于 1253 年撰有《全方备祖》一书。该书仿唐·欧阳询《艺文类聚》的形式，收集以植物为对象的诗词歌赋。书中也列有"药部"，收 36 种植、矿物药。明·王象晋《群芳谱》、清·刘灏《广群芳谱》都是在此书基础上扩充而成的。

陈楚湘 一名诗怀。清药家。浙江鄞县人。撰《本草摘要》一书。出《鄞县通志·文献志》（1951）。

陈嘉谟 明药家（1486—?）。字廷采。祁门（今属安徽）人。善医，尤长本草。晚年以七载之久，五易其稿，编成《本草蒙筌》12 卷（1565）。卷首有历代名医图、姓氏及总论药性，后分列草、木、谷、菜、果、石、兽、禽、虫鱼、人 10部，共载药 742 种。以对语体裁，对药物产地、性味、采集、贮藏、辨别、治疗之宜、应验诸方等作了简介，并附作者按语，颇有发明，便于初学。故李时珍谓其"名曰蒙筌，诚称其实"。

陈藏器 唐著名药学家。四明（今浙江宁波）人。开元（713—741）年间曾任京兆府三原县尉。以《神农本草经》虽有陶、苏补集之说，然遗佚尚多，故汇集前人遗漏之药物，于开元二十七年（739）撰成序例 1 卷、拾遗 6 卷、解纷 3 卷，总曰《本草拾遗》（共 10 卷，今佚）。李时珍评此书"博极群书，精核物类，订绳谬误，搜罗幽隐，自本草以来，一人而已"，原书已佚，其佚文可见于《证类本草》等，然其宣扬人肉以疗羸疾，助长了"割股疗亲"之愚孝风俗。尚有说其用宣、通、补、泻、轻、重、滑、涩、燥、湿解释药物性能的方法，发展成为后世"十剂"之方剂分类法。

陈瑾卿 清药家。字卜三，号石眉、天目山人。浙江海昌人。生活于嘉庆前后，精音韵。撰有《本草集说》2 卷，《药字分韵》2 卷。出《海昌县志》（1847）、《杭州府志》（1922）。

邵讷 明万历年间人。撰有《本草摘要》一书。《余姚县志》（1899）著录。

八画

武溮 清药家。于 1834 年撰《本草随录征实》一书。今中国中医研究院存其残本（录药 300 余种）。

英国公 见李勣。

范洪 明云南人。号守一子。取兰茂所著《滇南本草》加以补充及图说，撰成《滇南本草图说》12 卷（1556）。今存清乾隆二十七年（1762）昆明朱景阳据康熙三十六年（1697）滇南高宏业抄本重抄本第 3 至第 12 卷，汤溪范氏栖芬书室收藏。

范凤源 取日本中尾万三《食疗本草之考察》的辑本删去校注及旁注假名，录取正文，以《敦煌石室古本草》为名，由大东书局铅印。

范美中 撰《药性赋音释》1 卷。现南京中医学院藏有清代明辨斋刊本。

苕东迁叟 见黄文泉。

林亿 宋医家。官朝散大夫、光禄卿直秘阁。精医术。嘉祐二年（1057）政府设立校正医书局，与掌禹锡、苏颂等校定《嘉祐补注神农本草》20 卷。又于神宗熙宁（1068—1077）年间与高保衡、孙兆等共同完成《素问》《灵枢》《难经》《伤寒论》《金匮要略》《脉经》《诸病源候论》《千金要方》《千金翼方》《外台秘要》等唐以前医书校订刊印，为保存古代医学文献和促进医药传播作出贡献。其校《素问》，采数十家之长，端本录支，溯流讨源，改错 6000 余字，增注 2000 余条。

林衍源 清医药家。元和（今江苏苏州）人。优贡生。擅古文，专心医学。每治一病，则深思苦索，以求其愈，晚年医名颇著。撰《本草补述》12 卷，未见传世。《苏州府志》（1883）载此书名。

林起龙 清医家。字北海。渔阳（今北京密云）人。以《本草纲目》卷帙过多，刊刻检阅不便，乃录其实用切要，求而可得者 600 余种，辑成《本草纲目必读》（1667）一书。各药下只设气味、主治、发明、附方，以为研习《本草纲目》之捷径。

林毓璠 清医家。字兰阶。四川大竹人。好诗文，精医学，光绪（1875—1908）年间颇负时誉。著《本草歌括》《伤寒浅注歌括》，民间有抄本。卒年 70 余。出近代《续修大竹县志》。

雨蓑翁 清药家。撰《食物便鉴》一书。出赵学敏《本草纲目拾遗》"落花生"条下。

尚从善 元医药家。因苦本草书繁冗，乃节删唐慎微《证类本草》，取药 468 味，于至顺二年（1331）集成《本草元命苞》9 卷。另著《伤寒纪玄》10 卷，今佚。

易水先生 见张元素。

罗浩 清医家。字养斋。以历代医书精粗杂糅，异同互见，遂取古今脉书之精粹，历时 10 余年，编为《诊家索隐》两卷（1799）。书中引述 45 家脉学，涉及 34 种脉象及主病，记述诸家诊脉经验、持脉法及各种临证注意事项，堪称脉书集成。又撰《医经余论》1 卷（1812）。弟子有黄龙祥等。另撰有《药性医方辨》3 卷。出《海州文献录》（1936）。

罗诵 清药家。字二酉。江苏高邮人。撰《本草集要》8 卷。出《高邮县志》（1813）。

罗天益 元医学家。谦父（一作谦甫）。真定（今河北正定）人。从李杲（东垣）学医数年，潜心钻研，尽得其传。后为太医。遵师令，分经论证而类之以方。经研究订定 3 年，三易其稿而成《内经类编》，今佚。至元三年（1266），以所录东垣效方类编为《东垣试效方》9 卷。又撰集《卫生宝鉴》24 卷（1283），讨论方、药（包括药治失误病例阐析）及药理，附列验案。《卫生宝鉴》卷 21 为《咬咀药类》，载药 100 种，论药物拣择炮制。另著《药象图》《经验方》，均佚。

罗必炜 明药家。或名罗右源。撰《医方药性》2 卷、《医方捷径》2 卷。

罗克藻 清医药家。字揽庭，号西村。江西星子人。精岐黄。著《医镜》《本草记物》，均佚。出《星子县志》（1871）。

罗国纲 清医药家。字振召，号整斋。楚南上湘（今湖南湘乡）人。少习举子业，兼学医术。辨证细致，论治灵活，治验较多。晚年辑成《罗氏会约医镜》20 卷（1789）。此书撷取历代医籍之精英，首论脉法，次述治法精要、伤寒、瘟疫、杂症、妇科、本草、儿科、疮科及痘科，间附临证考脉法及治疗经验。所制新方，多切实用。

罗周彦 明医药学家。字德甫，一字慕斋，又作慕庵，号赤诚。歙县（今属安徽）人。少时多病，遍求名医调治，并借以研习岐黄，乃渐明医道，又南游吴楚，北涉淮泗，结交医学名流，广搜方技群书，医术益精，行医于时。费时十余载，集张仲景、王叔和、李东垣、刘河间、朱丹溪、罗谦甫等名医精粹之言，编成《医学粹言》9 卷（一作 14 卷，刊于 1612）。此书前列总论，分述阴阳、脏腑、病机、伤寒、运气、摄生等内容，后列各科之证治，为综合性医书。其中卷 4 名《药性论》，有单刊本。

罗健亨 清医药家。字沄谷。湖南湘潭人。著有《伤寒扩论》4 卷，《医宗约径》《医学破愚》各 1 卷，及《附子辨》《疾脉论》等文，多有新见。出《湘潭县志》。

季氏 《吴普本草》所引"季氏"（或作"李氏"）。

竺暄 撰《食经》4 卷。已佚。出《旧唐书·经籍志》。

岳昶 清药家（1773—1860）。字晋昌。江苏武进人。撰《药物集要便读》3 卷，该书取材于《本草纲目》《本草经疏》《本草述》《本经逢源》等书。载药 360 种。中国中医研究院等处有藏。

岳甫嘉 明医家。字仲仁，号妙一居士。兰陵（今江苏常州西北）人。初业儒，因体弱多病，喜攻岐黄，遂改习医。自投方药获效，投之家人亦效，于是四方求治者甚众。为医不计酬报，贫病就治者踵接。崇祯四年（1631），子登甲榜，授职南曹，迎养父于官署。乃得暇汇集 20 余年之心得，著《妙一斋医学正印编》（1635），附编载有《本草辨真总释》《食物辨真总释》。以印证于古先贤与当代和后世之医者。该书现仅存《医学正印种子编·男女科》，论述影响男子生育和女子不孕之证治。

岳含珍 清医药家。字玉也。博山（今属山东淄博市）人。清初以武功授昭勇将军等。未几归里，博览医书，潜心著作。撰有《灵素区别》《分经本草》等。出《博山县志》（1753）。

金权 清药家。一名金铭之，字其箴，号鸥园。浙江临海人。撰《本草正味》一书。已佚。出《临海县志》（1934）。

金铭 清初医药家。字子弁。金山（今属上海市）人。从名医秦昌遇习医，尽得其传，治验颇多。撰《药能》，未刊。孙学谦（字有禄），继其业。

金时望 明药家。浙江汤溪人。撰《本草发微》一书。今佚。出《汤溪县志》（1783）。

周臣 明官吏。字在山。吴县（今属江苏）人。嘉靖八年（1529）进士，知衢州府。以患疡不能视事，乃取《颜氏家训》《三元延寿》《养生杂纂》《便民图纂》等书，择卫生保健养生医疗知识，执要取简，列育婴、饮食、起居、御情、养老等篇，编为《厚生训纂》6 卷（1549）。卷 2 为《饮食》，首列饮食宜忌一般原则，继以各饮食物宜忌，末附服药忌食之物品、救荒所备食品等。

周岩 清医学家（1832—1905）。字伯度，号鹿起山人。山阴（今浙江绍兴）人。咸丰六年（1856），于京邸患寒痢，几为庸医所误，从此有志于医。披览医著，精研医理。为人疗病，亦获良效，且有医名。后历任山西祁县、安徽舒城县令等，归里后复研读医籍。集诸家学说以明证因脉治，参以己见，著《六气感证要义》1卷（1898）。谓外感之证，不外乎风、寒、暑、湿、燥、火六气。又于药用有心得者，方义有见及者，并印以附。历时六载，撰成《本草思辨录》4卷（1904），收药128味，依《本草纲目》编次。各药与张仲景医书诸方相印证，兼采他说，阐析药性、归经及配伍运用。其时西学东渐，周氏对部分中医自弃厥学、扬西抑中之现象深恶痛绝。认为中医之弊，不在守旧而在于弃旧，故推崇清代崇古尊经之名医徐大椿、陈修园、尤在泾等，极力诋毁王清任，而谓唐容川"持中西之平，阐造物之秘，洵为有功医学"。其谓西医"遗气化而究形质"，与唐容川"持中西之平"观点相仿。于阐发古医经、本草，则卓有见地。

周恭 明医药学家。字寅之，号梅花主人。昆山（今属江苏）人。初为儒生，隐居乡里，能诗文，尤好方书，精通医理。甘贫乐业，以授徒市药为生。著《增校医史》《医效日钞》各4卷、《事亲须知》50卷，均佚。又将宋·张杲所著之《医说》加以补充增益，编成《续医说会编》18卷（1493），流传于世。该书为笔记体医书，《续医说会编》卷3为《用药·药戒》，本卷用药一项载论38条，药戒21条。卷4为养生调摄，卷6为食忌，共80余条。

周祜 明末清初女画家。江阴（今属江苏）人。为画家周仲荣之女。妹周禧，又名周淑禧，艺与姐同。自号江上女子。姐妹共临文淑之本草图，成《本草图谱》。今有残本5卷，计彩色绢绘73图，图形皆源自《本草品汇精要》。

周廷燮 清医家。字载阳。四川井研人。少习儒，后改业医。钻研张仲景之学凡40年，深得其蕴，临证多效。力排时医泥于滋阴之论，倡调中之说，医风为之一变。著《伤寒庸解》24卷，《伤寒解意》《医镜》各4卷，《药解》《脉法》各2卷，内多临证经验，时医珍之。晚年传授弟子，应犍为县延请，设馆任教习，染病卒于途中，年70。

周垣综 清医药家。字公鲁。东海（今属江苏）人。少多病，究心医道。康熙五十四年（1715）充幕僚，供职于雍丘（今河南杞县），人知其善医，求诊者日众。乃出10余年间行医经验，编成《颐生秘旨》8卷。书中论杂病证治尤详，末附《脉法》《运气》及《本草偶拈》诸篇。录常用药158种。

周履靖 明医家。字逸之，号梅墟，别号梅巅道人。嘉禾（今浙江嘉兴）人。精本草及炮制，著有《菇草编》4卷（1597）、《续易牙遗意》1卷（1582）。又精养生、气功，编纂有《夷门广牍养生书选录三种》《夷门广牍尊生、食品选录十一种》等。其中包括自撰《唐宋卫生歌》《益龄单》各 1 卷,《赤风髓》3 卷等。

忽思慧 元营养学家。蒙古族（一说维吾尔族）。曾于延祐至天历（1314—1329）年间任饮膳太医,主管宫廷饮食卫生、药物补益诸事。常与赵国公普兰奚将历朝宫廷珍肴异馔、汤膏煎造及诸家本草医书所用食品,取其可补益人者,集成《饮膳正要》3 卷,为我国著名营养学专著。此书概述养生避忌、妊娠及乳母食忌、饮酒避忌及膳食、服饵、食疗诸病方,列"食物中毒"专篇,为我国医学界首次运用此术语。又列米、谷、兽、鱼、果、菜及料物等 230 余种（附图）。所载蒙古族饮食营养及卫生史料颇丰,内存佚散之医药营养书籍内容,具有一定的文献价值。其书于天历三年（1330）进呈。参与校正者还有中奉大夫太医院使臣耿允谦等。

京里先生 撰《金匮仙药录》3 卷。出《旧唐志》。

庞安时 宋医学家（约 1043—1100）。字安常。蕲州蕲水（今湖北浠水）人。世医,其父授以脉诀,以为浅近不足取。复钻研黄帝、扁鹊脉书,及《太素》《甲乙经》诸书,通贯百家之说,尤推崇《难经》。重视向具有实践经验者求教。后耳聋,与人交谈须助以纸笔。诊脉重视人迎、寸口并用。以《内经》诸书理论指导临床,擅治伤寒,疗效卓著。不可治者,必实告之,不复为治。不以人疾尝试其方,视人病痛如在己身,活人无数。在桐城时,曾以按摩针灸使一位 7 日子不下之难产妇顺利分娩。著述甚多,唯存《伤寒总病论》6 卷。此书经 30 余年广寻诸家之说,结合实际经验加以编次而成。书中提出"温病治法不能全以伤寒汗下法"等新见解,是一部研究《伤寒论》较早的专著,对后世影响很大。尚著有《难经解义》数万言、《主对集》（论药性配伍）1 卷及《本草拾遗》《庞氏家藏秘宝方》《验方书》等,均佚。弟子魏炳著有《修治药法》（1113）,附于《伤寒总病论》之末。门人甚众,弟子 60 人中,独喜张扩。

郑宁 明医家。字七潭。歙北丰阳人。曾因考举不第,且父母年事已高,遂矢志于医。取《内经》等书研读,认为古今方书中常用药不过二三百种,而其性味又众说不一,乃参考其他医籍予以订正,编为《药性要略大全》（1569）11 卷,已佚。今国内未见传本。按,《中国医籍考》著录,注云"存"并载郑宁序。

郑昂 字轩哉。古鄞（今浙江宁波）人。数十年间留心于人参药材的考察,撰《人参图说》,述其地道,形体、皮纹、神色、芦蒂、粳糯、空实、坚松、糖卤、镶接、铅沙、真伪等,颇多实践经验。今上海中医学院存手抄本。

郑虔 唐名画家。字弱齐。郑州荥阳（今属河南）人。曾为广文馆博士。擅书画，又长于地理，山川险易、方隅物产、兵戎众寡，亦无不详。尝收集西域传入之药物撰成《胡本草》7 卷，该书为我国最早反映外域及民族药专著。明弘治年间，与刘文泰一起参与《本草品汇精要》的修撰工作。

郑樵　南宋史学家（1103—1162）。字渔仲，自号溪西逸民，学者称夹漈先生，兴化军莆田（今属福建）人。不应科举，居夹漈山上，苦学 30 年，访书 10 年。对天文、地理、草木、虫鱼等均有研究，不尚空谈心性，讲求辞章，注重实学。著作甚富，有《通志》《动植志》等 80 余种。尝整理改编旧本草书，撰《本草成书》24 卷、《草木外类》5 卷，两书共载药 1483 种，参考 20 家本草著作及多种方书，考察诸药异名同状、同名异状，注解本草经文，今佚。尝谓："本草一家，人命所系。凡学之者，务在识真。夫物之难明者，为其名之难明也。名之难明者，谓五方之名，既已不同，而古今之言，亦自差别。"因而撰《通志·昆虫草木略》，致力辨析动植名实。另著《食鉴》4 卷、《鹤顶方》24 卷、《采治录》《畏恶录》等医药书，均佚。

郑之郊　明医家。字宋孟。昆山（今属上海）人。博学多识，尤精医术。天启（1621—1627）年间征授太医院吏目，疗疾多奇效，进秩御医。魏忠贤招之视疾，辞不赴，后告假归里。著有《本草辨疑》12 卷，未见传世。

郑肖岩　名奋扬（1848—1920）。闽县（今福建闽侯）人。晚清秀才。祖德辉，父景陶，均业医。自幼承家学。诊脉处方，每洞见癥结。对药物产地、新陈、采收、炮制，均有研究，积 40 年行医辨药经验，著《伪药条辨》（1901），全书载药 110 种。后由其友曹炳章为之撰序、分类、增补订正，成《增订伪药条辨》4 卷（1928）。又取罗芝园《鼠疫汇编》，厘为 8 篇，并附个人治验，更名《鼠疫约编》（1901）刊行。晚年辑有《验方别录》（1918），录方 1500 首，分正续两集。徐友丞又将所辑《单方选要》《良方选要》两书增入，分为 3 册。

郑作霖　清医家。字解祥。庆云（今属山东）人。邑庠生。教读为业，尤通医学。勤于著述，医著《劝学四言》《本草便读》《药性赋》，皆医药之入门书。《庆元县志》（1931）著录。

郑望之　宋官吏（1078—1161）。字顾道。彭城（今江苏徐州）人。少有文名。崇宁五年（1106）登进士第，历开封府仪、吏部侍郎、徽猷阁直学士。撰有《膳夫录》，已佚。此书与中医食疗有关，故后世多列入医籍。

炎帝　系传说中人物，一说即"神农"。

宗令祺　著《新广药对》3 卷，今佚，出《通志·艺文略》。

空山学道者　见尤乘。

孟诜　唐著名医家。汝州梁（今河南临汝）人。少好医学及炼丹术，曾师事孙思邈学习阴阳、推步、医药。举进士，睿宗在藩，召充侍读。长安（701—704）中为同州刺史，故人称孟同州。神龙初致仕归伊阳之山隐居，但以药饵为事。撰《补养方》3卷，经张鼎增补，改名《食疗本草》3卷。现存敦煌莫高窟发现之抄本残卷及近人辑佚本。又撰有《必效方》3卷，已佚。在《外台秘要》《证类本草》等书中有引录。孟氏创用白帛浸于黄疸病人尿中，晾干并按日推列对比，以观察黄疸病疗效。其饮食疗法对后世也有影响。另撰有《家祭礼》1卷、《丧服正要》1卷、《锦带书》等，均佚。

孟贯　《药性论》一书，近人范行准考证为五代后周·孟贯著，主要依据五代·陶穀《清异录》和日本源顺《和名类聚钞》所引而定。

孟昶　五代后蜀皇帝（919—965）。初名仁赞，字保元，孟知祥第三子。邢州龙岗（今河北邢台）人。好方药，母有病，屡更太医不效，自制方饵进之，遂愈。群臣有疾，亲召诊视，医官钦服。曾令翰林学士韩保昇等取《新修本草》并《图经》参校删定，稍增注释，成《蜀本草》（即《重广英公本草》）20卷，已佚，其佚文收入《证类本草》等。

孟笨　字伯山，号会稽山人。浙中名医。有《养生要括》一书。

练谦　字孟叔。由婺源迁德兴（均属江西），嘉泰甲子（1204）举乡试魁。著有《本草释义》一书。今佚。出《德兴县志》（1872）。

九画

赵武　撰有《四时食法》1卷。出《旧唐志》。

赵赞　撰有《赵赞本草经》1卷。今佚。出《隋书·经籍志》。

赵自化　宋医官（949—1005）。祖籍德州平原（今属山东），避乱寓居洛阳。父知岩，通方药。与兄自正均得父传，后周显德（955—959）年间同至京师（今开封），均以医术闻名。因治愈秦国长公主病，擢为医学，再加尚药奉御。淳化五年（994）授医官副使。善切脉，精望诊。咸平三年（1000），为医官正使。撰有《四时养颐录》，宋真宗改名《调膳摄生图》，为之制序。又撰《名医显秩传》3卷，述自古以方技至贵仕者，其兄亦经考试，补翰林医学。

赵良仁　元末明初医家（约1330—约1396）。字以德，号云居。浦江（今属浙江）人。幼习儒，约至正二年（1342）后从朱震亨习医，遵嘱先研读《内经》《本草》《脉经》等3年，又与其师质疑问难，深明医理，然后临证视药，切脉处方。

至正十三年去吴中，从官宪司。又再从朱震亨问难两年，得明太极阴阳消长之理，窥医学奥秘，名扬浙中。至正十七年迁居长洲（今江苏苏州），治疗多验，曾愈"肠外膜原之间结痈"及"肺痈胸间溃一窍"等顽症。因见朱震亨门人所录《语录》《药要》欠精详，乃设为问答，附以己见，撰《丹溪药要或问》（1384）。又著《金匮方衍义》3 卷（1368），为《金匮要略》早期注释本，推阐精详，或可与成无己《伤寒论注》相抗衡。清周扬俊补注其书，更名《金匮玉函经二注》。另有《医学宗旨》，今佚。子友同，授御医。

赵其光 字寅谷。冈州（今广东新会）人。赵氏推崇刘若金、徐灵胎、叶天士（当为姚球）、陈修园四家之本草注，复"为之增其类，补其义"，于 1848 年撰成《本草求原》27 卷，又名《增补四家本草原义》。杂采众说，伸以己见，补充一些名医方论及治验，于《本经》药外，兼采常用时药与食物，共得药 900 余种。附方数万。药物分类同《本草纲目》。中国科学院存其原刻本。

赵贤斋 近代医家。宛平（今北京丰台）人。1923 年编《中国实用药物学》。取 200 余味常用有效药物，仿西医药物学体例，列名称、性质、功用、禁忌、用量、处方。以药品之用，不过补益、表散、攻里、理气等十二法，故按各法列成药物表，置于卷首。

赵国栋 清医家。号大木。彰明（今四川江油）人。年 16 岁丧父，三弟俱幼，因于生计，遂弃儒习医。艺精，闻名乡邑。任医学训科。著《药性使用》，人多抄传。

赵学敏 清著名医药学家（约 1719—1805）。字恕轩，号依吉。钱塘（今浙江杭州）人。早年业儒，博览群书。尤喜读医著及本草书籍，有所得则抄撮成帙，达数千卷。医学研究，广涉各科，对本草造诣最深。家有养素园，供试验种药，以察形性。乾隆三十五年（1770）选取所编医书十二种，取其家"利济堂"之名，题作《利济十二种》。内有医方书《医林集腋》16 卷（1754）、《养素园传信方》6 卷，禁咒书《祝由录验》4 卷（1755），眼科书《囊露集》4 卷（1756），民间方治专集《串雅》8 卷（1758），导引养生书《摄生闲览》4 卷。另有《药性元解》4 卷，论药性配伍；《升降秘要》2 卷（1760），集烧炼丹药秘法；《本草话》32 卷、《花名小录》4 卷，述药物及植物名实；《本草纲目拾遗》10 卷（1765）、《奇药备考》6 卷，考辨药物，汇集资料。今存世者仅《串雅》及《本草纲目拾遗》两书。《串雅》取材于赵伯云所藏民间走方郎中经验方术、赵学楷《百草镜》与《救生苦海》、赵学敏《养素园简验方》等有关内容。《本草纲目拾遗》补正李时珍之误，拾其未收药品 716 种，多为民间草药，亦有少数西药（如金鸡纳等）。取材广泛，并经确验。内多已佚医方及本草书有关资料，且记其见闻历验，为清代本草名著。迄嘉庆八年（1803）续有增补。同治三年（1864）始由后人刊行。此外尝将《灵枢》《素问》《脉经》《伤寒论》等经典之论，续纂医书 10 种，合其弟学楷之医著为《利济后集》，然未见传世。

赵学楷 清医学家。钱塘（今浙江杭州）人。自幼熟读经史，兼习《灵枢》《难经》《伤寒论》等。平时常以默画《铜人图》为娱乐。与其兄学敏寝食于养素园，种药读书，锐意岐黄，治病多效。医著甚富，有《百草镜》8 卷、《救生苦海》百卷，及与其兄之医著合为《利济后集》，然未见传世。其医药著作佚文见于《本草纲目拾遗》及《串雅》。另有《观颐录》，其佚文亦散见于《本草纲目拾遗》。

赵南星 明官吏（1550—1627）。字梦白，号侪鹤居士。高邑（今属河北）人。万历二年（1574）进士，官至太常少卿。遭魏忠贤党徒弹劾，谪戍代州（今山西代县）。万历四十年至四十四年（1613—1617）间，久病缠绵，以至于不能用药。乃取李时珍《本草纲目》所载谷蔬之有益于人者，加减调治而愈。由是知饮食之于养生防病，其功甚大。因辑《本草纲目》中养生要品 230 余种，简述性味功治，附以单方，厘为 4 卷，名为《上医本草》（1620）。今有明·赵悦学重刻本（1620）存世，藏中国中医研究院。

赵亮采 清医家。字见田。湖北襄阳人。学宗古医经，因虑《本草经》词古义奥，后世本草书散漫繁杂，乃编《医门小学》（又名《医门小学本草快读贯注》）4 卷（1887）。列阴阳运气、脏腑经络及药性总义，以药性寒、热、温、平四赋为纲，辑入诸家学说以为注解。末附《医门小学四诊心法》及运气脏腑经络奇经主病。皆系歌赋体裁，以利记诵。湖北省图书馆等处藏清鹿门慎业斋本（1887）。

赵燏黄 生药学家（1883—1960）。又名一黄，字午乔，号药农、去非、老迟、高翁。江苏武进人。1905 年留学日本，入上野东京药学专门学校。1908 年在东京参加创建中华药学会，次年入东京帝国大学药学科深造，随下山顺一郎、长井长义博士攻读生药学及药物化学。1911 年归国参加辛亥革命。后致力于药学研究与教学。曾任浙江医药专门学校、上海中央研究院化学研究所、北平研究院生理学研究所、北京大学医学院中药研究所及药学系教授或研究员等职。建国初期执教于北京医学院，兼任中央卫生研究院中国医药研究所顾问、研究员。任中医研究院中药研究所生药研究室研究员和《中华人民共和国药典》委员会委员。从事药学工作 50 余年，颇多建树。20 世纪 30 年代因陋就简生产麻黄素。1934 年与徐伯鋆合著《现代本草生药学》，为中国近代生药学之早期著作。根据中药特点，认为中药含有复杂的有效成分，现仅知其一而不知其二，故常说一种中药就是一个复方，含有君、臣、佐、使各种成分，在人体生理上起协同作用，要研究中药成分，就应研究全成分，并谓中药可为沟通中西医之桥梁。提倡应用现代科学方法系统整理研究药学，注重实地考察，著有《祁州药志》《本草药品实地之观察》《中国新本草图志》，晚年又以《国药与本草之检讨》稿为基础，撰写巨著《本草新诠》，未完稿而辞世。一生共发表论著 80 余篇，经其专门整理研究之单味药有地黄、黄芪、当归、鹤虱等多种，善将本草文献与生药学研究密切结合。

指六异人　见胡杰人。

胡洽　南北朝宋医家。或作胡道洽。（胡洽原名道洽，避齐太祖萧道成讳，剔除"道"字。）广陵（今江苏扬州）人。好音乐，精通医术，以拯救为事，医术名于时。撰有《胡洽百病方》（一作《胡洽方》）。今佚。《外台秘要》《医心方》等有引录。

胡铨　庐陵（江西吉安）人。宋朝人。撰有《活国本草》一书。出《江西通志稿》。

胡子家　唐人。唐显庆二年（657）与苏敬一起共撰《新修本草》。

胡公淡　撰有《医方捷径珍珠囊》一书。后被廖云溪摘要而成《医门初步》1 卷。

胡仕可　元医家。字可丹。宜华（今属江西）人。执教于瑞阳（今江西高安）。谓医家应读本草书籍，而原有本草书籍过繁，不便检阅，遂择常用药按韵编类歌括。元贞元年（1295）撰成《本草歌括》8 卷。后世有明熊宗立《补增本草歌括》、何士信《补注本草歌括》各 8 卷。

胡杰人　清药家。字芝麓，手有歧指，又号指六异人。浙江余姚人。撰有《本草征要》《本草别名》等书。今佚。出《余姚六仓志》（1920）。

胡翔凤　清药家。字守先，号爱吾。婺源（今属江西）人。撰有《本草歌》一书。今佚。出《婺源县志》（1925）。

奎英　清医药家。满族人。号素仙。道光庚寅（1830）治愈清宣宗疾，升太医院左院判。撰有《素仙简要》一书。此书由药性、诊候两部分合成。中国科学院等处藏有明道堂本（1844）。近代有石印本。

钮文鳌　清代人，钮文鳌于刘东孟家，抄写《本草明览》11 卷。该书收药 388 种，分草、木、谷、菜等 10 部。上海市图书馆有藏。

拜住 曾参与校正《饮膳正要》一书。元代人。任大都留守。

香林主人 见鲍山。

侯宁极 五代后唐文人。天成（926—929）年间进士。爱作文字游戏，曾著《药谱》1卷，标新立异，改用别名，如牵牛为假君子、川乌头为昌明童等，载药190种。

俞塞 字吾体，号无害。婺源（今属江西）人。撰有《本草正误》一书。《皖志列传稿》（1936）载其所撰书名。今佚。

俞汝言 明末清初文人。字石吉，一作右吉。秀水（今浙江嘉兴）人。明末诸生，精研经史，尤熟知明代典故，兼晓医药。著《春秋平义》12卷等。另撰有《本草摘要》，已佚。

俞汝贤 《中国分省医籍考》云嘉庆六年《嘉兴县志》"有清俞汝贤《本草摘要》一书，未知与俞汝言是否误复"。

俞汝溪 明医家。纂《雷公炮制便览》（吴武亦著同名书）5卷。抄辑《证类本草》中药物968种，内引有《雷公炮炙论》若干条文。编次悉依《证类本草》（未收玉石部），各药首列性味功治，次述炮制法。

俞时中 字器之，浙江金华人。元太医令。撰有《本草》（1295）一书。今佚。《金华县志》（1894）载其书。

俞宗本 明吴郡（今江苏苏州）人。字立庵。其著述多辑前人之作。明刻《居家必备》收《种药疏》等三书，皆题为俞氏作，内容则全出于《农桑辑要》而略有删节。

俞启华 清医家。字旭光。婺源（今属江西）人。精岐黄术，驰名乡里，常起沉疴。为人治病，不计酬报，故人皆望其长寿，称"百寿先生"。著《医方辑要》1卷、《彩亭医案》1卷、《本草释名》两卷，均未见传世。

昝殷 唐著名妇产学家。原名昝商，避宋太祖父亲名讳改为昝殷。成都（今属四川）人。官医学博士，擅长妇产科和药物学。大中（847—859）年间，集有关胎、产、经、带诸证效验方378首，编成《产宝》3卷。周颋增益并序（897），现传本作《经效产宝》。是我国现存最早之妇产科专书。《证类本草》《妇人大全良方》保存其部分内容，有《医方类聚》辑本。另撰有《食医心鉴》3卷，已佚，但有《医方类聚》辑本，介绍以药物煮粥、制茶、作酒饮用等药方211首，并有1924年东方学会排印本。两书对后世妇产科及饮食疗法影响很大。

施钦 明弘治年间中议大夫。曾与刘文泰一起修撰《本草品汇精要》。

施雯 清医家。字澹宁，又字文澍。姚江（今浙江余姚）人。与严洁、洪炜共辑《盘珠集》。内有医药书数种，《得配本草》为其一。因念"药之不能独用，病之不可泛治"，遂纂此书，成于乾隆二十六年（1761）。由其后人施爱亭与张焕、洪西郊等于嘉庆九年（1804）刊行。

施鉴 明弘治年间御医。曾与刘文泰一起参与编撰《本品精要》。

施镐 清药家。字缵丰。上海崇明人。撰有《本草分经类纂》2卷。《崇明县志》（1881）载其书名。今佚。

施永图 明药家。字明台，号山公。浙江秀水（今嘉兴）人。官史。撰有《医方本草》一书。《嘉兴府志》（1721）有载。今佚。另外，还辑有《山公医旨·食物类》5卷。系食疗著作。上海中医学院藏有明刻残卷（卷4、5）。

间邱铭 清药家。号尹节，一作升节。上海南江人。撰有《本草选志》一书。今佚。《松江府志》（1818）载此书名。

姜礼 清医学家（1654—1724）。字天叙。祖籍绍兴（今属浙江），其父始迁居江阴（今属江苏）。精医术，医名颇著。治病建立"功过格"，每日记治愈与失误之例，终身不辍。今存所著《风痨臌膈四大证治》（一名《四大证全书》），重点论述中风、虚劳、水肿、鼓胀、呕吐、噎膈、反胃诸证，为一有影响之专著。另著《仁寿镜》《本草搜根》。今《本草搜根》有清抄本，藏北京图书馆，题为"天叔公"撰，天叔即天叙之误。

姜璜 清医家。字怀滨。南丰（今属江西）人。得先世秘传，博览医书，尤精妇科，踵请无虚日。著《本草经注》，未见传世。《南丰县志》载其书名。

姜国伊 清医学家。字尹人。岷阳（今四川郫县）人。业儒，举孝廉。咸丰十年（1860），久病不愈，究心医学。同治元年（1862）辑得《神农本草经》180味。光绪十八年（1892）疫疾流行，乃辑成《神农本经》3卷。以《本草纲目》所载《神农本经》目录为序，采其《本经》佚文。另撰《神经本经经释》，所释"唯遵《内经》，以圣解圣"，重在注解药性、功能。尝谓"论经方者，须明药性，明药性者，须考《本经》"，故所撰《伤寒方经解》（1861），悉采《本经》《别录》之气味主用，以解经方。又将平素所撰论说及验方，辑为《医学六种》（内经脉学部位考、目、婴儿、经说上、经说下、经验方）。同治元年（1862）又刊《王叔和脉经真本》，以上诸书，合刊为《姜氏医学丛书》。

娄居中 宋医家。东虢（今河南荥泽）人。卖药于临安，以药臼归市招。撰有《食治通说》1卷，大要以食治则身治。

洪炜 清医家。字缉庵，又字霞城。姚江（今浙江余姚）人。与严洁、施雯同辑《盘珠集》，后附所著《虚损启微》。其后人洪西郊参与刊行此书（1804）。今佚。

洄溪老人 即徐大椿。

觉今子 见蒋居祉。

扁鹊 战国时著名医学家。姓秦，名越人。渤海郡郑（今河北任丘）人。约生活于公元前 5 世纪。相传远古时以扁鹊为名医号，秦氏以医术精湛，治病多奇效，故称为扁鹊。少时为人舍长，适有长桑君过扁鹊舍，得长桑君信任，授以医术禁方（秘方）。精于诊断，尤长望诊和脉诊，掌握多种治病方法，如病在腠理用汤熨，病在血脉施针砭，病在肠胃用酒醪。史载其还擅用外科手术。临床各科，均有所长，行医随俗为变，至邯郸为"带下医"（妇科），居雒阳为"耳目痹医"（五官科），过咸阳则为"小儿医"（儿科），遍游各地，医名甚著。《史记》又载曾用针刺、药熨、汤剂等综合疗法而愈虢太子"尸厥"垂死重症；善用望诊而知齐桓公病患之浅深和判断预后等。在《史记》《战国策》《列子》等书中都有他的传记和病案，他被推崇为脉学的倡导者。他不仅精研医学，且崇尚医德，反对巫术迷信。司马迁曾记述扁鹊有"六不治"的医学思想，即：骄恣不论于理；轻身重财；衣食不能适；阴阳并，脏气不定；形羸不能服药；信巫不信医。后被秦太医令李醯所妒杀。《汉书·艺文志》谓有《扁鹊内经》《扁鹊外经》，已佚。现存《黄帝八十一难经》（简称《难经》），多论脉理，传为秦越人之作。

神农 是远古传说中的农业和医药的发明者，一说即"炎帝"。

祝文澜 清药家。字晋川，号秋田。南汇（今属上海市）人。撰有《本草名汇》一书，今佚。《南汇县志》（1879）载此书名。

退省氏 清医药家。光绪二十年（1894），他摘录龚廷贤的《药性歌》刊行，取名《寿世保元四言药歌》。

退庵居士 即黄凯钧，字退庵，号退庵居士。

费密 清初医家。字此度，小字琪桃，号燕峰。四川新繁（今新都）人。世代官宦。少聪颖，善记忆，博览群书。尝从刘雨时学医，精研《内经》及仲景学说。著述多达 36 种。医学著作有阐述仲景学说之《长沙发挥》两卷、《王氏诊论》1 卷、《金匮本草》6 卷等。

费伯雄 清医学家（1800—1879）。字晋卿。先世明末迁居武进（今属江苏）孟河。五世业医，高祖云庵，常与镇江名医王九峰切磋学问。少习举业，弱冠有文名，后舍儒从医。悉心参究《灵枢》《素问》及仲景以下诸名医著述。以擅治杂证享名数十年。在咸丰、同治（1851—1874）年间名噪江南，远近求诊、问学者踵至。其论治戒偏戒杂，主张"和治""缓治"，以平淡之法而获神效，不尚矜奇炫异。常师李东垣温补脾胃及朱丹溪壮水养阴之法，然不喜用升麻、柴胡、知母、黄柏四药。自制性缓平和方剂甚多，且重视饮食疗法。道光（1821—1850）年间两次入宫廷。尝著《医醇》24 卷，载其数十年业医之心得，惜于咸丰时毁于战火。同治二年（1863）追忆原书内容重撰，仅得其十之二三，乃改题《医醇賸义》4 卷（《晋卿脉法》即该书卷 1）。同治四年将《医方集解》各方逐加评论，编为《医方论》。另有《费氏食养三种》（《食鉴本草》《本草饮食谱》《食养疗法》），其中《食鉴本草》乃石成金所编，后世改题费氏之名。又辑《怪疾奇方》（1865），批注《医学心悟》等。子应兰（字畹滋），孙费绳甫、荣祖、绍祖均传其学。

姚宏 明药家。山东巨野人。为医学训科。撰有《本草补遗》等书，今佚。出《巨野县志》（1840）。

姚能 明药家。字懋良，号静山。海盐（今属浙江）人。善谈工诗，精于医理。著《伤寒家秘心法》《小儿正蒙》《药性辨疑》等，均佚。

姚球 清医家（？—1735）。字颐真。无锡（今属江苏）梁溪人。儒士，精于《易经》，尝著《易经象训》，因《易》以悟医，深探医家要妙。其治主扶气，助真阳。著《本草经解要》（1724）4 卷。论药 174 味，以《神农本草经》药物为主。将药物气味与脏腑功能紧密结合，详释药理，每有亲见。其书刊行后，坊贾因书不售，托名叶天士。遂使吴中纸贵。另著《南阳经解》《痘科指掌》，均佚。

姚最 南北朝北周医家（535—602）。字士会。吴兴武康（今浙江德清）人。名医姚僧次子。幼在江左，未习医术，天和（566—571）年间奉北周武帝敕而学医，始受家业，10 余年中略尽其妙，诊视每多效验。后世隋为太子门大夫。撰有《本草音义》3 卷、《行纪》1 卷，均佚。

姚澜 字涴云。清代山阴（今浙江绍兴）人。因多病须发早脱，自号维摩和尚。为刑名师爷及儒学教官 30 余年，兼涉医学，偶为人治病，药仅数味，疗效甚佳。年逾花甲，辑成《本草分经》（1840），以经络为纲，药品为目，阐述药物归经。光绪十四年（1888）梅雨田重刊此书时，稍正其次序，易名《本草分经审治》。

姚濬 明医家。字哲人。和州（今安徽和县）人。父九鼎（字新阳）曾任职太医院。先业儒，后攻医，承家业。著《脉法正宗》《难经考误》《风疾必读》《药品征要》等，均佚。

姚可成 明末医药学家。号蒿莱野人。曾为明·王西楼所辑之《野菜谱》补遗 60 种,合为《救荒野谱》(1642)两卷,以备灾荒饥馑时充作食用。另有托名李时珍编《食物本草》(1643)22 卷,或云乃姚可成所撰,尚有异议。

姚凯元 清医家。字子湘,号雪子。湖郡(今浙江吴兴)人。祖父文傅为御医。初习儒,晚年病偏废,始读医书。尝披阅《素问》诸家注解,作《素问校议》10 卷。又读徐灵胎《难经经释》,取他本核对而别其异同,成《难经校释》1 卷。两书均佚。又摘录数十种医书而成《退省斋说医私识》(1892 年稿本,简称《说医私识》)4 卷。

贺岳 明医家。字汝瞻。海盐(今属浙江)人。初因母病,尽购岐黄书诵之。且从四方名医研习,遂精其术,复得苏医王惟雍之传,以及韩克诚脉法、胡翠岩针法,业益精。郡邑藩阜,皆延治之,宾礼优如。撰辑有《明医会要》两卷、《诊脉家宝》《药性准绳》等,均佚。另集有《医经大旨》4 卷,摘历代诸贤要语,稍加润色,并删去金石、古怪、燥毒、劫药等,以免误人。现尚有嘉靖刻本存世。

贺宽 清药家。著有《本草摘要》一书。今佚。出《丹阳县志》。

十画

秦大任 清医家(1752—?)。字显扬。中州朝歌(今河南淇县)人。初习儒,习贡生,后专志医术。临证 40 余年,编成《医贯辑要》12 卷(1811)。内有《药性》专篇。今藏中华医学会上海分会图书馆。其子继家业,习外科。

秦宗古 宋嘉祐年间医官。曾与掌禹锡等人一起编撰《嘉祐本草》一书。

秦承祖 南北朝宋医学家。曾任太医令。专好艺术,精于方药,行医不问贵贱,多获效,时称"上手"。元嘉二十年至三十年(443—453)上疏奏置医学,以广教授。撰有《秦承祖药方》40 卷、《偃侧杂针灸经》3 卷、《脉经》6 卷、《偃侧人经》2 卷、《秦承祖本草》6 卷、《明堂图》3 卷、《寒食散论》2 卷,均佚。

袁仁 明代医生。字良贵,号参坡。嘉善(今属浙江)人。生活于 15 世纪下半叶。其祖灏、父祥,皆有经世之学。得传学愈深邃,而性恬淡刚正。谓医业可藏身济人,遂隐于医。善辨医,非药石可医者不往。昆山魏校疾,使者三请弗往。曰:心疾,当行仁义,不然虽十至而益。著《内经疑义》《本草正讹》《痘疹家传》等书。

袁枚 字子才(1716—1798),号简斋、随园老人。浙江钱塘(今杭州)人。著名诗人。曾于 1790 年撰有《随园食单》一书。该书集 40 年所知烹饪须知及各种食单,详述其取料烹制方法。但不涉及医疗作用。

袁凤鸣 清医家。临漳（今属河北）人。举人。著《药性三字经》两卷。其中《青囊药性赋》汇诸家精论，参以己验，编为三字韵语。此书建国后由族人献出重刊。

耿允谦 元朝天历三年（1330）任中奉大夫太医院使。曾参与校正忽思慧编撰的《饮膳正要》一书。

耿世珍 清末医家（1837—1891）。字廷瑾，一字光奇。广陵（今江苏扬州）人。辑有《本草纲目释名》。"释名"，即"别名录"，仅按原部类摘录有别名之药物。精喉科，同治（1862—1874）年间集有《选方初、二集》。

聂尚恒 明儿科医学家（1572—?）。字久吾。清江（今属江西）人。万历（1573—1619）间以进士出任福建汀州府宁化县事。暇日究心医术，博览方书，精察病情，尤精于治幼治痘。因病施方，不拘旧说古方，每治辄效。数十年博取精研，归休后取平日医治有奇验者，刻《奇效医术》（1616）两卷。又以治痘疹之心得，撰《活幼心法大全》（又名《活幼心法》《痘疹慈航》）9卷，首受病之源，次析诸家之衷，辟时医之谬，辨虚实寒热之异，析气血盈亏消长之理，精究用药之法，痘疹各阶段之证治，详论紧要诸证方论，设痘诊或问6条，列痧疹治法总论，又论杂证，末详述治痘要方。朱纯嘏评谓："集痘疹之大成，开幼科之法眼，议论精，辨证确，用药不偏于寒凉，亦不偏于温补，深得中和之理。"尚撰辑《医学汇函》14卷，首卷列医学姓氏、导引法、运气等，次述王叔和脉诀、难经、临证各科、本草总括等。又有《痘门方旨》（附《麻疹方旨》、《痢门方旨》8卷、《痘科慈航》3卷等）。

莫熺 清初医家（1607—?）。字丹子，号皋亭。武林（今浙江杭州）人。居长安，求诊者日满其户。治病不拘古法，言"脉得而病知，病却而方见"。深于医理，且好谈易理、佛经。谓"医书法繁，厥理难悉"，遂以运气、阴阳、气血经络、汤液治则为医之"约理"，纂《医门约理》（一称《医门法律约理全书》，1669）。1672年注医经及脉学著作，如《难经直解》《四言举要》《濒湖脉学》《脉诀考证》等。又著《脉诀会辨》（1656），录其医论20余则；纂《本草纲目摘要》，另注释《心经悟解》《黄帝阴符经》《月令广义》《性命圭旨约说》《黄庭经》。以上诸书汇刊而成《莫氏锦囊十二种》。

莫枚士 清文字学家、医学家。名文泉，号苕川迂叟，以字行。浙江归安（今吴兴）人。少治训诂之学，举于乡。咸丰末年（1861）避乱海上，见时疫盛行，始志于医学。论医常取儒学之法，本小学以读医经。尝辑众说，考文析义，先后校注而成《伤寒论》《金匮方论》及《金匮论略》。又集众症，释名状，立义例，作《证原》及《脉法》。认为治病在于处方，处方在于遣药，遂相继撰著《经方释例》（1884）4 卷及《神农本草经校注》（1900）3 卷，阐发己见。同治十年（1871）集所存医论 150 余篇，厘为 4 卷，名《研经言》，曾得陆懋修校正并序。其书重在释经辨误，多发前人之未发。如据《说文》以释疝、癫之殊；据《玉篇》以明癫、痫之异；"邪哭"则证之于《巢氏病原》，谓即"风痴"；"酸削"则证之于《周礼》，定为"酸消"；又考"龙咬"即"蚖咬"，等等。于病因、用药、方剂等均有己见。所著《研经言》颇得医林赞许；《经方释例》尤多创见，对经方有很深研究。

莫树蕃 清医家。字琴冈。古闽（今福建闽侯）人。道光年间，德丰氏纂《集验简易良方》，命其为之校订。树蕃深入民间，广为采访，叩询者老乡民之识得草药名状及有治疗经验者，复考诸药之气味形色，绘图详注，得药 60 种。道光七年（1827）将此部分内容列为《集验简易良方》卷 3，刊以传世。单行本名《草药图经》。

桐君 传说中上古药学家，相传为黄帝臣。识草木金石性味，定三品药物，立医方君、臣、佐、使理论。《隋书·经籍志》载有《采药录》3 卷（已佚），记本草花叶形色；又《药性》4 卷（已佚），论药物相须相反，乃立方处治寒热之宜。此二书题为桐君所撰。

桐江野客 即汪汝懋。

贾铭 元养生家（约 1268—1370）。字文鼎，号华山老人。海昌（今浙江海宁）人。尝官万户，入明已百岁。明太祖召问颐养之法，曰"要在慎饮食"。谓饮食借以养生，如不知物性反忌，则养生者亦未尝不害生。因进《饮食须知》8 卷，选饮食物 250 余种，简述性味宜忌。后辑刊入清周学海《学海类编》。内容与明·薛己、汪颖之《食物本草》多同。今人对此书是否为贾所撰尚有异议。

贾文通 唐显庆年间人。曾与苏敬等 23 人一起参与编撰《新修本草》一书。

贾所学 明末本草学家。字九如。鸳州（今浙江嘉兴）人。著《药品化义》13 卷，顺治元年（1644）为李延罡所得，遂行于世。尝谓："药理渊微，司命攸系；若无根据，何以详悉其义。"创"药母"说，即以辨药 8 法（体、色、气、味、形、性、能、力）为药理根据。又将药品 162 种，分隶气、血、肝、心、脾、肺、肾、痰、火、燥、风、湿、寒 13 门，排列有序，以期用药切当。所选皆寻常日用之药，辨析精详，为论说中药传统药理之名著。后世刻本甚夥，或名《药品辨义》（节录本）、《辨药指南》，其内容则一。

夏英 明医学家。字时彦。杭州（今属浙江）人。尝编绘《灵枢经脉翼》，现有明弘治十年（1497）稿本。另外，夏英还与刘文泰一起修撰了《本草品汇精要》一书。

夏鼎 清儿科学家。字禹铸，号卓溪叟。安徽贵池人。长于小儿推拿及杂证诊治。著《幼科铁镜》6卷（1695），阐述多种儿科病证诊治，对推拿尤其重视。所述儿科注意事项及儿科药性赋等，均有特色。论儿科诸证，每有独到见解。如视慢惊为"慢症"，以脾胃虚极为其病因，故治唯补脾虚。其诊察疾病重望诊，对指纹持批判态度，谓"指面筋纹，生来已定"。

夏承天 清药家。曾撰有《药性辨》一书。今佚。出《余姚县志》（1899）。

夏朝坐 字理堂。江苏江浦人。撰有《本草核真》一书，今佚。出《江浦埤乘》（1891）。

夏翼增 清医家（约1772—?）。字益能。初习儒，后改攻岐黄。从诸名家游，博采秘要，就诊者众。道光二十二年（1842），年近古稀，手集《引经便览》，审病之属何经，知经之当用何药，且绘诸经图像，各附引经药诀。

顾仲 清浙江嘉兴人。字中村，号浙西饕士。家世耕读，重养生，倡饮食必洁且熟，有理有节，遵生颐养，以和于身。曾作《饮食中庸论》及《臆定饮食》等文，流传于公卿间。后取海宁杨子建先世所辑《食完》，录其有关饮食内容，增以己验，辑成《养小录》（1818）3卷，评述汤、酱、饵、肴所用水、果、谷、肉、菜之制备法，颇有益于养生、摄生者之饮食卫生。

顾锦 清医家。字少竺，号术民。元和（今江苏苏州）甫里人。从沈安伯学医，名重一时。著《用药要诀》（一作《用药分类》）1卷，今佚。

顾元交 明末清初医家。字焉文。毗陵（今江苏常州）。壮年时遇同里医僧胡慎柔，乃终生业医。以《本草纲目》浩繁，而《本草经疏》又多附会，世医多依赖《本草蒙筌》等普及性药书，故取众书之长，纂为《本草汇笺》（1660）10卷。列药图、运气及药学总论，收常用药近400种，主述药性，采录药方。

顾文熊 字乘虬。江苏江阴人。撰有《本草诠要》一书。出《江阴县志.》（1840）。

顾观光 清医家、考据学家（1799—1862）。字尚之，又字漱泉，别号武陵山人。金山人。世业医。太学生。博通经史百家、天文历算。后继承家业。尝考证《神农本草经》源流，谓孙星衍辑本未考《神农本草经》目录，三品总数与名例相违；张璐等未见《证类本草》，徒据《本草纲目》以求经文，殊非所宜。遂重辑《神农本草经》，厘为 4 卷（1829—1844）。取《证类本草》白字为正文，颇多考证。然以《本草纲目》所载《神农本草经》目录"可考无阙佚"，且以此为据，亦未全允当。

顾靖远 清初医家。字松园，号花洲。长洲（今江苏苏州）人。康熙（1662—1722）年间就职太医院。尝选录《内经》《伤寒论》及历代中医著作中精华，并结合其学术经验予以阐述注解，辑成《顾氏医镜》（一名《顾松园医镜》，1718)16 卷，包括《素灵摘要》《内景图解》《脉法删繁》《格言汇要》《本草必备》《症方发明》等。其于专证专论之后，又列举病例，详述该证之误治、正治经过情况，皆为临床诊治之实际经验。然其《内景图解》部分之插图，与生理解剖之实际情况有相左处。另有《医要》若干卷，未见刊行。

顾墨耕 奉贤（今属上海市）青村港人。撰有《药达》一书，共 2 卷。今上海图书馆存此书下卷，题作顾以琐撰，疑即同一人之作。

顾澄先 曾受命于缪仲淳整理、校订《神农本草经疏》一书。刊于天启五年（1625）。

柴裔 清药家。字竹蹊。深究养生之理，于公元 1740 年辑有《食鉴本草》4 卷。分 14 部集日用之饮食物 468 种，订正药性，区分宜忌。末附"食物全镜"一篇。上海中医学院藏有刻本。

柴源 南宋医家。绍兴（1131—1162）年间为翰林医效诊御脉兼权太医局教授。与王继先等同校《绍兴校定经史证类备急本草》（1159），充检阅校勘官。

柴允煌 字令武。仁和（今浙江杭州）人。撰有《药性考》一书。今佚。出《杭州府志》（1779）。

钱乙 宋著名儿科学家（约 1032—1113）。字仲阳。祖籍钱塘（今浙江杭州）。曾祖时北迁，定居于郓（今山东东平）。父钱颍，善医。东游海上不返。从姑父吕氏学医。尤精通《本草》诸书，辨证阙误，能言异药之生出本末、名称、形态。以擅治儿科病闻名。

钱艺 清药家。字兰陔。镇洋（今浙江吴兴）人。于 1885 年撰有《汤液本草经雅正》一书。今上海中医学院存有稿本。

钱宙 曾与刘文泰一起纂修了《本草品汇精要》一书。

钱捷 字月三，号陶云。浙江象山人。撰有《山农药性解》一书，共 4 卷。今佚。出《象山县志》（1759）。

钱允治 初名府，后以字行，更字功甫（1541—?）。姑苏（今江苏苏州）人。贫而好学，年80余，隆冬病疡，映日抄书，薄暮不止。曾校订《雷公炮制药性解》《药性赋》等书。

钱国祥 清代医生。号吴下迂叟。金匮（今并入江苏无锡）人。博学多能，通诗文经算、天文地理等，尤精于医。尝以医家当熟谙人体内景，而欲辨证施治必先明药性，乃著《身体解》，于1910年录有《药性要略》一书。今存中国中医研究院。又悯贫病之家，乡僻之人就医购药之难，又多外科证候，乃选录内服汤药及外敷膏丹之简、效、稳、便之方，撰成《外科便方》（1898）5卷、《外科肿疡主治类方》等。其偏颇处在于畏用蛇蝎之毒，力求避免杀生而不收动物药。

钱培德 字德培。江苏昆山安亭镇人。撰有《用药准绳》一书。今佚。出《昆新两县志》（1826）。

钱维翰 字亮卿。上海塘湾人。于1850年撰有《药性辨论》一书。今佚。出《上海县续志》。

钱嘉钟 清地理学家。号云庵。浙江嘉善人。贡生。精地理、水利之学，知医。同治初（1862）曾被聘勘七邑舆图，后撰《七邑舆图说》行世。著述甚多，医著有《摘要医案》。并于1862年撰有《药性分经》一书。今佚。出《嘉兴府志》（1878）。

倪端 清药家。撰有《本草别钞》10卷。今佚。出《江都县续志》（1883）。

倪朱谟 明末医药学家。字纯宇，号冲之。钱塘（今浙江杭州）人。业儒，通医学，尤精本草。治疾多效。病家奔走延致，以得一诊为幸。博览历代本草书籍40余种，谓李时珍《本草纲目》赅博倍于前人，已尽辨别之功，遂致力汇集后贤验证确论。周游浙、苏、皖等地，每至城乡，遍访时贤耆宿之深明医学者，采录其经验及论述。天启四年（1624）撰成《本草汇言》20卷。书前列其所访医家姓名籍贯，于"师资姓氏"下录马更生、王绍隆等江浙名医12人，"同社姓氏"下列医家136人。书中各药之下注以形态出产，又详记医家论药之言，附方中则博采前人及时贤之方，并记有未刊之书与手稿，存有医史资料。分部以草、木居前，金石置后。金石又分土石、水石、火石、毒石、卤石、火土、水土诸类，较《本草纲目》尤细。全书共议药626种，然出于自家论说者甚少。书稿由子洙龙收藏，邑人沈琯（字西玚）校正刊行。泰昌元年（1620），汤国华绘入药图500余幅，或有与《本草原始》诸书相似者。后世谓李时珍《本草纲目》得其详，倪朱谟《本草汇言》得其要。

倪洙龙 明医家。字冲之。钱塘（今浙江杭州）人。生活于 17 世纪。父倪朱谟，撰《本草汇言》20 卷。继承家学，尤擅伤寒，刻父书行世。自撰《伤寒汇言》，已佚。

徐仪 著《徐仪药图》，出《新修本草》"积雪草"条下。

徐昊 曾参与编写《本草品汇精要》一书。

徐衷 东晋人。著有《南方草物状》一书。对研究我国生物学史有参考价值。

徐浦 曾参与编写《本草品汇精要》一书。

徐彪 明医家。字文蔚，号希古。华亭（今上海市）人。太医院院使徐枢之子。少随父进陕西，当地人以其居所之名，称为"鲁庵"。正统十年（1445）以能医荐入太医院。因治愈代王久病及昌平侯危疾，遂留御药房。3 年后升为御医。景泰二年（1451）升院判，常侍于宫中，每借医药之事进谏景帝。著《本草证治辨明》10 卷，《论咳嗽条》《伤寒纂例》各 2 卷。

徐滔 撰《云麾将军徐滔新集药录》4 卷，今佚。出《隋书·经籍志》。

徐镇 明代医生。杭州（今属浙江）人。曾参与编写《本草品汇精要》一书。

徐大椿 清著名医学家（1693—1771）。原名大业，字灵胎，晚号洄溪道人。吴江（今属江苏）人。少业儒，为诸生。好读道家书，通晓天文、地理、音律等。以诸生贡太学。后因家人有误于医者，始习岐黄。年 20 从学于周意庭，博览方书，精研医理。乾隆二十五年（1760）及三十六年（1771）两次应召入宫治病，尝官太医院供奉，赠儒林郎。平生著述甚富。尤注重阐发经典医著。主要著作《医学源流论》（1767）两卷，集中反映其学术见解。其中"元气存亡论""药性今古变迁""医学源流论"等，颇多精辟之论。所著《伤寒类方》不以六经分类，使方以类从，证随方定，便于按证索方，不必循经求证。《医贯砭》（1741）两卷述赵献可温补之弊。《慎疾刍言》（1767）亦多针砭时俗谬说。《兰台轨范》（1764）8 卷，多录唐以前著名医书之方论。所取古方，多切实用，然亦采录后世有名方剂。其中所列《千金方》之钟乳粉、《和剂局方》之玉霜圆等服石之品，则遭后人议论。生平行医 50 余年，泛览医书万余卷。经批阅者亦有千余卷。敢于直言以斥时弊，然亦不免有偏颇之论，如谓"仲景《伤寒论》中诸方字字金科玉律，不可增减一字"，而于唐以后医书则较轻视。尝评注叶天士《临证指南医案》，多所纠正；于外科亦多经验，曾评《外科正宗》戒轻用刀针丹药者。医著尚有《难经注释》（1727）两卷、《神农本草经百种录》（1736）。另著《洄溪道情》等文学著作，亦为世所称。咸丰五年（1855）王世雄得徐氏门人金復村所传《洄溪医案》1 卷，编注梓行。后世刊有《徐灵胎医学全书》多种。

徐之才 南北朝北齐医学家（505—572）。字士茂。祖籍山东诸城，寄籍丹阳（今江苏南京）。祖徐文伯、父徐雄均以医术闻名江左。初仕南齐，后被俘入魏，魏帝以其善医术，兼有机辩而诏征。孝昌二年（526）至洛阳，武定（543—549）年间授大将军、金紫光禄大夫等职。所论药石多效，又窥涉经史，博识多闻，由是而方术益妙。武平二年（571）封西阳郡王，故又称徐王。撰有《徐王八代家传效验方》（或作《徐王八代效验方》）10卷、《徐氏家秘方》两卷、《徐王方》5卷，系总结徐氏数代医疗经验之书。另有《药对》（或作《雷公药对》）两卷，据《嘉祐补注神农本草》"所引书传"称其书以"众药名品，君臣佐使，性毒相反，乃所主疾病，分类而记之，凡两卷，旧本多引以为据，其言治病用药最详"。该书佚文见于《证类本草》。又撰有《小儿方》3卷，然孙思邈以为"徐氏位望隆重，何暇留心于少小，详其方意，不甚深细，少有可采，未为至秘"。徐氏所撰诸书均佚。弟之范亦以医术称。

徐凤石 著《本草大成药性赋》5卷。出《中国医籍考》。

徐用笙 自号书呆子。山阴（今浙江绍兴）人。尝依《本草纲目》所载治疗疾病，后取该书价廉易得之物265种，简录性味功治及附方，编成《读本草纲目摘录》一书。上海中医学院存1883年抄本。

徐汝嵩 字雄五。浙江乌青镇人。著有《本草晰义》一书。今佚。出《乌青镇志》（1936）。

徐观宾 江苏昆山人。著有《药性洞源》一书。今佚。出《昆新两县志》（1816）。

徐叔嚮 南北朝刘宋（420—479）时人。或误作徐叔和。祖籍山东，寄籍丹阳（治今江苏南京）。徐秋夫之子。曾任宋大将军。敏而好学，传其父业，究心医术，与谈道术。著有《体疗杂病疾源》3卷。出梁《七录》。撰有《针灸要钞》1卷、《疗少小百病杂方》37卷、《杂疗方》20卷、《杂病方》6卷、《疗脚弱杂方》（或作《脚弱方》）8卷、《解寒食散方》6卷、《解散消息节度》8卷、《本草病源合药合钞》5卷、《体疗杂病本草要钞》10卷等，均佚。

徐视三 字元岳。浙江海盐人。针灸医生。著有《经脉图曜》《本草补遗》，均佚。出《嘉兴府志》（1801）。

徐彦纯 元末明初医家（？—1384）。字用诚。会稽（今浙江绍兴）人。早岁客居吴中（今江苏苏州一带），教授儒学。精医，私淑朱丹溪之学。尝撰《医学折衷》，本《内经》之旨，采撷刘完素、李东垣、朱丹溪诸家论说，折衷其要，分中风、痿、伤风、痰等17类，有论有按，证方俱备。明洪武二十九年（1396）又增设咳嗽、热、火等23类，续增注说，厘为50卷，改名《玉机微义》。至正（1341—1368）年间又取金元各医家论药之言，编为《本草发挥》4卷。共录药300种。书后又集前代名医用药总论。明太医薛铠为之校订。

徐昇泰 明末医家。字世平。会稽（今浙江绍兴）人。勤研儒学，因屡试不第，遂博览深究医学百家书，对马莳《素问注证发微》尤有心得。常治人所不能愈之疾。临证多年后，尝谓辑书可广为施济，遂于晚年一意著书。编《本草正伪补遗》，补《本草纲目》之未备，今佚。

殷增 清药家。字乐庭，号东溪。江苏吴江县人。撰有《人参谱》一书。今佚。出《苏州府志》（1824）。

殷子严 唐药家，著《本草音义》两卷，已佚。出《旧唐书·经籍志》。

翁机 清药家。浙江钱塘（今杭州）人。撰有《本草考证》一书。今佚。出《杭州府志》（1922）。

翁藻 清医家。字稼江。江西武宁人。精医，编有《医钞类编》24卷（1830）。抄辑历代名医著述，内容涉及运气、经穴、脉学、方剂、临证各科及本草等，间或编为歌括，甚便初学者诵读检阅。其中卷23、24为《本草》（或称《医钞类编·本草》）。依《本草纲目》分16部，收药789味。各药以讨论药性功效理论为主，多述配伍用药及同类药性比较。内容充实，便于临床用药。

翁有良 清药家。撰有《本草辨误》一书。今佚。

凌奂 清代医家（1822—1893）。原名维正，字晓五，一字晓邬，晚号折肱老人。归安（今浙江吴兴）人。针灸学家凌云十一代孙。弃举子业习医，师从吴古年。广集汉唐以来名医方术，撰有《饲鹤亭藏书志》3卷。通晓男妇、大小方脉、疮疡、损伤诸科，求诊者盈门，四方来学者甚众。注重《内经》教学，又授以古今家著述，故门人多有医名，如朱皆春、王香岩、李季青及胞侄永言等。曾与姚守梅等创立仁济堂，施医送药。太平天国期间授天医院治病仙官，曾为李秀成等治病。以活鸡皮及桑根白皮缝补颈项刀伤，施麻药以取入肉枪弹等。著有《医学薪传》1卷、《饲鹤亭集方》（1892）两卷、《外科方外奇方》（1893）4卷、《凌临灵方》（为自用效方和医案）等。后两书辑入《三三医书》。又以其师《本草分队》为本，撰《本草害利》8卷。弟凌德，有医名。子绂曾、绥曾（字爽泉），皆传其业。

高伸　著《食禁经》3 卷，今佚。出《宋史·艺文志》。

高梅　清代医药家。字云白。江苏无锡人。著有《尝药本草》8 卷，今佚。出《无锡金匮续志》（1840）。

高濂　明文学家。字深甫。钱塘（今浙江杭州）人。生活于万历（1573—1620）前后。工诗及曲，著《雅尚斋诗草》等。兼通医理，擅养生，撰养生专著《遵生八笺》19 卷，分 8 目：清修妙论笺，述养生格言；四时调摄笺，论按时修养之诀；起居安乐笺，论宝物器用可资颐养者；延年却病笺，叙养生法；饮馔服食笺，除饮食名目外，附以服饵诸物；燕间清赏笺，谈赏鉴清玩之事，附以种花果法；灵秘丹药笺，集经验方药；尘外遐举隽，记历代隐逸者一百人事迹。书中所载，皆供闲适消遣之用，其中亦多伪误。然抄撷既富，亦颇有助于检阅参考。其详论古器，汇集单方，亦时有可采者。

高世栻　清医学家。字士宗。钱塘（今浙江杭州）人。少家贫，读通俗医书，年 23 即悬壶应诊。后自病，时医治之益剧，久之不药幸而自愈。遂憬然自悔，谓己之治病，亦与时医同，是草菅人命。乃从名医张志聪，讲论医学经典著作，历十年，悉窥精奥。诊病必究其本末，处方不拘成规。尤重理论探讨，尝谓"医理如剥蕉，剥至无可剥，方为至理"。医之正道，当明十二经脉络、五运六气。于医经注家，赞同王冰、马莳、张志聪之全文注解法，反对《灵素合刻》《纂集类经》诸书妄自割裂原文，删改字句。因见张志聪《素问》《灵枢》集注义意艰深，乃为注释，成《素问直解》（1695）9 卷。张志聪著《本草崇原》未竟而卒，遂续成其书，以阐述药性为主。又有《伤寒论集注》（1683）6 卷，亦张志聪原注，高氏续加纂集。晚年从学者甚众。康熙三十五年（1696）聚弟子于侣山讲堂，论学四年有余，探讨医学，质疑问难。其弟子王嘉嗣（字子佳）、曹增美（字白玉）、管益龄（字介眉）、徐麟祥（字皆知）、朱升（字曙升）、杨吴山（字迈崟）、杨昶（字长舒）、奚天枢（字尚公）等手录高氏言论，纂为《医学真传》。内多阐述病因、病机、诊治要则及辨药大略等。尚有《灵枢直解》《金匮集注》诸书，未见传世。

高廷和　明弘治年间御医。与刘文泰一起参与修撰《本草品汇精要》一书。与刘文泰、王槃一起充任该书的总裁。

高绍功　南宋医家。绍兴（1131—1162）年间为翰林医侯、御医，兼权太医局教授。与王继先等同校《绍兴校定经史证类备急本草》（1159），充检阅校勘官。

高砚五　清代药学家。字承炳。江苏无锡人。先世锦龙，为当地名医，以《本草纲目》绘图翻刻失真，乃著《本草图经》，逐种考校。书成未刊，毁于战乱，仅存草部百十味药。砚五乃以此为本，补订而成《本草简明图说》（1887），收千余种，各绘药图。其图有目见者，有传闻者，有方书所载考订而得者，有西人图绘参酌而得者。

高保衡 宋代医学家。为朝奉郎国子博士，太子右赞善大夫。深明方药病机，曾在校正医书局任职，参加校正《黄帝内经素问》《伤寒论》《金匮要略方论》《嘉祐本草》等医著。神宗以其修《内经》有功，下诏加上骑都尉。

高鼓峰 撰有《药论随笔》一书，后被沈文彬（1870—1956）收入《药论》。

高锦龙 清代药家。以《本草纲目》绘图多次翻刻，已其失真，乃著《本草图经》。书成后毁于战乱。

郭治 清代医家。字元峰。广东南海人。父兼水，儒而精医。承家学，又常与何梦瑶论医。学宗刘完素、朱丹溪，治病戒温补。主张四诊合参，尤精于脉诊，传其可凭脉望色预断疾病。著《脉如》（1753）两卷，后为钱季寅易名为《辨脉指南》。书中于脉学诸论之后，兼述望、闻、问三诊要义。另著有《伤寒医案》《伤寒论》《药性别》《医约》诸书，未见刊行。孙敬辉，侄惠开，侄孙悦千、翰千，皆以医行世。

郭汝聪 清山西临汾人。字小陶。儒生。嘉庆八年（1803），取张志聪《本草崇原》、叶天士《本草经解要》（实为姚球撰）、陈念祖《本草经读》三书注解，汇成《本草三家合注》6卷，录《本经》及常用药290味，述各药性味、功效、主治，并罗列三家注文。书后附刊徐大椿《神农本草经百种录》。

郭佩兰 清初医学家。字章宜。吴阊（今江苏苏州）人。自幼体弱，抱病有年，遂留心方脉。习儒之余，常与同学陈白笔共探医经、汤液之奥理，以至"积书至连屋宇，手抄几等身"。交结四方名医，尝与沈阳仲等切磋医学蕴义，又从学于李中梓，深得其指授。顺治十二年（1655），李见其《本草汇》初稿，乐为之序。至康熙五年（1666），《本草汇》18卷始定稿。此书本于《本草纲目》，佐以《本草经疏》。专明药性，力求文简义尽，兼采楼全善《医学纲目》中之病机论述，以便用药。计收药470余种，每药下编有俳语，便于记诵。并附所得历试之验方等。另撰有《四诊指南》《劳瘵玉书》《类经纂注》等，未见传世。

郭学洪 清代医家。字竹芗。江苏吴江人。尝撰《药性提要歌诀》，以寒、凉、泄、补、平诸药性归类药物。各药编七言歌括，述归经、效用、禁忌。今存有1920年之传抄本。

郭晏封 著《草食论》6卷，今佚。出《宋史·艺文志》。范行准考"乾宁晏先生"即郭晏封，著《制伏草石论》（疑《宋志》误"草石"为"草食"）。

唐达 明末医生。字景儒（一作灏如），号永言。德清（今属浙江）人。崇祯十七年（1644）贡生。明亡后，不出山，隐于医。精研理学及星历、音律等，注《素问》（名《素问唐参》）、《本草辨误》。学者私谥"渊静先生"。年逾60卒。

唐宏 明弘治年间冠带医士。曾与刘文泰一起参与修撰《本草品汇精要》一书。

唐千顷 清代医学家。原名方准，字桐园。上海（今属上海市）人，一作江宁（今江苏南京）人。曾入太学，好经术，著书甚多，如《教蒙楷式》等。精岐黄术，急病人所急，治多效验，以善医闻于时。尝参阅《达生编》《绣阁保生书》《医方考》等，纂集有关种子、胎前、临产常见诸证之处理及治护诸法，并增以保婴之术，撰成《大生要旨》（又名《妇婴宝鉴》，1762）5卷，《本草分经分治》（佚）。后者据《嘉定县志》载。

唐子霞 好读书，政和（1111—1117）年间，从眉山陆惟忠游。著《天目真镜录》，谓天目（山）有养生之药：蓍草、芫花，皆名著仙经。《于潜县志》（1812）卷14有传。

唐玉书 清代医家。字翰文。上海（今属上海市）人。学医于清初名医李用粹，手录其医案，辑成《旧德堂医案》（现存于《三三医书》中）。另著有《本草删书》《伤寒类书》《脉学定本》。子宗泰（字宏文）为清太医院史目，孙尔歧（字临照）亦继家业。

唐秉钧 清代医家。字衡铨。上海（今属上海市）人。名医唐千顷之侄。自幼博览群书，后精医。著《人参考》（1778）1卷，于人参之产地、质量、不同品种之形态、性味以及收藏、保存等论述颇详。另著《内难要语》，未见刊行。

唐宗海 字容川（1847—1897）。天彭（今四川彭县）人。近代著名中西医汇通派医学家。少业儒，光绪十五年（1889）进士，授礼部主事，旋因妻卒乞归。以医名世，著《中西汇通医经精义》（1892）、《血证论》（1884）等书。药学专著有《本草问答》（1893）两卷，系与其门生张士骧问答而成。

唐慎微 宋著名医药学家。字审元。成都华阳人，一说蜀州晋原（今四川崇庆）人，后迁居成都。世业医，对医药造诣颇深。元祐（1086—1093）年间师事李端伯。治病多效，且不论贵贱，不避寒暑风雨，有召必往，或不取诊金，只求赠以名方秘录。经多年广采博辑，编成《经史证类备急本草》（简称《证类本草》）31卷，目录1卷。此书合《嘉祐本草》《本草图经》为一编，并增添大量药物资料。举凡经史百家、佛书道藏有关医药记载，均加择录，收药 1746 种，集北宋以前本草学之大成。据考其书初成于元丰五年（1082）前后。尚书左丞薄宗孟（字传正）见其所著，欲奏与一官，拒而不受。后经陆续增补，于元符元年至大观二年（1098—1108）间定稿，由艾晟校补刊行，名《大观经史证类备急本草》31 卷。政和六年（1116）医官曹孝忠据此重校厘正，名《政和新修经史证类备用本草》，30 卷。此后迭经刊印，版本甚多，然基本内容仍以所著《经史证类备急本草》为准，明·李时珍编写《本草纲目》主要以此为蓝本。子二人及婿张宗说（字岩老）皆受其传授，为成都名医。

浙西饕士　即顾仲。字中村，号浙西饕士。

浦士贞　清医家。号夕庵。撰《夕庵读本草快编》6 卷，撮要揽萃，删繁就约。且将同类药品归于本名，如阿胶归于驴、轻粉归于汞等。若同类而气味稍殊，功用相仿者，则合而论之，如诸瓜、蛇、薑、饭等，盖取其简而可考，备而不琐。

浩然子　即王宏翰。字惠源，号浩然子。

海阳竹林人　即汪汲。

悔迟居士　撰有《本草分类》一书。重庆市图书馆存有抄本。

诸葛颖　隋药学家（539—615）。字汉。丹阳建康（今江苏南京）人。年 8 岁能属文，初仕梁，后历太学博士、太子舍人等。晋王广为太子，授藏药监。后从炀帝北巡，卒于道。大业（605—616）年间，撰有《淮南王食经并目》165 卷，《旧唐书》作《淮南王食经》120 卷（《新唐书》作 130 卷）。另有《淮南王食目》10 卷、《淮南王食经》13 卷。

谈鸿鋆　清代医家。字问渠。居于京师（今北京市）。任职农部。认为医道之衰，由于讲求药性者少。而成人记忆不及儿童，欲明药性，当自幼习诵，至老不忘。光绪七年（1881）以韵文体四字骈言编成《药要便蒙新编》，选常用药 365 种，按药效类为 10 门。每药注释以 30 字为限。重在阐释性味、主治及归经。

谈道术　撰有《谈道术本草经》3 卷，出梁《七录》。

陶思曾　字在一。浙江绍兴人。撰有《神农本草经正义》一书。《绍兴县志资料》（1939）载其书名。今佚。

通一子　即张介宾。

通玄处士　即刘完素、刘守真。

十一画

聊斋先生　见蒲松龄。

黄帝 传说中中原各族的共同祖先。姬姓，号轩辕氏、有熊氏。少典之子。举凡兵器、舟车、弓箭、文字、养蚕、衣服、音律、算术及医药等，相传皆创始于黄帝时期。现存《黄帝内经》，系托名黄帝与岐伯、伯高、少俞、桐君等，讨论医药学的著作。此书是我国最早的一部中医理论专著。此书原为18卷，即《素问》和《针经》（后称《灵枢》）各9卷，较系统地总结了古代医学理论。此外尚有《黄帝外经》《黄帝针经》《黄帝明堂经》等冠以黄帝之名的著作多种。由于《内经》多为黄帝问、岐伯答的形式写成，故名世称中医学为"岐黄"或"岐黄之术"。

黄宣 宋医药家。字达之。浙江天台人，淳熙二年（1175）进士。撰《药书》10卷（一作两卷），今佚。出《天台县志》（1683）。

黄钰 清代医家。字宝臣。四川璧山人。知医，于脉法尤有心得。以脉有3部，人体阴阳流通，呼吸出入，皆贯脉中，乃撰《平辨脉法歌括》1卷。又有《伤寒辨证集解》8卷、《本经便读》（1869）4卷、《经方歌括》（1874）两卷。另有《名医别录》题为黄钰辑，书名与南北朝以前陶氏所著相同，然非本草辑佚之作。其书可见于《陈修园医书》。

黄堂 清代医家。字云台。锡山（今江苏无锡）人。少时读《灵枢》《素问》《伤寒论》《金匮要略》诸书，然未得要领。后从学于缪松心，见其用药本诸医学经典，得心应手，因有所悟，临证亦多良效。常摘取30余年间之医案，以证类案，编成《黄氏纪效新书》两卷，后由黄寿南校注传世。又撰《药确联珠》4卷，今存稿本。

黄渊 明代医学家。余姚（今属浙江）人。著《难素笺释》《针经订验》《本草考证》两卷，均佚。出《绍兴府志》。

黄奭 字右原。清甘泉（今江苏江都）人。世为富商。嘉庆、道光间任刑部员外郎，钦赐举人。曾辑佚书280种，撰《黄氏逸书考》。同治四年（1865）辑《神农本书经》3卷。此书较孙星衍、孙冯翼合辑本多补遗22条。所补多半摘自《太平御览》《证类本草》。

黄上琮 字文琦。清代医家，上海宝山罗店镇人。工诗，隐于医。撰《一隅本草》，印光任为之序。《宝山县志》（1882）载其书名。今佚。

黄元吉 清代医家（1782—?）。字济川。彭门（今四川彭县）人。从医师李某习医。后历经十省，行医20余年，经治病人甚众。尝参阅诸家方论及己之阅历，纂成《医理发明》（一名《医理不求人》，1833）8卷，论脉象、脏腑、杂证治法，述所治各科医案。又说著《医理求真》8卷，卷6为《药性论》，论药百余种，不分门类，每药寥寥数语。中国中医研究院等处藏清春林堂刻本。

黄元御 清医学家（1705—1758）。一名玉路，字坤载，号研农，别号玉楸子。山东昌邑人。诸生。因庸医误治而损左目，遂发愤习医。师从金乡于子遽（字司铎），精研《内经》《难经》《伤寒论》等典籍，旁涉晋唐以后诸家学说，行医各地。尝教学于北都（今山西太原）、清江（今属江西）、武林（今浙江杭州）等地。尊岐伯、黄帝、秦越人、张仲景为"四圣"。以为自"四圣"之后，唯孙思邈不失古圣之旨。论治主扶阳以抑阴，用药偏于温补。著有《四圣悬枢》5卷、《四圣心源》10卷、《玉楸药解》8卷、《素灵微蕴》4卷、《伤寒悬解》14卷、《伤寒说意》10卷、《金匮悬解》22卷、《长沙药解》4卷，于乾隆（1736—1795）年间合刊为《黄氏医书八种》。其阐释经典医著，颇有心得。弟子毕维新等继其学。后世张琦、欧阳兆熊等亦受其学术思想影响。

黄云师 明代药家。字非云，一字雷岸。德化（今江西九江）人。崇祯庚午（1630）进士。退居后著书15种。《药谱明疗》为其中之一，乃摭取《本草纲目》精华，考证论辩较广博。书佚，序文存《德化县志》（1780）。

黄百谷 清代药家。字农师。浙江余姚人。撰有《本草注》，今佚。《余姚县志》（1899）著录其医药书多种，今佚。

黄光霁 清末医家。字步周。婺源（今属江西）人。潢川监生。精医，活人甚众，金陵、苏州俱知其名。尝著《本草衍句》1卷，录药268味，末附简注及单方，以供其孙习医之用。休宁（今属安徽）人金履陛录此书稿刊入《三三医书》。

黄克明 宋代人。著有《江餐馔要》1卷，今佚。出《通志·艺文略》。

黄伯沈 南宋药家。于1226年辑有本草之节本（原附《和剂局方》之前）。

黄叔灿 清代人。字牧村。尝访问众鬻参者，得知人参鉴别、收购和销售等诸多经验，撰《参谱》（1808年初刊），后收入《借月山房汇钞医书五种》。

黄凯钧 清代药家（约1752—?）。字退庵，号退庵居士。浙江嘉善人。撰《友渔斋医话》6种，《药笼小品》为其末。不分部类，大致按植、矿、动物为序，列常用中药309种。简要介绍临证用药要点，附个人经验，间出新意，切于实用。今存嘉庆七年（1802）原刻本及《中国医学大成》本。

黄宗沂 清代医家（?—1856）。字鲁泉，号同甫。江苏江都人。附生。幼潜心经史，后研究《素问》《灵枢》精蕴，遂以医名。尝谓医之窍在临证审辨之细，药物运用之妙，不当拘泥成方。著《本草纲目补遗》，未见传世。

黄庭坚 宋诗人、书法家（1045—1105）。字鲁直，号山谷道人、涪翁。分宁

（今山西修水）人。治平（1064—1067）年间进士，以检书郎为《神宗实录》检讨官，迁著作佐郎。出于苏轼门下，并与苏齐名，世称"苏黄"。奉亲至孝，与名医初虞世交往甚密，故亦知医。著《食时五观》1卷，今存于《说郛》。

黄济之 明医家。字世仁。余姚（今属浙江）人。生活于成化（1465—1487）前后。精于医。著有《本草权度》3卷，该书实为综合性医书，与药无关。书名"本草"，实为临证各科常见病脉、因、证、治之阐述，包括五脏虚实、脉法、脉体升降图、经络图等内容，辨证颇多心得，治法亦称简要。

黄宫绣 清医药学家。字锦芳。江西宜黄人。父为谔，著医书《理解体要》两卷。初业儒，为太学监生。乾隆三十八年（1773）以所著《医学求真录》16卷、《本草求真》12卷呈《四库全书》书局采择。别抄《医学求真录总论》（1750）5卷，以标明其宗旨。《四库全书提要》评其书曰："议论亦明白易解，然不无臆说。如论风土不齐，而云西北人不可温补，则未免胶柱而鼓瑟矣。"《本草求真》中收药520味，按药性功能分类，以便查索。书中论药性尤详，每从实处追求。末为《脉理求真》1卷，掇取诸脉学之精华，强调"持脉之道，贵乎活泼"，于脉理颇多阐发。又有《锦芳太史医案求真初编》（即《锦方医案》，1769）。

黄晖史 清末医家。名炜元。广东大埔人。得祖传医学，复殚数十年精力，博览医书，揣摩医理，活人甚众。复编次《医学寻源》（1911）5卷，分述经络法窍，时方歌括，增补药性赋、辨疫真机、伤寒、杂证歌括。书中有"本易道以为医道"之论，并及祖传及个人临证心得。

黄滋材 清药家。于1874年编有《本草群集》，中国科学院图书馆藏有此书抄本。

黄彝尊（鬯） 清医家。字虔僧。湖南长沙人。精究历史，往来于大江南北讲授儒学。暇时即习医，谓医为格物致知之一事，有医名。光绪二十三年（1897）司理校经堂，将所编《药性粗评全注》梓行。该书取《本草纲目》等所载常用药663品，复采《神农本草经》及诸名家之论治精确者，编为骈语，又加评注，甚便初学。

萧京 明末医学家（？—约1644）。字万舆，号通隐子。闽中晋江（今属福建）人。尝患梦遗症，百治莫效，后游历至楚慈阳，得李时珍之甥孙黄州（今湖北黄冈）胡慎庵治愈，乃从之学轩岐秘典、脉旨病机、药性方法等。后入蜀，复参印群贤，颇得要领，勤研医学凡20余载。归里后行医，目击当时医者治病舍本逐末，痛感其操术不精，乃竭己之所学，悉灵素之蕴，发挥脉旨，阐明药性，揭示病

715

机虚实，著《轩岐救正论》（1644）6 卷，措辞立论，简明易懂，可为习医者教本。各卷有单行本，分别为《四诊正法》《药性微蕴》《伤寒门医案》《医论》《医鉴》《病鉴》等。

萧炳 唐药学家。号兰陵处士。兰陵（今山东枣庄）人。精岐黄。取本草药名，每上一字，以四声相从，编成《四声本草》5 卷。已佚，部分佚文收入《证类本草》。

萧步丹 著有《岭南采药录》（1932），相当于一部岭南地方本草著作。

萧缵绪 清医家。字作周，一字丰亭。沩宁（今湖南宁乡）人。以汪昂《本草备要》甚嘉惠荒村僻壤，然于药物真伪、宜忌畏恶，犹多遗漏。因本诸《本草纲目》，增补方药，辑为《新增本草方症联珠》（1835）7 卷，其中有《脉学浅谈》《内景真传》各 1 卷。

梅彪 唐炼丹家。西蜀江原（今四川松潘）人。少攻丹术，穷究经方。尝疏注唐以前道家炼丹书中所用药物、丹方之各种隐名，撰成《石药尔雅》（又作《百药尔雅》，806）两卷，使习者易诵。

梅雨田 光绪十四年（1888），稍正次序，重刻《本草分经》，增名为《本草分经审治》。

梅得元 明医家。字元实。钱塘（今浙江杭州）人。生活于 16 世纪下半叶。精医术，曾施药以救治疫疠，活人甚多。著《药性会元》3 卷，已佚。陈性学为之序，谓："族类以部而分，方所以产而别，性味以品而殊，燮之以阴阳，别之以经络，济之以水火，参之以君臣佐使，附之以畏恶忌反。"可按类检索，以作指南。

梅花主人 见周恭。

梅虚山人 见周履靖。

曹子休 著《续法馔》5 卷，今佚。出《通志·艺文略》。

曹孝忠 宋医官。政和（1111—1117）年间以医得为中卫大夫，总辖修建明堂所医药提举、入内医官，编类《圣济经》提举太医学。政和六年校勘《证类本草》。会同医官龚璧、丁阜、许瑂、杜润夫、朱永弼、谢蕡、刘植等，勘误数千处，补《大观本草》所缺药 5 味，调整卷次，校成《政和新修经史证类备用本草》（即《政和本草》）30 卷。此书版成逢靖康之变，为金人掠至北地刊行。政和八年，又校勘《圣济经》，五月颁行，为医学校教本。其子亦为翰林医官。

曹枢旸 清代医家。字翰臣。江苏江都人。幼受叔象山教，精于医理。著有《本草纂要》。子懋臣，著《医话》3 卷，均未传世。侄学曾，亦业医。《扬州府志》（1874）谓《本草纂要》可与汪昂《本草备要》相埒。今佚。

曹炳章 字赤电（1877—1966）。浙江鄞县人。世营商业。继绍旧业，暇则诵习医经。从师方晓安，得习《内经》《难经》《金匮要略》等历代医籍，七载而尽窥其奥，声誉鹊起。弱冠任药栈经理并兼行医，广搜医药书籍，研习揣摩，学术益进，诊治辄效。又与何廉臣为文字交，常切磋讨论，协同编辑《绍兴医药月报》，并创办《药学卫生报》，开设和剂药局等以发扬中医学术。1931 年任中央国医馆名誉理事，热心为发展中医事业而努力。认为医者必须博览群书，温故知新，以发人所未发，认为临证要随机应变，不可墨守一家之法，以应付变化无穷的病证。1935 年，精选切合实用之医学著作，上自轩岐神农，下迄近代，计 365 种，2000 余卷，分为医经、药物、诊断、方剂、临床各科、医案、杂著等 13 类，每书均撰写提要，以明书之来历及内容大概等，编成《中国医学大成》，已印行 128 种。各书提要又刊为《中国医学大成总目提要》传世。此书对保存和普及中国医学文献有较大贡献。另集注有《辨舌指南》《医医病书》等多种及遗稿 22 种。

曹瀛实 清代药家。1918 年辑有《药味别名录》，该书别出心裁，按药名首字分类检索，便于药业人员查索。

咸日旻 明末医家。字肇升。括苍（今浙江丽水）人。尝著《药性便览》两册，分杂证、妇人、小儿 3 科，各种之下，又以功效类药，分述性味、归经、主治、宜忌诸项。今中国科学院图书馆存其抄本。

龚信 明医家。字瑞芝。金溪（今属江西）人。精岐黄术，隶职太医院，纂辑有《古今医鉴》16 卷（原作 8 卷），由其子廷贤续编而成，刊于万历十七年（1589）。此书收集古今医学名论，间亦附以己意，参考互订，唯以明验者取之。首论脉诀、病机、药性、运气，后述各种病证证治，治疗方剂搜罗颇广，并收有不少民间验方和外治、针灸疗法。

龚璧 宋医官。政和（1111—1117）年间为太医学人舍生，编类《圣济经》所点对方书官。政和六年与曹孝忠等同为《政和新修经史证类备用本草》校勘官。

龚廷贤 明医学家。字子才，号云林、悟真子。金溪（今属江西）人。世业医，父龚信，曾任职太医院。随父习医，勤研《内经》《难经》等书，并取法金、元诸家学说，还就教于名医，遂以医术闻名。因愈鲁藩元妃之疾，入御医院任太医，并获医林状元匾额。撰述甚富，有《寿世保元》（1615）10 卷、《万病回春》（1587）8 卷、《小儿推拿秘旨》（1604）、《药性歌括四百味》、《药性歌》1 卷、《种杏仙方》（1581）4 卷、《鲁府禁方》（1594）4 卷、《医学入门万病衡要》

（1655）6 卷、《复明眼方外科神验全书》（1591）6 卷、《云林神彀》（1591）、《新刊医林状元济世全书》（1616）8 卷等，尤以《寿世保元》《万病回春》流传为广。另有为其父续编而成之《古今医鉴》。其著述涉及临床各科证治及本草、药性等，立论主以引述和折衷各家之说，方剂选辑较切实用，对后世影响颇大，并流传至日本等国。其《小儿推拿秘旨》更为现存推拿专书中较早、较完善之作。另著有《痘疹辨疑全幼录》3 卷、《秘授眼科百效全书》3 卷、《云林医圣普渡滋航》8 卷、《医学准绳》4 卷等，均佚。《本草炮制药性赋定衡》13 卷亦题为廷贤撰，实系伪托。

龚国琦 字景仁。江西南昌人。撰有《本草汇编》，今佚。出《江西通志稿》（1947）。

盛立 1975 年主编了《中药大辞典》，但未留下姓名。该书 1975 年成书，1977—1982 年由上海科学技术出版社出版。据楚半客《〈中药大辞典〉编纂琐记》（《辞书研究》，1984 年 2 期）。

盛壮 号研家。江西武宁人。撰有《药性分经》。今佚。出《南昌府志》（1873）。

盛熙 字新周，号敬斋。浙江嘉善人。著有《用药时宜》等医药书多种。今佚。出《嘉善县志》（1894）。

雪樵 不明姓氏。著《兰台要旨》，卷下为《用药》。阐发药理，不述具体药物功治。每四句四言韵语之后，略加阐述。上海中医学院藏益寿堂刻本（1870）。

常普兰奚 与忽思慧合编《饮膳正要》一书。

晦明轩 见张存惠。

崔浩 南北朝北魏官吏（？—450）。字伯渊。清河东武城（今属山东）人。少好学，博览经史百家之言。尝师事寇谦之，修服食养性之术。曾为其母所口占之《食经》作序。与他人合辑《国书》30 卷，今佚。

崔源 宋医学家。熙宁（1068—1077）中撰《本草辨误》1 卷（或作两卷），今佚。出自《通志略》。

崔禹锡 唐官吏。齐州全节（今山东济南）人。开元（713—741）年间任中书舍人。著有《崔氏食经》（又作《崔禹锡食经》4 卷，已佚，佚文可见于《医心方》《证类本草》等。

崔隐士 唐道家。撰有《入药镜》，实为道家。后世不乏注释者。或误作本草书著录。

崔鼎仪 为明太医院冠带医士，曾任《本草品汇精要》一书的副总裁。

崇安　明药家。辑有《类编本草集注》。

偶斋主人　见年希尧。

康时行　清代医家。字作霖，号竹林。原籍松江娄县（今属上海市），迁居苏州。于诊务之暇，好研医史。以医之三皇，如儒之有孔子，而药王为唐之韦慈藏。所著《三皇药性考》，为唐大烈收入《吴医汇讲》。

章穆　清代医学家（约1743—1813）。字杏云，晚号杏云老人。江西鄱阳人。藏书甚富，勤于诵读，尤喜钻研医学及历算等实用之学，精于医理。治病不计钱财。行医50余年，治病多效，据载当时乡里人"望之如望佛"。他在行医时，见误于药饵饮食者甚多，遂取《本草纲目》为宗，举世间食物653种，结合亲身经历，详加考订。撰成《调疾饮食辨》（1813）6卷，针砭俗弊，颇多新见。书刊刻未竟而殁，道光三年（1823）由后人续刻成编。存世医书尚有《四诊述古》抄本（或云为同里人王定远所著），以四诊为纲，辑古今诊断要义。另有《伤寒则例》《医家三法》及历算著作《三角弧弦绪论》等，均未见传世。门人有王衡、程应春等。

商大辂　明药家。号茹松。浙江金华人。撰有《金华药物镜》，似为一地方本草著作，今佚。出自《金华县志》（1823）。

梁嘉庆　著《本草要诀》1卷，今佚。出《通志·艺文略》。

寇宗奭　宋药学家。政和（1111—1117）年间官承直郎澧州（今湖南澧县）司户曹司。从宦南北，留意医药。历10余年，采拾众善，诊疗疾苦，合和收蓄之功，率皆周尽。撰《本草衍义》（一作《本草广义》，1116）20卷，订正《嘉祐本草》《本草图经》之误。精于辨药，尝谓医者须"达药性之良毒，辨方宜之早晚"，不可真伪相乱，新陈互错。又订药物"四气"为"四性"，于医药理论颇多阐发。宣和元年（1119）由其侄寇约刊行。金元诸家，多尊信之。本草之学，自此一变。太医学博士李康谓此书"委是用心研究，意义可采"，申报朝廷。政和六年十二月，特转以"添差充收买药材所辨验药材"一官。李时珍认为"参考事实，核其情理，援引辨证，发明良多"，又指出"以兰花为兰草、卷丹为百合，是其误也"。元·朱震亨著《本草衍义补遗》续加补正。另《新编证类图注本草》及其同类刊本，旧题寇宗奭撰，系托名。

扈蒙　宋代知制诰。参与《开宝本草》编纂工作。

屠道和　清医家（1803—?）。字燮臣。湖北孝感人。业儒，道光二十七年（1847）科举不第，即潜心医学。博考名家医著，于本草、脉学尤细心揣摩，辑成《本草汇纂》（1851）3卷。经10余年反复参订，收药500余种，按功效分类，简述性味功效及用法。又汇辑《脉诀汇纂》两卷、《药性主治》1卷、《分类主治》1卷、《普济良方》4卷（内含《杂证良方》《妇婴良方》各两卷）。以上诸书，合刊为《医学六种》（1863）。另辑刊《喉科秘旨》（1863）。

隋费　撰有《隋费本草》9卷。今佚。梁·阮孝绪《七录》（520—527）有著录。

随园老人　见袁枚。

维摩和尚　见姚澜。

巢孝俭　与苏敬一起参与编写《新修本草》。

十二画

彭缙　明药家。字北田。安徽萧县人。撰有《药性书》，今佚。出《徐州志》（1722）。

彭蟾　唐药家。字东瞻。宜春（今属江西）人。撰有《凤池本草》。

搜真子　见杨崇魁。

葛天民　清药家。字圣逸，一字春台。江苏江都人。撰有《本草提要》4卷，今佚。出《江都县志》（1743）。

葛云薛　清药家。字履坦。撰《花圃药草疏》，今佚。出自《昆山新阳合志》（1751）。

葆光道人　明代人。有人认为他是《秘传眼科龙木论》的作者，但尚有争议。

蒋仪　明医家。字仪用。嘉善（一作嘉兴，均属浙江）人。尝游学于王肯堂弟子茂陵张玄暎门下，并得王氏《医镜》原编，辑订而刊行。此书论述内外科29目（其内科又附以19目），杂门4目，疮疡8目，妇人11目，小儿15目。所论较简，以供乡里无书者之需。周中孚《郑堂读书记》以为此书为蒋仪自撰，而托名王肯堂，以重其书。又仿《医镜》著《药镜》，收载诸药以温、热、平、寒分类，各以骈文括其主治，另附拾遗、疏原、滋生三赋以补其所未备。崇祯十四年（1641）蒋氏曾将《医镜》《药镜》二书合刊成《医药镜》。

另有正德九年（1514）进士，亦名蒋仪，原籍昆山，后作天津卫军籍。《天津县新志》误以其为《药镜》作者。

蒋淮　宋代人。撰《疗黄歌》1卷，《药证病源歌》5卷，今佚。出自《通志·艺文略》。

蒋溶　清代人。字文舟。江苏武进人。得张琦《本草述录》乃增"补集"1卷，添野山参、东洋参等药。书名仍旧，今中国中医研究院藏手抄本。

蒋义方 唐代人。曾与苏敬一起参与编纂《新修本草》。

蒋示吉 明末清初医家。字仲芳，号自了汉。古吴（今江苏苏州）人。幼年丧母，寄居舅家，阅览方书，渐通医理。清顺治初（1644）避兵于山乡，人有疾者，即按方加减与之，所投辄效，叩户求方者殆无虚日。尝思古人陈案，虽各臻其妙，然论多方杂，未易窥测其奥旨。因究心《灵枢》《素问》等医著，斟酌尽善，撰成《山居述》4 卷，未付梓。后于康熙二年（1663）夏月复在原著中择其要者，录方剂加减，附论变通法，编为《医宗说约》6 卷，《药性炮制歌》为卷 1 后半部。收药 316 味，按自然属性分类。每药四言诗一首，下注炮制法。其歌或辑自前人书，别无新意。有清刊本 20 余种。王文选《活人心法》（1838）曾转载此歌。另于《灵枢五色篇》研习颇有心得，故释文绘图而成《望色启微》（1671）3 卷。

蒋茂昌 唐代人。显庆（656—660）年间与苏敬等共撰《新修本草》。

蒋季琬 唐医药家。显庆（656—660）年间与苏敬等共撰《新修本草》。另撰有《加诠杂注本草》，已佚。

蒋季瑜 唐代人。显庆（656—660）年间与苏敬等共撰《新修本草》。

蒋季璋 唐代人。显庆（656—660）年间与苏敬等共撰《新修本草》。

蒋居祉 清新安（今属安徽）人。字介繁，号觉今子。习儒有年，亦究心医道。辑《本草择要纲目》，载药 356 种，以寒、热、温、平分类，述诸药气味、主治。后由其子蒋瀞（字雪州）于康熙十八年（1679）刊行。

蒋鸿模 清代人（1853—1918）。字仲楷。合州（今四川合川）人。1892 年撰有《本草便读》1 卷。该书取《本经》及后世注释编为歌诀。所收药皆常用品，另有《证治药例》（1914）系将李时珍《本草纲目》"百病主治药例"删订而成。

韩奕 明初医家。字公望，号蒙斋。吴县（今属江苏）人。生活于 14 世纪。父凝，为吴中名医。奕传其术，亦隐于医。精本草及饮食烹饪，1582 年撰《易牙遗意》2 卷，后附《酒经》，此书叙述食品 143 种，重在制作方法，亦有与医药相关者，内容丰富，此书为周履靖刊入《夷门广牍》。

韩鸿 清医家。字印秋。父业医，得家传，习医经、本草。并将家藏旧稿编为《韩氏医课》（1897）7 种，计有《本草撮要类编》《金匮方歌括》《医方歌括》《温病方歌》《霍乱方歌》《景岳新方八陈歌》《十剂选时方歌》。其中《本草撮要类编》系以王荛臣所授《本草择要》残本为基础。经韩氏父子删补，采前贤名言，间附效方，辑为 3 卷。

韩保昇 五代后蜀药学家。蜀（今四川）人。曾任翰林学士。精于医，不拘局方，详察药品，释本草甚明切。因深知药性，施药辄有效。曾奉蜀主孟昶敕与蜀诸医工，取《新修本草》并《图经》，相参校正，稍增注释，为《重广英公本草》20卷，即《蜀本草》，原书已佚，《嘉祐本草》转引其部分内容，注明"蜀本云"；《证类本草》所引"唐本余"，亦为该书佚文。韩氏于此书中首次释"本草"一词："按药有玉石、草木、虫兽，而直云本草者，为诸药中草类最众也"，为后世膺服。所增内容多切实用。李明珍评称该书图说、药物形状，颇详于陶弘景、苏敬之说。

森立之 日本人，曾辑《重辑神农本草经集注》7卷。

掌禹锡 宋医药家（990—1066）。字唐卿。许州郾城（今属河南）人。官至光禄卿直秘阁。嘉祐二年（1057）与林亿、苏颂、张洞等共同奏请于集贤院设校正医书局。同年会同医官秦宗古、朱有璋等，以《开宝本草》为蓝本，参考诸家本草著作进行校正补充，撰《嘉祐补注神农本草》（简称《嘉祐本草》）20卷，于嘉祐五年成书。此书广采博辑，新补药82种，新定药17种，共收药1082种。掌氏兼善地理，曾参与编修《皇祐方域图志》《地理新书》，著有《郡国手鉴》等。

嵇含 晋代人（263—306）。嵇含是否为《南方草木状》作者，至今众说纷纭，而以否定的意见居多。《南方草木状》是世界上最早的一部区域性植物志。该书对我国南岭以南到东部中南半岛的边缘热带的许多特产植物及其景观，作出了相当正确的和比较系统的描述。

程伊 明医家。字宗衡，号月溪。新安岩镇人。世业医。初学举子业，兼涉医书，后专攻医学，尤精医理。尝谓："可以言传者，药之名也；可以意得者，方之义也。"如处方仅知药名，不解方义，则或泥成方，或妄加减，必误病家。为学医启蒙计，撰《释方》（1547）4卷，收方800首。取方释义，集药为歌，参历代名医之论，附以己见，旁引曲证，颇为精确。又撰《脉荟》两卷，上卷论二十九脉、三部脉、五脏脉、九候脉等；下卷"脉候钞"，介绍诊脉法、脉诊测预后、妊娠脉、新病久病脉等内容。另著《释药》（一作《释药集韵》）4卷、《医林史传》4卷、《外传》6卷、《拾遗》1卷。以上六书合为《程氏医书六种》。《脉荟》序中还提及所著《涵春堂医案》《拯生诸方》等，未见传世。

程曦 清末医家。字锦雯。新安人。名医雷少逸弟子。尝与雷大震、江诚共编《医家四要》4卷（1884）。

程义廉 清药家。撰有《汉药大观》。今佚。山东《续禹城县志》（1939）著录。

程兆麟 清医家。一名石麟。广西桂平人。父士超，业医。承父学，复参究

《丹溪心法》、张隐庵《伤寒论集注》，旁及陈修园之说，著《医中参考论》6 卷，多发古人之所未发。另著《本草经验质性篇》，书未成而卒，时年 48。

程观澜 清医家。号泽轩。安徽怀宁人。精本草、脉诊。嘉庆（1796—1820）年间瘟疫流行，观澜施药送诊，赖以救活者不下千百人。著有《药性正误》《脉理微言》，均佚。

程龄源 清代人。1911 年编有《本草》，此书乃抄稿本。共录药 365 种，平庸无可称道。今藏中国中医研究院。

程履丰 清药学家。字宅西，号苣田。婺源（今属江西）人。同治间官吏。撰有《本草摘要》一书。出自《婺源县志》（1925）。今上海市图书馆、上海中医学院藏佚名氏同名书，不解是否为程氏所撰。

程履新 明末清初医家。字德基。休宁（今属安徽）人。学医于名医李士材。泛览医书，曾游江苏等地。取常见病证及稳妥效方，参以前贤论说，撰《程氏易简方论》（一作《程氏医方简编》或《易简方论》，1683）6 卷，方便病人检用。另撰《山居本草》6 卷。

傅滋 明医药家。字时泽，号浚川。浙江义乌人。博学谦恭，著《医学集成》（1516）12 卷。李时珍载其撰《药性赋》，今未见。

焦循 清学者（1763—1820）。字理堂（或作里堂），晚号里堂老人。甘泉（今江苏江都）人。嘉庆六年（1801）举人。学识渊博，尤长于易学、算学，亦通医理。尝南游吴越，北及燕齐，常与人论医。辑有《吴氏本草》（1792）1 卷，多取材于《太平御览》等，今存其手校稿本。与名医李炳交厚，李常为焦氏家族治病，遂将其医案撰成《李翁医记》两卷，每一病案均究源穷委，务使阅者能明其理。李氏又授以《辨疫琐言》书稿，后由其子焦廷琥抄录传世。另著有《雕菰楼文集》。

释行智 撰有《诸药异名》，《旧唐书·经籍志》《唐书·艺文志》著录。

鲁永斌 清代人（约 1712—?）。字宪德。浙江山阴（今绍兴）人。年近古稀，留心医学，时取古本草书籍博览之。以前代本草书籍或过简，或过繁，且欠精详，遂集先哲之名言，汇为《法古录》（1780）3 集。此书录《政和本草》《本草纲目》《本草备要》之精义，采药 547 种，列主治应用。然谓"相畏乃以相制，相反乃以相成，先哲曾言此义，虽并用无妨"，故不载相畏、相反。书名"法古"，实堪宜今用。

曾砺 明药家。字石甫。山东阳信人。万历丙戌（1586）进士。撰有《本草补》一书。今佚。出自《阳信县志》（1759）。

湖上桃花渔 见高濂。

滑寿 元医学家。字伯仁，晚号撄宁生。祖籍襄城（今属河南），祖父迁居仪征（今属江苏）。初习儒，工诗文。曾从名医王居中学。精研医经，谓《素问》多错简，因按脏象、经络、脉候、病态、摄生、论治、色脉、针刺、阴阳、标本、运气、荟萃 12 项，类聚经文，集为《读素问钞》3 卷。又撰《难经本义》两卷，订误、疏义。主张精研医经，以掌握医学机要。后学针法于东平高洞阳，尽得其术。内科诊治则多仿李东垣。精于诊而审于方，治愈沉疴痼疾甚众。尝谓"医莫先于脉"，乃撰《诊家枢要》1 卷，类列二十九脉，颇有发挥。又采《素问》《灵枢》之经穴专论，将督、任二经与十二经并论，著成《十四经发挥》3 卷，释名训义。另有《伤寒例钞》（一作《伤寒论钞》）3 卷、《本草发挥》1 卷、《脉诀》1 卷、《医韵》《痔瘘篇》等，均佚。其治疗验案数十则，收入朱右《撄宁生传》。后世有《明堂图》4 幅，题为滑寿撰。明洪武（1368—1398）年间卒，时年 70 余。

寒劲子 见田绵淮。

谢悖 宋医家。政和（1111—1117）年间为翰林医官。编类《圣济经》所点对方书官。政和六年与曹孝忠等同为《证类本草》校勘官，校订而成《政和新修经史证类备用本草》30 卷。

谢佩玉 字清舫，号石禅居士，撰《药物分类择要》（1920）一书，收药 400 余种，按功效分成 14 类。各药内容较全面，简明实用。

谢宗万 当代医家，中国中医研究院研究员。著有《中药材品种论述》一书。

谢海州 当代医家，中国中医研究院研究员。辑有《食疗本草》，由人民卫生出版社刊于 1984 年。

十三画

瑞南道人 见高濂。

靳起蛟 字霖六。明代仁和（今属浙江）人。自宋以来，世代业医。辑有《本草会编》一书。今佚。陈邦贤《中国医学史》误将靳起蛟作宋人。冈西为人《宋以前医籍考》袭其误。今正之。

蒿莱野人 见姚可成。

蒲松龄 字留仙（1640—1715）。别名柳泉居士，世称聊斋先生。山东淄川（今属淄博市）人。文学家。撰有《伤寒药性赋》。此赋即《聊斋》卷 1 中的一篇，集《伤寒论》药物 89 种，编为歌诀。今载于中华书局铅印《蒲松龄集》

（1962）中。

楼护　西汉本草学者。字君卿，齐人。父为世医。护少随父为医长安，出入贵戚家。"护诵医经、本草、方术数十万言，长者咸重之。"楼护后改医从政。

赖宗益　清药家。撰有《本草求真》2 卷。今佚。据《赣县志》载。

甄氏　佚名。撰有《本草》3 卷。今佚。《隋书·经籍志》著录。

甄权　唐初医学家（541—643）。许州扶沟（今属河南）人。因母病与弟甄立言究习方书，遂为名医，精于针术、脉理。隋开皇初为秘书省正字，后称疾免。隋鲁州（今山东）刺史库狄嵚苦风患，手不得引弓，诸医莫能治。为之针"肩髃"一穴，应手而愈。唐武德中绘成明堂图。时深州（今河北深县）刺史成君绰忽患颈肿，喉中闭塞，水粒不下 3 日，针其右手次指之端，如食顷，气息即通，次日饮啖如故。后缙绅之士多抄其明堂图略传天下。贞观（627—649）中入为少府，奉敕修明堂，与承务郎司马德逸、太医令谢季卿、太常丞甄立言等校定经图。贞观十七年（643）唐太宗亲临其家，视其饮食，访以药性，授以朝散大夫，赐寿杖衣服。绘有《明堂人形图》1 卷，撰有《针方》《脉经》《脉诀赋》各 1 卷，《针经钞》3 卷，均佚。其部分内容可见于《备急千金要方》《千金翼方》《外台秘要》等，对后世有一定影响。如孙思邈即据其明堂重新修订其针灸穴图。

甄立言　隋唐间医学家（545—?）。许州扶沟（今属河南）人。武德（618—626）年间累迁太常丞、御史大夫，与兄甄权同以医名于时。长于本草学，又善治寄生虫病。曾治一年 60 余患心腹鼓胀两年者，诊其腹内有虫，当是误食"发"所致，令服雄黄，须臾吐出一蛇，如人手小指，唯无眼，烧之犹有发气，其疾即愈。著有《本草音义》7 卷、《本草药性》3 卷、《古今录验方》50 卷，均佚。部分内容见于《外台秘要》等。甄氏书中最早记载消渴（糖尿病）病人尿甜。

雷公　传说中上古医药学家。相传为黄帝臣。善医，通于九针六十篇。《黄帝内经》中有数篇以黄帝与雷公论医药的题材写成，故有黄帝与雷公论医药而医道兴之说。又说即"雷敩"。撰有《雷公药对》《神农本草》《雷公炮炙论》。

雷敩　南北朝药学家。擅长药物炮制技术，撰有《雷公炮炙论》，为我国第一部炮制专著。今佚。佚文尚可见于《证类本草》。此书收载约 300 种药物的炮制法，已具备水制、火制、水火共制等古代制药基本原则，并包括有蒸、煮、炒、焙、炙、炮、煅、浸、水、飞 10 余种制法，总结了南北朝以前的中药炮制学成果。对中药的制作和临床应用，有开创性的贡献，并为历代医家所采用。

雷大震　清末医家。字福亭。浙江衢县人。祖逸仙，父少逸均有医名。幼承家学。尝与程曦、江诚共取其父平日选读之书及有关医著，分门别类，歌括赋汇，成《医家四要》（1884）4 卷。述脉诀、病机、方歌、药赋，去泛删繁，辞明义显，便于记诵。

虞悰 南北朝南齐官吏（433—499）。字景豫。会稽余姚（今属浙江）人。撰有《食珍录》1 卷。今佚。《南齐书》著录。

虞哲夫 撰有《药名汇考》（1932）。

锡昌 清医家。字选之。号遐龄。蒙古奈曼氏正黄旗人。汉姓项，世居江苏丹徒。善属文，后就武职，授都尉，因无意仕途，旋辞去。一心习医，研究医学 20 年，常自以丸、散、膏、丹诸方，疗治内外诸证，均著效验。著《医学启蒙》《本草择要》，未见传世。子延钊、延桂、延庚，均承家学。

詹瑞方 元代人。著《本草类要》。今佚。《永乐大典》残卷存其佚文。出自明·焦竑《国史经籍志》。

鲍山 明代人。字元则，号在斋，自署香林主人。婺源（今属江西）人。平素饮食，自觉以蔬菜相宜。及阅王西楼《野菜谱》，遂将访采可食野菜种于家圃。万历三十八年（1610）起，读书黄山七载，见僧、道多采植物之根、芽、花、实、茎、叶供食用，因访问品种，亲尝滋味。后得《救荒本草》，又参其书，按时采取，如法调食。谓野菜可"疗病以愈疾，备荒以赈饥"，遂将亲尝备试之 435 种植物绘图记用，纂成《野菜博录》（1622）3 卷，计草部 2 卷、木部 1 卷，各别其性味，详其调制，甚有益于救荒及医药。

解延年 明药家。字世纪。山东栖霞人。正统壬戌（1442）进士。官宦余暇，著有《本草集略》等医书多种。出自《登州府志》（1694）。

源平仲 南北朝人。撰有《灵秀本草图》。今佚。

慎修 清代人。著有《用作盐梅》2 卷。该书为一抄本，浮笺记有"慎修鄙见"。该书记烹调名目及各种菜肴烹调法，似以北京名菜为主。医药内容极少。今藏中国中医研究院。

福寿堂主人 清代人。1908 年编有《药性赋》。本书分药性寒类赋、药性温散赋、药性温补赋，共述药 350 味。今中国中医研究院藏粤东新宁福寿堂铅印本。

缙云先生 为《纂类本草》的作者。

十四画

赫世亨 清代人。清康熙三十九年（1700）任武英殿监造。奉圣祖诏，将弘治本《本草品汇精要》摹造一部。

蔡氏 清代人。撰有《蔡氏药帖》，今佚，按：赵学敏《本草纲目拾遗》"建神曲"下引此书一条，述神曲功效主治。

蔡英 著有《蔡英本草经》4 卷，已佚。出《隋书·经籍志》。或疑即蔡邕。

蔡恭 清代人。撰《药性歌》。今佚。见《上海县志》（1872）。

蔡邕 东汉文学家（132—192）。字伯喈。陈留圉（今河南杞县南）人。博学。《隋书·经籍志》称有《蔡邕本草》7 卷，已佚。因同书又载有蔡英撰《蔡英本草经》4 卷，故《隋书·经籍志考证》疑此书即为《蔡邕本草》，以为"邕"为"英"字之讹。

蔡陆仙 云间（今上海市松江）人。幼习医，博览群书，热心医学普及工作，尝收采中西医著。撰有《民众医药指导丛书》（1935）4 辑 24 种，另有《中国医药汇海》（1936）7 编。

蔡承植 明代人。纂《本草蒙筌撮要》1 卷。未见。出明·殷仲春《医藏目录》。

蔡烈先 清山阴（今浙江绍兴）人。号茧斋。康熙四十五至四十六年（1706—1707）间，曾三游广西，深入云南丽江。因伤足卧床，为方便查找《本草纲目》方剂，费时 3 年（1709—1711），手录 3 遍，始将《本草纲目》中附方辑出，编成《本草万方针线》（1719 年刊）。此书按病索方，实为《本草纲目》方剂索引之滥觞。

蔺复珪 唐代人。显庆（656—660）年间与苏敬等共同编纂《新修本草》。

僧慧昌 据日·丹波元胤云，僧慧昌对《类编图经集注衍义本草》进行了校正。

廖云溪 清医家。中邑（今四川中江）人。少业儒，后改习医。旁搜博览诸家医书，采集而成《医学五则》（1844）。其中《医门初步》系摘胡公淡《医门捷径药性赋》之要而成；《药性简要》则编辑药性歌括 300 首；《汤头歌括》录方歌百首，间附注释；《切总伤寒》录其师汪百川《伤寒四字经》，略加增补；《增补歌诀》采《士材三书》及《医通》之脉论编纂而成。

翟良 明末医学家（1588—1671）。字玉华。益都（今属山东）人。幼患弱疾剧甚，会遇明医，数月得愈，从此刻意方书，穷治冥搜，如是 7 年，遂精于医。凡有病者求治，投药辄效。悯医学之失传，遂上自《素问》《难经》，下迄《明医指掌》《医贯》等籍，博采群书及平素心得，著述纂辑，阐发古人之奥，以启后人。所著有《脉诀汇编说统》（简称《脉诀汇编》）2 卷、《经络汇编》2 卷、《痘科类编释意》（一作《痘科汇编》）3 卷（皆刊于 1628）、《医学启蒙汇编》（1659）6 卷、《本草药性对答》《古方讲意》（后两者已佚）等。子文楠、门人李聚和，继其术。

翟煦 宋医学家。曾任翰林医官。开宝六年（973）奉诏与刘翰、马志等校定《开宝新详定本草》20 卷。

熊煜奎 清医家。字吉臣，号晓轩。湖北武昌人。诸生。因父殁家贫，乃检伯父惺斋所遗医书，勤习 10 余年，渐精医术。有延医者，无分寒暑早晚，必尽心诊治，贫病者或赠药饵。同治十年（1871）获睹戴旭斋《伤寒正解》，赞赏不已。乃仿戴氏之作，于 1871 年辑成《医学源流》4 卷，列"玉函演义""灵素要端""灵素秘旨""金匮典要"诸篇，各卷载医论若干，简明通俗；后又集《方药类编》（1872）4 卷，阐述药性补泻及气味宜忌辨似，按证列举治方，采摘历代医家论药精要。二书合刊为《儒门医宗总略》，分前后两集。又曾刊《卫生便方》（一作《救急良方》），今未见。又编《儒门医宗总略》续集，计有"四诊汇要""寒热条辨合纂""医掌心悟摘录""张氏育婴心法附翼"，未刊行。

缪希雍 明著名医药学家（1546—1627）。字仲淳，或作仲醇，号慕台。东吴海虞（今江苏常熟）人，客居浙江长兴，后徙于江苏金坛终老。幼习儒，因久病不愈，自检方书获痊，遂嗜医药。尝从无锡名医司马铭鞠学，深究医理，尤精于本草。察脉审证谨慎。平日游历所至，常与樵叟村夫交往，搜罗秘方甚富。万历四十一年（1613）丁元荐汇集其 30 余年所积效方及医案，分类编成《先醒斋笔记》。天启二年（1622），应弟子庄继光（字敛之）之请，增益群方，兼采常用药四百余品，详其炮制，又增入伤寒、温病、时疫治法要旨，易名《先醒斋医学广笔记》（简称《医学广笔记》，或名《缪仲醇医案》）4 卷。今单行之《炮炙大法》《缪仲淳先生诸药治例》两书均节自《医学广笔记》。所论多创见，如谓"凡邪气之入，必从口鼻"；论中风多内虚暗风，治当"清热顺气开痰以救其标，次当治本。阴虚则益血，阳虚则补气，气血两虚则气血兼补，久以持之"，后世医家颇受启发。其所立治血三法尤为精当，谓"宜行血不宜止血，宜补血不宜伐肝，宜降气不宜降火"，深得治吐衄要领。又谓《神农本草经》仅言药物功效，不言其所以有效，乃"据经以疏义，缘义以致用"，撰成《神农本草经疏》（1625）30 卷。选药 490 种（大多为《神农本草经》药），阐释药理，详列病忌药忌，并列七方十剂，阐发五脏苦欲补泻，为明代本草注疏药理之先，影响甚广。其医论虽不乏临证心得，然亦有牵强之处，故后世毁誉不一。缪氏用药偏于寒凉，尤擅用石膏。另撰有《本草单方》，多摘自《神农本草经疏》，由庄继光整理，刊于崇祯六年（1633）。弟子甚众，张选卿、李枝（字季虬）、荣之迁、徐雕等，皆有医名。

十五画

德丰氏 清代人。撰有《集验简易良方》。

滕弘 明官吏。号可斋。西瓯（今贵州贵县）人。曾任邵阳（今属湖南）县令。尝谓《神农本草经》能泽益于世，遂于公余辑其要略，致仕后是书不离坐卧，反复易稿，始编成《神农本经会通》（1617）10 卷。

颜宝 清医家。字善夫。江苏江都瓜州人。师从兄星伯习医，后名噪四乡。为"淮扬九仙"之一（九仙指九位名医）行医数十年，医德高尚，重视贫民之病，不图重酬。尝谓读书不成，只害一身，学医不精，害及众人，故终身不轻以医术授人。著有《伤寒荟英》《本草从经》等，未见传世。卒年 80。

颜仁楚 唐代人。显庆（656—660）年间与苏敬等共同编纂《新修本草》。

颜直之 宋代医生（1171—1222）。字方叔。号乐闲居士，长州（今江苏苏州）人。敦厚颖悟，好读书，尤乐以药石治病救人。撰有《疡医方论》《疡医本草》等。

潘凯 明代人。字岂凡，号仲和。吴江（今属江苏）平望镇人。撰有《本草类方》。今佚。《吴江县志》（1747）著录。

十六画

薛己 明著名医学家（1487—1559）。字新甫，号立斋。古吴（今属江苏苏州）人。父薛铠，为太医院医官。幼承家学，尤殚精方书。正德初年（1506）补为太医院院士，九年擢太医院御医，十四年授南京太医院院判。嘉靖九年（1530）以奉政大夫南京太医院院使致仕归里。初为疡医，后以内科驰名，精究内、外、儿、妇、骨伤诸科。主脾胃之说，以为"真精合而人生，是人亦借脾土以生"。其脾胃学说，渊源于李东垣，治疗多以调补脾气为先，善用甘温益中、补土培元之法。注重肾及命门学说，以命门为真阴真阳，而气血阴阳皆其所化。著述宏富，撰有《内科摘要》两卷、《女科撮要》两卷、《外科发挥》8 卷、《外科心法》7 卷、《外科枢要》4 卷、《正体类要》两卷、《口齿类要》1 卷、《疮疡机要》3 卷、《外科经验方》1 卷。校注陈自明《妇人大全良方》24 卷、《外科精要》3 卷，钱乙《小儿药证直诀》3 卷，陈文仲《小儿痘疹方论》1 卷，王纶《明医杂著》6 卷及《保婴全镜录》1 卷。又校勘元明医书 7 种。诸书合称《薛氏医案》，另有《本草约言》，薛己撰。后世学者承其绪者甚众。

默庵 见王介。

醒庵愚人 见石成金。

穆世锡 明医家。纂《食物辑要》8 卷，刊于万历（1573—1619）年间。另有《痧疹辨疑》1 卷，今佚。

凝阳子 见朱本中。

十七画及以上

戴传震 清医家。原名葆钧，号省斋。江苏昆山人。晚年业医，精妇科。治病不计酬报，虽远必往诊。见时医处方喜用药之别名，容易误人，因撰《本草分韵便览》5 卷，今未见。子之翰，亦善医。

戴葆元 清医药学家（1828—1888?）。字心田，一字守愚。婺源（今属江西）人。世业医。20 余岁时弃儒习医。行医 50 余年，术业益精。常寓江西景德镇，就诊者盈门，午后每挨户诊视。平生所学有心得者，则记录成书。医著有《本草纲目易知录》（1886）7 卷。尝谓"读《纲目》而苦其繁，读《备要》而嫌其略。繁则难以记忆，略则隘所见闻"。故于《本草纲目》《本草备要》两书斟酌繁简，分门别类，采摘要义，并附以己验，纂成《万方针线易知录》1 卷，收药 1200 余种。列通治、上、中、下、女科、小儿科、外科 7 部，以证类方，方便临证寻检。

戴思恭 明医学家（1324—1405）。字原礼，一作"元礼"，以字行。婺州浦江（今属浙江）人。少随父垚受学于朱丹溪，在丹溪门人中，原礼医术尤精。洪武（1368—1398）年间征为御医，治效卓著，太祖甚为爱重。建文（1399—1402）年间擢升太医院院使。永乐初（1403）以年老辞归。晚年著《证治要诀》12 卷，以丹溪学说为本，集《内经》《难经》直至宋元诸家学术经验，并参以个人心得而成，论述内科杂病兼及疮疡、妇科、五官科等证治，论述病因，据证辨析，阐明治法和方药，内容简明实用，对后世影响较大。尚有《证治要诀类方》（简称《证治类方》）4 卷，论断能出新意于法度之中，推病源则著奇见于理趣之极，所论皆持之有据。一说以上两书为元·戴复庵（名煟）所撰。另撰有《类证用药》1 卷，已佚。又曾补校丹溪《金匮钩玄》，以体现师徒之学术观点。所遗手稿，推求阐发丹溪未竟之意，为明医家汪机所见，并由其门人校刊，成《推求师意》（1519）两卷。

戴绪安 清医家。字筱轩，一作小轩。安徽凤阳人。习儒精医。为军医 20 余年，供职军内官药局。将平日所录验方辑为《验方汇集》（1884）8 卷，按 13 科分门，各方均注明出处。光绪十九年（1893）常瑾芬（字用臣）又续成 4 卷，更名为《验方新编》或《续刻验方新编》。另辑《注初堂医学举要》（1886）4 卷，内有《五运六气》《脉学》《汤头歌》等篇目（或有将此作书名著录者）。

魏丕承 清官吏，字宪武，号藿村。山东德县（今属陵县）人。康熙四十七年（1708）举人，考授中书。爱好医学，对本草尤有研究。著《训蒙本草》，未见流传。

瞿祐 字宗吉。元代钱塘（今浙江杭州）人。撰有《四时宜忌》一书。

蠡园逸叟 见刘若金。

附录　历代本草著作书名索引

五画

中国本草要籍考